BIOLOGIE HUMAINE

Pierre Dufourd

Une nouvelle approche

erpi ÉDITIONS DU RENOUVEAU PÉDAGOGIQUE INC.
8925, boul. Saint-Laurent, Montréal, Québec H2N 1M5

Pierre Dufourd est enseignant au Collège Français à Montréal.

Couverture: Photo fournie par le Marathon international de Montréal

Dessins scientifiques: Bertrand Lachance

Illustrations de fantaisie: Pierre Berthiaume

Conception graphique et réalisation technique: Le groupe **Flexidée**

Composition typographique: Graphiti barbeau, tremblay inc.

Dépôt légal: 4e trimestre 1984
Bibliothèque nationale du Québec
Bibliothèque nationale du Canada

ISBN 2-7613-0073-X 2406-A3

Remerciements

Nous tenons à remercier toutes les personnes qui ont contribué directement à la réalisation de cet ouvrage, ou qui, par leurs commentaires, ont guidé nos choix. Nous aimerions qu'elles sachent combien nous avons apprécié leur collaboration. Notre reconnaissance s'adresse tout particulièrement aux personnes suivantes :

Maurice Allard, enseignant au séminaire Sainte-Marie à Shawinigan.
Roland Beauregard, enseignant à la commission scolaire régionale Saint-François.
Paul Campana, enseignant au Collège Français.
Réjean Caron, enseignant à la commission scolaire régionale de Chambly.
Marie Paule Courroy Desaulniers, chargée de cours en philosophie de l'éducation et en éducation sexuelle à l'université du Québec à Trois-Rivières.
Yvon Denis, enseignant à la commission scolaire des Manoirs.
Hélène Dufourd, Nam Phuong Huynh Bao, Karl-André Saint-Victor et *Christophe Truffert*, élèves au Collège Français.
Roger Dupuis, enseignant à la commission scolaire Chomedey de Laval.
Gilles Foucault, conseiller pédagogique à la commission des écoles catholiques de Montréal.
Groupe d'enseignant(e)s à la commission scolaire régionale de l'Outaouais.
Gilles Guay, enseignant à la commission scolaire de Drummondville.
J. Robert Lalonde, conseiller pédagogique à la commission des écoles catholiques de Montréal.
Normand Lauzon, enseignant à la commission scolaire Saint-Jérôme.
Jean-Marc Lelièvre, enseignant à la commission scolaire Les Écores.
André Marcoux, enseignant à la commission des écoles catholiques de Québec.
Suzanne Montpetit, enseignante à la commission scolaire Les Écores.
Christian Pairon, enseignant au Collège Français.
Michel Reid, enseignant à la commission scolaire régionale Honoré-Mercier.
Gaston Saint-Hilaire, conseiller pédagogique à la commission scolaire de Châteauguay.
Normand Simard, enseignant à la commission scolaire de Chicoutimi.
Jean-Yves Vallée, enseignant à la commission scolaire régionale de l'Amiante.

Découvre ton nouveau manuel de biologie

Ton manuel de biologie est divisé en 10 chapitres qui couvrent les 3 principaux aspects de la vie humaine, soit **la nutrition** (6 chapitres), **la relation** (2 chapitres) et **la reproduction** (2 chapitres). Feuillette-le pour bien repérer sa structure ; tu constateras que les différentes rubriques se succèdent toujours dans le même ordre et avec la même présentation.

À la fin de ton manuel, tu trouveras :

— Une table de composition des aliments les plus courants ;
— Un exercice d'initiation à l'utilisation du microscope ;
— Un lexique;
— Un index;
— Une bibliographie.

Le chapitre

Chacun des chapitres (1, 2, 3, etc.) est divisé en sections (A, B, C, etc.). Il est introduit par un exercice de mise en situation, suivi d'un dessin qui résume l'idée générale du chapitre. Il se termine par des questions d'évaluation, FAIS LE POINT et un résumé, EN BREF

La section

Chacune des sections comprend :
— Une mise en situation analogue à celle du chapitre ;
— Un texte notionnel ;
— Des exercices d'activités obligatoires, à toi de jouer
— Des exercices d'enrichissement facultatifs, VA PLUS LOIN

Le texte notionnel

Dans chacune des sections, le texte notionnel ainsi que les illustrations te donnent l'information scientifique. Chaque bloc d'information se termine par une ou plusieurs questions identifiées par le symbole et destinées à stimuler une réflexion collective. La rubrique info +, pour sa part, présente l'information d'enrichissement.

Les mots du texte notionnel apparaissant en italique sont définis dans le lexique.

Dans les schémas, les annotations à retenir sont en caractères gras.

à toi de jouer

Dans chaque section, cette rubrique te propose des exercices d'apprentissage qui couvrent systématiquement tous les objectifs obligatoires du programme. Les réponses que tu trouveras constitueront ton rapport d'activités.

VA PLUS LOIN

Dans chaque section, cette rubrique te propose des exercices d'enrichissement facultatifs, réalisables individuellement ou en équipe. Chaque exercice donne lieu à un rapport écrit, court et bien structuré.

FAIS LE POINT

En fin de chapitre, cette rubrique te propose des questions d'évaluation qui couvrent, dans l'ordre, tous les objectifs du chapitre, section par section.

EN BREF

Cette rubrique résume les principaux acquis du chapitre, au moyen de phrases à compléter. Là encore, tous les objectifs du chapitre sont passés en revue dans l'ordre, section par section.

Une question de portée générale (□) met un point final au résumé de chaque section.

Note

Considère que la rubrique **à toi de jouer** représente le cœur de chaque section. C'est elle qui te permettra d'atteindre activement tous les objectifs du programme.

Tu peux entreprendre **à toi de jouer** sans avoir lu à l'avance le texte notionnel. Mais, puisque tu auras à revenir souvent à ce texte, prends quelques minutes pour reconnaître son plan avant de passer aux activités.

Tu as entre les mains un outil de travail qui peut te permettre d'apprendre à ton rythme et de devenir un peu plus autonome dans la vie courante. Prends-en bien soin. Nous espérons que tu auras autant de plaisir à l'utiliser que nous en avons eu à le construire.

Tous nos vœux de réussite t'accompagnent.

Table des matières

À un(e) jeune Homo sapiens

C'est sur toi-même, sur ton corps, que nous t'invitons à te pencher avec curiosité. Sois sûr(e) dès maintenant que, dans ce domaine, nous n'avons rien à te cacher et que nous nous efforcerons de répondre à toutes tes questions.

En tant qu'être vivant, tu as droit à un respect particulier, et pourtant, la science t'analyse avec les mêmes méthodes qui lui permettent de comprendre le monde inerte ; c'est que tu es soumis(e) aux mêmes lois générales que le non-vivant. Tu représentes un système complexe, capable d'un rendement élevé, mais tu es constitué(e) de bases simples qui te font ressembler aux corps inertes.

Par exemple, tu es formé(e) à 96 % de 4 éléments chimiques seulement : l'oxygène, le carbone, l'hydrogène et l'azote. Or, ces éléments forment aussi l'essentiel de ton environnement ; on les trouve en abondance dans l'air, l'eau et les roches.

La place que tu occupes dans l'univers peut te sembler bien modeste. Cependant, lorsque tu découvriras les mécanismes de ton corps, tu seras fier(ère) d'être un humain.

Dans ce livre, nous tâcherons de te faire ressentir la beauté de l'ordre qui règne sur la vie, afin que celle-ci t'inspire encore plus de respect et le désir de mieux la connaître. Tu apprendras pourquoi la santé est ton bien le plus précieux, et comment elle se cultive jour après jour, individuellement et collectivement, par de bonnes habitudes de vie.

Nous espérons t'aider à trouver ta propre voie vers le mieux-être.

As-tu besoin d'un cours de biologie humaine ?

Imagine un extraterrestre débarquant dans ton petit univers. Il aurait au moins 10 bonnes raisons de te classer dans la même catégorie « d'objets » qu'une automobile.

a) Donne une liste de ces raisons.

b) Pourquoi cet extraterrestre ne te classerait-il probablement pas dans la même catégorie « d'objets » qu'un érable ?

c) Dresse une liste de points communs entre un érable et toi.

Ce petit exercice d'introduction t'a permis de te situer par rapport à des éléments de ton environnement. Tu as probablement déjà fait des exercices du même genre dans le cours d'écologie donné en 1re année du secondaire, mais ils concernaient l'espèce humaine. Dans le présent cours, c'est toi qui es le centre d'intérêt.

d) En tant qu'individu, qu'attends-tu d'un cours de biologie humaine ?

e) Dans un cahier, note toutes les questions que tu te poses au sujet de ton corps. Tu devrais être capable d'y répondre avant la fin de l'année scolaire.

Régie de l'assurance maladie du Québec
BERD 561122 316
DENIS BERTRAND
85 12
5612 23 M
L'ASSURANCE MALADIE C'EST BIEN...
... MAIS UNE ASSURANCE DE SANTÉ, CE SERAIT FORMIDABLE!
SUIS-MOI, ON VA S'EN OCCUPER.

Première partie

La nutrition

Qu'est-ce que vivre en bonne santé ?

Vivre, c'est d'abord se maintenir en vie, c'est ensuite profiter de cette situation et essayer d'en tirer des satisfactions, c'est donc aussi vivre sa vie.

Lorsque tu dors profondément, tu te trouves à peu près dans l'état le plus élémentaire de ta vie. Les fonctions vitales qui subsistent alors en toi sont appelées fonctions de nutrition.

a) Énumère des activités qui persistent en toi pendant ton sommeil.

Lorsque tu te réveilles, de nouvelles fonctions entrent en jeu ; elles te permettent de communiquer avec ton environnement : ce sont tes fonctions de relation.

b) Énumère des activités qui se manifestent de nouveau lorsque tu te réveilles.

c) Peux-tu nommer un troisième type de fonction qui caractérise la vie ?

d) La relation peut-elle exister sans la nutrition ? Donne un exemple qui illustre l'influence de la nutrition sur la relation, et un autre qui illustre l'influence de la relation sur la nutrition.

e) Donne une définition de la santé.

f) Te considères-tu en bonne santé ? Qui est le (la) mieux placé(e) pour connaître tes besoins en matière de santé : le médecin, l'assurance-maladie, ou toi-même ? Quand dois-tu t'occuper de ta santé ?

g) Crois-tu qu'il est possible d'améliorer ta santé ? Quels avantages en retirerais-tu ?

h) Note les améliorations dont tu aimerais bénéficier dans le domaine de ta santé.

Chapitre 1

Les entrées : aliments et air

Ta vie et ta santé dépendent-elles de ton environnement ?

a) En 1979, les habitants de Mississauga, en Ontario, durent abandonner précipitamment leur ville pour plusieurs jours. Que s'était-il passé ?

b) Lorsque tu plonges dans une piscine, pendant combien de temps peux-tu demeurer sous l'eau ? Qu'est-ce qui te force à émerger ? Que viens-tu chercher d'urgence en surface ?

c) Si tu sautes le repas de midi, comment te sens-tu en classe au cours de l'après-midi ?

d) Pour faire valoir leur cause, certaines personnes font la grève de la faim. Absorbent-elles malgré tout quelque chose par la bouche ? Combien de temps peuvent-elles survivre dans ces conditions ?

e) Si elles n'absorbaient absolument rien par la bouche, combien de temps pourraient-elles subsister ?

f) Nomme une organisation qui s'occupe du problème de la faim dans le monde.

On appelle entrées toutes les substances de l'environnement qui entrent dans ton corps pour te faire vivre. L'air et les aliments (eau comprise) sont tes entrées.

g) Tu as appris dans ton cours d'écologie à distinguer milieu biotique et milieu abiotique. Quel est le milieu qui fournit l'essentiel des aliments ? l'air ?

h) Nomme deux aliments qui viennent surtout du milieu abiotique.

i) Pourquoi consomme-t-on seulement le fruit de la plante nommée tomate ?

j) Pourquoi ne faut-il pas consommer de pommes de terre vertes ?

k) Les bleuets sont comestibles. Les autres petits fruits semblables le sont-ils également ?

l) Certaines personnes consomment des aliments qui ne se trouvent jamais dans ton menu. Pourquoi n'y goûtes-tu pas ? Donne des exemples.

m) Y a-t-il des qualités d'air à ne pas respirer ? Donne des exemples.

n) Pourquoi la qualité de l'air est-elle contrôlée dans les grandes villes ?

o) Pourquoi les gouvernements ont-ils mis sur pied des services de contrôle de la qualité des aliments ?

p) Note ce que tu aimerais savoir au sujet de l'influence des aliments et de l'air sur ta santé.

Bien manger et bien respirer sont deux clés de la santé.

Tu as débuté dans la vie blotti(e) dans le corps de ta mère ; tu étais alors beaucoup plus petit(e) qu'une bille de stylo. Neuf mois ont suffi pour que ta masse soit multipliée par six milliards, et ta croissance a continué depuis.

Tu te construis à partir de matériaux simples, que tu puises dans ton environnement sous forme d'aliments. Dans quelques années, ton autoconstruction sera terminée ; tu ne grandiras plus, mais tu auras toujours besoin de te nourrir, parce que ton organisme s'use et se répare continuellement.

Sais-tu, par exemple, que les débris de peau humaine constituent l'essentiel des poussières du métro de Montréal ? Toi aussi, tu tombes en poussière, mais ce n'est pas tout ; tu te perds aussi en liquides (urine, sueur) et tu te volatilises sous forme de *vapeur d'eau* et de *dioxyde de carbone*.

Cette perte de matière est liée à une dépense d'énergie, sous forme de chaleur et de mouvement. Pour libérer de l'énergie, tu « brûles » ta propre substance en utilisant l'air que tu respires.

Une automobile fonctionne d'après le même principe que ton organisme : elle utilise ses entrées (essence et air) pour libérer de l'énergie (chaleur et mouvement). Nous pousserons même la comparaison jusqu'à appeler « carburants » certains de nos aliments.

Le rapport entre matière et énergie sera précisé plus loin ; retiens d'abord que tu es un transformateur de l'une et de l'autre.

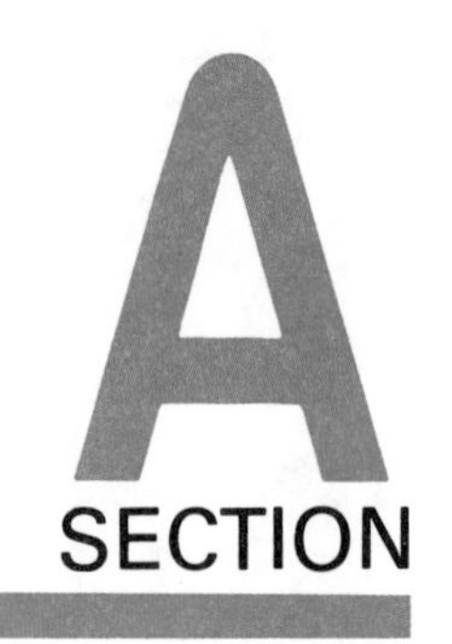

La fonction des aliments

Comment bien choisir tes aliments ?

Une part importante du budget de chaque famille est consacrée à l'alimentation. Est-il possible de bien se nourrir pour pas cher ? Y a-t-il de bons et de mauvais aliments ? Certains aliments sont-ils inutiles ? etc. C'est à toutes ces questions que tu tenteras de répondre en étudiant cette section.

a) À l'épicerie, lorsque l'on te propose plusieurs marques d'un même produit, qu'est-ce qui te décide à choisir ?

b) Élimines-tu d'office certains aliments parce que tu n'y as jamais goûté ? Lesquels ?

c) Explores-tu les rayons inférieurs des étagères ?

d) Prépares-tu une liste avant d'acheter des provisions ?

e) Serais-tu prêt(e) à acheter une margarine blanche plutôt qu'une margarine artificiellement jaune ?

f) Trouves-tu raisonnable de payer pour des aliments n'ayant pratiquement aucune valeur nutritive ? En connais-tu quelques-uns ? Nomme-les.

g) Lorsque tu achètes des pommes, te laisses-tu plus facilement tenter par les grosses pommes rouges ou vertes qui sont en étalage, ou par les petites pommes rouges et vertes qui sont dans des sacs, sous l'étalage ? As-tu déjà goûté les unes et les autres ? Y a-t-il des différences significatives entre elles ?

h) À catégorie égale, crois-tu que le bœuf de l'Ouest soit de bien meilleure qualité que le bœuf de l'Est ?

i) Achètes-tu directement des aliments du producteur agricole ? Lesquels ? Pourquoi ?

j) Dans les limites d'un budget, qu'est-ce qui devrait avant tout te guider dans le choix des aliments pour qu'ils contribuent efficacement à te garder en bonne santé ? Choisis les deux meilleurs facteurs de choix dans la liste ci-dessous.

— Tes besoins nutritifs ;
— Le plaisir de manger ;
— L'apparence des aliments ;
— Le temps dont tu disposes ;
— La publicité ;
— La valeur nutritive des aliments.

k) Note ce que tu aimerais savoir au sujet de la valeur nutritive des principaux aliments courants.

l) Explore la table de composition des aliments courants qui se trouve en annexe, à la fin du manuel. Dresse une liste de leurs composants de base.

Les aliments remplissent trois grandes fonctions.

— « Mange ta soupe, sinon tu ne grandiras pas. »
— « Il est temps de reprendre des forces ; à table ! »

Chacun d'entre nous sait plus ou moins que les aliments sont les matériaux de construction de notre corps ainsi que nos sources d'énergie. Mais si tu poses autour de toi la question : « Pourquoi es-tu obligé(e) de manger ? », tu risques fort de recevoir le plus souvent des réponses du genre :
— « Pour vivre » ;
— « Parce que j'ai faim » ;
— « Pour faire plaisir à ma mère ».

Bien peu te répondront : « Pour rester en bonne santé ». Et pourtant !

1. Une petite incursion préliminaire au royaume de la chimie (de cuisine)

As-tu déjà fait une tarte ? Si oui, tu connais la liste des ingrédients : farine, eau, sel, sucre, corps gras, levure, etc., sans oublier la garniture.

L'eau, le sel, le sucre, par exemple, sont des substances bien définies, appelées *composés chimiques*. Par contre, la farine est un mélange de deux composés chimiques distincts : le *gluten* et l'*amidon*.

Les composés chimiques comestibles s'appellent les *aliments simples*. La plupart des aliments de consommation courante — dont la tarte — sont des mélanges d'aliments simples.

Le gluten, l'amidon, le sucre, fabriqués par des êtres vivants (blé, canne à sucre), sont des *composés organiques*. L'eau et le sel qui existent en dehors de toute vie sont des *composés minéraux*.

La plus petite parcelle d'un composé chimique est sa *molécule*. Les molécules sont des objets si petits, que pratiquement aucun microscope ne permet de les voir ; pourtant, les chimistes connaissent la structure de la plupart d'entre elles. Ce sont des constructions géométriques de pièces liées les unes aux autres : les *atomes*.

Quelques exemples de structures moléculaires

Dans la molécule de sucre ordinaire, 45 atomes de 3 sortes matérialisent 3 *éléments chimiques* : le carbone, l'oxygène et l'hydrogène. La molécule d'eau est plus petite et plus simple que la molécule de sucre ; elle comprend seulement un atome d'oxygène, lié à deux atomes d'hydrogène. Les molécules de gluten et d'amidon sont relativement énormes ; elles comprennent des milliers d'atomes.

L'énergie qui tient ensemble les atomes dans une molécule est l'*énergie chimique*. Celle-ci est libérée lorsque la molécule se brise. Seuls les aliments simples organiques apportent à notre corps de l'énergie chimique dont il peut profiter. Les aliments simples minéraux n'ont aucune valeur énergétique.

Les molécules de notre organisme sont sans cesse détruites et reconstruites ; cependant, leurs atomes sont indestructibles et passent d'une molécule à l'autre. Ils finissent par être rejetés à l'extérieur dans des molécules de *déchets*.

- Connais-tu des substances organiques tirées du sous-sol ? Quelles propriétés ont-elles en commun ? À quoi servent-elles principalement dans notre civilisation ?
- Quel élément chimique représente le noir qui apparaît sur une tranche de pain trop grillée ?

Tableau 1-1.
L'analyse sommaire d'un organisme humain.

Composants	Pourcentages (%)
Composés minéraux	
Eau	70,0
Sels minéraux	3,5
Composés organiques	
Protides (protéines)	18,0
Lipides	8,0 30,0 et plus chez l'obèse
Glucides	0,5

2. Les aliments constructeurs et réparateurs

L'eau et les *protides* sont tes principaux composants. Ton corps se construit et se répare en utilisant comme matériaux l'eau et les protides qu'il trouve dans les aliments.

L'eau. Un auteur a écrit : « On l'achèterait à prix d'or si elle n'était pas si répandue. » De quelle denrée à la fois si précieuse et si banale était-il question ? De celle qui a rendu la vie possible : l'eau.

Tu es fait(e) de 70 % d'eau ; elle imbibe ton corps, elle y circule et s'y renouvelle sans cesse. Tu l'absorbes à l'état pur, sous forme de boissons diverses, et même tes aliments solides en contiennent (le pain, par exemple, renferme 40 % d'eau).

Une personne de constitution moyenne, exerçant une activité physique modérée perd, chaque jour, 2,8 L d'eau en urine, en sueur, en matières fécales, ainsi qu'en air expiré. Cette perte est partiellement compensée par l'eau contenue dans les aliments solides et par celle que l'organisme produit en brûlant ses carburants. Il manque encore de 1,0 à 1,5 L d'eau, qu'il faut absorber sous forme de boissons. Pour ta santé, n'aie pas peur de boire beaucoup d'eau.

- Quel phénomène explique qu'un avion volant à haute altitude produit des traînées blanches ? Dans quelles circonstances produis-tu quelque chose de semblable ?

Les protides. Les protides constituent une grande famille d'aliments simples organiques, qui renferment un élément chimique remarquable : l'azote. Dans les aliments courants, ils se trouvent surtout sous forme de composés à énormes molécules : les *protéines.*

Un repas bien équilibré contient une certaine variété de protéines (végétales et animales, par exemple). La malnutrition dans le monde est d'abord un problème de ressources en protéines de qualité.

À ton âge, les besoins de protides sont relativement plus élevés qu'à l'âge adulte. On les estime au moins à 1 g par kilogramme de masse corporelle et par jour.

- Pour faire croître rapidement le bétail, quel genre d'aliment simple est déterminant dans les moulées et le fourrage dont on le nourrit ?
- Peux-tu nommer un pays où règne la famine ou la malnutrition ?
- Tes ongles et tes cheveux sont faits essentiellement d'une protéine ; ils continueraient à pousser même si tu cessais de t'alimenter. D'où viendraient alors les matériaux nécessaires à leur croissance ?

3. Les aliments producteurs d'énergie (protides, glucides, lipides)

Les protides sont des composés organiques ; ils sont donc combustibles et peuvent servir de carburants à l'organisme. Théoriquement, ils pourraient couvrir tous tes besoins en énergie, mais en pratique, c'est impossible pour des raisons d'hygiène, parce qu'ils coupent l'appétit, et surtout parce qu'ils ne sont jamais les seuls combustibles provenant des aliments courants. D'autres aliments simples organiques sont plus spécifiquement des carburants : il s'agit des *glucides* ou sucres au sens large du terme, et des *lipides* ou corps gras.

Une alimentation saine apporte environ quatre fois plus de glucides que de lipides. À eux seuls, les glucides devraient couvrir de 50 à 60 % de la dépense énergétique ; leur surplus est mis en réserve sous forme de *graisse.* On comprend pourquoi l'abus de sucreries conduit à l'obésité. Les besoins de glucides et de lipides dépendent de l'activité de chacun(e).

- Comment dégraisse-t-on un bouillon ? Quelles propriétés de la graisse met-on à profit dans cette opération ?
- Comment reconnais-tu que tu as du gras sur les doigts (exemple : du beurre) ? Les crèmes dermatologiques d'usage courant (exemple :

la crème Noxzema) sont-elles des corps gras ?

- L'amidon est un glucide important. Sous quel nom l'amidon de maïs est-il commercialisé ? Ce glucide a-t-il une saveur sucrée ?
- Connais-tu un aliment liquide qui ne contient pas d'eau ?

4. Les aliments régulateurs

Les matériaux de construction et les combustibles ne suffisent pas. Il te faut absolument une troisième catégorie d'aliments : les *aliments régulateurs*. Entrent dans cette catégorie les *sels minéraux*, les *vitamines*, la *cellulose* et l'eau.

a) Les sels minéraux

L'eau, les protides, les lipides et les glucides fournissent à l'organisme les 4 éléments chimiques qui forment 96 % de sa masse (carbone, hydrogène, oxygène et azote). D'autres éléments sont essentiels à la vie ; on les nomme minéraux, ou plus communément sels minéraux. Ils n'ont aucune valeur énergétique et ne doivent entrer dans notre alimentation qu'en petite quantité. Ils sont particulièrement importants pendant la croissance. Passons-les rapidement en revue.

Le calcium. Mis en réserve dans les os et les dents, le calcium est libéré selon les besoins et passe par doses infimes dans les liquides du corps. Cet élément est essentiel au fonctionnement des muscles et du système nerveux, ainsi qu'à la coagulation du sang.

Le *Guide alimentaire canadien*, publié par Santé et bien-être social du Canada (1977), recommande un apport de calcium de 800 mg/d[1] pour l'adulte et de 1200 mg pour le jeune de 10 à 17 ans.

Le phosphore. Le phosphore accompagne le calcium dans les os et les dents ; il entre aussi dans la constitution de nombreux composés organiques indispensables à la vie. L'apport de phosphore recommandé quotidiennement est du même ordre que celui de calcium.

Le fer. Plusieurs de nos composés organiques, dont le *pigment* rouge du sang, renferment un peu de fer. Il y a seulement quelques grammes de cet élément dans le corps humain (environ 5 g chez l'adulte) ; bien que le besoin alimentaire de fer soit très faible, il doit être satisfait. Environ 12 mg/d de cet élément devraient normalement te suffire.

Le chlore et le sodium. Le chlore et le sodium, qui forment le sel de cuisine (chlorure de sodium), sont présents dans les liquides du corps et nécessaires à leur équilibre. Nous consommons généralement trop de sel par rapport à nos besoins, ce qui nuit à notre santé.

Les autres minéraux. Le potassium, le soufre, l'iode, le magnésium, le zinc, le cuivre, etc., sont tous des minéraux vitaux que l'on trouve en quantités infiniment petites dans notre organisme.

b) Les vitamines

À une époque où on ignorait tout de la notion de vitamine, les marins, qui se nourrissaient surtout de légumes secs, de biscuits, de viande séchée et de poisson salé, souffraient souvent d'une maladie qui pouvait devenir mortelle. Le récit qui va suivre en témoigne. Il se déroule à Stadaconé (Québec) sur les navires de Jacques Cartier, pendant l'hiver 1535-1536[2].

« Au mois de décembre... commença la maladie autour de nous, d'une merveilleuse[3] sorte et la plus inconnue ; car les uns perdaient la soutenue[4] et leur devenaient les jambes grosses et enflées, et les nerfs[5] retirés et noircis comme charbon, et à aucuns[6] toutes semées de gouttes de sang comme pourpre ; puis montait ladite maladie aux hanches, cuisses, épaules, aux bras et au col. Et à tous venait la bouche si infecte et pourrie par les gencives, que toute la chair en tombait, jusqu'à la racine des dents, lesquelles tombaient presque toutes. »

(...) « En tout, Cartier perdit vingt-cinq hommes qu'on ne put inhumer autrement qu'en les enfouissant sous la neige.

(...) « Puis, vint le miracle. Cartier avait vu l'interprète Domagaya atteint du mal qui lui avait fait perdre quelques dents et affecté les membres. Dix à douze jours plus tard, il revoit l'interprète parfaitement guéri (...) Il se fait conduire par deux femmes près d'un arbre appelé « Annedda » dont l'écorce et les feuilles, pilées et bouillies, se révèlent être merveilleusement efficaces. Deux braves ayant résisté à la méfiance et au dégoût se retrouvèrent sains et guéris après en avoir bu deux ou trois fois (...) Il n'en fallait pas davantage pour populariser l'infusion qui mit un terme aux attaques du scorbut[7] et de quelques maux divers. Ce qui fit dire à Cartier : « Si tous les médecins de Louvain[8] et de Montpellier y eussent été, avec toutes les drogues[9] d'Alexandrie, ils n'en eussent pas tant fait en un an que ledit arbre a fait en huit jours. »

1. d = une journée.

2. « La grosse maladie », *Nos racines*, nº 3, 1979, p. 60.
3. Merveilleuse : étrange.
4. Soutenue : capacité de se tenir debout.
5. Nerfs : confusion avec tendons.
6. Aucuns : certains.
7. Scorbut : maladie décrite dans ce récit.
8. Louvain, Montpellier et Alexandrie : à l'époque, ces villes étaient de célèbres centres du savoir en général et de la médecine en particulier.
9. Drogues : remèdes.

Une étude du chercheur québécois Jacques Rousseau a démontré que le terme iroquois « Annedda » désignait alors le cèdre blanc. On sait aujourd'hui que ce végétal produit une substance antiscorbutique connue de tous sous le nom de vitamine C. De nombreuses autres substances vitaminiques ont été découvertes depuis près d'un siècle. Le tableau 1-2 en donne les principales caractéristiques.

Tableau 1-2.
Les principales vitamines.

	Vitamines	Effets sur l'organisme	Bonnes sources naturelles	Remarques de conservation	Doses quotidiennes pour l'adolescent(e) (mg)
Solubles dans l'eau (hydrosolubles)	B_1 (Thiamine)	Favorise la production d'énergie, la croissance, le bon appétit, le bon fonctionnement du système nerveux.	Porc (foie surtout), légumes secs, céréales, pomme de terre, jaune d'œuf, persil	Se perd dans l'eau de cuisson ; est détruite par le chauffage prolongé.	1,5
	B_2 (Riboflavine)	Produit des effets similaires à la thiamine ; favorise aussi la santé de la peau et des yeux.	Lait, fromage, œuf, foie, saumon, légumes verts, céréales	Résiste à la chaleur, mais elle est détruite par la lumière solaire directe.	1,5
	B_3 (Niacine)	Produit des effets similaires à la thiamine. N.B. : Les vitamines B_1, B_2 et B_3 ne peuvent pas être remplacées l'une par l'autre ; chacune de ces vitamines est indispensable.	Viande (foie surtout), poisson, céréales, tomate, pois, lait, fromage, œuf	Résiste très bien à la chaleur ; se perd dans l'eau de cuisson.	20,0
	C (Acide ascorbique)	Favorise la santé des dents et des gencives ; aide à garder les vaisseaux sanguins en bon état.	Orange, citron, pamplemousse, tomate, melon, fraise, brocoli, chou, pomme de terre, navet	Est la plus fragile des vitamines ; est détruite par la chaleur et le contact de l'air.	30,0
Solubles dans les graisses (liposolubles)	A (Rétinol)	Favorise la croissance, la formation des os et des dents, la santé des yeux et la vision dans la demi-obscurité, la santé de la peau et la reproduction.	Lait entier, fromage gras, beurre, œuf, foie, légumes orange ou vert foncé	Résiste assez bien à la chaleur et au contact de l'air.	3000 unités internationales (environ 1,0 mg)
	D (Calciférol)	Est indispensable à la fixation du calcium et du phosphore dans les os et les dents. Prise en grande quantité, elle peut être dangereuse, particulièrement chez le bébé.	Accompagne la vitamine A dans les graisses animales ; se forme dans notre peau grâce au soleil.	Mêmes remarques de conservation que pour la vitamine A.	2,5

Retenons que les vitamines sont des aliments organiques indispensables, mais à très faibles doses. Les carences (insuffisances) de vitamines entraînent des troubles nommés avitaminoses, qui peuvent aller de la simple déficience à la maladie mortelle (exemple : le scorbut). Les excès de vitamines, beaucoup plus rares, peuvent entraîner des troubles tout aussi graves, nommés hypervitaminoses (l'excès de vitamine D, par exemple, peut entraîner des troubles nerveux). Un bon dosage des vitamines dans ton alimentation constitue un élément essentiel de ta santé. Notons bien que les avitaminoses ou les hypervitaminoses ne sont pas contagieuses.

c) La cellulose

La cellulose est un glucide produit par tous les végétaux. Comme elle est parfaitement indigeste (partiellement transformée par les bactéries intestinales), elle passe en grande partie dans les *matières fécales*. C'est un *aliment de lest* qui facilite la digestion en stimulant mécaniquement les sécrétions et les mouvements de l'intestin.

La cellulose appartient à la catégorie d'aliments que les diététicien(ne)s nomment les *fibres*. Une insuffisance en aliments végétaux fibreux entraîne la paresse intestinale, la constipation, des *fermentations* indésirables et prédispose aux maladies du gros intestin.

d) L'eau

Nous avons déjà classé l'eau parmi les matériaux de construction et de réparation. Nous pouvons tout aussi bien la classer parmi les aliments régulateurs, car toute l'activité chimique de la vie en dépend. En dissolvant toutes sortes de substances, elle facilite leur entrée dans l'organisme ou leur élimination et leur permet aussi de réagir chimiquement entre elles. Tous les échanges et tous les transports de l'organisme passent par l'eau. Elle répartit la chaleur dans le corps et participe au contrôle de la température. Elle est aussi à la fois un *réactif chimique* et un déchet. Décidément, comment pourrait-on se passer d'eau ?

- De quoi sont faites les cendres qui restent après l'incinération d'un être vivant ?
- À quoi servent les pierres à sel (blocs de sels minéraux) que les cultivateurs mettent à la disposition du bétail dans les prés ?
- Pourquoi la vitamine C est-elle encore nommée acide ascorbique ?
- Tu as sous les yeux une matière principalement faite de cellulose. Laquelle ? Sais-tu à partir de quoi on la fabrique ?

Ministère des Communications du Québec

Parmi ces aliments, quels sont les bons constructeurs ? Les fournisseurs d'énergie ? Les régulateurs ?

à toi de jouer

1. NOMMER LES TROIS FONCTIONS PRINCIPALES DES ALIMENTS.

En suivant le plan du texte notionnel, classe les aliments simples en trois grandes familles, d'après leurs fonctions. Présente ta réponse selon le modèle suivant.

Tableau 1-3.
La classification des aliments simples.

Aliments simples	Fonctions
• •	•
• • •	•
• • • •	•

2. ASSOCIER À CHAQUE FONCTION DES METS COURANTS.

A. *Évaluer la teneur en eau de quelques aliments*[10].

Calcule, en pourcentage, la teneur en eau du veau rôti, de la gélatine à saveur de fruits, du cheddar fondu. Tu n'as pas à tenir compte des vitamines et des minéraux. Présente ta réponse selon le modèle suivant.

Tableau 1-4.
La teneur en eau de trois aliments.

Aliments	Teneur en eau (%)
Veau rôti	•
Gélatine à saveur de fruits	•
Cheddar fondu	•

B. *Identifier des aliments courants constructeurs.*

a) Nomme le groupe d'aliments simples organiques qui domine dans les saucisses, les autres viandes, le poisson, les fruits et les légumes. Présente ta réponse selon le modèle suivant.

Tableau 1-5.
Les aliments simples organiques dominants de cinq types d'aliments courants.

Aliments courants	Aliments simples organiques dominants
Saucisses	•
Autres viandes	•
Poissons	•
Fruits	•
Légumes	•

b) La table de composition des aliments classe les aliments courants en six grandes familles. Nomme les deux meilleures familles d'aliments courants constructeurs.

c) Compare le cheddar fondu et le rôti de bœuf en tant qu'aliments courants constructeurs.

C. *Reconnaître un ensemble important d'aliments courants énergétiques.*

Nomme 10 aliments courants à base de farine. Quel groupe d'aliments simples domine chez eux ?

D. *Identifier de bonnes sources de vitamine A.*

Examine les compositions du lait entier et du lait partiellement écrémé et réponds aux questions suivantes.

a) Quels aliments énergétiques sont contenus dans la crème du lait ?

b) Quelle vitamine retire-t-on du lait entier quand on lui enlève de la crème ? Dans quel corps gras dérivé du lait la trouve-t-on en abondance ? Est-elle liposoluble ou hydrosoluble ?

c) Est-il nécessaire de consommer des aliments gras pour se procurer de la vitamine A ? Nomme le légume dont la portion est la plus riche en vitamine A.

10. La plupart des activités relatives aux aliments nécessitent la consultation du dépliant *Mangez mieux* ou de sa transcription (Voir l'annexe, à la page 405).

d) Combien de carottes faut-il manger pour s'assurer d'un apport quotidien suffisant en vitamine A ?

Le pigment orange de la carotte, nommé carotène, se transforme en vitamine A dans notre organisme. On le trouve en abondance dans de nombreux fruits et légumes.

e) On dit que la carotte est « bonne pour la vue ». Explique pourquoi.

f) Calcule la quantité approximative de vitamine A dont une personne a besoin en 70 ans de vie (admettons que le besoin de 1 mg/d ne varie pas). Qu'y a-t-il d'étonnant dans cette quantité ?

E. *Identifier des aliments courants régulateurs.*

a) Nomme les deux grandes catégories d'aliments de consommation courante relativement riches en vitamine C.

b) Nomme le seul type de viande qui contient une quantité appréciable de vitamine C.

c) Quelle vitamine est présente dans la plupart des aliments ?

d) Nomme les trois aliments courants végétaux dont les portions sont les plus riches en calcium, ainsi que les trois aliments courants animaux présentant la même caractéristique.

e) Théoriquement, quel légume aurait été le plus apte à guérir les malheureux scorbutiques de l'équipage de Jacques Cartier ?

f) Nomme le type de viande le plus riche en fer et en vitamine A.

VA PLUS LOIN

1. Enquête sur la composition des céréales préparées

a) Relève, dans une épicerie, la composition en protides (protéines), en lipides, en glucides, inscrite sur l'emballage d'une dizaine de produits. Repère bien à chaque fois la masse de l'échantillon de référence.

b) Pour chaque produit, calcule les pourcentages de protides, de lipides, de glucides, en négligeant les autres éléments.

c) Classe les produits en allant du plus riche au plus pauvre en protides. Présente ton rapport titré, sous forme d'une série de diagrammes en rubans bien alignés et construits selon le modèle ci-dessous. Colorie chaque rectangle et indique à l'intérieur le pourcentage du type d'aliments qu'il représente.

EXEMPLE : croque-nature

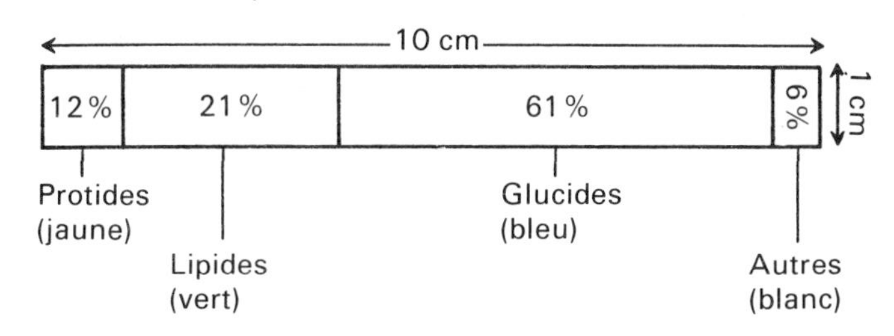

2. Enquête sur les vitamines et les minéraux identifiés dans des aliments courants

Relève, sur les emballages de différents aliments, les noms de vitamines et de minéraux qui y figurent. Présente ton rapport comme ci-dessous.

Tableau 1-6.
Les vitamines et les minéraux de quelques aliments courants.

Aliments	Vitamines	Minéraux
Ex. : beurre	D	—

3. Enquête sur les fruits et les légumes du commerce

À un comptoir de fruits et de légumes, fais l'inventaire des produits offerts et repère bien leur origine, généralement indiquée sur l'étiquette. Classe-les en trois catégories : ceux du Québec, ceux des autres provinces canadiennes (préciser la province), ceux d'autres pays (préciser le pays).

Les besoins alimentaires

De bons aliments, en quelles quantités ?

Tout le monde a besoin des mêmes qualités d'aliments ; par contre, les besoins en quantités sont très variables d'une personne à l'autre.

a) Illustre, par des exemples, la diversité des besoins alimentaires quantitatifs d'une personne à une autre.

b) Parmi les facteurs énumérés ci-dessous, identifie celui qui devrait influencer le plus la quantité d'aliments consommés. Justifie ton choix.
— L'activité physique ;
— L'âge ;
— Le sexe.

c) As-tu l'impression de manger selon tes besoins ? Comment pourrais-tu t'apercevoir que tu manges trop ? pas assez ?

d) Quel facteur pourrait changer tes besoins alimentaires quotidiens ?

e) Y a-t-il un lien entre de la matière et de l'énergie ? Comment peut-on facilement vérifier l'existence de ce lien dans une maison chauffée à l'huile ?

Une fournaise à huile est un transformateur de matière et d'énergie.

f) Où s'en va la matière qui résulte de la transformation de l'huile dans la fournaise ? Sous quelle forme ? Où s'en va l'énergie ? Sous quelle forme ?

g) Y a-t-il un lien entre ta masse corporelle et la chaleur que tu produis ? Comment pourrais-tu le vérifier ?

h) Manger, c'est un peu faire le plein de combustible pour le corps. Qu'arrive-t-il si le combustible arrive plus vite qu'il n'est consommé ? Es-tu intéressé(e) à te surcharger de combustible ? à en manquer ?

i) Si tu savais calculer la quantité de combustible dont tu as besoin jour après jour, quels avantages pourrais-tu en tirer ?

j) Note ce que tu aimerais savoir au sujet des quantités d'aliments dont tu as besoin.

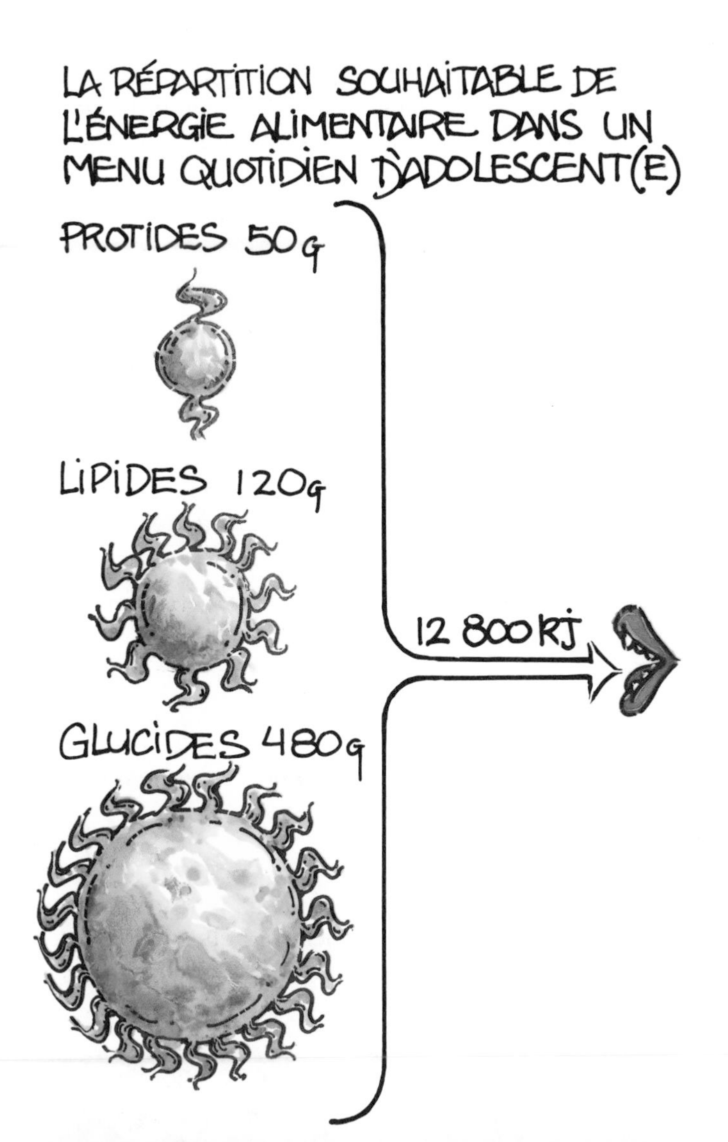

L'essentiel de l'énergie alimentaire doit venir des glucides.

En présentant les principaux groupes d'aliments simples dans la section A, nous avons indiqué en quelles quantités ils sont nécessaires. Mais, rappelle-toi, la question des besoins en aliments-carburants essentiels, tels que les glucides et les lipides, est restée en suspens... C'est qu'ils dépendent de chaque personne. Si tu mènes une vie active, si tu te dépenses physiquement, tu es dans la même situation qu'une automobile qui roule beaucoup et qui passe souvent au distributeur d'essence. Ta consommation de carburants est élevée ; tu es donc contraint(e) de les renouveler à un rythme accéléré. Inversement, si tu te reposes, tu ménages tes réserves et tes besoins en carburants sont moindres.

1. La notion de dépense énergétique

Tous les aliments simples organiques sont utilisables comme carburants. Leur énergie chimique peut être transformée, puis dépensée par ton organisme en chaleur et en travail. Par convention, on donnait traditionnellement en Calories les quantités d'énergie mises en jeu dans les aliments et l'organisme. Mais aujourd'hui, pour des raisons de normalisation, il faut les exprimer en *kilojoules* (kJ). Ton manuel de physique te donnera en temps et lieu la définition exacte du joule ; retiens pour l'instant que 1 Calorie = 4,18 kJ.

À titre d'exemple, imaginons que tu pèses 55 kg et que tu décides de dépenser 1 kJ ; cette quantité d'énergie pourrait te permettre de réaliser l'une des activités suivantes pendant la durée indiquée.

Tableau 1-7.
Quelques exemples de travaux possibles avec 1 kJ.

Activités	Durées
Nager ou courir	2 s
Faire de la bicyclette	3 s
Marcher	8 s
Balayer	11 s
Conduire une automobile	18 s
S'habiller	22 s
Se tenir debout	28 s
Écrire	37 s
Penser	1 d

Nous verrons plus loin comment on mesure la dépense énergétique d'un individu. Chez l'adolescent(e) qui fréquente l'école, on estime qu'elle est en moyenne de l'ordre de 12 800 kJ/d. Si tu es dans la moyenne, il te faut donc un apport quotidien de 12 800 kJ d'énergie chimique alimentaire.

- Tous les élèves de la classe ont-ils besoin de 12 800 kJ d'énergie alimentaire par jour ? Pourquoi ?

2. La valeur énergétique des aliments

Les données qui vont suivre permettent de calculer la quantité d'énergie apportée par n'importe quel menu, d'après sa composition en aliments simples.

Les glucides, les protides et les lipides ont une valeur énergétique spécifique. Définissons cette notion.

En brûlant, 1 g de sucre dégage une quantité de chaleur équivalente à 16 kJ. L'organisme peut tirer, de 1 g de sucre qu'il utilise comme combustible, la même quantité d'énergie, soit 16 kJ. On dit que la valeur énergétique du sucre (et des glucides en général) est de 16 kJ/g.

Dans l'organisme, la valeur énergétique des protides est la même que celle des glucides, soit 16 kJ/g, tandis que celle des lipides s'élève à 36 kJ/g.

- Les animaux accumulent des réserves d'énergie sous forme de graisse plutôt que de sucre. Quel en est l'avantage ?

3. Quelques conseils pratiques pour une alimentation saine

Comment adapter les principes théoriques de nutrition à l'alimentation de tous les jours ? C'est finalement assez simple. Il faut d'abord rechercher la variété ; tu peux sans doute l'améliorer en consommant davantage de fruits, de légumes et de poissons. Sois curieux(se), ouvre-toi aux expériences gastronomiques, fais confiance aux traditions alimentaires des autres peuples ; beaucoup de mets exotiques méritent d'être découverts, pour notre plus grand plaisir.

Évite autant que possible les aliments préparés qu'on trouve dans le commerce ; ils sont relativement chers et contiennent généralement des additifs controversés (colorants, agents de conservation, etc.). Essaie de consommer des aliments bruts. Pense qu'une portion de pommes de terre cuites à la vapeur coûte environ huit fois moins cher qu'une portion de croustilles ; souviens-toi que le vrai jus d'orange congelé n'est guère plus coûteux que les boissons chimiques à saveur d'orange et que les produits laitiers demeurent des valeurs sûres à prix raisonnable.

N'achète pas un aliment d'après son apparence seulement ; celle-ci est trop souvent artificielle. Méfie-toi des confitures trop rouges ou du pain trop blanc. Souvent, on écarte certains aliments à cause de leur apparence. Pourtant, il y a d'excellents sirops d'érable qui n'ont pas la cote « A » et de délicieux miels qui ne sont ni liquides ni blancs comme de l'eau. Dans ce domaine, l'absence de couleur va souvent de pair avec la pauvreté de saveur.

Dis-toi bien que d'énormes intérêts économiques s'affrontent dans le secteur agro-alimentaire, et que les besoins des consommateurs(trices) ne sont pas toujours prioritaires dans le débat. Tel aliment, recommandé aujourd'hui pour la santé par un rapport scientifique, sera probablement critiqué demain par un autre rapport non moins scientifique.

Apprends à cuisiner avec un minimum de gras et de sel ; initie-toi à l'usage des aromates et autres fines herbes.

Souviens-toi qu'il n'y a pas d'aliment miracle — naturel ou en pilules — ni de régime amaigrissant à la fois facile, efficace et inoffensif. Rappelle-toi également qu'une petite marche après le repas du soir restera toujours un bon moyen de bien digérer et de bien dormir. Mange lentement, apprends à déguster, et reste un peu sur ta faim.

L'art de vivre commence par l'art de bien manger. Et puisqu'on est un peu ce qu'on mange, surveille de près ce qui va devenir « toi ».

« L'acte d'acheter est assimilable à un vote permanent, une sorte de référendum, un sondage quotidien essentiel aux industriels qui préparent et vendent ce que nous consommons tous les jours [11]. »

- Quels sont les deux principaux corps gras qui s'affrontent dans les messages publicitaires ? Quels intérêts économiques les soutiennent respectivement ?

Rolland Renaud

À part les fruits, quels aliments auraient leur place dans une collation ?

11. Stella et Joël de Rosnay, *La malbouffe*, Paris, Seuil, 1981, p. 116.

à toi de jouer

1. ÉVALUER LES BESOINS ALIMENTAIRES QUANTITATIFS DE L'ADOLESCENT(E).

A. *Associer lipides et énergie.*

Pour quelle raison la valeur énergétique de la pomme de terre frite est-elle presque le double de celle de la pomme de terre bouillie ?

B. *Appliquer à un exemple concret la notion de valeur énergétique des aliments.*

Les 630 kJ d'une bouteille de bière sont-ils justifiés par les 14 g de glucides et l'unique gramme de protides qu'elle contient ? Calcule la quantité d'énergie liée à l'alcool d'une bouteille de bière.

C. *Apprendre à composer une ration alimentaire équilibrée.*

Supposons que tu pèses 50 kg et que ta dépense énergétique s'élève à 12 800 kJ/d.

a) Combien de pots de yogourt nature de 200 g seraient nécessaires pour couvrir ta dépense énergétique quotidienne ? Quelle quantité de protéines absorberais-tu ainsi ? Compare cette quantité à celle que tu devrais absorber qutidiennement (environ 1 g de protéines par kilogramme de masse corporelle).

b) Combien de pots de yogourt suffiraient à t'apporter la quantité recommandée de protéines ? Quelle serait alors la valeur énergétique de la nourriture absorbée ?

c) Combien de cuillerées de miel seraient nécessaires pour compléter ton apport énergétique quotidien ?

d) Combien de cuillerées de beurre remplaceraient éventuellement le miel ?

e) Quelle quantité de vitamine C aurais-tu absorbée après avoir mangé cinq pots de yogourt de 200 g ? Quelle quantité de pamplemousse à chair blanche suffirait largement à faire l'appoint de vitamine C ?

f) En supposant que tu perdes quotidiennement 2,8 L d'eau, et que, dans les aliments mentionnés plus haut, seul le yogourt en contienne, quelle quantité d'eau te faudrait-il boire en plus (on ne tient pas compte ici de la production d'eau par l'organisme) ?

D. *Relever une fausse équivalence alimentaire.*

« Une banane vaut un steak », dit-on couramment.

a) Compare la valeur alimentaire d'une banane à celle d'un bifteck de ronde grillé et maigre de 100 g. Tiens compte de la valeur énergétique et de la teneur en protides, en glucides et en lipides.

b) Que penses-tu maintenant de l'affirmation citée plus haut ?

E. *Reconnaître la relation qui existe entre les variations de la masse corporelle et la valeur énergétique de la ration alimentaire.*

Peut-on maigrir en ne mangeant que des œufs cuits durs ? En supposant que tu désires perdre 5 kg et que tu dépenses 12 000 kJ/d :

a) combien d'œufs bouillis devrais-tu manger chaque jour pour obtenir 60 g de protides, c'est-à-dire largement le nécessaire pour l'entretien de ta matière vivante ?

b) quelle serait la valeur de ton amaigrissement quotidien, si tu n'absorbais, pour toute nourriture solide, que la quantité d'œufs que tu viens de calculer, tout en buvant de l'eau à volonté ? Pour le calcul, tu admettras que seules tes réserves de graisse fournissent l'énergie manquante.

Un tel régime serait effectivement amaigrissant mais dangereux. Il représenterait un changement trop brutal par rapport à une alimentation normale et serait d'autre part déséquilibré.

c) Explique ce dernier point.

d) Quelle est la seule voie raisonnable pour maigrir sans réduire sa ration alimentaire ?

2. ÉLABORER UN MENU D'UNE JOURNÉE CONFORME AUX BESOINS ÉNERGÉTIQUES D'UN(E) ADOLESCENT(E).

Tu es presque sûr(e) d'absorber en quantité suffisante tous les éléments nutritifs de base dont tu as besoin si ton menu quotidien respecte au moins les normes suivantes.

- *Viande, poisson, volaille, œuf : deux portions ;*
- *Lait et produits laitiers : quatre portions ;*
- *Fruits et légumes : cinq portions ;*
- *Pain et céréales : cinq portions.*

a) Compose un menu de base conforme à ces normes en n'utilisant qu'une seule portion de chaque aliment choisi. Reporte-toi à la table de composition des aliments en annexe pour savoir à quelle quantité et à quelle valeur énergétique correspond une portion. Présente ton menu comme ci-dessous.

Tableau 1-8.
Mon menu de base.

Catégories d'aliments	Aliments choisis	Quantité par portion	Valeur énergétique par portion (kJ)
Viande, poisson, volaille, œuf	Ex. : cuisse de poulet	100 g	990

Total$_1$: kJ

b) Un tel menu est-il conforme à tes besoins énergétiques ?

c) Complète-le avec les aliments et les boissons que tu voudras, de façon que la valeur énergétique du grand total se situe entre 12 500 et 13 000 kJ. N'abuse pas des graisses. Tu peux utiliser plusieurs portions de chaque aliment. Présente ton menu comme ci-dessous.

Tableau 1-9.
Le complément énergétique de mon menu.

Aliments	Quantité par portion	Nombre de portions	Valeur énergétique (kJ)
Ex. : pommes de terre frites	10 morceaux	2	1 300

Total$_2$ kJ
(À reporter) + Total$_1$ kJ
Valeur énergétique totale de mon menu : kJ

d) Comment un pèse-personne peut-il t'aider à savoir si la valeur énergétique de tes menus quotidiens est convenable ?

VA PLUS LOIN

1. La valeur énergétique d'un aliment calculée d'après les données théoriques

Examine l'emballage d'une céréale préparée et relève la composition et la valeur énergétique indiquées. Calcule ensuite cette valeur énergétique d'après les données du cours. Compare ton résultat à la valeur indiquée.

2. La planification des achats d'aliments pour une famille de quatre personnes

En supposant que les quatre personnes d'une famille ont les mêmes besoins que toi, planifie les achats alimentaires de cette famille pour une semaine.

a) Traite séparément les cinq catégories d'aliments suivants.
- Viande, poisson, volaille, œuf ;
- Lait et produits laitiers ;
- Fruits et légumes ;
- Pain et céréales ;
- Autres aliments et boissons.

b) Présente tes tableaux comme ci-dessous.

Tableau 1-10.
Un exemple d'achats hebdomadaires d'aliments par une famille de quatre personnes.

Aliments	Quantité	Nombre de portions	Prix approximatif ($)
Ex. : rôti de porc	800 g	8	6
Ex. : œuf	24	24	3

Total : $

Les composants de l'air

Qu'est-ce que tu puises dans l'air, et pourquoi ?

a) Y a-t-il un lien entre la quantité d'air qui pénètre dans ton corps et la quantité d'énergie que tu dépenses ? Donne un exemple.

b) Comment contrôle-t-on la combustion dans un poêle à bois ? Y a-t-il un lien entre la quantité d'air qui pénètre dans le poêle et la quantité d'énergie qui est libérée par la combustion du bois ? Explique.

c) Quels sont les combustibles de ton corps ?

d) On comprime de l'oxygène pur dans des bouteilles d'acier. À quoi sert-il dans un atelier de soudure ? dans un hôpital ?

e) Quel rôle l'oxygène de l'air joue-t-il dans ton corps ? Formule une hypothèse à ce sujet.

La combustion d'un litre de produit pétrolier (essence, huile à chauffage, kérosène, etc.) consomme environ 3 kg d'oxygène. Imagine les millions de tonnes d'oxygène qui sont consommées chaque jour par notre civilisation industrielle. Heureusement, les végétaux verts renouvellent continuellement cet élément précieux.

f) Explique comment un événement lointain, comme le défrichage de la forêt amazonienne, pourrait un jour te toucher directement. Vois-tu d'autres détériorations de l'environnement qui pourraient avoir les mêmes effets ? Peux-tu faire quelque chose pour remédier à cette situation ?

L'oxygène réagit avec le carburant ; il en résulte un dégagement d'énergie et une production de déchets.

L'air est notre élément naturel ; notre organisme, étroitement adapté à vivre avec cet élément, se trouve en difficulté lorsqu'il en manque. Les plongeurs(euses), les alpinistes, les sous-mariniers, les aviateurs(trices) emportent une provision d'air ou un mélange gazeux qui en tient lieu. On peut se passer de boire ou de manger quelque temps, mais un manque d'air nous est presque immédiatement fatal. Notre organisme n'a pas la capacité de mettre l'air en réserve, comme il le fait pour les aliments.

1. L'analyse de l'air

L'air est un mélange très complexe, surtout dans nos villes où de nombreux polluants le contaminent. Dans nos évaluations, nous négligerons ces impuretés, de même que la vapeur d'eau, qui est un composant normal de l'air, en proportions très variables. Deux gaz seulement, l'azote et l'oxygène, forment 99% du volume de l'air sec. Le dernier centième est un mélange d'au moins huit autres gaz, dont le plus intéressant pour les êtres vivants est le dioxyde de carbone (alias bioxyde de carbone, gaz carbonique et anhydride carbonique), dont la formule s'écrit CO_2.

- Connais-tu des êtres vivants friands de dioxyde de carbone ?

2. La fonction de l'oxygène

Tu ne puises dans l'air qu'un seul gaz : l'oxygène. Nous verrons plus loin que celui-ci pénètre dans les moindres recoins de ton corps, pour y entretenir une fonction de nutrition que l'on identifie couramment à la vie elle-même : la *respiration*.

La flamme qui symbolise la vie est plus qu'une simple image poétique. Elle rappelle que la respiration et la combustion sont deux phénomènes dont les manifestations sont les mêmes : consommation d'oxygène et de combustible, dégagement de déchets et d'énergie (chaleur, notamment).

- En 1967, trois cosmonautes américains ont péri dans une capsule Apollo. Sais-tu quel genre d'accident s'est produit, et quelle en fut la cause ?
- Il existe en France une grotte où les chiens meurent asphyxiés, mais que les humains visitent sans problème, une bougie à la main. Cependant, la bougie s'éteint si on l'abaisse près du sol. As-tu une idée du phénomène qui est à l'origine de tous ces faits ?

à toi de jouer

1. NOMMER LES TROIS PRINCIPAUX COMPOSANTS DE L'AIR ET LEURS PROPORTIONS.

Tableau 1-11.
Les principaux composants de l'air pur normal.

Composants	Proportions
• • •	• • •

a) Reproduis le tableau ci-dessus et complète-le d'abord en indiquant les noms des principaux composants de l'air.

b) Passe à l'objectif 2, et reporte au tableau les proportions de ces composants.

2. DÉTERMINER EXPÉRIMENTALEMENT LA PROPORTION D'OXYGÈNE DANS L'AIR.

Matériel: 1 tube à essai, 1 pince à tube, 1 règle graduée, 1 bécher de 1000 cm^3, 1 doigt de caoutchouc, eau, potasse en pastilles, pyrogallol, papier-filtre.

A. *Sur une cuve à eau, mesurer un volume d'air dans un tube.*

— Emplis d'eau le bécher, jusqu'à 4 cm du bord environ;
— Fixe la pince au milieu du tube;
— Introduis un peu d'eau dans le tube (3 cm environ);
— Bouche le tube avec ton pouce revêtu du doigt de caoutchouc;
— Retourne le tube, toujours hermétiquement bouché, dans l'eau du bécher; retire le pouce seulement lorsqu'il est bien immergé;
— Tiens le tube avec la pince et fais coïncider le niveau d'eau du tube avec celui du bécher.

Figure 1-1.
Comment mesurer une hauteur de gaz dans un tube.

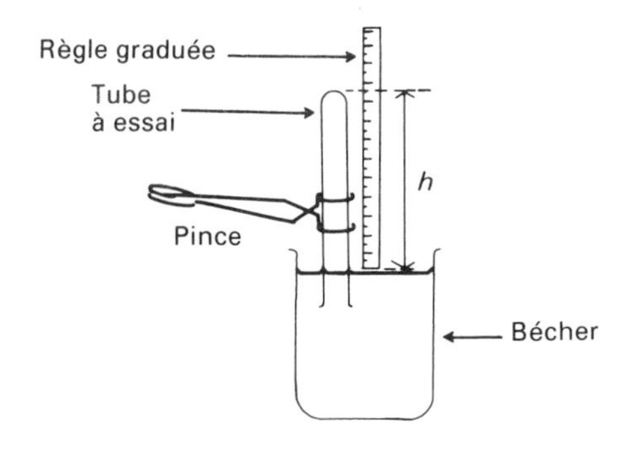

— En t'inspirant de l'illustration ci-dessous, mesure la hauteur (h_1) de la colonne d'air dans le tube; cette hauteur est proportionnelle au volume;
— Note sur ta feuille de rapport la valeur de h_1.

B. *Vérifier l'effet de la potasse sur l'air.*

— Bouche de nouveau le tube avec le pouce et retourne-le;
— Introduis deux pastilles de potasse dans le tube, puis rebouche-le rapidement;
— Agite un peu jusqu'à dissolution;
— À l'aide du bécher, mesure la hauteur (h_2) de l'air dans le tube.

a) Note la valeur de h_2. Compare h_1 et h_2.

La potasse a la propriété d'absorber le dioxyde de carbone; il ne devrait donc plus rester de ce gaz dans l'air du tube.

b) Évalue la proportion de dioxyde de carbone dans l'air. Est-elle importante, faible ou négligeable?

C. *Apprécier les effets combinés de la potasse et du pyrogallol sur l'air.*

— Prépare une petite boulette de papier remplie de pyrogallol;
— Bouche le tube sous l'eau et retourne-le;
— Introduis quatre pastilles de potasse, puis la boulette dans le tube, et rebouche celui-ci rapidement;
— Agite bien, la solution devrait devenir noire;
— Mesure la hauteur (h_3) du gaz dans le tube.

a) Note la valeur de h_3.

Le pyrogallol, en présence de potasse, absorbe l'oxygène.

b) Calcule, à partir des valeurs mesurées, la teneur (en pourcentage) de l'air en oxygène, d'après la formule suivante:

$$0_2(\%) = \frac{(h_2 - h_3) \times 100}{h_1}$$

c) Identifie le principal gaz demeuré tel quel dans le tube. Détermine le taux approximatif de ce gaz dans l'air.

3. DÉTERMINER EXPÉRIMENTALEMENT LE RÔLE DE L'OXYGÈNE DANS LA COMBUSTION.

Matériel: 1 ballon de 1000 cm^3 avec bouchon, 1 erlenmeyer de 500 cm^3 empli d'oxygène, eau, eau de chaux, allumettes, petit fil de fer, 1 bougie de gâteau d'anniversaire.

— Enroule le fil de fer autour de la bougie et allume-la.

Figure 1-2.

Comment faire brûler une bougie dans un ballon.

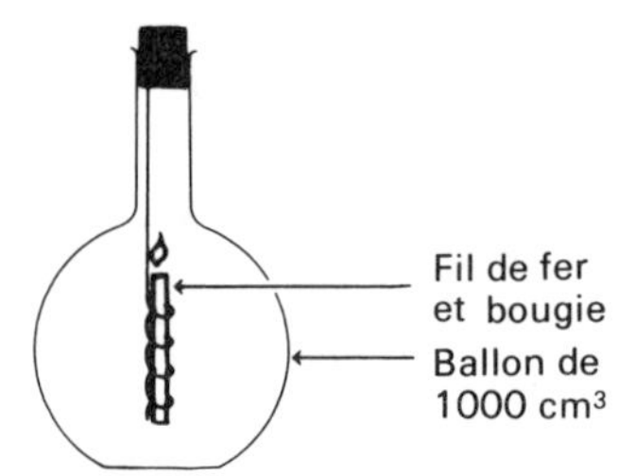

— Introduis la bougie allumée dans le ballon ; recourbe le fil de fer pour l'accrocher au bord de l'ouverture; mets le bouchon en place, sans trop l'enfoncer.

a) Note tout ce que tu observes.

— Enlève le bouchon et la bougie, puis verse un peu d'eau de chaux limpide dans le ballon ; agite légèrement.

b) Note le changement qui s'est produit dans l'aspect de l'eau de chaux.

L'eau de chaux réagit avec le dioxyde de carbone pour former des particules solides de calcaire qui changent l'aspect du liquide.

c) Quel gaz produit par la combustion de la bougie vient d'être mis en évidence par l'eau de chaux?

d) Quel autre gaz produit par la combustion de la bougie s'est transformé en buée?

— Rallume la bougie, toujours fixée au fil de fer, puis souffle-la pour obtenir un point d'incandescence (point rouge);

— Introduis rapidement la bougie dans l'erlenmeyer empli d'oxygène.

e) Note ce qui se produit.

f) Le gaz contenu dans le flacon s'est-il enflammé? L'oxygène est-il combustible?

g) Recopie et complète l'équation de combustion de la bougie.

Bougie + ? ⟶ ? + ? + **énergie (chaleur et lumière)**

4. DÉMONTRER QUE L'OXYGÈNE ENTRETIENT UNE COMBUSTION DANS L'ORGANISME.

A. *Mettre en évidence ton dégagement de dioxyde de carbone.*

Matériel : 1 flacon de 500 cm³ avec bouchon à 2 trous, 2 tubes de verre coudés, eau de chaux.

— Réalise le montage suivant.

Figure 1-3.

Le montage pour détecter la présence de dioxyde de carbone dans l'air.

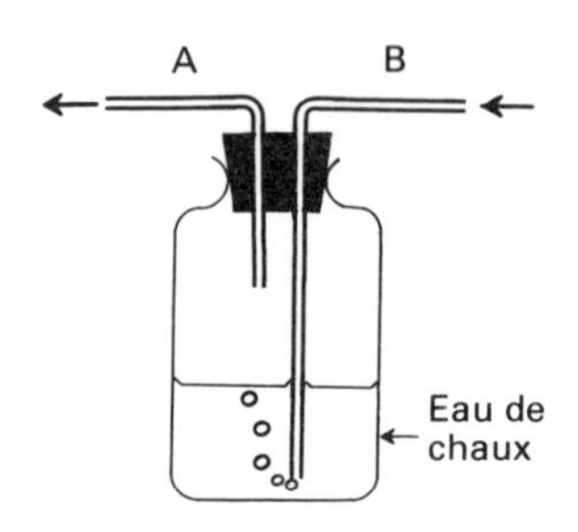

— Aspire 10 fois par le tube A.

a) Note l'aspect de l'eau de chaux.

— Souffle 10 fois dans le tube B.

b) Note l'aspect de l'eau de chaux.

c) Explique la différence observée.

B. *Mettre en évidence tes dégagements de vapeur d'eau et de chaleur.*

Matériel : 1 flacon de 500 cm³ avec bouchon à 3 trous ; 2 tubes de verre coudés ; 1 thermomètre.

— Réalise le montage suivant.

Figure 1-4.

Le montage pour mettre en évidence deux propriétés de l'air.

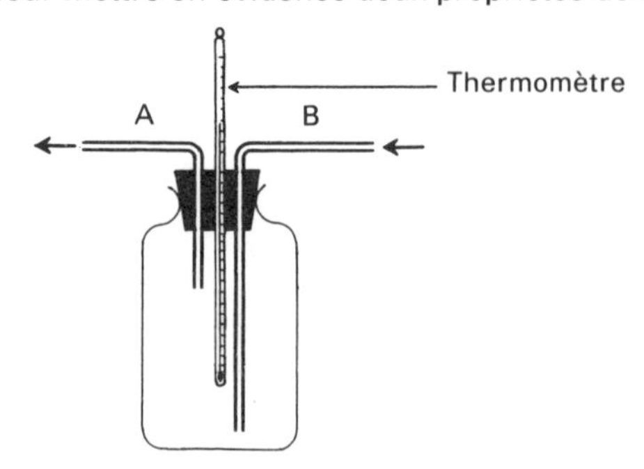

— Procède comme dans l'expérience précédente.

a) Note la différence de température entre l'air inspiré et l'air expiré.

b) Note la différence d'humidité.

c) Réécris l'équation de combustion de la bougie.

d) Identifie les deux catégories d'aliments simples qui sont principalement utilisées par l'organisme pour produire de la chaleur.

Parmi ces aliments, un sucre, le glucose, représente notre combustible le plus commun.

e) À partir du glucose, écris maintenant une équation semblable à la précédente, mais qui s'applique à ton corps (glucose + oxygène $\longrightarrow$ etc.). Encadre cette équation.

Tu viens d'écrire l'équation qui résume une fonction de nutrition essentielle : la respiration. Tu viens aussi de redécouvrir une vérité scientifique énoncée depuis près de deux siècles.

f) Résume en deux mots cette vérité et encadre-la de la façon présentée ci-dessous.

Respiration = ?

Marathon international de Montréal

Marathon international de Montréal

Quel constituant de l'air est nécessaire pour transformer en mouvement l'énergie chimique contenue dans le glucose d'une pomme ?

VA PLUS LOIN

1. **Enquête sur la quantité d'air disponible pour chaque personne dans une classe**

a) À partir des mesures de ta salle de classe, calcule son volume.

b) En l'absence de tout système de ventilation et de toute fuite, quels seraient les volumes d'air et d'oxygène disponibles pour chacune des personnes de la classe ?

c) Informe-toi des normes qui sont fixées pour les dimensions des salles de classe, en fonction du nombre d'élèves qui s'y trouvent.

d) Énumère des lieux où la quantité d'air disponible par personne est relativement faible. Est-il sain d'y séjourner ?

2. **Enquête sur la pressurisation d'un avion**

a) Définis ce qu'est la pressurisation d'un avion.

b) Pourquoi la pressurisation est-elle nécessaire dans certains avions ? Lesquels ?

c) Quel dispositif d'urgence est mis en œuvre lorsque la pressurisation fait défaut ?

FAIS LE POINT

SECTION A La fonction des aliments

1. Selon leurs fonctions, on classe les aliments en trois grandes catégories. Nomme ces trois catégories.

2. Recopie la liste d'aliments simples suivante, puis indique près de chaque nom la (les) fonction(s) correspondante(s).
   — Cellulose
   — Eau
   — Glucides (sauf cellulose)
   — Lipides
   — Protides
   — Sels minéraux
   — Vitamines

3. Recopie la liste d'aliments courants ci-dessous. Pour chacun d'eux, indique le type d'aliment simple qui domine (eau exceptée).
   — Banane
   — Beurre
   — Bœuf
   — Brocoli
   — Brochet
   — Cola
   — Cuisse de poulet
   — Fraise
   — Fromage
   — Gâteau blanc
   — Huile de maïs
   — Lait écrémé
   — Maïs en grains
   — Margarine
   — Miel
   — Morue
   — Œuf
   — Pain
   — Pâtes alimentaires
   — Pomme
   — Pomme de terre
   — Salade
   — Saucisse
   — Sucre blanc

4. Donne la principale fonction du groupe d'aliments suivant : bœuf, brochet, cuisse de poulet, fromage.

5. Fais de même pour le groupe : banane, beurre, miel, pâtes alimentaires.

6. Fais de même pour le groupe : brocoli, lait écrèmé, pomme, salade.

SECTION B Les besoins alimentaires

1. Quel est approximativement le besoin quotidien en protéines d'une personne pesant 50 kg ? Quel est son besoin en eau ?

2. De quelle information essentielle as-tu besoin pour évaluer les besoins en aliments énergétiques d'une personne ?

3. Si le miel et le beurre étaient tes seuls aliments énergétiques, lequel devrais-tu consommer le plus ?

4. Tes besoins quotidiens en fer sont de l'ordre de :
   a) 12 g
   b) 1,2 g
   c) 1,2 mg
   d) 12 mg

5. Tes besoins quotidiens en calcium sont de l'ordre de :
   a) 1,2 g
   b) 0,12 g
   c) 12 mg
   d) 1,2 mg

6. Tes besoins quotidiens en vitamine C sont de l'ordre de :
   a) 3 g
   b) 0,3 g
   c) 3 mg
   d) 30 mg

7. Quelle quantité d'énergie l'organisme peut-il tirer de :
   a. 50 g de protides (valeur énergétique : 16 kJ/g) ?
   b. 50 g de lipides (valeur énergétique : 36 kJ/g) ?
   c. 200 g de glucides ?

8. Si ta masse corporelle est de 40 kg et si tu dépenses 12 800 kJ/d, quelle quantité d'énergie devrais-tu recevoir quotidiennement de l'ensemble glucides-lipides ?

9. Si tu dépenses chaque jour 12 800 kJ et si ton menu quotidien t'apporte 14 000 kJ, ta masse corporelle va-t-elle augmenter ou diminuer ? Que devient l'excédent d'énergie dans l'organisme ?

10. Reproduis le tableau ci-dessous et complète-le de façon à composer un menu apportant de 12 500 à 13 000 kJ d'énergie alimentaire. Tu dois utiliser au moins une portion de chacun des aliments choisis.

Tableau 1-12.
Le calcul de la valeur énergétique d'un menu.

Aliments	Contenu des portions			Valeur énergétique des portions (kJ)	Nombre de portions	Valeur énergétique totale des aliments (kJ)
	Protides (g)	Lipides (g)	Glucides (g)			
Pain	3	1	15	×	=	
Lait	9	5	12			
Yogourt	10	3	14			
Poulet	32	11	—			
Pomme	—	—	18			
Pomme de terre	2	—	18			
Tomate	2	—	7			
Brocoli	6	1	8			

Total de la valeur énergétique du menu : kJ

SECTION C Les composants de l'air

1. Nomme les deux principaux composants de l'air sec normal et donne la proportion de chacun.

2. Le dioxyde de carbone est l'un des principaux aliments des plantes. Dans l'air normal, elles en trouvent :
a) à profusion.
b) beaucoup.
c) un peu.
d) des traces.

3. On mesure 19 cm de hauteur d'air normal dans un tube retourné sur l'eau. On y introduit ensuite des produits chimiques qui absorbent l'oxygène et on mesure de nouveau la hauteur d'air sur l'eau. Elle n'est plus que de 15,2 cm. D'après les données de l'expérience, calcule la proportion d'oxygène dans l'air. Exprime-la en pourcentage.

4. Tu disposes d'un ballon rempli d'oxygène pur, d'un bâtonnet de bois et d'allumettes. Ta curiosité va certainement te pousser à réaliser une expérience simple. Décris-la et tires-en une conclusion.

5. Tire la conclusion de chacun des six faits suivants :
a. En soufflant sur une vitre froide, on y dépose de la buée.
b. La combustion d'une bougie dans un ballon produit de la buée à l'intérieur de celui-ci.
c. L'eau de chaux se trouble quand on souffle dedans.
d. Introduite dans le ballon après combustion de la bougie, l'eau de chaux se trouble.
e. L'air expiré est plus chaud que l'air inspiré.
f. La flamme d'une bougie est brûlante.

6. Compare les manifestations de la respiration à celles d'une combustion.

7. Écris une équation qui résume la combustion d'un sucre dans l'organisme.

SECTION A La fonction des aliments

1. Dans le corps, les aliments remplissent trois sortes de fonctions : la c ////// et la r ////// , la production d'é ////// et la r ////// .

2. Les aliments d'usage courant sont des mélanges d'aliments simples, tels que l'e ////// , les p ////// (protéines), les l ////// , les g ////// , les v ////// et les s ////// m ////// .
Le principal aliment simple est l'e ////// . Elle est à la fois un aliment c ////// et r ////// , et un aliment r ////// .
Les aliments courants constructeurs et réparateurs sont ceux qui sont riches en p ////// (viande, poisson, fromage, œuf).
Les aliments courants producteurs d'énergie sont ceux qui sont riches en g ////// ou en l ////// (sucre, pâtes, riz, beurre, pain, banane, pomme de terre).
Les aliments courants r ////// sont ceux qui sont riches en vitamines ou en sels minéraux ou en un glucide particulier : la c ////// (lait, légumes, fruits).

☐ *Si tu devais te contenter de trois aliments courants pour ton prochain repas, lesquels choisirais-tu ?*

SECTION B Les besoins alimentaires

1. L'ordre de grandeur de tes principaux besoins alimentaires quotidiens est le suivant :
— Eau : 2,8 L ;
— Protéines : au moins 1 g par kilogramme de masse corporelle ;
— Quatre fois plus de g ////// que de l ////// : quantité en fonction de ton a ////// ;
— V ////// et minéraux en très petites quantités, sans en oublier ;
— Cellulose à volonté.

2. Tu as besoin chaque jour d'environ 12 800 kJ d'é////// alimentaire.
Seuls les aliments organiques sont porteurs d'énergie utilisable par l'organisme. Leur v ////// énergétique est la suivante :
— G ////// et p ////// : 16 kJ/g ;
— L ////// : 36 kJ/g.

☐ *Si ta consommation d'aliments n'est pas ajustée à ton activité, que peut-il se passer pour ta masse corporelle ?*

SECTION C Les composants de l'air

1. L'air sec normal est un mélange d'a////// (environ 79 %) et d'o////// (environ 21 %), avec des traces de dioxyde de carbone et d'autres gaz.

2. Pour déterminer expérimentalement la proportion d'oxygène dans l'air, il faut absorber l'oxygène d'un volume d'air connu avec des produits chimiques. La d ////// du volume de l'air permet de calculer sa teneur initiale en oxygène.

3. On peut rallumer une bougie qui vient de s'éteindre en la mettant dans l'o ////// pur. L'oxygène entretient la c ////// .

4. Les manifestations de la r ////// sont les mêmes que celles de la c ////// . Les deux phénomènes se résument généralement par l'équation : combustible + oxygène ⟶ énergie (chaleur, par exemple) + dioxyde de carbone + eau.

☐ *Explique comment évoluerait ta température corporelle si tu cessais définitivement d'absorber de l'oxygène.*

2 Chapitre

La transformation et la sélection des entrées

Comment les aliments et l'air sont-ils introduits dans ton corps ?

a) La viande contient des éléments nutritifs qui contribuent à la croissance de tes ongles. Comment parviennent-ils à tes ongles depuis ta bouche ?

b) Au début d'une activité sportive, tu t'échauffes. Quel élément de l'air pénètre alors dans ton corps en quantité accrue ? Comment parvient-il à tes mollets depuis ton nez (ou ta bouche) ?

c) Est-il déjà arrivé que le cheminement des aliments dans ton corps se soit interrompu ? Que s'est-il produit ? Lorsque tu as revu les aliments en question, les as-tu trouvés changés ?

d) Si tu savais comment garder en bon état et même rendre encore plus efficaces les systèmes qui font pénétrer dans ton corps les aliments et l'oxygène, quels avantages en tirerais-tu ?

Pour bien entretenir une automobile et comprendre ses déficiences, il faut d'abord étudier sa structure, en connaître les différents systèmes (moteur, transmission, direction, freinage, éclairage, etc.), et pour chacun d'eux, connaître l'agencement des pièces, même de celles qui sont cachées.

e) Que dois-tu étudier d'abord pour bien entretenir ton corps et comprendre ses déficiences ?

f) Dans une station-service, pourquoi un mécanicien doit-il savoir nommer les pièces et les systèmes d'une automobile ?

g) Quels avantages te procurera le fait de savoir nommer tes principaux organes et systèmes ?

h) À propos, sais-tu déjà nommer les systèmes qui introduisent respectivement les aliments et l'oxygène dans ton corps ?

Les entrées doivent subir des transformations pour pénétrer dans le milieu intérieur.

Tu viens de passer en revue les entrées, c'est-à-dire les composés chimiques que tu dois absorber pour vivre en bonne santé. Elles sont utilisées dans les innombrables unités microscopiques qui entretiennent la vie dans ton corps : les *cellules*. La survie de chaque cellule dépend de son approvisionnement continu en nourriture et en oxygène.

Tout n'est pas vivant en toi ; tu es formé(e) par des ensembles de cellules baignant dans des liquides inertes qui sont leurs milieux de vie. Ces liquides — essentiellement la *lymphe* et le *plasma sanguin* — représentent l'environnement dans lequel tes cellules puisent à chaque instant leur approvisionnement. Ils constituent ton *milieu intérieur*. Aliments et oxygène passent donc par les liquides du milieu intérieur. Comment y entrent-ils ?

Ton enveloppe apparente, la peau, empêche les échanges entre ton corps et son environnement, plus qu'elle ne les facilite ; elle laisse pénétrer un peu d'oxygène mais, bien sûr, aucune nourriture. Alors, pour faciliter l'entrée rapide de quantités appréciables d'aliments et d'oxygène dans ton milieu intérieur, la nature t'a pourvu(e) d'un système digestif et d'un système respiratoire. Dans les deux cas, il s'agit de systèmes très efficaces, bien adaptés à leur fonction d'échange, et présentant deux caractéristiques remarquables :

— Ils constituent une barrière minimale entre le milieu extérieur et le milieu intérieur ;
— Ils possèdent une surface très importante, sans commune mesure avec celle de la peau.

Attention! le milieu extérieur n'est pas seulement ce que tu peux voir autour de toi; il se prolonge dans ton corps. Les cavités du *tube digestif* et des poumons en font partie. Par rapport à ton organisme, une pomme dans ton estomac est bel et bien dans la même situation qu'une pomme au creux de ta main: elle est toujours dans le *milieu extérieur*.

Figure 2-1.
Les limites d'un organisme animal.

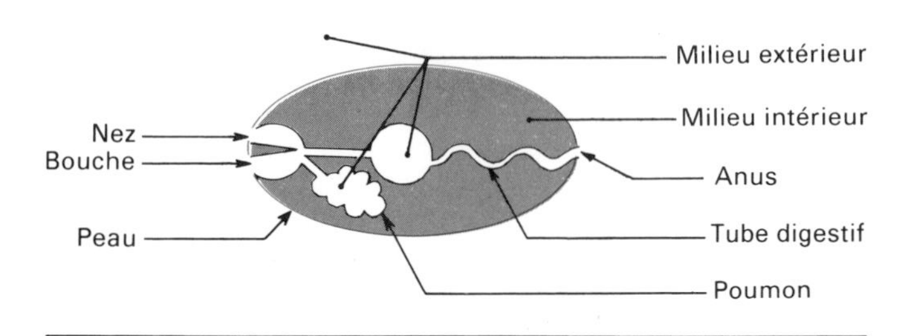

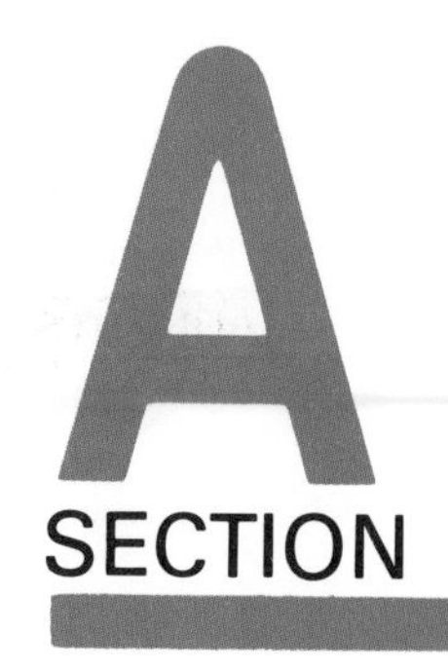

L'anatomie du système digestif

Quel est le chemin suivi par les aliments dans ton corps ?

a) Lorsque tu manges une pomme, quand cesses-tu de percevoir sa présence dans ton corps ? La matière constituant la pomme a-t-elle tout simplement disparu ? Que devient-elle ?

b) Si tu avales un pépin, disparaît-il à tout jamais dans ton corps ? Que devient-il ?

c) Dessine, tels que tu les imagines, les organes qui conduisent un pépin de pomme à travers ton corps.

d) Si, en courant, tu as mal au ventre du côté gauche, penseras-tu que c'est le foie qui te fait souffrir ? Pourquoi ?

e) Où faut-il avoir mal pour qu'un médecin envisage la possibilité d'une appendicite ?

f) Quels avantages peut te procurer la connaissance de ton *anatomie* interne ?

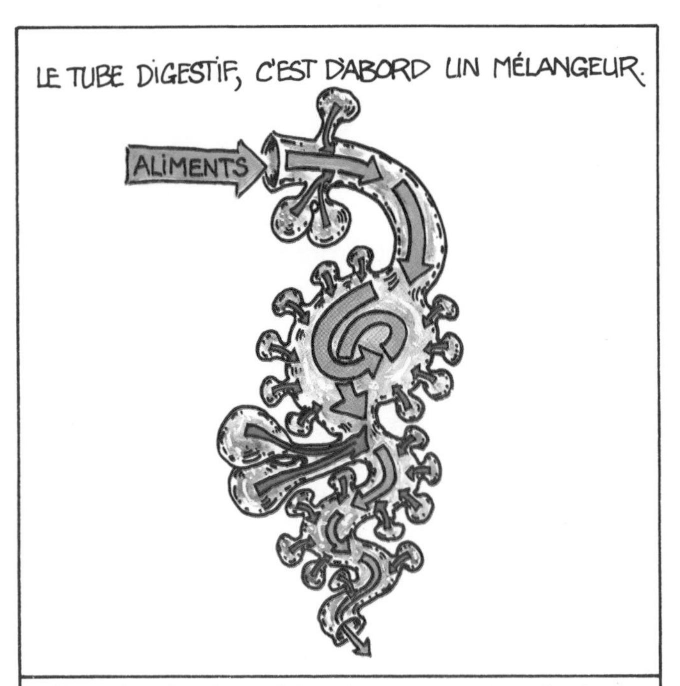

Dans le tube digestif, les aliments sont imprégnés de sucs digestifs.

Lorsque tu manges, tu introduis des aliments dans un long conduit, le tube digestif. Ils y sont réduits en bouillie et mélangés à des liquides produits par deux sortes de *glandes* :

— des glandes microscopiques *intégrées* au tube digestif ;
— des glandes volumineuses *annexées* au tube digestif et reliées par des canaux à ce dernier.

L'ensemble anatomique et fonctionnel, constitué par le tube digestif et les glandes annexes, se nomme appareil ou système digestif.

Figure 2-2.
Le système digestif.

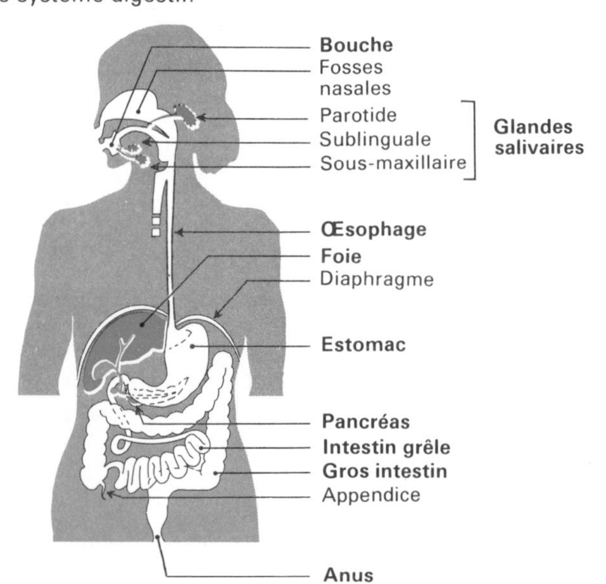

1. Le tube digestif

Le tube digestif est le lieu de transformation des aliments courants en aliments utilisables par les cellules, ou *nutriments*. C'est aussi le lieu de l'*absorption*, c'est-à-dire du transfert des nutriments dans le milieu intérieur.

La paroi interne du tube digestif est tapissée d'un revêtement rose, ou *muqueuse*, qui continue la peau. Ainsi, le dessin de tes lèvres correspond à la limite entre ta peau et ta muqueuse digestive.

Étudions les différentes sections du tube digestif.

La bouche. La bouche est la première section du tube digestif. Elle contient un organe musculeux (musclé) très mobile : la langue. Ses mâchoires sont armées de dents qui doivent leur dureté à des sels minéraux à base de calcium. Les premières dents, ou dents de lait, sont provisoires ; elle sont progressivement remplacées par les dents définitives. Seules les plus grosses dents, nommées molaires, ne poussent qu'une fois.

Le pharynx. L'arrière-bouche, ou pharynx, est un carrefour délicat où le tube digestif croise les voies respiratoires. Des dispositifs qui fonctionnent au bon moment dirigent les aliments et l'air vers leurs conduits respectifs.

Figure 2-3.
La coupe de la tête.

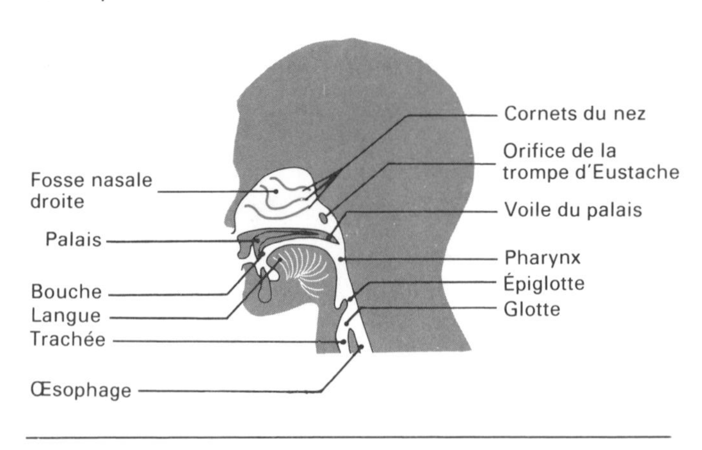

L'œsophage. L'œsophage est un simple tube plat et étroit de 25 cm de long qui force les aliments à descendre dans l'estomac.

L'estomac. Lorsqu'il est vide, l'estomac se présente comme un gros tube. Très extensible, il atteint normalement une capacité d'environ 1,5 L et plus. Sa paroi relativement mince (environ 3 mm) renferme pourtant 35 millions de glandes microscopiques sécrétant quotidiennement environ 2 L d'un liquide très acide : le *suc gastrique*.

La sortie de l'estomac (*pylore*) est munie d'un dispositif de fermeture (*valvule*) qui se relâche par saccades pour laisser filer, petit à petit, le contenu de l'estomac dans l'intestin grêle.

L'intestin grêle. L'intestin grêle est un tube étroit, long de 6 à 9 m, plusieurs fois replié sur lui-même. Il est plus ou moins maintenu en place par le *mésentère*, membrane qui renferme les vaisseaux sanguins reliés à l'intestin. Sa muqueuse présente de 800 à 900 replis transversaux, en plus de 10 millions de minuscules pointes cylindriques, nommées *villosités*. Elle renferme aussi 50 millions de glandes microscopiques en forme de tubes, semblables à celles de l'estomac. Ces glandes sécrètent chaque jour approximativement 1 L d'un liquide digestif : le *suc intestinal*.

Figure 2-4.
La structure de l'intestin grêle.

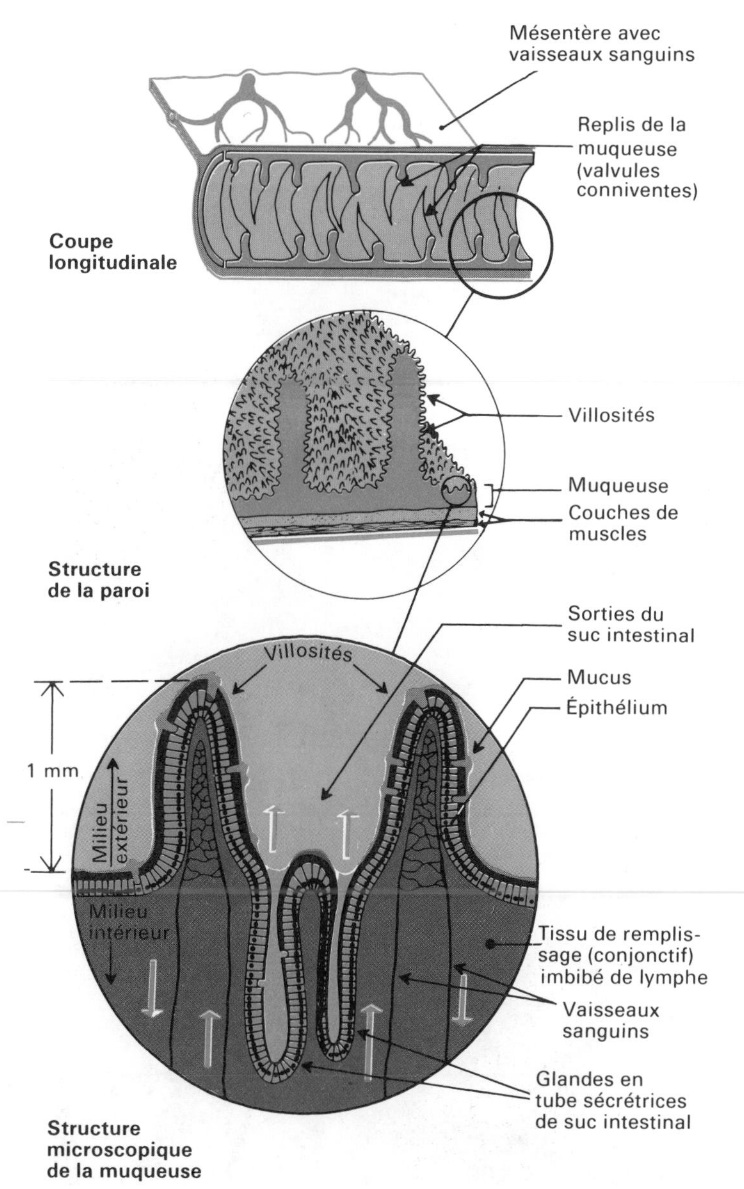

Le gros intestin. Le gros intestin se présente comme un gros tube bosselé d'environ 1,5 m de long et 5 cm de diamètre. Sa paroi a environ 1,5 mm d'épaisseur et renferme des glandes analogues à celles de l'intestin grêle, mais elle ne présente ni replis transversaux ni villosités.

Le gros intestin se termine par l'*anus*, canal de 2 cm de long, pourvu de deux dispositifs de fermeture, ou *sphincters* (muscles en anneaux).

- Qu'est-ce qu'une gastro-entérite ? Comment s'appelle l'art de la bonne chère, ou si tu préfères, l'art de « faire plaisir à son estomac ? »
- Combien possède-t-on normalement de dents à ton âge ? Combien de dents n'ont pas encore percé ? Comment les nomme-t-on ? Pourquoi ?
- Comment s'appellent les dents qui correspondent aux crocs des chiens ? qui sont faites pour inciser ? qui sont faites pour moudre comme des meules à grain ?
- Qu'est-ce qu'une appendicite ? Où se situe la cicatrice qui en découle le plus souvent ? Quelle section du tube digestif commence à cet endroit ?
- Saurais-tu localiser sur toi le point d'impact d'un coup à l'estomac ? d'un coup au foie ?
- Le mot « suc » n'a aucun lien avec le mot « sucre ». Qu'est-ce que le suc d'une plante ?
- Quel est le rôle habituel d'une serviette de toilette ? Quelle est la texture habituelle de son tissu ? Quelle section du tube digestif possède un revêtement interne d'aspect comparable ? À quelle fonction est-elle ainsi prédisposée ?
- Quel organe fait parfois souffrir à cause d'un excès d'acidité ?

2. Les glandes digestives annexes

Le tube digestif reçoit les sécrétions des glandes digestives annexes (*glandes salivaires*, foie, pancréas), qui s'ajoutent à ses propres sécrétions gastriques et intestinales.

Les glandes salivaires. On compte trois paires de glandes salivaires. Les deux premières (glandes sous-maxillaires et sublinguales) déversent sous la langue une salive visqueuse, riche en *mucus* ; la troisième, située près des oreilles (glandes parotides), rejette, à la hauteur des premières molaires supérieures, une salive très fluide. L'ensemble de ces glandes sécrète environ 1,5 L/d de salive.

Figure 2-5.

Les rapports entre le foie, le pancréas et le tube digestif.

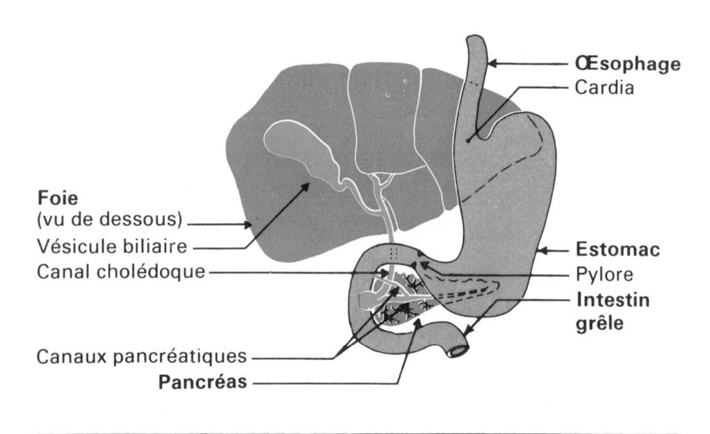

Le foie. Le foie est la plus grosse glande de l'organisme (2,3 kg, dont 0,8 kg de sang). C'est un organe indispensable à la vie, dont l'une des nombreuses fonctions consiste à sécréter chaque jour environ 1 L d'un liquide digestif : la bile. Celle-ci s'accumule dans la *vésicule biliaire* et s'y concentre en perdant les $\frac{9}{10}$ de son eau. Ce stockage de la bile dans la vésicule est rendu possible par la fermeture du canal cholédoque (voir la figure 2-5). Toutes les 30 min pendant la digestion, ce canal s'ouvre en même temps que la vésicule se contracte, chassant ainsi la bile dans l'intestin grêle.

Le pancréas. Le pancréas est une autre glande indispensable à la vie ; il participe à la digestion en sécrétant 1 L/d d'un liquide alcalin (antiacide) : le *suc pancréatique*.

- Que signifie annexer une municipalité à une autre ? Pourquoi dit-on que le foie, par exemple, est une glande annexée au tube digestif, ou une glande annexe du tube digestif ?
- Qu'est-ce qu'une hépatite ?
- Les glandes salivaires renferment une réserve d'eau à la disposition de l'ensemble du corps. Quelle observation faite sur toi-même pourrait illustrer ce rôle des glandes salivaires ?

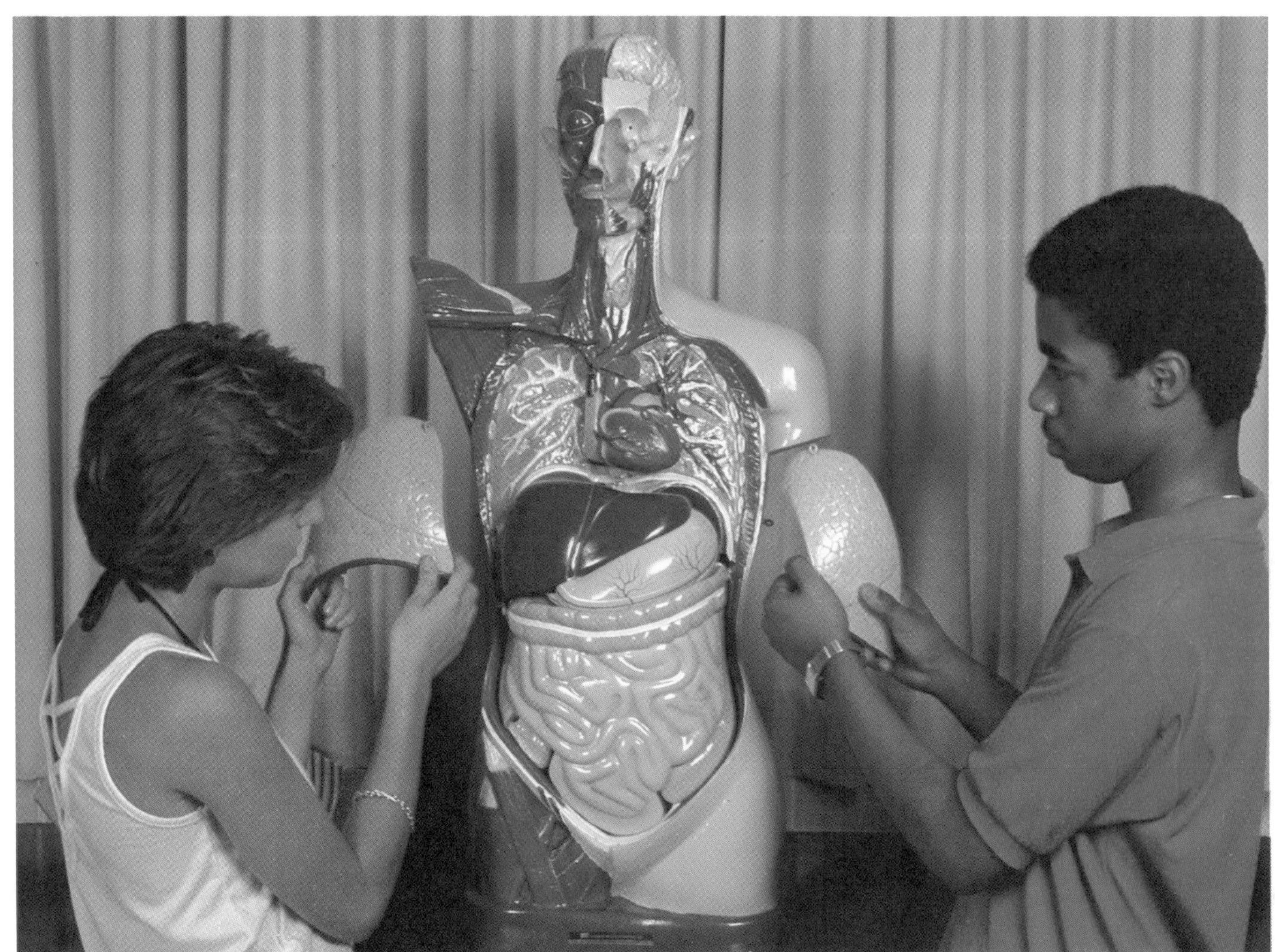

Rolland Renaud

Quels organes digestifs reconnais-tu ici ?

à toi de jouer

Examine attentivement les figures illustrant le texte notionnel.

1. NOMMER ET LOCALISER CINQ PARTIES DU TUBE DIGESTIF.

a) Nomme les deux principales parties du tube digestif situées au-dessus du diaphragme.

b) Nomme les trois sections du tube digestif situées sous le diaphragme, dans l'abdomen.

2. NOMMER ET LOCALISER CINQ GLANDES DIGESTIVES.

a) Nomme l'ensemble des trois paires de glandes digestives situées dans la tête.

b) Nomme deux glandes digestives volumineuses qui sont situées dans l'abdomen. Dans quelle section du tube digestif déversent-elles leurs sécrétions ?

c) Nomme deux sortes de glandes digestives qui ne peuvent être représentées sur le schéma général du système digestif (voir la figure 2-2). L'ordre de grandeur de ces glandes est-il le micromètre, le millimètre ou le centimètre ?

3. INDIQUER LES DIFFÉRENCES ENTRE LE TUBE DIGESTIF ET LES GLANDES DIGESTIVES.

A. *Reconnaître les caractéristiques du tube digestif.*

a) Nomme la région que le tube digestif partage avec l'appareil respiratoire. Nomme l'organe qui, en se relevant, bloque l'accès des aliments aux fosses nasales. Nomme celui qui, en se rabattant, bloque l'entrée de la trachée. À quel moment ces deux dispositifs entrent-ils en fonction?

b) Nomme l'entrée et la sortie de l'estomac.

c) Quel est le nom de la sécrétion visqueuse produite par certaines cellules de la muqueuse digestive ?

d) Nomme les replis transversaux formés par la muqueuse intestinale. Nomme ensuite les innombrables pointes cylindriques dont celle-ci est garnie.

e) Nomme les structures minuscules de l'intestin dans lesquelles s'introduisent les ramifications les plus fines de ses vaisseaux sanguins.

f) Quel liquide du milieu intérieur est situé le plus près du contenu intestinal ?

L'épithélium intestinal est un assemblage de petites unités vivantes toutes semblables, qu'on appelle cellules. Chacune d'elles a une hauteur de 25µm environ.

g) Décris la barrière qui se situe entre le contenu intestinal (milieu extérieur) et la lymphe (milieu intérieur) ? Quelle est l'épaisseur de cette barrière ?

h) Mesure l'épaisseur de 150 feuilles (300 pages) de ton livre, puis calcule l'épaisseur d'une feuille en micromètres. Compare l'épaisseur d'une feuille à celle de l'épithélium intestinal.

La surface interne de l'intestin mesure environ 45 m².

i) Décris brièvement les structures qui sont responsables de l'étendue de cette surface.

j) Mesure la surface du plancher de ta salle de classe et compare la valeur obtenue avec celle qui est donnée pour l'intestin.

k) Donne les deux caractéristiques fondamentales de la muqueuse qui favorisent une pénétration rapide des aliments dans le milieu intérieur.

B. *Reconnaître les caractéristiques des glandes digestives.*

a) Décris le trajet de la bile, du foie à l'intestin.

b) Quel liquide digestif est rejeté dans l'intestin au même point que la bile ?

c) Quelle est la forme des glandes sécrétant le suc intestinal ?

d) Reproduis et complète le tableau suivant.

Tableau 2-1.

Les glandes digestives.

	Noms des glandes	**Liquides sécrétés**	**Lieux de déversement dans le tube digestif**
Intégrées au tube digestif	• •	• •	• •
Annexées au tube digestif	• • •	• • •	• • •

4. RÉCAPITULER L'ANATOMIE DU SYSTÈME DIGESTIF.

Reproduis le schéma ci-dessous et complètes-en la légende.

Figure 2-6.
Le diagramme du système digestif.

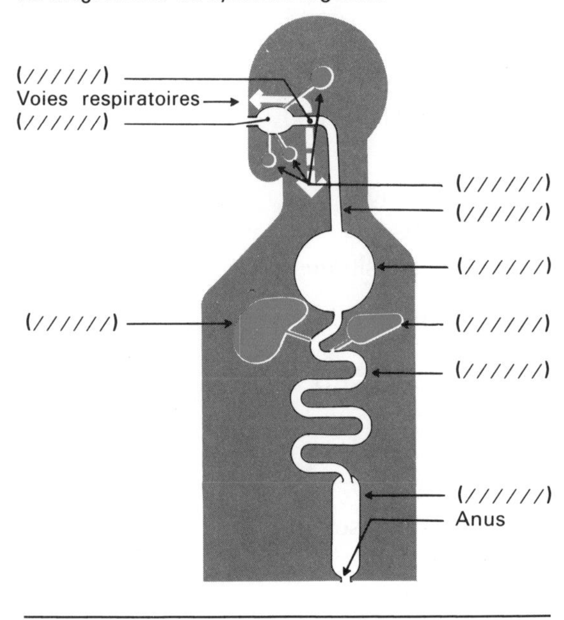

VA PLUS LOIN

Enquête sur la dentition

Présente un rapport en trois points :

a) Comment se forme une dent ?

b) Quel mécanisme amène la tombée des premières dents ?

c) Quelles sont les étapes de la dentition humaine ?

B

SECTION

La physiologie de la digestion

Que se passe-t-il dans le tube digestif ?

En 1822, un jeune Canadien, nommé Alexis Saint-Martin, fut atteint au ventre par un projectile tiré d'une arme à feu. Il survécut à sa blessure, mais la cicatrisation prit la forme d'une fenêtre étroite dans la paroi de l'abdomen et de l'estomac, permettant ainsi de voir l'intérieur de ce dernier.

Le médecin américain qui soigna Alexis Saint-Martin, le docteur Beaumont, le prit à son service et en fit un sujet d'expériences sur la digestion.

Le docteur Beaumont observa d'abord l'estomac d'Alexis Saint-Martin vide. Sa paroi interne apparut alors rose pâle et enduite de mucus. Il introduisit alors par la fenêtre quelques miettes de pain ; la paroi de l'estomac rougit, tandis qu'apparurent des centaines de gouttelettes de liquide qui s'écoulèrent au fond de l'organe.

a) Identifie le liquide en question.

Beaumont recueillit un peu de ce liquide dans un flacon en se servant d'un tube en caoutchouc ; il constata qu'il était fortement acide. Il y mit à tremper un morceau de viande bouillie et garda le mélange tiède.

Au bout de 2 h, la viande se désagrégea ; ses fibres se séparèrent les unes des autres. Au bout de 10 h, la viande disparut complètement.

b) D'après toi, la viande avait-elle pu s'évaporer ? La matière constituant la viande était-elle toujours dans le récipient ? Pourquoi n'était-elle plus visible ?

c) Suffirait-il de hacher finement la viande pour la rendre transportable par le sang ? Quel genre de transformation s'impose en plus ?

d) Selon toi, quel est le but de la digestion ?

e) Pourquoi faut-il bien connaître l'anatomie d'un système pour comprendre sa *physiologie* ?

Beaucoup de molécules alimentaires sont trop grosses pour passer dans le sang. Des transformations s'imposent.

Les aliments viennent du milieu extérieur; leur véritable entrée dans ton corps est leur pénétration dans le milieu intérieur. Dans l'intestin, la seule barrière qu'ils doivent franchir est une membrane vivante cinq fois plus mince qu'une feuille de papier: l'*épithélium*.

Pour traverser l'obstacle, c'est-à-dire pour être absorbés, la plupart des aliments doivent d'abord subir des transformations qui constituent la digestion.

1. La notion de perméabilité sélective

Beaucoup de membranes laissent passer diverses substances; on dit qu'elles sont *perméables*. Par exemple, la membrane métallique qui forme le fond d'une passoire est très perméable à l'air, à l'eau et au sucre en poudre. Le passage devient difficile pour le riz, et impossible pour les fèves. Si on met un mélange de fèves et de sucre en poudre dans la passoire, elle sélectionne l'un des deux composants qui, seul, la traverse (devine lequel). Sur quelle base s'effectue cette sélection? Elle s'effectue évidemment en fonction de la taille des particules.

La passoire nous offre un modèle grossier de membrane perméable. Prenons maintenant un modèle plus subtil: le filtre en papier. Celui-ci se laisse traverser aussi bien par l'air que par l'eau, mais il arrête le sucre en poudre. Pour que le sucre passe, il doit changer physiquement. Pour réaliser ce changement, il suffit de verser de l'eau sur le sucre en attente. Ensuite, il suffit de goûter le liquide filtré pour y vérifier la présence de sucre. Encore une fois, la taille des particules a joué comme base de sélection.

Figure 2-7.
Le comportement du sucre sur un filtre.

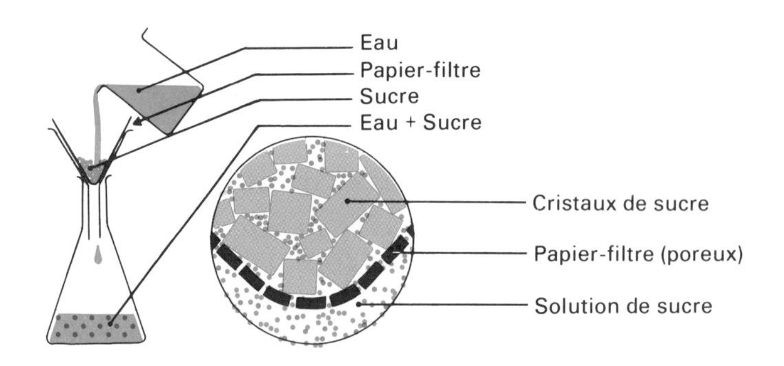

Interprétons cette expérience simple. Les minuscules cristaux de sucre en poudre sont des assemblages ordonnés de milliards de particules: les molécules de sucre. L'eau, qui se présente sous forme de molécules relativement libres les unes par rapport aux autres, démolit les cristaux et disperse leurs molécules parmi les siennes. Le mélange homogène de molécules de sucre et de molécules d'eau est une *solution* de sucre dans l'eau. Le sucre franchit les pores du papier-filtre seulement à l'*état dissous*.

Figure 2-8.
La dissolution d'un cristal de sucre dans l'eau.

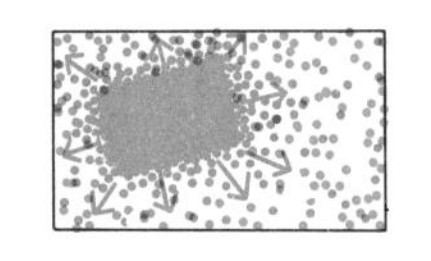

L'épithélium intestinal sélectionne lui aussi les particules qui le traversent en fonction de leur taille ; seules des particules infiniment petites peuvent entrer dans le milieu intérieur. Commençons donc par hacher finement notre nourriture : mastiquons !

- Sais-tu faire du café en te servant d'un filtre en papier ? Pourquoi l'eau qui traverse la mouture et le filtre change-t-elle de saveur et de couleur ? Le café obtenu par cette technique contient-il des particules solides ? Que penses-tu du diamètre des pores du papier-filtre par rapport à celui des particules de café moulu ?

2. La digestion mécanique

Les mouvements qui affectent les aliments dans le tube digestif constituent la *digestion mécanique.*

La mastication et la déglutition. Mastiquer, c'est diviser et écraser les aliments avec les dents, aidées de la langue et des joues. La présence d'aliments dans la bouche stimule la sécrétion de salive. On appelle bol alimentaire la bouchée d'aliments imprégnée de salive que la langue dirige vers le pharynx. À partir de ce point, le traitement des aliments dans le tube digestif devient entièrement automatique ; la volonté ne peut plus intervenir dans le processus de la digestion.

L'œsophage fait activement progresser le bol alimentaire vers l'estomac. Ses contractions coordonnées produisent un effet d'étranglement, une *onde péristaltique*, qui se propage lentement le long du conduit. Il faut 17 s aux aliments solides pour passer du gosier à l'estomac ; pour les liquides, 1 s suffit. On appelle *déglutition* le transfert des aliments de la bouche à l'estomac.

Figure 2-9.
Le principe du péristaltisme.

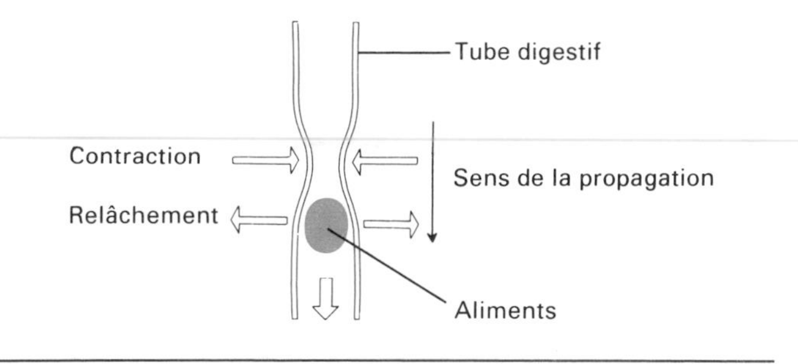

L'accumulation et le brassage dans l'estomac. Les bols alimentaires successifs s'accumulent dans l'estomac et stimulent la sécrétion de suc gastrique. Quinze minutes après la fin du repas, des ondes péristaltiques commencent à parcourir de haut en bas la partie inférieure de l'estomac. Le contenu de l'estomac est ainsi brassé méthodiquement durant 3 à 10 h ; il se transforme en une bouillie acide : le *chyme.* Celui-ci est libéré par petites quantités dans l'intestin, présentant toujours les mêmes qualités de température et d'acidité. L'estomac protège donc l'intestin.

Figure 2-10.
Le brassage du contenu de l'estomac.

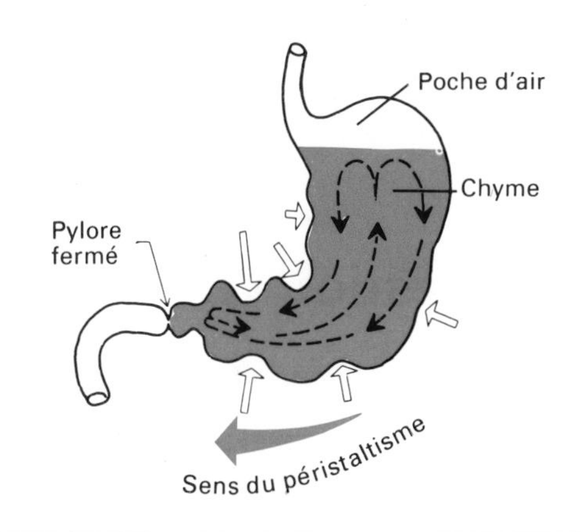

La progression dans l'intestin grêle. Dès son entrée dans l'intestin grêle, le chyme est additionné de bile et de suc pancréatique, puis de suc intestinal. Il se transforme en une bouillie alcaline très fluide, qui est brassée et qui progresse dans l'intestin grâce à une combinaison de mouvements péristaltiques et de brèves *contractions rythmiques.*

Le chyme traverse l'intestin grêle en 3 h, tout en perdant du volume. Il séjourne encore 1 h dans la portion terminale de l'intestin grêle avant de se déverser dans le gros intestin.

Le brassage et la progression dans le gros intestin. Le chyme qui reste sert de nourriture aux bactéries du gros intestin qui le transforment en matières fécales. Des ondes péristaltiques complexes assurent à ces matières un brassage de plusieurs heures durant lesquelles elles se déshydratent. Le contenu du gros intestin s'accumule finalement dans sa partie terminale ; il est expulsé par l'anus de 16 à 18 h après que l'estomac se soit vidé.

- Est-ce la pesanteur qui fait descendre les aliments dans l'estomac ? Pourrais-tu imaginer une expérience destinée à vérifier cette hypothèse ?
- Que se produit-il lorsque l'estomac se contracte violemment ? Connais-tu un moyen simple d'obtenir ce résultat en cas de nécessité ?

- On appelle surface relative d'un objet son rapport $\frac{\text{Surface}}{\text{Volume}}$. Soient deux pommes de terre, une petite et une grosse : laquelle a la plus grande surface relative ? Que penses-tu de la surface relative des objets microscopiques ? Pourquoi la matière solide se mélange-t-elle mieux à un liquide lorsqu'elle est finement divisée ?
- Comment procède-t-on pour incorporer une quantité importante de lait à une certaine masse de pommes de terre ? Comment le tube digestif parvient-il à incorporer une quantité importante de liquides digestifs à la masse des aliments ?

3. La digestion chimique

Les liquides sécrétés par les glandes digestives assurent la *digestion chimique*, complément indispensable de la digestion mécanique. À titre d'exemple, étudions les problèmes posés par la transformation chimique du sucre ordinaire.

L'épithélium intestinal est une barrière perméable plus sélective qu'un papier-filtre. Il arrête les molécules dissoutes de sucre ordinaire. Mais celles-ci peuvent être coupées en deux ; les nouvelles molécules, plus petites, franchissent alors l'épithélium et entrent dans le milieu intérieur.

Comment couper des molécules ?

Couper des molécules, c'est faire de la « chirurgie » sur des objets dont la dimension est de l'ordre du 10 millionième de millimètre. Prétendre réussir par des moyens mécaniques cette opération est aussi impossible que... « traire une puce avec des gants de boxe ».

Lorsqu'elle dissout des grains de sucre, l'eau réussit une remarquable opération de fragmentation (division). On peut se servir du même outil — l'infiniment petite molécule d'eau — pour attaquer la molécule de sucre elle-même. Il suffit, par exemple, de projeter avec force une molécule d'eau sur une molécule de sucre pour la casser. Le hasard permet d'atteindre ce résultat.

La solution de sucre représente, en effet, une sorte de jeu de billard en trois dimensions. Les milliards de « boules » qui s'y entrechoquent sont de deux sortes : des petites, fort nombreuses (les molécules d'eau), et des grosses, plus rares (les molécules de sucre). Toutes ces « boules » sont en mouvement continuel et rebondissent les unes sur les autres : c'est ce qu'on appelle l'*agitation moléculaire* de la solution. Une élévation de température accélère le mouvement, ce qui augmente la fréquence des chocs et leur force. En chauffant la solution, on pourrait donc créer des chocs assez forts pour que les molécules de sucre se brisent les unes après les autres.

Hélas ! ce procédé n'est pas applicable dans un organisme ; l'estomac n'est pas une bouilloire et une température excessive est incompatible avec la vie.

Pour casser en deux un objet résistant (une pierre, par exemple), il n'est pas toujours nécessaire de frapper fort. Il faut plutôt frapper de la bonne façon, au bon endroit. Ainsi, pour casser les molécules de sucre à température modérée (37° C), l'organisme utilise des outils irremplaçables qui aident des molécules d'eau à rencontrer de la bonne façon et au bon endroit les molécules de sucre : ce sont les *enzymes digestives*.

Figure 2-11.
Le travail d'une enzyme.

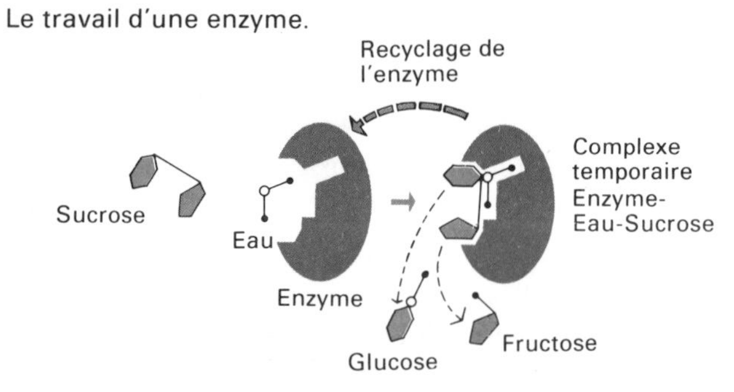

Scientifiquement, le sucre ordinaire se nomme *sucrose* ou *saccharose*. Sa molécule est divisible par l'eau en deux nouvelles molécules de même taille, mais non identiques : une de *glucose* (appelé aussi *dextrose*) et une de *fructose* (appelé aussi *lévulose*).

La réorganisation de molécules en d'autres molécules est une réaction chimique. Au cours de la digestion, la décomposition du sucrose en glucose et en lévulose est facilitée par une enzyme spécifique. Cette réaction chimique se résume par l'équation suivante :

$$\textbf{Sucrose} + \textbf{eau} \xrightarrow{\textbf{(enzyme)}} \textbf{glucose} + \textbf{fructose}$$

Les enzymes digestives sont les substances actives des *sucs digestifs*. Toutes les glandes digestives en produisent, à l'exception du foie.

Les produits terminaux de la digestion sont tous des corps à petites molécules prêtes à être utilisées par les cellules ; ce sont des nutriments, tout comme l'eau, les sels minéraux et les vitamines.

La digestion est donc une *simplification moléculaire.*

Figure 2-12.
La digestion chimique des principaux types d'aliments simples.

La digestion du sucrose
(sucre ordinaire)

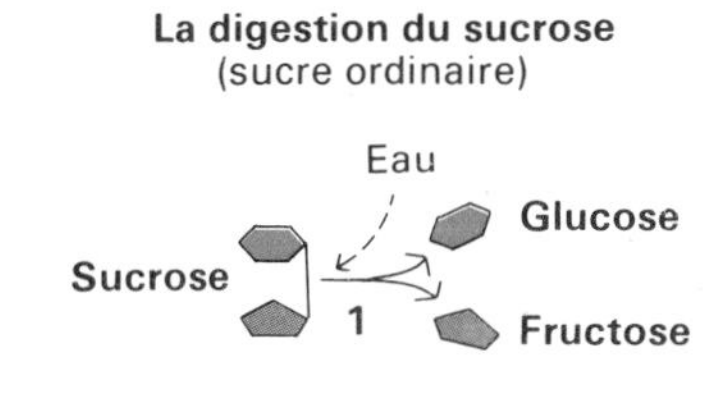

La digestion de l'amidon

Eau Eau
Amidon
2
Maltose
Eau
Maltose
3
Glucose

La digestion d'une protéine

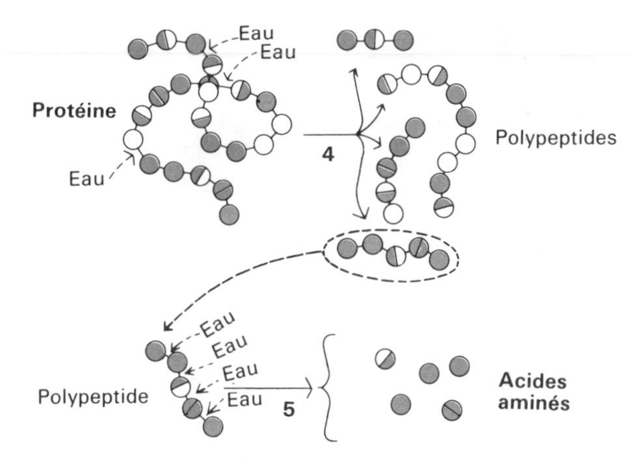

La digestion d'un lipide simple

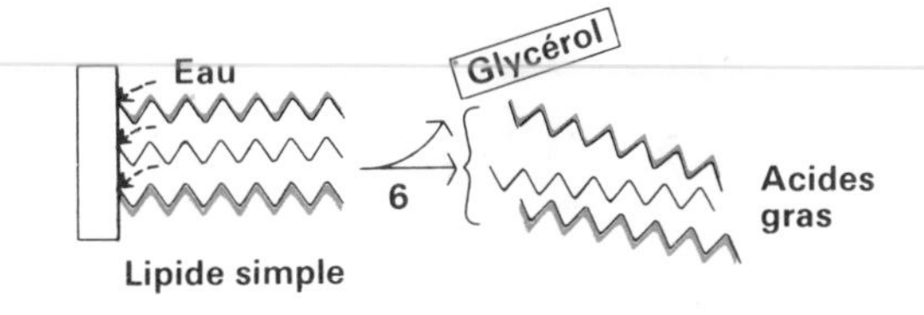

1 Enzyme du suc intestinal
2 Enzyme de la salive, du suc pancréatique ou du suc intestinal
3 Enzyme du suc intestinal
4 Enzyme du suc gastrique ou du suc pancréatique
5 Enzyme du suc pancréatique ou du suc intestinal
6 Enzyme du suc pancréatique ou du suc intestinal

N.B. : La bile ne contient pas d'enzymes digestives ; ce n'est pas à proprement parler un suc digestif. Elle joue pourtant un rôle essentiel dans la digestion, notamment celle des graisses dont elle fragmente les gouttelettes (paquets de molécules) dispersées dans l'eau du contenu intestinal. On dit que la bile *émulsionne* les graisses. Cette action aide les enzymes digestives à s'attaquer aux lipides. Malgré tout, les fines gouttelettes de graisse ne sont jamais complètement digérées ; une partie d'entre elles est absorbée directement.

- Au 18e siècle, un illustre savant italien, nommé Lazare Spallanzani, réussit à prélever un peu de son propre suc gastrique en se servant d'une petite éponge et d'une ficelle. Comment s'y est-il pris ?
- Certaines lessives contiennent des enzymes. Dans quelles conditions de température sont-elles utilisées ?
- Le savon émulsionne les graisses dans l'eau. Pourquoi aide-t-il à dégraisser la peau ?
- Les graisses de boucherie peuvent servir à la fabrication d'un composant essentiel des produits de beauté. Lequel ?
- Certains régimes amaigrissants font appel à des protéines hydrolysées, c'est-à-dire digérées artificiellement. De quels nutriments sont-elles composées ?
- Il existe des comprimés capables de bloquer la digestion de l'amidon. Pourquoi a-t-on eu l'idée de les utiliser pour maigrir ?

4. L'absorption

L'absorption est la pénétration des nutriments dans le milieu intérieur. Elle s'effectue principalement dans l'intestin grêle, où la plupart des nutriments passent directement de la lymphe dans le sang qui coule dans les villosités. Le sang, qui circule sans cesse, assure la distribution des nutriments à tout l'organisme.

L'épithélium intestinal ne se comporte pas comme une simple membrane perméable inerte. Par exemple, les molécules de glucose et de fructose (produits de la digestion du sucrose), qui ont la même taille, sont traitées différemment : le glucose traverse l'épithélium plus rapidement que le fructose. L'épithélium, qui est une barrière vivante, participe donc activement à l'absorption.

L'entrée d'aliments dans le milieu intérieur peut s'effectuer ailleurs que dans l'intestin grêle. Par exemple, une grande quantité d'eau est absorbée dans le gros intestin, alors que la langue, l'œsophage et l'estomac participent à l'absorption de l'alcool.

- Le ténia est un animal qui peut atteindre 10 m de long. Ce géant est pourtant dépourvu d'appareil digestif. Pourquoi peut-il aisément s'en passer ? Quel est son milieu extérieur ? Quelle barrière les aliments franchissent-ils pour entrer dans son milieu intérieur ?

5. Le traitement des matières non digérées

Dans le gros intestin, les microbes prennent le relais des sucs digestifs ; ils s'attaquent à la cellulose qu'ils transforment partiellement en glucose dont ils s'alimentent. Certains d'entre eux font pourrir les protides non digérés. Il en résulte des déchets plus ou moins colorés et malodorants, ainsi qu'un composé utile et immédiatement absorbé : la *vitamine K*.

Les matières fécales renferment en moyenne 70 % d'eau. Le reste est essentiellement constitué de bactéries mortes, de résidus alimentaires divers, ainsi que de sécrétions et de débris cellulaires en provenance de la muqueuse digestive.

- Avec quel légume traite-t-on couramment les diarrhées chez les nourrissons ? Sous quelle forme leur est-il administré ?
- Qu'est-ce qu'un laxatif ? Connais-tu un dessert aux propriétés laxatives ?

Ministère des Communications du Québec

Ministère des Communications du Québec

Ministère des Communications du Québec

Quel ensemble d'aliments est la meilleure source d'acides aminés ? De glucose ? D'acides gras ?

à toi de jouer

1. DÉCRIRE LES PRINCIPAUX PHÉNOMÈNES MÉCANIQUES DE LA DIGESTION.

a) Situe les principaux muscles qui entrent en jeu lors de la mastication.

b) Nomme les principales dents masticatrices.

c) Définis la déglutition.

d) Revois, dans la section A, les deux dispositifs du pharynx qui empêchent les aliments de s'engager dans les voies respiratoires. Nomme-les.

e) Définis le bol alimentaire.

f) Comment s'appelle la bouillie stomacale ?

g) Situe la région de l'estomac qui est la plus active dans le brassage du chyme.

h) Nomme le dispositif qui doit s'ouvrir pour que l'estomac se vide.

i) Comment se nomme le mouvement qui fait avancer le contenu intestinal ?

j) Dans quelle autre région du tube digestif les aliments sont-ils brassés comme dans l'estomac ?

2. DIFFÉRENCIER EXPÉRIMENTALEMENT UNE TRANSFORMATION MÉCANIQUE D'UNE TRANSFORMATION CHIMIQUE.

Matériel : 1 bain-marie bouillant, 1 batterie de tubes à essais, 1 erlenmeyer de 500 ml, 1 petit entonnoir, 1 mortier et pilon, papier-filtre, eau iodée, acide nitrique dilué, eau, 2 tranches de pain blanc, amidon en poudre.

A. *Reconnaître deux propriétés chimiques du pain.*

CONSTATER L'ACTION DE L'IODE SUR LE PAIN.

— Dépose une goutte d'eau iodée sur une tranche de pain ;
— Note la couleur de l'iode en solution et celle de la tache qu'elle laisse sur le pain.

Tu viens de caractériser la présence d'un glucide, l'amidon, dans le pain.

CONSTATER L'ACTION DE L'ACIDE NITRIQUE SUR LE PAIN.

— Introduis une boulette de mie de pain dans un tube à essai ;
— Verse de l'acide nitrique dilué pour la recouvrir ;
— Place ce tube au bain-marie bouillant.
Note la couleur de la solution d'acide nitrique et celle de la mie de pain au bout d'environ 1 min.

Tu viens de caractériser la présence d'une protéine, le gluten, dans le pain.

B. *Démontrer que le broyage laisse le pain à l'état de particules grossières.*

— Broie soigneusement une tranche de pain avec un peu d'eau dans le mortier, jusqu'à ce que tu obtiennes une bouillie molle, aussi homogène que possible ;
— Verse la bouillie sur un filtre en papier placé dans un entonnoir, lui-même installé sur un erlenmeyer ;
— Ajoute un peu d'eau si nécessaire.
Note l'aspect du fluide filtré. Estime la taille des particules de pain broyé et celle des molécules d'eau par rapport au diamètre des pores du papier-filtre.

C. *Démontrer que l'identité chimique du pain n'a pas été modifiée par le broyage.*

— Récupère le pain broyé qui est resté sur le filtre ; en le pressant, extrais-en le surplus d'eau ;
— Dépose une goutte d'eau iodée sur la bouillie.

a) Note la couleur de la tache.
— Introduis un peu de cette bouillie dans un tube à essai ;
— Vérifie l'action de l'acide nitrique sur le contenu du tube (n'oublie pas de le faire chauffer au bain-marie).

b) Note la coloration du pain.

c) Que faut-il conclure des propriétés chimiques du pain broyé par rapport à celles du pain non broyé ?

D. *Réaliser et reconnaître une transformation chimique.*

Matériel : 1 bécher de 250 ml, 1 ensemble de tubes à essais, 1 pince à tube, 1 baguette de verre, 1 bain-marie à 40°C, 1 bain-marie bouillant, eau iodée, *liqueur de Fehling*, amidon en poudre, eau bouillante, eau froide, 1 crayon à marquer le verre.

RÉALISER LA TRANSFORMATION CHIMIQUE DE L'AMIDON.

— Prépare de l'eau bouillante (environ 500 ml) ;
— Délaie, dans le bécher, une pincée d'amidon

en poudre dans un peu d'eau froide en te servant de la baguette de verre.

Tu viens de préparer un mélange nommé lait d'amidon.

— Ajoute de l'eau bouillante au mélange, jusqu'à ce qu'il devienne un liquide assez clair.

Tu viens de préparer un empois d'amidon, c'est-à-dire une solution d'amidon dans l'eau.

— Marque deux tubes à essais A et B; saisis-les ensuite avec la pince pour les remplir à moitié d'empois d'amidon.

a) Note l'aspect de l'empois d'amidon, et notamment sa transparence.
— Refroidis les deux tubes dans un bécher rempli d'eau glacée;
— Crache à cinq ou six reprises de la salive dans le tube A, puis agite-le vigoureusement;
— Ajoute quelques gouttes d'eau iodée dans le tube A, devenu tiède.

b) Note la coloration du mélange. Quelle substance présente cette coloration caractéristique?
— Ajoute quelques gouttes d'eau iodée au contenu du tube B;
— Agite les deux tubes et place-les ensemble au bain-marie à 40°C.

c) Note l'évolution de la coloration dans les deux tubes.
— Lorsque le contenu du tube A est décoloré, ajoutes-y quelques gouttes de liqueur de Fehling, puis place-le au bain-marie bouillant.

d) Note la couleur initiale de la liqueur de Fehling et la variation de teinte qui se produit dans le tube A chauffé.
— Place le tube A dans son support.

La chaleur fait disparaître la coloration bleu-noir de l'amidon par l'iode.

— Place le tube B dans le bain-marie bouillant; Lorsque son contenu est décoloré, ajoutes-y quelques gouttes de liqueur de Fehling.

e) Compare ce que tu observes dans le tube B à ce qui s'est passé dans le tube A, avec le même réactif (la liqueur de Fehling).

f) Note le dépôt rouge brique qui se forme au fond du tube A.

Ce dépôt est constitué de particules d'oxyde de cuivre, un composé insoluble dans l'eau et dérivé de la liqueur de Fehling.

INTERPRÉTER L'EXPÉRIENCE PRÉCÉDENTE.

a) Quelle substance n'a été introduite que dans le tube A?

b) Peut-on admettre que le séjour du tube A au bain-marie à 40°C ait provoqué l'évaporation de l'iode, donc la décoloration de l'amidon? Sur quel fait se fonde ton opinion?

Ce n'est donc pas la substance colorante (iode) qui disparaît du tube A, mais la substance colorée (amidon).

c) Quelle substance disparaît du tube A pendant son séjour à 40°C?

Dans le contenu décoloré du tube A, une substance chimique provoque à chaud, avec la liqueur de Fehling, la formation d'un dépôt rouge brique.

d) Cette substance peut-elle être l'eau? Justifie ton opinion.

e) Cette substance peut-elle être l'amidon? Explique ta réponse.

f) Cette substance peut-elle être la salive elle-même?

g) Décris une expérience qui permettrait de vérifier ta réponse.
— Réalise cette expérience simple.

h) Le résultat a-t-il confirmé ta réponse?

La substance qui réagit avec la liqueur de Fehling n'est aucune de celles qui constituaient à l'origine le contenu du tube A. Il ne s'agit ni de l'eau, ni de l'amidon, ni de la salive. C'est donc une substance qui s'est formée dans le tube pendant son séjour à 40°C.
Puisque l'amidon disparaît en tant que tel du mélange, on peut raisonnablement admettre que la substance active sur la liqueur de Fehling provient de l'amidon.

i) Consulte les schémas du texte notionnel pour savoir quel produit peut résulter d'une action de la salive sur l'amidon.

La transformation chimique que tu viens d'observer dans un tube reproduit un phénomène banal qui se déroule chaque jour dans notre tube digestif. Tu as réalisé la digestion artificielle de l'amidon par la salive.

j) Résume cette transformation par son équation chimique (écris en toutes lettres les noms des composés chimiques mis en jeu).

3. ILLUSTRER, À L'AIDE D'UN TABLEAU, LE RÔLE GÉNÉRAL DE LA DIGESTION.

a) Reproduis et complète le tableau suivant.

Tableau 2-2.
L'action des sucs digestifs dans la digestion chimique.

Lieux des transformations	Sucs digestifs	Aliments simples transformés → Produits de la transformation
Dans la bouche	Salive	• ⟶ •
Dans l'estomac	Suc gastrique	• ⟶ •
Dans l'intestin	Suc pancréatique et suc intestinal	• ⟶ • • ⟶ • • ⟶ • • ⟶ • • ⟶ • • ⟶ •

b) Souligne, d'un trait rouge, les noms de nutriments figurant dans ton tableau. Dans quelle section du tube digestif ces nutriments apparaissent-ils ?

c) Nomme trois types d'aliments simples auxquels le processus de digestion ne s'applique pas.

Le pain est essentiellement un mélange de gluten (protéine), d'amidon, d'eau et de sels minéraux.

d) Énumère les nutriments que le pain apporte à l'organisme.

e) Explique pourquoi l'estomac n'est pas absolument indispensable à la digestion.

f) Donne le terme général qui désigne les substances actives contenues dans les sucs digestifs.

4. DÉFINIR ET SITUER LE PHÉNOMÈNE D'ABSORPTION.

a) Quelle barrière les nutriments doivent-ils franchir pour être absorbés ?

b) Deux caractéristiques de cette barrière facilitent l'absorption. Quelles sont-elles ?

c) Dans quelle section du tube digestif s'effectue l'essentiel de l'absorption ?

d) Nomme une autre section qui absorbe des quantités importantes d'eau.

e) Nomme, dans l'ordre, les deux liquides du milieu intérieur par lesquels passent les nutriments.

5. INDIQUER LA DESTINÉE DES ALIMENTS NON DIGÉRÉS.

a) Nomme le principal aliment simple qui est en partie digéré par des microbes. Dans quelle section du tube digestif cette action se produit-elle ? Quel nutriment en découle ?

b) Nomme une vitamine produite par les microbes du tube digestif.

c) Quel est le principal composant des matières fécales ?

d) Combien de temps ces matières séjournent-elles dans le gros intestin ?

e) Comment se nomme la sortie du tube digestif ?

f) Même lorsqu'on jeûne en ne prenant que de l'eau, des matières fécales se forment. À partir de quoi sont-elles élaborées ?

VA PLUS LOIN

Enquête sur la façon de se nourrir sans manger

Recherche les moyens par lesquels on peut nourrir une personne incapable de s'alimenter normalement par la bouche. Développe les points suivants :

a) Quelles sont les situations qui empêchent une personne de s'alimenter normalement ?

b) Que peut-on lui administrer pour la nourrir artificiellement ?

c) Comment peut-on le lui administrer ?

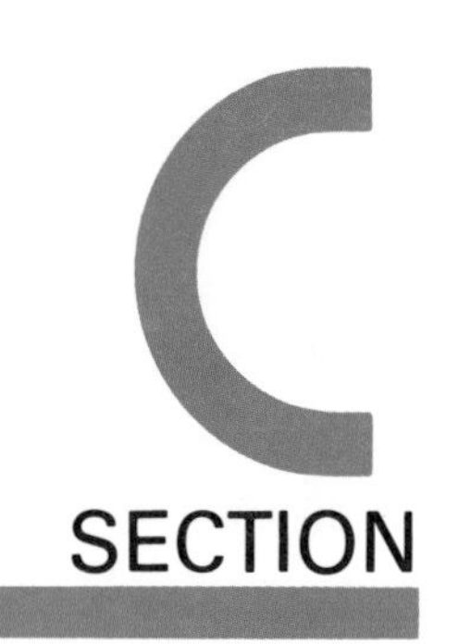

L'hygiène du système digestif

Quelle est la part du système digestif dans ton bien-être ?

a) Dans quelles circonstances est-il arrivé que tu digères mal ? Comment te sentais-tu ? Lorsque tu digères bien, en as-tu conscience ?

b) Possèdes-tu toutes tes dents ? Sont-elles en bon état ? Certaines de tes dents ont-elles besoin de soins particuliers ? Quels problèmes découlent de la perte de certaines dents ?

c) Quels sont les avantages d'une bonne dentition ?

d) Compte tes dents naturelles. Combien devrais-tu en posséder ? Compte celles qui n'ont jamais été soignées.

e) Pour l'ensemble des élèves de la classe, calcule le nombre moyen de dents naturelles et le nombre moyen de dents intactes.

f) Énumère tous les moyens dont tu disposes pour t'aider à garder des dents saines. Es-tu intéressé(e) à en connaître de nouveaux ?

g) Qu'est-ce que la constipation ? Pourquoi ne doit-on pas prendre ce problème à la légère ?

La santé dentaire est essentielle à la santé de tout le corps.

Ton système digestif devrait réaliser les performances suivantes:

— Fournir à ton sang un maximum de nutriments à partir d'un minimum d'aliments courants;
— Travailler rapidement;
— T'assurer une mastication confortable et fonctionner sans que tu t'en rendes compte entre la déglutition et l'expulsion des matières fécales.

En prenant soin de ton système digestif, tu l'aideras à travailler efficacement et discrètement au bien-être de tout ton corps. Dans ce but, le bon état de tes dents est une priorité. Si tu ne les entretiens pas pour simplifier la tâche de ton estomac, fais-le au moins pour conserver un beau sourire.

1. Quelques principes d'hygiène dentaire

Les dents sont des organes vivants; elles doivent leur dureté aux sels minéraux à base de calcium qu'elles accumulent (phosphate, carbonate et fluorure de calcium). Une alimentation riche en calcium est donc indispensable à la formation et au maintien de dents dures et résistantes. Rappelons que le lait et le fromage sont d'excellentes sources de calcium.

Figure 2-13.
La structure d'une dent.

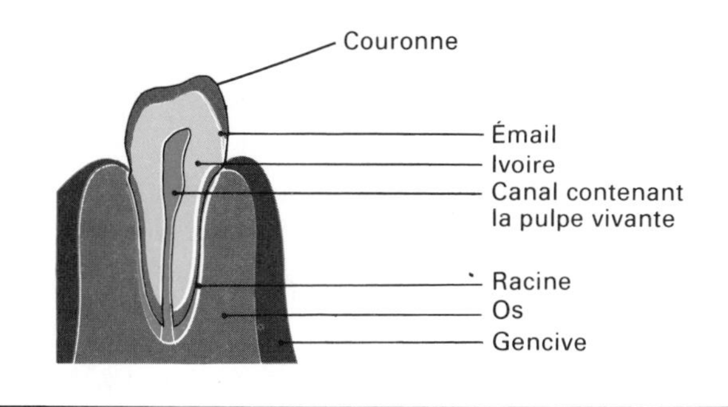

L'*émail* qui protège les dents peut être rayé par l'usage de cure-dents, se fissurer en changeant brutalement de température, ou même éclater lorsque les dents servent de casse-noix, voire de décapsuleur. Les bactéries qui abondent dans la bouche s'installent dans les moindres fentes de l'émail, se multiplient en se nourrissant de résidus alimentaires et libèrent des acides qui attaquent chimiquement la dent. Il se forme alors une cavité, nommée *carie*, qui s'agrandit et s'approfondit progressivement.

Figure 2-14.
L'évolution possible d'une carie.

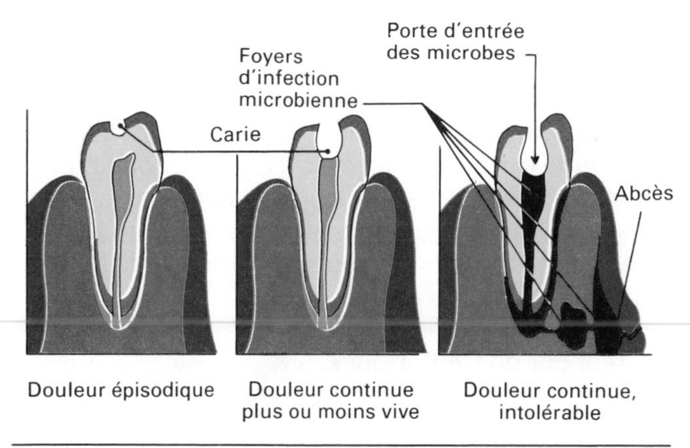

La carie est une maladie de la dent; elle entraîne souvent sa destruction et parfois de graves complications. Avec le temps, du tartre se dépose sur les dents: c'est une formation minérale poreuse dérivée de la salive et qui constitue un véritable réservoir de bactéries.

Les sucreries sont reconnues comme une des principales causes de la carie dentaire. Cependant, la quantité de sucre absorbée n'est pas le seul facteur en cause ; il faut tenir compte aussi du moment de l'absorption. Dans l'heure qui suit toute consommation de sucre, l'acidité augmente dans la bouche ; qu'il s'agisse d'un simple bonbon ou de tout un repas sucré, l'effet est le même. La consommation de sucre à chaque repas fait que tu déposes de l'acide trois fois par jour sur tes dents. Si, en plus, tu consommes des sucreries entre les repas (bonbons, gommes, boissons sucrées), tu entretiens une acidité presque permanente autour de tes dents. Celles-ci se déminéralisent (perte des sels minéraux) et deviennent alors des proies faciles pour la carie. Les bonbons durs et collants (au caramel, par exemple) sont particulièrement nocifs.

Le brossage régulier et méthodique des dents avec utilisation de dentifrice permet d'éliminer le plus possible de tartre, de résidus alimentaires et de bactéries. Le brossage du soir est particulièrement important car, durant le sommeil, les bactéries trouvent dans la chaleur moite de la bouche un milieu idéal pour leur multiplication. En 24 h, elles finiraient par former un revêtement mou et transparent, nommé plaque dentaire, qui tendrait à s'infiltrer sous la gencive. Le brossage régulier empêche la reconstitution de la plaque dentaire. Pour déloger les fibres alimentaires coincées entre les dents, la soie dentaire est préférable au cure-dents.

Le triste sort qui guette nos dents a inspiré à un Britannique une réflexion cruellement ironique : « *Le plus curieux avec les dents, c'est qu'aucun autre organe du corps humain ne risque davantage de se détruire au cours de la vie, et pourtant, aucun n'est aussi résistant à la destruction après la mort. La mort est le remède de la carie dentaire* [1]. »

La rentabilité des soins dentaires réguliers. Une visite chez le dentiste tous les six mois ne coûte pas plus cher qu'une bonne police d'assurance dentaire et représente un meilleur investissement. À condition de respecter les autres principes d'hygiène, c'est la quasi-certitude de garder ses dents en bon état. Au cours de ces visites de routine, le dentiste procède généralement à un nettoyage complet , puis il obture les petites caries (bouche les cavités) avant qu'elles ne prennent de l'importance.

- En terme de dentisterie, qu'est-ce qu'un pont ? une couronne ? un traitement de canal ? une application topique de fluorure ?
- Que signifie l'expression « creuser sa tombe avec ses dents » ?
- Pourquoi certains dentistes ne font-ils que des traitements de canal alors que d'autres n'en font pas ?
- Qu'est-ce qu'un(e) orthodontiste ? un(e) denturologiste ? un(e) hygiéniste dentaire ?
- Quel est l'intérêt des boissons et des gommes « sucrées sans sucre » ? Quelle est la valeur nutritive de ce genre de produits ?
- Qu'est-ce qui te laisse penser que le fluor est bénéfique pour les dents ?
- La santé dentaire est-elle le seul argument publicitaire utilisé pour vendre des dentifrices ?
- Pourquoi les dents doivent-elles être brossées dans le sens où elles poussent ?

1. Anthony Smith, *Le corps et ses secrets*, Paris, Éd. Fayard, 1969, p. 561.

2. L'approche sociale de la santé dentaire

La santé dentaire des Québécois(es) est une des plus mauvaises au monde. Vers le milieu des années soixante-dix, on estimait que 15 % des jeunes de 18 ans étaient complètement édentés et que, chez les adultes de 40 ans et plus, environ 40 % étaient dans la même situation. Face à de telles statistiques, le gouvernement de la province a pris plusieurs initiatives visant à promouvoir la santé dentaire de la population.

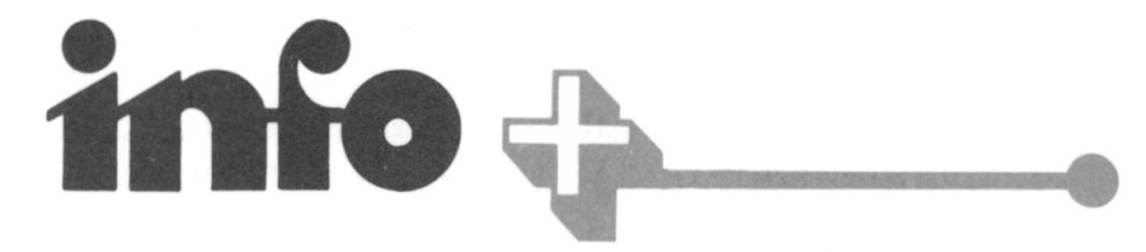

La fluoration de l'eau potable

Au cours des années soixante-dix, une loi obligeant les propriétaires d'aqueducs (les municipalités, essentiellement) à ajouter du fluor à l'eau de leur réseau a été adoptée. Le fluor possède en effet la propriété de s'intégrer à l'émail des dents et d'en augmenter la résistance à la carie.

Cependant, plusieurs municipalités — dont Montréal — ont refusé d'appliquer la loi, en invoquant des questions de principes et une certaine *toxicité* du fluor. Il semble en effet qu'un excès de ce produit dans l'eau potable entraîne l'apparition de taches sur les dents (fluorose dentaire), ainsi qu'une inflammation des gencives (gingivite). Par ailleurs, certains rapports ont laissé croire que le fluor pourrait avoir un effet cancérigène, alors que d'autres concluaient au contraire qu'il pourrait protéger du cancer.

Devant la confusion créée par ce débat, les pouvoirs publics ont suspendu l'application de la loi. Les municipalités sont donc libres d'ajouter ou non du fluor à l'eau potable qu'elles distribuent.

Les données actuelles semblent démontrer que le fluor n'est pas nocif en petite quantité, suivant la dose optimale de 1,2 mg/L. Toutefois, plusieurs municipalités n'ont pas les moyens techniques qui leur permettraient de respecter cette norme, d'autant plus que l'eau d'approvisionnement est souvent naturellement surchargée en fluor.

Le programme de soins dentaires gratuits. Le gouvernement du Québec a mis en œuvre un programme destiné à encourager les jeunes ainsi que les bénéficiaires de l'aide sociale à visiter régulièrement un dentiste, en leur accordant la gratuité de certains soins dentaires. Bien que les contraintes budgétaires aient quelque peu restreint les objectifs de ce programme, il reste intéressant. Informe-toi, tu peux probablement encore en bénéficier.

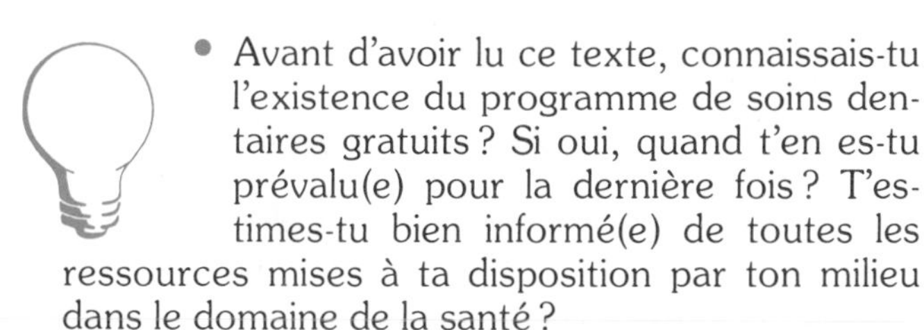

- Avant d'avoir lu ce texte, connaissais-tu l'existence du programme de soins dentaires gratuits ? Si oui, quand t'en es-tu prévalu(e) pour la dernière fois ? T'estimes-tu bien informé(e) de toutes les ressources mises à ta disposition par ton milieu dans le domaine de la santé ?

3. Quelques principes généraux d'hygiène digestive

Nous mangeons généralement trop, bien souvent par gourmandise. Or, le plaisir qu'on prend à savourer de bons aliments prend fin lorsque la bouche les a gardés un certain temps. Un moyen simple de résister à la tentation de trop manger consiste donc à mastiquer longuement chaque bouchée. De cette manière, on fait durer le plaisir, tout en mangeant moins et en digérant mieux.

La présentation des aliments est importante pour une bonne digestion. Un plat bien cuisiné et aromatisé flatte la vue et l'odorat et stimule les sécrétions digestives avant même qu'on y goûte.

Il faut prendre ses repas à des heures régulières et suffisamment espacées, afin de laisser aux organes digestifs la possibilité de se reposer. On boira peu en mangeant pour éviter de diluer les sucs digestifs. Par contre, on absorbera beaucoup d'eau entre les repas.

Nous avons déjà expliqué comment une alimentation riche en cellulose stimule le gros intestin. En cas de paresse intestinale, des fermentations bactériennes se prolongent et produisent des composés qui pourraient favoriser le cancer. La surcharge du gros intestin est malsaine ; elle est cause d'humeur morose et de teint triste. De plus, elle gêne la circulation sanguine locale, ce qui peut entraîner un gonflement douloureux des veines dans la région anale (hémorroïdes). Il faut donc prendre et conserver l'habitude d'aller à la selle chaque matin au lever et même, si possible, le soir avant de se coucher.

En plus d'une alimentation et des habitudes de vie appropriées, une activité physique modérée, incluant des exercices qui font travailler les muscles abdominaux, améliore le fonctionnement du gros intestin.

- À l'origine, y avait-il une justification hygiénique à l'interdit jeté sur la viande de porc par les religions juive et musulmane ? Pourquoi la consommation de foie de mouton est-elle interdite dans certains pays ?
- Pourquoi les associations de consommateurs(trices) recommandent-elles de faire son marché après un repas et non avant ?
- Les gastronomes insistent pour que le vin soit considéré par les amateurs comme un aliment, et non comme une boisson dont on se désaltère. Devient-on alcoolique en buvant un verre de vin à chacun des principaux repas ?
- Quelle était la principale fonction des sauces et des épices dans la gastronomie traditionnelle ? Pourquoi leur importance a-t-elle diminué dans la nouvelle cuisine ?
- La plupart des gens qui se disent victimes d'une « crise de foie » souffrent en réalité d'une irritation du gros intestin. Pourquoi la confusion est-elle possible ?

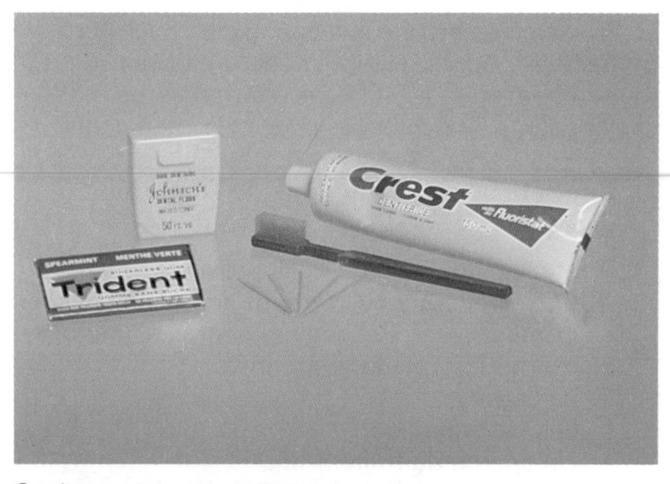

Rolland Renaud

Quels sont les vrais amis des dents ?

à toi de jouer

1. INDIQUER TROIS MESURES QUI PEUVENT CONCOURIR À L'HYGIÈNE PRÉVENTIVE DES DENTS.

a) Nomme deux aliments d'origine animale riches en calcium.

b) Nomme le principal élément minéral qui compose les dents.

c) Quel nom désigne une cavité qui se développe dans une dent ? Quels êtres vivants en sont responsables ?

d) Si tu ne devais te brosser les dents qu'une fois par jour, quel serait le moment le plus opportun ?

e) Pourquoi la soie dentaire est-elle préférable au cure-dents pour « travailler » entre les dents ?

f) Nomme deux opérations qu'un dentiste effectue lors d'une visite de routine.

2. NOMMER LES PRINCIPAUX ÉLÉMENTS CONSTITUANT LA POLITIQUE SOCIALE DES SOINS DENTAIRES AU QUÉBEC.

a) Enquête sur le programme de soins dentaires gratuits du gouvernement provincial. À cet effet, tu peux consulter :
— Un cabinet de dentiste ;
— Le Département de santé communautaire (D.S.C.) d'un centre hospitalier ;
— Un Centre local de services communautaires (C.L.S.C.) ;
— Le service de santé de ton école, s'il y a lieu.

b) Dans ton rapport, précise les conditions d'admissibilité au programme et classe les services offerts en trois catégories :
— Les services de nature préventive ;
— Les services de nature curative ;
— Les services de nature diagnostique.

3. IDENTIFIER DEUX MESURES PRÉVENTIVES DE L'HYGIÈNE DU GROS INTESTIN.

a) Nomme un aliment simple qui stimule les mouvements de l'intestin.

b) Quelle est la meilleure façon d'éviter la constipation ?
— Prendre un laxatif régulièrement ?
— Manger des fruits et des légumes ?

c) Indique une façon de stimuler le gros intestin qui n'ait pas trait à l'alimentation.

VA PLUS LOIN

1. **Enquête sur l'hygiène dentaire**

Rassemble une documentation sur l'hygiène dentaire. Adresse-toi pour cela à un cabinet dentaire, un C.L.S.C., une pharmacie, ou à des fabricants de dentifrices et de brosses à dents.

2. **Enquête sur les affections de l'appareil digestif**

Aphte, ulcère, hépatite, calcul biliaire, hémorroïde, salmonellose sont des affections de l'appareil digestif. Recherche, pour chacune d'elles, les informations suivantes :
— La cause ;
— Les symptômes ;
— Un aperçu du traitement ;
— Les mesures d'hygiène préventive et curative.

3. **Enquête sur les mesures à prendre en cas *d'ingestion* d'une substance toxique**

Recherche les mesures à prendre pour une dizaine de produits toxiques d'usage domestique.

4. **Enquête sur les précautions alimentaires à prendre en vacances**

Énonce les précautions raisonnables que tu pourrais prendre pour éviter des problèmes *gastro-intestinaux* lors d'un séjour dans un pays tropical.

SECTION

L'anatomie du système respiratoire

Quel est le chemin suivi par l'air dans ton corps ?

a) Jusqu'à quelle profondeur l'air pénètre-t-il dans ton corps ?

b) Pourquoi est-il possible de respirer par la bouche ?

c) Dans le système respiratoire, l'air vient-il directement barboter (faire des bulles) dans le sang ? Justifie ton opinion.

d) Schématise, tel que tu l'imagines, le dispositif qui permet à l'air contenu dans le système respiratoire de côtoyer le sang.

e) D'après ton jugement personnel, combien mesure la surface de contact qui existe entre ton corps et l'air ?

Notre grande taille nous impose une très grande surface d'échanges respiratoires.

Comme le système digestif, le système respiratoire représente une des complications anatomiques qui te sont imposées en raison de ta grande taille.

À chaque instant, tes cellules puisent de l'oxygène dans les liquides du milieu intérieur. Comme les nutriments, l'oxygène pénètre dans ces liquides en franchissant une barrière vivante à la fois mince et très étendue.

Les organes qui renferment cette barrière sont les poumons. L'air y pénètre en traversant une suite de conduits : les voies respiratoires.

1. Les voies respiratoires

Les voies respiratoires sont les conduits qui s'obstruent lorsque tu as un rhume ou qui sont irrités lorsque tu tousses.

Les fosses nasales. Les fosses nasales forment la partie supérieure des voies respiratoires ; elles sont creusées en arrière du nez, dans la profondeur de la tête. La muqueuse épaisse et chaude qui les tapisse recouvre des os et des *cartilages* de formes complexes. Ainsi, chaque fosse nasale est cloisonnée par trois lames osseuses recourbées : les *cornets*.

Les fosses nasales communiquent avec l'extérieur par les narines et se prolongent dans les os des pommettes et du front par des cavités nommées *sinus*.

Figure 2-15.
La coupe de la tête montrant les fosses nasales.

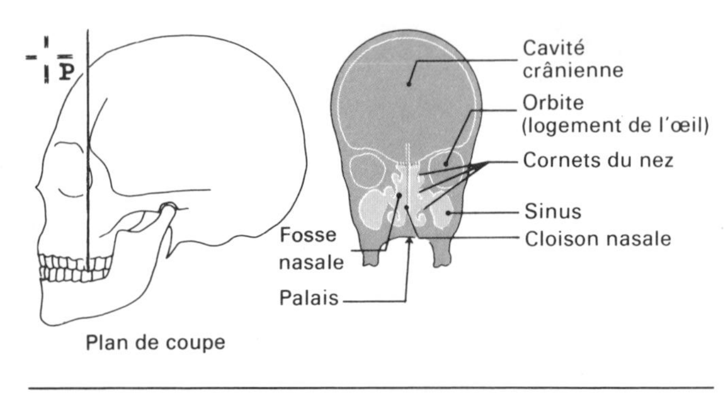

Le pharynx. On nomme pharynx le carrefour des voies digestives et respiratoires. Nous l'avons déjà étudié dans le système digestif.

La trachée. La trachée, encore nommée trachée-artère, est un tube de 12 cm de long et de 1,2 cm de diamètre interne, maintenu ouvert par une armature formée d'une quinzaine d'arcs (anneaux ouverts) cartilagineux. La muqueuse qui la tapisse contient de nombreuses glandes productrices de mucus. Elle est garnie de *cils vibratiles* infiniment nombreux qui battent de façon coordonnée pour faire remonter le revêtement de mucus vers le pharynx.

Figure 2-16.
La coupe transversale montrant les positions relatives de la trachée et de l'œsophage.

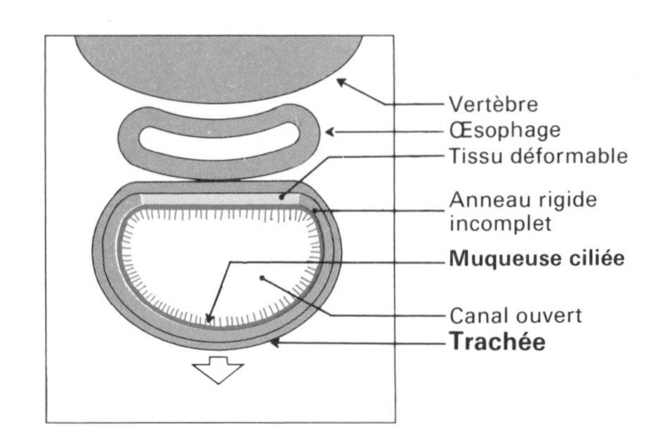

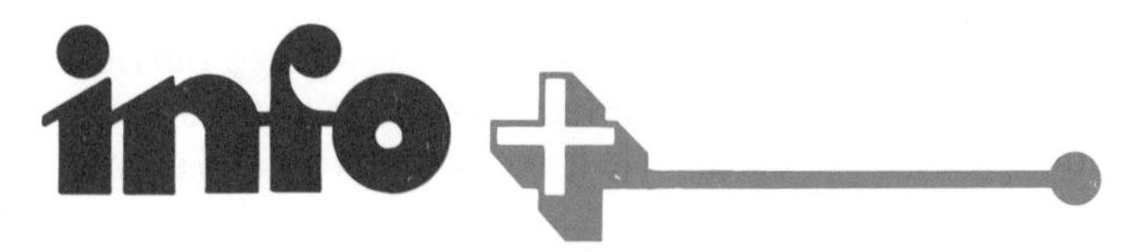

D'où vient le son de la voix ?

La trachée débute avec le larynx, un organe cartilagineux qui forme la saillie (bosse) du cou, nommée « pomme d'Adam ». La muqueuse du larynx présente une paire de replis remarquables : les cordes vocales. Celles-ci délimitent entre elles un passage triangulaire, la *glotte*, capable de s'élargir ou de se resserrer. Lorsque les cordes vocales se rapprochent, elles vibrent au passage de l'air et produisent le son de la voix. L'*épiglotte* est une sorte de couvercle qui se rabat sur la glotte lors de la déglutition.

Les bronches. Les bronches sont les ramifications inférieures de la trachée, formant avec elle un arbre renversé. Les deux bronches principales pénètrent dans les poumons, où elles se ramifient rapidement ; des vaisseaux sanguins longent les bronches et épousent leurs formes. Comme la trachée, les bronches sont garnies de cils.

- Qu'est-ce qu'une pharyngite ? une laryngite ? une bronchite ? une sinusite ?
- D'où vient le mucus qui caractérise le rhume ?
- Pourquoi as-tu les yeux qui pleurent lorsque tu es enrhumé(e) ?
- Pourquoi un rhume peut-il se transformer en infection de l'oreille ?
- Pourrais-tu citer un fait tiré de ton expérience personnelle qui démontre l'existence d'une communication entre la bouche et les fosses nasales, et un autre qui démontre que l'œsophage longe la trachée ?

2. Les poumons

Les poumons sont des masses de tissu spongieux (*parenchyme*), où pénètrent les bronches et des vaisseaux sanguins. Le poumon droit se subdivise en trois parties, ou *lobes*, et le gauche, un peu plus petit, en deux lobes seulement. Chacun des poumons est enveloppé dans un sac élastique à double paroi : la plèvre. La membrane interne de la plèvre colle au poumon, tandis que la membrane externe est soudée aux côtes et au diaphragme. Une pellicule de liquide lubrifiant s'intercale entre les deux membranes et leur permet de glisser aisément l'une sur l'autre.

Figure 2-17.
Le système respiratoire.

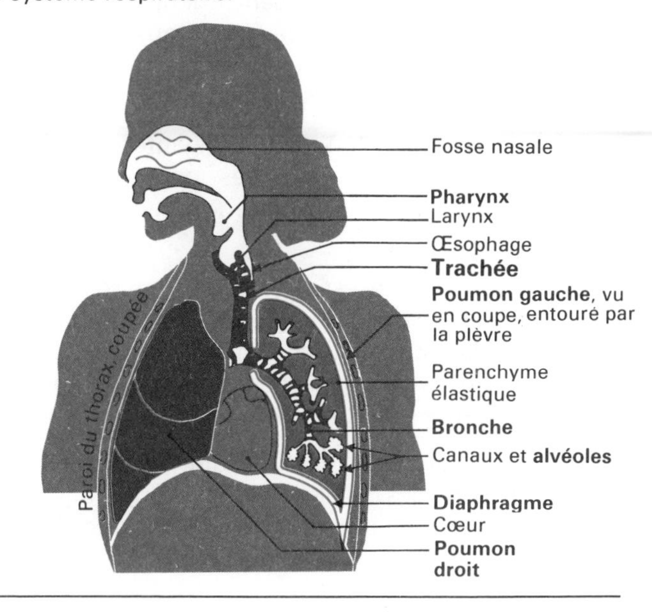

Chaque poumon est une réunion de petites unités toutes semblables dont le volume varie de 1 à 3 cm^3 : les *lobules pulmonaires*. Pour comprendre comment fonctionnent les poumons, il suffit d'étudier une seule de ces structures minuscules.

Figure 2-18.
Un lobule pulmonaire.

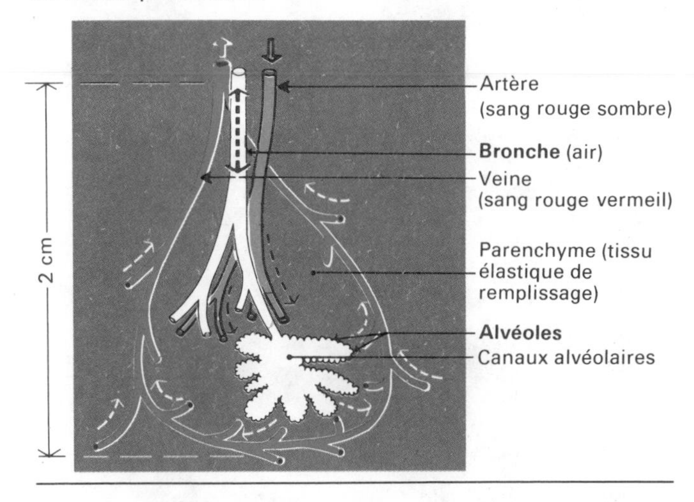

Figure 2-19.
L'étalement du sang dans les capillaires, près des alvéoles pulmonaires.

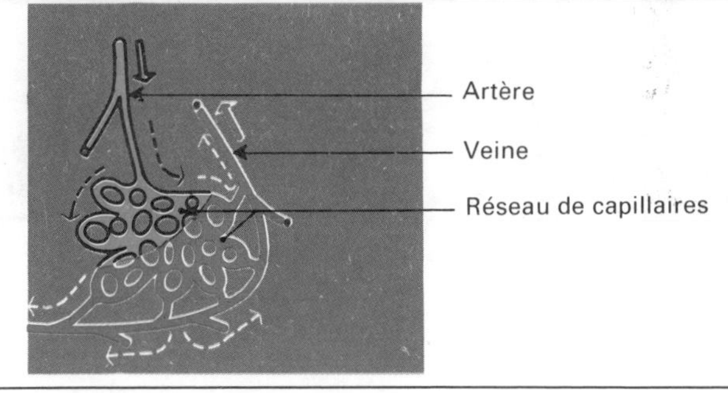

Dans chaque lobule, une bronche se ramifie en *bronchioles*, qui s'épanouissent à leur tour en bouquets de canaux. La paroi de ces canaux est tapissée de cavités sphériques, dont le diamètre varie entre 0,1 et 0,3 mm : les *alvéoles pulmonaires*.

Ici, le minuscule rejoint le gigantesque ; il y a 700 millions d'alvéoles dans tes poumons et leur surface totale va te surprendre lorsque tu la calculeras.

Chaque alvéole est logée dans un réseau très dense de vaisseaux sanguins microscopiques, ou capillaires. La surface de la nappe de sang qu'ils étalent tout près de l'air alvéolaire (contenu dans les alvéoles) mesure environ 70 m^2.

L'épaisseur de la barrière qui sépare l'air des alvéoles du sang des capillaires peut mesurer aussi peu que 0,1 μm, soit environ 1300 fois moins que 1 feuille de ce livre. Nous verrons plus loin que cette barrière n'est pas un obstacle sérieux pour les petites molécules gazeuses ; celles-ci la franchissent très facilement.

- Qu'est-ce qu'une pneumonie ? une pleurésie ? une broncho-pneumonie ?
- Pourquoi une paramécie n'a-t-elle pas besoin de système respiratoire ?
- Une grenouille possède des poumons. Pourquoi meurt-elle asphyxiée si on lui recouvre la peau d'un vernis ?
- Qu'est-ce qu'un « poumon d'acier » ?
- Les poumons sont parfois appelés vulgairement les « éponges ». Vois-tu des analogies entre un poumon et une éponge ?

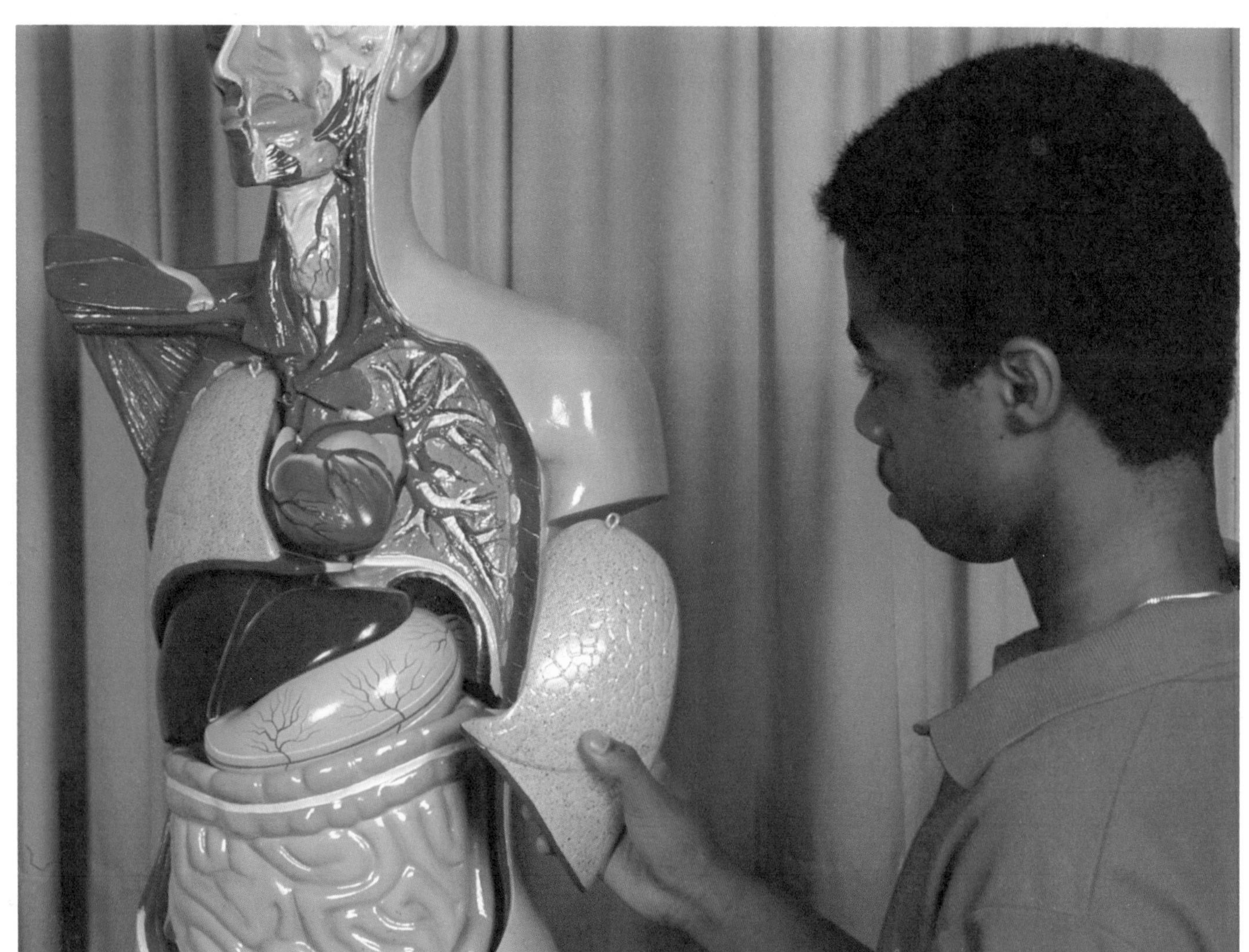

Rolland Renaud

Quels organes respiratoires reconnais-tu ici ?

à toi de jouer

1. NOMMER ET LOCALISER CINQ PARTIES DU SYSTÈME RESPIRATOIRE.

a) Nomme les structures anatomiques qui augmentent la surface de contact entre l'air et l'organisme dans les fosses nasales.

b) Pourquoi la trachée reste-t-elle ouverte ?

c) Nomme l'organe de la voix. Quel conduit surmonte-t-il ?

d) Comment appelle-t-on l'ouverture triangulaire par laquelle l'air pénètre dans la trachée ?

e) Quelle partie du tube digestif se confond avec une partie des voies respiratoires ?

f) Quelles parties des voies respiratoires se ramifient dans les poumons ?

g) Nomme l'enveloppe des poumons.

h) Comment appelle-t-on la cloison transversale à laquelle les poumons sont fixés par leur fond ?

i) Identifie les petites unités semblables qui forment chaque poumon.

j) Quel nom désigne les cinq grandes subdivisions des poumons ?

2. COMPARER LA SURFACE D'ÉCHANGE DES ALVÉOLES À UNE SURFACE CONNUE.

a) D'après les données ci-dessous, calcule l'aire d'un court de tennis, à l'intérieur des limites du jeu simple.

Figure 2-20.
Les dimensions d'un court de tennis (limites du jeu simple).

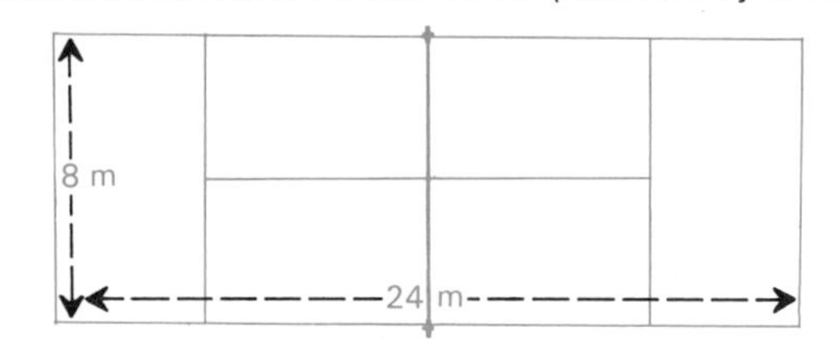

b) Calcule, en mètres carrés, la surface totale des alvéoles pulmonaires, sachant que la surface de chacune d'elles mesure en moyenne 0,3 mm^2.

c) Compare les résultats des deux calculs (court de tennis et alvéoles pulmonaires).

3. RÉCAPITULER L'ANATOMIE DU SYSTÈME RESPIRATOIRE.

Reproduis le schéma ci-dessous et complète-le.

Figure 2-21.
Le diagramme du système respiratoire.

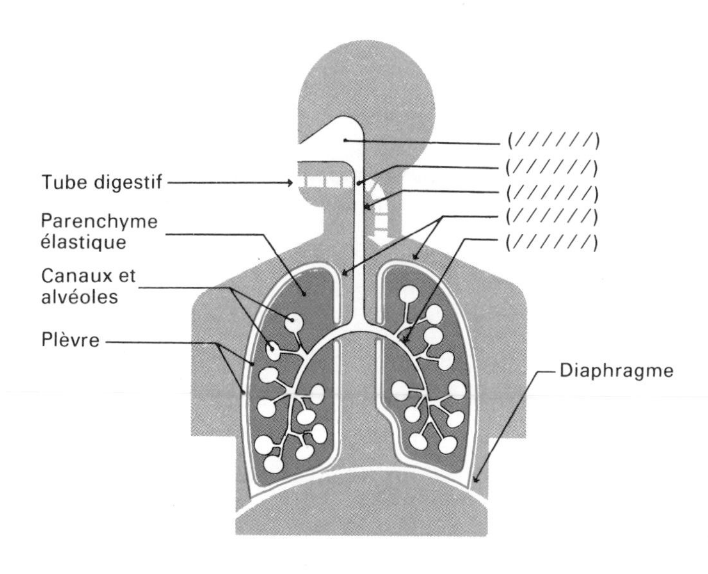

VA PLUS LOIN

Enquête sur la trachéotomie

La trachéotomie est une intervention qui peut sauver une vie ; enquête pour savoir de quoi il s'agit. Présente ton rapport en quatre points :

a) Trouve d'abord la définition et le but de l'intervention.

b) Comment voit-on qu'une trachéotomie s'impose ?

c) Quelle est la façon de la réaliser en cas de nécessité ?

d) Comment peut-on essayer de chasser un corps qui obstrue la trachée avant d'envisager la trachéotomie ?

La physiologie du système respiratoire

Que se passe-t-il dans l'appareil respiratoire ?

a) Lorsque tu vides une bouteille d'eau, celle-ci s'écoule-t-elle librement ? Qu'est-ce qui s'oppose à la sortie de l'eau ? Quelle substance remplace l'eau dans la bouteille ? Qu'est-ce qui l'attire à l'intérieur ?

b) Que signifie la phrase suivante : « La nature a horreur du vide » ?

c) Comment se nomme la force qui empêche les pneus d'une automobile de s'affaisser sous le poids qu'ils supportent ? Pourquoi l'air s'échappe-t-il d'un pneu gonflé dès qu'il en a l'occasion ?

d) Comment doit être la pression atmosphérique par rapport à celle des poumons pour que l'air entre dans le système respiratoire ? pour qu'il en sorte ?

e) Dans une boisson gazeuse, le gaz dissous développe une certaine pression. Donnes-en une preuve.

Dans le sang qui arrive aux poumons, il y a un vide d'oxygène par rapport à l'air ; la pression de l'oxygène est plus forte dans l'air que dans le sang.

f) Dans quel sens est orienté le courant d'oxygène qui s'établit entre l'air et le sang dans les poumons ?

g) Combien mesure la surface d'échanges qui existe entre l'air et le sang dans les poumons ? Quel est l'avantage d'une telle grandeur ?

h) Pourquoi l'air doit-il être renouvelé constamment dans les poumons ?

i) Note toutes les questions que tu te poses au sujet du fonctionnement de ton système respiratoire.

Dans les poumons, le sang se charge d'oxygène seulement.

L'analyse de l'air inspiré et de l'air expiré démontre qu'il entre dans ton système respiratoire plus d'oxygène qu'il n'en sort. Que devient la différence ?

Elle ne fait que passer dans tes poumons ; elle est destinée à l'ensemble de ton corps, et surtout à tes muscles, ton foie, tes reins et ton cerveau. Le sang assure le transport de l'oxygène ; il l'attire d'abord depuis les alvéoles pulmonaires, puis il le distribue aux cellules des organes consommateurs.

Ces échanges gazeux sont réglés par un principe physique universel : la *diffusion*. En étudiant de façon minutieuse le mécanisme de la diffusion, tu découvriras qu'il peut s'appliquer à toutes sortes d'échanges.

1. La pénétration de l'air dans les poumons

Grâce à leur très grande surface interne, les poumons sont les principaux lieux d'échanges entre le sang et l'air. Examinons d'abord le mécanisme qui oblige l'air à entrer dans les poumons et à en sortir.

Figure 2-22.

Les mouvements respiratoires.

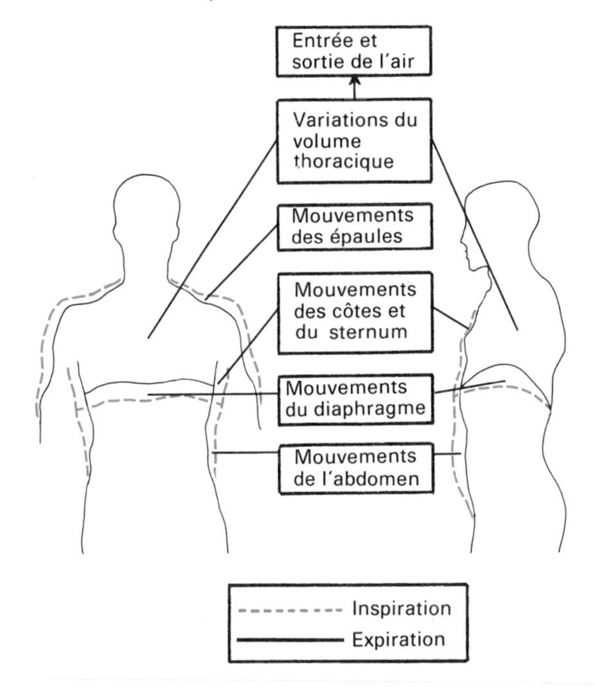

L'expérience de la page 60 te fera comprendre le principe de la ventilation pulmonaire. Les poumons et le cœur sont enfermés dans un contenant où l'air ne peut normalement pas pénétrer : le *thorax*. Par contre, les poumons qui communiquent avec l'extérieur par les voies respiratoires se laissent envahir par l'air lorsque leur contenant s'agrandit : c'est l'inspiration. L'augmentation de volume du thorax est le résultat du travail de deux sortes de muscles :

— Les muscles élévateurs des côtes, qui tirent celles-ci vers le haut ;
— Le *diaphragme*, qui s'abaisse tout en s'aplatissant.

Dans un deuxième temps, ces muscles cessent de travailler et se relâchent ; les poumons reviennent sur eux-mêmes grâce à leur élasticité, chassant ainsi une partie de l'air qu'ils contiennent : c'est l'expiration. Entraîné par les poumons et par son poids, le thorax retrouve son volume initial.

La capacité maximale des poumons est d'environ 5 L. Ils ne se vident jamais complètement et contiennent toujours un minimum de 1,5 L d'air. Chez un sujet au repos, chaque mouvement respiratoire met habituellement en jeu 0,5 L d'air.

Figure 2-23.
Les capacités pulmonaires.

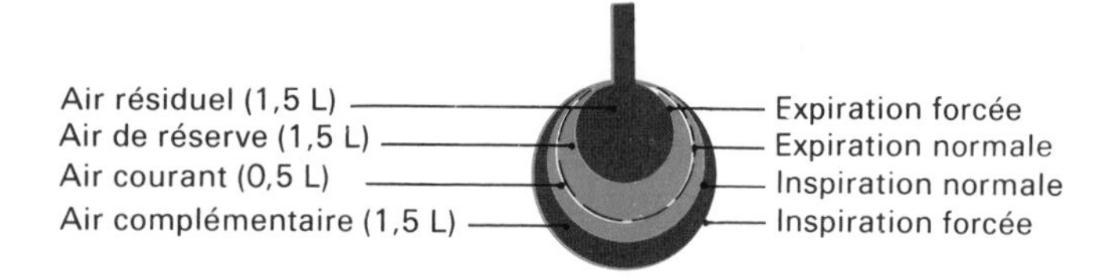

- La différence entre la capacité maximale et la capacité minimale des poumons se nomme capacité vitale. Combien mesure-t-elle ? Pourquoi mesure-t-on la capacité vitale d'un sportif lorsqu'on évalue sa forme physique ? Qu'est-ce qu'un spiromètre ?
- Certaines maladies provoquent un durcissement du *tissu pulmonaire* ; quelle en est la conséquence sur la respiration ?
- Pourquoi les muscles respiratoires sont-ils incapables de faire gonfler la poitrine lorsque la bouche et le nez sont fermés ?
- Comment nommes-tu la brusque contraction involontaire du diaphragme ? Connais-tu des « trucs » pour faire cesser ce phénomène ? As-tu une idée de son record de durée ?

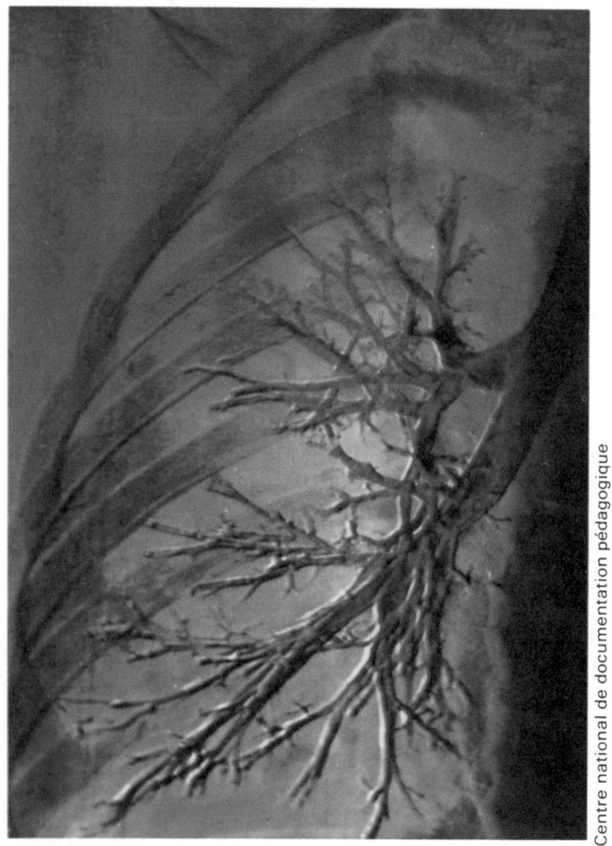

Centre national de documentation pédagogique

Quelle est cette grosse racine, radiographiée dans un poumon ?

2. Le comportement de l'air au contact de l'eau

Nous savons que les molécules d'un liquide sont en mouvement continuel. Il en est de même des molécules d'un gaz. Examinons comment se comporte l'ensemble air-eau enfermé dans un récipient, compte tenu du mouvement des molécules.

Figure 2-24.
La diffusion gazeuse.

Molécule d'oxygène •
Molécule d'azote •
Direction du déplacement ↗

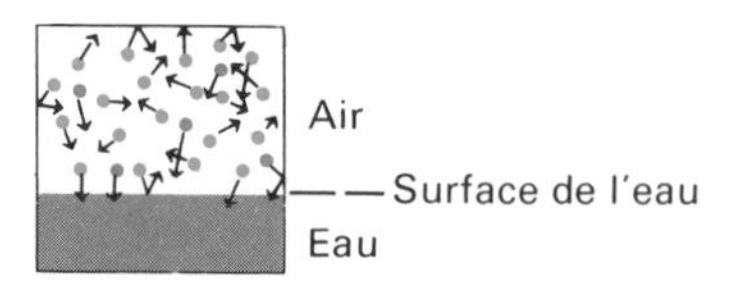

Le mouvement désordonné des molécules de l'air

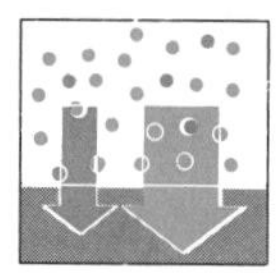

La diffusion de l'azote (flèche bleue) **et de l'oxygène** (flèche rouge)

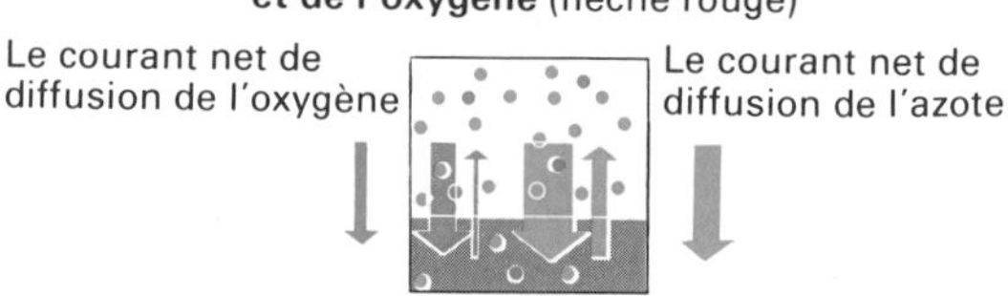

La diffusion se produit dans les deux sens.

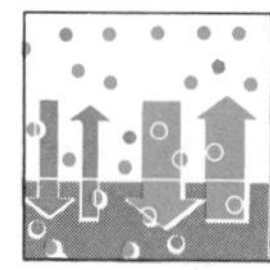

L'état d'équilibre : les courants nets de diffusion sont nuls.

Les molécules de l'air bombardent sans répit la surface de l'eau. La poussée qu'elles exercent sur cette surface, comme sur les parois du récipient, constitue la *pression de l'air*. Une part de cette pression est due à la poussée des molécules d'oxygène, et une autre part, à celle des molécules d'azote. La pression de l'air est donc la somme de deux pressions principales : celle de l'oxygène et celle de l'azote (pressions partielles).

Certaines molécules de gaz qui frappent l'eau parviennent à y pénétrer et se dispersent parmi les molécules d'eau ; elles se dissolvent dans l'eau. Cette occupation d'un espace disponible par les molécules d'une substance donnée se nomme diffusion.

Les gaz ainsi dissous produisent une pression dans le liquide ; leurs molécules bombardent la surface de l'eau par dessous et se diffusent dans l'air.

Pour l'oxygène comme pour l'azote, un équilibre finit par se réaliser entre les deux milieux. Leur pression dans l'eau devient égale à leur pression dans l'air, tandis que leur courant sortant de l'eau devient égal à leur courant entrant. Tout se passe alors comme si la diffusion cessait.

- À quel moment le public d'une salle de cinéma donne-t-il l'image d'un phénomène de diffusion ? Lorsqu'il y entre ou lorsqu'il en sort ?
- En faisant chauffer de l'eau, à quel signe peux-tu constater si elle renferme des gaz dissous ?
- Comment fait-on pour transporter un poisson d'aquarium acheté en magasin ?

3. Le comportement de l'air en quasi-contact avec le sang dans les poumons

Le sang est principalement formé d'un liquide à base d'eau, le plasma, et de corpuscules solides, les globules rouges.

Les alvéoles pulmonaires sont constamment emplies d'un air dépoussiéré, calme, tiède et rempli de vapeur d'eau, dont la composition ne varie presque pas. Cet air est séparé du plasma sanguin par une barrière vivante très mince qui ralentit la diffusion des gaz mais ne l'arrête pas.

Figure 2-25.
Les rapports entre le sang et l'air alvéolaire.

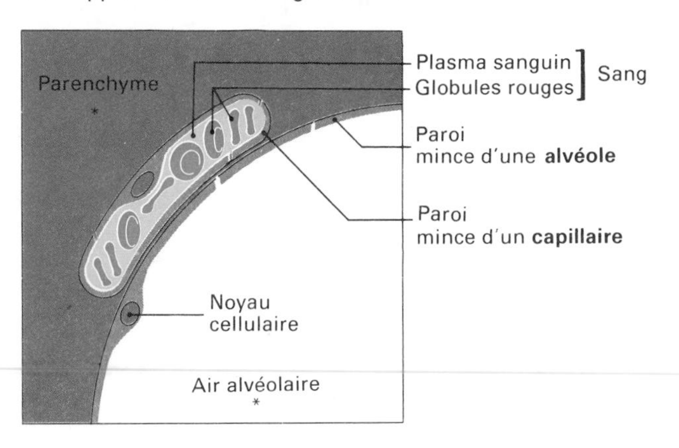

La pression d'oxygène du sang qui entre dans les poumons est plus faible que celle de l'air alvéolaire. Dans les *capillaires* entourant les alvéoles, le sang gagne de l'oxygène par diffusion à partir de l'air. Ainsi, le sang fait le plein d'oxygène en traversant les poumons.

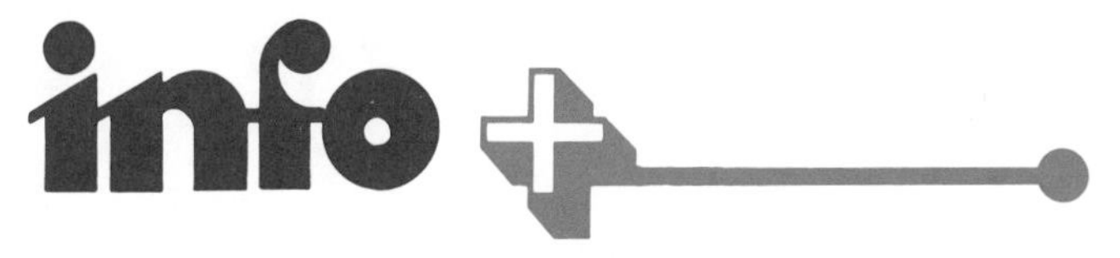

L'influence des globules rouges sur la diffusion de l'oxygène

Le plasma qui arrive dans les capillaires entourant les alvéoles a une pression d'oxygène plus faible que celle de l'air alvéolaire. Une diffusion nette d'oxygène se produit donc depuis l'air alvéolaire vers le plasma. Or, les globules rouges qui baignent dans le plasma s'emparent de l'oxygène qui s'y trouve ; la diffusion de l'oxygène en direction du plasma peut ainsi se prolonger. Les globules rouges permettent donc au sang de se surcharger d'oxygène.

L'azote de l'air se diffuse aussi dans le plasma, mais sa pression dans le sang reste toujours égale à celle de l'air alvéolaire, car il n'est consommé nulle part dans l'organisme. Dans les poumons, la diffusion fait perdre autant d'azote au sang qu'elle lui en fait gagner. La seule utilité de l'azote dans la respiration est de diluer l'oxygène qui serait dangereux et toxique à trop forte concentration.

- Pourquoi les plongeurs(euses) en eau profonde doivent-ils (elles) respecter des paliers de décompression pendant leur remontée ?
- Pourquoi les alpinistes non muni(e)s d'équipement spécial ressentent-ils (elles) une grande fatigue à partir d'une certaine altitude ? Quel équipement permet de résoudre ce problème ?

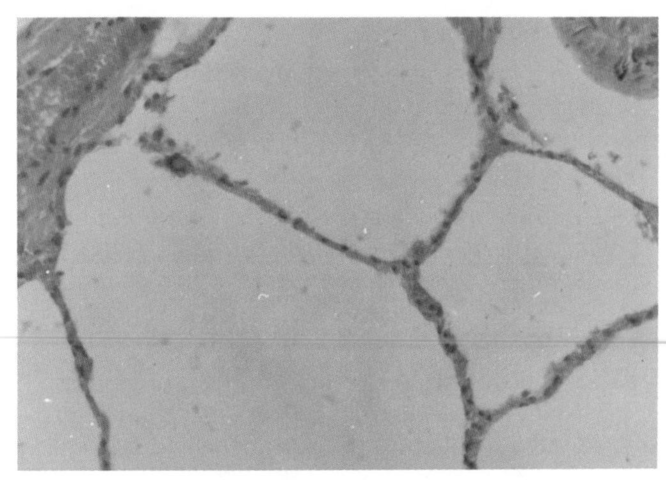

Sur cette microphotographie d'une coupe de tissu pulmonaire, tu n'as sans doute aucune difficulté à situer l'air. Peux-tu situer le sang ?

à toi de jouer

1. DÉCRIRE LE MÉCANISME DE LA PÉNÉTRATION ET DE LA SORTIE DE L'AIR DANS LES POUMONS.

A. *Imiter, à l'aide d'un modèle, le mécanisme de la ventilation pulmonaire.*

Matériel : 1 cloche de verre munie d'un orifice à la partie supérieure, 1 bouchon à 1 trou ; 1 tube en Y ; 2 ballonnets (petits ballons) de caoutchouc, 1 membrane de caoutchouc, 2 élastiques, gros fil.

— Ligature le centre de la membrane de façon à créer une prise ;
— Fixe les ballonnets au tube en Y avec les élastiques ;
— Réalise le montage suivant :

Figure 2-26.
Le principe de la ventilation pulmonaire.

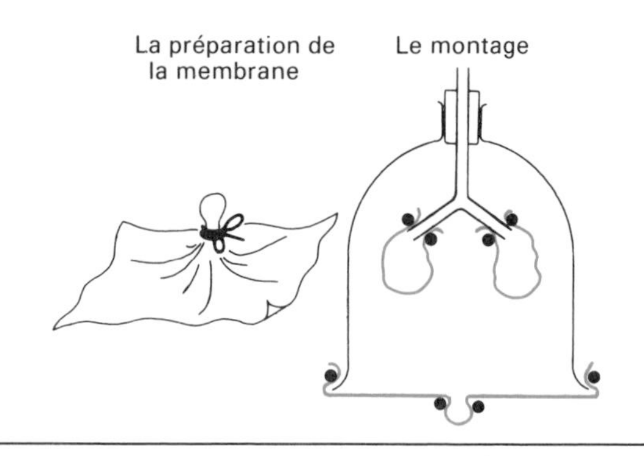

a) Tire la membrane vers le bas et note tes observations.

b) Comment varie la pression à l'intérieur de la cloche quand tu abaisses la membrane ? Quel phénomène tend à rétablir la pression initiale dans cet espace ?

L'espace interne de la cloche, empli d'air, correspond, dans le corps humain, à un espace beaucoup plus étroit rempli de liquide.

c) Situe cet espace.

d) Identifie les organes respiratoires représentés respectivement par les ballonnets, la partie droite du tube en Y et les deux branches de ce tube.

e) Nomme le muscle respiratoire représenté par la membrane.

f) Identifie les muscles respiratoires importants qui ne sont pas représentés dans le modèle utilisé. Comment agissent-ils ?

g) Copie la phrase qui suit et complète-la avec deux verbes d'action.

Au cours de l'inspiration, les côtes (//////) et le diaphragme (//////).

B. *Vérifier le principe de l'expiration.*

Lorsqu'on dissèque un animal, l'air se précipite entre les deux membranes de la plèvre dès que le scalpel en perce la membrane externe. Le poumon se recroqueville alors immédiatement ; on dit qu'il se collabe.

Figure 2-27.
L'effet d'une perforation de la plèvre.

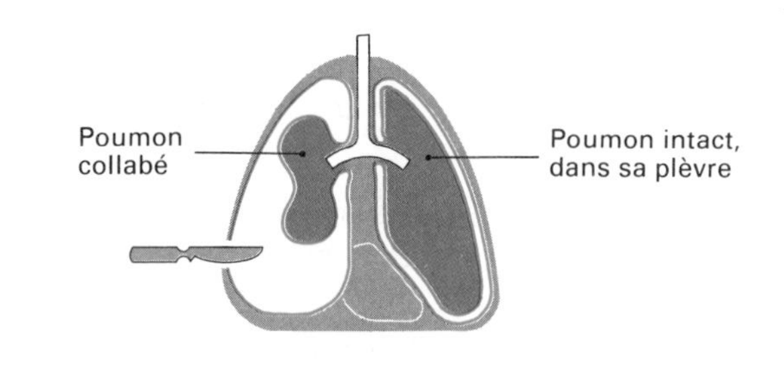

Quelle est la propriété du tissu pulmonaire mise en évidence par le fait décrit ci-dessus ? Nomme le mouvement respiratoire qu'elle assure.

2. ILLUSTRER, PAR UN SCHÉMA, LE PASSAGE DE L'OXYGÈNE DES ALVÉOLES AUX VAISSEAUX SANGUINS.

A. *Établir la nature de la barrière qui sépare l'air du sang dans les poumons.*

a) Étudie la figure 2-25.

b) Quel genre de vaisseau sanguin recouvre les alvéoles ?

c) Nomme le liquide du sang.

d) Combien de couches de cellules vivantes aplaties séparent l'air alvéolaire du plasma sanguin ?

e) Rappelle l'épaisseur minimale de la barrière qui sépare l'air du plasma dans les poumons et combien mesure sa surface totale.

f) Nomme la propriété de cette barrière qui permet aux gaz de la traverser.

B. *Observer le phénomène physique permettant la pénétration de l'oxygène dans le sang.*

OBSERVER UNE DIFFUSION DANS L'EAU.

Matériel : 1 tube à essai dans son support, 1 pipette de verre plus longue que le tube, 1 flacon d'eau, solution de bleu de méthylène.

— Emplis la pipette de bleu de méthylène et bouche-la avec ton index ; la hauteur du liquide doit être inférieure à la longueur du tube à essai ;
— Secoue la pipette de façon qu'une bulle d'air se loge à son extrémité ;
— Sans enlever l'index, introduis la pipette dans le tube à essai, puis verse de l'eau dans celui-ci ; le niveau de l'eau doit s'arrêter à 2 cm de celui du bleu de méthylène.

Figure 2-28.
L'observation d'une diffusion.

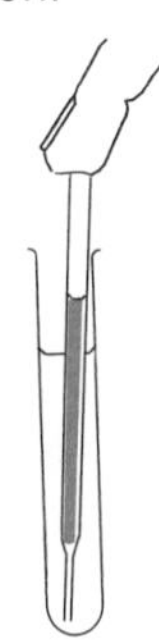

— Libère lentement le bleu de méthylène en soulevant le doigt légèrement ;
— Lâche la pipette, mais laisse-la en place dans le tube.

a) Note tes observations.

b) Schématise le dispositif tel qu'il apparaît au bout de 10 min. Colorie avec soin ton schéma.

c) Explique le dégradé de la couleur.

d) Dans quelle partie du tube la concentration de bleu de méthylène est-elle la plus forte ? la plus faible ?

e) Comment s'appelle le phénomène par lequel les molécules de colorant envahissent l'eau pure ?

f) Détermine l'orientation du courant de diffusion en fonction de la concentration de substance dissoute.

OBSERVER UNE DIFFUSION DANS L'EAU
À TRAVERS UNE MEMBRANE.

Matériel : 1 bécher de 100 ml, 25 cm de membrane à dialyse en cellulose, eau, solution de bleu de méthylène, gros fil.

— Décolle les parois de la membrane en la frottant entre les doigts sous l'eau du robinet, puis ligature solidement son extrémité avec le fil ;
— Verse un peu de bleu de méthylène dans le tube formé par la membrane ; ferme celui-ci par une seconde ligature ;
— Lave extérieurement le sac ainsi formé ;
— Place le sac dans le bécher rempli d'eau.

Figure 2-29.
L'observation d'une *dialyse*.

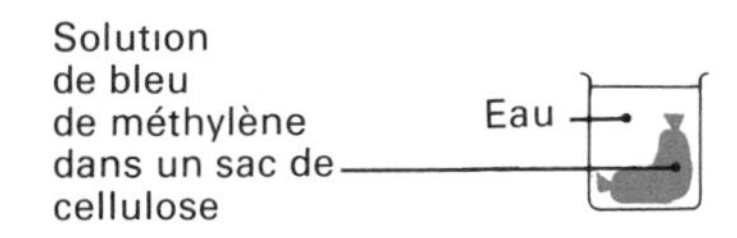

a) Note tes observations.

b) La membrane empêche-t-elle la diffusion des molécules de colorant ? Nomme une propriété de la membrane de cellulose qui concerne le bleu de méthylène.

On appelle dialyse la diffusion d'une substance dissoute à travers une membrane. Le bleu de méthylène dialyse à travers une membrane de cellulose.

C. *Illustrer, par un schéma, les conditions de la diffusion gazeuse de l'oxygène dans le sang.*

Dans le schéma ci-dessous, les flèches rouges symbolisent la diffusion de l'oxygène ; leur longueur est proportionnelle à l'importance du courant de diffusion.

Figure 2-30.
La diffusion de l'oxygène alvéolaire dans le sang.

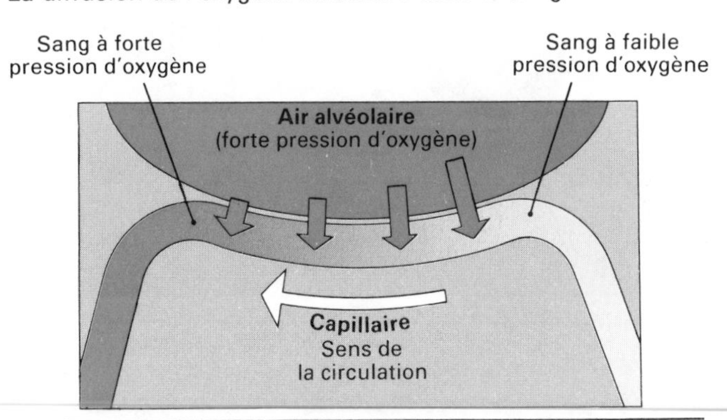

a) Comment le courant de diffusion varie-t-il d'un bout à l'autre le long du capillaire ?

b) Reproduis le schéma et colorie le capillaire en rouge plus ou moins foncé, de façon à montrer comment varie son contenu en oxygène.

c) Donne la relation qui existe entre les pressions d'oxygène dans le sang et dans l'air d'une part, et l'importance du courant de diffusion d'autre part.

VA PLUS LOIN

Enquête sur la respiration artificielle

Enquête sur les méthodes de respiration artificielle.

a) Présente les circonstances au cours desquelles il faut pratiquer la respiration artificielle.

b) Donne un aperçu sommaire des méthodes les plus courantes de respiration artificielle.

c) Résume le fonctionnement de l'appareil nommé respirateur.

d) Comment pratique-t-on la méthode du bouche à bouche ? Il faudrait bien insister sur la façon d'installer et de préparer la personne qui doit recevoir les premiers soins.

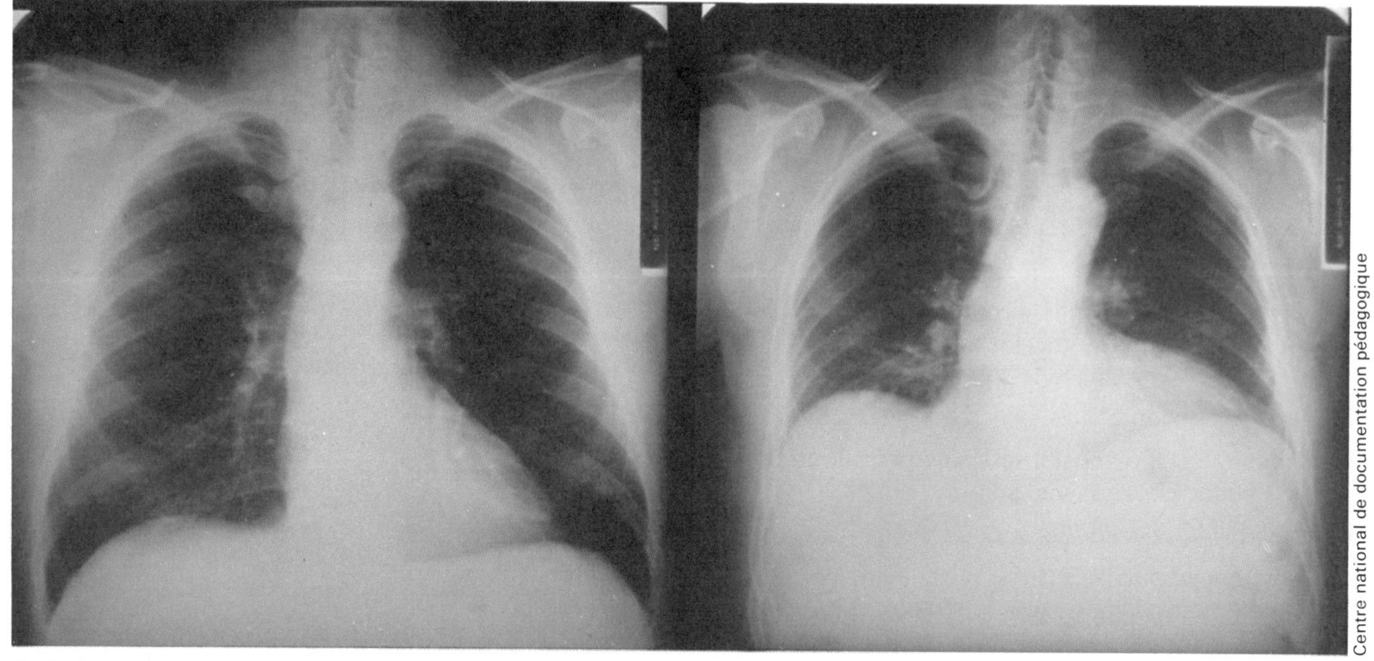

Centre national de documentation pédagogique

Croirait-on que ces deux paires de poumons appartiennent à la même personne ? Dans quelles situations ont été faites ces radiographies ?

L'hygiène du système respiratoire

Quelle est la part du système respiratoire dans ton bien-être ?

a) Pourquoi doit-on remplacer ou nettoyer périodiquement le filtre à air d'un système de chauffage domestique ou d'une automobile ?

b) Dans quelles circonstances est-il arrivé que tu respires un air surchargé de poussières ? Depuis le temps que tu fais entrer des poussières dans ton système respiratoire, pourquoi n'en est-il pas encore rempli ?

Découpe dans les journaux des publicités sur la cigarette et analyse les façons dont on s'y prend pour que tu la désires.

c) Identifie les thèmes valorisants qui sont associés à l'usage de la cigarette dans les publicités (vie au grand air, sport, fortune, amour, esprit d'entreprise, etc.).

Dans les images publicitaires, le fait de fumer est rarement le thème central des situations présentées.

d) Amuse-toi à lui donner la place qui lui revient, c'est-à-dire la première, en faisant dire aux fumeurs(euses) des propos ironiques du genre : « Tu vois, ma chérie, je t'aime autant que ma cigarette. » ou bien : « Maudit poisson qui m'empêche de fumer tranquillement ! »

Organise-toi avec des camarades pour rassembler une documentation sur les effets physiologiques (effets sur l'organisme) de la fumée de cigarette. Adressez-vous au service de santé de l'école, à des C.L.S.C., à la Société du timbre de Noël, à la Société canadienne du cancer, à la Fondation canadienne des maladies du cœur, à la Fédération des associations foyers-écoles et parents-maîtres du Québec, à un bureau du ministère des Affaires sociales, à Santé et Bien-être social Canada, etc.

e) Dresse une liste des effets de la fumée de cigarette sur le système respiratoire.

Dans notre civilisation, l'air est devenu un mélange très complexe.

As-tu déjà observé un rayon de soleil ou le faisceau d'une lampe de poche dans une pièce obscure ? Alors, tu as vu que l'air est un réservoir de fines particules solides.

Nous baignons dans un océan de poussières. Par temps froid et vent calme, un épais voile gris flotte dans l'atmosphère de nos villes. Il salit les vitres de nos logements, nos automobiles, et souille la blancheur de la neige. Chaque citadin inhale en moyenne 20 000 millions de particules solides par jour : des poussières charbonneuses, des grains de pollen responsables du rhume des foins, des microbes, etc.

Cependant, c'est de l'air presque propre qui emplit les alvéoles pulmonaires. Les conduits du système respiratoire sont donc équipés d'un système de filtration très efficace. D'autre part, même si l'air inspiré est glacé ou torride, sec ou humide, c'est toujours de l'air tiède et saturé de vapeur d'eau qui emplit les alvéoles pulmonaires. La muqueuse respiratoire est donc capable de réchauffer ou de refroidir l'air inspiré et de l'humidifier.

L'air que tu respires est presque toujours pollué, c'est-à-dire contaminé par des résidus d'activités humaines qui nuisent plus ou moins à ta santé. L'atmosphère d'une cuisine mal ventilée peut être aussi polluée que celle d'une grande ville industrielle. Bien sûr, les pollueurs sont surtout les autres, mais as-tu bien fait ton examen de conscience à ce sujet ? Accepterais-tu de soutenir l'action de ceux qui réclament pour chacun le droit à respirer de l'air sain ?

1. L'épuration de l'air inspiré

Dans les voies respiratoires, l'air inspiré subit une *épuration* partielle.

Les poussières. Les poils des narines freinent les plus grosses poussières de l'air (la sciure de bois, par exemple), mais l'essentiel du dépoussiérage est réalisé par la *muqueuse ciliée* qui tapisse toutes les voies de pénétration de l'air : fosses nasales, trachée et bronches. Ses innombrables cils microscopiques fouettent le mucus qui la recouvre et le maintiennent en mouvement continu. Les poussières collent au mucus qui les transporte vers le pharynx à une vitesse de quelques millimètres par minute (17 mm/min dans la trachée et les bronches). Le mucus empoussiéré est ensuite avalé ou craché.

Figure 2-31.
Le travail des cils dans la trachée.

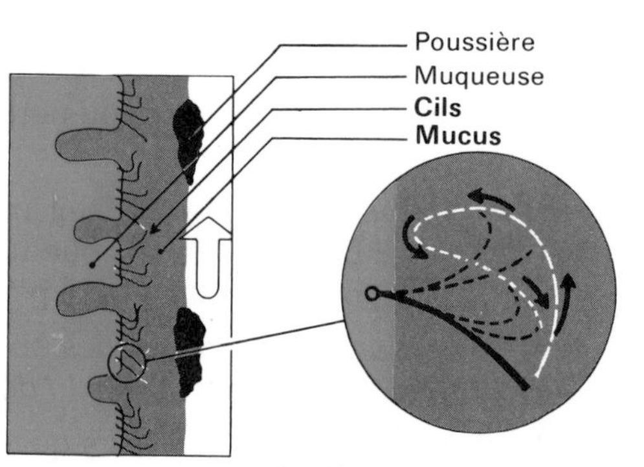

Malgré tout, de nombreuses poussières réussissent à s'infiltrer dans le parenchyme pulmonaire. C'est ainsi que des travailleurs(euses) de mines sont souvent victimes d'une affection du poumon nommée silicose, qui est causée par les poussières siliceuses de leur milieu de travail. Leur tissu pulmonaire durcit et leur respiration devient pénible. L'amiantose est un type particulier de silicose qui frappe de nombreux(ses) travailleurs(euses) de l'amiante. Fait curieux, les poussières charbonneuses paraissent inoffensives pour le poumon, bien qu'elles le noircissent dans toute sa masse.

Les sources de poussières ne manquent pas ; pour respirer de l'air propre, il faut être marin, alpiniste, ou Inuit.

Les polluants gazeux. Parmi les polluants gazeux de l'air les plus courants, on compte les oxydes de carbone, d'azote et de soufre, les solvants de peintures, de colles, de liquides correcteurs, d'encres, les vapeurs d'insecticides, d'essence, d'huile à friture, etc. Notre civilisation industrielle produit de nombreux composés volatils qui se mélangent à l'air. Par exemple, des industries rejettent des millions de tonnes de dioxyde de soufre (anhydride sulfureux), cause principale des pluies acides, qui font mourir petit à petit les lacs dans le nord-est des États-Unis et l'est du Canada. Dans nos régions, les principales sources de ce redoutable polluant se trouvent notamment à Sudbury, Rouyn-Noranda, Arvida, Shawinigan et Montréal-Est.

Nous inhalons donc toutes sortes de polluants gazeux qui irritent notre muqueuse respiratoire ; et puisque la nature a oublié de nous munir de filtre pour retenir leurs molécules, celles-ci se diffusent dans notre sang et nous intoxiquent peu à peu.

Mais attardons-nous maintenant à l'une des pollutions atmosphériques les plus pernicieuses et les plus généralisées, celle qui est causée par la compagne trop fidèle de beaucoup d'entre nous : la cigarette.

- Peut-on voir le faisceau d'une lampe de poche dans une atmosphère sans poussières ? Quel est l'effet des poussières sur la lumière ?
- Dans un hôpital, pourquoi l'atmosphère des salles d'opération est-elle soigneusement filtrée ?
- Pourquoi une orange coupée en deux moisit-elle rapidement ?
- Dans les années soixante-dix, on a dû évacuer des écoles en attendant que l'isolation d'amiante de leurs plafonds soit remplacée par un autre type d'isolation. Pourquoi prit-on cette mesure ?
- Certaines personnes souffrent d'allergies respiratoires à chaque printemps. Comment se manifestent ces affections ? Quelles en sont les causes ? Existe-t-il des moyens d'éliminer ces causes dans l'atmosphère des appartements ? Plusieurs municipalités de la province, dont Montréal, ont adopté un règlement concernant l'herbe à poux. De quoi s'agit-il ?
- En quoi consiste une crise d'asthme ?
- Quelles sont les causes des pluies acides ?
- La plupart des liquides correcteurs contiennent un solvant toxique. Inhalé en grande quantité, il peut être mortel. Quelle précaution élémentaire devrais-tu observer lorsque tu utilises ce genre de produit ?
- Pourquoi faut-il respirer par le nez, surtout par temps froid ?
- Comment devrait-on protéger son système respiratoire lorsqu'on pose de la laine minérale dans un grenier ou lorsqu'on utilise de la peinture en aérosol ?

2. Les méfaits de l'usage du tabac

Chaque cigarette renferme de 0,5 à 1,5 mg d'un liquide huileux qui jaunit les doigts : la *nicotine*. La combustion lente du tabac et du papier volatilise la nicotine et produit du *monoxyde de carbone* ainsi que des *goudrons*. Examinons brièvement les « performances » de ces trois composants de la fumée de cigarette.

Notons d'abord que deux gouttes de nicotine pure déposées sur la langue ou sur l'œil d'un chien le foudroient en quelques secondes en paralysant son cœur et son sytème nerveux. Le monoxyde de carbone n'est pas plus recommandable, puisqu'il prend la place de l'oxygène dans le sang. Il peut ainsi causer la mort par asphyxie des imprudent(e)s qui laisseraient tourner un moteur d'automobile dans un garage fermé. Les goudrons, enfin, déclenchent à volonté des cancers chez les souris de laboratoire. Joli trio, en vérité, qui prend son envol avec la fumée de cigarette !

Nicotine en tête de file, ces trois toxiques coopèrent pour créer chez le fumeur une véritable maladie chronique : le tabagisme. Les principaux symptômes de cet état sont les suivants : maux de gorge, voix enrouée, souffle court, digestion capricieuse, troubles de vision, maux de tête, trous de mémoire, tremblements, douleurs thoraciques et hypertension. Par ailleurs, tu sais que le fumeur privé de sa drogue devient nerveux, qu'il lui est difficile de penser et de travailler. En somme, la sensation de bien-être et l'effet stimulant apportés par la cigarette se payent par une détérioration de l'organisme. La coûteuse liberté de fumer conduit également à l'esclavage.

En plus du tabagisme, les composants de la fumée de cigarette peuvent entraîner plusieurs maladies aiguës, dont les suivantes :

Le cancer du poumon. Le cancer du poumon est la quatrième cause de décès au Canada. Cette maladie est caractérisée par le développement incontrôlé d'une masse de tissu (tumeur maligne) qui envahit le poumon, parfois à partir d'une bronche. La maladie est très souvent détectée trop tard pour qu'on puisse la guérir ; les goudrons de la fumée de cigarette peuvent contribuer au déclenchement de cette affection.

La bronchite chronique. La bronchite chronique est caractérisée par une irritation et un durcissement de la muqueuse des bronches. Elle est souvent accompagnée d'emphysème, c'est-à-dire de dilatation permanente des alvéoles avec écrasement des capillaires. Le malade tousse et crache ; sa respiration est pénible. Cette affection est une cause de décès, mais surtout, de nombreux cas d'invalidité.

Les maladies cardio-vasculaires. Les maladies cardio-vasculaires sont la première cause de décès dans les sociétés occidentales. La cigarette contribue largement à cette situation. La nicotine augmente la pression artérielle et accélère le cœur qu'elle fatigue inutilement. Le monoxyde de carbone aggrave cet effet en privant ce muscle vital d'une partie de l'oxygène dont il aurait besoin pour bien fonctionner. Les risques de crise cardiaque et de rupture d'artère sont ainsi augmentés par l'usage du tabac.

Les coûts sociaux reliés à l'usage du tabac. L'usage du tabac est largement responsable de la faible augmentation de l'espérance de vie chez les Canadien(ne)s, malgré les progrès de la médecine et l'amélioration des conditions de vie depuis 40 ans.

Les maladies causées par la cigarette, autrefois réservées aux hommes, se sont répandues de plus en plus chez les femmes, en même temps que l'habitude de fumer. Avant sa naissance, l'enfant lui-même peut être victime de la fumée de cigarette, soit parce que sa mère fume, soit parce qu'elle inhale la fumée des autres. La nicotine ralentit son développement, augmente le risque qu'il naisse prématurément ou même qu'il meure avant la naissance.

Les taxes élevées qui sont prélevées sur le tabac sont bien loin de couvrir les coûts sociaux engendrés par son usage. En 1974, on enregistrait au Canada 30 000 décès reliés au tabagisme [2].

De plus, la cigarette est un facteur de division dans notre société. La ségrégation fumeurs-non-fumeurs est en vigueur dans les trains, les avions et même dans certains restaurants. Plusieurs fumeurs perçoivent les interdictions de fumer dans des lieux publics comme des atteintes à leur liberté ; d'un autre côté, les non-fumeurs sont souvent obligés de se plaindre pour faire respecter le droit élémentaire de puiser la vie sans la maladie, dans l'air qu'ils respirent.

- Un poêle à bois peut produire d'importantes quantités d'un gaz toxique que l'on trouve également dans la fumée de tabac. De quelle substance s'agit-il ?
- Quel avertissement est imprimé sur chaque paquet de cigarettes ?
- Pourrais-tu citer des lieux publics où il est interdit de fumer ?
- Que penses-tu des personnes qui fument dans la salle d'attente, au service d'urgence d'un hôpital ?

La Société des jeux du Québec inc.

Cet endroit te semble-t-il bien choisi pour faire de l'exercice physique ? Pourquoi ?

2. B.L. Ouellet *et al.*, *Mortalité prématurée attribuable au tabac et à l'alcool au Canada*, publié par Santé et Bien-être social Canada, 1977, dans Québec, Ministère des Affaires sociales, *Environnement et santé*, juillet 1980, p. 54.

3. Les moyens d'améliorer la qualité de l'air

Les pouvoirs publics ont la responsabilité de veiller à la qualité de l'air dans les villes et les lieux de travail. Leur volonté d'agir dépendra du nombre de citoyen(ne)s qui manifesteront leur intérêt pour cette question.

La réduction des polluants atmosphériques. Des normes de qualité de l'air dans différents milieux sont fixées par la loi. Les concentrations atmosphériques des principaux polluants sont enregistrées en permanence dans les grandes villes ; lorsqu'elles dépassent les normes, les autorités municipales peuvent faire cesser temporairement les activités des industries les plus polluantes. Les organisations syndicales attirent souvent l'attention du public sur les risques encourus par les travailleurs(euses) de certaines industries à cause de la pollution atmosphérique qu'ils (elles) subissent ; les syndicats insistent pour que les normes anti-pollution soient mieux respectées et renforcées.

Graphique 2-1.

Les polluants et les pollueurs de l'air au Canada, en 1970 *.

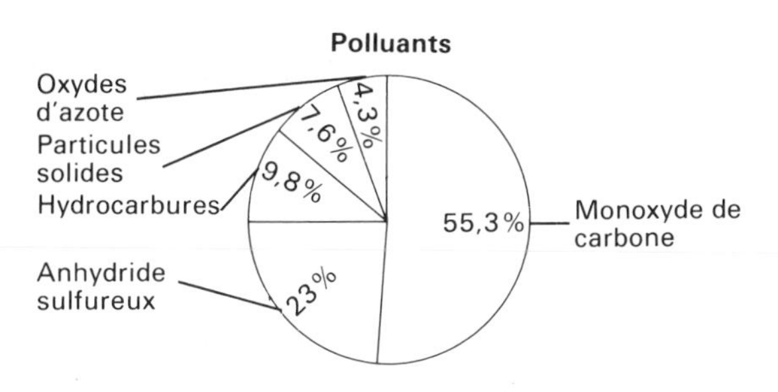

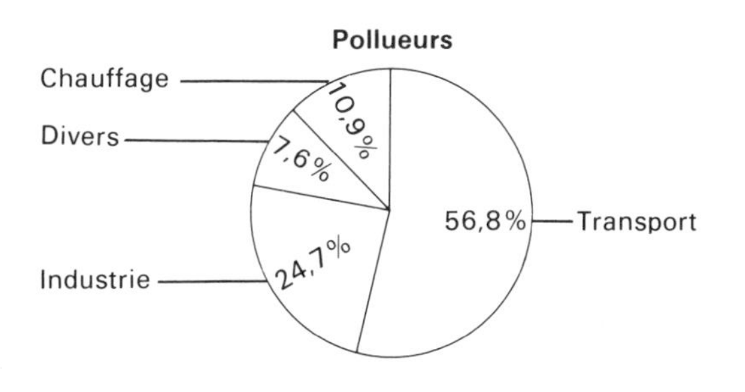

* Québec, Ministère des Affaires sociales, *Éléments d'une problématique québécoise*, Québec, juillet 1980, p. 38.

Des dispositifs antipollution plus ou moins efficaces sont installés sur les automobiles. L'épuration des fumées d'usines commence seulement à se répandre, mais les progrès sont lents dans ce domaine, car les considérations économiques ne s'accordent pas avec les exigences de la santé publique.

L'aménagement des espaces verts. Chaque grande ville possède son « poumon » : le mont Royal à Montréal, Central Park à New York, Hyde Park à Londres, le bois de Boulogne à Paris. Les espaces verts contribuent à réduire la concentration des polluants dans l'atmosphère en les diluant et même en absorbant certains d'entre eux. D'autre part, tu sais déjà que la photosynthèse purifie l'air en absorbant du dioxyde de carbone et en produisant de l'oxygène.

Chacun(e) d'entre nous est concerné(e) par la qualité de l'air et peut agir pour l'améliorer. S'intéresser aux projets d'aménagement dans son milieu, faire régler la carburation de son automobile, éviter de laisser tourner le moteur inutilement, et ne pas fumer sont autant d'attitudes utiles pour tous et laissées à la responsabilité de chacun(e).

Si tu aspires à une certaine qualité de vie, préoccupe-toi de la qualité de l'air que tu respires.

- Pourrais-tu identifier les principales industries qui polluent l'atmosphère de ta région ?
- A-t-on le droit de faire brûler des feuilles mortes dans ta municipalité ?

- En quoi consiste le phénomène météorologique d'inversion de températures ? Pourquoi favorise-t-il l'accumulation de la pollution dans les villes ?
- Peux-tu donner un exemple d'enquête médicale sur la santé des travailleurs(euses) menée dans une entreprise du Québec ?
- As-tu déjà entendu parler de problèmes liés à la préservation d'espaces verts dans ta région ? dans les autres régions ? De quoi s'agissait-il ?
- Pourquoi les petites localités de Seveso, en Italie, et de Three Miles Island, en Pennsylvanie, sont-elles mondialement célèbres ?

à toi de jouer

1. RECONNAÎTRE LES LIMITES D'EFFICACITÉ DU SYSTÈME DE FILTRATION DE L'APPAREIL RESPIRATOIRE.

a) De quel système de filtration les narines sont-elles munies ?

b) Supposons qu'une poussière pénètre de 20 cm à l'intérieur d'une bronche. Quel système peut la ramener au pharynx ? Calcule le temps qu'elle mettra pour y revenir, en tenant compte de la longueur de la trachée et de la vitesse de déplacement du mucus.

c) Nomme une maladie pulmonaire causée par les poussières du milieu de travail.

d) Nomme trois polluants atmosphériques qui ne sont pas arrêtés par le système de filtration de l'appareil respiratoire.

2. NOMMER QUELQUES EFFETS D'UN POLLUANT COURANT : LE TABAC.

A. *Démontrer que certains polluants de la fumée sont retenus dans le système respiratoire.*

Matériel : 1 fumeur, 1 mouchoir blanc.

— Demande au fumeur de prendre une bouffée de fumée, puis de la souffler sans l'inhaler à travers un mouchoir ;
— Demande à la même personne d'inhaler une bouffée de fumée, puis de la souffler à travers le même mouchoir ; Deux taches de goudron salissent le mouchoir ; Compare-les et explique leur différence.

B. *Évaluer la toxicité du tabac.*

En 1981, on a fumé au Québec au moins 18 milliards de cigarettes, qui contiennent en moyenne 0,7 mg de nicotine et produisent 12,0 mg de goudrons. Pour tuer une personne, 1 g de nicotine serait plus que suffisant.

a) Calcule les quantités de nicotine et de goudron libérées chaque année par les fumeurs québécois.

b) Combien de personnes pourraient être empoisonnées mortellement avec la quantité totale de nicotine qui vient d'être calculée ?

c) Évalue la quantité de goudron inhalée en 1 an par une personne qui fume 25 cigarettes par jour.

La fumée de cigarette renferme 42 000 parties par million (42 000 p.p.m.) de monoxyde de carbone. Les pouvoirs publics ont fixé à un maximum de 30 p.p.m. la concentration acceptable de ce gaz toxique dans l'air ambiant, à condition toutefois de ne la subir que durant 1 h/d.

d) De combien de fois la concentration de monoxyde de carbone dans la fumée de cigarette est-elle supérieure à celle qui est tout juste tolérable dans l'air ?

C. *Déterminer l'effet du tabac sur l'espérance de vie.*

L'espérance de vie se définit comme le nombre probable d'années qu'il reste à vivre.

Reproduis et complète le tableau ci-dessous en considérant que les personnes de 32 ans ont en moyenne 32,5 ans.

Tableau 2-3.

L'effet de l'usage du tabac sur l'espérance de vie (données valables pour les personnes de 32 ans).

	Personnes n'ayant jamais fumé régulièrement	**Fumeurs** (cigarettes/jour)		
		1 à 9	10 à 20	21 et plus
Âge prévu au décès	72,1	68,5	67,2	66,4
Espérance de vie	•	•	•	•
Années perdues à cause de l'usage du tabac	•	•	•	•

D. *Nommer des maladies liées à l'usage du tabac.*

a) Nomme l'intoxication qui se traduit par une grande nervosité chez le sujet qui manque de cigarettes.

b) Nomme une maladie des bronches qui se développe lentement.

c) Nomme la maladie qui accompagne souvent la précédente et qui se caractérise par une dilatation des alvéoles pulmonaires.

d) Nomme la maladie redoutable qui se caractérise par le développement d'une tumeur. Quel genre de toxique de la fumée en est une cause probable dans le poumon ?

e) Identifie deux accidents du système circulatoire qui guettent les fumeurs. Nomme les deux toxiques de la fumée qui en sont des causes importantes.

f) Donne deux effets de la nicotine sur le système circulatoire.

3. PROPOSER DEUX MOYENS D'AMÉLIORER LA QUALITÉ DE L'AIR.

a) Décris le dispositif qui empêche l'accumulation des gaz d'échappement dans les garages fermés où sont réparées des automobiles.

b) Nomme les polluants atmosphériques responsables des pluies acides.

c) Quels sont les moyens d'action des pouvoirs publics pour faire diminuer la pollution atmosphérique des villes ?

d) Pourquoi la pollution atmosphérique des villes est-elle plus importante par temps froid et par vent calme ?

VA PLUS LOIN

1. Enquête sur le code de la route et la pollution atmosphérique

Recherche toutes les dispositions du code de la route qui traitent de la qualité des gaz d'échappement des véhicules automobiles. Note aussi les amendes prévues en cas d'infraction.

2. Enquête sur le contrôle de la qualité de l'air en milieu urbain

Enquête auprès du service de contrôle de la qualité de l'air d'une grande municipalité pour savoir :

— Ce qu'il surveille ;

— Comment il le surveille ;

— Les mesures qu'il peut prendre si la pollution dépasse les normes fixées.

3. Enquête sur l'usage de la cigarette chez les jeunes

Enquête auprès de tes camarades qui fument régulièrement et tiens compte de ton expérience personnelle pour répondre aux questions suivantes :

a) Dans quelles circonstances les jeunes commencent-ils à fumer ? à fumer régulièrement ?

b) Qu'est-ce qui les pousse à fumer ?

c) Combien de cigarettes fument-ils en moyenne par jour ?

d) Ressentent-ils certains inconvénients ?

e) Pensent-ils fumer toute leur vie ? Quelles circonstances pourraient les décider à ne plus fumer ?

4. Enquête sur la teneur en toxiques des cigarettes

Note les teneurs en nicotine et en goudron inscrites sur les paquets de cigarettes (10 marques environ).

En les disposant comme ci-dessous, situe chaque marque par un point sur un graphique, d'après sa teneur en nicotine et en goudron. Utilise du papier millimétrique.

Identifie la marque la plus nocive et la marque la moins nocive.

Graphique 2-2.
La teneur en toxiques des cigarettes.

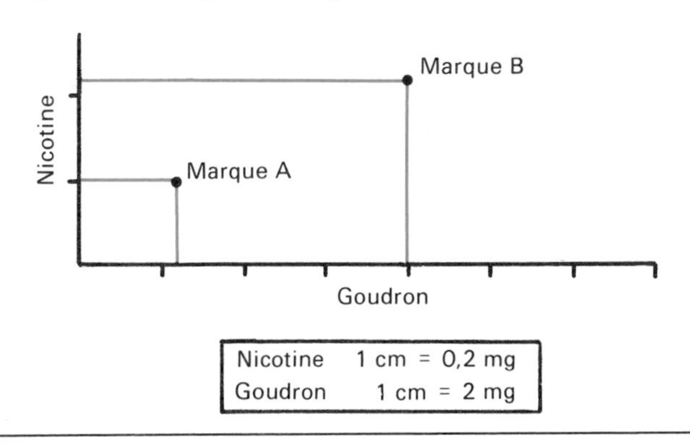

5. Enquête sur les raisons et les façons de cesser de fumer

Connais-tu des personnes qui ont cessé de fumer depuis au moins trois mois ? Enquête auprès d'elles pour répondre aux questions suivantes :

a) Quelles raisons poussent certaines personnes à cesser de fumer ?

b) Comment y sont-elles parvenues ?

c) Quels avantages en retirent-elles aux plans physiologique, psychologique et économique ?

FAIS LE POINT

SECTION A L'anatomie du système digestif

1. À partir du schéma ci-dessous, nomme les sections numérotées du tube digestif.

Figure 2-32.
Le système digestif.

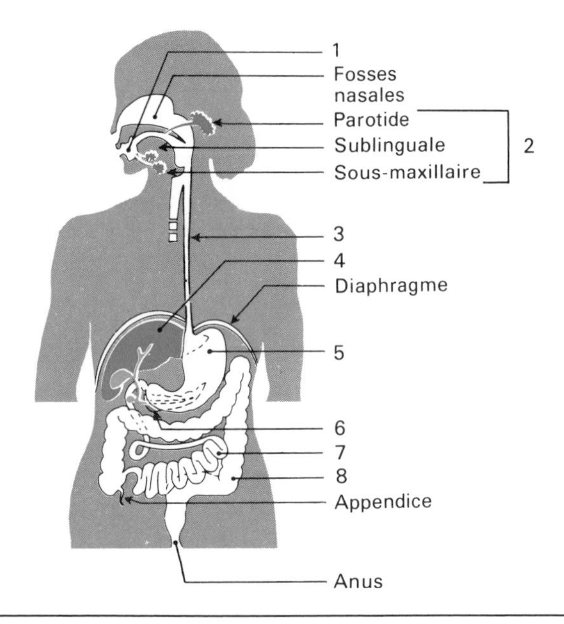

2. Nomme les glandes digestives numérotées dans le schéma ci-dessus.

3. Nomme les trois sections du tube digestif qui produisent des sucs digestifs grâce à des glandes microscopiques.

4. Les aliments sont digérés dans :
a) les glandes digestives.
b) le tube digestif.
c) tout le système digestif.
d) les glandes digestives annexes seulement.

5. L'ultime fonction du système digestif consiste à introduire de la nourriture dans les liquides de notre milieu intérieur. Cette fonction précise est nommée :

a) digestion ; elle est assurée par les glandes digestives.

b) digestion ; elle est assurée par le système digestif tout entier.

c) absorption ; elle est assurée par le tube digestif.

d) absorption ; elle est assurée par les glandes digestives.

6. Les enzymes digestives sont :
a) des agents de digestion chimique produits par les glandes digestives.
b) des lubrifiants du tube digestif.
c) des aliments en cours de digestion.
d) des pointes cylindriques minuscules qui tapissent l'intestin grêle.

SECTION B La physiologie de la digestion

1. Comment se nomme l'action de broyage effectuée par les dents avec l'aide de la langue et des joues ?

2. La déglutition est :
a) le transfert des aliments de la bouche à l'estomac.
b) l'action de vomir.
c) l'action de dissocier les aliments dans la bouche.
d) la sécrétion d'un produit par une glande digestive.

3. Dans le tube digestif, le péristaltisme est :
a) une brusque contraction.
b) un mouvement de balancement.
c) le déplacement lent d'étranglements.
d) un facteur chimique de digestion.

4. Parmi les transformations énumérées ci-dessous, identifie celles qui sont mécaniques et celles qui sont chimiques.
a. Caraméliser du sucre en le chauffant.
b. Agiter un mélange d'huile et de vinaigre pour préparer une vinaigrette.
c. Transformer involontairement du vin en vinaigre en l'oubliant au fond d'une bouteille ouverte.
d. Faire de la purée en écrasant des pommes de terre dans du lait.

5. Lorsqu'une molécule est divisée en deux molécules plus petites, il y a transformation :
a) mécanique.
b) chimique.
c) péristaltique.
d) anatomique.

Reporte-toi à la liste ci-dessous pour les quatre questions de la page suivante :
1) Acides aminés
2) Acides gras
3) Amidon
4) Eau
5) Fructose
6) Glucose
7) Glycérol
8) Lipides simples
9) Protéines
10) Sels minéraux
11) Sucre ordinaire
12) Vitamines

6. La digestion ne concerne pas les produits numérotés :
a) 4, 8, 11
b) 3, 7, 12
c) 1, 3, 5
d) 4, 10, 12

7. La digestion s'applique aux produits numérotés :
a) 3, 8, 9, 11
b) 1, 2, 6, 12
c) 1, 2, 3, 7
d) 3, 5, 6, 11

8. La digestion peut engendrer les produits numérotés :
a) 1, 2, 5, 6, 7
b) 2, 3, 4, 10, 11
c) 1, 5, 7, 9, 12
d) 6, 7, 8, 10, 12

9. Les principales transformations de la digestion se résument ainsi :
a) 3 → 1, 8 → 6, 9 → 2 + 5, 11 → 12
b) 1 → 3, 6 → 8, 2 + 5 → 9, 12 → 11
c) 3 → 6, 8 → 2 + 7, 9 → 1, 11 → 5 + 6
d) 1 → 2, 5 → 6, 8 → 11, 10 → 12

10. Le cheddar fondu contient les aliments simples suivants : caséine (protéine), lipides, eau, calcium, fer, vitamines A et B. Dresse la liste des aliments simples contenus dans le cheddar fondu, une fois qu'il a été mastiqué soigneusement.

11. Le pain est un mélange de gluten (protéine), d'amidon, d'eau et de sels minéraux. En mettant du miel sur du pain, tu y ajoutes du sucrose, du glucose et du fructose. En mettant du beurre en plus, tu ajoutes encore des lipides simples, de la vitamine A et de la vitamine D. Dresse une liste des nutriments contenus dans une tartine de beurre et de miel.

12. L'absorption digestive est :
a) l'action de manger.
b) l'action d'avaler.
c) le passage des nutriments dans le sang.
d) l'accumulation des aliments dans l'estomac.

13. Les aliments non digérés contenus dans l'intestin grêle :
a) retournent à l'estomac pour subir de nouveau la digestion.
b) sont envoyés dans le foie pour y être retraités.
c) sont transformés sur place en matières fécales.
d) passent dans le gros intestin.

14. Les matières qui entrent dans le gros intestin sont ensuite :
a) brassées, déshydratées, digérées et absorbées.
b) brassées, déshydratées, transformées par des bactéries et évacuées.
c) tassées, humidifiées, imbibées de bile et évacuées.
d) mélangées à un suc digestif malodorant et évacuées.

SECTION C L'hygiène du système digestif

1. Parmi les aliments les plus favorables à la santé dentaire, on relève notamment :
a) le sucre et l'amidon.
b) la vitamine A et le fer.
c) le fer et le calcium.
d) le calcium et le phosphore.

2. La principale mesure d'hygiène que tu dois suivre pour garder des dents saines est :
a) l'usage régulier d'un rince-bouche qui goûte fort.
b) la mastication régulière de gomme sucrée sans sucre.
c) le brossage régulier des dents avec utilisation d'un dentifrice reconnu.
d) la consommation régulière de pastilles destinées à rendre l'haleine vraiment fraîche.

3. Une visite chez le dentiste s'impose :
a) systématiquement, au moins tous les six mois.
b) en cas de mal de dent irrégulier.
c) seulement en cas de mal de dents continu.
d) seulement lorsque l'aspirine ne suffit plus à calmer le mal de dents.

4. Si tu détiens une carte d'assurance-maladie du Québec et si tu as moins de 16 ans, tu n'as probablement aucune excuse si ta dernière visite chez le dentiste remonte à plus de :
a) 18 mois.
b) 12 mois.
c) 8 mois.
d) 6 mois.

5. Parmi les soins couverts par le programme québécois de soins dentaires gratuits, donne un exemple :
a) de soin préventif.
b) de soin curatif.

6. Les mesures d'hygiène les plus appropriées pour encourager le gros intestin à bien fonctionner sont :
a) l'usage régulier d'un laxatif et le repos après le dîner.
b) une alimentation riche en cellulose et une vie active.

c) une alimentation riche en protéines et beaucoup de sommeil.
d) une alimentation riche en graisses et une vie sédentaire.

7. Explique pourquoi le céleri, les salades, les pommes et les raisins peuvent remédier à la constipation.

SECTION D L'anatomie du système respiratoire

1. Nomme les organes numérotés dans le schéma ci-dessous.

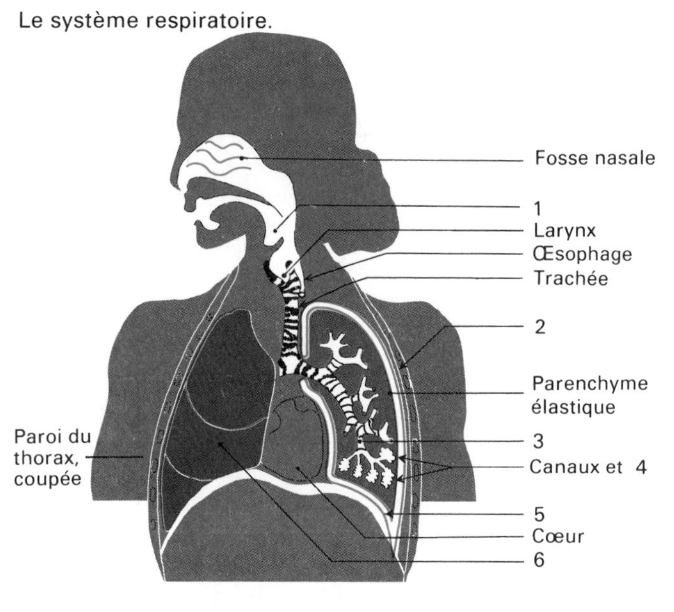

Figure 2-33.
Le système respiratoire.

2. Dans les poumons, ta surface de contact avec l'air mesure environ :
   a) 2000 m², soit environ autant qu'un court de tennis.
   b) 200 m², soit environ autant qu'un court de tennis.
   c) 2000 m², soit environ autant que le plancher d'une salle de classe.
   d) 200 m², soit environ autant que le plancher d'une salle de classe.

SECTION E La physiologie du système respiratoire

1. L'air entre dans les poumons lorsque :
   a) la paroi du thorax appuie sur les poumons.
   b) le thorax se dilate.
   c) les bronches se contractent activement.
   d) les poumons se dilatent activement.

2. L'air est normalement chassé des poumons à cause :
   a) du travail des muscles respiratoires.
   b) de l'élasticité des côtes et du poids de l'abdomen.
   c) de l'élasticité des poumons et du poids des côtes.
   d) du travail des bronches.

3. Observe attentivement les deux silhouettes représentées ci-dessous. Chez la femme, la respiration est plutôt « thoracique » ; chez l'homme, elle est plutôt « abdominale ». Identifie les muscles respiratoires qui sont prépondérants chez l'un et l'autre sexe.

Figure 2-34.
Les façons de respirer chez la femme et chez l'homme.

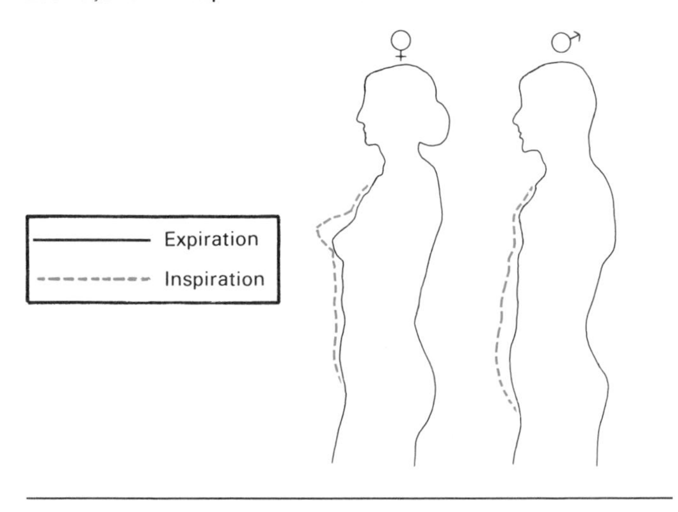

4. Le phénomène physique qui se manifeste dans l'expérience décrite ci-dessous est :

Figure 2-35.
Un phénomène d'échange.

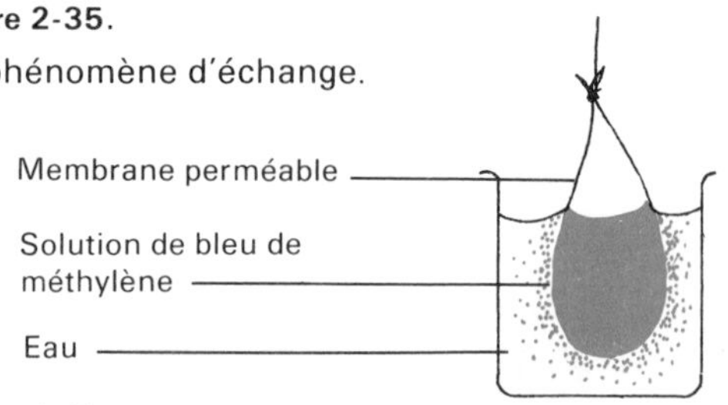

   a) l'osmose.
   b) la diffusion.
   c) la dilatation.
   d) la sédimentation.

5. Les échanges gazeux entre l'air entourant les alvéoles et le sang impliquent une propriété essentielle des membranes vivantes séparant ces deux milieux, soit :
   a) la résistance.
   b) la souplesse.
   c) la perméabilité.
   d) l'élasticité.

6. Si les flèches symbolisent des échanges nets d'oxygène, identifie la relation approprié.
   a) Air alvéolaire ⇄ Sang
   b) Air alvéolaire ⟶ Sang
   c) Air alvéolaire ⟵ Sang
   d) Air alvéolaire ⟷ Sang

SECTION F L'hygiène du système respiratoire

1. Les poils des narines, le mucus des voies respiratoires, les cils de la trachée et des bronches ont l'action suivante sur l'air inspiré :
   a) la purification complète.
   b) la filtration des gaz toxiques.
   c) le réchauffement.
   d) le dépoussiérage.

2. Au contact de la muqueuse qui recouvre les voies respiratoires, l'air inspiré est :
   a) desséché.
   b) réchauffé.
   c) oxygéné.
   d) désoxygéné.

3. La cigarette est l'une des causes principales de la forme de cancer la plus fréquente, soit le cancer :
   a) de la bouche.
   b) de l'œsophage.
   c) du larynx.
   d) du poumon.

4. L'habitude de fumer prédispose à l'irritation et au durcissement des bronches, qui sont les deux manifestations de base :
   a) de la bronchite chronique.
   b) du cancer du poumon.
   c) de l'emphysème.
   d) de la maladie coronarienne.

5. La maladie caractérisée par la dilatation des alvéoles pulmonaires se nomme :
   a) bronchite chronique.
   b) cancer du poumon.
   c) emphysème.
   d) maladie coronarienne.

6. Choisis l'affirmation qui est juste.
   a) L'espérance de vie est la longueur moyenne de la vie humaine dans une société.
   b) La cigarette diminue l'espérance de vie.
   c) L'espérance de vie augmente avec l'âge.
   d) Les habitudes de vie n'influencent pas l'espérance de vie.

EN BREF

SECTION A L'anatomie du système digestif

1. L'ensemble formé par la b//////, l'o//////, l'e//////, l'i////// g////// et le g////// i////// se nomme tube digestif. Avec les glandes digestives annexes, il constitue le s////// d//////.
2. Certaines glandes digestives sont a////// au tube digestif. Parmi elles, on compte les glandes salivaires, situées dans la tête, ainsi que le f////// et le p//////, situés dans l'abdomen. D'autres glandes digestives sont i////// au tube digestif : ce sont les glandes g////// et les glandes i//////.
3. Les aliments que nous mangeons sont transformés par le système digestif, qui les fait ensuite passer dans le s//////. On appelle a////// l'entrée des aliments dans les liquides du milieu intérieur.
4. Les glandes digestives assurent la digestion c//////, principalement en déversant dans le tube digestif des substances actives nommées e//////.

☐ *Dessine de mémoire le diagramme du système digestif.*

SECTION B La physiologie de la digestion

1. Dans le tube digestif, les aliments subissent des actions m//////. Ils sont d'abord m////// dans la bouche, puis déglutis, c'est-à-dire envoyés dans l'e//////, qui les rassemble ensuite pour les brasser. Le brassage continue dans l'i//////, grâce aux mouvements péristaltiques de celui-ci.
2. La digestion mécanique est obtenue par des m////// du tube digestif ; elle laisse les aliments à l'état de particules relativement grossières. La digestion chimique est réalisée par les e////// contenues dans les s////// d////// ; elle divise les grosses m////// alimentaires.
3. La digestion prépare des aliments utilisables par les cellules, ou n//////, à partir des aliments courants. Les p////// sont décomposés en acides aminés. Les g////// sont décomposés en glucose et autres sucres voisins. Les lipides simples sont décomposés en a////// g////// et en g//////. L'eau, les sels minéraux et les v////// sont des nutriments ; ils ne sont pas digérés.
4. On appelle a////// l'entrée des nutriments dans le sang. L'i////// g////// est l'organe le plus apte à réaliser l'absorption.
5. Les aliments non digérés passent dans le g////// i//////. Ils y sont transformés en matières fécales par des b////// avant d'être évacués.

☐ *Définis en une phrase la digestion.*

SECTION C L'hygiène du système digestif

1. Pour avoir de bonnes dents et les garder, il faut une alimentation riche en c////// et en p//////, se b////// les dents régulièrement et visiter son d////// au moins tous les six mois.
2. Les jeunes de moins de 16 ans et les bénéficiaires de l'aide sociale peuvent profiter du programme de s////// d////// gratuits mis sur pied par le gouvernement du Québec.
3. Le bon fonctionnement du gros intestin est encouragé par une alimentation riche en c////// et des exercices p//////.

☐ *Pourquoi est-il important de bien mastiquer pour bien digérer ?*

SECTION D L'anatomie du système respiratoire

1. Dans l'organisme, l'air va et vient dans une série de conduits : les voies respiratoires. Celles-ci comprennent les f////// n//////, le p//////, la t////// et les b////// ; avec les p//////, elles constituent l'a////// r//////.
2. Les poumons sont creusés de millions de cavités minuscules emplies d'a////// et entourées de s////// : les a//////. La surface totale des alvéoles pulmonaires mesure environ 200 m^2, soit environ autant qu'un court de tennis.

☐ *Dessine de mémoire le diagramme du système respiratoire.*

SECTION E La physiologie du système respiratoire

1. L'air e////// dans les poumons lorsque le thorax se dilate par l'action des muscles élévateurs des c////// et par celle du d////// (qui s'abaisse). Il en s////// lorsque ces muscles se relâchent, à cause de l'é////// des poumons et du poids des côtes qui ramènent le thorax à son volume de départ.
2. L'o////// de l'air alvéolaire se diffuse dans le sang à travers des membranes vivantes p////// formant la paroi alvéolaire et la paroi des vaisseaux sanguins.

☐ *Définis en une phrase le rôle principal des poumons tel que tu le connais maintenant.*

SECTION F L'hygiène du système respiratoire

1. Les poils des n//////, le m////// des voies respiratoires, ainsi que les c////// de la trachée et des bronches constituent un système de d////// de l'air. Ce système n'arrête pas les polluants gazeux.
2. L'usage régulier de la cigarette prédispose au c////// du p//////, à la b////// c//////, à l'e////// et aux maladies c//////-v//////. De plus, il diminue l'e////// de vie.
3. Il est possible d'améliorer la qualité de l'air en aménageant des e////// v////// et en r////// les émissions de polluants dans l'atmosphère.

☐ *Donne deux attitudes nuisibles à la santé de ton système respiratoire ainsi que deux attitudes favorables.*

Chapitre 3

Le transport des entrées sélectionnées

Pourquoi un système de transport dans le corps humain ?

Tu demeures probablement à plusieurs kilomètres de ton école. Pour un « objet » aussi volumineux que toi, dont la taille est de l'ordre du mètre, 10 km, par exemple, représentent une distance respectable.

Pour un objet aussi petit qu'une molécule, dont la taille est de l'ordre du nanomètre (millionième de millimètre), 10 cm représentent une distance colossale.

Si tu rapetissais d'un milliard de fois, tu serais réduit(e) à la taille d'une molécule et l'univers te semblerait agrandi d'un milliard de fois. Dans ces conditions, placé(e) devant une distance à parcourir de 10 cm, tu aurais l'impression d'avoir à entreprendre tout un voyage.

a) Quelle serait la longueur apparente du voyage en question ? Exprime-la en kilomètres.

b) Dans ton corps, les molécules de nutriments et d'oxygène ont-elles généralement à parcourir des distances de plus de 10 cm ? Donne des exemples.

c) Comment les écoliers(ères) de la province franchissent-ils (elles) rapidement la distance de leur domicile à l'école ?

d) Comment ton organisme s'y prend-il pour déplacer rapidement en lui-même des molécules dissoutes ?

e) Quel est le moteur du système de transport qui fonctionne dans ton organisme ? Qu'arrive-t-il lorsqu'il tombe en panne ?

f) Quels avantages pourrais-tu tirer de la connaissance de ton système de transport interne ?

Le transport dans l'organisme est assuré par le sang.

Les organes qui consomment beaucoup de nutriments et d'oxygène (muscles, cerveau, foie, reins) sont plus ou moins éloignés de ceux qui absorbent ces substances à partir du milieu extérieur. Or la diffusion dans les liquides du milieu intérieur est très lente ; elle n'est pas efficace sur de longues distances. Une molécule de glucose pourrait mettre des années à se rendre par diffusion de ton intestin à ton cerveau.

Dans un organisme aussi volumineux que le tien, il faut donc un système de transport rapide, capable de réduire les délais de distribution à quelques secondes ; c'est une question de survie. Ce système vital se nomme *système circulatoire* ; on meurt presque instantanément dès qu'il cesse de fonctionner. Grâce à lui, ton milieu intérieur n'est pas immobile. Au contraire, les moindres recoins de ton corps sont rincés par un courant d'eau continu qui se charge et se décharge de toutes sortes de substances.

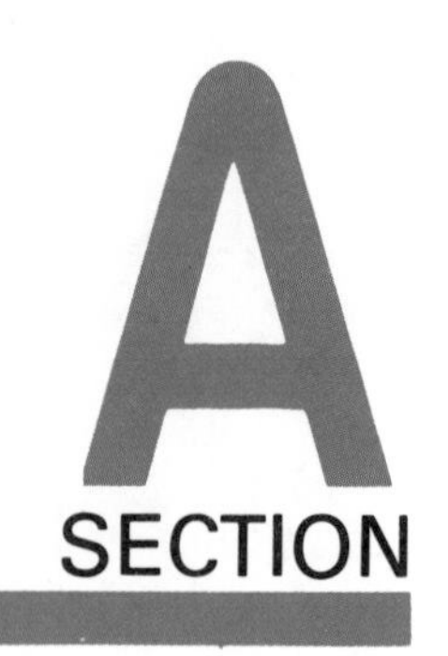

L'anatomie du système circulatoire

Comment le sang est-il mis en mouvement ?

a) On peut faire parvenir en quelques secondes au cerveau d'une personne inconsciente la substance qui pourra la ranimer. Comment s'y prend-on ? À quel système de transport la confie-t-on ?

Tu sais probablement que le sang, propulsé par le cœur, circule à sens unique dans des vaisseaux. Une notion aussi élémentaire n'est pourtant pas évidente ; longtemps, les anciens ont cru que le cœur faisait avancer et reculer le sang dans les vaisseaux. Il fallut attendre le 17e siècle et William Harvey pour comprendre le rôle exact du cœur et la vraie nature de la circulation.

Es-tu capable de dire avec certitude dans quel sens circule le sang dans les vaisseaux visibles au dos de ta main ?

— Passe ton doigt sur un des vaisseaux pour en chasser le sang sur environ 4 cm de longueur. En fin de course, garde le doigt appuyé sur le vaisseau.

b) Constates-tu une différence selon que tu chasses le sang vers les doigts ou vers le poignet ? Explique. Quelle conclusion tires-tu de cette expérience simple au sujet du sens de la circulation du sang dans le vaisseau en question ?

c) Note les questions que tu te poses au sujet de ton appareil circulatoire.

LE SYSTÈME CIRCULATOIRE, C'EST À LA FOIS TRÈS COMPLIQUÉ ET TRÈS SIMPLE.

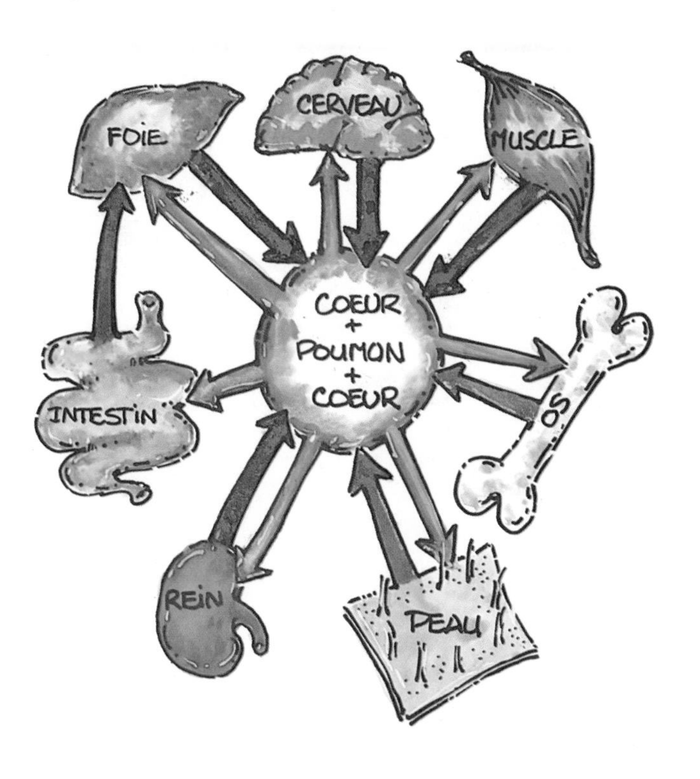

Le système circulatoire est un système très centralisé.

Ton milieu intérieur reçoit des nutriments dans l'épaisseur de la paroi intestinale, ainsi que de l'oxygène dans les poumons. Ces entrées sont prises en charge par le sang qui les répand en quelques secondes dans tout l'organisme.

Ton sang est poussé continuellement par une pompe (le cœur) dans un immense réseau de distribution (les *vaisseaux sanguins*). Ce réseau qui conduit le sang est relié à un second réseau qui conduit un autre liquide du milieu intérieur: la lymphe.

Notre étude du système circulatoire portera presque exclusivement sur le système sanguin; il est beaucoup plus évident que le système lymphatique et pose aussi plus de problèmes.

1. La composition du sang

À première vue, ton sang n'est qu'un liquide rouge vermeil ou rouge sombre, presque noir. Il faut un microscope pour constater qu'il renferme une multitude de corpuscules aux formes définies: les *éléments figurés*. Il s'agit de cellules vivantes qui baignent dans un liquide fondamental inerte: le plasma.

Figure 3-1
Les éléments figurés du sang.

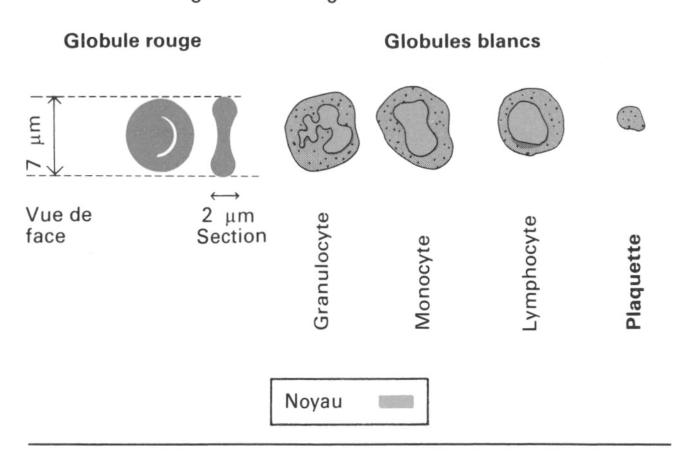

Ton sang est donc avant tout un *tissu* vivant, c'est-à-dire un ensemble de cellules ayant des caractéristiques semblables et une origine commune.

Les éléments figurés. Presque tous les éléments figurés de ton sang sont nés dans ta moelle osseuse; ils vivent quelques jours à quelques mois avant d'être détruits dans ta rate ou ton foie. Ils se renouvellent donc constamment. On distingue trois sortes d'éléments figurés: les *globules rouges*, les *globules blancs* et les *plaquettes*.

Tes globules rouges sont des disques vivants déformables, chargés d'une protéine contenant du fer: l'*hémoglobine*. C'est à cette substance que ton sang doit sa couleur. Chaque millimètre cube de sang renferme en moyenne 5 000 000 de globules rouges.

Dans le sang, tes globules blancs sont beaucoup moins nombreux que tes globules rouges (8000/mm^3 en moyenne). On en reconnaît plusieurs variétés dont l'assortiment varie en cas de maladie.

Tes plaquettes collent aux parois des vaisseaux sanguins; elles sont donc difficiles à observer. Celles qui passent dans une goutte de sang déposée sans précaution spéciale sur une lame de verre se décomposent. Chaque millimètre cube de sang normal renfermerait de 200 000 à 400 000 plaquettes.

Le plasma. Ton plasma est un liquide à base d'eau (90%) et de protéines (6 à 8%). Il contient aussi des nutriments et de l'oxygène dissous.

Les caractéristiques physiques et chimiques de ton plasma sont remarquablement stables ; elles sont contrôlées par des mécanismes complexes dirigés par le cerveau. Si tu es en bonne santé, ton plasma contient par exemple environ 1,0 g de glucose, 6,0 g de sel ordinaire et 0,1 g de calcium par litre.

- Qu'est-ce que l'anémie ? Quel aliment minéral est utilisé pour la combattre ? En vois-tu la raison ?
- Comment nomme-t-on le mélange d'un liquide et de particules solides ? Le sang entre-t-il dans cette catégorie de mélange ?
- Comment procède-t-on pour réaliser une numération globulaire ? Pour connaître le nombre de globules par millimètre cube de sang, est-il nécessaire de compter jusqu'à plusieurs millions ?
- Qu'appelle-t-on sérum physiologique ?
- Pourquoi une analyse sanguine peut-elle aider le médecin à établir un diagnostic ?

2. Les fonctions des constituants du sang

Chacun des constituants de ton sang remplit des tâches bien précises, au service de tout ton organisme.

Les globules rouges. Tes globules rouges parcourent sans répit les circuits de ton système circulatoire. Ils se chargent d'oxygène dans les poumons et le déchargent dans les moindres recoins de tous tes organes.

La fonction de l'hémoglobine

L'hémoglobine entassée dans les globules rouges possède la propriété remarquable de capter l'oxygène dissous et de former avec lui un nouveau composé : l'*oxyhémoglobine*. Ce dérivé oxygéné est instable ; il ne peut exister que dans un environnement riche en oxygène dissous. Dès que la pression d'oxygène baisse dans le plasma, l'oxyhémoglobine se décompose ; l'hémoglobine libère donc l'oxygène qu'elle avait capté et redevient disponible pour en fixer une nouvelle quantité, et ainsi de suite. Dans 1 L de sang qui sort des poumons, on compte seulement 3 cm^3 d'oxygène dissous dans le plasma pour 200 cm^3 transporté sous forme d'oxyhémoglobine par les globules rouges.

Figure 3-2.
Le transport de l'oxygène par le sang.

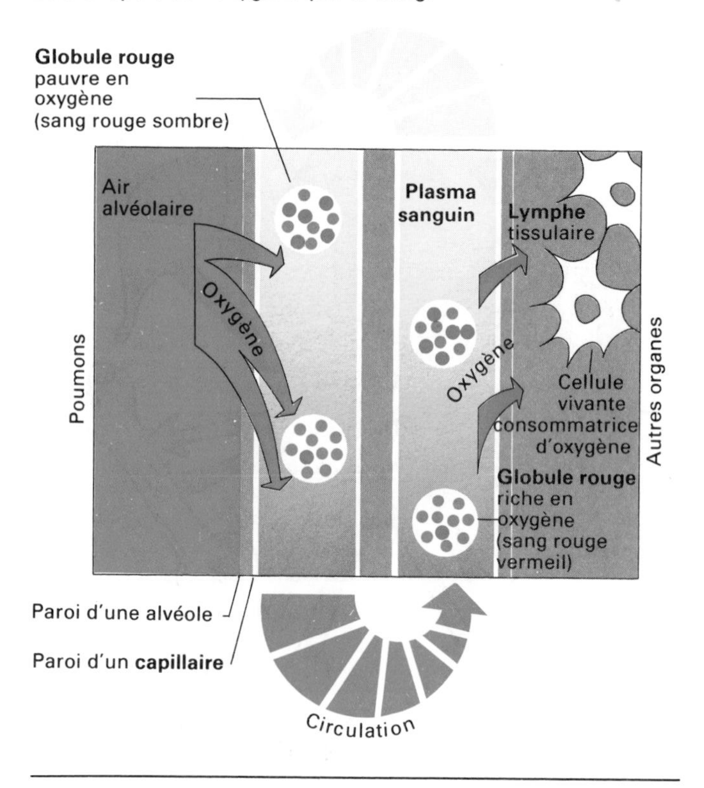

Figure 3-3.
La liaison réversible de l'hémoglobine avec l'oxygène.

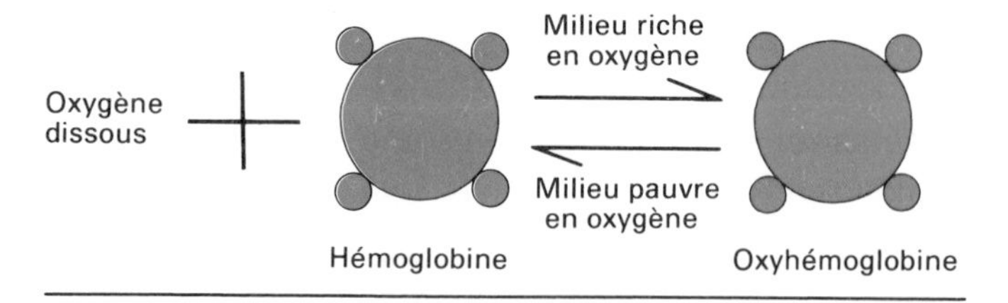

Les globules blancs. Tes globules blancs sont des cellules qui peuvent se déformer activement et quitter le sang pour la lymphe : c'est le phénomène de la *diapédèse*. Ils sont attirés par les blessures et les foyers d'infection microbienne. Certains globules blancs ont le pouvoir de capturer et de digérer les cellules mortes, les bactéries et autres corps étrangers qu'ils rencontrent : c'est le phénomène de la *phagocytose*.

Figure 3-4.
La phagocytose d'une bactérie par un globule blanc (granulocyte).

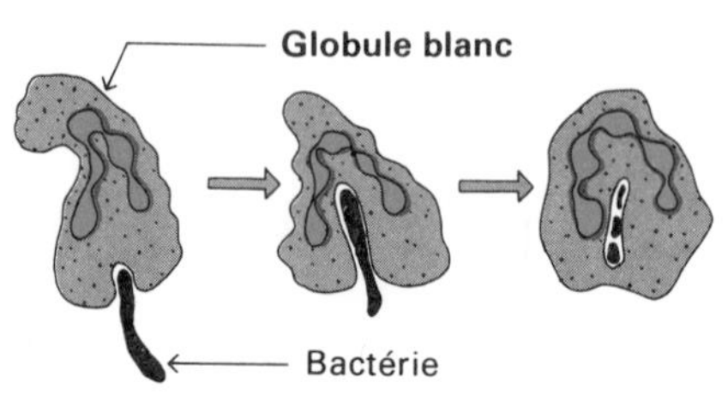

Entre le globule blanc et la bactérie qu'il tente de phagocyter, la lutte tourne parfois à l'avantage de la bactérie. Le pus d'une blessure est fait surtout de globules blancs morts au combat.

Tes petits globules blancs nommés *lymphocytes* n'ont pas le pouvoir de phagocytose. Par contre, ils produisent des *anticorps*, c'est-à-dire des substances qui neutralisent les corps étrangers et qui restent dans le sang.

La phagocytose et la production d'anticorps sont deux fonctions qui font de tes globules blancs les défenseurs de ton organisme. Ils en assurent l'*immunité*, c'est-à-dire qu'ils le préservent des contaminations par des éléments étrangers ou par ses propres éléments anormaux.

Les plaquettes. Les plaquettes sont indispensables à la *coagulation* du sang; de plus, elles aident les globules blancs à phagocyter les microbes.

Le plasma. En tant que liquide, le plasma est responsable de la fluidité du sang; il lui permet de circuler. D'autre part, il transporte les nutriments et un peu d'oxygène. La composition du plasma ne varie pas beaucoup au cours d'une journée, car il se débarrasse vite des nutriments qu'il reçoit de la digestion. Signalons enfin que le plasma participe à la défense de ton organisme en accumulant les anticorps, qui sont des protéines particulières.

- Existe-t-il une relation entre le nombre de globules rouges par millimètre cube de sang et l'aptitude à la performance sportive? Connais-tu un moyen d'augmenter le nombre de tes globules rouges?
- Que signifie généralement l'augmentation du nombre de globules blancs dans le sang?
- Pour les globules, quel est l'avantage de la stabilité physique et chimique du plasma?

3. La lymphe

La lymphe est un liquide incolore comparable au plasma sanguin; tu peux l'observer dans les cloques qui résultent d'une brûlure ou d'un frottement sur la peau. Elle se forme à partir du plasma sanguin qui filtre à travers la paroi des vaisseaux sanguins les plus fins (capillaires). C'est ce que l'on appelle la *lymphe tissulaire*, milieu de vie de la plupart de tes cellules. Ce liquide est ensuite récupéré par les capillaires de ton système lymphatique; il devient alors de la *lymphe circulante*, qui est finalement réinjectée dans le sang.

Figure 3-5.
Les rapports entre le sang et la lymphe.

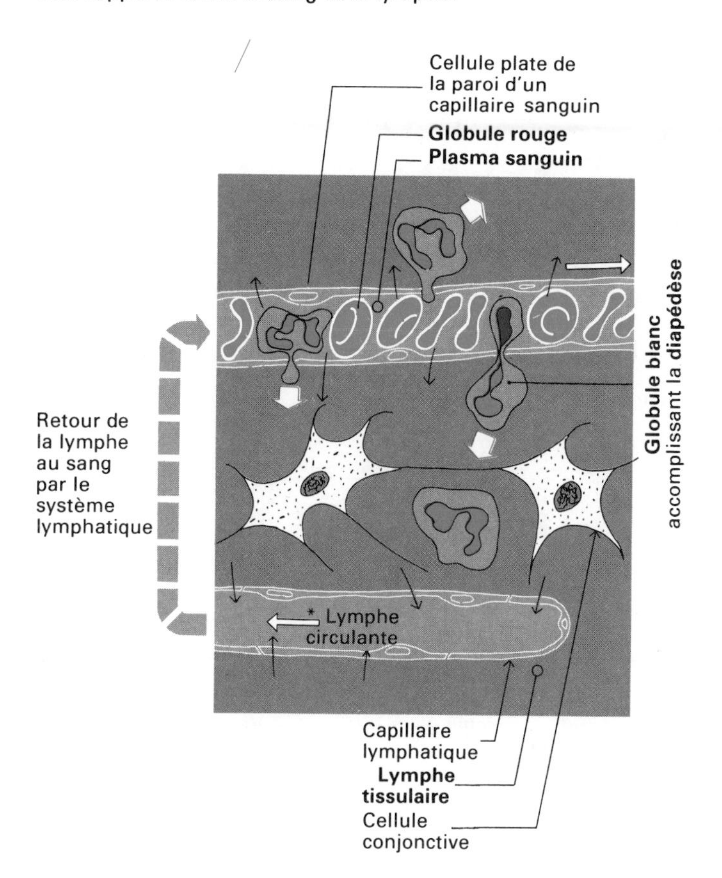

La lymphe où baignent tes cellules est donc constamment renouvelée; elle leur apporte sans cesse de l'oxygène et des nutriments, en provenance du plasma sanguin. Inversement, tes cellules rejettent leurs déchets dans la lymphe, qui les transmet au sang.

Les globules blancs qui ont effectué la diapédèse se retrouvent dans la lymphe tissulaire; d'autres globules blancs — des lymphocytes — sont libérés par le système lymphatique lui-même et déversés dans le sang avec la lymphe circulante.

Le liquide fondamental de la lymphe, ou *plasma lymphatique*, ne renferme presque pas d'oxygène dissous. Cet élément ne s'y accumule pas car il est pompé en permanence par les cellules. À partir du sang, l'oxygène traverse donc la lymphe sans s'y attarder, pour se rendre aux cellules.

- Pourquoi la lymphe n'est-elle pas colorée comme le sang, alors qu'elle en dérive?
- Les protéines sont des substances à molécules énormes. Pourquoi le plasma sanguin est-il plus riche en protéines dissoutes que la lymphe?

- Qu'est-ce qu'un tempérament lymphatique?... Un tempérament sanguin?

4. Le cœur et les vaisseaux sanguins

Le cœur. Ton cœur est un muscle gros comme le poing, enveloppé dans un sac analogue à celui qui entoure les poumons. Sa principale fonction consiste à pomper le sang dans les vaisseaux sanguins, selon les besoins de l'organisme.

Figure 3-6.
La structure du cœur.

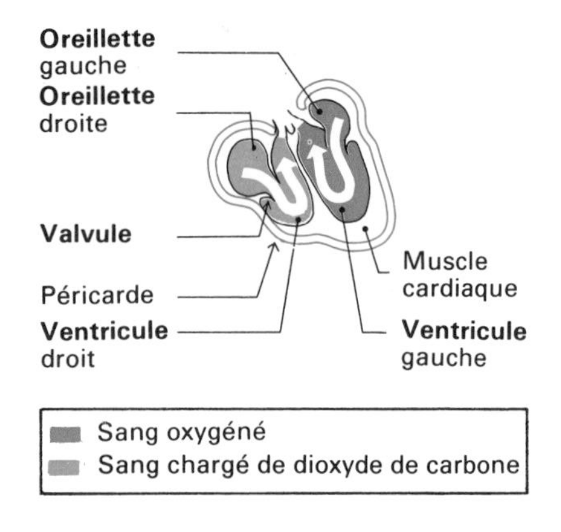

En fait, ton cœur est constitué de deux pompes juxtaposées qui fonctionnent simultanément: une à gauche pour le sang rouge, une à droite pour le sang noir (rouge sombre). Le sang entre dans chaque pompe par une cavité à paroi mince, ou *oreillette*. En se contractant, celle-ci pousse le sang dans une seconde cavité de la pompe, à paroi épaisse cette fois: le *ventricule*.

En se contractant à son tour, chaque ventricule pousse le sang avec force dans un conduit nommé *artère*. Des dispositifs anti-retour, ou *valvules*, obligent le sang à circuler toujours dans le même sens. Il revient à l'oreillette située du côté opposé par des conduits nommés *veines*.

Les vaisseaux sanguins. D'un ventricule à une oreillette, le sang circule dans une suite de conduits très ramifiés: les vaisseaux sanguins. Les artères et les veines sont des vaisseaux sanguins.

Le plus gros vaisseau de ton corps est branché sur le ventricule gauche du cœur et se nomme artère aorte. Ses ramifications apportent du sang rouge à tous les organes, y compris le cœur et les poumons pour leurs besoins propres. Afin de remplir leur fonction au service de l'organisme, tes poumons reçoivent aussi du sang noir, à partir du ventricule droit, par les deux branches de l'artère pulmonaire.

Figure 3-7.
Le cœur et les gros vaisseaux.

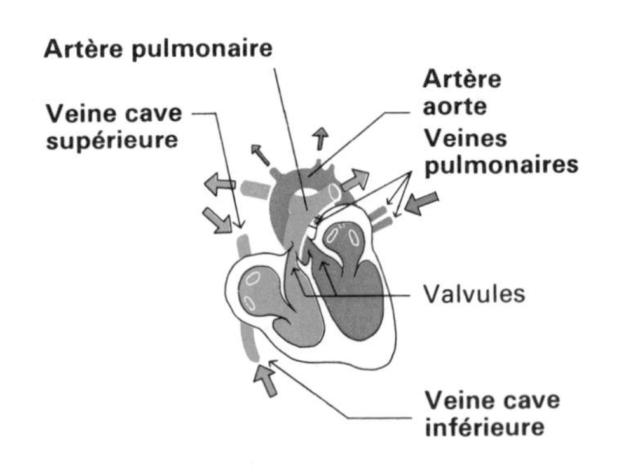

Figure 3-8.
Le départ des circulations artérielles.

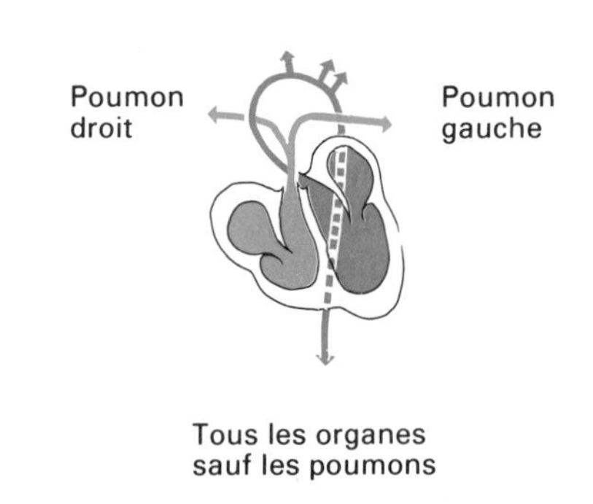

Figure 3-9.
L'arrivée des circulations veineuses.

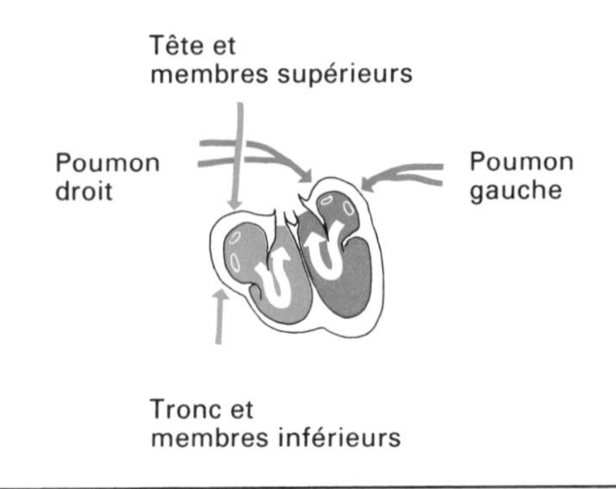

Dans tous tes organes, les artères se ramifient jusqu'à former un réseau serré de vaisseaux si fins que les globules rouges doivent se déformer pour s'y faufiler: ce sont les *capillaires*. Mis bout à bout, les capillaires de tout ton corps formeraient un tube de 96 000 km de long. La surface totale de leur paroi mince et perméable est estimée à 2000 m^2.

Tes capillaires se rassemblent pour former des vaisseaux de plus en plus gros — les veines — qui sortent le sang des organes pour le ramener aux oreillettes du cœur.

Les vaisseaux bleus qui transparaissent sous ta peau sont des veines ; le sang noir y circule calmement en direction du cœur. Tes artères sont profondes et ne sont perceptibles qu'au toucher, en des points précis (au poignet, par exemple) ; le sang y circule par jets successifs.

- Le cœur est-il le siège des sentiments ?
- Pourquoi appelle-t-on « artères » les grandes rues d'une ville ?
- Qu'est-ce qu'un tube capillaire ?
- Qu'est-ce que la valve d'un ballon ? Quelle est sa fonction ? Qu'est-ce qu'une valvule par rapport à une valve ?
- Peux-tu donner un synonyme du mot « vaisseau » au sens où on l'emploie ici ?

5. La circulation

À chaque battement du cœur, les ventricules poussent chacun environ 70 cm^3 de sang dans leurs artères respectives. Chez l'adolescent(e) au repos, ce phénomène se produit à peu près 72 fois par minute.

Pour revenir à son point de départ, une goutte de ton sang doit nécessairement suivre deux circuits : la grande circulation, ou *circulation systémique*, et la petite circulation, ou *circulation pulmonaire*. Ce parcours cyclique comprend un passage obligatoire dans la partie droite et la partie gauche du cœur, ainsi que dans un poumon. Lorsque tu es au repos, il s'effectue en une vingtaine de secondes.

Figure 3-10.
Le diagramme général de la circulation.

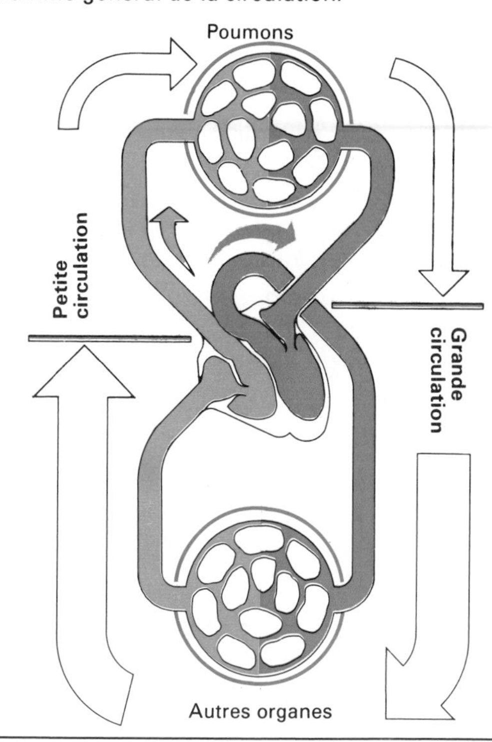

La vitesse de circulation du sang dans les vaisseaux varie avec leur calibre. Elle passe de 50 cm/s dans l'aorte à 0,8 mm/s dans les capillaires ; le sang prend son temps pour traverser les organes, mais il semble pressé de s'y rendre.

- Dire que le sang « circule », c'est sous-entendre qu'il tourne en rond. Saurais-tu dire pourquoi ?
- Les deux pompes du cœur pourraient-elles ne pas avoir le même débit ? Laquelle des deux doit pousser le plus fort ? Pourquoi ?

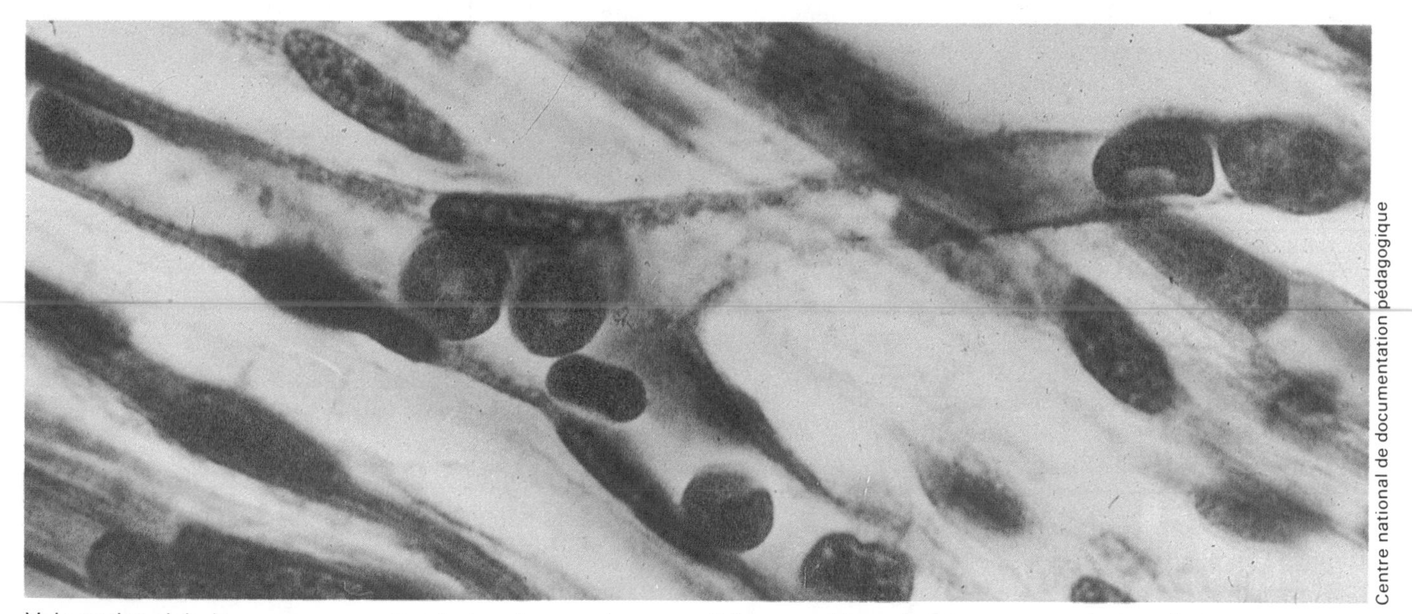

Centre national de documentation pédagogique

Vois-tu des globules rouges sur cette photo prise au microscope ? Dans quel type de vaisseau sanguin sont-ils ?

à toi de jouer

1. NOMMER LES PRINCIPAUX CONSTITUANTS DU SANG.

Quand on laisse reposer du sang traité pour qu'il ne coagule pas, il se décompose en deux parties (phases) : un liquide clair qui surnage et une boue rouge qui se dépose au fond. C'est le phénomène de la sédimentation du sang.

Figure 3-11.
La sédimentation du sang.

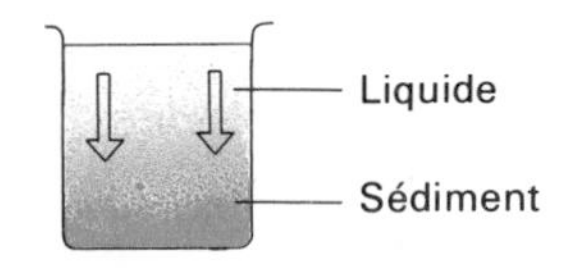

a) Nomme le liquide qui surnage.

b) Quel terme général désigne les corpuscules solides qui forment le sédiment ?

c) Énumère les trois types de constituants du sédiment.

d) Nomme les cellules du sang qui sont seules pourvues d'un noyau.

e) Nomme les cellules du sang les plus nombreuses.

2. VÉRIFIER À L'AIDE D'UN MICROSCOPE L'EXISTENCE DE DEUX DES TROIS TYPES DE CELLULES PRÉSENTES DANS LE SANG.

Matériel : 2 lames porte-objet à bords rodés : 1 lancette stérile ; solution de bleu de méthylène à 1% dans l'alcool méthylique ; alcool à 95% ; ouate stérile ; 1 flacon d'eau distillée ; 1 serviette en papier, 1 microscope.

— Désinfecte avec un tampon d'ouate imbibé d'alcool l'extrémité de ton petit doigt gauche (droit, si tu es guitariste) ;
— Sors la lancette de son étui sans en toucher la pointe ;
— Pique l'extrémité nettoyée de ton petit doigt ;
— Presse celui-ci entre l'annulaire et le pouce pour faire perler une goutte de sang ;
— Dépose celle-ci à l'extrémité d'une des lames de verre ;
— Désinfecte le bout de ton doigt à l'alcool et jette la lancette ;
— Avec la seconde lame, étale la goutte de sang en une couche mince selon la méthode illustrée ci-dessous ; procède d'un seul mouvement, d'un geste ni trop vif ni trop lent ; tu réaliseras ainsi un frottis sanguin.

Figure 3-12.
La confection d'un frottis sanguin.

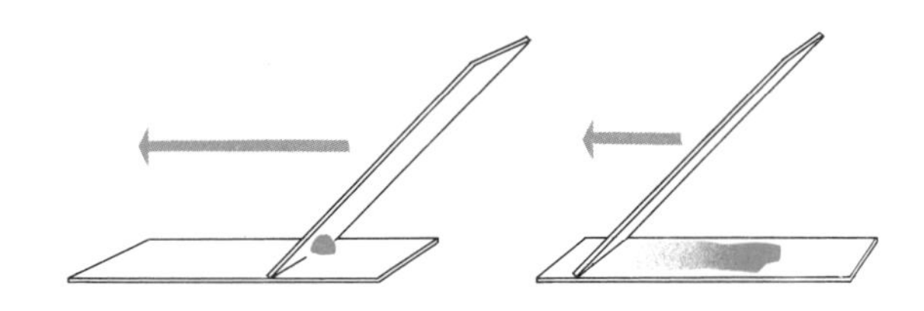

— Fais sécher en agitant la lame ;
— Examine au microscope la zone mince de la couche de sang ;
— Repère des globules blancs parmi les globules rouges ;
— Reprends le frottis et verse deux gouttes de bleu de méthylène sur la zone que tu viens d'observer ;
— Laisse le colorant agir pendant 5 min environ ; en attendant, fais les exercices écrits suivants :

a) D'après les données numériques des pages précédentes, calcule le nombre de globules rouges d'un individu possédant 5 L de sang normal. On rappelle que 1 L représente 1 000 000 mm³.

b) Calcule en kilomètres la longueur de la chaîne que formeraient tous ces globules s'ils étaient placés côte à côte, selon le schéma suivant. On rappelle que 1 km représente 1 000 000 000 µm.

Figure 3-13.
Une chaîne de globules rouges.

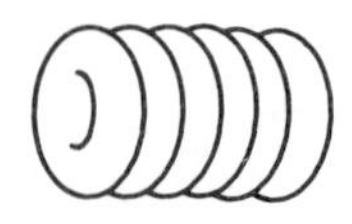

— Rince le colorant à l'eau ; essuie le surplus d'eau avec la serviette ;
— Fais sécher en agitant la lame ;
— Reprends ton observation microscopique.

c) Quelles cellules sont colorées ? Quel corpuscule en particulier dans ces cellules ?

d) Nomme les éléments figurés qui ne sont à peu près pas observables dans ce frottis.

e) Dessine des globules rouges et deux types de globules blancs. Donne un titre à tes dessins.

3. DONNER LA FONCTION DE CHACUN DES TYPES DE CELLULES DU SANG.

Les globules rouges peuvent être comparés à d'innombrables petits camions.

a) Que transportent-ils ? Où se chargent-ils ? Où se déchargent-ils ?

En observant au microscope une goutte de sang frais, on peut, dans certaines conditions, voir se déclencher la coagulation. Ce phénomène résulte de l'apparition d'un réseau de filaments de fibrine, une protéine insoluble. Les plaquettes sont indispensables à la formation de cette substance.

Figure 3-14.
Un réseau de fibrine.

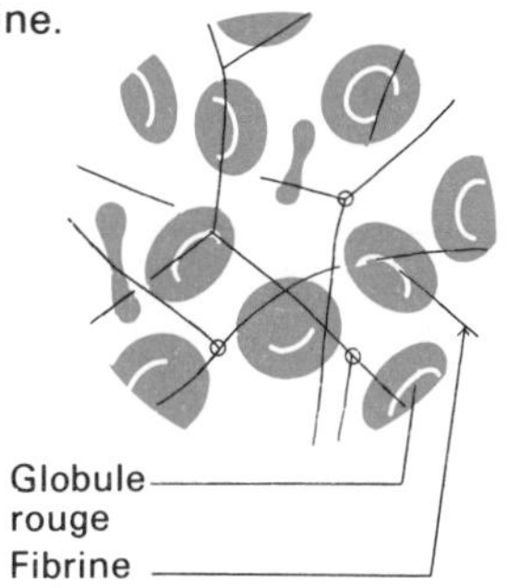

Globule rouge
Fibrine

b) Quelle est la conséquence d'une insuffisance du nombre de plaquettes dans le sang sur le temps de coagulation de celui-ci ?

c) Chez un malade victime d'une infection microbienne, certaines cellules du sang participant à la défense de l'organisme deviennent plus nombreuses. De quelles cellules s'agit-il ? Nomme le phénomène par lequel certaines de ces cellules capturent une « proie ».

4. NOMMER LES PRINCIPAUX COMPOSANTS DU PLASMA.

a) Grâce à quel composant du plasma le sang peut-il couler ?

b) Nomme les principaux nutriments présents dans le plasma.

5. DONNER LES FONCTIONS DU PLASMA.

a) Qu'est-ce que la fluidité du sang ? Quelle composant du sang est responsable de cette propriété ?

b) Pourquoi les nutriments passent-ils par le plasma sanguin ?

c) Comment nomme-t-on les protéines particulières qui ont un pouvoir antimicrobien ? Dans quelle partie du sang s'accumulent-elles à l'état dissous ?

6. DONNER L'ORIGINE DE LA LYMPHE.

a) Identifie la barrière à travers laquelle la lymphe prend naissance.

b) Nomme les conduits qui drainent la lymphe tissulaire.

c) Pourquoi la source de la lymphe ne se tarit-elle jamais ?

7. NOMMER LES PRINCIPAUX COMPOSANTS DE LA LYMPHE.

a) Quelle grande catégorie de cellules trouve-t-on dans la lymphe comme dans le sang ? D'où viennent-elles ? Nomme le phénomène par lequel elles s'introduisent dans la lymphe.

b) Résume sous forme d'équation la relation qui existe entre le sang, la lymphe et les globules rouges.

8. DÉCRIRE LES FONCTIONS DE LA LYMPHE.

a) Quel est le milieu de vie des cellules autres que les globules sanguins ?

b) Dans quel liquide ces cellules puisent-elles leurs nutriments ?

c) Dans quel liquide ces cellules rejettent-elles leurs déchets ?

d) Dans quel autre liquide les déchets sont-ils ensuite transférés ?

9. IDENTIFIER SUR UN SCHÉMA LES CAVITÉS D'UN CŒUR DE MAMMIFÈRE.

Cet objectif est traité avec le suivant.

10. IDENTIFIER SUR UN SCHÉMA LES VAISSEAUX QUI SE RATTACHENT AU CŒUR.

Reproduis le schéma ci-dessous en l'agrandissant. Colorie-le judicieusement en rouge et bleu et complète les annotations.

On appelle veine cave inférieure et veine cave supérieure les deux vaisseaux reliés à l'oreillette droite.

Figure 3-15.
Le cœur et les gros vaisseaux.

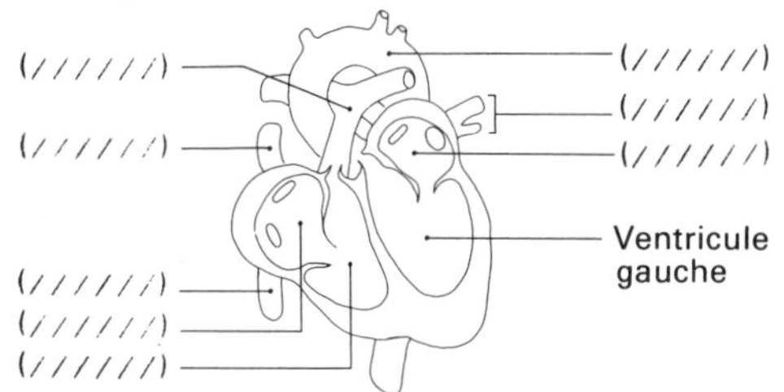

11. IDENTIFIER SUR UN SCHÉMA LES VOIES DE CIRCULATION DU SANG.

a) En te reportant à la figure 3-10, donne les deux appellations du circuit sanguin qui va du ventricule droit à l'oreillette gauche.

b) De la même façon, donne les deux appellations du circuit qui va du ventricule gauche à l'oreillette droite.

c) Dans quel circuit le sang gagne-t-il de l'oxygène ? En traversant quels organes ?

d) Quel circuit alimente l'intestin en oxygène ?

12. DÉCRIRE, APRÈS L'AVOIR OBSERVÉE, LA CIRCULATION CAPILLAIRE.

Matériel : 1 petit poisson rouge vivant ; 1 petite épuisette d'aquarium ; 1 boîte de Pétri sans couvercle ; ouate en paquet ; eau ; 1 microscope.

— À l'aide de l'épuisette, sors le poisson de son bocal ou de son aquarium ; ne le touche pas avec les doigts ;
— Dispose-le comme dans l'illustration ci-dessous ;

Figure 3-16.
La disposition d'un poisson pour l'observation de la circulation capillaire.

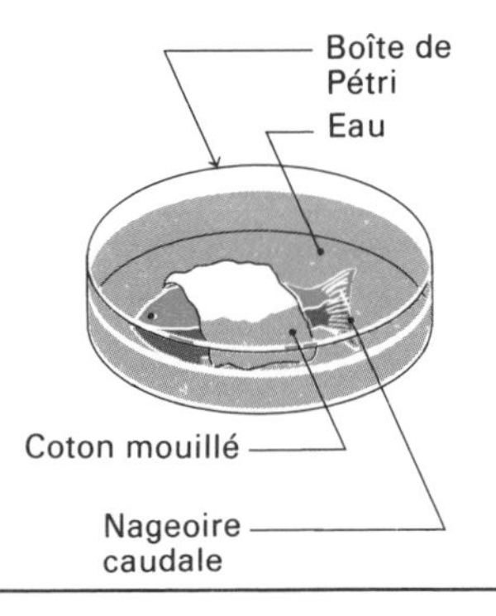

N.B. : Le poisson doit retourner à l'eau en moins de cinq minutes ;
— Place la boîte de Pétri contenant le poisson sur la platine du microscope ;
— Observe au faible grossissement la nageoire caudale, entre les rayons ;
— Passe au grossissement moyen pour observer les vaisseaux les plus fins ; ce sont les capillaires.

a) l'écoulement des globules rouges dans les capillaires est-il uniforme ou saccadé ?

b) Note la position des globules les uns par rapport aux autres, et leur diamètre par rapport à celui des conduits.

— Remets le poisson dans l'eau sans le toucher, afin de ne pas détériorer son revêtement de mucus.

c) Dessine de mémoire le réseau de capillaires que tu viens d'observer.

VA PLUS LOIN

Qu'est-ce qu'un cœur-poumon artificiel ?

Le cœur-poumon artificiel est un appareil indispensable pour certaines opérations chirurgicales.

a) Dans quel cas a-t-on besoin d'un tel appareil ?

b) Quel est son principe de fonctionnement ? Donnes-en un schéma simple.

c) Comment la personne est-elle reliée à l'appareil ?

B

SECTION

La physiologie du système circulatoire

Peut-on aider l'organisme à se défendre contre certaines maladies ?

a) Nomme certaines maladies contagieuses que tu as déjà subies.

b) D'après ton expérience personnelle, décris l'évolution et les symptômes de l'une d'elles. Comment as-tu été soigné(e) ?

c) Peux-tu identifier l'agent de la maladie en question ?

d) Nomme des maladies contagieuses qu'on n'attrape en principe qu'une seule fois dans sa vie. Nommes-en d'autres dont on peut être victime à plusieurs reprises.

e) Nomme des maladies non contagieuses.

f) Possèdes-tu un carnet de santé ? Est-il encore tenu à jour ? Quel genre de renseignements contient-il ?

g) As-tu déjà été vacciné ? Contre quelles maladies ? Crois-tu qu'une loi devrait obliger tout le monde à recevoir certains vaccins ? Justifie ta position.

h) Peux-tu nommer un institut québécois mondialement reconnu pour la conception et la production d'excellents vaccins ? Où est-il installé ? À quelle université est-il rattaché ?

i) Quels avantages pourrais-tu tirer de la connaissance des systèmes de défense de ton organisme ?

La défense de l'organisme est essentielle à sa survie.

Imagine la quantité de nourriture que tu représentes : protéines en abondance, lipides, glucides, minéraux, vitamines accumulées dans le foie, sans même parler de l'eau. D'autres êtres vivants aimeraient bien s'appropier toutes ces ressources.

Dans la société où tu vis, tu n'as guère à craindre des plus gros ; il serait étonnant que tu finisses sous la dent d'une bête féroce. Par contre, les petits et surtout les très petits — les microbes — devraient te préoccuper. Ils te cernent ; ils sont infiniment nombreux autour de toi, sur toi et en toi. À tout instant, ils cherchent à t'envahir.

Pour les tenir en respect, ton organisme dispose de plusieurs systèmes de défense ; il sait identifier les intrus et parvient généralement à les neutraliser. Ton système circulatoire est en alerte permanente pour cette fonction de défense dont tu vas maintenant découvrir la remarquable efficacité.

Retiens qu'en principe ton corps combat tout ce qui ressemble à de la matière vivante étrangère, même s'il en est propriétaire.

1. Les tâches de ton système de défense

Parmi les agresseurs les plus redoutables qui guettent la moindre faiblesse de ton organisme figurent les microbes : les *bactéries* et les *virus*. Ces êtres vivants tendent à te parasiter et à te voler de l'énergie.

Les bactéries sont des cellules vivantes qui essaient de s'installer dans les liquides de ton milieu intérieur où se trouvent les nutriments dont elles ont besoin pour se multiplier. Si tu les laissais faire, elles t'envahiraient et réduiraient bientôt tes propres cellules à la famine, sans compter qu'elles pourraient aussi les empoisonner.

Les virus te font courir un risque comparable. Toutefois, ce sont des organismes beaucoup plus simples que des bactéries et incapables de se reproduire. Mais qu'importe, ils savent convaincre tes propres cellules de les reproduire ; ce sont des *parasites intracellulaires*.

info +

Le mécanisme de l'infection virale

Si un seul virus parvient à s'introduire dans une de tes cellules, il peut en faire son esclave, l'amener à consacrer son énergie et son équipement à le reproduire. La cellule s'épuise donc à fabriquer des dizaines de répliques du virus original. Elle néglige de s'entretenir pendant ce temps et finit par mourir. Les nouveaux virus sont alors prêts à s'attaquer aux cellules voisines. C'est ainsi que tu te retrouves victime de la grippe, de la rougeole ou d'autres maladies plus ou moins inquiétantes.

L'ennemi de l'extérieur n'est pas le seul que ton organisme doive déjouer. Le danger peut être en toi à tout moment, d'autant plus surnois qu'il provient de certaines de tes propres cellules. Il arrive en effet que certaines cellules deviennent asociales, incapables de vivre en harmonie avec les autres cellules ; elles sont à l'origine du cancer.

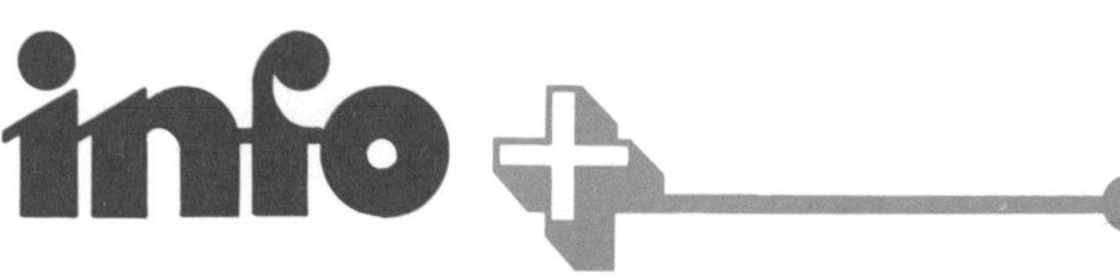

Qu'est-ce que le cancer ?

Dans un groupe de cellules qui se reproduisent activement peut naître de temps en temps une cellule anormale ; statistiquement, c'est inévitable. Il n'y a rien d'étonnant à cela ; on voit bien apparaître exceptionnellement dans un troupeau de moutons un monstre à deux têtes ou à cinq pattes. Ces accidents de la nature sont rarement viables et tendent à s'éliminer d'eux-mêmes. Par contre, si un mouton noir naît dans un élevage bien contrôlé de moutons blancs, une lignée noire pourra commencer à se développer au sein du troupeau blanc, à moins que l'éleveur n'élimine l'intrus. On appelle *mutant* un tel caprice de la nature.

De la même façon, des cellules mutantes apparaissent en nous et certaines sont incapables de s'intégrer à la société organisée de cellules dont elles sont nées. Elles se comportent égoïstement, accaparent les nutriments et l'oxygène, se multiplient sans frein et envahissent l'organisme qui meurt finalement d'épuisement. Nous venons de décrire le processus du cancer.

Selon une théorie acceptée par de nombreux chercheurs, l'organisme pourrait produire à tout moment des cellules cancéreuses. Son système de surveillance et de défense les identifierait comme corps étrangers et les détruirait immédiatement. Mais un jour, pour des raisons non encore comprises, il ne remplirait plus sa tâche et laisserait la maladie se développer.

En résumé, ton système de défense lutte sur deux fronts principaux : contre les microbes venus de l'extérieur et contre les cellules anormales que tu produis toi-même. À ces interventions d'urgence vient s'ajouter un travail de routine qui consiste à éliminer sans répit tes cellules usées.

- Qu'est-ce que la microbiologie ? La bactériologie ? La virologie ?
- Tous les microbes sont-ils nuisibles ?
- Lorsque tu es victime d'une infection microbienne, quel instrument simple t'en apporte généralement la preuve ?

2. Les antigènes et les anticorps

On appelle *antigène* toute substance capable d'amener l'organisme à produire un *anticorps* spécifique, c'est-à-dire une autre substance qui pourra se combiner à l'antigène pour le neutraliser. Ici, le mot « spécifique » est essentiel ; il signifie qu'à chaque antigène correspond son anticorps, et réciproquement.

Les cellules étrangères et les virus portent des antigènes. Les bactéries sont des cellules étrangères à l'organisme ; elles sont donc porteuses d'antigènes. De plus, les toxines (poisons) qu'elles produisent souvent sont également des antigènes. Ajoutons que certains médicaments, tels que la pénicilline, et même certains constituants normaux de l'organisme peuvent déclencher mal à propos la formation d'anticorps, se comportant ainsi comme des antigènes.

Les anticorps font actuellement l'objet de recherches intensives ; une meilleure connaissance de ces substances pourrait révolutionner la médecine.

Les anticorps sont produits par les petits globules blancs nommés lymphocytes. Chimiquement, ce sont des protéines nommées immunoglobulines ou gammaglobulines. On trouve des lymphocytes dans le sang, mais ils sont infiniment plus abondants dans le reste de l'organisme. Ils se concentrent dans les organes dits lymphoïdes, tels que le thymus, la rate et les ganglions lymphatiques. Ils utilisent le sang comme moyen de transport rapide pour voyager dans l'organisme.

- La relation antigène-anticorps ressemble à la relation clé-serrure. Quelle relation analogue trouve-t-on dans le tube digestif ?
- Peux-tu situer des ganglions lymphatiques sur toi-même ? Dans quelles circonstances peuvent-ils enfler ?
- Pourquoi les greffes d'organes posent-elles tant de problèmes ?

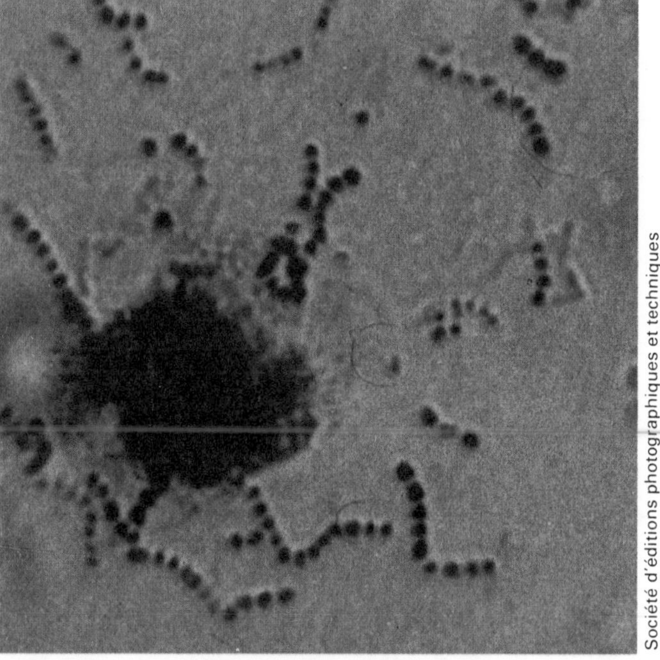

Société d'éditions photographiques et techniques

La scène se déroule dans une goutte de pus observée au microscope. Des «envahisseurs» sont aux prises avec un défenseur de l'organisme. Peux-tu les distinguer?

3. La mise en œuvre d'un anticorps : un scénario possible

La figure 3-17 décrit le processus qu'un agresseur de l'organisme déclenche lui-même et qui aboutit le plus souvent à sa perte.

Figure 3-17.
Le processus de mise en œuvre d'un anticorps.

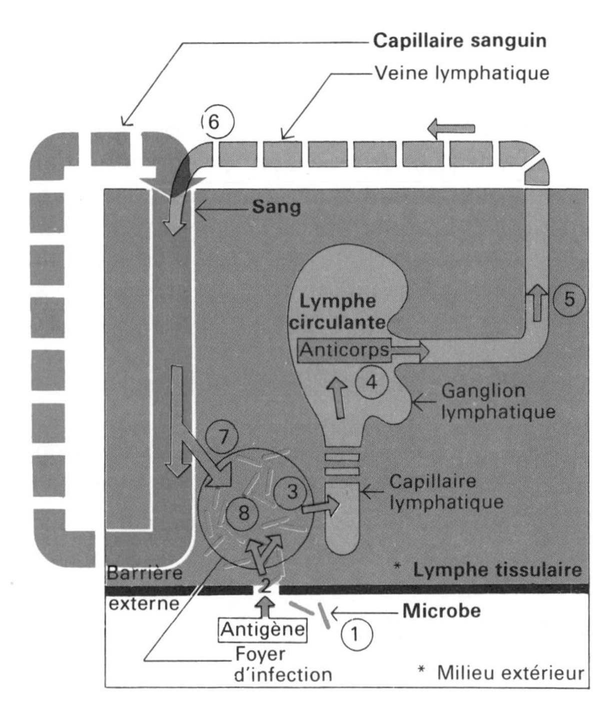

1 Une brèche dans la barrière externe de l'organisme (peau ou muqueuse) laisse entrer dans le milieu intérieur un microbe porteur d'un antigène.
2 Le microbe prolifère et crée un foyer d'infection.
3 Le microbe porteur de l'antigène pénètre dans un capillaire lymphatique ; la lymphe circulante le transporte dans un ganglion lymphatique.
4 L'antigène active certains lymphocytes du ganglion ; ceux-ci se multiplient puis produisent l'anticorps spécifique.
5 L'anticorps passe dans la lymphe circulante.
6 L'anticorps passe dans le sang avec la lymphe circulante.
7 Le foyer d'infection a provoqué une inflammation locale ; la paroi du capillaire sanguin est devenue très perméable aux protéines du plasma, donc à l'anticorps qui se diffuse dans le foyer d'infection.
8 L'anticorps se fixe à l'antigène et facilite la destruction du microbe.

L'anticorps ne suffit pas à neutraliser le microbe, mais en se liant à l'antigène il facilite grandement l'action des agents qui détruisent l'intrus. Cette tâche ultime est assumée par les globules blancs qui accomplissent la phagocytose (granulocytes) et par une protéine tueuse de bactéries qui circule avec le plasma sanguin. Cette protéine est libérée dans le foyer d'infection en même temps que l'anticorps.

Figure 3-18.
Le principe de l'agglutination des bactéries par un anticorps.

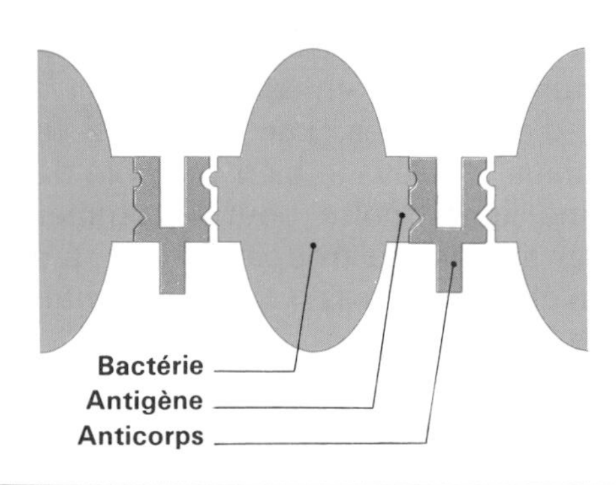

L'anticorps agit donc comme un signal qui dirige les agents de destruction sur leur cible : le microbe. Son rôle est un peu celui du drapeau qui signale le trou au joueur de golf. Ce système a l'avantage de concentrer l'action destructrice là où il faut, épargnant ainsi les cellules saines de l'organisme.

En coopération avec les autres éléments de ton système de défense, les anticorps contribuent à l'immunité de ton organisme, c'est-à-dire à son inviolabilité. La neutralisation des antigènes par tes anticorps préserve ta personnalité chimique de tout ce qui pourrait l'altérer.

- Est-il possible d'« importer » dans l'organisme des anticorps produits par un autre organisme ? Connais-tu une maladie qu'on prévient couramment de la sorte ?

- Qu'est-ce que l'immunité parlementaire ?

- Pourquoi les greffes entre jumeaux (jumelles) vrai(e)s ne posent-elles pas le problème du rejet ?

4. La vaccination

La rubéole, la rougeole, les oreillons, la scarlatine, etc. font plus ou moins partie des « traditions » de l'enfance. Ce sont des maladies microbiennes qu'on ne contracte en principe qu'une fois. La première attaque du microbe responsable de l'une ou l'autre de ces maladies fait apparaître des anticorps spécifiques dans le sang. Ceux-ci neutralisent ensuite toute autre tentative d'agression du même microbe. La première infection est généralement bien surmontée avec du repos, une diète appropriée et l'aide de la médecine s'il y a lieu.

Hélas, d'autres maladies peuvent être plus graves, laisser des infirmités ou même entraîner la mort. Variole, charbon, tétanos, rage, typhoïde, diphtérie, choléra, poliomyélite, tuberculose, etc. sont autant de noms encore sinistres de nos jours. La plupart de ces grands fléaux ont été vaincus par l'amélioration des conditions de vie, les mesures d'hygiène et, surtout, par la vaccination systématique des populations exposées.

Tableau 3-1.
Le calendrier des immunisations de l'enfance *.

Immunisations primaires :

Vaccins	*Âges recommandés*
DCT–Sabin	2 mois
DCT–Sabin	4 mois
DCT–Sabin	6 mois
Rougeole	12 mois
Rubéole	12 mois
Oreillons	12 mois

Rappels :

Vaccins	*Âges recommandés*
DCT–Sabin	18 mois
DCT–Sabin	4 à 6 ans
dT–Sabin	14 à 16 ans

Notes :

1. DCT : vaccin contre la diphtérie, la coqueluche et le tétanos.
2. Sabin : vaccin contre la poliomyélite.
3. dT : vaccin contre la diphtérie et le tétanos, administré aux enfants âgés de 7 ans et plus et aux adultes.

* Québec, Ministère des Affaires sociales, Direction des communications, *Les maladies infectieuses : protégez votre enfant*, Québec, mars 1982.

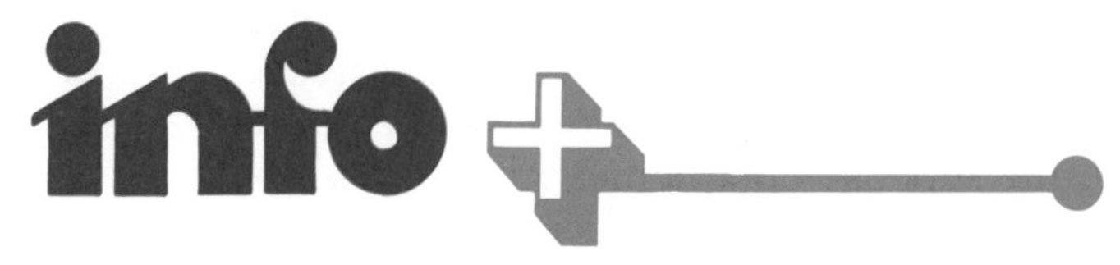

L'historique de la notion de vaccination

L'idée de prévenir une maladie grave par une maladie inoffensive ne date pas d'hier. En 1796, un médecin anglais, Jenner, eut le génie d'imaginer une solution pratique pour prévenir de la sorte une maladie souvent mortelle : la variole.

Il avait remarqué un fait curieux : les fermiers et les fermières ayant contracté une maladie des vaches nommée cow-pox ou vaccine étaient immunisé(e)s contre la variole.

Le cow-pox ressemble à la variole et se manifeste par de gros boutons sur les mamelles des vaches ; il suffit de traire celles-ci avec des mains écorchées pour contracter la maladie qui se résume chez l'être humain à une infection sans grande conséquence sur les mains et les bras. Jenner inocula donc systématiquement à ses patient(e)s le contenu de boutons de vaccine recueilli sur des vaches ; il les vaccina contre la variole.

Notons que la méthode de prévention contre la variole n'a pas changé depuis Jenner. Des vaches sont toujours utilisées pour la production du vaccin ; à cet effet, on cultive sur elles le cow-pox. Ce procédé ne sera peut-être plus nécessaire longtemps car, selon l'Organisation mondiale de la santé, la variole serait aujourd'hui complètement rayée de la carte des maladies humaines.

Après la variole, la vaccination systématique des populations permit de vaincre beaucoup d'autres maladies infectieuses. Elle ouvrit la porte à la médecine sociale et à la prise en main par le gouvernement du domaine de la santé publique.

Vacciner, c'est prévenir une maladie en provoquant chez un individu la production d'un anticorps spécifique, capable de neutraliser par la suite le microbe correspondant (ou sa toxine) dès son entrée dans l'organisme. On parvient à ce résultat en mettant l'individu en contact avec l'antigène approprié.

Or, comment administrer l'antigène sans prendre le risque de déclencher une maladie grave ?

À cet égard, il existe plusieurs solutions. On peut vacciner avec le microbe tué ou avec l'antigène séparé du microbe. On peut aussi utiliser le microbe vivant mais affaibli ; il déclenche alors la maladie sous une forme bénigne, facile à surmonter.

La vaccination est-elle nécessaire de nos jours, compte tenu des progrès de l'hygiène et de la médecine ? Si nous pouvons nous permettre le luxe d'une telle question, c'est que la terreur des grandes épidémies du passé n'est plus guère présente à nos mémoires. Pour te donner une idée de leur ampleur, nous en évoquerons deux seulement. La peste de Milan d'abord, au XVIe siècle ; cette épidémie fit passer la population de la ville de 250 000 à 60 000 habitants. La grippe espagnole ensuite, en 1918-1919 ; cette épidémie s'étendit au monde entier (pandémie) et fit plus de victimes que la Première Guerre mondiale, alors à peine achevée. Seule fut épargnée l'île de Sainte-Hélène en plein Atlantique.

Aujourd'hui encore, lorsqu'une simple grippe de Hong-Kong ou d'ailleurs se manifeste, les gouvernements sont contraints de mettre en œuvre la seule arme sérieuse dont la médecine dispose pour y faire face : la bonne vieille vaccination. Lorsqu'on décide de voyager dans certains pays tropicaux, la prudence élémentaire commande de se faire vacciner contre la fièvre jaune. Même la vaccination contre la rougeole, maladie qui n'a pas si terrible réputation, se justifie, car cette affection peut entraîner de graves complications au cerveau.

Certaines personnes refusent de se soumettre à la vaccination pour des raisons philosophiques ou religieuses. D'autres négligent tout simplement de se préoccuper de cette question. On peut à la rigueur admettre que chacun est libre d'être malade, mais il faut aussi reconnaître aux autres la liberté de ne pas être contaminés par ceux qui choisissent de risquer leur santé.

Nous retrouvons ici l'éternel conflit de l'intérêt général et des libertés de chacun, conflit déjà évoqué à propos des méfaits de la cigarette.

- Pourrais-tu donner de bonnes raisons de refuser une vaccination ?
- Quelles catégories de la population vaccine-t-on en priorité lors d'une épidémie de grippe ?
- Même si la variole est une maladie éteinte, des experts suggèrent de continuer à vacciner certains groupes de la population contre cette maladie. Pourquoi ?

5. La turberculose et la paralysie infantile : deux maladies que l'on prévient par la vaccination

La tuberculose et la paralysie infantile (poliomyélite) sont deux maladies graves. On en parle rarement de nos jours, mais tes parents ou tes grands-parents les ont certainement côtoyées avec inquiétude.

La tuberculose. Autrefois très répandue et presque de règle chez les personnes âgées, la tuberculose est une maladie qui existe encore à l'état latent dans la population. Avant la Seconde Guerre mondiale, elle causait à Montréal une mortalité infantile très élevée.

L'agent habituel de la tuberculose humaine est une bactérie en forme de bâtonnet, le bacille de Koch [1]. Il peut s'installer dans n'importe quel organe, mais les poumons sont sa cible la plus fréquente. Il se transmet de personne à personne par l'intermédiaire d'objets d'usage courant et aussi dans les minuscules gouttes de salive échappées au cours d'une conversation.

Le bacille de Koch est répandu dans tous les lieux publics. En 1970, on estimait que plus de 8000 New-Yorkais(es) avaient une tuberculose active non dépistée. Au 31 décembre 1974, près de 2000 tuberculeux(euses) étaient traité(e)s dans les établissements spécialisés du Québec. Dans la population, le réservoir de bacilles tuberculeux est loin d'être épuisé.

Dans une tuberculose active, l'organe infecté est détruit petit à petit ; il se creuse de cavités caractéristiques, nommées cavernes, visibles sur une radiographie.

On vaccine contre la tuberculose avec une forme atténuée de bacille tuberculeux, nommée BCG (bacille Calmette-Guérin), mais les mesures d'hygiène sont primordiales dans la prévention de la maladie. *« La lutte contre la tuberculose commence par l'établissement d'une vie saine : le combat contre la pauvreté, l'insalubrité du logement, la malpropreté personnelle, la mauvaise alimentation, le surmenage, etc [2]. »*

Qu'est-ce que le BCG ?

Le BCG est une forme particulière de bacille de la tuberculose ; il fut obtenu en 1924 par les docteurs français Calmette et Guérin, après 13 ans de culture d'un bacille tuberculeux d'origine bovine sur de la pomme de terre imprégnée de bile de bœuf. Par rapport au bacille original, le BCG a conservé son pouvoir antigènique, donc la propriété de stimuler la production d'anticorps dans l'organisme ; par contre, il a perdu sa capacité de déclencher la maladie.

Le BCG est pratiquement sans danger ; il immunise contre la tuberculose 85% des personnes vaccinées et évite aux autres des complications telles que la méningite. Toutes les personnes qui travaillent avec le public devraient avoir reçu le BCG, à l'exception des personnes immunisées naturellement par un contact avec le bacille de Koch. C'est le cas

1. Bactérie découverte en 1882 par le médecin allemand Robert Koch.
2. Armand Frappier, *L'ABC du BCG, pratique de la vaccination*, 3e éd., Montréal, Institut de microbiologie et d'hygiène de l'Université de Montréal, 1969.

d'environ 50 % des adultes vivant à la ville ; un test simple permet de le confirmer.

La paralysie infantile. La paralysie infantile est la principale forme grave d'une maladie nommée poliomyélite. Malgré son nom, elle peut aussi bien frapper les adultes que les enfants.

La poliomyélite évolue généralement comme une grippe et, de ce fait, beaucoup de cas ne sont jamais reconnus. Elle se complique parfois de la paralysie d'un ou de plusieurs membres qui se déforment et s'amaigrissent. La paralysie peut atteindre les muscles respiratoires ; elle est alors mortelle, à moins de disposer d'un appareil de respiration artificielle. Après l'attaque, la paralysie s'atténue souvent, mais il en reste généralement un handicap plus ou moins important.

L'agent de la « polio » est un virus (poliovirus) qui s'attaque généralement à la muqueuse digestive, mais aussi parfois au système nerveux. La paralysie et l'amaigrissement des muscles résultent de la mise hors-service des nerfs ou des centres nerveux qui les commandent. La transmission du virus se fait par l'air, mais surtout par l'eau contaminée.

Pour préparer un vaccin, il faut partir d'une culture microbienne. Les bactéries se développent sur des milieux nutritifs inertes, mais les virus ont besoin de cellules vivantes, ce qui complique leur culture.

Le premier vaccin antipoliomyélite à être administré sur une grande échelle fut préparé dans les années cinquante aux États-Unis par le docteur Jonas Salk. La culture de poliovirus qui permit d'obtenir le vaccin fut faite sur des cellules de rein de singe, elles-mêmes mises en culture. Après quelques jours d'incubation, les virus furent séparés des cellules mortes, puis traités de façon à les rendre incapables de déclencher la poliomyélite, sans toucher à leur capacité de stimuler la production d'anticorps spécifiques (pouvoir antigènique).

Les poliovirus inactivés du vaccin Salk peuvent être inoculés sans danger aux êtres humains.

Un second vaccin fut mis au point quelques années plus tard par le docteur Frédéric Sabin. Il diffère du vaccin Salk pour deux raisons. D'abord, il s'administre par la bouche, dans un bonbon ou un sirop, et non par injection. Ensuite, il contient un virus vivant atténué qui s'attaque aux cellules de la muqueuse digestive, mais sans donner lieu à des symptômes perceptibles. En d'autres termes, le vaccin Sabin déclenche bel et bien une poliomyélite, mais tellement bénigne qu'elle passe inaperçue. De plus, la personne vaccinée communique le virus à son entourage qui s'immunise à son tour contre la maladie aiguë.

- Pourquoi les enseignant(e)s devraient-ils (elles) être immunisé(e)s contre la tuberculose ?
- Quels moyens sont employés pour dépister les cas de tuberculose ?
- De nos jours, le vaccin Sabin est beaucoup plus employé que le vaccin Salk. Pourquoi ?
- En Amérique du Nord, pourquoi les épidémies de poliomyélite survenaient-elles en été surtout ?

6. Les groupes sanguins

Pour sauver la vie d'une personne qui vient de subir une hémorragie (perte de sang), il faut parfois injecter dans ses veines le sang d'une autre personne. Ce transfert de sang est une transfusion. Le sujet qui fournit le sang est le donneur (la donneuse) ; celui qui le reçoit est le receveur (la receveuse).

La transfusion obéit à des règles strictes, car le mélange des sangs entraîne parfois chez le (la) receveur (receveuse) une réaction grave qui peut être mortelle.

On reconnaît dans l'espèce humaine plusieurs types de sangs dont certains sont incompatibles. Cette classification est principalement fondée sur la présence ou l'absence de deux types d'antigènes à la surface des globules rouges : les *agglutinogènes* A et B.

Chez certaines personnes, les globules sont porteurs du seul agglutinogène A ; leur sang appartient au groupe A. Si l'agglutinogène B est seul présent, le sang appartient au groupe B. Si A et B sont présents ensemble, il appartient au groupe AB. Enfin, de nombreux individus ne possèdent aucun de ces deux agglutinogènes ; leur sang appartient au groupe 0 (zéro).

Le plasma du groupe B contient un anticorps qui se lie à l'antigène (agglutinogène) A. On nomme cet anticorps agglutinine anti-A ou agglutinine α (alpha). Ainsi, le plasma du groupe B provoque le rassemblement en paquets, ou agglutination, des globules porteurs de A (groupes A et AB). L'agglutinine anti-A est également présente dans le plasma du groupe 0. Inversement, le plasma du groupe A et celui du groupe 0 renferment une agglutinine anti-B ou agglutinine β (bêta). Quant au plasma du groupe AB, il ne contient aucune de ces deux agglutinines ; il n'a donc aucun pouvoir agglutinant en vertu des facteurs considérés.

On ignore comment les anticorps anti-A et anti-B peuvent se trouver dans le sang alors que l'organisme n'a jamais été en contact avec les antigènes correspondants. Mais ils sont là, c'est un fait reconnu dont il faut tenir compte.

Lors d'une transfusion, il y a danger que le plasma du receveur (de la receveuse) agglutine les globules reçus du donneur (de la donneuse). Parce que les agglutinines reçues sont diluées chez le donneur (la donneuse), le risque inverse est négligeable. Lorsque l'agglutination se produit dans un organisme, les globules rouges se mettent en chaînes, obstruent les capillaires et finissent par se détruire en libérant leur pigment rouge dans le plasma. Il en résulte une intoxication avec fièvre et, parfois, un blocage des reins mortel.

Figure 3-19.
Les caractéristiques des principaux groupes sanguins.

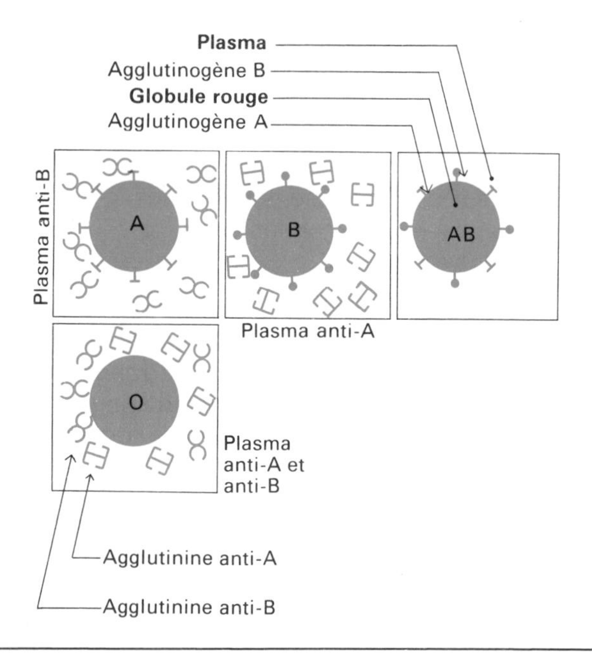

Figure 3-20.
L'agglutination de globules AB dans du sang de groupe O.

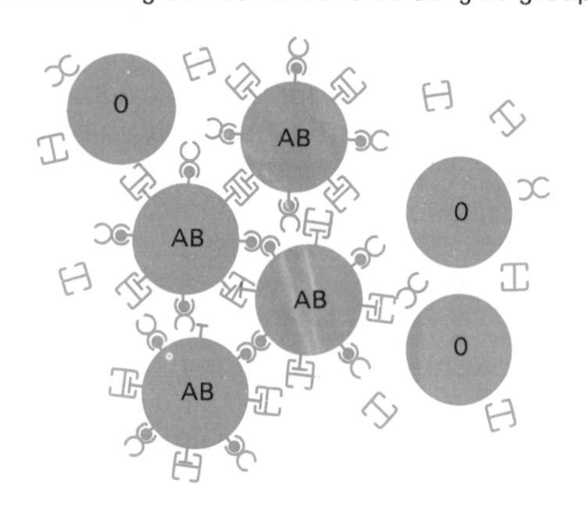

Notons qu'il existe dans le sang humain d'autres agglutinogènes et d'autres agglutinines correspondantes. Par exemple, 85% des individus portent l'agglutinogène rhésus (ou facteur rhésus ou facteur D) sur leurs globules rouges, indépendamment des autres agglutinogènes; on dit qu'ils sont « rhésus positif » (Rh^+). Les autres, qui n'en sont pas porteurs, sont dits « rhésus négatif » (Rh^-). En tenant compte de ce facteur, les groupes sanguins définis précédemment deviennent donc A^+, A^-, B^+, B^-, etc.

Le risque d'agglutination en vertu du facteur rhésus existe, mais seulement à partir de la seconde transfusion de sang Rh^+ à un sujet Rh^-; on évite donc ce type de transfusion. Dans le même ordre d'idée, signalons que le facteur rhésus est responsable d'une maladie de l'enfant à naître qui peut survenir lorsqu'une mère Rh^- est enceinte pour la seconde fois d'un enfant Rh^+. Elle peut alors produire l'agglutinine anti-rhésus qui passe dans le sang de son enfant et y déclenche l'agglutination. Une femme Rh^- dont le mari est Rh^+ doit donc recevoir une attention médicale particulière lors de ses grossesses.

- Pourquoi est-il inconcevable que le plasma du groupe A renferme l'agglutinine anti-A ?
- Pourquoi les sujets du groupe AB^+ sont-ils très avantagés par rapport à ceux du groupe 0^- ?
- Un sujet Rh^+ peut-il produire l'agglutinine anti-rhésus ?
- Transfuser du sang Rh^+ à un sujet Rh^-, c'est le vacciner contre ce type de sang. Pourquoi ?
- Quelle différence essentielle y a-t-il entre les agglutinines anti-A et anti-B d'une part et l'agglutinine anti-rhésus d'autre part ?
- Dans quelles circonstances doit-on recourir à une transfusion sanguine ?

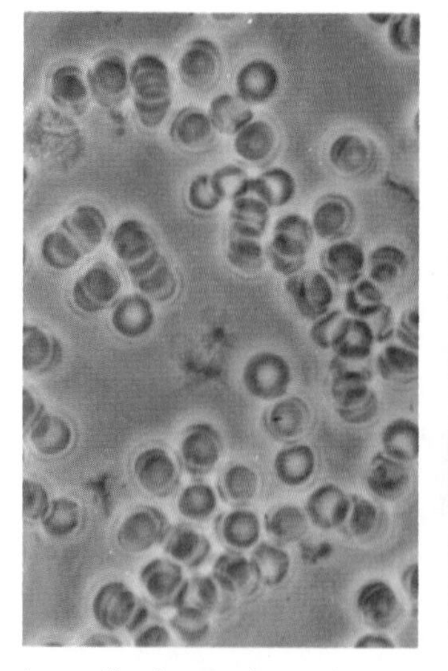

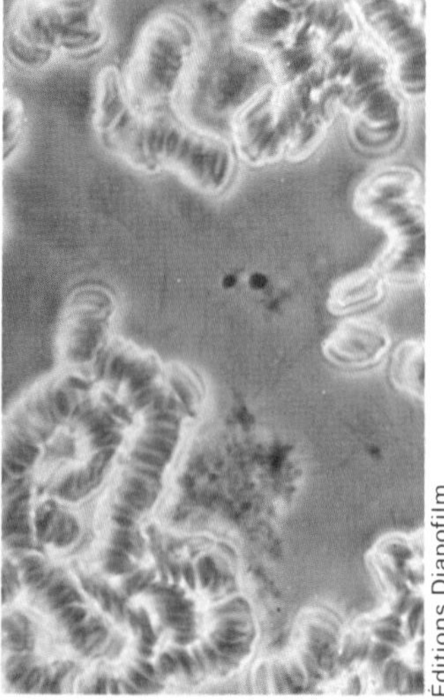

Laquelle de ces deux photos prises au microscope illustre le phénomène d'agglutination des globules rouges ?

à toi de jouer

1. TRACER UN TABLEAU COMPARATIF DES NOTIONS DE VACCIN, ANTICORPS ET IMMUNITÉ EN METTANT LEURS RELATIONS EN RELIEF.

a) Vaccin, anticorps, immunité. Lequel de ces trois termes désigne un phénomène et non un objet ?

Mithridate, roi de l'Antiquité, craignait d'être empoisonné par son entourage. Il s'entraîna à absorber des quantités croissantes de poisons et parvint, dit-on, à supporter des doses mortelles de ces substances. On appelle depuis mithridatisme la résistance aux poisons acquise par accoutumance progressive.

b) Complète la phrase qui suit avec un des trois termes de la première question.

Mithridate avait développé (//////) à l'égard des poisons.

c) Parmi les trois termes de la première question, lequel désigne une substance produite par l'organisme humain ?

d) Quel terme général désigne la substance active étrangère à l'organisme contenue dans un vaccin ?

e) Comment désigne-t-on les antigènes des globules rouges ? Les anticorps correspondants du plasma ?

f) Nomme le phénomène qui résulte de la rencontre d'agglutinines et de globules porteurs des agglutinogènes correspondants.

g) Identifie les cellules qui produisent un anticorps lorsqu'elles entrent en contact avec un antigène. Nomme un organe où s'effectue cette rencontre.

h) Termine la phrase suivante avec un adjectif signifiant qu'à un antigène donné ne correspond qu'un seul anticorps.
Un antigène amène l'organisme à produire un anticorps (//////).

i) Situe la taille des molécules d'anticorps (géante, moyenne ou petite). Explique pourquoi ces molécules restent habituellement dans le sang.

j) D'après le graphique, qu'est-ce qui montre que la protection offerte par la vaccination n'est pas indéfinie ? Quelle est l'utilité d'un rappel de vaccination ?

Graphique 3-1.

L'influence de la vaccination sur la quantité d'anticorps dans le sang.

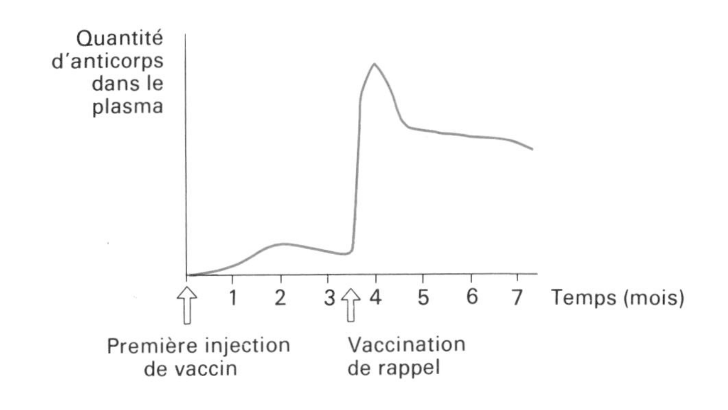

k) Revois à la section A en quoi consiste le scorbut. Pourquoi est-il impossible de vacciner contre le scorbut ?

l) Anticorps, immunité, vaccin. Ces trois concepts découlent l'un de l'autre. Montre-le en reliant les trois termes par des flèches.

2. DÉMONTRER L'IMPORTANCE DE LA VACCINATION.

Le vaccin Salk antipolio commença à être administré à la population américaine en 1955.

a) Évalue l'efficacité de cette mesure d'après le graphique suivant.

Graphique 3-2.

L'incidence de la poliomyélite aux États-Unis de 1955 à 1962.

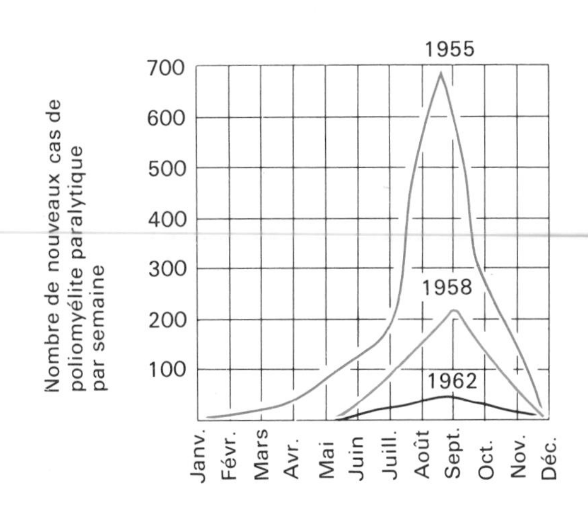

b) Qu'est-ce qu'une épidémie par rapport à une maladie ?

c) Pourquoi rend-on service à l'ensemble de la population en se faisant vacciner ?

3. DONNER DEUX EXEMPLES CONNUS DE VACCINATION.

a) Nomme une maladie causée par une bactérie.

b) Nomme une maladie causée par un virus.

c) Explique pourquoi la culture des virus est plus délicate que celle des bactéries.

d) Nomme l'agent de la tuberculose.

e) Nomme le vaccin antituberculeux.

f) Pourquoi une grande partie de la population n'a-t-elle pas à être vaccinée contre la tuberculose ?

g) Quelle maladie dégénère parfois en paralysie infantile ?

h) À quel type de microbe se rattache l'agent de cette maladie ?

i) En quoi les vaccins Sabin et Salk sont-ils différents ?

4. CONNAÎTRE, APRÈS L'AVOIR DÉTERMINÉ EXPÉRIMENTALEMENT, SON GROUPE SANGUIN.

Matériel : sérums anti-A (α) et anti-B (β) ; 1 lancette stérile ; 1 baguette de verre de 2 à 3 mm de diamètre, à bouts arrondis ; ouate stérile ; alcool à 95 % ; 1 carré de carton glacé de 6 cm sur 6 cm.

Le sérum est un liquide dérivé du plasma après la coagulation du sang.

a) Quel groupe sanguin fournit le sérum anti-A ? Le sérum anti-B ?

— Prépare ton carré de carton selon le modèle ci-dessous ;

DÉTERMINATION DU GROUPE SANGUIN	
Nom:	Prénom:
Sérum anti-A (α)	Sérum anti-B (β)
Sang du groupe ______	

— Nettoie la baguette de verre avec un coton imbibé d'alcool, en insistant particulièrement sur les extrémités ;

— Avec la lancette stérile, fais perler une goutte de sang au bout de ton doigt, après l'avoir désinfecté ;

— Essuie avec de la ouate stérile la première goutte de sang ;

— Dépose une goutte de sérum anti-A et une autre de sérum anti-B dans les cases appropriées du carton ;

— Secoue le bras pour faire affluer le sang à la piqûre ;

— Prélève une goutte de sang sur ton doigt avec l'extrémité de la baguette de verre ; elle doit être environ deux fois moins grosse que les gouttes de sérum ;

— Mélange doucement la goutte de sang au sérum anti-A en remuant avec la baguette ;

— Prélève une seconde goutte de sang avec l'autre extrémité de la baguette et mélange-la au sérum anti-B ;

— Prends la carte et balance-la pour favoriser l'agglutination ;

L'agglutination laisse une tache sèche granuleuse. S'il n'y a pas d'agglutination, la tache est lisse.

— Détermine ton groupe sanguin et inscris-le au bas de la carte ;

— Colle la carte sur ta feuille de rapport.

Les quatre groupes sanguins de base existent en proportions variables dans toutes les races humaines. Dans la population québécoise, un échantillon de 137 individus se répartit comme suit :

Tableau 3-1.
La répartition des groupes sanguins dans un échantillon de population québécoise.

Nombre de personnes	Groupes sanguins	Pourcentages (%)
60	A	
11	B	
4	AB	
62	O	

b) Reproduis et complète le tableau ci-dessus en indiquant le pourcentage de chaque groupe.

c) Dresse un tableau similaire pour l'échantillon représenté par les élèves de ta classe.

5. DÉFINIR CE QU'EST UNE TRANSFUSION SANGUINE.

Recopie et complète la phrase suivante :
La transfusion sanguine est le transfert de sang d'un individu appelé (//////) à un autre appelé (//////).

6. RÉSOUDRE DES PROBLÈMES D'INCOMPATIBILITÉ DE TRANSFUSION.

a) Reproduis et complète le tableau suivant :

Tableau 3-2.

Les caractéristiques de certains groupes sanguins.

Caractéristiques	Groupes
Les globules les plus agglutinables	•
Les globules les moins agglutinables	•
Le plasma le plus agglutinant	•
Le plasma le moins agglutinant	•

b) Complète la phrase qui suit avec le mot « donneur » ou « receveur ».
Lors d'une transfusion, les globules qui risquent l'agglutination sont ceux du (//////).

c) Quel est le groupe sanguin le plus apte à donner du sang ? Le plus apte à en recevoir ?

d) Résume les règles fondamentales de la transfusion sanguine en reliant les symboles des quatre groupes sanguins par cinq flèches orientées dans le sens donneur → receveur. Dispose ton schéma comme ci-dessous.

A

0 AB

B

e) Dans une classe de 24 élèves, 10, dont Claire, sont du même groupe sanguin ; par contre, Suzanne est seule de son groupe. Claire ne pourrait pas donner de sang à Suzanne, ni en recevoir d'elle.
Donne les groupes sanguins respectifs probables de Claire et de Suzanne (tu n'as pas à tenir compte ici du facteur rhésus).

f) Trois amis, Émilie, Alexandre et Georges, appartiennent au groupe sanguin 0. Alexandre a donné du sang à Georges, victime d'un accident. Émilie, qui est pourtant en parfaite santé, n'a pas été autorisée à en faire autant. Donne la raison probable de cette discrimination.

g) Recopie et complète le tableau suivant :

Tableau 3-3.

Avec qui puis-je échanger du sang parmi mes camarades de classe ?

	Noms	Groupes sanguins
Je peux recevoir du sang de :		
Je peux donner du sang à :		
Je ne peux pas recevoir de sang de :		
Je ne peux pas donner de sang à :		

7. ÉNUMÉRER DES FACTEURS TRADUISANT L'IMPORTANCE DE LA CIRCULATION CAPILLAIRE.

a) Nomme les deux types de vaisseaux qui sont reliés l'un à l'autre par les capillaires.

b) Connais-tu beaucoup de points de ton corps où tu puisses te blesser sans que cela saigne ? Quels vaisseaux sanguins envahissent les moindres recoins de ton corps ?

c) Nomme le phénomène important pour la défense de l'organisme qui concerne les globules blancs dans les capillaires.

d) Pourquoi les capillaires sont-ils importants pour la vie des cellules situées hors du système circulatoire ?

8. ÉNUMÉRER LES PRINCIPAUX ÉCHANGES ENTRE LES CAPILLAIRES ET LES CELLULES.

De nombreuses substances sont échangées entre les capillaires et les cellules qui les entourent. L'eau, par exemple, peut être échangée dans un sens ou dans l'autre. D'autres substances, par contre, sont plutôt échangées à sens unique.

a) Nomme les deux principales sortes de substances que les capillaires cèdent aux cellules qui les entourent.

b) Quel type de substances suit le trajet inverse ?

VA PLUS LOIN

1. Enquête sur une collecte de sang

Des collectes de sang sont organisées régulièrement par la Croix-Rouge, avec la participation de toutes sortes d'institutions (municipalités, clubs sportifs, œuvres charitables, etc.). Enquête au sujet d'une de ces collectes pour répondre aux questions suivantes :

a) Quand et où a-t-elle lieu ?

b) Qui peut donner son sang ? Qui ne le peut pas ?

c) Quelle quantité de sang est prélevée sur chaque donneur (donneuse) ? Comment ?

d) Est-ce douloureux ? Y a-t-il des effets secondaires ?

e) Les donneurs (donneuses) reçoivent-ils (elles) une récompense ?

2. Recherche sur l'histoire d'une grande maladie infectieuse

De grandes épidémies ont marqué l'histoire de l'humanité. Recherche l'histoire d'une des maladies en question. Développe les points suivants :

— Les caractéristiques de la maladie et son agent ;
— Le mode de contagion ;
— Les épidémies remarquables et leur importance historique s'il y a lieu ;
— La lutte contre la maladie ;
— L'état actuel de la question.

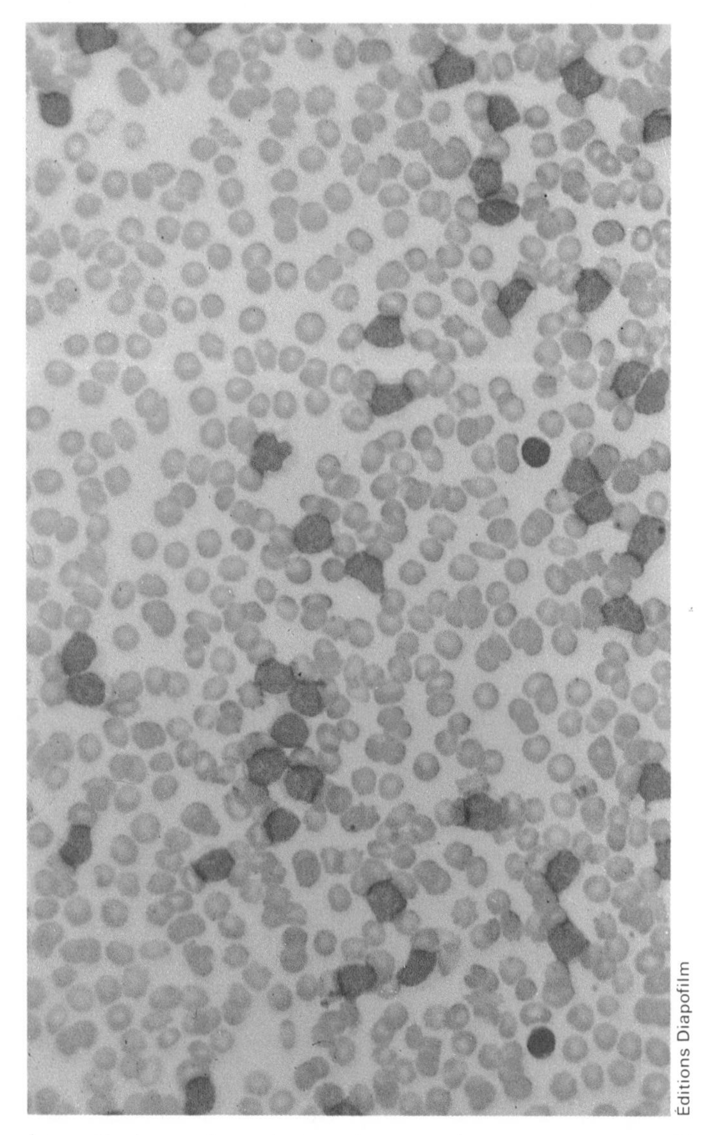

Éditions Diapofilm

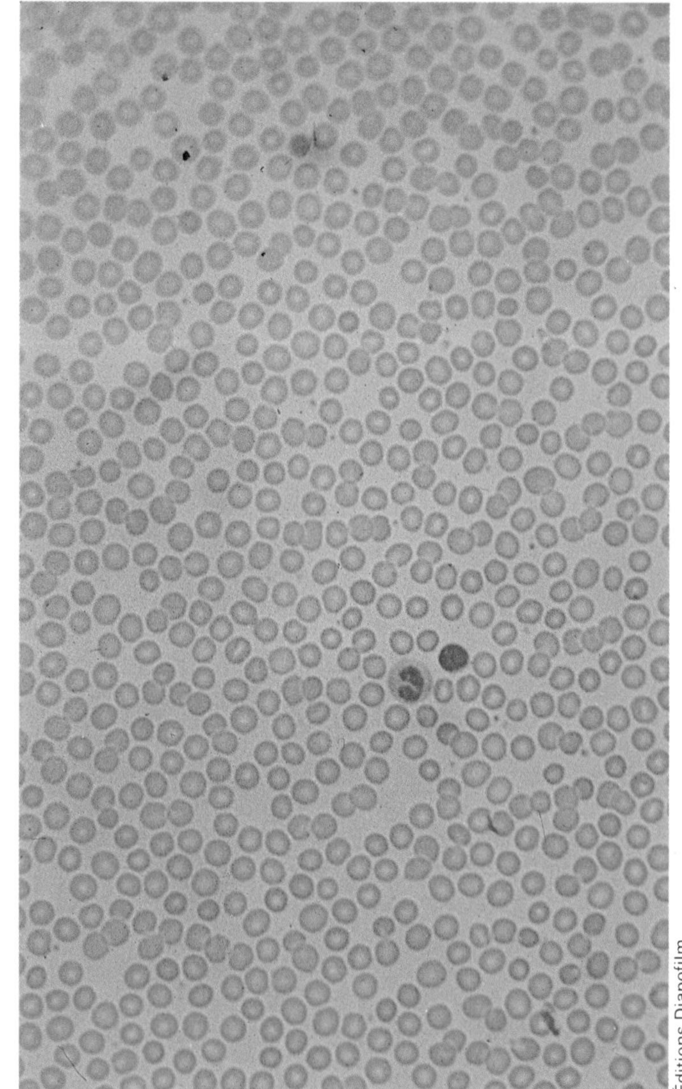

Éditions Diapofilm

Laquelle de ces deux photos prises au microscope correspond à du sang anormal ?

L'hygiène cardio-vasculaire

Qu'est-ce qu'un système cardio-vasculaire en bon état ?

a) Quel est le pire défaut d'un tuyau ?

b) Qu'est-ce que le tartre dans un tuyau d'eau ? Comment se forme-t-il ?

c) Qu'est-ce que le débit de l'eau qui s'écoule d'un robinet ? En quelles unités peut-il être mesuré ?

d) Comment le tartre influence-t-il le débit de l'eau dans un tuyau ?

e) Si le boyau de renvoi d'une machine à laver venait à se boucher, quelle pourrait en être la conséquence sur la pompe ? Sur le boyau lui-même s'il était trop vieux ?

f) Si tes artères tendaient à s'obstruer, quel organe essentiel en subirait les conséquences ?

g) À quelle qualité reconnais-tu qu'un boyau d'arrosage est en bon état ?

h) Comment imagines-tu un système cardio-vasculaire en parfait état ?

i) Quels indices te permettent de penser que certaines habitudes de vie peuvent maltraiter le système cardio-vasculaire ?

j) Quels indices te permettent de penser que certaines habitudes de vie peuvent contribuer à la santé du système cardio-vasculaire ?

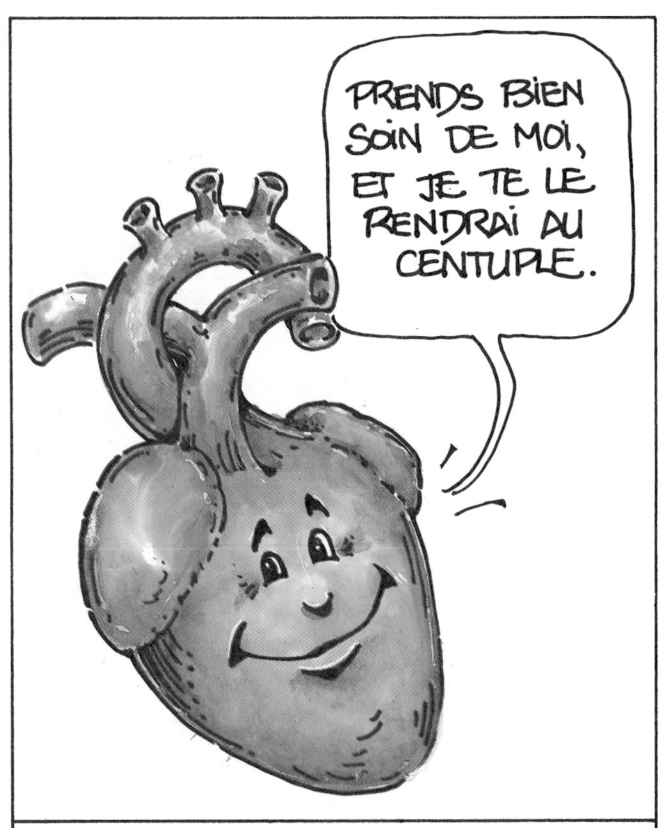

Simplifie la tâche de ton cœur. Il aime travailler, mais pas pour rien.

Au Canada, les maladies cardio-vasculaires (du cœur et des vaisseaux) étaient responsables de 20% des décès en 1900. Cette proportion est aujourd'hui d'environ 33%. Au Québec seulement, ces maladies ont entraîné environ 50 000 hospitalisations en 1978. Elles coûtent cher aux individus comme à la collectivité.

La progression des maladies du système circulatoire depuis le début du siècle est liée à la transformation du mode de vie. Cette constatation est plutôt rassurante : si certaines habitudes de vie prédisposent aux maladies cardio-vasculaires, d'autres devraient les éloigner. Tu es en grande partie responsable de la santé de ton système cardio-vasculaire ; non seulement tu peux aider à le préserver des dangers qui le guettent, mais surtout, tu peux améliorer ses performances afin qu'il te procure encore plus de satisfactions et de bien-être.

1. Les lois qui gouvernent la circulation sanguine

Tu sais maintenant que les ventricules du cœur propulsent le sang dans des conduits de calibre (diamètre interne) très variable, les vaisseaux sanguins. On appelle *pression sanguine*, ou tension, la force avec laquelle le sang appuie sur la paroi des vaisseaux.

La pression sanguine dépend de nombreux facteurs, dont les principaux sont le débit du sang et le calibre des vaisseaux.

La pression diminue rapidement des grosses artères aux artérioles ; elle est faible dans les capillaires et très faible dans les veines. Dans les artères, elle est plus forte dans l'instant qui suit immédiatement la contraction du cœur (systole) que dans celui qui suit immédiatement son relâchement (diastole). Le médecin qui mesure la tension au bras d'un(e) patient(e) et annonce par exemple « 120/80 » veut dire que la pression systolique dans une artère du bras est de 120 mm de mercure et la pression diastolique de 80 mm de mercure. Exprimées dans le système international d'unités, ces valeurs deviennent respectivement 16 et 10,7 kilopascals (kPa).

La pression sanguine reflète la difficulté du sang à s'écouler à cause de sa viscosité et de son frottement contre la paroi des vaisseaux.

La première mesure d'une pression artérielle

La pression artérielle fut mesurée pour la première fois en Angleterre dans des conditions pittoresques.

« C'est un pasteur de Teddington, nommé Stephen Hales, qui démontra et mesura la tension artérielle. (...) Son principal titre de gloire est d'avoir utilisé un cheval, une oie et un grand tube de verre pour étudier la pression sanguine. Un jour de l'année 1733, il attacha le cheval à un poteau et lui inséra un petit tube de verre dans une artère de la jambe. Au moyen de la trachée-artère de l'oie, il réunit le petit tube à un autre tube de verre très haut et vertical. Le sang jaillit dans ce tube à une hauteur de 2,7 m. C'est la pression artérielle qui fit monter le sang à cette hauteur, après quoi le niveau oscilla régulièrement avec chaque pulsion du cœur. La coagulation mit bientôt fin à l'expérience[3]. »

3. Anthony Smith, *Le corps et ses secrets*, Paris, Librairie Arthème Fayard, 1969, p. 673.

Si tes vaisseaux sanguins étaient des tuyaux rigides, ton sang circulerait de façon saccadée, c'est-à-dire qu'il s'arrêterait entre chaque jet. Or, ton sang ne s'arrête pratiquement jamais de couler. À une certaine distance du cœur, son débit devient même continu. Cette régularisation de la circulation est due à l'élasticité de tes artères.

Chaque fois que ton ventricule gauche pousse un nouveau volume de sang dans l'aorte, celle-ci réagit en se dilatant au voisinage du cœur pour revenir immédiatement à son diamètre initial. Sa paroi absorbe donc une partie du travail cardiaque qu'elle restitue ensuite en appuyant elle-même sur le sang, ce qui entraîne la dilatation de la région voisine, et ainsi de suite. On appelle pouls artériel ce soubresaut qui se propage le long de l'artère à la vitesse de 9 m/s. Il parvient en 0,25 s aux artérioles de ton pied, tandis que le sang lui-même, poussé par le cœur, n'y arrive qu'en 7,0 s. Le pouls prolonge le travail de ton cœur et l'aide à pousser le sang dans les vaisseaux.

Figure 3-21.
La propagation du pouls artériel.

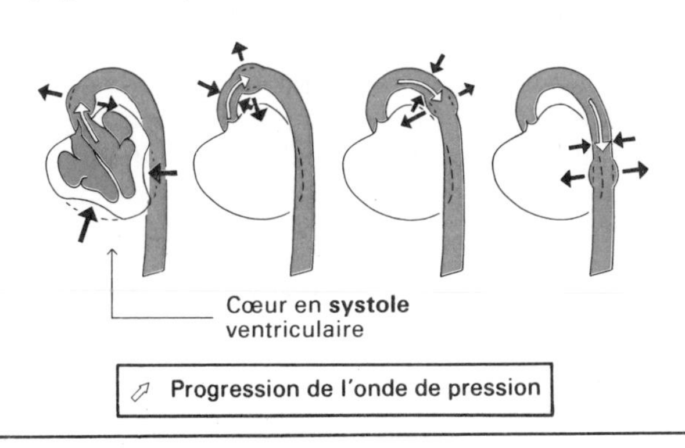

En vieillissant, tes artères vont progressivement perdre de leur élasticité. Elles absorberont de moins en moins bien ta pression sanguine qui tendra donc à augmenter. En conséquence, ton cœur devra fournir un effort de plus en plus grand pour vaincre cette pression.

- Pour une pompe, lesquels parmi les travaux suivants sont les plus faciles à effectuer ? (Dans chacun des cas envisagés, on suppose que toutes les conditions non précisées sont égales.)
  - — Pousser de l'eau dans un tuyau de 2 cm de diamètre ou de 3 cm de diamètre ?
  - — Pousser de l'eau dans un tuyau de 10 m de long ou de 20 m de long ?
  - — Pousser 100 L/min ou 150 L/min ?
  - — Pousser de l'eau ou du sirop de sucre ?
- Lorsque tu joues avec un boyau d'arrosage, comment fais-tu pour obtenir une forte pression d'eau sans toucher au robinet d'alimentation ? À quoi constates-tu que la pression est plus ou moins forte ? Le fait d'augmenter la pression par ce moyen modifie-t-il le débit de sortie de l'eau ? Si oui, dans quel sens ?

2. L'influence de l'exercice physique sur le système cardio-vasculaire

Au cours d'un exercice physique, tes muscles ont des besoins accrus en nutriments (glucose, par exemple) et en oxygène ; ton système circulatoire répond à leur demande en augmentant le débit du sang qui les alimente. Cet effort est obtenu grâce à deux sortes d'ajustements. D'abord, les artérioles s'ouvrent davantage dans tes muscles en action, ce qui détourne la circulation à leur profit. Ensuite, ton cœur bat plus fort et plus vite, ce qui augmente le débit sanguin.

Comme n'importe quel muscle, ton cœur est capable de s'adapter à l'effort en devenant plus puissant ; son volume augmente alors modérément. De même, la paroi de tes artères peut se renforcer pour mieux supporter le surplus de pression. Tu obtiendras ces résultats au moyen d'exercices physiques réguliers, gradués et adaptés à ta condition.

Inversement, la vie sédentaire, l'abus de l'automobile, les longues heures passées devant la télévision sont autant de facteurs susceptibles d'affaiblir ton cœur et tes artères en les habituant à la paresse.

- Certaines professions ont-elles des effets négatifs sur le système cardio-vasculaire ? Lesquelles ? Pourquoi ?
- D'autres professions ont-elles des effets positifs sur le système cardio-vasculaire ? Lesquelles ? Pourquoi ?

3. Les inconvénients de l'embonpoint

Un excédent de graisse dans l'organisme prédispose à une maladie complexe des artères ; *l'artériosclérose*. Elle débute lorsqu'un lipide du plasma, le cholestérol, se dépose sous forme de plaques, ou athéromes, à l'intérieur des vaisseaux. Les artères dont la paroi s'épaissit prennent alors un aspect de « tuyau de pipe » ; à la limite, elles peuvent même se fermer complètement. De plus, il arrive qu'un athérome durcisse, devienne rugueux ; il accroche les plaquettes sanguines qui se rassemblent et déclenchent localement la coagulation. On appelle thrombus le caillot de sang qui se forme ainsi ; il peut bloquer la circulation dans l'artère.

Figure 3-22.
Le développement de l'artériosclérose.

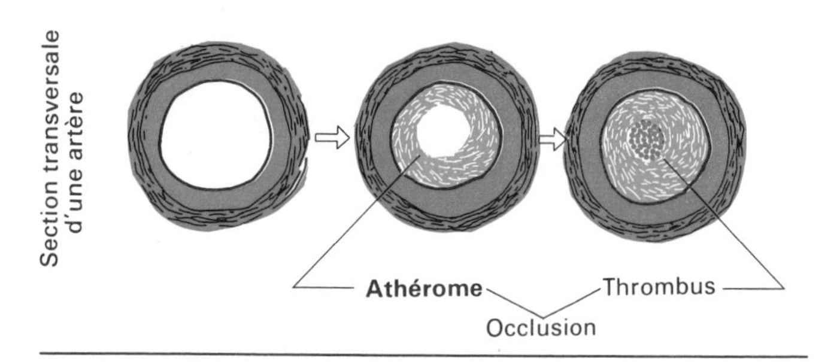

L'artériosclérose durcit les artères et leur fait perdre leur élasticité. De plus, elle réduit leur calibre. Or, à pression constante, une division par deux du calibre d'un tube entraîne une division par seize du débit dans ce tube. Pour maintenir le débit, il faut donc augmenter la pression ; dans l'organisme, ce phénomène d'adaptation est connu sous le nom d'hypertension.

En favorisant l'hypertension, l'obésité impose au cœur un effort inutile. De plus, le cœur enrobé de graisse travaille avec difficulté ; tu peux expérimenter cette situation en essayant de faire de la gymnastique vêtu(e) d'un lourd manteau. Ces difficultés entraînent une hypertrophie du ventricule gauche, visible sur une radiographie.

L'athérome est particulièrement dangereux lorsqu'il s'installe dans les artères qui alimentent le muscle cardiaque lui-même. Le cœur a besoin d'oxygène et de nourriture. Il les tire du sang qui pénètre dans l'épaisseur de sa paroi par les artères coronaires. Dans ces vaisseaux, l'athérome déclenche la maladie coronarienne. Elle se manifeste d'abord par des douleurs dans la région du cœur (*angine de poitrine*) et peut finir par la fermeture complète d'une artère coronaire (*embolie coronarienne*). Il en résulte alors

Figure 3-23.
Le développement de la maladie coronarienne.

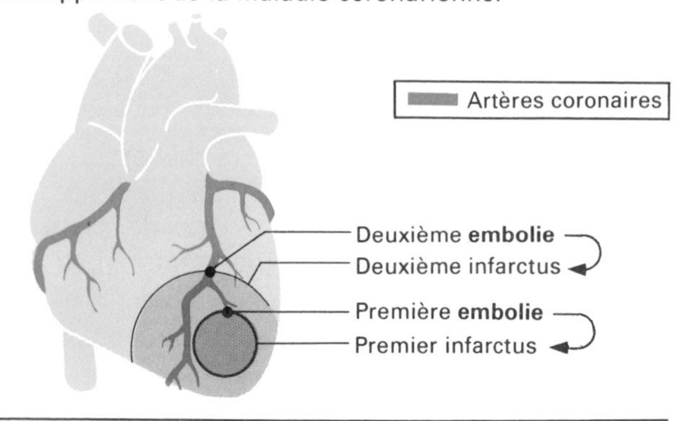

la mort du tissu musculaire irrigué par cette artère : c'est l'*infarctus du myocarde*, accident plus ou moins grave selon la grosseur de l'artère qui est atteinte.

Les conséquences de l'infarctus du myocarde

L'infarctus entraîne l'affaiblissement du cœur, d'où une chute de tension et une insuffisance rénale. L'eau du corps est mal éliminée ; le volume de lymphe augmente dans les tissus et les jambes gonflent ; on appelle *œdème* cette accumulation de liquide dans certains organes. La nuit, lorsque le (la) malade est couché(e), l'œdème peut se déplacer dans les poumons ; la lymphe suinte dans les alvéoles où elle remplace l'air. Le sujet se noie alors dans son propre liquide. La maladie coronarienne fait chaque année 500 000 morts aux États-Unis.

Lorsque l'athérome se produit dans le cerveau, il conduit à la mort (ramollissement) d'une région plus ou moins étendue de l'organe. Il peut en résulter finalement une perte de connaissance ou une hémiplégie (paralysie dans la moitié du corps opposée à celle de l'accident cérébral).

L'hypertension peut conduire à une mort foudroyante par rupture d'une grosse artère. Lorsque cette rupture se produit dans le cerveau, on parle d'hémorragie cérébrale.

L'alimentation intervient dans le développement de l'artériosclérose, mais son rôle n'est pas encore clairement établi. Le cholestérol, lipide directement impliqué dans la maladie, est présent dans les graisses animales (jaune d'œuf et beurre, notamment). Mais tout notre cholestérol ne vient pas des aliments. Le foie en fabrique à partir d'une catégorie d'acides gras abondants dans les graisses animales : les acides gras saturés. Il en produit même d'autant plus que le corps en reçoit moins par l'alimentation.

Un régime riche en graisses prédispose sûrement à l'artériosclérose. À tout hasard, diminuons donc la part des graisses dans notre apport énergétique au profit des glucides et ajustons cet apport à notre activité physique, de manière à éviter l'embonpoint.

- L'un des objectifs nutritionnels visés par le ministère des Affaires sociales du Québec consiste à inciter la population à réduire sa consommation de graisses. Ainsi, la part des lipides dans la composition de l'apport énergétique des Québécois(es)

devrait passer de 41,5% (chiffre de 1977) à 30% (chiffre prévu en 1987). Quelles raisons poussent un gouvernement à proposer un tel objectif ?

- Pourquoi l'hypertension passe-t-elle pour être l'affection la plus sournoise ?

4. Les effets du tabagisme sur le système cardio-vasculaire

La nicotine agit directement sur le cœur, dont elle accélère le rythme ; elle agit aussi sur les artérioles qu'elle resserre (effet vaso-constricteur). Ces deux actions font monter la pression sanguine et fatiguent le cœur inutilement. Le monoxyde de carbone aggrave la situation en empêchant le cœur de recevoir tout l'oxygène dont il pourrait avoir besoin.

Le tabagisme ajoute donc ses effets néfastes sur le système cardio-vasculaire à ceux de l'embonpoint et du manque d'activité physique.

Les compagnies d'assurance-vie tiennent compte du tabagisme et de l'embonpoint lorsqu'elles évaluent un client ; cette attitude est parfaitement justifiable. Tu as au moins d'aussi bonnes raisons que les assureurs de te préoccuper de ta santé. Si par hasard tu ne prenais pas les médecins suffisamment au sérieux, tu pourrais toujours faire confiance aux gens d'affaires qui gèrent les compagnies d'assurance, ils sont généralement bien documentés. Dans notre société, lorsqu'il est question d'argent, il n'est pas permis de se tromper.

- « Un vrai sportif ne fume pas. » Que penses-tu de cette formule ?

5. L'hypotension

L'hypotension est l'inverse de l'hypertension, c'est l'état de moindre pression dans le système artériel. Elle peut être momentanée ou permanente ; parfois, il faut que le sujet soit debout pour qu'elle se manifeste.

Cette anomalie circulatoire peut être causée par une hémorragie ou un rétrécissement de la valvule située entre le ventricule et l'oreillette gauches ; mais dans bien des cas elle n'a pas de cause apparente.

L'hypotension entraîne une sous-oxygénation des organes, et du cerveau en particulier. Elle se manifeste par un manque d'énergie et des vertiges qui peuvent aller jusqu'à l'évanouissement. Hypertension, hypotension... S'il fallait choisir le moindre de ces deux maux, ce serait l'hypotension, sans hésiter.

- Pourquoi le fait de se tenir debout et immobile peut-il amener certaines personnes au bord de l'évanouissement en quelques minutes ?

À titre indicatif, signalons ici que l'alcool agit à l'inverse de la nicotine sur le système circulatoire. Il ouvre les artérioles (effet vaso-dilatateur) et réduit ainsi la pression sanguine. Par temps froid, il faut se méfier de cet effet apparemment bénéfique ; en faisant affluer le sang à la peau, l'alcool favorise un refroidissement général de l'organisme, malgré la sensation passagère de chaleur qu'il procure.

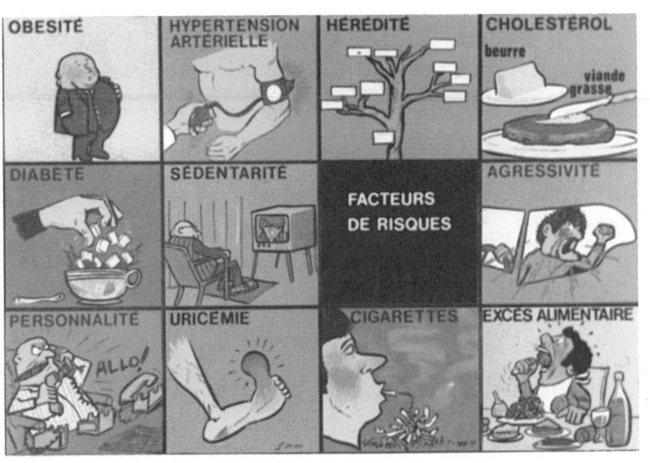

Office de documentation par le film

Quels facteurs de risque de maladie cardiaque peux-tu contrôler ?

à toi de jouer

1. **ÉTABLIR UNE LISTE DES INCONVÉNIENTS DU MANQUE D'EXERCICE, DE L'EMBONPOINT ET DU TABAGISME SUR LE CŒUR.**

a) Quelle est la fonction du cœur ?

b) Quelle est la principale qualité des artères ?

c) Explique l'effet de l'exercice sur le débit sanguin.

d) Quel effet le travail de la paroi artérielle a-t-il sur le cœur ?

e) Explique pourquoi l'obésité fatigue directement le cœur.

f) Nomme le lipide qui est la cause de l'artériosclérose.

g) Comment appelle-t-on le dépôt que ce lipide forme dans les artères ?

h) Nomme l'obstacle qui peut se former dans une artère à cause des plaquettes sanguines. Nomme le phénomène d'occlusion qui peut s'ensuivre.

i) Nomme l'accident cardiaque qui est provoqué par une embolie coronarienne.

j) Nomme la paralysie qui affecte une moitié du corps seulement. Dans quel organe se produit l'accident responsable de cet état ?

k) Nomme deux aliments riches en cholestérol.

l) Dans une perspective d'hygiène cardio-vasculaire, explique l'utilité de dégraisser les viandes.

m) Donne trois raisons pour lesquelles la cigarette fatigue le cœur.

2. **ÉNUMÉRER LES RÈGLES DE SANTÉ DU CŒUR.**

a) Sur le plan physique, comment peut-on favoriser la santé du cœur ?

b) Sur le plan alimentaire, comment peut-on favoriser la santé du cœur ?

c) Pour la santé du cœur, quelle intoxication chronique doit être éliminée ?

3. **DÉFINIR CE QU'EST LA TENSION (PRESSION) ARTÉRIELLE.**

a) Parmi les trois schémas ci-dessous, reproduis celui qui est pertinent, en sachant que le diamètre du tube A est le double de celui du tube B.

Figure 3-24.
L'influence du calibre d'un tuyau sur le débit d'un liquide.

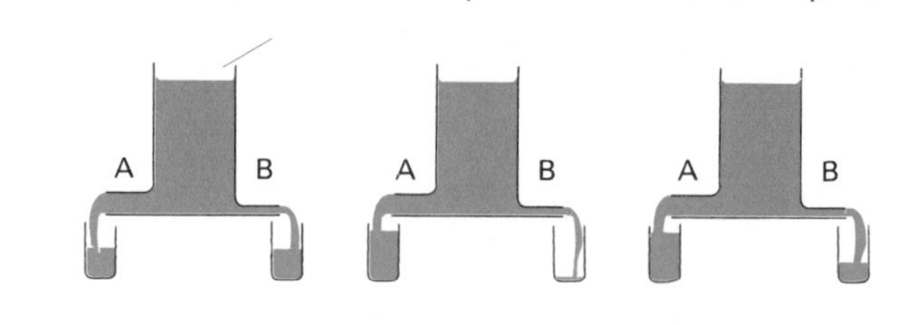

Les schémas qui suivent résument deux expériences classiques sur la pression (Expériences de Bernoulli). La hauteur du liquide dans les tubes verticaux mesure la pression de celui-ci dans le tube horizontal.

Figure 3-25.
La répartition de la pression d'un liquide circulant dans un conduit.

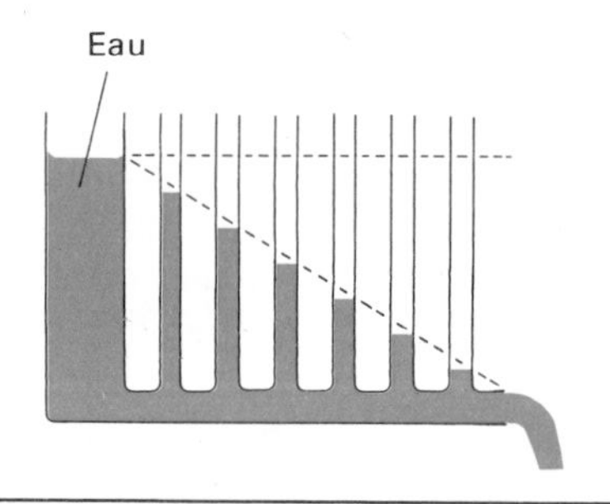

b) Tire la conclusion de cette expérience.

Figure 3-26.
L'effet d'un étranglement sur la pression dans un tuyau.

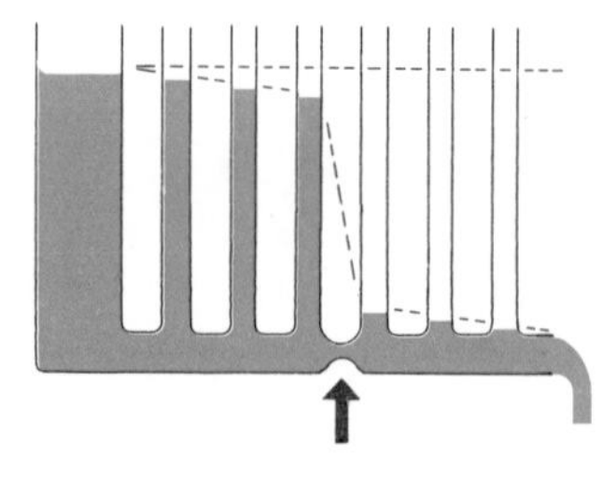

c) Tire la conclusion de cette expérience.

d) À ton âge, la tension artérielle, exprimée en kilopascals, est de l'ordre de $\frac{14,7}{10}$. Que signifient ces deux chiffres ?

e) Quel sens doit-on accorder à la formule suivante : « On a l'âge de ses artères » ?

4. MESURER SA TENSION ARTÉRIELLE

Matériel : 1 sphygmomanomètre ; 1 stéthoscope ; alcool à friction ; tampons de ouate.

L'appareil couramment utilisé pour mesurer la tension artérielle se nomme sphygmomanomètre de Vasquez. Il consiste en un manchon gonflable à volonté et muni d'un manomètre[4] qui se fixe au bras du sujet. En se gonflant, le manchon comprime la grosse artère du bras (artère brachiale). Deux forces agissent alors sur celle-ci : la pression sanguine (tension) qui tend à l'ouvrir et la pression de l'air dans le manchon qui tend à la fermer. L'appareil permet, avec l'aide d'un stéthoscope[5], de réaliser l'équilibre des deux pressions et de lire sa valeur.

En pratique, la mesure se complique du fait que la tension varie constamment entre un minimum correspondant au repos du cœur (diastole) et un maximum correspondant à la contraction (systole) des ventricules. Au cours de l'exercice qui va suivre, il te faudra déterminer ces deux valeurs, mais avant toute chose, tu dois étudier attentivement la figure ci-dessous, de façon à bien comprendre le sens des instructions à venir.

Figure 3-27.
Le principe de la mesure d'une tension artérielle.

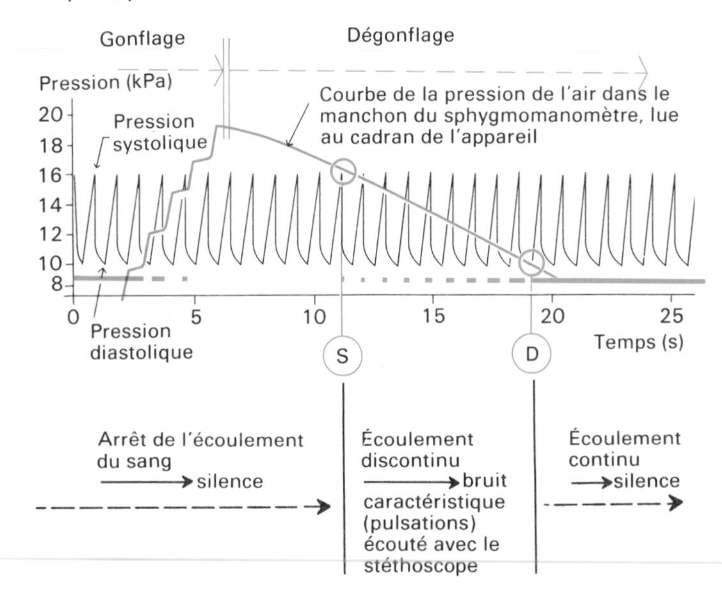

(S) : Début des pulsations : Pression systolique ≃ pression dans le manchon lue au cadran

(D) : Fin des pulsations : Pression diastolique ≃ pression dans le manchon lue au cadran

4. Instrument servant ici à mesurer la pression de l'air.
5. Instrument servant à écouter les bruits de la circulation ou de la respiration.

— Examine le sphygmomanomètre et exerce-toi à :

- gonfler le manchon avec la poire en maintenant la vis de décompression serrée ;
- manœuvrer la vis de décompression pour laisser échapper l'air progressivement ;
- lire la pression au cadran du manomètre.

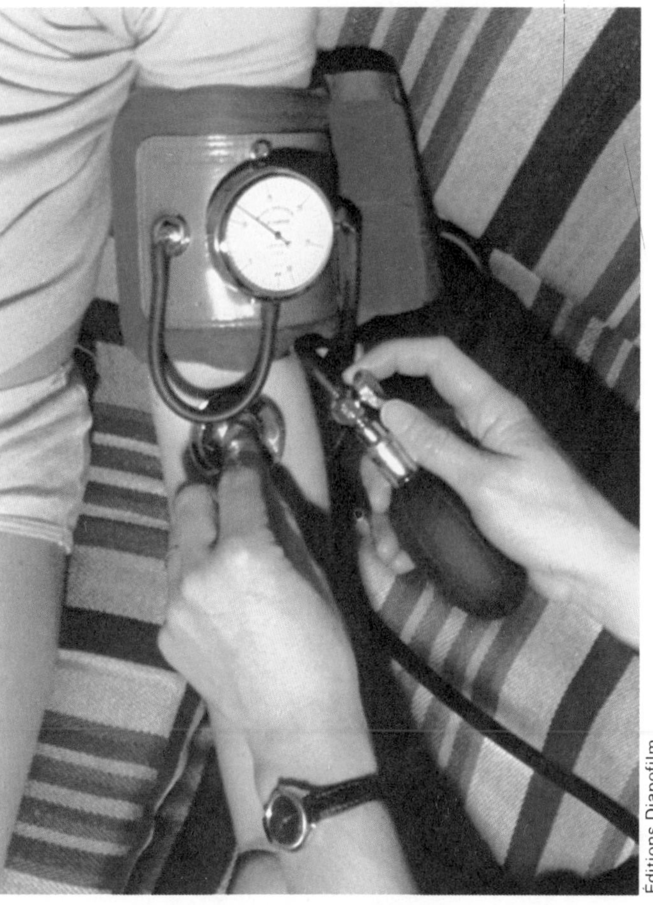

Éditions Diapofilm

L'utilisation du sphygmomanomètre. Vois-tu sur la photo le manchon gonflable ? Le manomètre ? La poire de caoutchouc ? La vis de décompression ? La capsule du stéthoscope ?

— Choisis un(e) camarade comme sujet d'expérience ; prie-le (la) de rester assis(e) à son pupitre et de dénuder son bras gauche ;
— Nettoie les embouts du stéthoscope avec un tampon de ouate humecté d'alcool ;
— Enroule et fixe le brassard autour du bras gauche de ton sujet, en respectant les dispositions suivantes :

- Applique le manchon non gonflé contre le biceps (muscle situé en avant du bras) ;
- Laisse environ 4 cm de peau découverte au-dessus du pli du coude.

— Avec l'index et le majeur (pas le pouce), cherche le pouls de l'artère brachiale, juste au-dessus du pli du coude ;

— Assure-toi que ton sujet est détendu et que son avant-bras repose sur la table ;
— « Chausse » le stéthoscope et appuie sa capsule à l'endroit où tu as repéré l'artère brachiale ;
— Avec la poire, gonfle le manchon jusqu'à ce que tu entendes les pulsations de l'artère brachiale ; attarde-toi quelques instants à bien les écouter ;
— Continue de gonfler le manchon jusqu'à ce que les pulsations cessent complètement ; donne un dernier « coup de poire » ;
— Desserre la vis de décompression avec précaution pour que l'air s'échappe lentement ;
— Repère et lis à haute voix la pression indiquée par le manomètre au moment précis où les pulsations de l'artère brachiale recommencent à se faire entendre ; tu mesures alors la tension systolique ;
— Continue de laisser dégonfler le manchon ; les pulsations devraient devenir de plus en plus intenses, puis s'atténuer ;
— Repère et lis à haute voix la pression indiquée par le manomètre au moment où les pulsations deviennent imperceptibles ; tu mesures alors la tension diastolique ;
— Dégonfle complètement le manchon et libère ton(ta) camarade qui prendra note des deux valeurs de sa tension artérielle ;
— Reprenez l'exercice en inversant les rôles.

5. COMPARER SA TENSION À UNE TABLE DE NORMALITÉ.

a) Inscris, sous forme de fraction, les deux valeurs de ta pression sanguine. Si le cadran du sphygmomanomètre était gradué en millimètres de mercure, convertis ces valeurs en kilopascals (kPa) ; il suffit pour cela de les multiplier par 0,133.

b) En consultant le tableau ci-dessous, compare les valeurs de ta propre tension aux valeurs considérées comme normales.

Tableau 3-4.
La tension artérielle normale pour les divers groupes d'âge.

Groupes d'âge	Tensions artérielles (valeurs maximales kPa)
10 à 15 ans	$\frac{17,3}{10,6}$
16 à 30 ans	$\frac{20}{12}$
31 à 55 ans	$\frac{21,3}{12}$
Plus de 55 ans	$\frac{(\text{Âge} + 100) \times 0,133}{12,6}$

6. DONNER DEUX DANGERS DE L'HYPERTENSION.

a) Rappelle le nom de la maladie des artères qui entraîne une réduction de leur calibre.

b) Comment l'hypertension se voit-elle sur une radiographie du cœur ? Explique la cause de cette anomalie.

c) Nomme l'accident cérébral lié à l'hypertension qui peut causer une mort subite.

7. DONNER LES SYMPTÔMES DE L'HYPOTENSION.

Quels signes peuvent amener une personne à penser qu'elle fait de l'hypotension ?

VA PLUS LOIN

1. Les messages de santé cardio-vasculaire

Relève à la télévision, à la radio ou dans les journaux des messages gouvernementaux, commerciaux ou autres qui tendent à promouvoir la santé cardio-vasculaire. Identifie chaque message par son slogan ; indique aussi qui en a pris l'initiative et quel média le diffuse.

2. Un questionnaire d'évaluation de la santé cardio-vasculaire

Procure-toi auprès d'une compagnie d'assurance-vie le questionnaire que doit remplir un nouveau client. Recopie les questions qui portent directement ou indirectement sur la santé cardio-vasculaire. Indique à chaque fois la réponse qu'il faut donner pour pouvoir être assuré au meilleur prix.

FAIS LE POINT

SECTION A L'anatomie du système circulatoire

1. Reproduis le schéma ci-dessous et complète-le avec les noms des principaux constituants du sang.

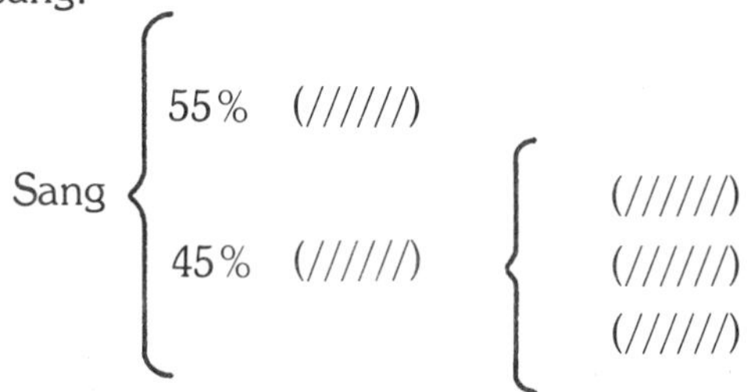

2. Tu as observé du sang au microscope. Quels étaient les éléments figurés :
   a) les plus nombreux ?
   b) les plus colorés (artificiellement) ?
   c) les moins évidents ?

3. Recopie la liste de termes ci-dessous. Associe ensuite par des flèches les cellules du sang à leur fonction respective.

— Globules rouges	— Défense
— Globules blancs	— Coagulation
— Plaquettes	— Transport

4. Nomme deux sortes d'entrées qui se trouvent dans le plasma.

5. Sans plasma, il n'y aurait pas de transport dans l'organisme. Pourquoi ?

6. Pourquoi le plasma se charge-t-il de nutriments ?

7. Comment le plasma participe-t-il à la défense de l'organisme ?

8. Reproduis le tableau ci-dessous. Inscris ensuite dans les cadres les noms des liquides contenus dans les trois milieux.

Tableau 3-5.
Les principaux liquides du milieu intérieur.

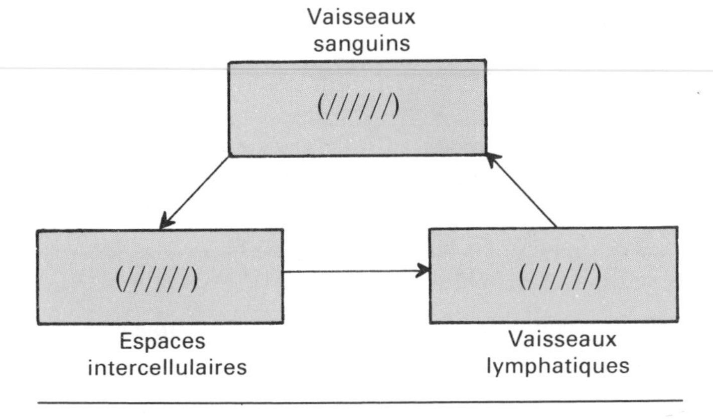

9. Nomme les deux principaux types de constituants de la lymphe.

10. Reproduis le schéma ci-dessous ; inscris ensuite sur les flèches les noms des trois grands types de substances échangées entre les cellules et la lymphe tissulaire.

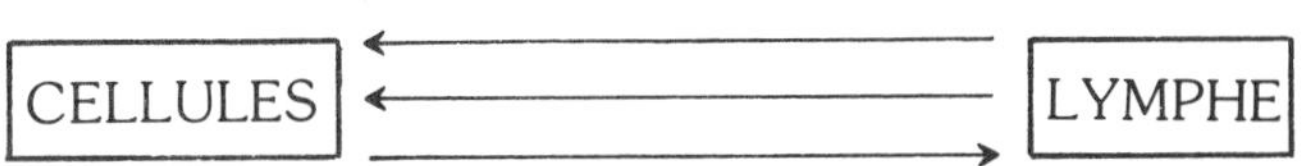

11. Reproduis le schéma ci-dessous. Colorie-le en rouge et bleu pour montrer comment sont répartis le sang rouge et le sang noir. Identifie les quatre cavités du cœur.

Figure 3-28.
Le cœur et les gros vaisseaux.

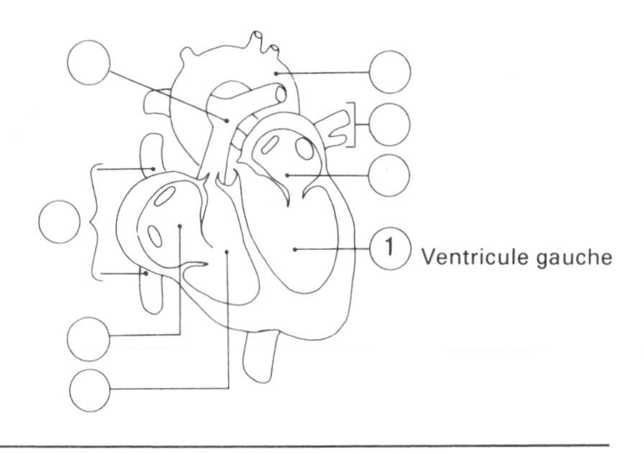

12. Sur le schéma précédent, identifie les vaisseaux qui se rattachent au cœur.

13. À partir du ventricule gauche, numérote sur le schéma précédent les structures successivement traversées par une goutte de sang.

14. Sur le schéma précédent, quels numéros correspondent à la grande circulation ? À la petite circulation ?

15. Tu as observé la circulation du sang dans des capillaires. Décris le mouvement et la disposition des globules rouges dans ces vaisseaux.

SECTION B La physiologie du système circulatoire

1. Recopie la séquence pertinente.
   a) Immunité → Vaccin → Anticorps
   b) Vaccin → Anticorps → Immunité

c) Anticorps → Vaccin → Immunité
d) Immunité → Anticorps → Vaccin

2. Un antigène inoffensif capable de stimuler la défense de l'organisme est la substance active contenue dans :
a) un anticorps.
b) un globule blanc.
c) un vaccin.
d) une agglutinine.

3. Une substance qui neutralise un antigène se nomme :
a) anticorps.
b) agglutinogène.
c) immunité.
d) vaccin.

4. Les anticorps sont des agents essentiels de :
a) la vaccination.
b) la circulation.
c) la diapédèse.
d) l'immunité.

5. La vaccination n'est pas un moyen :
a) de traiter une maladie déclarée.
b) d'acquérir une immunité à l'égard d'une maladie.
c) de prévenir une maladie.
d) de limiter une épidémie.

6. Nomme deux maladies contre lesquelles on peut vacciner.

7. En mélangeant une goutte de sang à une goutte de sérum anti-A et à une goutte de sérum anti-B, quatre cas sont possibles. Ils sont résumés dans le tableau ci-dessous. Identifie les groupes sanguins qui correspondent aux numéros.

Tableau 3-6.
Les résultats possibles d'un test de détermination du groupe sanguin.

Sérum anti-A	Sérum anti-B	Groupes sanguins

8. Donne les deux groupes sanguins de base les plus répandus dans la population québécoise.

9. Donne ton propre groupe sanguin, tel que tu l'as déterminé expérimentalement.

10. Une transfusion sanguine est :
a) un transfert de sang d'un donneur à un receveur.
b) une hémorragie grave.
c) un transfert de nutriments d'un globule à un autre.
d) un procédé pour nourrir artificiellement un malade.

11. Après avoir déterminé leurs groupes sanguins, cinq camarades de classe ont établi le tableau ci-dessous illustrant les échanges de sang qui sont possibles entre eux.

Tableau 3-7.
Les possibilités d'échange de sang entre cinq personnes.

	Donneurs :				
	Louis	Diane	Bruno	Hélène	Alain
Receveurs : Louis		Oui	Oui	Oui	Oui
Diane	Non		Oui	Non	Oui
Bruno	Non	Non		Non	Non
Hélène	Non	Non	Oui		Non
Alain	Non	Oui	Oui	Non	

Détermine le groupe sanguin correspondant à chacun des prénoms, sachant que, dans la classe, Hélène est seule de son groupe sanguin. On ne tient pas compte ici du facteur rhésus.

12. Mireille et Jules appartiennent tous deux au groupe sanguin A. Mireille pourrait donner du sang à Jules, mais Jules, qui est pourtant en parfaite santé, ne devrait pas en donner à Mireille. Précise les groupes sanguins respectifs des deux personnages.

13. Identifie les vaisseaux qui s'intercalent entre les artères et les veines.

14. Parmi les affirmations suivantes, relève celle qui est inexacte.
a) Les capillaires forment des réseaux très serrés.
b) Les échanges entre le sang et les cellules s'effectuent surtout à partir des artères.
c) Les artères conduisent le sang à des capillaires.
d) La diapédèse s'effectue dans les capillaires.

15. Les échanges qui ont lieu entre les capillaires et les cellules portent principalement sur :
a) l'eau, les nutriments, l'azote et les déchets.

b) l'eau, l'oxygène, l'azote et les déchets.
c) les nutriments, l'oxygène, l'azote et les déchets.
d) l'eau, les nutriments, l'oxygène et les déchets.

SECTION C L'hygiène cardio-vasculaire

1. Les compagnies d'assurance-vie accordent des réductions de prime aux obèses et aux fumeurs : vrai ou faux ?

2. Chez les personnes qui ont l'habitude de prendre leur voiture pour se rendre chez le dépanneur situé à deux coins de rue de chez elles :
   a) le cœur se renforce puisqu'il prend du repos.
   b) les artères améliorent leur élasticité puisqu'elles n'ont pas à subir de fortes pressions sanguines.
   c) le système circulatoire améliore sa capacité de répondre aux infections.
   d) le système circulatoire perd sa capacité de soutenir un effort physique.

3. L'embonpoint :
   a) élimine le cholestérol du sang.
   b) favorise la circulation en renforçant les parois artérielles par des dépôts de cholestérol.
   c) nuit à la circulation en retirant des parois artérielles le cholestérol qui en assure l'élasticité.
   d) prédispose à l'athérome, à l'embolie coronarienne et à l'infarctus du myocarde.

4. Le tabagisme :
   a) n'a pas d'action notable sur la tension artérielle.
   b) élève la tension artérielle et fatigue le cœur.
   c) abaisse la tension artérielle et accroît la fatigue.
   d) corrige les effets physiologiques d'une mauvaise alimentation.

5. Parmi les règles de santé du cœur, on ne relève pas :
   a) la vie sédentaire et tout le repos possible.
   b) les exercices physiques gradués et réguliers.
   c) l'alimentation saine et sans excès.
   d) l'élimination du tabagisme.

6. La tension artérielle est :
   a) une forme de stress.
   b) une force qui tend à allonger les artères.
   c) une force qui tend à ouvrir les artères.
   d) l'état électrique des artères.

7. Par rapport à la tension systolique, la tension diastolique est :
   a) toujours plus forte.
   b) toujours plus faible.
   c) parfois plus forte.
   d) parfois plus faible.

Tableau 3-8.
La tension artérielle normale pour les divers groupes d'âge.

Groupes d'âge	Tensions artérielles (valeurs maximales kPa)
10 à 15 ans	$\frac{17,3}{10,6}$
16 à 30 ans	$\frac{20}{12}$
31 à 55 ans	$\frac{21,3}{12}$
Plus de 55 ans	$\frac{(\text{Âge} + 100) \times 0,133}{12,6}$

8. Albert a 35 ans et sa tension artérielle s'élève à $\frac{22}{14}$. On peut considérer qu'elle est :
   a) insuffisante.
   b) normale.
   c) excessive.
   d) dangereuse si Albert reste au repos.

9. L'une des principales causes de mortalité dans notre société est l'hémorragie cérébrale. Le facteur qui prédispose le plus à ce genre d'accident est :
   a) l'hypertension.
   b) l'hypotension.
   c) la tension nerveuse.
   d) la tension veineuse.

10. Une pression sanguine élevée dans les artères :
    a) aide le cœur à travailler.
    b) fatigue le cœur.
    c) n'affecte pas le travail du cœur.
    d) rend le cœur de plus en plus apte à répondre à l'effort physique.

11. Anne se sent fatiguée ; elle est prise d'étourdissements dès qu'elle se lève et il lui arrive de s'évanouir, ce qui effraie son entourage. Nomme l'affection circulatoire dont elle pourrait souffrir.

SECTION A L'anatomie du système circulatoire

1. Le sang est un tissu formé de c////// vivantes dispersées dans un liquide inerte : le p//////.

2. Parce que les cellules du sang sont visibles au microscope et sont reconnaissables à leurs formes, on les nomme é////// f//////. Parmi ceux-ci on distingue les g////// r//////, les g////// b////// et d'autres éléments difficiles à voir : les p//////.

3. Les globules rouges sont des transporteurs d'o////// ; les globules blancs attendent dans le sang de participer à la d////// de l'organisme ; les plaquettes participent à la c//////.

4. Le plasma sanguin est un mélange complexe à base d'e////// et de p//////. Il renferme aussi les n////// destinés aux cellules (glucose et autres sucres simples, acides aminés, lipides, sels minéraux, etc.).

5. En plus de permettre au sang de couler et de transporter les nutriments, le plasma accumule des substances qui participent à la défense de l'organisme : les a//////.

6. La l////// est principalement du plasma sanguin à peine modifié qui filtre à travers la paroi des capillaires sanguins et se répand dans le tissu environnant.

7. En même temps que le plasma sanguin, des g////// b////// traversent la paroi des capillaires sanguins et participent à la constitution de la lymphe.

8. La lymphe est le milieu de vie de la plupart de nos cellules. Elles y trouvent des n////// et de l'o////// et y rejettent leurs d//////.

9. Le cœur est un m////// à quatre cavités, soit deux o////// et deux v//////. Sa partie g////// renferme du sang rouge, riche en oxygène ; sa partie d////// renferme du sang noir, pauvre en oxygène.

10. Les artères partent des v////// ; les veines aboutissent aux o//////. L'artère a////// est branchée sur le ventricule gauche et l'artère p////// sur le ventricule droit. Les veines pulmonaires et les veines caves sont branchées respectivement sur l'oreillette g////// et l'oreillette d//////.

11. Le sang parcourt deux grands circuits dans le corps : la p////// c////// ou circulation pulmonaire, et la g////// c////// ou circulation systémique. La petite circulation emmène le sang du ventricule d////// à l'oreillette g////// ; la grande circulation emmène le sang du ventricule g////// à l'oreillette d//////.

12. Pour passer des artères aux veines, le sang emprunte les c////// sanguins. Ces vaisseaux très fins permettent tout juste le passage des globules du sang. La circulation y est lente et règulière.

☐ *Quel trajet doit accomplir une goutte de sang qui part du ventricule gauche pour revenir à son point de départ ?*

SECTION B La physiologie du système circulatoire

1. Un a////// est une substance étrangère à l'organisme qui stimule la production d'un anticorps. Les a////// contribuent à l'i////// de l'organisme en neutralisant les antigènes. L'antigène d'un v////// force l'organisme à élaborer un anticorps spécifique qui reste dans le p////// et procure une certaine immunité contre une maladie.

2. La v////// est un moyen efficace de protéger les individus contre de nombreuses maladies infectieuses. À l'échelle des populations, elle permet d'enrayer la progression des é//////.

3. La t//////, la p////// i//////, la variole, la rougeole, la dyphtérie, la coqueluche, le tétanos, etc. sont des maladies dont on peut se protéger par la vaccination.

4. Pour déterminer son g////// sanguin, il faut rechercher la présence éventuelle d'agglutinogènes (A, B ou rhésus) sur les g////// r/ / / / / / au moyen de sérums appropriés (anti-A, anti-B ou anti-rhésus). L'a////// des globules par un sérum donné prouve la présence de l'agglutinogène correspondant sur ces globules.

5. La t////// sanguine est le transfert de sang d'un individu appelé donneur à un autre individu appelé receveur.

6. Les règles élémentaires de t////// sanguine se résument ainsi :

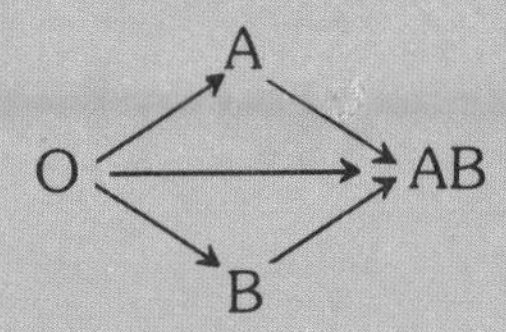

On évite de transfuser du sang Rh^+ à un sujet Rh^-.

7. Les c////// sanguins forment des réseaux très serrés entre les artères et les veines. Grâce à leur paroi mince et perméable, ils permettent les échanges entre le s////// et les c////// ; ils permettent de plus aux g////// b////// d'aller faire leur travail entre les cellules.

8. L'eau, les n//////, l'o////// et les d////// sont les principales substances échangées entre les cellules et le sang.

☐ *Le long du système circulatoire, les capillaires jouent un peu le même rôle que les stations le long d'une ligne de métro. Explique l'analogie.*

SECTION C L'hygiène cardio-vasculaire

1. Le manque d'e//////, l'e////// et le t////// sont les ennemis du système cardio-vasculaire. Le manque d'exercice affaiblit le c////// et la paroi des a//////. L'embonpoint mène à l'a////// (dépôt de cholestérol à l'intérieur des artères) qui constitue le premier pas vers l'hypertension et les accidents graves dans les artères du cœur et du cerveau. Le tabagisme aggrave les dangers dus à une mauvaise alimentation en forçant le c////// à travailler inutilement dans de mauvaises conditions.

2. Pour garder son cœur en bonne santé, trois règles de conduite s'imposent :
   — faire des e////// physiques gradués et réguliers ;
   — s'alimenter sainement et sans excès ;
   — ne pas f////// régulièrement.

3. La t////// artérielle est la pression sanguine à l'intérieur des artères. Elle est entretenue par le travail du c//////. L'é////// des artères l'empêche de devenir excessive.

4. La tension artérielle reflète exactement le travail du cœur ; elle varie constamment entre deux valeurs extrêmes. La plus élevée est la pression s//////. La plus basse est la pression d//////.

5. Chez un(e) adolescent(e) de moins de 16 ans, la t////// ne devrait pas dépasser $\frac{17,3}{10,6}$ kPa. Il est normal qu'elle augmente avec l'âge.

6. L'hypertension ne se manifeste par aucun signe notable. Elle fatigue pourtant le cœur et peut entraîner une rupture d'a////// avec de graves conséquences.

7. L'inverse de l'hypertension est l'h//////. Elle se manifeste par des vertiges et un manque d'énergie.

☐ *Aller à l'école à bicyclette et préférer les pommes de terre cuites à la vapeur aux frites sont deux facteurs de santé pour le cœur et les artères. Explique pourquoi.*

Chapitre 4

Le métabolisme des entrées

Quelle est la destination finale des entrées ?

L'une des premières manifestations de la vie est la libération d'énergie.

a) Tu dépenses de l'énergie sous plusieurs formes. Nommes-en deux.

b) Nomme deux entrées qui peuvent ensemble libérer de l'énergie lorsqu'elles se rencontrent dans ton organisme.

c) Un combustible brûle-t-il automatiquement lorsqu'il entre en contact avec l'oxygène ? Justifie ton opinion par des exemples de la vie courante.

Pour obtenir la combustion d'une bûche de bois, on a besoin d'une autre combustion qui se déroule généralement dans un système de chauffage. Un foyer, par exemple, est un système dans lequel des bûches servent à faire brûler d'autres bûches.

d) À part le bois, qu'est-ce qui doit entrer à chaque instant dans un foyer pour entretenir la combustion ?

Il y a en toi une multitude de foyers dans lesquels une sorte de combustion est entretenue en permanence : ce sont tes cellules. L'énergie ainsi libérée sert à entretenir dans chacune de tes cellules un phénomène extraordinairement complexe : la vie.

e) Qu'arrive-t-il lorsqu'un foyer en service manque soit de combustible, soit d'oxygène ?

f) Qu'arrive-t-il lorsqu'une cellule manque soit de combustible, soit d'oxygène ?

g) Nomme les trois systèmes d'organes que nous avons étudiés jusqu'ici. Décris rapidement quelques types de cellules qui leur appartiennent.

h) As-tu une idée de la taille de tes cellules ?

i) As-tu une idée du nombre de tes cellules ? Risque une évaluation ; tu auras bientôt l'occasion de vérifier si ton jugement est bon.

j) Pourquoi l'étude des cellules est-elle si importante en biologie ?

L'organisme humain est un ensemble organisé de petites vies élémentaires.

Toute ta matière vivante est répartie en une multitude d'unités microscopiques : les *cellules*. Ta vie est donc une somme de petites vies élémentaires. Pour comprendre l'essentiel de la vie, il suffit de comprendre comment est faite une cellule et comment elle fonctionne. Que la cellule soit animale, végétale ou microbienne, ses structures de base et les principes de son fonctionnement sont toujours les mêmes. Tu ne seras donc pas étonné(e) d'avoir bientôt à observer des cellules qui n'appartiennent pas au corps humain. En examinant des cellules d'oignon, par exemple, tu devras te souvenir que ce n'est pas l'oignon que tu étudies, mais un échantillon de vie dans son expression la plus simple.

Toutes tes fonctions de nutrition sont directement destinées à assurer la survie et le confort de tes cellules. C'est pour elles que tu digères, que tu aères tes poumons et que tu fais battre ton cœur.

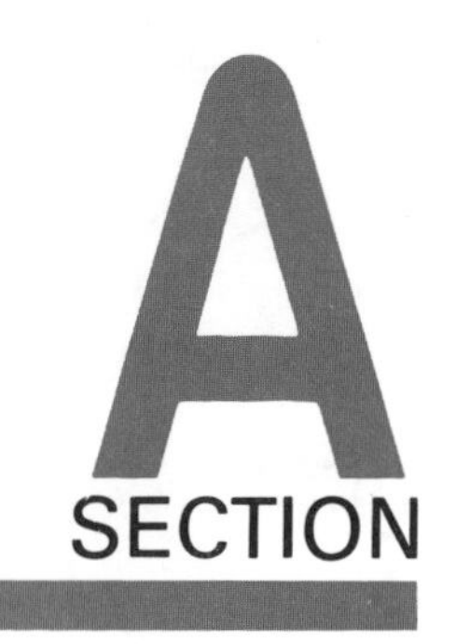

Les structures cellulaires

Pourquoi un organisme multicellulaire ?

a) Peux-tu délimiter une de tes cellules ? Quel instrument est nécessaire (sauf exception) pour voir des cellules ?

Une cellule représente un minuscule être vivant avec une organisation complexe.

b) Quelles sont les conditions de vie d'une cellule dans ton corps ? Où puise-t-elle ses entrées ? où rejette-t-elle ses déchets ?

Tes cellules entretiennent leur propre milieu de vie, chacune bénéficiant ainsi du travail de toutes. Une telle solidarité existe aussi à l'échelle des sociétés humaines.

c) Si imparfaite soit-elle, la société à laquelle tu appartiens pourvoit à tes besoins essentiels. Donne des exemples.

d) En retour, la vie en société t'impose des contraintes. Donne des exemples.

e) Que se passe-t-il lorsqu'un groupe de cellules n'est plus en mesure de remplir ses fonctions dans l'organisme ?

f) Compare les conditions de vie d'une de tes cellules à celles d'une cellule « sauvage » vivant librement dans une flaque d'eau, par exemple.

Une cellule est un petit univers très organisé.

Dans cette section, tu vas approfondir ta connaissance des petits organismes élémentaires qui entretiennent la vie partout dans ton corps : les cellules. Tu découvriras aussi comment elles prennent possession des nutriments et de l'oxygène transportés par le sang.

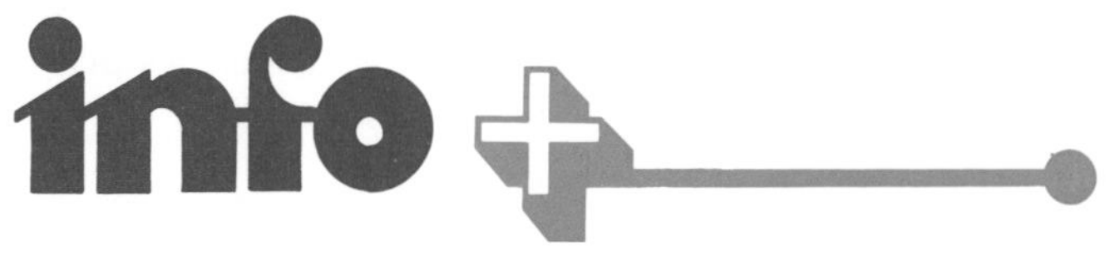

L'histoire de la notion de cellule

La découverte de la notion de cellule est une aventure européenne. Elle fut préparée en Italie par l'invention du microscope, au XVIIe siècle. Les premiers microscopes n'étaient que de simples loupes montées pour observer les objets par transparence, en lumière directe. La biologie est issue de la curiosité et de l'émerveillement suscités par la révélation de tout un univers jusque-là ignoré : celui de l'infiniment petit.

En 1665, des croquis réalisés à partir d'observations microscopiques variées sont publiés en Angleterre. Parmi ceux-ci, on relève le détail d'une plume d'oiseau, des pattes d'insectes, et une curieuse structure microscopique répétitive rappelant vaguement un rayon de cire d'abeille. En fait, il s'agit là d'une fine lamelle de liège (matière tirée de l'écorce d'une espèce de chêne). Le mot « cellule » est employé pour désigner les petites cases toutes semblables qui forment le liège. Notons cependant que le liège est un tissu mort et que ses cellules ne sont plus que des « coquilles » vides, leur contenu vivant ayant disparu.

Quelques années plus tard, en Hollande, on décrit les animaux microscopiques peuplant les eaux, les globules du sang, les bactéries, et bien d'autres curiosités, dont les spermatozoïdes.

Enfin, c'est en Allemagne que prend naissance la théorie cellulaire, c'est-à-dire le fil conducteur qui permet aux biologistes de n'être jamais perdus en face de n'importe quel être vivant. Un jour de 1839, un zoologiste et un botaniste ont en effet la bonne idée de confronter leurs observations microscopiques respectives. Ils découvrent alors que les cellules animales et végétales se comportent sensiblement de la même façon. D'un seul coup, la cellule apparaît comme le lien unificateur du monde vivant, le point commun entre l'amibe, le séquoia, la levure et la baleine. Depuis, les savants n'ont pas cessé d'explorer la cellule pour découvrir les secrets de la vie.

1. La notion de spécialisation cellulaire

Tes cellules ne sont pas toutes semblables : elles sont différenciées. Les figures 4-1 et 4-2 te donnent une idée de la variété de leurs formes.

Figure 4-1.
La disposition de quelques cellules dans la muqueuse intestinale.

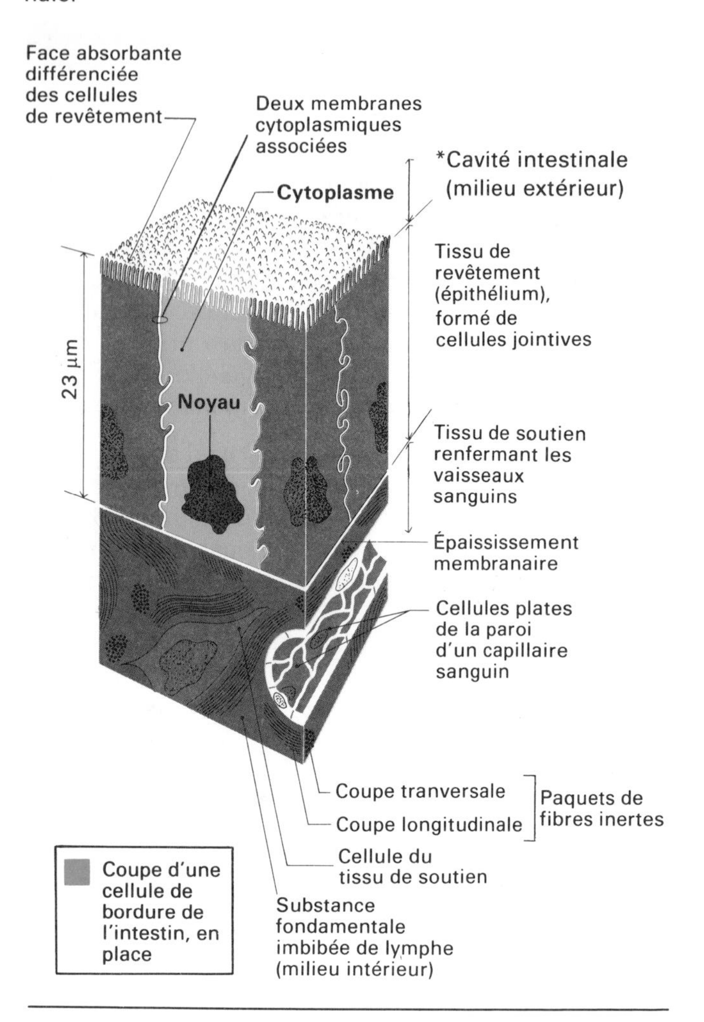

Figure 4-2.
Quelques formes de cellules humaines très spécialisées.

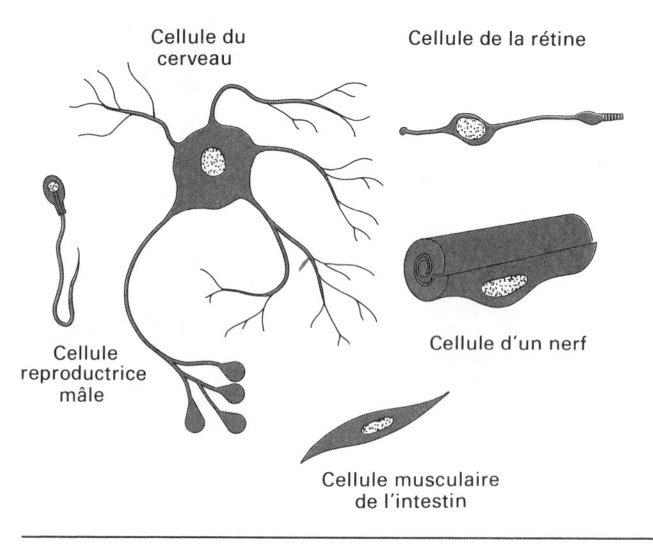

Les cellules semblables sont groupées en tissus. Le sang, la paroi des capillaires, le revêtement interne de la bouche, de l'intestin ou des poumons sont des tissus. Nous aurons l'occasion d'en décrire d'autres.

La différenciation des cellules reflète leur spécialisation. Dans le sang, par exemple, trois types de cellules correspondent à trois fonctions distinctes : le transport de l'oxygène, la défense de l'organisme et la coagulation. Chaque cellule assure son propre entretien et aussi certaines tâches au profit de la communauté. Dans ton corps, la règle d'or est donc la coopération des différents groupes de cellules. Ta santé dépend d'une bonne coordination entre leurs actions respectives. Des mécanismes d'une grande complexité, mais aussi d'une grande fragilité, assurent cette coordination. Dans un organisme intégré comme le tien, une paresse ou un fonctionnement désordonné d'un groupe de cellules peut déséquilibrer tout l'ensemble. Pense par exemple à ce qui se passe lorsque certaines cellules du cœur « tombent en panne »: c'est l'infarctus du myocarde, avec tous les risques que cela comporte pour l'organisme.

L'interdépendance des différents groupes qui sont partenaires dans la grande société de cellules de ton corps sera soulignée à maintes reprises.

- Connais-tu un animal qui illustre la formule suivante : « la cellule est l'unité de vie » ?
- Dans les sociétés humaines, quel est l'avantage de la spécialisation des individus ? Pourquoi la spécialisation oblige-t-elle les individus à coopérer entre eux ?

2. Les principales parties de la cellule et leur rôle

Quelle que soit la forme de tes cellules, elles sont formées d'une masse de matière vivante fondamentale, le *cytoplasme*. Celui-ci est limité par une enveloppe mince, la *membrane cytoplasmique*, et contient généralement un corpuscule dense, le *noyau*.

Le cytoplasme. Les techniques modernes de microscopie ont montré que le cytoplasme est un milieu très complexe et très structuré. Fondamentalement, c'est un liquide visqueux instable, agité de courants incessants. Son principal constituant est l'eau ; celle-ci renferme en solution une multitude de substances telles que des protéines, des acides aminés, des sucres, des sels minéraux, etc. Elle contient aussi des gouttelettes de graisse. Toutes ces substances réagissent les unes avec les autres ; ces réactions chimiques sont à la base de la vie. Lorsqu'elles cessent, la structure de la cellule s'effondre.

Cette activité du cytoplasme ne se fait pas au hasard. Elle est orientée vers la réalisation d'objectifs fixés à l'avance, au service de l'organisme. Par exemple, les cellules qui séparent le milieu intérieur du milieu extérieur dans l'intestin ont pour fonction d'organiser le transfert des nutriments du chyme intestinal à la lymphe.

Le noyau. C'est le noyau qui dirige les activités cellulaires. Il renferme le programme sans lequel la cellule ne fonctionnerait pas plus qu'un magnétophone sans bande magnétique. Le noyau informe le cytoplasme de ce qu'il doit faire en lui faisant parvenir sans arrêt des messages codés contenus dans des molécules complexes.

La membrane cytoplasmique. La membrane cytoplasmique est l'enveloppe vivante de la cellule, une fine « peau » souple constituée de lipides et de protéines.

La cellule ne peut survivre qu'à la condition d'échanger sans cesse avec son milieu. Elle y puise ce qui lui convient (nutriments et oxygène) et y rejette ses déchets. La membrane cytoplasmique se laisse traverser par toutes ces substances, dont elle règle les entrées et les sorties. Elle participe activement aux échanges cellule-milieu, faisant pénétrer ou expulsant des substances, parfois en contradiction avec les lois courantes de la physique. Pour désigner cette perméabilité subtile, on parle de perméabilité sélective et orientée. Autrement dit, la membrane cytoplasmique est une sorte de filtre, mais qui ne fonctionne pas de la même façon dans un sens et dans l'autre.

- Que se passerait-il si le programme d'activités de la cellule comportait une erreur ?
- Quel type de microscope permet d'obtenir les plus forts grossissements ?
- Pourquoi les structures cellulaires décrites dans les ouvrages spécialisés se compliquent-elles d'année en année ?

3. Les principaux modes d'échange entre la cellule et son milieu

Les forces qui contrôlent les échanges à travers la membrane cytoplasmique sont nombreuses. Certaines sont purement physiques ; d'autres sont biologiques, liées à la vie elle-même.

L'une des principales forces physiques est la diffusion, déjà étudiée à propos des échanges d'oxygène entre l'air et le sang. En fait, la diffusion s'applique à toutes les substances dissoutes qui s'échangent entre la cellule et son milieu. Elle s'applique aussi à l'eau ; on nomme *osmose* la diffusion de l'eau.

Rappelons que, par diffusion, un milieu riche en une substance donnée perd de la substance en question au profit du milieu voisin qui est pauvre en cette substance.

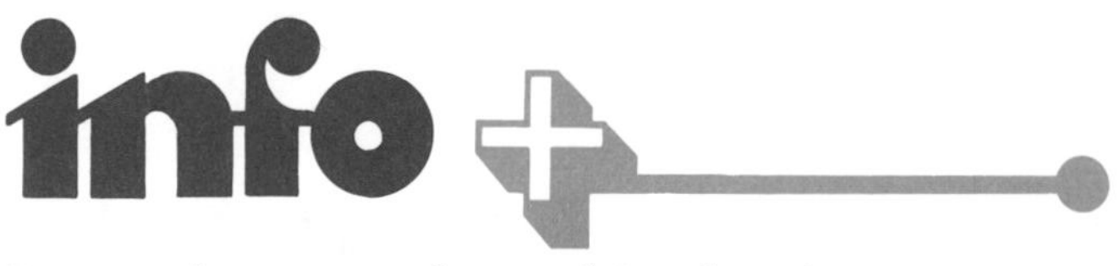

Les échanges de molécules à travers deux types de membranes

Les schémas ci-dessous illustrent la façon dont des molécules se diffusent d'un milieu à un autre, à travers deux types de membranes.

Figure 4-3.
Les échanges à travers une membrane perméable.

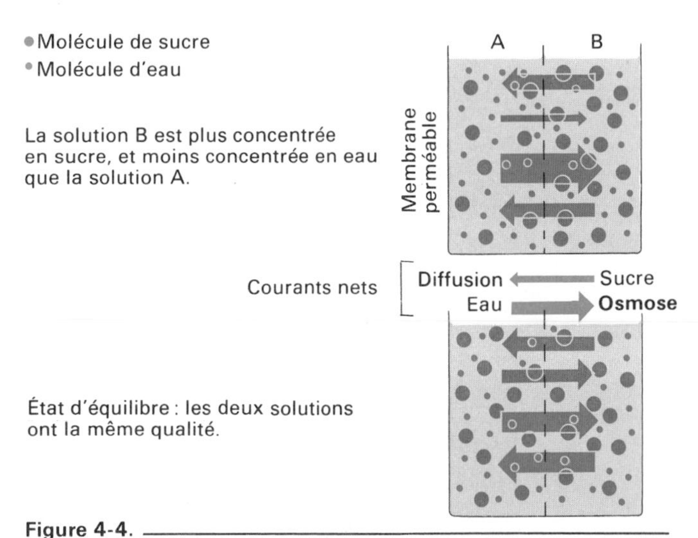

Figure 4-4.
Les échanges à travers une membrane perméable à l'eau seulement (semi-perméable).

Seule l'eau franchit la membrane semi-perméable.

A B
Membrane semi-perméable

Osmose Eau

État d'équilibre : un compartiment retient l'eau que l'autre a perdue.

Les forces biologiques qui agissent dans la membrane cytoplasmique lui permettent soit d'accélérer la diffusion, soit de la contrarier. Elles lui permettent aussi de se déformer pour puiser des gouttelettes ou de minuscules particules solides dans son milieu ; ce phénomène, qui ressemble à la phagocytose, se nomme *pinocytose*.

Figure 4-5.

L'entrée de gouttelettes de lipides par pinocytose dans une cellule intestinale.

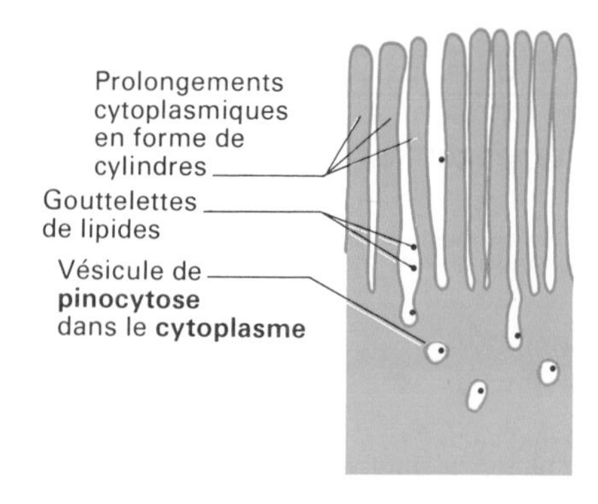

Qu'est-ce que ces différents types de cellules ont en commun ?

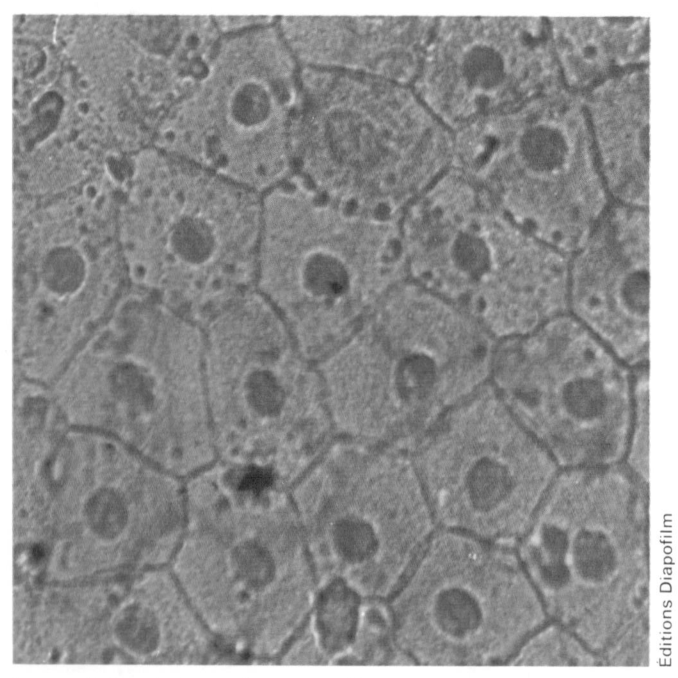

Des cellules de peau de grenouille.

Éditions Diapofilm

info +

La notion d'adaptation à une fonction

Dans l'épithélium intestinal, les cellules présentent une remarquable différenciation. Leur face qui est en contact avec le chyme intestinal forme de nombreux cylindres allongés nommés microvillosités. Cette disposition augmente considérablement la surface interne de l'intestin et représente une adaptation de la cellule à sa fonction d'absorption des nutriments.

- Comment fait-on pour diminuer la teneur en eau des tranches de concombre que l'on veut préparer en salade ? Pourrais-tu expliquer la théorie du procédé ?
- Pourquoi les protéines du cytoplasme ne se diffusent-elles pas à l'extérieur de la cellule ?

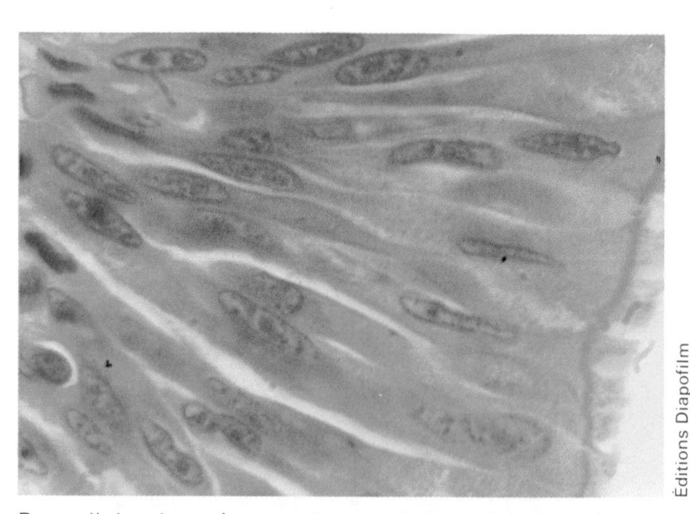

Des cellules du revêtement interne de la trachée humaine.

Éditions Diapofilm

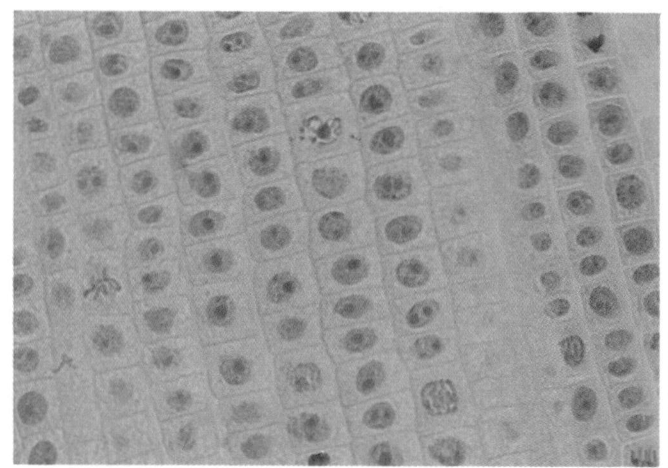

Des cellules de racine d'oignon.

Rolland Renaud

à toi de jouer

1. OBSERVER DES CELLULES AU MICROCOSPE ET IDENTIFIER LEURS STRUCTURES FONDAMENTALES : MEMBRANE, CYTOPLASME ET NOYAU.

Matériel : 1 microscope ; 4 lames ; 4 lamelles ; 1 scalpel ; 1 pince à dissection fine ; 1 épingle droite ; 1 cure-dents ; eau iodée ☠ ; eau sucrée : 1 bouchon de liège ; $\frac{1}{4}$ de bulbe d'oignon.

A. *Observer des cellules humaines.*

— Avec le bout arrondi du cure-dents, gratte-toi doucement l'intérieur de la joue ;
— Touche plusieurs fois le centre d'une lame porte-objet du bout de ton cure-dents humide ;
— Dépose à cet endroit une goutte d'eau iodée et recouvre le tout d'une lamelle.

Figure 4-6.
La mise en place d'une lamelle couvre-objet.

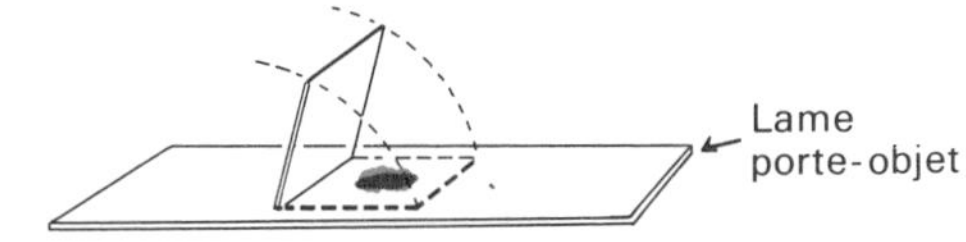

— Au microscope, repère dans ta préparation des cellules isolées ou des petits groupes de cellules bien « lisibles ».

a) Dessine trois ou quatre cellules buccales vues au fort grossissement. Donne un titre à ton schéma.

b) Sur l'un de tes dessins, identifie la membrane cytoplasmique, le cytoplasme et le noyau.

c) Note le diamètre moyen des cellules, évalué d'après la largeur de champ du microscope.
— Place l'épingle sur une lame et observe la tête au faible grossissement ; évalue la dimension de la tête d'épingle.

d) Dessine la tête d'épingle à côté des cellules et à la même échelle.

B. *Observer des cellules épidermiques d'oignon.*

Les écailles de bulbe d'oignon sont des feuilles épaissies. À ce titre, elles sont enveloppées d'un épiderme, c'est-à-dire d'un tissu de revêtement, encore plus mince qu'une feuille de papier à cigarette.

— Dépose une goutte d'eau iodée au centre d'une lame porte-objet ;
— Prélève une écaille dans le milieu du bulbe.

Figure 4-7.
Le prélèvement d'un fragment d'épiderme d'oignon.

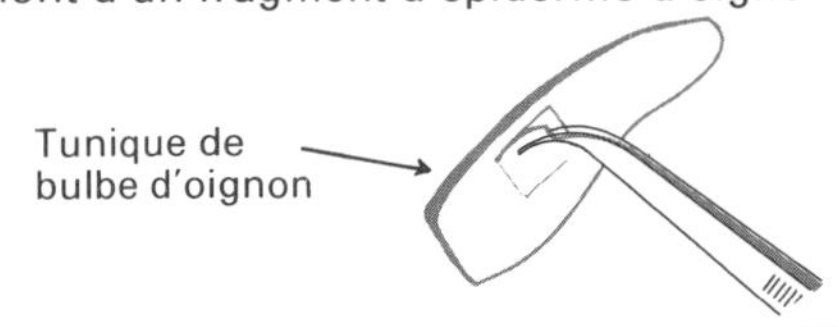

— Avec la pointe du scalpel, délimite, sans trop appuyer, un carré d'épiderme de 5 mm de côté sur la face concave de l'écaille ;
— Avec la pince à dissection, soulève et décolle le carré d'épiderme et dépose-le sur la goutte d'eau iodée ;
— Étale soigneusement le carré d'épiderme dans le liquide et recouvre le tout d'une lamelle.

a) Dessine quelques cellules vues au grossissement moyen du microscope. Trace les contours cellulaires d'un trait simple, net, un peu épaissi.

b) Place sur une seule des cellules dessinées les termes suivants en annotations : membrane cytoplasmique + membrane cellulosique ; cytoplasme ; noyau.

La membrane cytoplasmique en tant que telle n'est pas perceptible ici, car elle est très mince et se confond avec l'enveloppe inerte relativement épaisse de toute cellule végétale : la membrane squelettique cellulosique.

c) Note la longueur approximative d'une cellule.

C. *Observer des cellules mortes de liège.*

— Avec le scalpel, coupe avec précaution plusieurs lamelles très fines de liège ; quelques millimètres carrés suffisent pour chacune d'elles ;
— Monte-les entre une lame et une lamelle, dans une goutte d'eau, et observe-les au microscope.

a) D'après ce que tu observes au fort grossissement, dessine l'assemblage des cellules du liège.

b) Sur ton dessin, place les termes suivants en annotations : membrane squelettique ; air remplaçant la matière vivante.

2. SITUER L'ORDRE DE GRANDEUR D'UNE CELLULE.

— Monte une goutte d'eau sucrée entre une lame et une lamelle, et observe ta préparation au fort grossissement.

a) À part les bulles d'air et les poussières, note ce que tu observes.

b) De quelles particules l'eau sucrée est-elle constituée ? Sont-elles visibles au microscope ? Pourquoi ?

c) Situe la taille des cellules par rapport à celle d'une tête d'épingle d'une part, et à celle des molécules d'autre part.

3. ÉVALUER APPROXIMATIVEMENT LE NOMBRE DE CELLULES DU CORPS HUMAIN.

Considérons la cellule de revêtement de l'intestin comme une boîte rectangulaire dont les dimensions seraient les suivantes : 23 µm sur 6 µm sur 6 µm.

Figure 4-8.
Les dimensions d'une cellule de revêtement de l'intestin.

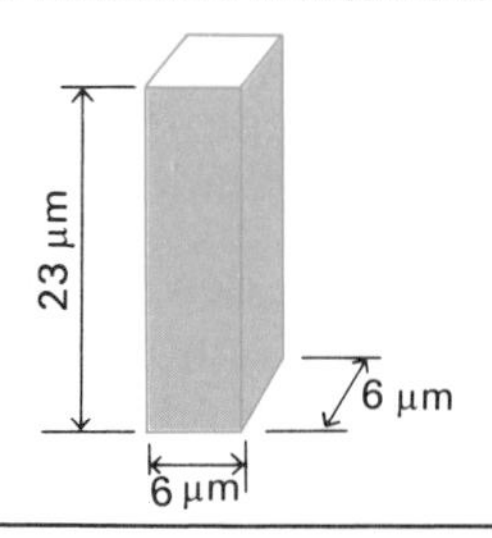

a) Calcule en micromètres cubes le volume d'une telle cellule.

Lorsque tu « fais la planche » dans une piscine, il te suffit de faibles mouvements pour t'empêcher de couler. Si tu te laisses aller, ta descente au fond de l'eau est très lente. Cette observation nous conduit à admettre que la densité du corps humain est proche de celle de l'eau, soit environ 1 kg / L.

b) D'après ces données, évalue en litres le volume d'un organisme humain de 70 kg.

c) Convertis ta réponse en micromètres cubes (on rappelle que 1 L = 1 dm^3 et que 1 dm^3 = 1 000 000 000 000 000 μm^3 ou 10^{15} μm^3).

Supposons que notre corps soit entièrement formé de cellules semblables à la cellule de revêtement de l'intestin.

d) Quel serait, dans ce cas, le nombre de cellules d'un organisme humain de 70 kg.

Ce calcul n'a évidemment qu'une valeur indicative.

e) Critique notre méthode d'évaluation.

f) Juge de la pertinence de cette évaluation en la comparant au nombre de globules rouges contenus dans l'organisme, tel que tu l'as calculé au chapitre précédent, à l'objectif 2 de la section A.

Le nombre de 100 000 milliards, que nous accepterons, semble assez raisonnable, et présente au moins l'avantage d'être rond et facile à retenir.

4. INDIQUER LE RÔLE PRINCIPAL DES TROIS STRUCTURES FONDAMENTALES DE LA CELLULE.

Reproduis et complète le tableau suivant :

Tableau 4-1.
Les fonctions des principales parties de la cellule.

Fonctions	Parties de la cellule
Intense activité chimique	•
Contrôle de la vie cellulaire	•
Régulation des échanges cellule-milieu	•

5. ÉNUMÉRER LES TYPES D'ÉCHANGES ENTRE LA CELLULE ET SON MILIEU.

Supposons deux solutions (A et B) séparées par une membrane perméable. La solution A renferme 30 g/L de glucose et 8 g/L d'urée. La solution B renferme 5 g/L de glucose et 30 g/L d'urée.

a) Parmi les quatre schémas ci-dessous, reproduis celui qui représente correctement la diffusion à travers la membrane perméable.

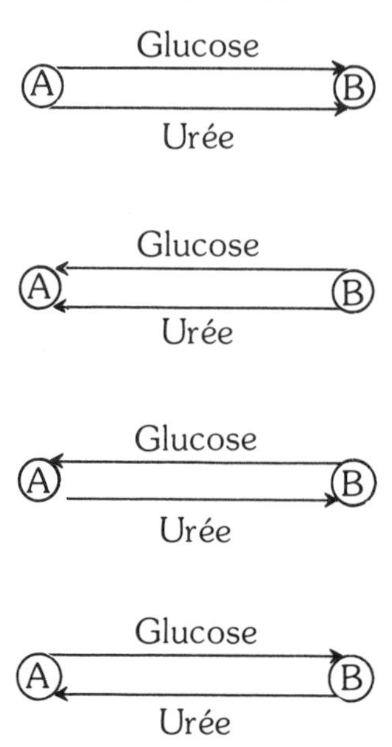

b) Pourquoi ne pourrions-nous pas proposer un schéma comparable si la membrane était semi-perméable ?

c) Nomme la substance qui franchit la membrane cytoplasmique par osmose.

d) Comment les concentrations des substances dissoutes de part et d'autre d'une membrane orientent-elles l'osmose ?
Le schéma ci-dessous décrit les comportements d'un globule rouge placé dans différents milieux.

Figure 4.9.
Le comportement d'un globule rouge dans différents milieux.

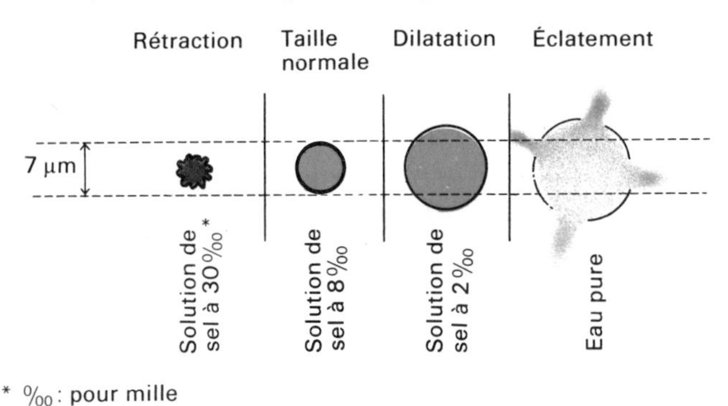

* ‰ : pour mille

e) D'après ta réponse précédente, explique ces comportements du globule rouge.

f) Reproduis le schéma ci-dessous en plaçant dans les cadres le nom des substances échangées, avec l'aide de la diffusion, entre la cellule et son milieu (nutriments, déchets, oxygène).

Figure 4-10.
Les échanges entre une cellule intestinale et son milieu.

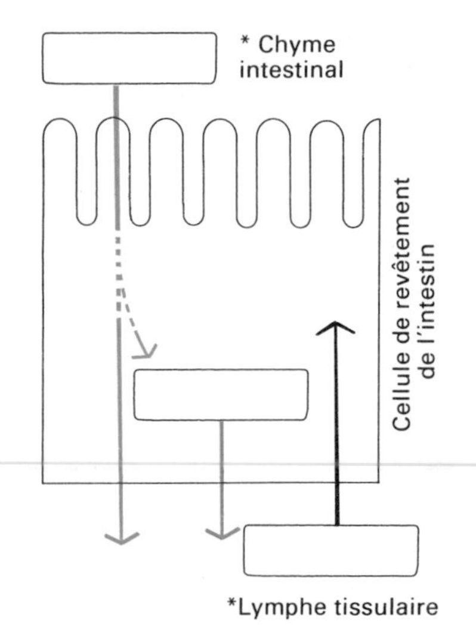

g) Le schéma ci-dessous, inspiré d'une photographie prise au microscope électronique, illustre un phénomène d'échange bien particulier. Quel est son nom ?

Figure 4-11.
Un phénomène d'échange cellule-milieu.

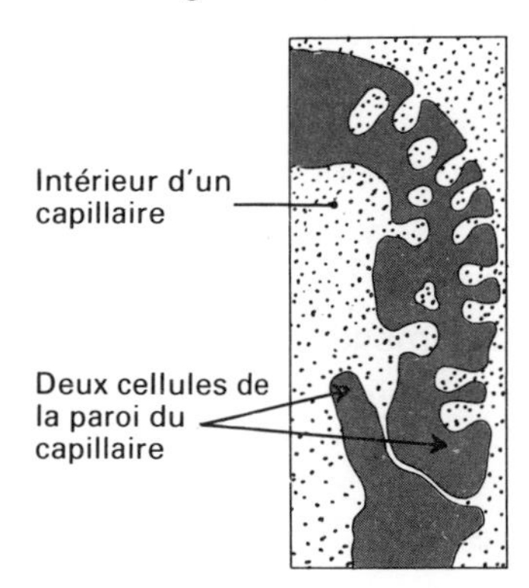

6. DÉMONTRER L'UNIVERSALITÉ DE LA CELLULE CHEZ LE VIVANT.

Matériel : préparation microscopique d'intestin d'ascaris ; rameau d'élodée ; cultures d'infusoires ; lames ; lamelles ; 1 microscope.

a) Dessine des cellules épithéliales de l'intestin d'ascaris (ver parasite de l'intestin du cheval). Annote ton dessin avec les termes suivants : membrane cytoplasmique ; cytoplasme ; noyau.

b) D'après les instructions de ton enseignant(e) examine et dessine plusieurs types de cellules de différents êtres vivants. Donne un titre à chaque dessin.

VA PLUS LOIN

1. **Enquête sur les types de cellules du corps humain**

   Recherche des images de cellules humaines. Prépare ensuite une planche de schémas montrant la variété de leurs formes. Précise à chaque fois l'organe auquel appartient la cellule.

2. **Enquête sur les tissus humains**

   Recherche des images de tissus humains. Prépare une planche de schémas titrés donnant une classification de ces tissus.

3. **La structure détaillée de la cellule animale**

   Recherche des schémas de cellules tirés d'observations faites au microscope électronique. Rassemble sur un même schéma toutes les principales structures qui peuvent se trouver dans une cellule animale. Annote ton schéma.

4. **Enquête sur la culture des cellules**

   Recherche de l'information sur les techniques de culture de cellules. Réponds en particulier aux questions suivantes :

   a) Qu'est-ce qu'une culture de cellules ?
   b) Quels types de cellules peut-on mettre en culture ?
   c) De quoi est fait le milieu de culture ? Dans quel genre de récipient le place-t-on ?
   d) Comment se comportent les cellules en culture ?
   e) Qu'appelle-t-on repiquer une culture ?
   f) Est-il possible d'entretenir indéfiniment certaines cultures de cellules par repiquages ? Lesquelles ?
   g) Quelle est l'utilité des cultures de cellules ?

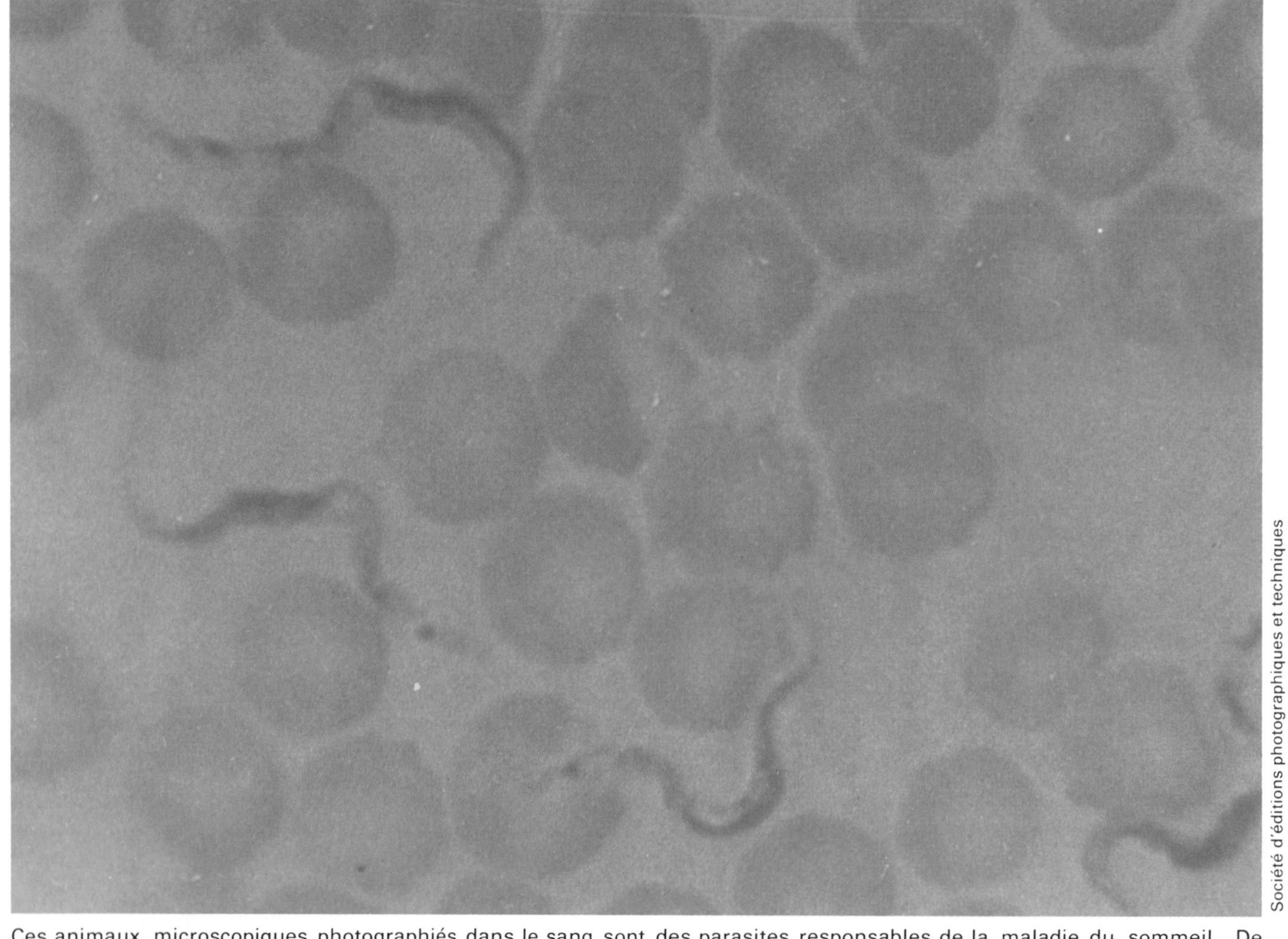

Société d'éditions photographiques et techniques

Ces animaux microscopiques photographiés dans le sang sont des parasites responsables de la maladie du sommeil. De combien de cellules chacun d'eux est-il constitué ?

B

SECTION

Les activités cellulaires

Quels rapports existent entre les combustibles, l'oxygène, l'énergie et les déchets ?

a) Quelles sont les deux principales sortes d'entrées consommées par un moteur à combustion ? Laquelle détient l'énergie utile ? Quel est le rôle de l'autre ?

b) Quelles sont les deux principales sortes d'entrées consommées par une cellule vivante ? Nomme les trois grandes familles de combustibles utilisés par la cellule. Rappelle la valeur énergétique de chacune d'elles.

c) À quoi sert l'oxygène dans la cellule ?

d) Est-il possible de libérer l'énergie d'un combustible tout en préservant ses molécules ?

e) Que deviennent les atomes d'une molécule de combustible qui est brûlée ? Que deviennent les atomes de l'oxygène ayant participé à l'opération ?

f) Nomme les deux déchets qui résultent de la combustion du glucose dans une cellule.

Chaque cellule du corps libère de l'énergie.

Dans les molécules de lipides, de glucides et de protides, il y a de l'énergie que tes cellules peuvent mettre à profit. Il s'agit d'énergie chimique, c'est-à-dire d'énergie qui tient ensemble les atomes dans les molécules. L'énergie chimique d'une molécule de combustible qui vient de pénétrer dans une cellule est de l'énergie dormante ; elle n'est pas prête à travailler. Pour mettre au travail l'énergie chimique alimentaire, tes cellules doivent d'abord la retirer des molécules de nutriments. Pour réaliser cette opération efficacement, elles ont besoin d'oxygène. On nomme *respiration cellulaire* l'ensemble des réactions chimiques libératrices d'énergie qui sont rendues possibles dans chacune de tes cellules par l'oxygène respiratoire. Cette activité représente une partie essentielle du *métabolisme*, c'est à dire des réactions chimiques qui entretiennent la vie.

1. L'énergie dans la respiration cellulaire

Au cours de la respiration cellulaire, l'énergie chimique est méthodiquement retirée des molécules de combustibles. Elle est alors transférée, en petites quantités égales, à des molécules spécialisées dans le transport d'énergie. C'est sous cette forme que l'énergie est prête à travailler dans les moindres recoins de la cellule. Cependant, une grande partie de l'énergie libérée ne se laisse pas domestiquer ; elle s'échappe de la cellule sous forme de chaleur.

Pour libérer l'énergie entreposée dans une molécule de combustible, il faut briser les liens qui unissent les atomes les uns aux autres dans la molécule. La respiration cellulaire démolit donc les molécules de combustibles ; on dit encore qu'elle les dégrade.

Rappelons ici que, dans la respiration cellulaire, la *dégradation* de 1 g de glucides ou de protides libère 16 kJ et que celle de 1 g de lipides libère 36 kJ.

- Quel genre de travail est fourni par le moteur d'une automobile ? Toute l'énergie chimique disponible dans le carburant participe-t-elle au travail ? Y a-t-il des pertes ? Sous quelle forme ?
- La chaleur dégagée par les cellules est-elle inutile ?

2. La destinée de la matière dans la respiration

Les molécules sont des assemblages d'atomes, c'est-à-dire de particules indestructibles. Lorsqu'une molécule de combustible est dégradée, on retrouve ses atomes dans de petites molécules de déchets sans valeur énergétique pour l'organisme. Celles-ci représentent les morceaux des molécules de combustibles brisées au cours de la respiration cellulaire. Par exemple, le plus commun des carburants cellulaires, le glucose, laisse deux sortes de déchets : l'hydrogène et le dioxyde de carbone. L'hydrogène se combine à l'oxygène respiratoire pour former de l'eau, qui se mélange à celle du milieu. Les surplus d'eau sont rejetés hors de l'organisme avec la sueur, l'urine et l'air expiré. Le dioxyde de carbone, quant à lui, est immédiatement rejeté à l'extérieur par l'intermédiaire du sang et des poumons. Et, comme rien ne se perd dans la nature, ses molécules font les délices des végétaux verts qui s'en servent pour reformer du glucose, c'est-à-dire un de nos nutriments... Tu connais maintenant la suite.

Ainsi, dans la biosphère, les chaînes de réactions chimiques se referment sur elles-mêmes. Les mêmes atomes sont perpétuellement recyclés depuis au moins deux milliards d'années que la vie existe. Ainsi, il n'est pas du tout improbable que tu détiennes dans ton corps quelques atomes de carbone ayant appartenu à Jules César.

Figure 4-12.
L'utilisation d'une molécule de glucose dans la respiration cellulaire.

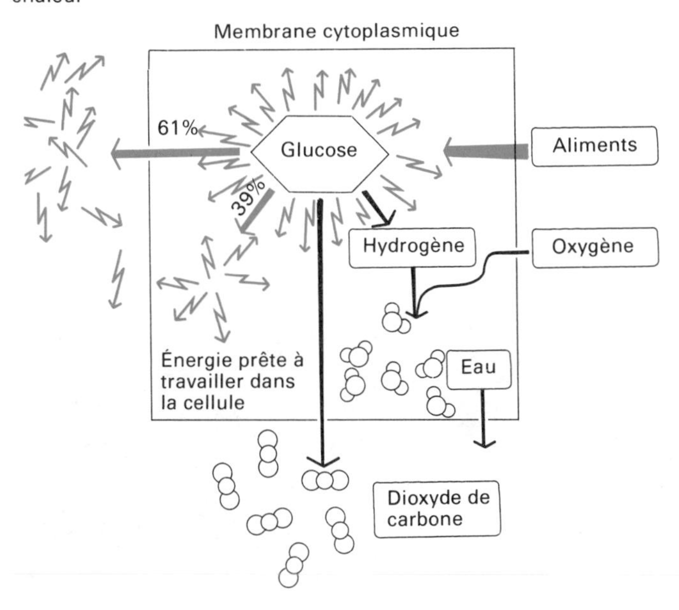

- Pourquoi peut-on dire que la respiration et la photosynthèse sont deux fonctions complémentaires ?
- Pourquoi notre survie dépend-elle des végétaux verts ?

3. L'utilisation des protides dans la respiration et le problème des déchets

C'est sous forme d'acides aminés que les protides sont utilisés comme combustibles cellulaires. Leur dégradation en présence d'oxygène produit du dioxyde de carbone et de l'eau, comme celle du glucose, mais aussi un déchet azoté : l'ammoniac (NH_3).

On dit qu'une substance est *toxique* lorsqu'elle dérange le métabolisme. Certains déchets de la respiration cellulaire sont toxiques (par exemple, le dioxyde de carbone) ; d'autres sont simplement encombrants (comme l'eau). Dans tous les cas, il faut les éliminer.

L'ammoniac pose un problème particulier, car il est très toxique. Lorsqu'il est inhalé, il brûle la gorge et provoque une toux suffocante, ainsi qu'un refroidissement du corps. Injecté à faible dose dans les veines d'un lapin, il est mortel. L'ammoniac produit par la dégradation des protides doit donc être rapidement mis hors d'état de nuire. Cette tâche est accomplie par le foie, qui le transforme en urée, non toxique. On dit que le foie détoxique l'ammoniac, ce qui est une façon de désintoxiquer l'organisme.

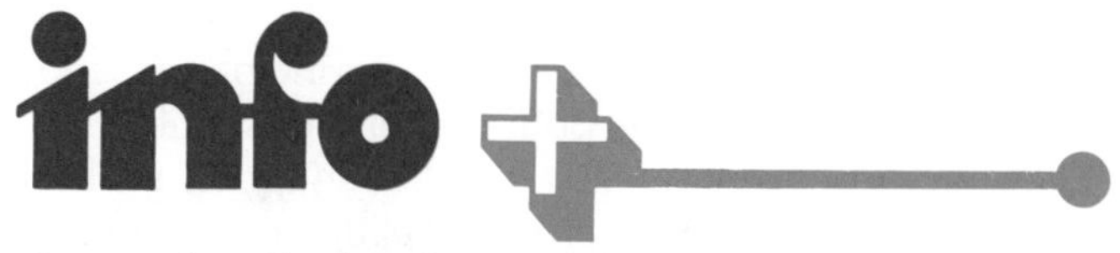

Le prix de la détoxication de l'ammoniac

La transformation de l'ammoniac en urée est coûteuse en énergie. Ainsi, 1 g de protides dégradé dans la respiration cellulaire libère en moyenne 28 kJ, mais la conversion en urée de l'ammoniac qu'il produit consomme 12 kJ. La quantité nette d'énergie libérée par la dégradation de 1 g de protides se calcule donc de la façon suivante : 28 kJ – 12 kJ = 16 kJ. Dans l'organisme, les protides ont donc sensiblement la même valeur énergétique que les glucides. Pour simplifier, nous considérerons que 1 g de protides utilisé comme combustible cellulaire ne libère que 16 kJ.

Le sang se charge des déchets produits par les cellules et les transporte aux organes chargés de les rejeter à l'extérieur (organes excréteurs). Le dioxyde de carbone est principalement rejeté par les poumons, tandis que l'urée et l'eau sont rejetées surtout par la peau (sueur) et les reins (urine).

Figure 4-13.
Le déversement des déchets cellulaires dans le sang.

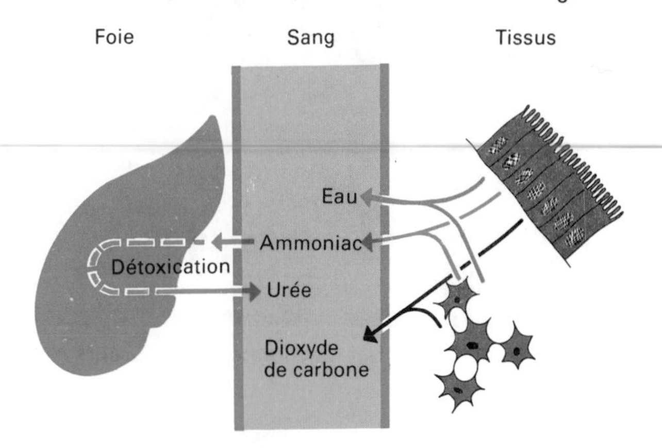

- Dans ton organisme, les protides sont-ils les principaux carburants? Quelle est leur fonction première?
- Pourquoi une alimentation trop riche en protides fatigue-t-elle le foie?
- Sous quelle forme le carbone rejeté avec le dioxyde de carbone de l'air entre-t-il dans l'organisme?

4. L'importance de la respiration cellulaire dans ta vie

La respiration cellulaire est le principal procédé employé par tes cellules pour détruire des molécules. Elles se procurent ainsi de l'énergie pour réaliser d'autres activités. Dans chaque cellule, cette énergie peut travailler à construire les grosses molécules qui forment la structure de la matière vivante. Elle peut aussi déformer la cellule, cette action étant particulièrement importante dans les cellules spécialisées des muscles. Enfin, l'énergie perdue par tes cellules au cours de la respiration cellulaire se dégage sous forme de chaleur.

La respiration cellulaire est donc indispensable pour que tu grandisses et que tu répares l'usure de ton corps, pour que tu bouges et que ton cœur batte. C'est aussi grâce à elle que ton corps se réchauffe.

- Peux-tu expliquer la différence entre la respiration pulmonaire et la respiration cellulaire? Ces deux fonctions sont-elles indépendantes l'une de l'autre? Explique.

Quelle source d'énergie fait fonctionner ces coureurs?

à toi de jouer

1. DÉFINIR LA RESPIRATION CELLULAIRE.

Figure 4-14.
La mise en évidence d'une fonction vitale dans un tissu.

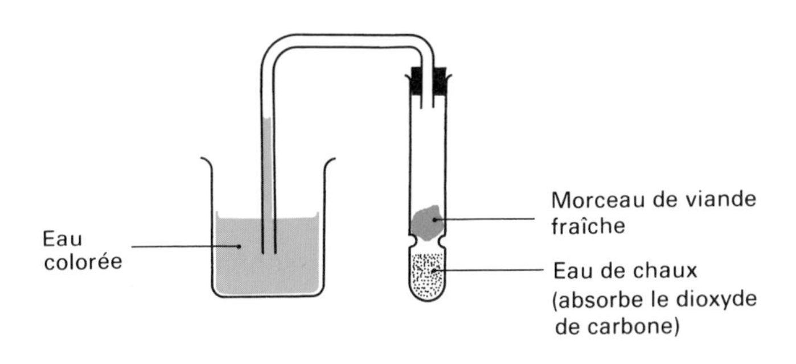

Lorsqu'on réalise le montage ci-dessus en utilisant un morceau de viande très fraîche, l'eau colorée monte dans le tube étroit. Si on remplace la viande fraîche par de la viande bouillie, l'eau ne monte pas.

a) Explique ces faits.

b) Où se déroule la respiration cellulaire dans ton corps ?

c) À quoi sert la respiration cellulaire ?

d) Quel élément participe obligatoirement à la respiration cellulaire, en plus des nutriments ?

e) Nomme trois déchets de la respiration, que tu rejettes à l'extérieur.

2. INDIQUER LE RÔLE DE L'OXYGÈNE DANS LA RESPIRATION CELLULAIRE.

a) Quel traitement la respiration cellulaire réserve-t-elle aux molécules de nutriments organiques ? Que devient alors leur énergie chimique ?

b) Quel est le rôle de l'oxygène dans la respiration cellulaire ?

3. COMPARER LE RENDEMENT ÉNERGÉTIQUE DES LIPIDES, DES GLUCIDES ET DES PROTIDES.

a) Calcule en kilojoules la quantité d'énergie libérée par la respiration cellulaire à partir de 50 g de glucose.

b) Quelle quantité d'acides aminés la respiration doit-elle dégrader pour que la même quantité nette d'énergie soit libérée ?

c) Quelle quantité d'acides gras donnerait une quantité d'énergie équivalente ?

4. NOMMER LE DÉCHET PRINCIPAL :

- DE LA COMBUSTION DES LIPIDES ET DES GLUCIDES ;
- DU MÉTABOLISME DES PROTIDES.

a) Nomme le principal déchet qui contient le carbone des molécules alimentaires dégradées.

b) Nomme le déchet azoté que toutes les cellules produisent. Quel est le produit de sa transformation par le foie ? De quelle famille d'aliments organiques provient-il ?

5. DÉMONTRER L'IMPORTANCE DE L'ÉLIMINATION DES DÉCHETS.

a) Qu'est-ce qu'une substance toxique ?

b) Nomme deux déchets toxiques de la respiration.

c) Nomme deux déchets peu ou pas toxiques de la respiration cellulaire.

d) Comment les déchets rejoignent-ils les organes excréteurs ?

e) Si les déchets s'accumulaient dans les liquides du milieu intérieur, quelles en seraient les conséquences pour les cellules ?

VA PLUS LOIN

Essai d'intégration des connaissances acquises depuis le début du cours

Construis un diagramme qui démontre ta compréhension des relations existant entre les éléments suivants : air, aliments complexes, circulation, déchets, digestion, énergie, excrétion, nutriments, oxygène, respiration cellulaire, respiration pulmonaire.

FAIS LE POINT

SECTION A La structure cellulaire

1. La lettre G est placée à l'endroit sous l'objectif d'un microscope. Comment apparaît-elle, observée à travers l'appareil ?

a) G c) Ↄ
b) ⅁ d) ɘ

2. En observant des cellules au grossissement moyen du microscope, tu obtiens l'image suivante.

Figure 4-15.
Des cellules vues au grossissement moyen du microscope.

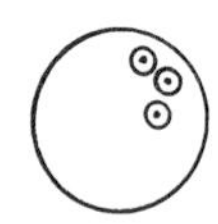

Quelle image as-tu le plus de chances d'obtenir en passant au fort grossissement sans toucher à ta préparation ?

Figure 4-16.
Des cellules vues au fort grossissement du microscope.

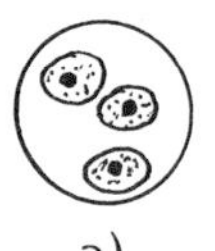
a)

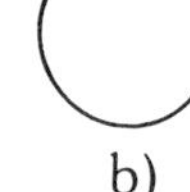
b)

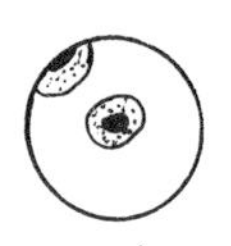
c)

d)

3. Reproduis les trois cellules illustrées ci-dessous et indique l'origine de chacune d'elles (bouche, oignon, liège).

Figure 4-17.
Trois types de cellules.

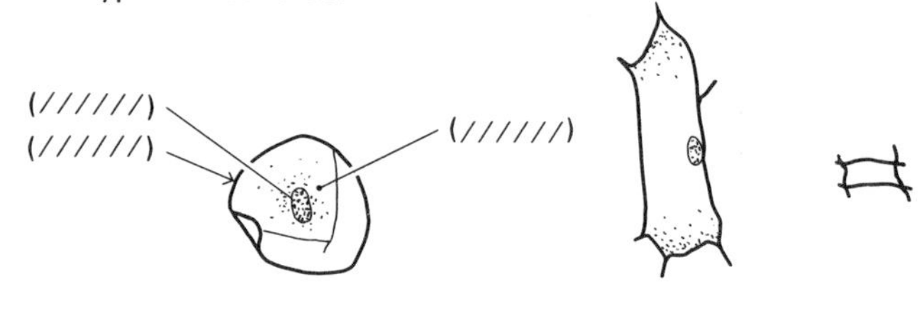

4. Une molécule, une tête d'épingle, une cellule. Classe ces trois objets par ordre de grandeur croissante. Présente ta réponse comme ci-dessous.

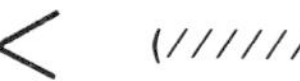
(//////) < (//////) < (//////)

5. Si le volume d'un organisme humain est de 70 dm³, et si le volume moyen d'une cellule est de 700 µm³, comment se calcule le nombre approximatif (N) de cellules dans cet organisme ?

a) $N = 70 \times 700$
b) $N = \frac{700}{70}$
c) $N = \frac{70}{700}$
d) $N = \frac{70 \times 10^{15}}{700}$

6. Place la légende sur le premier schéma de la question 3.

7. Associe les structures cellulaires aux fonctions.

Les structures cellulaires
1. Cytoplasme
2. Membrane cytoplasmique
3. Noyau

Leurs fonctions
a. Activité chimique intense
b. Contrôle de la vie cellulaire
c. Contrôle des échanges avec le milieu

a) 1-a, 2-b, 3-c
b) 1-c, 2-b, 3-a
c) 1-a, 2-c, 3-b
d) 1-b, 2-a, 3-c

8. Avec la lymphe, une cellule échange :
a) des nutriments, des déchets, de l'oxygène, de l'eau et des enzymes.
b) des nutriments, des déchets, de l'oxygène et de l'eau.
c) des nutriments, des déchets et de l'oxygène.
d) des nutriments et des déchets.

9. Le phénomène par lequel une cellule capte une gouttelette de liquide dans son milieu se nomme :
a) diffusion.
b) osmose.
c) pinocytose.
d) phagocytose.

10. En injectant de l'eau pure dans les veines d'un animal, on fait éclater ses globules rouges. Le phénomène responsable de cet effet se nomme :
a) osmose.
b) pinocytose.
c) phagocytose.
d) agglutination.

11. Le phénomène physique qui aide certaines petites molécules dissoutes à franchir la membrane cytoplasmique se nomme :
a) diffusion.
b) osmose.
c) phagocytose.
d) transport actif.

12. La structure vivante de base commune à tous les êtres vivants est :
a) l'atome.
b) la molécule.
c) la cellule.
d) le tissu.

SECTION B Les activités cellulaires

1. Carburant + oxygène → déchets + énergie

Cette équation résume le phénomène cellulaire nommé :
a) absorption.
b) assimilation.
c) métabolisme.
d) respiration.

2. Le dioxyde de carbone et l'urée sont :
a) des déchets.
b) des nutriments.
c) des combustibles.
d) des aliments complexes.

3. L'oxygène qui pénètre dans les cellules aide à :
a) dégrader des molécules avec consommation d'énergie.
b) dégrader des molécules avec libération d'énergie.
c) construire des molécules complexes avec consommation d'énergie.
d) construire des molécules complexes avec libération d'énergie.

4. Lorsque 10 g d'une substance donnée sont consommés dans la respiration cellulaire, 160 kJ sont libérés. Cette substance est :
a) un lipide ou un protide.
b) un protide ou un glucide.
c) un glucide ou un lipide.
d) un acide gras.

5. Lorsque 10 g d'une substance donnée sont consommés dans la respiration cellulaire, 360 kJ sont libérés. Cette substance est :
a) un glucide.
b) un lipide.
c) un protide.
d) un acide aminé.

6. L'utilisation d'un combustible dans la respiration cellulaire produit seulement du dioxyde de carbone et de l'eau. Ce combustible est :
a) un glucide ou un lipide.
b) un protide ou un lipide.
c) un glucide ou un protide.
d) un acide aminé.

7. L'utilisation d'un combustible dans la respiration cellulaire produit du dioxyde de carbone, de l'eau et de l'urée. Ce combustible est :
a) un glucide.
b) un lipide.
c) un protide.
d) un acide gras.

8. Une substance est dite toxique lorsqu'elle :
a) cause un empoisonnement.
b) cause la mort.
c) perturbe l'activité chimique de l'organisme.
d) crée une accoutumance.

9. En général, l'organisme se soustrait à l'action nocive de ses déchets en les :
a) éliminant.
b) mettant en réserve.
c) recyclant.
d) gardant en circulation dans le sang.

EN BREF

SECTION A Les structures cellulaires

1. La vie ne se manifeste que dans des structures généralement microscopiques nommées c//////. Les cellules végétales se distinguent des cellules animales d'abord par leur m////// plus épaisse. Les cellules du liège sont des cellules mortes.
2. Une cellule est plus grosse qu'une m//////, mais généralement plus petite qu'une t////// d'é//////.
3. En divisant le volume du corps par le volume d'une cellule, on peut calculer grossièrement le n////// de cellules d'un organisme humain. Il est de l'ordre de 100 000 m//////.
4. Les trois structures fondamentales d'une cellule sont la m////// c//////, le c////// et le n//////.
5. La membrane cytoplasmique règle les é////// entre la cellule et son milieu. Le c////// est le siège d'une intense activité chimique. Le n////// contrôle l'activité cellulaire.
6. Chacune de tes cellules échange des n//////, des d//////, de l'eau et de l'o////// avec son milieu. Le phénomène physique de d////// influe grandement sur les échanges cellule-milieu. La diffusion de l'eau se nomme o//////. La p////// permet à la cellule de capter des gouttelettes du liquide environnant.
7. Tous les ê////// v////// présentent une structure cellulaire.

☐ *Nomme un type de cellule humaine et décris son environnement.*

SECTION B Les activités cellulaires

1. La respiration cellulaire est un processus consommateur d'o////// qui dégrade des molécules de n////// organiques et libère leur é//////. Elle génère des d//////, notamment de l'eau, du dioxyde de carbone et de l'u//////.
2. L'o////// est essentiel à la respiration cellulaire ; sans lui, la libération d'é////// s'interrompt rapidement dans la cellule.
3. La quantité d'é////// libérée par la respiration cellulaire varie selon le combustible consommé. Les l////// libèrent 36 kJ/g, tandis que les p////// et les g////// libèrent seulement 16 kJ/g.
4. La dégradation des glucides et des lipides laisse deux d////// principaux : l'eau et le dioxyde de carbone. L'u////// est un déchet azoté qui résulte de la dégradation des p//////.
5. Pour ne pas se laisser encombrer ou intoxiquer, l'organisme doit se débarrasser de ses d//////.

☐ *Pourquoi une cellule a-t-elle besoin de dégrader des molécules de nutriments ?*

Chapitre 5

L'utilisation des entrées

Quel est le rapport entre ta vie et tes vies microscopiques ?

La vie à l'échelle de ton corps est le reflet de la vie de tes cellules.

a) Que se passe-t-il dans tes cellules pour te faire grandir ? Dégager de la chaleur ? Bouger ?

b) Quels rapports existent entre les protides, les cellules et la croissance du corps ?

c) Quels rapports existent entre le glucose, les cellules et le dégagement de chaleur corporelle ?

d) Comment te procures-tu l'énergie que tu dépenses sous forme de mouvement ?

e) Pour ta santé, quelle relation doit être maintenue entre ce que tu manges et tes activités physiques ?

Les entrées, c'est pour grandir et s'activer.

Ta vie est la somme des vies de tes cellules. Ta croissance, ton dégagement de chaleur, ton mouvement, sont d'abord des phénomènes cellulaires.

Pour comprendre le rôle des entrées dans ces activités, il suffit de comprendre comment elles sont utilisées par les cellules.

Pourquoi manges-tu ? Pourquoi respires-tu ? Tu vas maintenant avoir en main tous les éléments nécessaires pour répondre à ces questions.

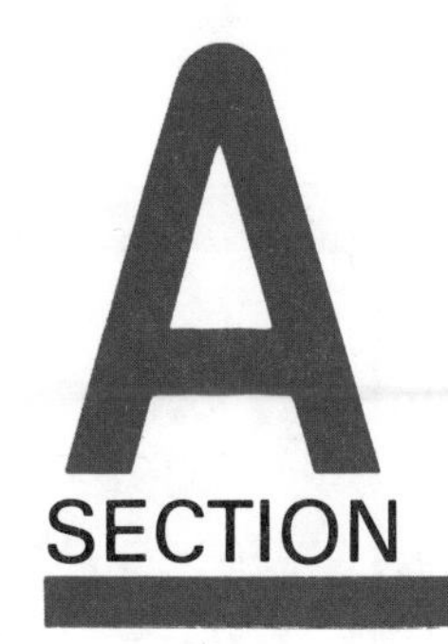

La croissance et la réparation

Comment des activités cellulaires assurent-elles ta croissance ?

Une cellule vivante est un « objet » structuré, tout comme un objet manufacturé.

a) Nomme un objet manufacturé et donne une liste de matériaux qui entrent dans sa fabrication.

Pour façonner ces matériaux et les assembler en une structure organisée, il a fallu dépenser de l'énergie.

b) Énumère quelques formes d'énergie qui sont au travail dans une manufacture.

c) Nomme des matériaux nécessaires à la construction d'une structure nommée cellule vivante.

Pour assembler ces matériaux, il faut de l'énergie prête à travailler.

d) Dans ton corps, quelle fonction vitale produit de l'énergie prête à travailler ?

e) Dans quelles structures de ton corps s'effectue la rencontre entre l'énergie prête à travailler et les matériaux de construction de la matière vivante ?

La transformation en matière vivante de matériaux inertes venus de l'extérieur ne peut être accomplie que par la matière vivante elle-même. Autrement dit, seule une cellule peut construire une cellule.

f) Dans ces conditions, comment imagines-tu qu'une cellule puisse se servir de certains nutriments pour engendrer une autre cellule ?

Les entrées assurent la croissance (et la réparation) de l'organisme.

Deux sortes d'activités chimiques contradictoires se déroulent dans chacune de tes cellules : la construction et la destruction de molécules. L'activité de construction est alimentée en énergie par la respiration cellulaire. Elle ira en ralentissant à mesure que tu vieilliras, mais ne cessera jamais, car elle doit répondre aux nécessités suivantes :

— Permettre la croissance, en formant de nouvelles cellules, ou en assurant le développement de celles qui existent déjà ;
— Remplacer les cellules mortes ;
— Remplacer, dans les cellules vivantes, les molécules à « durée de vie » limitée, tout particulièrement les protéines.

Tu es en renouvellement perpétuel ; la matière qui te constitue aujourd'hui n'est plus tout à fait la même qu'hier.

Figure 5-1.
Le bilan matériel sommaire de la cellule.

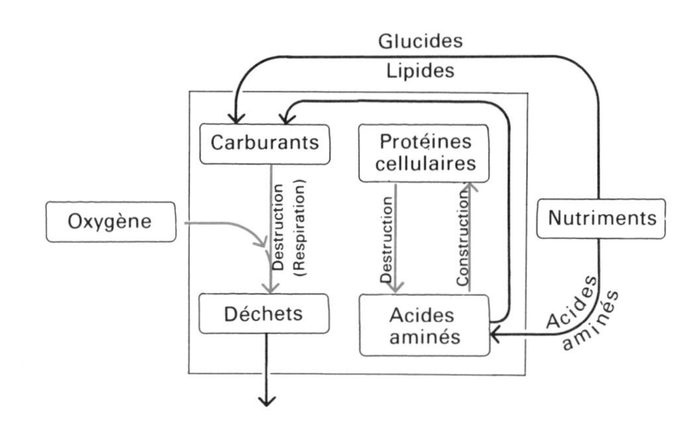

1. Les modalités de la croissance

Les divers organes du corps humain se développent à un rythme qui leur est propre. Dans son ensemble, l'organisme présente deux poussées de croissance distinctes : une première au tout début de son existence et une seconde au cours de l'adolescence, c'est-à-dire à ton âge.

Figure 5-2.
La variation des proportions du corps humain.

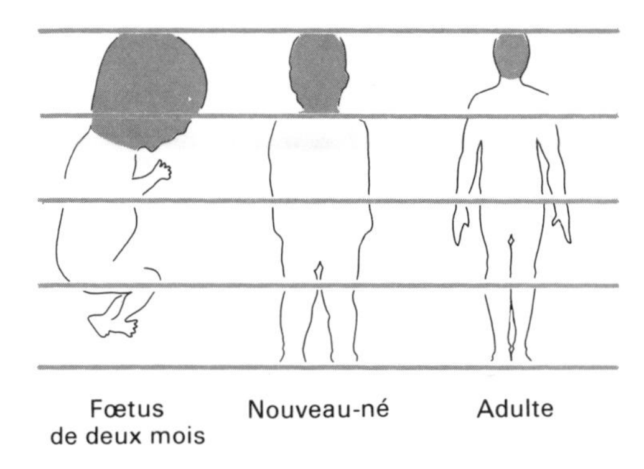

La variation de masse constitue une mesure parfois discutable de la croissance. L'adulte qui fait de l'embonpoint n'est pas en phase de croissance, bien que sa masse augmente. La taille est une mesure plus fidèle de la croissance ; elle reflète la longueur des os.

La prolifération cellulaire. La croissance est d'abord le résultat de la *prolifération cellulaire*, c'est-à-dire de la multiplication des cellules.

La spécialisation des cellules influence leur capacité de prolifération. Les cellules nerveuses, qui sont les premières à se différencier, cessent définitivement de se multiplier très tôt, bien avant la naissance. Au contraire, les cellules superficielles de la peau — celles qui empoussièrent le métro — se multiplient activement durant toute la vie ; il en va de même pour les cellules de la moelle osseuse qui se transforment en globules sanguins.

L'hypertrophie cellulaire. Le cœur et les muscles entourant les os renferment des cellules allongées (fibres) qui sont dans la même situation que les cellules nerveuses : elles cessent définitivement de proliférer avant la naissance. Ainsi, un lutteur et un bébé naissant possèdent à peu près autant de cellules de ce genre. Il faut donc admettre que les cellules musculaires peuvent s'hypertrophier, c'est-à-dire grossir. Nous retrouverons ces longues cellules très spéciales, nommées fibres musculaires, dans la section B du chapitre 8.

Ta croissance est contrôlée par les facteurs qui influencent la prolifération et l'*hypertrophie* de tes cellules.

- Chez un enfant de 7 ans, un organe est développé à 90 %. Lequel ?
- Dans une jeune culture de bactérie, les cellules se divisent toutes les 25 min. Dans ces conditions, une seule cellule engendre 1 048 576 descendantes au bout de 8 h 20 min. Quel temps supplémentaire sera nécessaire pour qu'elle en engendre encore autant ?

2. Les contrôles intracellulaires de la croissance

Le programme d'activités contenu dans le noyau de tes cellules contrôle en partie leur reproduction et leur hypertrophie.

Figure 5-3.
Le cycle de la cellule.

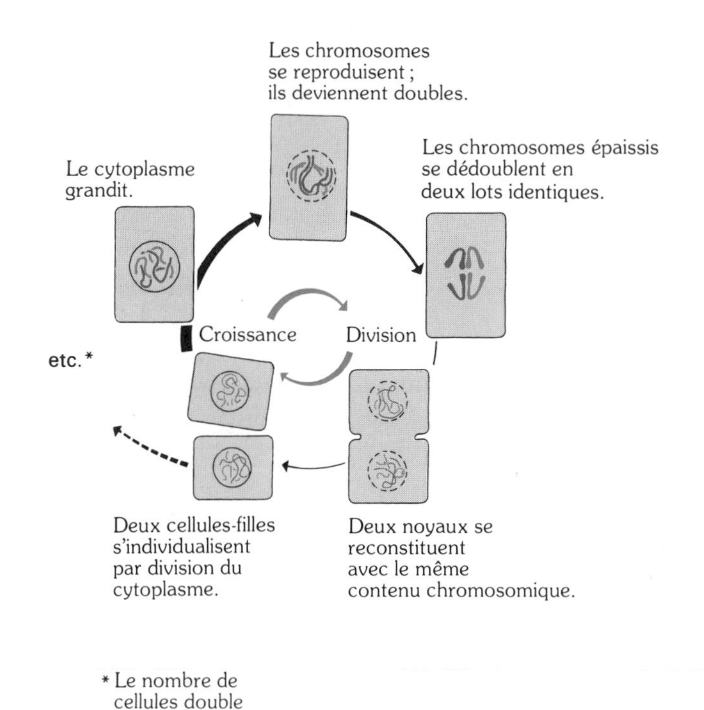

N.B. : On appelle mitose le mode de reproduction cellulaire décrit ci-dessus.

Une cellule se reproduit en se divisant dès qu'elle a grandi suffisamment et que son cytoplasme est devenu un territoire trop vaste pour être bien administré par le noyau. Le programme contenu dans le noyau commande alors sa propre *duplication*, c'est-à-dire sa reproduction exacte ; ceci permet la formation d'un second noyau identique au premier. Le cytoplasme se partage ensuite moitié-moitié entre les deux « gouvernements ». C'est ainsi qu'une cellule engendre deux cellules-filles.

Durant la division cellulaire, on peut facilement observer au microscope les constituants du noyau qui portent le programme d'activités cellulaire ; ce sont des filaments colorables nommés *chromosomes*. On compte normalement 46 chromosomes dans chaque cellule humaine, sauf dans les globules rouges (dépourvus de noyau) et dans certaines autres cellules très particulières.

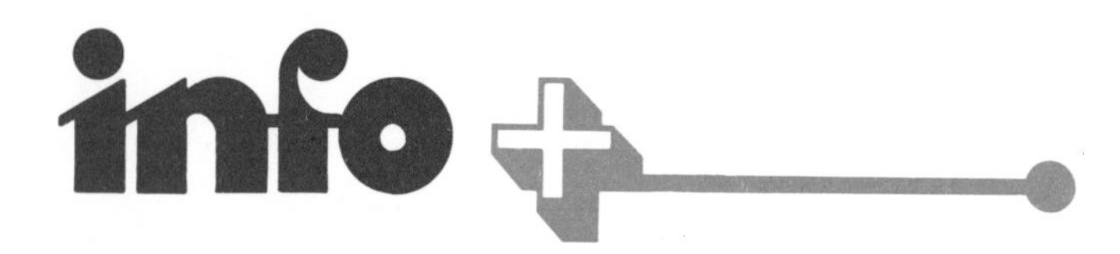

L'importance des chromosomes

Tes chromosomes, reproduits à chaque division cellulaire, sont les liens matériels qui te rattachent à tes ancêtres. Ils sont responsables de ton *hérédité*, c'est-à-dire des caractères transmis par tes parents. Ainsi, par exemple, si tu possèdes le nez de ton grand-père, le groupe sanguin de ta grand-mère, les yeux de ton père et le sens musical de ta mère, tu le dois aux chromosomes qu'ils t'ont transmis directement ou indirectement. Les chromosomes contrôlent ta croissance en agissant de multiples façons dans ton organisme.

- Comment se nomme la première cellule d'un organisme humain ?
- Ton organisme s'est formé par divisions successives à partir d'une seule cellule. Le programme d'activités de cette cellule ne s'est pas perdu. Où se trouve-t-il maintenant ?

3. L'action de certaines glandes sur la croissance

Dans ton corps, certains organes télécommandent d'autres organes au moyen de messages chimiques nommés *hormones*, qu'ils déversent en très petites quantités dans le milieu intérieur. Tes tissus réagissent de façon spécifique aux hormones qu'ils reçoivent du sang. Parmi les organes producteurs d'hormones, nous en retiendrons deux qui contrôlent la croissance : la thyroïde et l'hypophyse.

La thyroïde. La thyroïde est située le long de la trachée, à la base du cou. Sa structure microscopique est celle d'une glande, c'est-à-dire d'un organe qui produit une sécrétion. Contrairement aux glandes digestives annexes, la thyroïde n'est pas reliée à l'extérieur par un canal. Ce qu'elle produit passe obligatoirement dans le sang, donc dans le milieu intérieur : la thyroïde est une glande à sécrétion interne, ou *glande endocrine*. Elle déverse dans le sang une hormone nommée thyroxine qui stimule la croissance et le métabolisme.

Figure 5-4.
La localisation de la thyroïde et de l'hypophyse.

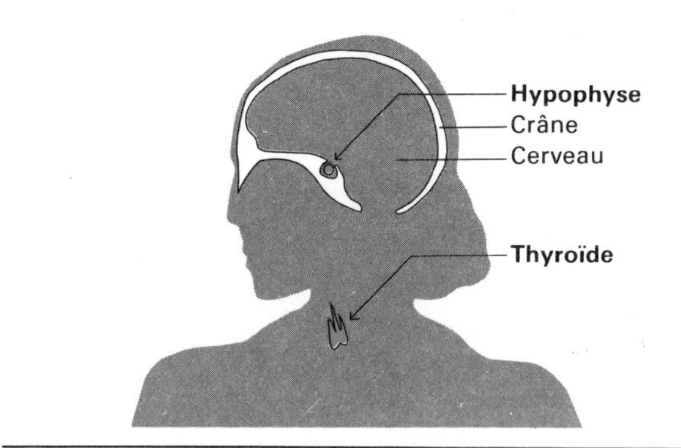

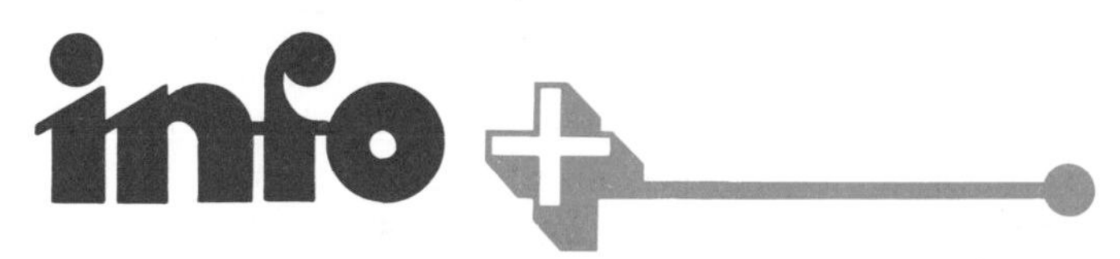

L'importance de la thyroïde

L'ablation de la thyroïde chez un jeune animal entraîne un arrêt de la croissance ainsi qu'un ralentissement de toutes les fonctions vitales. Chez l'être humain, une insuffisance thyroïdienne déclenche une maladie nommée myxœdème. Lorsqu'elle se déclare chez l'enfant, son développement physique et intellectuel est compromis.

La thyroxine stimule la respiration cellulaire dans tous les tissus ; elle favorise ainsi la production de chaleur, l'activité physique et l'activité intellectuelle. De plus, elle stimule la prolifération cellulaire dans les os longs.

L'hypophyse. L'hypophyse est une glande minuscule, de la taille d'un pois, située au centre de la tête, au-dessous du cerveau. La chirurgie moderne réussit le miracle d'intervenir sur cet organe apparemment inaccessible. L'hôpital Notre-Dame de Montréal a même une réputation mondiale dans ce domaine. Mais pourquoi intervient-on parfois sur l'hypophyse ? Par exemple, pour faire cesser la croissance d'un adolescent de 14 ans dont la taille dépasse déjà 2 m. Une telle anomalie est souvent causée par la prolifération indésirable de certaines cellules de l'hypophyse. Il faut alors retirer chirurgicalement cet excédent de tissu pour que le *gigantisme* ne s'aggrave pas. Inversement, une insuffisance hypophysaire peut amener le *nanisme*, sans toutefois affecter l'intelligence.

L'hypophyse déverse dans le sang une hormone qui influence directement la croissance (hormone somatotrope). Elle produit aussi beaucoup d'autres hormones ; l'une d'entre elles stimule la thyroïde et lui permet de sécréter de la thyroxine.

Figure 5-5.
Le transport des hormones contrôlant la croissance.

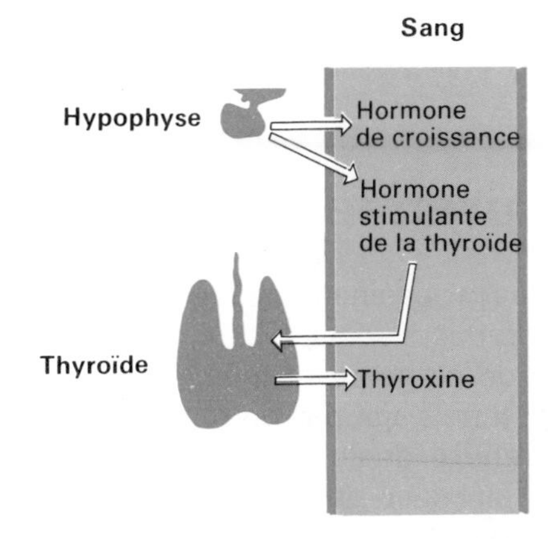

L'hormone de croissance de l'hypophyse agit comme la thyroxine sur les os, mais son action s'étend à l'ensemble du squelette. Elle stimule de plus le développement de tous les autres organes, particulièrement celui des muscles. L'hypophyse agit aussi indirectement sur la croissance par l'intermédiaire de la thyroïde.

Les os, les muscles, la thyroïde, l'hypophyse, tous ces organes interagissent de telle sorte que l'organisme développe ses différentes parties en temps utile et fonctionne comme un tout.

- Une insuffisance thyroïdienne chez l'adulte a-t-elle un effet sur la croissance ? Quel genre d'effet peut-elle avoir ?
- Les géants traités à l'hôpital Notre-Dame de Montréal peuvent aider certains nains à grandir. Comment ?

4. Les facteurs alimentaires de croissance

L'alimentation influence la croissance à la fois par sa qualité et par sa quantité. Une alimentation déficiente à un moment donné de la jeunesse peut compromettre irrémédiablement le développement des organes qui doivent croître durant cette période.

Au chapitre 1, nous avons signalé l'importance de la vitamine A dans une croissance normale. Une autre vitamine liposoluble, la vitamine D, coopère avec le calcium pour favoriser le développement normal des os.

Toute croissance implique une fabrication de protéines, à partir d'acides aminés, dans les cellules. La digestion met à la disposition des cellules un mélange plus ou moins complet et équilibré de 20 acides aminés tirés des protéines alimentaires. Pour fabriquer ses 30 000 espèces de protéines, ton organisme utilise ces 20 sortes d'acides aminés.

Si un acide aminé est absent de ton alimentation, ou s'y trouve en quantité insuffisante, deux cas peuvent se produire :
— L'acide aminé déficient peut être fabriqué à partir des autres par ton organisme ; le problème passe alors inaperçu ;
— L'acide aminé déficient ne peut pas être fabriqué par ton organisme ; certaines de tes protéines ne pourront être produites en quantité suffisante et tu en souffriras d'une façon ou d'une autre.

On appelle acides aminés essentiels les acides aminés que l'organisme humain ne fabrique pas et qu'il doit donc obligatoirement trouver dans son alimentation. On en reconnaît une dizaine ; seule une alimentation variée peut fournir à ton organisme la gamme complète de ces nutriments vitaux.

Dans le tiers-monde, l'insuffisance en quantité comme en qualité des protéines alimentaires est à la base de la malnutrition. Ainsi, en Afrique, une maladie nommée kwashiorkor frappe les jeunes enfants dans plusieurs pays. Tu as déjà vu l'image atroce de leur petit corps squelettique au ventre ballonné. Le kwashiorkor est attribuable à une alimentation déséquilibrée à base de manioc, trop riche en glucides et pauvre en protides. À la limite, les malades meurent littéralement de faim le ventre plein.

Sans aller jusqu'au kwashiorkor, bien des formes de malnutrition peuvent affecter le développement des jeunes à divers degrés, même dans notre société avancée.

- Les haricots secs et le maïs sont des sources de protéines. Leur efficacité en tant qu'aliments constructeurs augmente considérablement lorsqu'ils sont consommés ensemble, au même repas, plutôt que séparément, à des repas différents. Pourquoi ?

5. L'usure de l'organisme et sa réparation

À chaque seconde, 50 millions de cellules meurent dans ton corps. La plupart des « victimes » appartiennent à la peau, au sang et à la muqueuse digestive. Tout ce gâchis représente l'usure normale de tes tissus, usure que tu répares sans cesse.

En plus des réparations de routine, ton organisme doit aussi effectuer des réparations d'urgence. Si tu donnes du sang, par exemple, ta moelle osseuse met environ deux semaines pour te rendre les 1 250 milliards de globules que tu as perdus avec le quart de litre de sang donné. En cas de fracture, l'enveloppe fibreuse de l'os fait proliférer ses cellules pour effectuer la réparation. La moelle osseuse et les organes lymphoïdes (le thymus, la rate, les ganglions lymphatiques) doivent renouveler les globules blancs qui meurent en combattant un foyer microbien dans une blessure infectée. Pour cicatriser une coupure ou une brûlure, ce sont les cellules de la peau qui se multiplient.

L'un des signes du vieillissement, de la diminution de la vitalité, est le ralentissement des proliférations cellulaires réparatrices ; il s'ensuit que l'organisme se délabre petit à petit. Ainsi, chez une personne de 60 ans, une blessure met 10 fois plus de temps à cicatriser que la même blessure chez un enfant de 2 ans. À blessure égale, le joueur de hockey de 20 ans est plus vite remis sur ses patins que son coéquipier de 30 ans.

Le vieillissement est inévitable. Et comme l'ironie est un moyen de se défendre contre la fatalité, offrons-nous-en un échantillon sans plus tarder :

« *Tout le monde veut vivre longtemps. Personne ne veut devenir vieux* [1]. »

1. Sir Adolphe Abrahams, cité par Anthony Smith, *Le corps et ses secrets*, Paris, Librairie Arthème Fayard, 1969, p. 423.

- Quel danger nous guette lorsqu'une de nos cellules acquiert la capacité de se diviser indéfiniment sans que le reste de l'organisme puisse l'en empêcher ?

6. Les premiers soins

Tu auras prochainement à te familiariser avec un manuel de premiers soins. Chacun(e) devrait avoir lu un ouvrage de ce genre et même suivi un cours de secourisme. Il ne s'agit pas de remplacer le médecin, mais d'apprendre quelques gestes simples qui permettent de faire face aux petites urgences de la vie courante comme aux accidents graves. Dans ce dernier cas, retiens qu'il est préférable de ne rien faire plutôt que d'agir sans savoir. Un peu de compétence vaut mieux que beaucoup de bonnes intentions.

- Lorsqu'une personne est blessée au dos à la suite d'un accident de la route, pourquoi faut-il éviter de la bouger en attendant l'ambulance ?

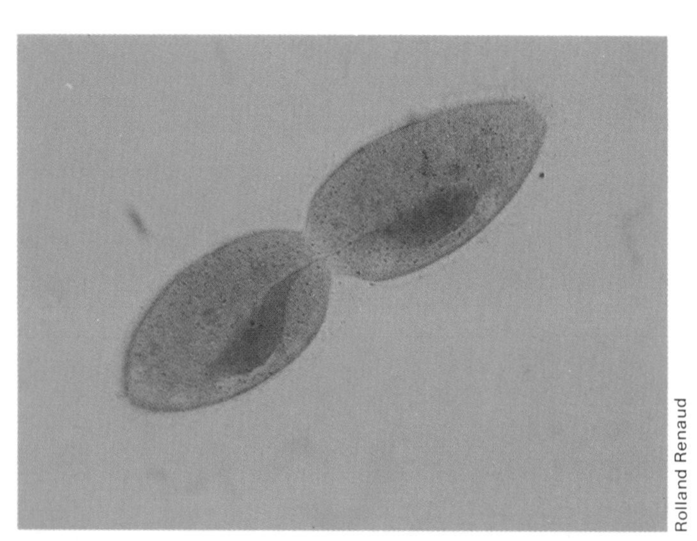

Rolland Renaud

Qu'est-ce qui arrive à cette paramécie (animal unicellulaire) ?

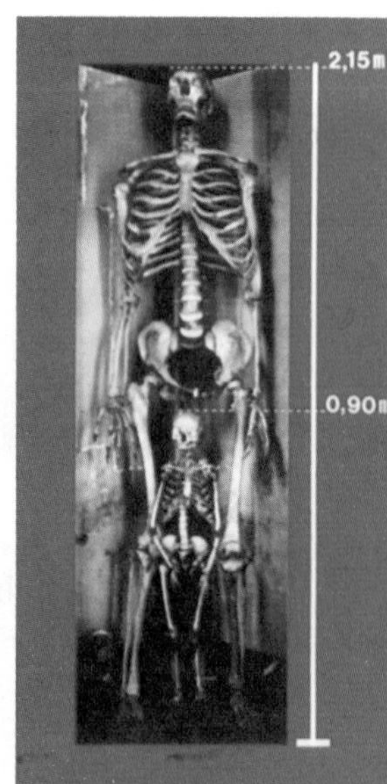

Éditions Diapofilm

Lesquels de ces quatre adultes ont eu des problèmes d'hypophyse ?

à toi de jouer

1. À L'AIDE DE DONNÉES SUR LA TAILLE, LOCALISER LES PRINCIPALES PÉRIODES DE LA CROISSANCE HUMAINE.

Matériel : papier millimétrique.

Le tableau ci-dessous montre comment ont grandi une fille et un garçon qui se situent dans la moyenne de notre population.

Tableau 5-1.
L'évolution de la taille chez une fille et un garçon.

Âges (a)	Tailles (cm)	
	Sophie	Michel
Naissance	50	50
1	75	75
2	82	83
3	88	89
4	96	97
5	102	103
6	109	110
7	114	114
8	120	120
9	125	125
10	130	130
11	134	134
12	142	138
13	149	145
14	153	154
15	154	160
16	155	165
17	155	169
18	155	170
19	155	171
20	155	172

a) D'après ces données, donne, sous forme de tableau, la croissance annuelle de la taille chez Sophie et Michel. Présente ta réponse selon le modèle suivant .

Tableau 5-2.
La croissance annuelle de la taille chez une fille et un garçon.

Âges (a)	Croissance annuelle (cm)	
	Sophie	Michel
1	25	25
2	7	8

b) D'après les données de ton tableau, construis un histogramme en t'inspirant du graphique 5-1.

Utilise du papier millimétrique et respecte les normes suivantes :
— Échelle horizontale (années) : 1 cm = 1 a ;
— Échelle verticale (croissance de la taille) : 1 cm = 1 cm.

Colorie en rouge les bandes relatives à Sophie et en bleu les bandes relatives à Michel.

c) Durant quelle année de vie la croissance est-elle la plus rapide ?

d) L'adolescence correspond à la dernière poussée de croissance de la vie. À quel âge a commencé l'adolescence chez Sophie et Michel ?

e) En supposant que Sophie atteigne au maximum 156 cm et que Michel atteigne au maximum 174 cm, quel pourcentage de leur croissance respective est réalisé à l'âge de 13 ans ?

f) Que penses-tu de la croissance chez l'adulte ?

2. DÉMONTRER QUE LA CROISSANCE EST LE RÉSULTAT DE LA DIVISION CELLULAIRE.

Matériel : 1 microscope ; préparations microscopiques colorées de racine d'oignon (coupe longitudinale) et de paramécies en division.

— Observe au faible grossissement du microscope la préparation de racine d'oignon ;
— Repère la région où les cellules sont petites, avec un noyau très coloré (artificiellement) ;
— Repère la région où les cellules sont les plus grandes.

a) Trace un schéma du contour de la coupe dans son ensemble. Indique sur ton schéma où se trouvent respectivement une zone de prolifération cellulaire et une zone d'hypertrophie cellulaire.

Graphique 5-1.
La croissance annuelle de la taille chez une fille et un garçon.

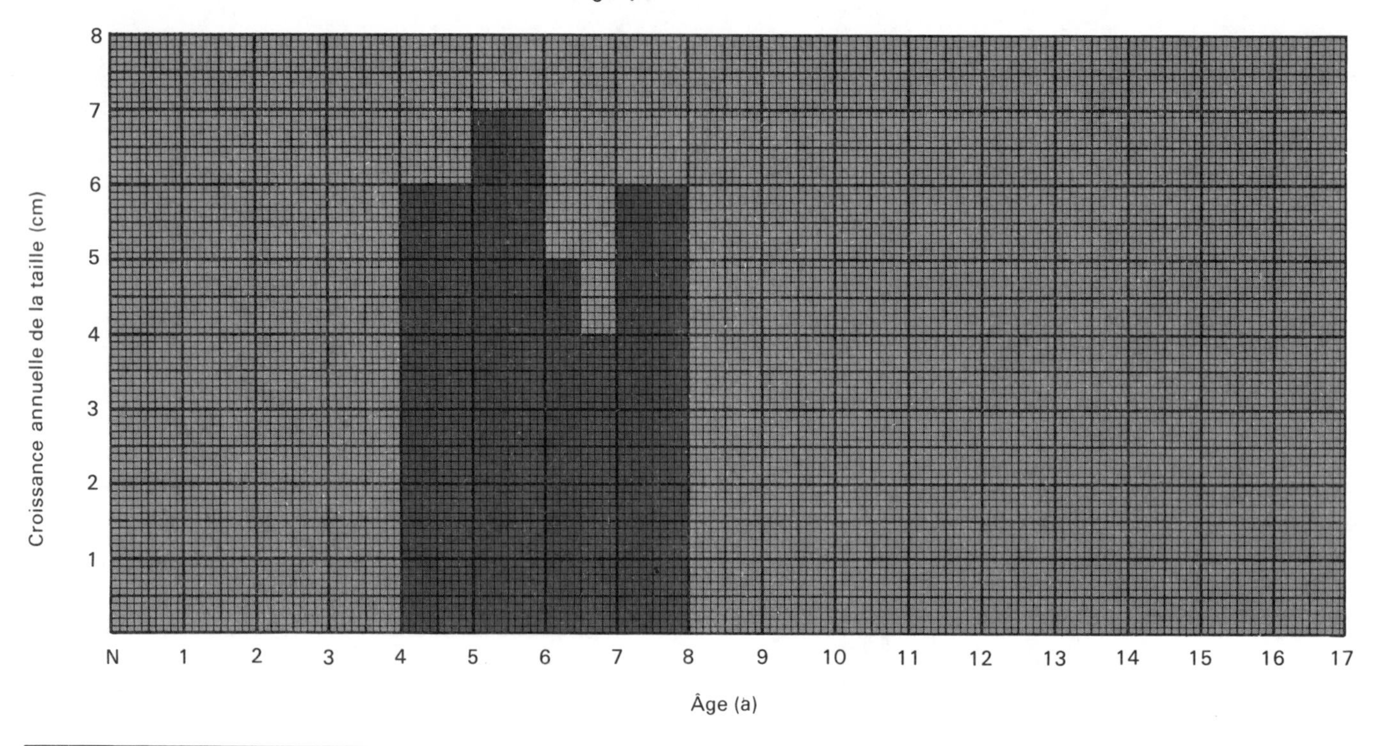

b) Explique ce qui te permet de distinguer ces deux zones.

c) Nomme les deux sortes de phénomènes cellulaires qui assurent la croissance de l'organisme humain.
   — À l'aide du microscope, cherche dans ta seconde préparation une paramécie en division ; on rappelle que la paramécie est un animal unicellulaire.

d) Dessine une paramécie en division. Donne un titre à ton schéma et annote-le avec les termes suivants : cytoplasme, membrane cytoplasmique, étranglement médian.

e) Combien de paramécies pourraient être engendrées par une seule d'entre elles en 20 divisions successives ?

3. NOMMER TROIS FACTEURS QUI AIDENT À LA CROISSANCE.

A. *Identifier les structures responsables du contrôle intracellulaire de la croissance.*

Nomme les filaments colorables qui se reproduisent à chaque division cellulaire. Combien chacune de nos cellules en détient-elle ? Quelle est leur fonction dans la cellule ?

B. *Décrire les caractéristiques de deux glandes nécessaires à la croissance.*

a) Reproduis et complète le tableau suivant .

Tableau 5-3.
Les caractéristiques de deux glandes nécessaires à la croissance.

Localisations	Noms des glandes	Hormones principales
Base du cou	•	•
Au-dessous du cerveau	•	•

L'hypophyse produit une hormone qui stimule la thyroïde.

b) Nomme le moyen de transport qui conduit cette substance de l'organe émetteur à l'organe récepteur.

L'Université de Montréal conserve la dépouille d'un homme au physique exceptionnel, nommé Édouard Beaupré. Une radiographie du crâne de cet homme montre un certain agrandissement du logement osseux d'une petite glande située au-dessous du cerveau, ce qui indique certainement l'hypertrophie de la glande elle-même.

c) De quelle glande s'agit-il ?

d) En quoi Édouard Beaupré était-il un être exceptionnel ? Justifie ta réponse en t'appuyant sur l'information donnée plus haut.

C. *Préciser le rôle de l'alimentation dans la croissance.*

a) Nomme deux vitamines liposolubles nécessaires à une croissance normale.
La zéine est une protéine extraite du maïs. Le graphique suivant montre l'évolution de la masse de jeunes rats dont l'alimentation, complète par ailleurs, ne contenait comme protides que les substances indiquées. La lysine et le tryptophane sont des acides aminés.

Graphique 5-2.

L'influence des acides aminés sur la croissance de jeunes rats.

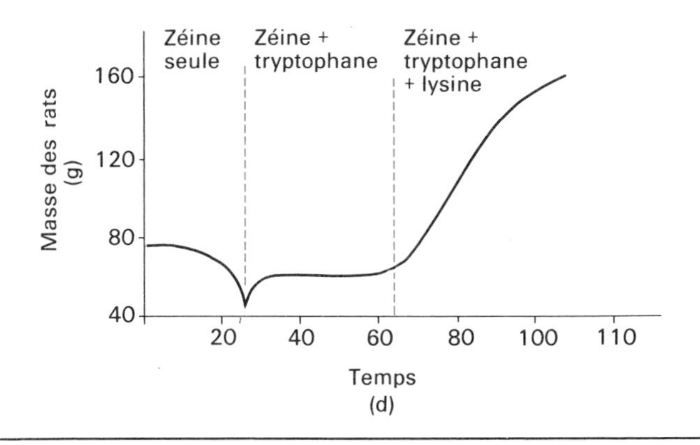

b) Quel est l'effet du régime ne contenant que de la zéine sur la croissance des rats ?

c) Quel est l'effet de l'addition du tryptophane au régime ?

d) Nomme deux acides aminés essentiels pour le rat.

e) Quel est le défaut de la zéine en tant que protéine alimentaire ?

f) Pourquoi une alimentation variée réduit-elle le risque de manquer d'un ou de plusieurs acides aminés essentiels ?

4. ÉNUMÉRER LES SITUATIONS QUI ENTRAÎNENT DES RÉPARATIONS DE L'ORGANISME.

La durée de vie de nos 25 000 milliards de globules rouges est d'environ 120 jours. Ces globules sont détruits dans la rate et le foie, mais renouvelés par la moelle osseuse.

a) Évalue le nombre de globules rouges qui sont détruits et renouvelés à chaque seconde, dans ton corps.

b) Nomme deux organes dont les cellules se renouvellent à un rythme accéléré.

c) Nomme quatre accidents qui entraînent des proliférations cellulaires réparatrices.

5. À L'AIDE D'UN MANUEL DE PREMIERS SOINS, TROUVER, POUR QUELQUES SITUATIONS ACCIDENTELLES, LES INTERVENTIONS NÉCESSAIRES POUR :

- FAVORISER LES PROCESSUS NATURELS DE RÉPARATION ;
- ÉVITER L'INFECTION.

N.B. : Toutes les activités qui suivent demandent des recherches dans un manuel de premiers soins.

A. *Rechercher ce qu'il faut faire en cas d'hémorragie.*

a) Décris la façon de soigner un saignement de nez.

b) Décris les caractéristiques respectives des hémorragies capillaire, veineuse et artérielle, ainsi que les moyens de les faire cesser.

— Avec l'index et le majeur, palpe le pouls au poignet d'un(e) de tes camarades ;

— Avec l'autre main, comprime fermement un point de son bras où tu sens battre une artère, de telle sorte que le pouls ne soit plus perceptible au poignet ; tu as alors interrompu l'écoulement du sang dans la principale artère du membre supérieur.

c) Reproduis la silhouette ci-dessous. Marque C_1, C_2, C_3 et C_4 les points des artères qu'il faudrait comprimer pour interrompre les hémorragies artérielles survenant respectivement en H_1, H_2, H_3 et H_4.

Figure 5-6.

Les principaux points de compression des artères.

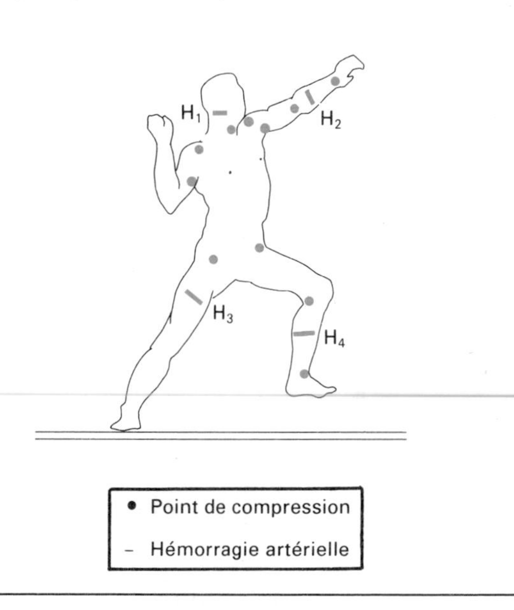

d) Actuellement, avec quoi pourrais-tu improviser un pansement compressif ? un garrot ?

e) Pendant combien de temps, au maximum, un garrot peut-il rester serré ?

f) Quelle est la différence fondamentale entre un pansement compressif et un garrot ?

B. *Rechercher les moyens d'éviter l'infection des plaies.*

a) Cherche dans le dictionnaire la définition d'une plaie.

b) Quel genre d'organismes vivants sont responsables de l'infection des plaies ? Pourquoi s'installent-ils si facilement dans les plaies ?

c) Quel est l'intérêt de faire saigner une plaie bénigne ?

d) Cherche le sens du mot « stérile » dans l'expression « pansement stérile ».

e) Pourquoi les pansements doivent-ils être stériles ?

f) Quel verbe désigne l'action de stériliser plus ou moins une plaie et son pourtour ?

g) Après une enquête dans une pharmacie, nomme des produits désinfectants à usage externe qu'on peut trouver dans le commerce (les marques sont acceptées). Classe-les en deux catégories : les antiseptiques et les antibiotiques.

h) En quoi le mode d'action d'un antiseptique diffère-t-il de celui d'un antibiotique ? (aide-toi des définitions du dictionnaire).

En cas de piqûre ou de coupure profondes, surtout si la plaie est souillée de terre ou si elle a été causée par un fer rouillé, il faut craindre une redoutable infection : le tétanos. Outre la désinfection, le meilleur moyen de prévenir cette maladie consiste à respecter le calendrier de vaccination antitétanique.

Par ailleurs, au moindre doute sur la gravité d'une blessure, il est essentiel de consulter un médecin.

C. *Rechercher ce qu'il faut faire en cas de brûlure.*

a) Quel est le premier avantage d'une brûlure par rapport à une plaie, au moment où elle vient de se produire ? Quelle doit être la propriété fondamentale de tout ce qu'on peut appliquer sur une brûlure ?

b) Comment doit-on soigner les brûlures ?

D. *Comparer les accidents du squelette à ceux qui viennent d'être étudiés.*

N.B. : Les accidents du squelette et les premiers soins qui s'y appliquent seront étudiés en détail à la section B du chapitre 8.

a) Explique pourquoi une fracture sans plaie ne s'infecte pas.

b) Recherche la définition de l'expression « réduire une fracture ».

c) Quelle opération indispensable doit suivre la réduction d'une fracture pour que celle-ci puisse se réparer ?

VA PLUS LOIN

Où suivre un cours de secourisme ?

Recherche une adresse où tu pourrais suivre un cours de secourisme. Présente ton rapport en deux points :

— Les conditions du cours (adresse, prix, date, etc.) ;

— Le programme du cours.

B
SECTION

L'utilisation des glucides et des lipides

Quand et comment dépense-t-on de l'énergie ?

a) Décris une situation où tu dépenses beaucoup d'énergie.
b) Quels sont les symptômes d'une grande dépense d'énergie ?
c) Décris une situation où tu dépenses un minimum d'énergie.
d) Quels sont les symptômes d'une faible dépense d'énergie ?
e) Ta dépense énergétique est-elle nulle quand tu dors ? Justifie ta réponse.
f) Quelles sont les deux principales familles d'aliments simples énergétiques ?
g) Certains randonneurs (randonneuses) à ski passent les nuits les plus froides de l'hiver à la belle étoile. Pourquoi prennent-ils (elles) soin de bien manger le soir, avant de se glisser dans leur sac de couchage ? Que mangent-ils (elles) d'après toi ?

Une partie de l'énergie alimentaire peut être convertie en activité physique.

La respiration de la cellule fournit toute l'énergie nécessaire à ses activités. Cependant, la quantité d'énergie prête à travailler qui est disponible dans tes cellules est si faible qu'elle permet tout au plus d'assurer tes fonctions vitales pendant une minute. Il est donc essentiel que ta respiration cellulaire, fonction productrice d'énergie utile, ne s'interrompe jamais.

Le bilan énergétique de ton organisme peut se résumer par une équation simple :

Énergie reçue = énergie dépensée + énergie investie dans l'accroissement de la masse de l'organisme

Pour un organisme dont la masse ne varie pas cette équation devient :

Énergie reçue = énergie dépensée

Tôt ou tard, il faut restituer à l'environnement toute l'énergie et toute la matière qu'il nous confie. Ce que le corps conserve à la fin de sa vie est rendu à la biosphère par les organismes décomposeurs... La nature est généreuse, mais c'est une comptable tatillonne.

1. La nécessité des combustibles

Ta respiration cellulaire exige à tout instant des combustibles et de l'oxygène. Peut-elle cesser à cause d'un manque de combustibles ? C'est peu probable, car ton corps en détient des réserves, principalement sous forme de graisse. Si jamais ces réserves s'épuisaient, tes cellules tenteraient coûte que coûte d'entretenir leur « feu interne » en « brûlant les meubles » : elles sacrifieraient leurs molécules les plus précieuses, comme celles de protéines, par exemple. Dans ces conditions, une famine prolongée entraînerait nécessairement une détérioration de l'organisme et finalement la mort.

Les combustibles habituels de tes cellules sont les glucides, les lipides et, dans une moindre mesure, les protides.

- Sous quelle forme les protéines cellulaires sont-elles utilisables comme combustibles ?
- Comment une surconsommation de protides comme carburants cellulaires se reflète-t-elle dans la composition de l'urine ?

2. La nécessité de l'oxygène

Si un manque d'aliments n'interrompt pas à court terme la respiration cellulaire, un manque d'oxygène, par contre, l'arrête rapidement. Tes tissus ne détiennent aucune réserve d'oxygène respiratoire. Quant à la réserve d'oxygène des globules rouges, il suffit de quelques minutes pour l'épuiser.

Notons que la plupart de tes cellules peuvent à la rigueur dégrader leurs combustibles sans utiliser d'oxygène. Ce processus, qui se nomme fermentation, se produit même souvent dans tes muscles. Dans un tel cas, cependant, le rendement de l'opération est très mauvais : la quantité d'énergie libérée est faible, tandis que la quantité de déchets produits est considérable. Ainsi, la fermentation s'arrête rapidement par intoxication des cellules.

Il existe une relation rigoureuse entre l'absorption d'oxygène et la production d'énergie ; il suffit de mesurer l'une pour connaître l'autre.

- Connais-tu des aliments courants qui résultent d'une fermentation ? Quels organismes en sont responsables ?

3. La mesure de la dépense énergétique

La dépense énergétique de l'organisme se mesure par deux procédés : la calorimétrie directe et la calorimétrie indirecte.

La calorimétrie directe. La calorimétrie directe consiste à récupérer et à compter tous les kilojoules qui s'échappent de l'organisme. C'est ce qui est réalisé avec une remarquable précision dans les chambres calorimétriques.

Il y a quatre façons pour l'organisme de dépenser de l'énergie : la perte directe de chaleur, le travail musculaire, les déchets organiques (matières fécales et urée) et la transpiration (vaporiser de l'eau nécessite de la chaleur). La chambre calorimétrique ne néglige aucune de ces pertes.

Figure 5-7
Le principe d'une chambre calorimétrique.

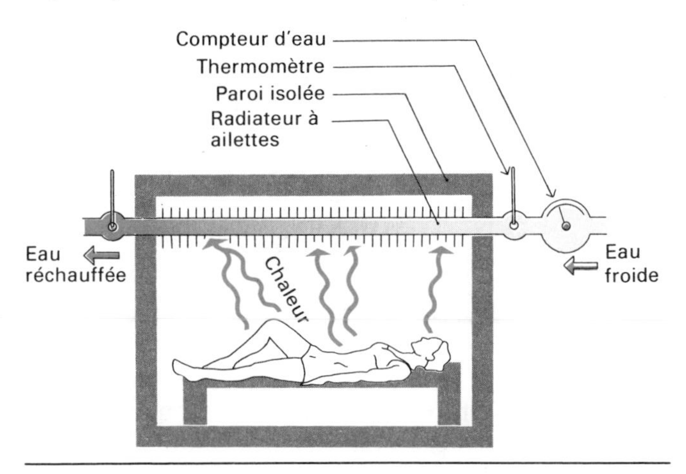

Comment fonctionne une chambre calorimétrique

La chaleur perdue par l'organisme se communique à l'eau froide d'un radiateur. Il s'agit, en somme, d'un système de chauffage à l'envers. L'énergie mécanique dépensée par l'activité physique échauffe l'air. En l'absence de dispositif de mesure, elle se confond avec la chaleur perdue directement. Connaissant le débit de l'eau dans le radiateur et la valeur de son échauffement, on peut facilement calculer la quantité de chaleur que l'eau a absorbée.

Les déchets organiques sont recueillis pour analyse ultérieure. Quant à l'eau de la transpiration, elle est récupérée par le système de recyclage de l'air, puis pesée. Sachant que chaque kilogramme d'eau vaporisée à la température du corps absorbe 2 425 kJ, il est facile de calculer la quantité d'énergie liée à la transpiration.

La calorimétrie indirecte. Les expériences faites en chambre calorimétrique montrent que la dépense énergétique de l'organisme est proportionnelle à sa consommation d'oxygène. En fait, on calcule qu'une personne s'alimentant normalement produit en moyenne 20 kJ pour chaque litre d'oxygène qu'elle consomme. On dit que le *coefficient énergétique* moyen de l'oxygène est de 20 kJ/L.

Il suffit donc d'appliquer un inhalateur d'oxygène muni d'un compteur sur le visage d'un sujet pour mesurer sa dépense énergétique. Par exemple, si le compteur indique que la personne a consommé 10 L d'oxygène, on trouve la quantité d'énergie qu'elle a produite pendant ce temps en faisant l'opération suivante :

$$20 \text{ kJ} \times 10 = 200 \text{ kJ}$$

Comment calculer le coefficient thermique de l'oxygène ?

Pour comprendre la relation qui existe entre la consommation d'oxygène et la production d'énergie, il suffit de se référer à l'équation fondamentale de la respiration en indiquant les quantités mises en jeu (tu sauras toi-même les calculer lorsque tu auras suivi un cours élémentaire de chimie) :

Glucose	+	**oxygène**	→	**dioxyde de carbone**	+	**eau**	+	**énergie**
180 g		134 L		134 L		108 g		3 100 kJ

La dégradation de 180 g de glucose dans tes cellules libère donc 3 100 kJ et nécessite 134 L d'oxygène. Si tu ne brûlais que du glucose, chaque litre d'oxygène consommé te permettrait de libérer $\frac{3\,100 \text{ kJ}}{134} = 23 \text{ kJ}$.

En pratique, parce que ton alimentation comprend un mélange de lipides, de glucides et de protides, on doit rectifier ce chiffre. Ainsi, on calcule que chaque litre d'oxygène consommé te permet de libérer en moyenne 20 kJ seulement.

- Pourquoi la calorimétrie indirecte est-elle plus utilisée que la calorimétrie directe ?

4. La notion de dépense énergétique de base

Les expériences montrent que la dépense énergétique de l'organisme ne peut pas descendre au-dessous d'un certain plancher. Ainsi, au repos complet, à jeun, et à une température idéale (qui n'entraîne ni lutte contre le froid, ni lutte contre la chaleur), un organisme de 70 kg dépense encore 6 300 kJ par jour. On appelle dépense énergétique de base cette production d'énergie minimale assurant tout juste la survie.

La dépense de base est attribuable en partie aux activités musculaires permanentes (des muscles respiratoires et du cœur). Toute activité musculaire produit environ trois fois plus de chaleur que de travail mécanique. Comme un moteur d'automobile, un muscle est aussi un système de chauffage. Tu expérimentes cette propriété des muscles chaque fois que tu fais du sport, par exemple. L'organisme évacue sa chaleur en la communiquant directement à son environnement, mais aussi en l'utilisant pour vaporiser son eau (transpiration). Quant au travail strictement mécanique du cœur, il met le sang en mouvement, ce qui engendre des frottements contre la paroi des vaisseaux sanguins, donc de la chaleur. C'est ainsi que l'énergie mécanique du cœur se transforme en chaleur.

- En pratique, est-ce qu'il t'arrive d'atteindre la dépense énergétique de base ? Pourquoi ? À quel moment en serais-tu le plus proche ?

5. La dépense énergétique liée aux activités

Dans la vie courante, la dépense énergétique quotidienne est supérieure à la dépense de base. À elles seules, les activités musculaires et glandulaires de la digestion suffisent à élever la dépense énergétique au-dessus de son plancher. Aussi, la personne la moins active physiquement doit tout de même investir de l'énergie dans ses déplacements. La dépense énergétique quotidienne correspondant à un métier de bureau se situe entre 9 600 et 10 500 kJ ; elle varie de 10 500 à 12 600 kJ pour un métier manuel assis, et de 12 600 à 16 800 kJ pour un métier manuel debout. Enfin, les travailleurs de force (mineurs, débardeurs, bûcherons, etc.) dépensent entre 16 800 et 21 000 kJ par jour. La dépense maximale peut atteindre exceptionnellement 33 000 kJ par jour (compétition de ski de fond, par exemple).

L'évacuation bien contrôlée de la chaleur engendrée par l'activité musculaire est une nécessité. Tu es *homéotherme*, ce qui signifie que tu maintiens ta température relativement constante, indépendamment du milieu extérieur. Tu étudieras plus loin les mécanismes qui assurent ta « climatisation » en te réchauffant ou en te refroidissant, selon les circonstances.

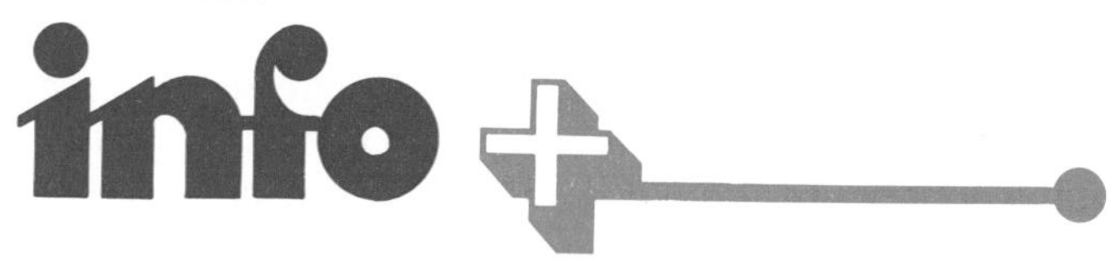

L'importance de l'homéothermie

L'homéothermie est un perfectionnement physiologique remarquable, réalisé seulement chez les vertébrés supérieurs (mammifères et oiseaux). Elle permet aux réactions chimiques vitales de se dérouler dans les meilleures conditions, quel que soit le milieu de vie. Grâce à l'homéothermie, les humains ont pu occuper la plus grande partie des terres émergées, sans se laisser arrêter par la variété des climats.

L'homéothermie témoigne du progrès biologique accompli par la vertigineuse lignée de nos ancêtres, depuis l'aube de la vie, voici plus de deux milliards d'années.

- À travail égal, pourquoi la dépense énergétique moyenne des hommes est-elle supérieure à celle des femmes ?
- Ta dépense énergétique quotidienne est-elle constante ? Pourquoi ?
- Dans quelles circonstances ta production de chaleur augmente-t-elle sans qu'il soit question d'exercice physique ni de lutte contre le froid ?

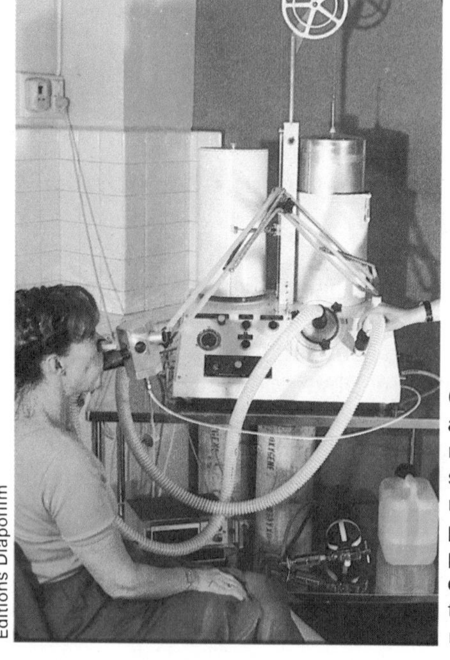

Éditions Diapofilm

On se sert ici d'un appareil nommé spirographe pour mesurer les échanges respiratoires d'une personne. Sera-t-il possible ensuite d'en déduire sa production d'énergie ? Comment ?

à toi de jouer

1. TRACER UN TABLEAU COMPARATIF DES BESOINS ÉNERGÉTIQUES DANS :
- LE MAINTIEN DE LA TEMPÉRATURE ;
- LA PRODUCTION DE TRAVAIL.

A. *Tracer un tableau comparatif des besoins énergétiques dans le maintien de la température.*

Matériel : papier millimétrique.

Les données du tableau ci-dessous s'appliquent à un sujet adulte, assis et vêtu légèrement.

Tableau 5-4.

Les relations entre la température ambiante, la dépense énergétique et la température corporelle.

Températures ambiantes (° C)	Dépenses énergétiques (kJ/heure)	Températures buccales (° C)
5	1 250	35,5
10	800	35,7
15	540	36,0
20	380	36,2
25	300	36,5
30	320	36,7
35	450	37,0
40	680	37,2

a) D'après ces données, trace la courbe de production de chaleur de l'organisme ainsi que la courbe de température buccale, en fonction de la température ambiante.

Utilise du papier millimétrique et présente ton graphique selon le modèle suivant. Respecte strictement ces normes :

— Verticalement, à gauche (chaleur produite) : 1 cm = 200 kJ ;

— Verticalement, à droite (température buccale) : 1 cm = 1° C ;

— Horizontalement (température ambiante) : 1 cm = 5° C.

Graphique 5-3.

Les variations de la dépense énergétique et de la température corporelle en fonction de la température ambiante.

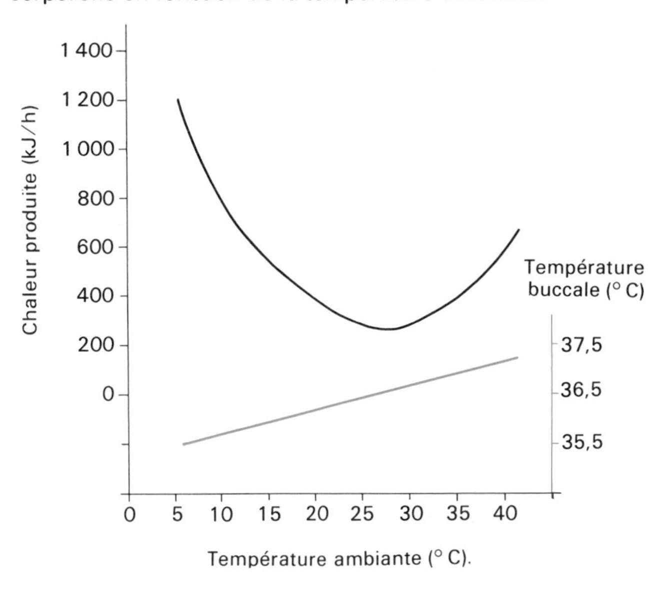

b) À quelle température ambiante la dépense énergétique est-elle la plus faible dans les conditions de l'expérience ?

On nomme neutralité thermique cette température. Au-dessous de la neutralité thermique, l'organisme lutte contre le refroidissement en activant ses combustions cellulaires et, si nécessaire, en augmentant son activité musculaire involontaire. C'est ainsi que tu frissonnes, que tu as la chair de poule ou que tu grelottes à l'occasion. Tu peux décider volontairement d'activer ta musculature en sautillant ou en te battant les flancs.

c) Explique pourquoi le fait d'activer ses muscles est un bon moyen de se réchauffer.

Si tu es moins énergique, tu peux être tenté(e) de t'accroupir au lieu de t'agiter.

d) Explique comment cette position peut t'aider à conserver ta chaleur.

e) Explique comment le fait d'être corpulent(e) est avantageux dans la lutte contre le refroidissement.

f) Explique comment le fait d'être gras(se) est avantageux dans la lutte contre le refroidissement.

Le sang est un fluide qui ramène à la surface du corps la chaleur produite par les organes les plus actifs comme le foie et les muscles. En cas de nécessité, l'organisme tente de sauver l'essentiel en sacrifiant le superflu, où, justement, s'effectue la perte de chaleur. Ainsi, par temps froid, les artérioles de la peau se resserrent, diminuant de calibre (vaso-constriction). Dans les cas extrêmes, le débit du sang peut ainsi être réduit de 99 % dans la peau.

g) Quel risque découle d'un retrait du sang des pieds, des mains, du nez ou des oreilles quand ceux-ci sont exposés au froid ?

h) Que penses-tu de la variation de la température buccale par rapport à la température ambiante (consulte ton graphique) ?

La capacité de l'organisme à produire assez de chaleur pour garder une température élevée a tout de même des limites. La mort survient lorsque la température corporelle chute à 25° C.

Au-dessus de la neutralité thermique, l'organisme lutte contre l'échauffement, car il a du mal à évacuer la chaleur qu'il produit par son métabolisme. Contrairement à ce qu'on pourrait croire, il augmente alors sa production d'énergie car il pompe son eau vers la surface de la peau. Cette action est toutefois rentable car elle déclenche un processus de réfrigération par évaporation de la sueur. Rappelons que la vaporisation de 1 L d'eau absorbe 2 425 kJ.

— Lèche-toi le dos de la main ; tu constates une sensation de froid ; l'évaporation de la salive s'est faite grâce à la chaleur empruntée à la peau.

Tableau 5-5.

Les relations entre la température ambiante, l'activité et la production de sueur.

Températures ambiantes (° C)	Quantités de sueur produites selon le degré d'activité (L/h)		
	Repos	Activité modérée	Travail de force
25	0,05	0,22	0,32
30	0,07	0,34	0,66
35	0,16	0,62	0,92
40	0,40	0,92	1,05
43	0,64	1,00	1,10

i) D'après les données du tableau ci-dessus, trace les courbes de production de sueur en fonction de la température ambiante, pour chacun des trois degrés d'activité physique.

Utilise du papier millimétrique et présente ton graphique comme le modèle ci-dessous.

Respecte strictement l'échelle suivante :

— Verticalement (production de sueur) : 1 cm = 0,2 L/h ;

— Horizontalement (température ambiante) : 1 cm = 5° C.

Graphique 5-4.

La variation de la production de sueur en fonction de la température ambiante.

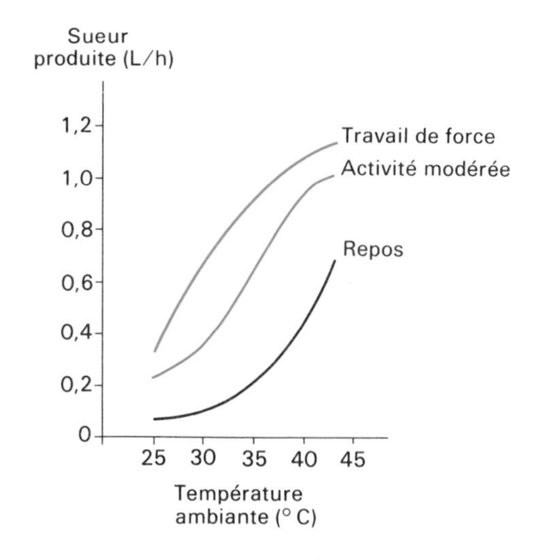

j) Comment varie la production de sueur quand la température ambiante augmente ?

k) À une température donnée, quel autre facteur fait varier la production de sueur ?

l) Pourquoi la peau vire-t-elle au rose lorsque nous avons chaud ?

m) À quel danger s'exposerait un organisme qui suerait abondamment, et de façon prolongée, tout en étant privé de boisson ?

Lorsque le corps ne peut plus évacuer au fur et à mesure les kilojoules qu'il produit, il s'échauffe. Quand la température corporelle s'élève au-delà de 42° C, de graves désordres nerveux se déclenchent, qui aboutissent au coma et à la mort. Tous les mécanismes de lutte contre le froid ou contre l'excès de chaleur sont mis en œuvre automatiquement lorsque les circonstances l'exigent. Ils sont destinés à maintenir la température corporelle autour de 37° C. Le thermostat qui les commande est situé dans le cerveau.

B. *Tracer un tableau comparatif des besoins énergétiques dans la production de travail.*

Matériel : papier millimétrique.

a) D'après les données du texte notionel, trace un histogramme qui donne la production d'énergie en fonction du type d'activité. Utilise du papier millimétrique et présente ton graphique comme le modèle ci-dessous. Respecte strictement l'échelle verticale suivante (dépense énergétique quotidienne) : 1 cm = 2 500 kJ. Les rectangles verticaux doivent avoir 1 cm de largeur.

Graphique 5-5.

La variation de la dépense énergétique quotidienne en fonction du type d'activité.

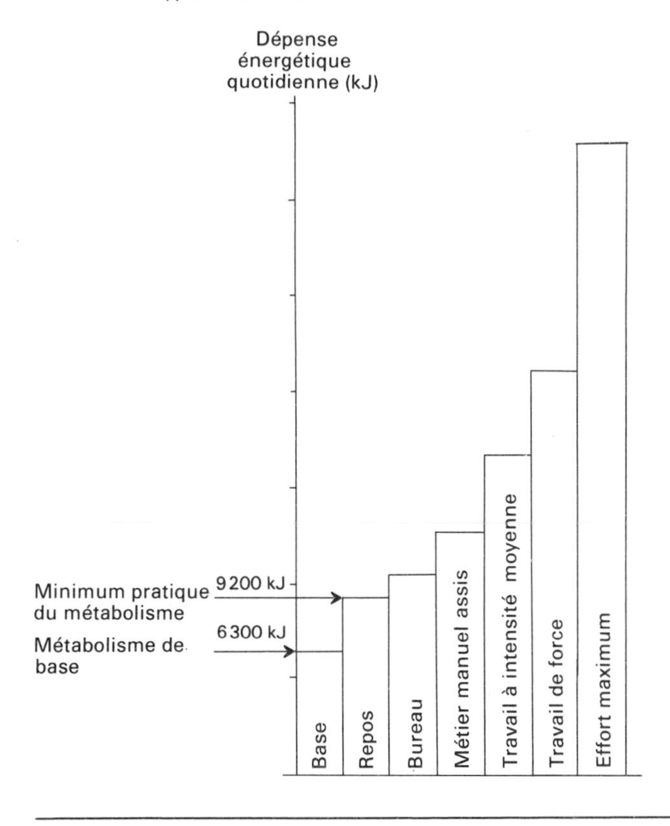

b) En te servant du coefficient thermique de l'oxygène et des données de ton graphique, détermine la consommation horaire d'oxygène d'une personne au repos. Effectue ensuite le même calcul pour un travailleur ou une travailleuse de force qui dépense 20 000 kJ par jour.

c) Pourquoi recommande-t-on à l'équipage d'un sous-marin en détresse d'éviter de se déplacer inutilement ?

2. À L'AIDE D'UN THERMOMÈTRE, MESURER LA TEMPÉRATURE CORPORELLE.

Matériel : 1 petit thermomètre médical ; alcool à 95 % ; ouate stérile.

— Avec un coton imbibé d'alcool, nettoie l'embout du thermomètre ;
— Secoue le thermomètre pour faire baisser la colonne de mercure ;
— Place l'embout du thermomètre dans ta bouche, sous la langue, et respire par le nez.

a) Au bout de trois minutes, lis et note la température, ainsi que l'heure.
— Nettoie à nouveau l'embout à l'alcool.

b) Note la température moyenne des élèves de la classe.

3. CALCULER LA DÉPENSE ÉNERGÉTIQUE D'UN(E) ADOLESCENT(E), SELON DIFFÉRENTS TYPES D'ACTIVITÉS.

On estime que la dépense énergétique d'un(e) adolescent(e) qui n'effectue aucun effort musculaire est de l'ordre de 7000 kJ par jour. La dépense liée à l'activité physique s'ajoute à la précédente ; le tableau 5-7 va te permettre de la calculer.

a) Évalue la dépense énergétique totale de l'adolescent(e) pour chacune des trois journées types. N'oublie pas de tenir compte de la dépense de base. Présente ta réponse comme ci-dessous.

Tableau 5-6.

La dépense énergétique quotidienne d'un(e) adolescent(e).

Journées types	Dépenses énergétiques totales (kJ/d)
École	•
Vacances d'hiver	•
Vacances d'été	•

4. CALCULER LA VALEUR ÉNERGÉTIQUE DES ALIMENTS CONSOMMÉS PAR CET(TE) ADOLESCENT(E) EN UNE JOURNÉE.

Le tableau 5-8 donne la composition en aliments simples énergétiques de trois menus quotidiens (A, B, C).

a) Reproduis et complète le tableau 5-8.

Chacun de ces menus correspond assez exactement à la dépense énergétique d'une des trois journées types de l'objectif 3.

b) Détermine quel menu convient à chaque journée type. Présente ta réponse comme dans le tableau 5-9.

Tableau 5-7.

Les activités physiques d'un(e) adolescent(e) durant trois journées types.

Activités physiques	Dépenses énergétiques (kJ/h)	Nombre d'heures d'activité par journée type		
		Jour d'école	Vacances d'hiver	Vacances d'été
Nager	2 300			1
Jouer au hockey	2 100		1	
Courir	2 090	1		1
Faire du ski de fond	2 080		2	
Scier du bois	1 670		$\frac{1}{2}$	$\frac{1}{2}$
Marcher rapidement	1 410	1		1
Faire de la bicyclette	1 380			2
Marcher lentement	590	1	1	1
Balayer	410			
Conduire une auto	250			
Rester debout	170	2	1	1
Écrire	130	5		
Manger	120	1	1	1

Tableau 5-8.

La composition de trois menus quotidiens.

	Composition des menus (g)			Valeur énergétique des menus (kJ)
	Protides	Lipides	Glucides	
Menu A	50	142	568	•
Menu B	50	114	456	•
Menu C	50	165	660	•

Tableau 5-9.

Les menus appropriés à la dépense énergétique d'un(e) adolescent(e).

Journées types	Menus (A, B ou C)
École	
Vacances d'hiver	
Vacances d'été	

VA PLUS LOIN

Quelle distance peut-on parcourir en marchant avec l'énergie contenue dans une banane ?

a) Recherche la valeur énergétique d'une banane.

b) En supposant que tu dépenses environ 600 kJ pour parcourir 3,5 km en marchant sur terrain plat, calcule la distance que tu pourrais parcourir à pied avec l'énergie contenue dans une banane.

c) Évalue le nombre de pas qu'il te faut pour parcourir 10 m. Explique ta méthode d'évaluation.

d) Calcule le nombre de pas que tu pourrais faire sur terrain plat avec l'énergie contenue dans une banane.

e) Mange une banane puis marche sur terrain plat jusqu'à ce que tu aies dépensé toute l'énergie qu'elle t'a apportée. Fais l'expérience dans un lieu connu de tous et toutes et décris ton itinéraire avec autant de précision que possible.

Michel Dussault

Ministère des Communications du Québec

Ministère des Communications du Québec

Peux-tu classer ces trois personnes d'après la quantité de nourriture dont elles ont besoin ?

SECTION

L'équilibre aliments-activités

Pourquoi et comment avoir un régime de vie équilibré ?

a) Est-il possible qu'un régime alimentaire soit bon pour une personne et mauvais pour une autre ? Donne un exemple.

b) Donne des inconvénients d'un régime alimentaire qui n'est pas adapté au régime d'activités.

c) Donne des avantages d'un régime alimentaire bien adapté au régime d'activités.

d) Dans notre société, quel genre de déséquilibre est le plus fréquent entre le régime alimentaire et le régime d'activités ?

e) Donne des suggestions pratiques pour réduire l'apport énergétique de nos menus quotidiens.

f) Donne des suggestions pratiques pour augmenter l'activité physique.

g) Qu'est-ce qui a changé depuis un demi-siècle dans le mode de vie des Québécois(es) ? Donne des exemples.

h) Ces changements ont-ils favorisé la bonne condition physique ? Explique.

i) Recherche dans le dictionnaire les définitions des termes suivants : ulcère, diabète, arthrite, varice, calcul biliaire, anorexie.

j) Trouve un slogan qui résume ce qu'est un régime de vie équilibré, et un autre qui incite à rechercher un tel régime de vie.

La santé, c'est aussi l'équilibre aliments-activités.

«Au cours du siècle dernier, les pays industrialisés ont radicalement modifié leur environnement. Des moyens techniques de toutes sortes ont remplacé progressivement le travail musculaire. Mais, si dans la plupart des cas les changements ont constitué une amélioration, dans d'autres ils ont créé des problèmes majeurs.

«L'un de ces problèmes est que l'individu, conçu pour un travail physique intense à l'Âge de pierre, doit maintenant s'adapter à un monde dominé par les innovations techniques. L'homme moderne doit réaliser qu'une activité physique régulière est nécessaire à un fonctionnement correct. Comparativement aux générations précédentes, nous avons beaucoup de temps libre... Nous devons en consacrer une partie à des loisirs actifs.

«Sinon, nous nous exposons à nombre de dangers: réduction de la capacité de certaines fonctions vitales de notre organisme, obésité, malnutrition, risque accru de contracter certaines maladies, résistance réduite et fatigue générale. Mais l'Homme s'en trouve bien; de nature, c'est un animal plutôt paresseux, un joueur qui prend de grands risques dans l'espoir qu'il fera exception à la règle et que tout tournera finalement à son avantage.

«C'est pourquoi la dénonciation des dangers du tabac, de l'alcool, des stupéfiants et de l'inactivité physique est rarement efficace. Les gens prennent bien mieux soin de leur voiture ou de leurs animaux familiers que d'eux-mêmes. Pourtant, une bonne condition physique est indispensable pour vaquer à ses activités quotidiennes et donner un sens à ses loisirs.

«Les gens se demandent souvent: "Dois-je subir un examen médical avant de m'entraîner?" On devrait répondre que tous ceux qui ne sont pas sûrs de leur bonne santé devraient consulter leur médecin. Mais en règle générale, une activité modérée est moins dangereuse pour la santé que l'inactivité. On pourrait donc dire qu'un examen médical est plus important pour ceux qui ont l'intention de rester inactifs que pour ceux qui ont l'intention de se mettre en forme[2].»

Cette invitation pressante à l'activité physique nous concerne à peu près tous et toutes. Les études démontrent que moins de 15% de la population canadienne est en bonne forme physique. Cette situation est évidente pour les plus de 40 ans, mais, selon les experts, on peut déjà en voir les premiers signes chez les jeunes enfants.

Tu as beaucoup à gagner en te préoccupant d'améliorer ta condition physique. C'est de ta qualité de vie qu'il va être question ici.

1. Qu'est-ce qu'un régime alimentaire équilibré?

Le régime alimentaire, c'est la façon habituelle de s'alimenter. Il est équilibré lorsqu'il satisfait tous les besoins de l'organisme en matériaux de construction et d'entretien (acides aminés essentiels d'abord), en aliments régulateurs (surtout vitamines, minéraux et cellulose), ainsi qu'en énergie, proportionnellement à l'activité physique.

Une insuffisance dans un de ces trois domaines peut avoir des conséquences graves que nous avons déjà signalées. À ton âge, elle se traduit par un ralentissement de la croissance; et comme il y a un temps pour la croissance de chaque organe, il est fort possible qu'un retard ne puisse jamais être rattrapé.

2. Canada, Ministère de la Santé et du Bien-être social, *Santé et condition physique*, Ottawa, 1978, p. 5 et 6.

Un surplus alimentaire peut être tout aussi nuisible. Les études montrent que les protides sont souvent trop abondants dans notre alimentation. Cette situation oblige l'organisme à utiliser comme carburants de précieux acides aminés, ce qui constitue un gaspillage pur et simple. Par ailleurs, elle entraîne une fatigue du foie et des reins, qui travaillent au traitement et à l'élimination des déchets du métabolisme des protides.

On observe parfois des excès de vitamines, mais rarement au point de devenir dangereux. Retenons simplement que la consommation systématique de vitamines sous forme de médicaments est généralement inutile.

Quant aux minéraux, ils ne posent guère de problèmes pratiques de surconsommation. Notons pourtant que les quantités de fer souhaitables — chez les femmes notamment — sont remises en question et tendent à être diminuées.

Ce sont les surplus de kilojoules qui posent les problèmes les plus fréquents, car ils sont directement responsables de l'embonpoint, avec tous ses inconvénients.

« *Savez-vous qu'il faut regarder la télévision pendant soixante-dix minutes pour dépenser l'énergie contenue dans une pomme ou cinq arachides*[3] ? » C'est la Corporation professionnelle des diététistes du Québec qui nous l'apprend. Elle nous informe aussi qu'il suffit de rouler 3 min à bicyclette pour parvenir au même résultat.

Chaque surplus alimentaire de 360 kJ se traduit dans l'organisme par la formation de 10 g de graisse à laquelle vient s'associer 1 g d'eau. Il en résulte donc 11 g de gain de masse corporelle.

Pour maigrir de 11 g, on peut choisir, par exemple, l'une des activités suivantes, selon son tempérament et ses exigences quant à l'efficacité :

— Monter et descendre des escaliers pendant 15 min ;

— Se promener pendant 30 min ;

— Danser le disco pendant 15 min ;

— Rouler à bicyclette pendant 8 min ;

— Regarder la télévision pendant... 6 h.

Essayons de situer où commence l'embonpoint.

3. Corporation professionnelle des diététistes du Québec, *Êtes-vous bien dans votre assiette ?*, mars 1981.

On admet généralement que la masse de l'adulte peut dépasser de 10 % celle qu'il atteignait à 25 ans. L'obésité commence quand l'excédent s'élève à 20 %. Entre les deux, on peut parler d'embonpoint. En d'autres termes, une personne qui pèserait 70 kg à 25 ans ferait de l'embonpoint à partir de 77 kg et serait obèse à partir de 84 kg. Un changement d'habitudes alimentaires et un programme d'exercices physiques sont les deux moyens les plus appropriés pour perdre l'excédent de graisse.

- Comment un boxeur s'y prend-il pour réduire rapidement sa masse corporelle le jour de la pesée, à la veille d'un combat ?
- Pourquoi l'habitude de grignoter en regardant la télévision est-elle répandue chez les personnes qui font de l'embonpoint ?
- Qu'est-ce qu'un(e) diététiste ? Pour qui travaille-t-il(elle) par exemple ?

2. Les avantages d'un régime de vie équilibré

Les avantages d'un régime de vie équilibré sont multiples. Passons-les en revue.

a) La forme physique

Être en forme, c'est posséder les qualités physiques suivantes : force musculaire, résistance, souplesse et coordination.

La force musculaire. La force et la fermeté des muscles sont les prérequis d'une belle silhouette. Des bras et des hanches flasques, un ventre mou et un dos voûté indiquent au contraire que les muscles sont faibles et qu'ils ont besoin de travailler pour se renforcer. À titre d'exemple, signalons que monter et descendre des escaliers est un excellent exercice pour renforcer les jambes et améliorer leur apparence.

La résistance. La résistance est la capacité de prolonger un effort physique. On mesure la résistance de l'organisme en évaluant sa capacité aérobique, c'est-à-dire la quantité d'oxygène qui s'y trouve transportée par le sang. Cette capacité dépend largement du débit sanguin dans les vaisseaux pulmonaires, donc de l'état du système circulatoire. Elle dépend aussi de l'amplitude des mouvements respiratoires. Un cœur qui bat lentement et puissamment, une respiration profonde, sont des signes de bonne santé cardio-vasculaire et respiratoire. Au contraire, le fait de s'essouffler en montant un escalier indique une insuffisance cardio-vasculaire ou respiratoire.

La résistance physique s'accompagne généralement d'une résistance aux maladies, d'un sommeil plus profond, et se traduit finalement par l'impression de se sentir «bien dans sa peau», physiquement et moralement.

La souplesse. La souplesse est la qualité des articulations qui permet d'effectuer une grande variété de mouvements, avec beaucoup d'amplitude. Un manque de souplesse est cause d'accidents (déchirures musculaires, entorses, etc.) et de fatigue.

Il faut forcer prudemment et progressivement les articulations pour acquérir cette qualité.

La coordination. La coordination est l'adresse dans les mouvements. C'est ce que le monde des sports appelle le «synchronisme». En pratiquant systématiquement certains mouvements, on encourage le système nerveux et les muscles à coopérer, et on acquiert de la coordination. C'est exactement ce que font les musiciens, lorsqu'ils travaillent leur instrument.

b) Le bon fonctionnement des organes

Un régime de vie équilibré favorise une bonne irrigation sanguine de tous les organes ; il leur assure un approvisionnement convenable en nutriments et en oxygène, ainsi qu'une évacuation rapide de leurs déchets.

On sait déjà que l'obésité prédispose aux maladies cardio-vasculaires ; elle prédispose également aux ulcères, au diabète, à l'arthrite, aux varices et aux calculs biliaires. De plus, le sujet obèse est souvent porté à entretenir une image négative de lui-même.

c) La charge normale des organes excréteurs

Les graisses qui s'accumulent dans l'organisme sont produites en partie dans le foie ; d'autre part, on sait que cet organe assure aussi une fonction excrétrice (production de bile) et une fonction détoxicante (transformation d'ammoniac en urée). Une nourriture trop abondante force donc le foie à travailler exagérément. Elle fatigue aussi les reins qui éliminent l'excès de sel, l'urée et d'autres déchets ou produits superflus.

d) L'économie d'aliments

Un excès de kilojoules correspond à un gaspillage d'argent ; à une époque où la nourriture coûte de plus en plus cher, il faut y mettre fin.

Il existe des trucs pour manger moins :

« — Je mange seulement quand j'ai faim ;

— Je mange lentement ;

— Je savoure ;

— Je bois plus d'eau et moins d'alcool ;

— Je fais de l'exercice, et je me sens tellement mieux dans ma peau [4]. »

e) La régularité de la croissance

Tu es probablement en pleine période de croissance. Tes muscles, ton squelette et tes organes reproducteurs ont besoin d'acides aminés, de minéraux et de vitamines pour se développer. Ce ne sont pas les croustilles et les boissons gazeuses qui te fourniront ces nutriments essentiels, mais plutôt la viande, le poisson, le lait, les légumes et les fruits.

Tu as envie de vivre pleinement ta vie ? Alors mange des aliments variés, respire bien, et puis... « Viens donc jouer dehors ! »

- Peux-tu nommer un sport qui exige surtout de la force ? De la résistance ? De la souplesse et de la coordination ?
- Quel genre d'exercices d'assouplissement sont effectués par un gardien qui entreprend une partie de hockey ?
- Quel genre d'exercices d'assouplissement te fait-on pratiquer au cours de gymnastique ?
- En septembre, lorsque la saison de hockey va commencer, l'entraîneur d'une équipe n'a pas besoin de voir patiner certains de ses joueurs pour savoir qu'ils ne sont pas en bonne condition physique, même s'ils ne sont pas blessés. Comment le sait-il ?
- Dans ton école, qu'est-ce qui est le plus facile à se procurer : les boissons gazeuses et les croustilles, ou le lait et les fruits ? Que penses-tu de cette situation ?
- Peux-tu faire des suggestions pour améliorer la qualité de la nourriture offerte dans ton école ?

---

4. Québec, Ministère des Affaires sociales, *Trucs pour manger moins*, Québec, juin 1980.

à toi de jouer

1. ÉVALUER SON RÉGIME ALIMENTAIRE ET SON RÉGIME D'ACTIVITÉS EN FONCTION DES ACQUISITIONS ET DES DÉPENSES ÉNERGÉTIQUES.

A. *Évaluer la valeur énergétique d'un de ses menus quotidiens.*

Pendant toute une journée, note tout ce que tu manges. Utilise ensuite la table de composition des aliments pour évaluer la valeur énergétique de ton menu. Présente ton travail comme ci-dessous.

Tableau 5-10.
La valeur énergétique d'un menu.

Aliments courants	Quantités (portions)	Valeurs énergétiques (kJ)
	Total :	kJ

B. *Évaluer sa dépense énergétique quotidienne.*

Tableau 5-11.
La dépense énergétique liée à différentes activités physiques.

Activités physiques	Dépenses énergétiques par minute d'activité (kJ)	
	Garçons	Filles
Monter des escaliers	50	37
Faire de la bicyclette (20 km/h)	44	31
Nager activement	39	31
Jouer au hockey	35	27
Courir	35	27
Faire du ski de fond	32	30
Jouer au tennis	30	24
Marcher vite	28	21
Jouer aux quilles sans arrêt	28	20
Jardiner	24	19
Danser vivement	24	19
Faire de la gymnastique	22	20
Faire de la bicyclette (8 km/h)	22	20
Nettoyer les fenêtres	16	14
Jouer au ping-pong	16	13
Danser modérément	16	13
Marcher lentement	10	8
Rester debout	3	3
Écrire	2	2
Manger	2	2
Regarder la télévision	1	1

Pendant la même journée que celle choisie pour l'exercice précédent, note toutes tes activités. Utilise ensuite les données du tableau 5-11 pour évaluer la dépense énergétique liée à ces activités. Présente ton travail comme ci-dessous.
N.B. : Pour les activités non prévues dans le tableau, fais une estimation de la dépense énergétique qu'elles entraînent par comparaison avec les autres.

Tableau 5-12.
La dépense énergétique d'une journée.

Activités de la journée	Durée (min)	Dépenses énergétiques (kJ)
	Total :	kJ

C. *Faire son bilan énergétique.*

À ton âge, la dépense énergétique de base est approximativement de 7 000 kJ par jour pour un garçon, et de 6 100 kJ par jour pour une fille. Dans les deux cas, on peut estimer que 300 kJ sont investis chaque jour dans la croissance.

a) Fais ton bilan énergétique pour la journée que tu as choisie. Présente ta réponse comme ci-dessous.

Tableau 5-13.
Le bilan énergétique d'une journée.

Apport énergétique	+	kJ
Dépense d'activités	–	kJ
Dépense de base	–	kJ
Investissement dans la croissance	–	kJ
Différence (indiquer + ou –)		kJ

b) Ton bilan te paraît-il satisfaisant ? Pourquoi ?

c) Devrais-tu changer certaines de tes habitudes de vie ? Explique ce que tu comptes faire, si nécessaire, pour rétablir l'équilibre entre l'énergie que tu reçois et celle que tu dépenses.

2. FAIRE L'INVENTAIRE DES RESSOURCES DU MILIEU FAVORISANT :

- UNE ALIMENTATION ÉQUILIBRÉE ;
- DES ACTIVITÉS SPORTIVES.

A. *Faire l'inventaire des ressources de son milieu familial.*

a) Donne une bonne recette de salade et une bonne recette de soupe faciles à réaliser chez toi.
Avec une yaourtière (simple petit incubateur électrique), un yogourt de 100 g acheté à l'épicerie, 1 L de lait et quelques cents d'électricité, tu peux facilement faire chez toi 6 excellents yogourts maison.

b) Calcule le prix moyen d'un yogourt maison à partir de celui des ingrédients (prix du yogourt acheté + prix du lait). Compare-le au prix d'un yogourt acheté à l'épicerie.

B. *Faire l'inventaire des ressources de son milieu scolaire.*

a) Note un menu de repas chaud proposé par la cafétéria de ton école, ainsi que son prix.

b) Énumère toutes les activités sportives auxquelles ton école te donne l'occasion de participer.

C. *Faire l'inventaire des ressources de son milieu municipal.*

— Procure-toi le programme du service des loisirs de ta municipalité ;

— Dresse un tableau des activités sportives ouvertes à tous et toutes que tu peux pratiquer dans ta région ; Présente ton résultat comme ci-dessous.

Tableau 5-14.
Les activités sportives dans ma région.

Activités	Adresses	Frais	Distances du domicile
Plein air été			
Plein air hiver			
Toutes saisons			

D. *Faire l'inventaire des ressources des médias.*

a) Dresse un tableau des chroniques relatives à la santé, au plein air ou au sport amateur qui paraissent régulièrement dans les journaux. Ajoute à ta liste les publications entièrement consacrées à ces questions. Présente ton résultat comme ci-dessous.

Tableau 5-15.
Les chroniques traitant de la santé, du sport et des activités de plein air dans les journaux.

Journaux ou revues	Titres des chroniques	Auteur(e)s

b) Procède de la même façon avec les chroniques de télévision et de radio.

Tableau 5-16.
Les chroniques traitant de la santé, du sport et des activités de plein air à la télévision et à la radio.

Postes	Titres des émissions	Jours et heures	Anima-teurs (trices)

3. ÉTABLIR UNE LISTE DES AVANTAGES D'UN RÉGIME DE VIE ÉQUILIBRÉ.

a) Donne les caractéristiques d'un régime de vie équilibré.

b) Énumère cinq avantages d'un tel régime de vie.

VA PLUS LOIN

Une revue de presse

a) Procure-toi tous les numéros d'un journal quotidien parus durant une semaine. Recherche les articles qui t'apportent quelque chose dans le domaine de l'alimentation et dans celui des activités sportives.

b) Découpe ensuite les titres de ces articles et colle-les sur une feuille de papier.

c) Sous chaque titre, résume en une phrase ce qui t'a semblé intéressant dans l'article correspondant.

Si tu as l'habitude de manger comme ceci

Ministère des Communications du Québec

Matin

Ministère des Communications du Québec

Midi

Ministère des Communications du Québec

Soir

Ministère des Communications du Québec

Il serait bon que tu modifies tes habitudes alimentaires comme cela. Pourquoi?

FAIS LE POINT

SECTION A La croissance et la réparation

Graphique 5-6.

Les principales périodes de la croissance humaine.

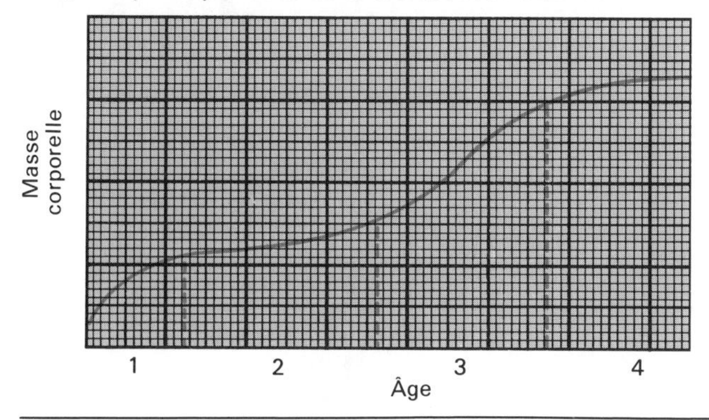

1. Sur le graphique 5-6, les deux principales périodes de la croissance humaine sont numérotées :
   a) 1 et 2
   b) 2 et 3
   c) 3 et 4
   d) 1 et 3
2. Sur le graphique 5-6, l'adolescence est numérotée :
   a) 1
   b) 2
   c) 3
   d) 4
3. La croissance est pratiquement nulle :
   a) au début de l'enfance.
   b) vers l'âge de sept ans.
   c) à l'âge adulte.
   d) à l'adolescence.
4. Les deux moyens utilisés par l'organisme pour assurer sa croissance sont :
   a) l'accumulation de réserves de graisse et la prolifération cellulaire.
   b) l'accumulation de réserves de graisse et l'hypertrophie cellulaire.
   c) l'accumulation de réserves d'eau et de graisse.
   d) la prolifération et l'hypertrophie cellulaires.
5. La division cellulaire assure :
   a) la prolifération des cellules.
   b) l'hypertrophie des cellules.
   c) la spécialisation des cellules.
   d) la différenciation des cellules.
6. Nomme les filaments qui contrôlent l'activité cellulaire.
7. Les deux glandes qui envoient dans le sang des hormones qui stimulent la croissance sont :
   a) le pancréas et le foie.
   b) le foie et les reins.
   c) l'hypophyse et la thyroïde.
   d) la thyroïde et le pancréas.
8. Pour assurer la croissance, les protides sont :
   a) nécessaires et suffisants.
   b) nécessaires mais non suffisants.
   c) non nécessaires mais suffisants.
   d) ni nécessaires ni suffisants.
9. Énumère trois organes ou tissus qui subissent une usure très importante mais normale.
10. Nomme deux accidents qui déclenchent une réparation de la peau.
11. Nomme un accident qui déclenche la réparation d'un os.
12. Annie est victime d'une fracture de l'avant-bras. Sa blessure ne saigne pas, mais la fait terriblement souffrir. Le médecin qui va la soigner va procéder de la façon suivante :
    a) immobilisation, puis désinfection, puis réduction.
    b) immobilisation, puis réduction.
    c) réduction, puis immobilisation.
    d) désinfection, puis réduction, puis immobilisation.
13. Le garrot et le pansement compressif sont :
    a) des procédés de désinfection.
    b) des moyens de contrôler une hémorragie.
    c) des procédés pour immobiliser une fracture.
    d) des moyens de désinfecter une brûlure.
14. La fonction première des antiseptiques et des antibiotiques est :
    a) de calmer la douleur.
    b) de réparer.
    c) d'éviter l'infection.
    d) de faire coaguler le sang.
15. Note la blessure qu'il est inutile de désinfecter.
    a) Une brûlure.
    b) Une coupure.
    c) Une plaie.
    d) Une éraflure.

SECTION B L'utilisation des glucides et des lipides

1. Au cours d'une journée, quatre femmes ont eu des activités très différentes.
   — Lucie a trié des fruits dans une conserverie ;

— Annette a participé avec son mari à l'engrangement du foin sur la ferme familiale ;
— Marie-Josée a fait la classe à 35 élèves ;
— Line a travaillé à la conception d'un programme d'ordinateur.

Note la séquence qui place ces quatre femmes en ordre croissant de dépense énergétique.

a) Line, Marie-Josée, Lucie, Annette.
b) Marie-Josée, Line, Annette, Lucie.
c) Lucie, Annette, Marie-Josée, Line.
d) Lucie, Line, Annette, Marie-Josée.

2. Parmi les quatre courbes suivantes, note celle qui illustre correctement la dépense énergétique de l'organisme en fonction de la température ambiante.

Graphique 5-7.
La dépense énergétique de l'organisme (D.) en fonction de la température ambiante (T.).

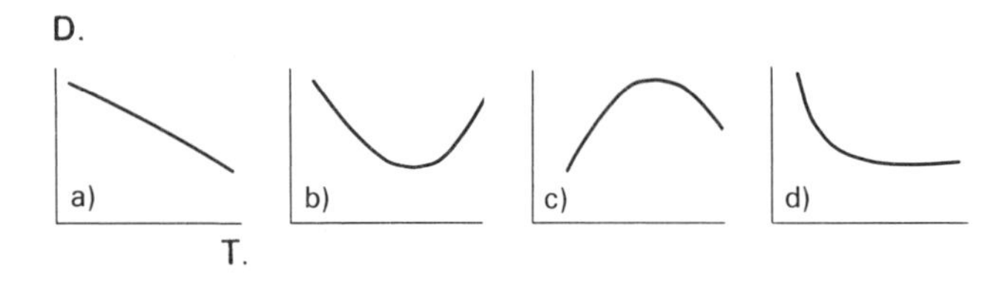

3. Parmi les quatre courbes suivantes, note celle qui illustre correctement la température du corps en fonction de la température ambiante.

Graphique 5-8.
La température du corps (T.C.) en fonction de la température ambiante (T.A.).

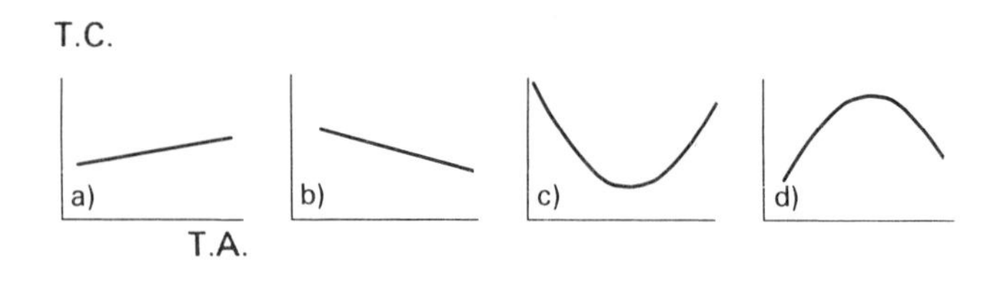

4. Donne en degrés Celsius la température moyenne normale du corps humain.

5. Diane a 14 ans. Sa dépense énergétique de base au repos est de 6 100 kJ par jour. Elle investit chaque jour 300 kJ dans sa croisance.

Le tableau 5-17 contient toutes les données qui permettent de calculer la dépense énergétique liée aux activités de Diane au cours d'une journée d'école.

Quelle aurait été la valeur énergétique idéale du menu de Diane pour la même journée ?

Tableau 5-17.
La dépense énergétique d'une personne au cours d'une journée.

Activités de la journée	Durées	Dépenses énergétiques par minute d'activité (kJ)
Regarder la télévision	2 h	1
Marcher	60 min	10
Courir	10 min	27
Monter des escaliers	10 min	37
Manger	90 min	2
Écrire	4 h	2
Faire de la gymnastique	50 min	20

6. On rappelle que la valeur énergétique des protides et des glucides est de 16 kJ/g, et que celle des lipides s'élève à 36 kJ/g. Quelle est la valeur énergétique d'un menu d'une journée qui comprend 45 g de protides, 100 g de lipides et 450 g de glucides ?

SECTION C L'équilibre aliments-activités

1. Un travailleur de force a un régime de vie équilibré avec un menu quotidien qui lui apporte 20 000 kJ, mais tout juste les quantités d'acides aminés, de vitamines et de minéraux nécessaires à sa bonne santé. Il change d'emploi et ne dépense plus que 15 000 kJ par jour. Il continue à consommer les mêmes aliments, mais il réduit ses portions du quart. Pourquoi son nouveau régime alimentaire est-il déséquilibré ?

2. Indique laquelle de ces deux personnes doit apporter le plus grand soin au choix de ses aliments.

a) Une personne âgée, à l'activité réduite.
b) Un travailleur de la construction, gros mangeur.

3. Pour éviter l'embonpoint, s'assurer une croissance régulière et rester en bonne santé, il faut que :

a) l'apport énergétique alimentaire soit à peu près égal à la dépense énergétique.

b) l'apport énergétique soit nettement supérieur à la dépense énergétique.
c) l'apport énergétique soit nettement inférieur à la dépense énergétique.
d) la dépense énergétique reste aussi faible que possible, afin de ménager les précieuses réserves énergétiques de l'organisme.

4. Les repas les moins bien équilibrés sortent généralement des :
a) cuisines des cafétérias scolaires.
b) cuisines familiales.
c) cuisines des restaurants.
d) machines distributrices de nourriture.

5. Nomme cinq activités sportives auxquelles tu as accès et les endroits où tu peux les pratiquer.

6. Chacun(e) aimerait avoir les avantages suivants :
— Forme physique ;
— Meilleur fonctionnement des organes ;
— Travail plus facile des organes excréteurs ;
— Économie d'aliments ;
— Régularité de la croissance.
La meilleure façon de se les procurer consiste à :
a) consulter régulièrement son médecin.
b) manger et s'activer strictement selon ses envies.
c) s'efforcer d'harmoniser son alimentation avec ses activités.
d) ne consommer que les aliments dits « de santé » vendus dans les magasins spécialisés.

Société des jeux du Québec

«Va jouer dehors!» Peux-tu trouver un autre slogan comme celui-là pour inciter tout le monde à faire de l'exercice au grand air?

EN BREF

SECTION A La croissance et la réparation

1. La croissance humaine est rapide dans la première enfance ; elle ralentit par la suite et reprend au commencement de l'a//////. La croissance est nulle chez l'a//////.
2. Notre organisme produit sans cesse de nouvelles c////// pour assurer sa croissance et sa réparation. Les nouvelles cellules se forment par d////// à partir de celles qui existent déjà. La multiplication des cellules se nomme p////// cellulaire.
3. Les 46 c////// présents dans la plupart de nos cellules contrôlent la vie de chacune d'elles, y compris sa reproduction par division. La glande t////// et l'h////// déversent dans le sang des hormones de croissance. La qualité de l'alimentation est déterminante sur la croissance ; les a////// a////// sont des nutriments constructeurs essentiels.
4. Les cellules du s//////, de la p//////, de la moelle osseuse et de la muqueuse digestive sont parmi celles qui se renouvellent le plus vite. Ce phénomène compense l'usure normale des tissus. Une hémorragie, une fracture, une coupure, une brûlure, etc., sont des accidents qui entraînent des r////// de l'organisme.
5. On traite une f////// par réduction et immobilisation. Les p////// doivent être désinfectées puis pansées si nécessaire. Pour arrêter une h//////, un pansement compressif est généralement suffisant. Dans les cas graves, il faut poser un g////// pour un temps limité. Une b////// est une blessure stérile ; elle n'a pas à être désinfectée.

☐ *Quel est le rôle de l'oxygène respiratoire dans la croissance et la réparation de l'organisme ?*

SECTION B L'utilisation des glucides et des lipides

1. L'é////// des aliments organiques sert principalement à maintenir la c////// corporelle et à créer du mouvement. La dépense énergétique de l'organisme est proportionnelle à l'a//////. Néanmoins, elle ne descend pas au-dessous de 6 300 kJ par jour ; cette valeur correspond à la dépense énergétique de base.
2. Notre t////// est relativement constante ; elle est d'environ 37° C.
3. On peut calculer la dépense énergétique d'une personne d'après ses a//////.
4. On peut calculer la quantité d'é////// absorbée par une personne d'après la composition de son menu.

☐ *Quel est le rôle de l'oxygène dans l'activité physique ?*

SECTION C L'équilibre aliments-activités

1. Pour être en bonne santé, il faut que le régime a////// équilibre le régime d'a//////, dans le domaine de l'énergie. Un surplus d'énergie alimentaire entraîne l'e////// ; Une insuffisance alimentaire quelconque peut se traduire par des troubles de c//////.
2. Le milieu dans lequel nous vivons offre beaucoup de facilités pour bien se nourrir et se maintenir en bonne condition physique. Pour en profiter au maximum, il faut se donner la peine de s'i//////.
3. Un régime de vie équilibré procure de nombreux avantages, en particulier la f////// physique, un meilleur f////// des organes (organes excréteurs notamment), une c////// régulière et une économie d'aliments.

☐ *Pourquoi un(e) employé(e) de bureau doit-il (elle) se réserver du temps pour faire de l'exercice et bien choisir ses aliments ?*

L'élimination des déchets

6 Chapitre

L'élimination des déchets du métabolisme est-elle une nécessité ?

Amusons-nous à imaginer dans quelle situation tu te trouverais si ton organisme négligeait de se débarrasser d'un de ses déchets, le dioxyde de carbone... Après tout, il s'agit d'un gaz ; c'est léger, impalpable et peut-être pas si encombrant qu'on voudrait nous le faire croire. Appliquons la méthode scientifique à notre problème : avançons une hypothèse.

Hypothèse : L'élimination des déchets du métabolisme n'est pas une nécessité ; le dioxyde de carbone peut s'accumuler indéfiniment dans ton organisme.

Examinons les faits. À ton âge, la dépense énergétique est de l'ordre de 12 000 kJ/d. Chaque fois que tu dépenses 20 kJ, tu consommes 1,0 L d'oxygène et tu produis environ 0,8 L de dioxyde de carbone.

a) Calcule la quantité approximative de dioxyde de carbone que tu produis chaque jour.

b) Sachant que 22,4 L de dioxyde de carbone pèsent 44 g, calcule la masse qui correspond au volume que tu viens de calculer.

Au rythme où tu produis du dioxyde de carbone, tu devrais avoir explosé depuis bien longtemps.

c) Les faits confirment-ils notre hypothèse de départ ?

d) Avance une autre hypothèse pour répondre à la question posée.

Un calcul moins spectaculaire peut être fait au sujet de ton principal déchet azoté, l'urée, dont tu produis environ 30 g/d.

e) Quelle quantité approximative d'urée produis-tu annuellement ?

L'organisme doit éliminer les déchets qu'il produit.

Ton organisme traite ses déchets à l'inverse de ses entrées. Celles-ci passent du milieu extérieur au milieu intérieur ; les déchets suivent le chemin contraire.

L'élimination efficace des déchets ne peut se faire que dans des organes où le milieu extérieur est presque directement en contact avec le sang. Tu sais déjà que cette condition est réalisée dans les poumons ; tu verras plus loin qu'elle l'est aussi dans les reins.

L'élimination des déchets, ou excrétion, est une nécessité vitale. Ton organisme y consacre d'ailleurs une part importante de son énergie. Les organes excréteurs — en particulier les poumons et les reins — ont un rôle essentiel à jouer pour maintenir la qualité du milieu de vie de tes cellules. Ta santé dépend aussi de leur bon fonctionnement.

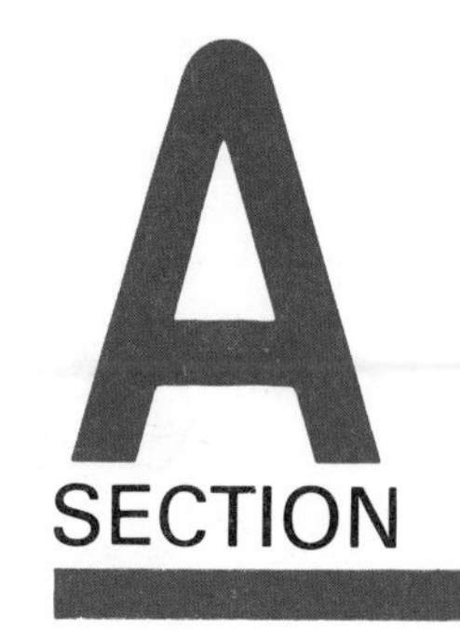

L'élimination du dioxyde de carbone

Quels mécanismes assurent l'élimination du dioxyde de carbone ?

a) Décris une expérience simple prouvant que l'air s'enrichit de dioxyde de carbone dans les poumons.

b) Écris l'équation qui résume la façon dont ton corps produit du dioxyde de carbone à partir du glucose.

c) Le dioxyde de carbone vient-il d'un organe particulier ? Par quelles structures est-il produit ? Comment arrive-t-il aux poumons ?

d) Si tu augmentes ta production d'énergie, que devient ta consommation de combustibles ? Ta consommation d'oxygène ? Ta production de dioxyde de carbone ?

e) L'évacuation de ton dioxyde de carbone est-elle plus rapide lorsque tu es au repos ou lorsque tu fais de l'exercice ?

f) Comment varie la quantité de dioxyde de carbone dans ton corps lorsque l'élimination de ce déchet est plus lente que sa production ?

g) Comment tes systèmes circulatoire et respiratoire parviennent-ils à te faire éliminer davantage de dioxyde de carbone lorsque c'est nécessaire ?

h) Dans une maison, quel mécanisme déclenche la mise en marche du système de chauffage ? Quel mécanisme en déclenche l'arrêt ?

Le facteur température sert ici à contrôler la température. Le contrôle du fonctionnement de l'organisme s'effectue selon le même principe que celui de la température dans une maison.

i) Selon toi, quel facteur doit servir en premier lieu à contrôler la quantité de dioxyde de carbone accumulée dans ton corps ?

Dans les poumons, le dioxyde de carbone et l'oxygène suivent des trajets inverses.

Figure 6-1.
La comparaison entre l'air inspiré et l'air expiré.

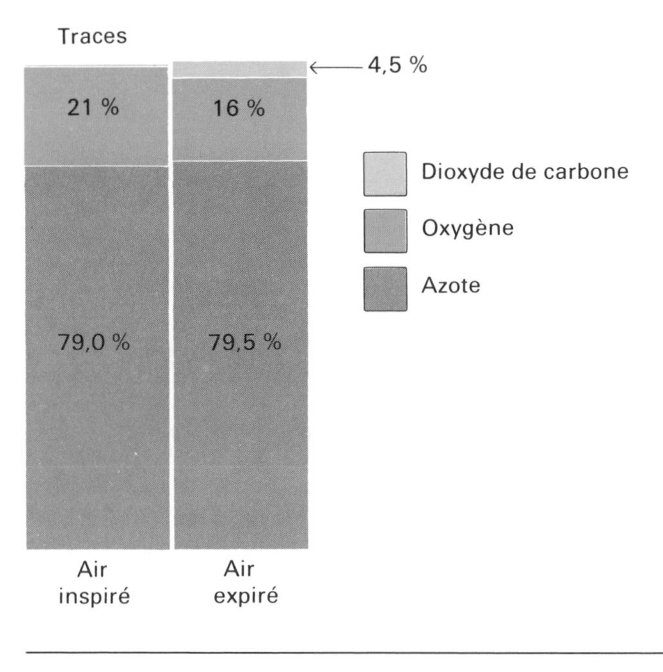

Les aliments et l'oxygène sont entrés dans ton organisme. Ils ont été distribués aux cellules par le sang et la lymphe, et utilisés pour la croissance, la réparation et la production d'énergie. Ils se sont transformés en produits inutiles ou dangereux qui doivent être éliminés : les déchets. Le plus abondant de tous est le dioxyde de carbone. Si tu respirais du dioxyde de carbone pur, tu perdrais connaissance presque instantanément. Il s'agit d'un composé toxique. Puisque tes cellules en produisent sans arrêt, ton corps ne doit jamais cesser de l'éliminer en le rejetant dans le milieu extérieur.

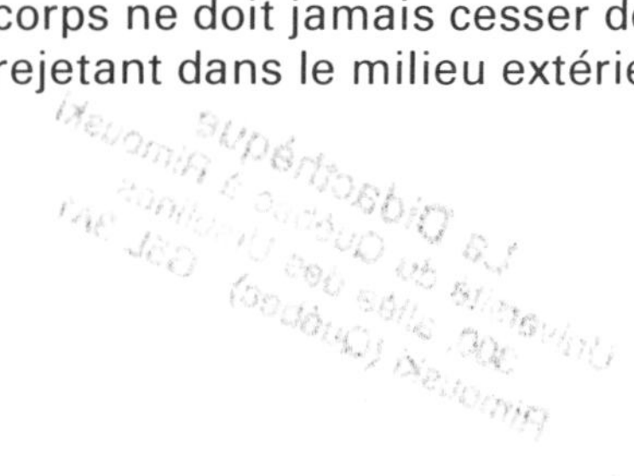

1. Le cheminement du dioxyde de carbone dans l'organisme

L'oxygène se déplace des alvéoles pulmonaires aux cellules ; le dioxyde de carbone parcourt le chemin inverse. Des cellules aux alvéoles pulmonaires, 65 % du dioxyde de carbone est transporté par le plasma sanguin, et 35 %, par les globules rouges.

Dans le sang, le dioxyde de carbone se combine chimiquement à des substances variées qui s'y trouvent en permanence. Il forme avec elles des composés carbonatés instables (qui se décomposent facilement), tels que l'acide carbonique. Le dioxyde de carbone se libère ensuite de ces combinaisons pour se diffuser dans l'air alvéolaire.

- Dans la grande circulation, quel genre de vaisseaux transportent l'oxygène ? Le dioxyde de carbone ?
- De quelle couleur est le sang chargé d'oxygène ? Chargé de dioxyde de carbone ?

Figure 6-2.
Le transport du dioxyde de carbone par le sang.

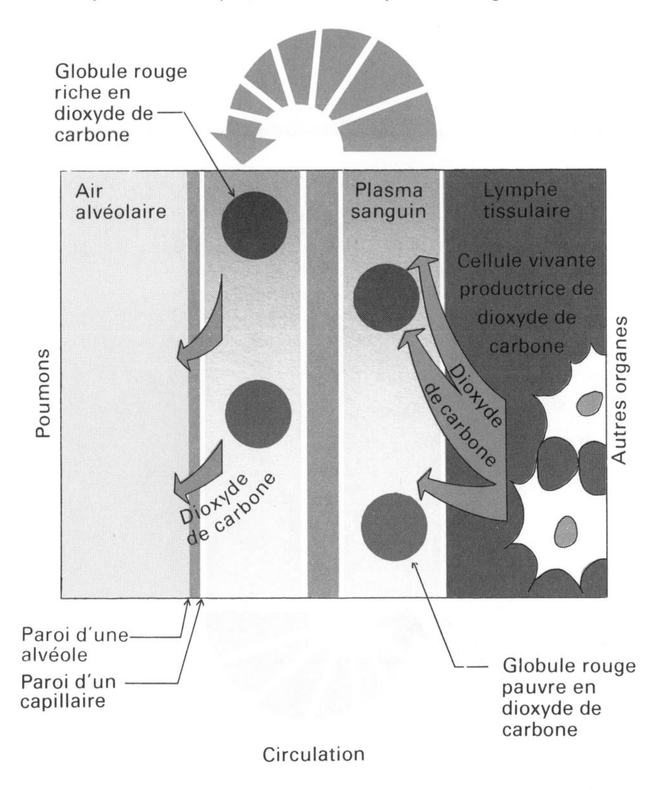

2. La relation entre le rythme respiratoire et l'activité générale de l'organisme

Revenons encore une fois à l'équation fondamentale de la respiration :

Glucose	+ oxygène ----➤	dioxyde de carbone	+ eau	+ énergie
180 g	134 L	134 L	108 g	3100 kJ

Si tes cellules n'utilisaient que le glucose comme combustible, tu devrais produire autant de dioxyde de carbone que tu consommes d'oxygène, soit 134 L pour chaque 180 g de glucose brûlé. En réalité, tu ne produis en moyenne que 0,8 L de dioxyde de carbone pour chaque litre d'oxygène que tu consommes, parce que ton alimentation comprend d'autres nutriments que le glucose. Tu vois, malgré tout, que les quantités d'oxygène et de dioxyde de carbone restent dans le même ordre de grandeur.

Si ta dépense énergétique double, toutes les quantités de produits mises en jeu dans la respiration cellulaire doublent en même temps. Dans ce cas, les systèmes respiratoire et circulatoire doivent augmenter proportionnellement leur activité pour répondre à la demande accrue en oxygène et évacuer le supplément de dioxyde de carbone rejeté par les cellules.

De fait, tu peux facilement constater que tes rythmes respiratoire et cardiaque s'accélèrent à mesure que ton activité physique augmente. Décidément, ton cœur et tes muscles respiratoires font preuve d'un bel esprit de coopération, au service de tout ton corps.

- Lorsque tu es au repos complet, est-ce que tes rythmes respiratoire et cardiaque continuent de s'ajuster à ta production de dioxyde de carbone ?

3. Le mécanisme de régulation du rythme respiratoire

Ton rythme respiratoire est contrôlé à partir de ton *encéphale* (cerveau au sens large du terme). Dans la partie postérieure de cet organe (*bulbe rachidien*) se trouve le centre respiratoire qui agit sur les muscles respiratoires.

Schématiquement, on peut considérer que le rythme respiratoire varie en fonction de l'acidité du sang. En effet, l'injection de divers acides dans le sang d'un chien entraîne toujours la même réaction : une accélération du rythme respiratoire. Or, une grande partie du dioxyde de carbone produit par les cellules se combine justement avec l'eau ambiante (il n'en manque pas dans l'organisme) pour former de l'*acide carbonique*. En se chargeant de dioxyde de carbone, le sang accumule donc aussi de l'acide carbonique. Lorsqu'il traverse le cerveau, l'acide carbonique qu'il contient stimule le centre respiratoire, qui active à son tour les muscles respiratoires. L'accroissement de la *ventilation pulmonaire* qui découle de ce mécanisme accélère l'élimination du dioxyde de carbone.

L'acidité du sang n'est pas le seul facteur qui agit sur le centre respiratoire. Une douche glacée coupe la respiration ; une émotion peut en faire autant. Ne dit-on pas également de certains paysages ou de certaines œuvres qu'ils sont « beaux à vous en couper le souffle » ? De plus, l'irritation de la muqueuse respiratoire provoque l'éternuement ou la toux. Enfin, il est possible de retenir volontairement son souffle pendant un temps limité.

• Dans *Astérix en Hispanie*[1], le jeune Soupalognon y Crouton menace à plusieurs reprises de « retenir sa respiration jusqu'à ce qu'il lui arrive quelque chose ». Pourquoi ne devrait-il pas être pris au sérieux ?

4. L'essoufflement

L'essoufflement est une sensation de manque d'air et d'étouffement. Il est dû à un manque d'oxygène dans le sang et à une insuffisance de l'évacuation du dioxyde de carbone transporté par celui-ci. L'essoufflement indique un débit sanguin trop faible dans les poumons, bien que le système cardiorespiratoire fonctionne à plein régime.

Toutes les mesures qui favorisent la bonne forme physique sont de nature à atténuer et à retarder l'essoufflement. Rappelons qu'il s'agit notamment de faire des exercices physiques réguliers, d'éliminer l'embonpoint et de renoncer à l'usage du tabac.

• Pourquoi une grande capacité pulmonaire et un cœur lent au repos facilitent-ils l'élimination du dioxyde de carbone lors d'un exercice physique ? Pourquoi le seuil d'essoufflement s'en trouve-t-il relevé ?

5. La contribution des poumons à l'équilibre sanguin

Tu sais déjà que tes cellules vivent dans un milieu dont la température est pratiquement constante. En fait, la constance de la température n'est qu'un aspect de la *stabilité physique et chimique* de ton milieu intérieur.

Tes poumons travaillent pour que ton sang présente à peu près toujours le même taux (élevé) d'oxygène et le même taux (bas) de dioxyde de carbone en entrant dans les tissus. Ils rétablissent inlassablement cette situation que ton corps modifie sans cesse. Tes poumons régularisent donc la qualité de ton milieu intérieur de façon à le garder favorable à la vie de tes cellules.

Dans la section qui suivra, nous examinerons d'autres aspects de l'équilibre du milieu intérieur.

• Dans quel organe une artère apporte-t-elle du sang riche en dioxyde de carbone et pauvre en oxygène ?

Marathon international de Montréal

Lequel de ces deux personnages a le sang le plus acide ?

1. Uderzo et Goscinny, *Astérix en Hispanie*, Paris, Dargaud, 1969, p. 9.

à toi de jouer

1. RECHERCHER, À L'AIDE D'UN INDICATEUR, LA PRÉSENCE DE DIOXYDE DE CARBONE DANS :
   - L'AIR INSPIRÉ ;
   - L'ENVIRONNEMENT D'UNE COMBUSTION VIVE ;
   - L'AIR EXPIRÉ.

   Cet objectif est traité avec le suivant.

2. COMPARER, À L'AIDE DE DONNÉES, LA COMPOSITION DE L'AIR INSPIRÉ ET DE L'AIR EXPIRÉ.

Matériel : 3 tubes à essais avec support, 1 baguette de verre, eau distillée, eau de Javel, vinaigre, phénol rouge, 1 paille à boire, 1 crayon à marquer le verre.

Tu as déjà recherché la présence de dioxyde de carbone dans l'air inspiré, dans l'air expiré et dans l'environnement d'une combustion vive (voir le chapitre 1, section C).

a) Quelle solution t'avait permis de détecter le dioxyde de carbone ?

La manipulation suivante te fera découvrir un autre indicateur de dioxyde de carbone, ainsi qu'une importante propriété de ce gaz en solution.

— Emplis à moitié d'eau les trois tubes marqués A, B et C ;
— Ajoute dans chacun d'eux trois gouttes de phénol rouge ;
— Remue chacun des contenus avec la baguette de verre ;
— Ajoute trois gouttes de vinaigre (acide) dans le tube A ;
— Ajoute trois gouttes d'eau de Javel (base ou antiacide) dans le tube B ;
— Remue le contenu du tube A avec la baguette de verre ;
— Rince la baguette à l'eau et remue le contenu du tube B ;
— Avec la paille à boire, souffle plusieurs fois dans le liquide du tube C.

b) Reproduis les schémas de la figure 6-3 et colorie le contenu des tubes.

c) Commente l'expérience.

L'air expiré a sur le phénol rouge le même effet qu'un acide comme le vinaigre.

d) Cherche le nom de l'acide que le dioxyde de carbone (CO_2) forme en réagissant avec l'eau.

e) Copie et complète l'équation chimique suivante :

$$\text{Dioxyde de carbone} + \text{eau} \underset{\text{dans un milieu pauvre en } CO_2}{\overset{\text{dans un milieu riche en } CO_2}{\rightleftharpoons}} \ ?$$

f) Copie et complète la phrase suivante :
Par rapport à l'air inspiré, l'air expiré est appauvri en (//////) et enrichi en (//////) ; sa teneur en (//////) reste sensiblement inchangée.

Figure 6-3.
Les effets comparés d'un acide, d'une base et du dioxyde de carbone sur le phénol rouge.

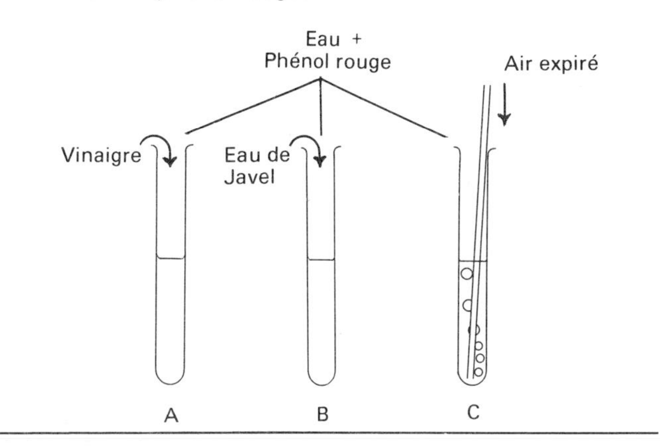

3. TRACER, SUR UN SCHÉMA, LE TRAJET PARCOURU PAR LE DIOXYDE DE CARBONE.

   Revois le schéma général de la circulation.

Figure 6-4.
Le trajet du dioxyde de carbone dans l'organisme.

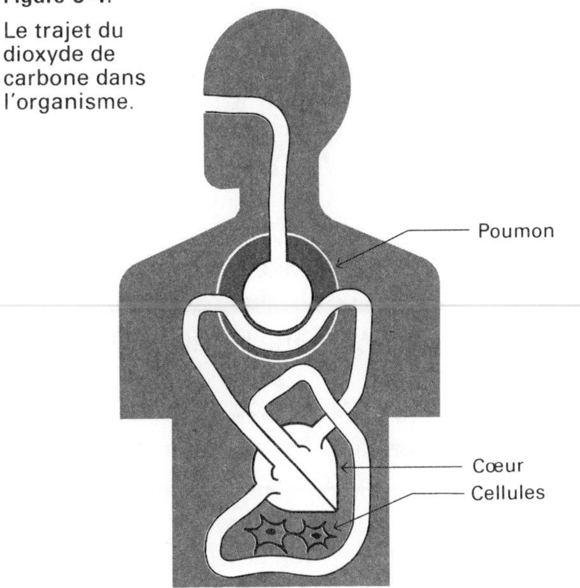

Reproduis la figure 6-4 et indique, par une série de courtes flèches (→ →), le cheminement du dioxyde de carbone, depuis des cellules jusqu'à l'extérieur. Colorie en rouge le sang pauvre en dioxyde de carbone, et en bleu, celui qui en contient beaucoup.

4. MESURER LE RYTHME RESPIRATOIRE:
   - AU REPOS;
   - APRÈS UN EXERCICE PHYSIQUE.

— Compte tes respirations pendant 1 min alors que tu es bien reposé(e) et assis(e); note le résultat;
— Fais 10 fois le mouvement suivant: toucher le bout de tes pieds avec les mains sans plier les jambes, puis te redresser à fond, les bras en extension verticale;
— Enchaîne immédiatement avec le mouvement suivant, que tu dois faire également 10 fois: fléchir les jambes, bras tendus devant toi, puis te relever sans changer la position des bras;
— Compte immédiatement tes respirations pendant 1 min; note le résultat.

Sur ta feuille de rapport, présente tes résultats comme ci-dessous.

Tableau 6-1.
L'effet de l'activité sur le rythme respiratoire.

	Rythmes respiratoires (Respirations/minute)
Au repos	•
Après un exercice	•

5. ÉTABLIR LA RELATION EXISTANT ENTRE LA RESPIRATION CELLULAIRE, LE TAUX DE DIOXYDE DE CARBONE DANS LE SANG ET LE RYTHME RESPIRATOIRE.

Matériel: 1 chronomètre.

a) Nomme la *fonction cellulaire* qui fournit l'énergie nécessaire à l'exercice physique.

b) En plus de carburants, cette fonction consomme un gaz. Nomme-le.

c) Cette fonction produit de l'eau et un déchet gazeux. Comment appelle-t-on ce déchet?

— Retiens ta respiration le plus longtemps possible en te préparant à chronométrer;
— Dès que tu as repris ton souffle, compte le nombre de tes respirations pendant 1 min; note le résultat;
— Respire à fond cinq fois de suite, en te préparant à chronométrer; tu réaliseras ainsi une *hyperventilation pulmonaire*;
— Repère le temps qui s'écoule entre la fin de tes mouvements respiratoires forçés et ta première inspiration normale; compte tes respirations pendant 1 min à partir de la fin de l'exercice d'hyperventilation.

d) Présente tes résultats comme ci-dessous.

Tableau 6-2
L'effet de la ventilation pulmonaire sur le rythme respiratoire.

	Rythmes respiratoires (Respirations/minute)
Après *rétention* de la respiration	•
Après hyperventilation pulmonaire	•

e) Comment le taux sanguin de dioxyde de carbone varie-t-il lorsqu'on retient sa respiration? Pendant une hyperventilation?

f) Quel facteur sanguin stimule le centre respiratoire situé dans le bulbe rachidien?

g) Pendant combien de temps n'as-tu pas éprouvé le besoin de respirer après ton hyperventilation?

h) Explique pourquoi le *centre respiratoire bulbaire* est inactif immédiatement après une hyperventilation pulmonaire.

6. NOMMER TROIS MOYENS PERMETTANT DE DIMINUER LA TENDANCE À L'ESSOUFFLEMENT.

Énumère les trois mesures de base qui peuvent diminuer la tendance à l'essoufflement.

7. NOMMER DEUX CONTRIBUTIONS DU POUMON À L'ÉQUILIBRE SANGUIN.

a) Explique en quoi consiste l'équilibre sanguin.

b) Cite deux actions des poumons sur la qualité du sang.

VA PLUS LOIN

Deux types d'asphyxie parmi les plus fréquents

Recherche de l'information sur l'asphyxie par le monoxyde de carbone et par le dioxyde de carbone. Pour chacun de ces deux gaz, développe les points suivants :

— Son action physiologique et les symptômes de l'intoxication qu'il provoque ;

— La façon de soigner la victime d'une intoxication ;

— Les causes les plus fréquentes d'intoxication.

Marathon international de Montréal

Lesquels de ces personnages ont les plus grands besoins en oxygène ? Lesquels produisent le plus de dioxyde de carbone ?

Le rôle du rein dans l'élimination des déchets azotés

Comment se forme l'urine ?

Tu produis chaque jour probablement de 1,0 à 1,7 L d'urine. Ce liquide physiologique vient des reins.

a) Lorsqu'une personne déclare qu'elle a « mal aux reins », quelle région du corps la fait souffrir ?

b) Connais-tu des aliments qui donnent à l'urine une odeur ou une couleur inhabituelle ? Donne des exemples.

c) Comment un constituant coloré ou odorant d'un aliment courant passe-t-il du tube digestif aux reins ?

L'eau fait partie des déchets du métabolisme. Dans son ensemble, ton organisme en produit ainsi environ 0,5 L par jour.

d) L'eau contenue dans l'urine est-elle un déchet produit par les cellules des reins ? Justifie ta réponse.

e) D'après toi, d'où vient l'essentiel de l'eau éliminée par tes reins ? Comment ton corps se réapprovisionne-t-il en eau ?

f) Nomme un déchet du métabolisme qui n'est pas éliminé par tes poumons, mais par tes reins.

g) As-tu déjà entendu parler de la Fondation canadienne des maladies du rein ? D'après toi, les reins sont-ils des organes indispensables à la vie ? Qu'est-ce qui te le fait penser ?

Le rein joue le rôle principal dans l'élimination des déchets azotés.

De nombreuses substances indésirables encombrent ton milieu intérieur. Sans systèmes d'épuration appropriés, celui-ci deviendrait vite une sorte de « dépotoir » dans lequel tes cellules ne pourraient pas survivre.

Plusieurs organes coopèrent pour rejeter à l'extérieur (excréter) les produits superflus. Ainsi, la peau, les glandes salivaires, le foie, l'intestin et les poumons participent à l'*excrétion* d'une façon ou d'une autre. Mais ce sont les reins qui jouent le rôle le plus important dans ce domaine (sauf pour l'élimination du dioxyde de carbone). En plus des déchets azotés (surtout l'urée), les reins retirent du milieu intérieur les surplus de nutriments, les colorants d'origine alimentaire, les médicaments, etc.

« Le rein est le maître chimiste de l'organisme. » Cette formule t'aidera à te souvenir que le rein contrôle à chaque instant la qualité chimique de ton milieu intérieur.

1. L'anatomie du système excréteur rénal

Ton système excréteur rénal, ou *appareil urinaire*, comprend les reins, qui produisent l'urine, et les voies urinaires, qui l'évacuent à l'extérieur.

Figure 6-5.
Le système excréteur rénal.

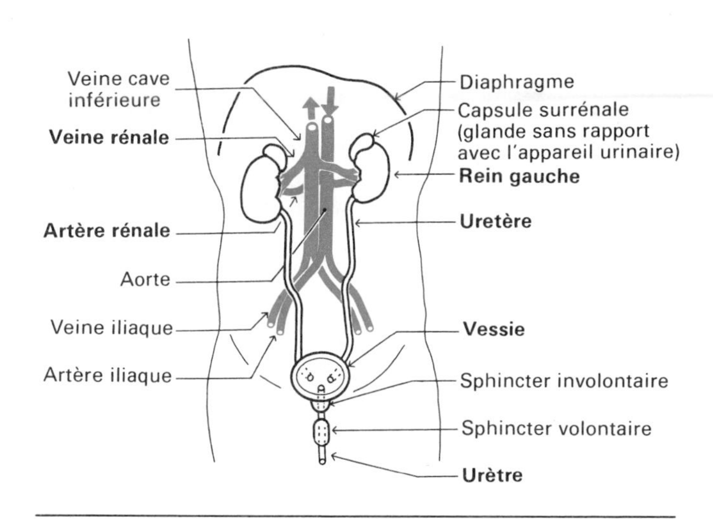

Les reins. Tes reins sont de grosses glandes en forme de haricot ; ils sont situés de chaque côté de la colonne vertébrale, juste au-dessous du diaphragme, c'est-à-dire plus haut que le soi-disant « creux des reins ». Une enveloppe fibreuse les protège. Chaque rein mesure environ 12 cm de long. Il est surmonté d'une autre glande, sans rapport avec l'appareil urinaire : la *capsule surrénale*.

En coupe, le rein montre deux régions distinctes :

— Une écorce jaunâtre et parsemée de petits points rouges qui lui donnent un aspect granuleux ;
— Une région centrale formée de 8 à 10 cônes rouge foncé et d'aspect strié. Chaque cône porte à son sommet 10 à 30 orifices minuscules : les *pores urinaires*.

Deux gros vaisseaux sanguins (une artère et une veine) sont reliés à chaque rein.

Figure 6-6.
La coupe d'un rein.

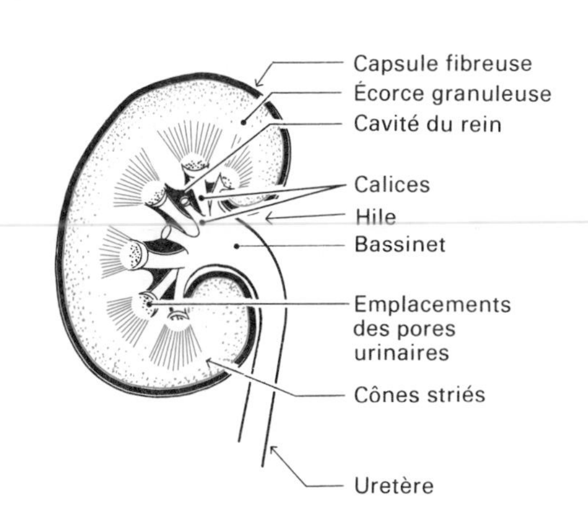

Les reins reçoivent environ 1,3 L/min de sang, soit le cinquième de ce que le ventricule gauche pousse dans l'artère aorte. On calcule qu'une goutte de sang donnée traverse un rein en moyenne toutes les 5 min.

Chaque rein est parcouru par 1 250 000 tubes microscopiques qui font pénétrer le milieu extérieur dans toute la masse du rein. Chaque pore urinaire représente le débouché commun à un groupe de ces tubes.

Les voies urinaires. Les voies urinaires comprennent les uretères, la vessie et l'urètre.

Chacun de tes reins est relié à un canal long de 25 cm : l'*uretère*. Dans sa partie supérieure, l'uretère s'élargit pour former le *bassinet*. Dans le rein, il se ramifie et forme de petits entonnoirs (les *calices*) qui s'emboîtent chacun avec le sommet d'un cône percé de pores urinifères.

Vers le bas, les deux uretères rejoignent par l'arrière un sac extensible : la vessie. Celle-ci communique avec l'extérieur par un seul conduit : l'urètre.

Chez la femme, l'urètre ne mesure que 5 cm. Chez l'homme, il est plus long (25 cm), car il s'engage dans le pénis et sert alors à évacuer l'urine et aussi le sperme.

Près de la vessie, l'urètre est entouré de deux muscles en anneaux (sphincters) qui l'étranglent. Tu ne peux contrôler volontairement que celui du bas.

- La cavité de la vessie appartient-elle au milieu extérieur ? Et celle du bassinet ? Justifie tes opinions.
- Dans quel(s) organe(s) du système excréteur rénal s'effectuent les échanges entre le milieu intérieur et le milieu extérieur ?

2. Le mécanisme de formation de l'urine dans le rein

On retrouve dans ton urine la plupart des constituants de ton plasma sanguin. Le rein extrait l'urine du sang ; il sélectionne les constituants superflus du plasma, les concentre et les excrète. Le rein fonctionne donc comme une sorte de filtre pour le sang. Il produit l'urine en deux temps.

Ses tubes microscopiques recueillent d'abord du plasma sanguin à peine modifié qui s'échappe de certains capillaires : c'est la phase de *filtration* proprement dite.

Les tubes traitent ensuite le liquide qu'ils ont recueilli en renvoyant dans le sang les constituants utiles à la vie des cellules (l'eau, en particulier) : c'est la phase de *réabsorption*. Les constituants du plasma qui ne sont pas réabsorbés et qui restent provisoirement dans les tubes forment l'urine.

Pour simplifier, disons que le sang confie au rein du plasma « sale » en échange de plasma « propre ».

Figure 6-7.
Le principe de la formation de l'urine dans le rein.

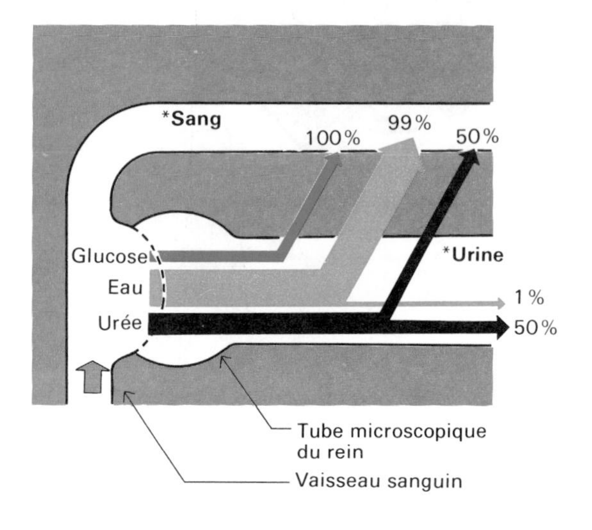

La filtration. La filtration s'applique à peu près au quart du plasma sanguin qui traverse le rein. La force qui en est responsable est la pression sanguine. C'est donc le cœur qui assure le travail de filtration rénale, et non le rein lui-même.

La réabsorption. La réabsorption constitue le véritable travail du rein. Celui-ci sélectionne les substances destinées à retourner dans le sang. La réabsorption des divers constituants du plasma qui ont filtré est en effet très variable. Par exemple, l'eau est réabsorbée à 99 % et le glucose à 100 %. Bien qu'elle ne soit pas utile à la vie des cellules, l'urée est réabsorbée à 50 %. Il reste donc de l'eau et de l'urée dans l'urine, mais pas de glucose (sauf anomalie).

L'urine n'est pas seulement constituée de substances que le rein n'a pas restituées au sang, mais aussi de substances retirées activement du sang par le rein et même de poisons fabriqués par le rein lui-même... Comme quoi rien n'est simple !

- Une goutte de sang passe en moyenne toutes les 5 min dans un rein. Elle y fait épurer à chaque fois le quart de son plasma. Combien de temps faut-il aux reins pour épurer tout le volume de plasma d'un individu ?

- Si tu possèdes 5 L de sang, et si le plasma représente 55 % de ce volume, quelle quantité de plasma est traitée par tes reins en 24 h ?
- Serait-il concevable que l'eau ne soit pas réabsorbée dans le rein ? Pourquoi ?

3. Les facteurs qui contrôlent le volume urinaire

La production quotidienne d'urine se situe normalement entre 1,0 et 1,7 L mais, dans certains cas, elle peut dépasser 20 L ou, inversement, s'arrêter complètement.

Le débit de la filtration ne varie pas beaucoup ; la production d'urine varie donc surtout en fonction de la réabsorption de l'eau dans le rein.

L'absorption d'une grande quantité d'eau accroît le volume sanguin ; la réabsorption de l'eau devient alors moins nécessaire dans le rein et le volume urinaire augmente. De la même façon, une alimentation à base de légumes (riches en eau) entraîne une production d'urine plus importante qu'une alimentation à base de viande.

Le sel retenu dans les tissus oblige le rein à un effort supplémentaire de réabsorption ; il réduit donc la production d'urine. En provoquant l'élimination du sel, le café, le thé, le cacao augmentent la production d'urine ; ce sont des *diurétiques*.

La transpiration concurrence l'excrétion urinaire ; celle-ci peut même cesser lors d'une activité physique intense pratiquée par temps chaud. Inversement, le repos au lit favorise la production d'urine, tout comme l'activité physique modérée.

Des facteurs psychiques interviennent également. L'excitation et la nervosité provoquent une augmentation de la production d'urine. L'émotion et la douleur ont l'effet inverse.

Comment une émotion peut-elle influencer le travail du rein ?

L'activité cérébrale liée à l'émotion stimule l'hypophyse (glande endocrine située au-dessous du cerveau), qui réagit en rejetant dans le sang une hormone nommée *hormone antidiurétique*. Celle-ci encourage les tubes microscopiques du rein à réintroduire dans le sang l'eau qu'ils contiennent. Ainsi, le volume urinaire se trouve réduit par une émotion (la peur, la colère ou une grande joie).

- Le travail du rein est-il plus important lorsqu'il produit beaucoup d'urine ou lorsqu'il en produit peu ?

4. L'excrétion de l'urine

Les tubes microscopiques de tes reins débouchent au sommet des cônes de la région centrale. Ils rejettent l'urine qu'ils ont élaborée par les pores urinaires. Les gouttelettes d'urine se rassemblent ensuite en gouttes plus grosses qui tombent dans le bassinet.

L'uretère aide l'urine à progresser vers la vessie par des mouvements péristaltiques. Les ondes de contraction progressent lentement vers le bas et se suivent à 15 s d'intervalle. Elles forcent le liquide à entrer dans la vessie.

Figure 6-8.
Le principe de l'évacuation de la vessie.

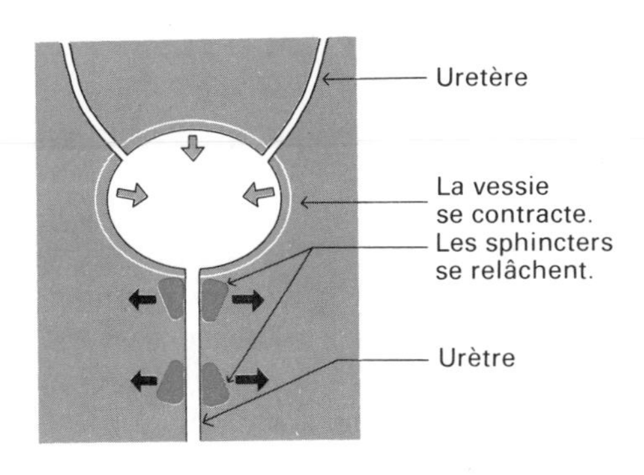

La capacité de ta vessie dépasse 2,0 L. Jusqu'à 0,5 L de contenu environ, la pression ne varie guère dans cette poche extensible, car les muscles de sa paroi se relâchent automatiquement au fur et à mesure qu'elle se remplit. Au-delà de cette quantité, la pression augmente et le besoin d'uriner se fait sentir.

L'action d'uriner (la *miction*) se produit lorsque les deux sphincters de l'urètre se relâchent en même temps que les muscles de la vessie se contractent. Le diaphragme et les muscles abdominaux aident à uriner.

- Le fait de ne pas ressentir le besoin d'uriner est-il le signe que le rein se repose ?

5. La contribution du rein à l'équilibre sanguin

Le rein contribue de trois façons à l'équilibre sanguin : il règle les quantités de sels minéraux et d'eau et il élimine les déchets azotés.

Le rein ajuste automatiquement le volume d'eau du milieu intérieur à la quantité de sel qui s'y trouve. Plus il y aura de sel, plus le rein y laissera d'eau.

Figure 6-9.
Le principe de l'excrétion de trois constituants du plasma.

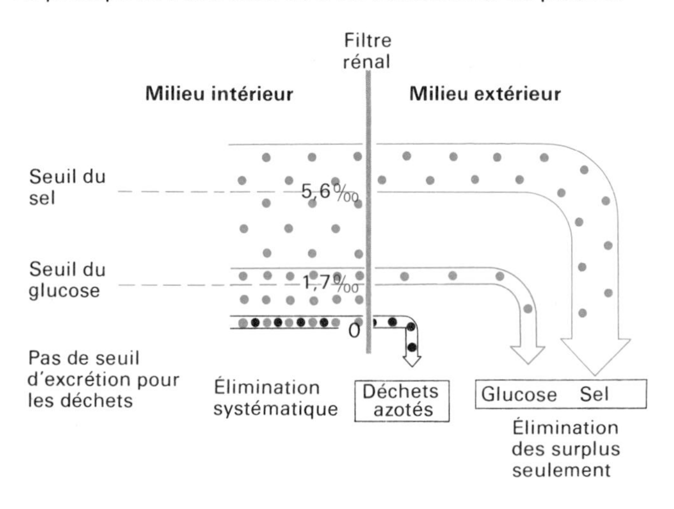

Le rein règle aussi les quantités de substances dissoutes dans le milieu intérieur. Il les traite différemment selon qu'elles sont utiles ou inutiles. Il élimine une partie des substances utiles quand elles sont trop abondantes, c'est-à-dire quand leur concentration dans le plasma dépasse un certain *seuil* propre à chacune d'elles. Pour les déchets azotés, au contraire, il n'y a pas de seuil d'élimination ; le rein les élimine en tout temps, ce qui les empêche de s'accumuler.

Dans toutes ces fonctions, le rein n'est qu'un exécutant soumis à des mécanismes régulateurs complexes contrôlés en dernier ressort par le cerveau.

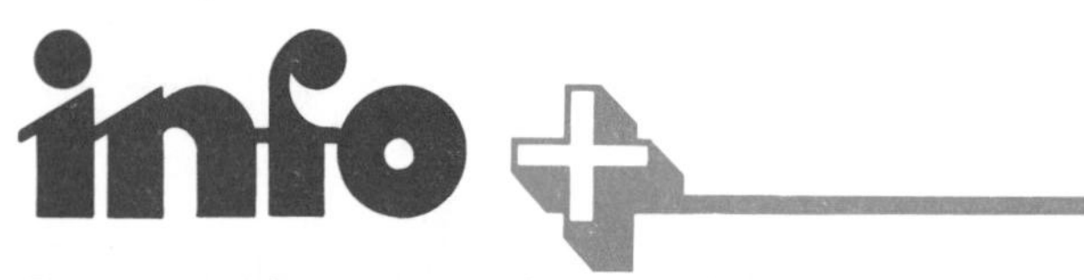

La signification de quelques constituants anormaux de l'urine

La présence de glucose dans l'urine indique que le taux de glucose du sang a dépassé le seuil de 1,7‰ et que ce nutriment n'est plus complètement réabsorbé dans le rein. Or, le taux normal de glucose sanguin oscille autour de 0,8‰ ; il y a donc hyperglycémie, c'est-à-dire excès de glucose dans le sang. Cette situation n'est pas dramatique en soi, mais peut être le signe d'un dérèglement profond de l'organisme tout entier : le diabète.

L'albumine est une protéine du plasma. En temps normal, la taille de ses molécules ne lui permet pas de filtrer dans le rein. Elle reste alors dans le sang. Sa présence dans l'urine est le signe d'une détérioration du tissu rénal. On nomme *néphrite* cette maladie qui peut être causée par un microbe.

On appelle *calculs urinaires* (les « pierres aux reins ») des cristaux de nature et de taille très variables qui peuvent se former et croître dans le bassinet ou la vessie. Ceux qui descendent dans l'uretère causent d'intolérables douleurs nommées *coliques néphrétiques*. Les calculs urinaires sont le signe de divers troubles du métabolisme.

La composition de ton urine reflète ton état de santé. Tu comprends maintenant qu'un bon rapport d'analyse d'urine puisse aider le médecin à établir un diagnostic.

- La plupart des personnes produisent une urine salée. Quelle conclusion peux-tu tirer de ce fait à propos de leur consommation de sel ?

6. Des éléments d'hygiène rénale

Tes reins sont des organes vitaux dont tu dois prendre soin. Tu sais à quelles contraintes sont soumis(es) les handicapé(e)s du rein, obligé(e)s de subir régulièrement d'interminables séances d'épuration de leur sang sur un rein artificiel. La greffe d'un rein, qui seule peut remédier à leur état, n'est encore possible que dans des cas exceptionnels.

Le rein est un organe destiné à éliminer des substances indésirables en solution dans l'eau, tout en économisant celle-ci. Tu peux donc soulager le rein d'une partie de son travail en lui fournissant beaucoup d'eau. Le premier principe d'hygiène rénale consiste donc à absorber beaucoup d'eau (nous n'en buvons généralement pas assez). Notons ici qu'un bon bouillon de légumes est une excellente source d'eau, sans parler des minéraux précieux qu'il renferme.

Plus il y a de sel dans le plasma, plus le rein doit réabsorber d'eau pour le diluer. En somme, le sel impose un travail supplémentaire aux reins. Le second principe d'hygiène rénale consiste donc à saler ses aliments avec modération.

À ce sujet, nous faisons face à un problème d'éducation. Manger trop salé est une habitude acquise, comme celles de fumer ou de boire de l'alcool. Les adultes ont une responsabilité à l'égard des jeunes enfants ; ils doivent s'assurer que ces derniers n'abusent pas du sel, dont ils pourraient rester dépendants toute leur vie.

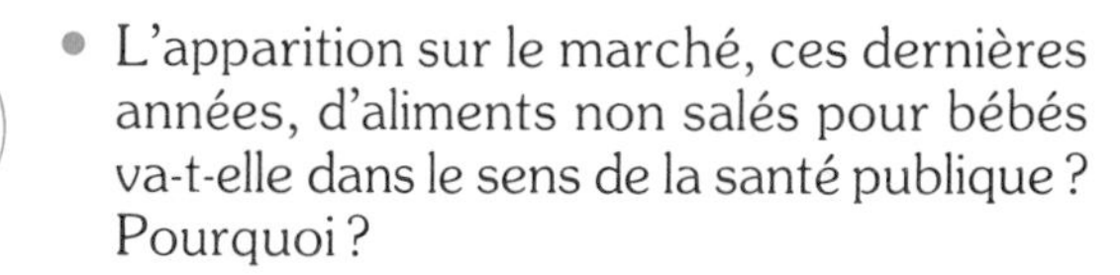

- L'apparition sur le marché, ces dernières années, d'aliments non salés pour bébés va-t-elle dans le sens de la santé publique ? Pourquoi ?
- Si tu aimes le jus de tomate, vois-tu une bonne raison de t'habituer à du jus non salé ?
- Est-il vrai que boire de l'eau fasse grossir ?

Marathon international de Montréal

Ces athlètes en plein effort rétablissent leur équilibre sanguin. Comment ? Pourquoi ?

à toi de jouer

1. NOMMER QUATRE PARTIES DU SYSTÈME EXCRÉTEUR RÉNAL.

Recopie et annote le schéma suivant ; donne-lui un titre.

Figure 6-10.

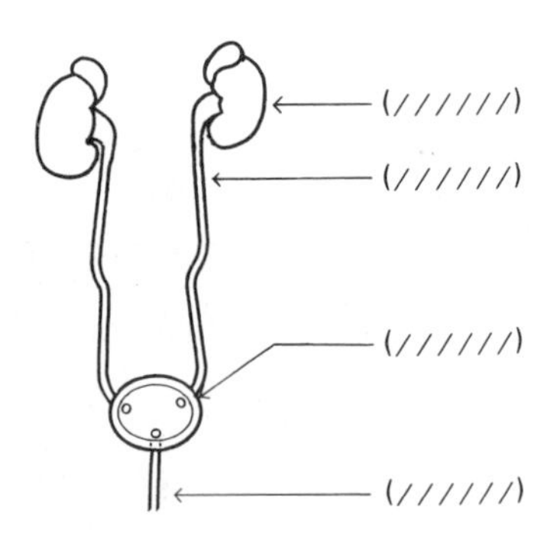

2. DÉCRIRE LA FONCTION DE CHACUNE DE CES PARTIES.

a) De quel liquide du corps dérive l'urine ?

b) Dans quel organe se forme-t-elle ?

Tableau 6-3.

La comparaison du plasma sanguin et de l'urine.

Constituants	Présence dans le plasma (‰ de la masse)	Présence dans l'urine (‰ de la masse)
Eau	900,0	960
Protéines	80,0	0
Glucose	0,8	0
Sels minéraux	10,0	14
Déchets azotés	0,3	23 (dont 20 pour l'urée)

c) En admettant que 1 L d'urine pèse 1 kg, calcule, d'après les données ci-dessus, la masse de substances dissoutes contenues dans 1 L d'urine.

d) Calcule la masse de substances dissoutes contenues dans 1,5 L d'urine, ce qui est la production normale d'urine pour une personne en une journée.

e) Nomme deux types de constituants du plasma qui, normalement, ne passent pas dans l'urine.

f) Par quels facteurs sont multipliées les concentrations des sels minéraux et des déchets azotés lorsqu'ils passent du plasma à l'urine ?

g) Décris en une phrase le rôle des organes suivants : l'uretère, la vessie et l'urètre.

3. TRACER SUR UN SCHÉMA LE TRAJET PARCOURU PAR UN DÉCHET AZOTÉ.

Reproduis le schéma ci-dessous et indique, par une série de courtes flèches (⟶⟶⟶), le cheminement d'un déchet azoté depuis une cellule jusqu'à l'extérieur. Colorie de façon appropriée le sang en bleu et en rouge.

Figure 6-11.

Le trajet d'un déchet azoté dans l'organisme.

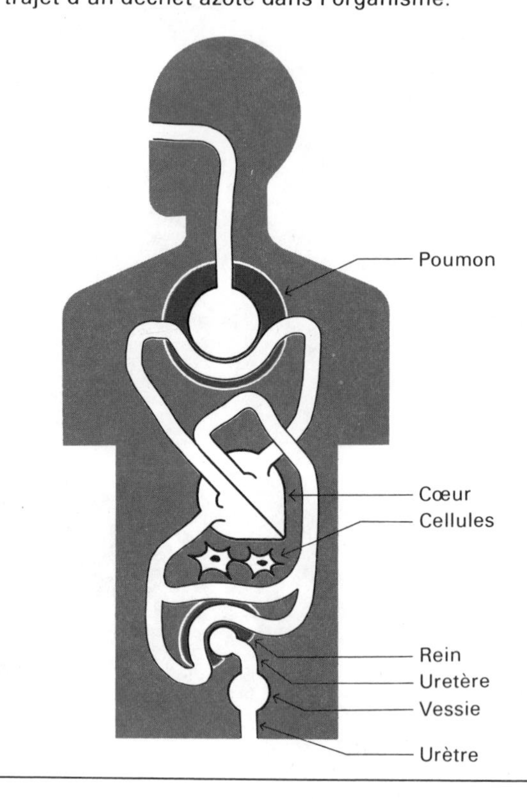

4. DRESSER LA LISTE DES FACTEURS QUI FONT VARIER LA QUANTITÉ D'URINE.

Recopie la liste de facteurs donnée ci-dessous. S'ils augmentent la production d'urine, marque-les du signe plus (+) ; s'ils la diminuent, marque-les du signe moins (−).

— Des boissons abondantes ;
— Une alimentation riche en légumes ;
— Le thé de 17 h ;
— Un repas salé ;
— Une hémorragie ;
— La transpiration ;
— La nervosité ;
— L'émotion.

5. NOMMER TROIS CONTRIBUTIONS DU REIN À L'ÉQUILIBRE SANGUIN

Un chien produit habituellement une urine peu abondante et concentrée en substances dissoutes. Si on fait boire 0,5 L d'eau à un chien à jeun, il produit dans les 90 min qui suivent une urine abondante et diluée. Ce phénomène cesse après la production de 0,5 L d'urine.

a) Déduis de cette expérience l'action du rein sur le volume du milieu intérieur.

b) Quelle est la concentration du sel dans le sang au moment où le rein cesse d'en laisser passer dans l'urine ?

c) Nomme un autre constituant du plasma pour lequel il existe un seuil d'élimination.

d) Nomme une catégorie de constituants du plasma qui sont systématiquement éliminés par le rein, quelle que soit leur concentration.

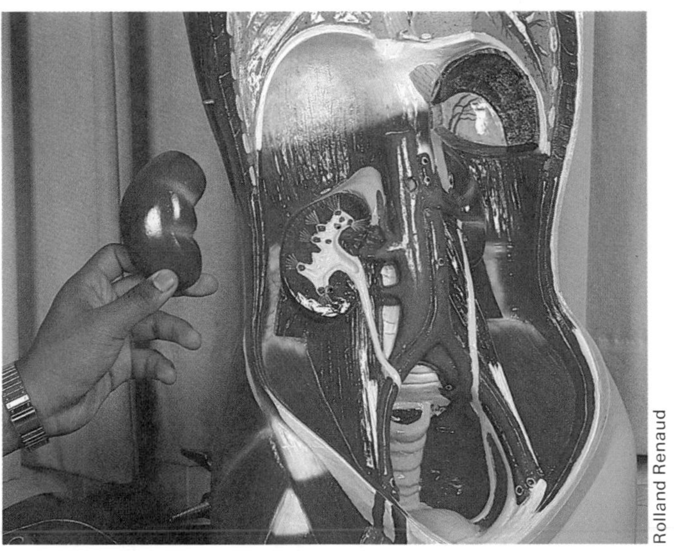

Rolland Renaud

Quels organes du système excréteur rénal reconnais-tu sur le modèle ? Sur la radiographie ?

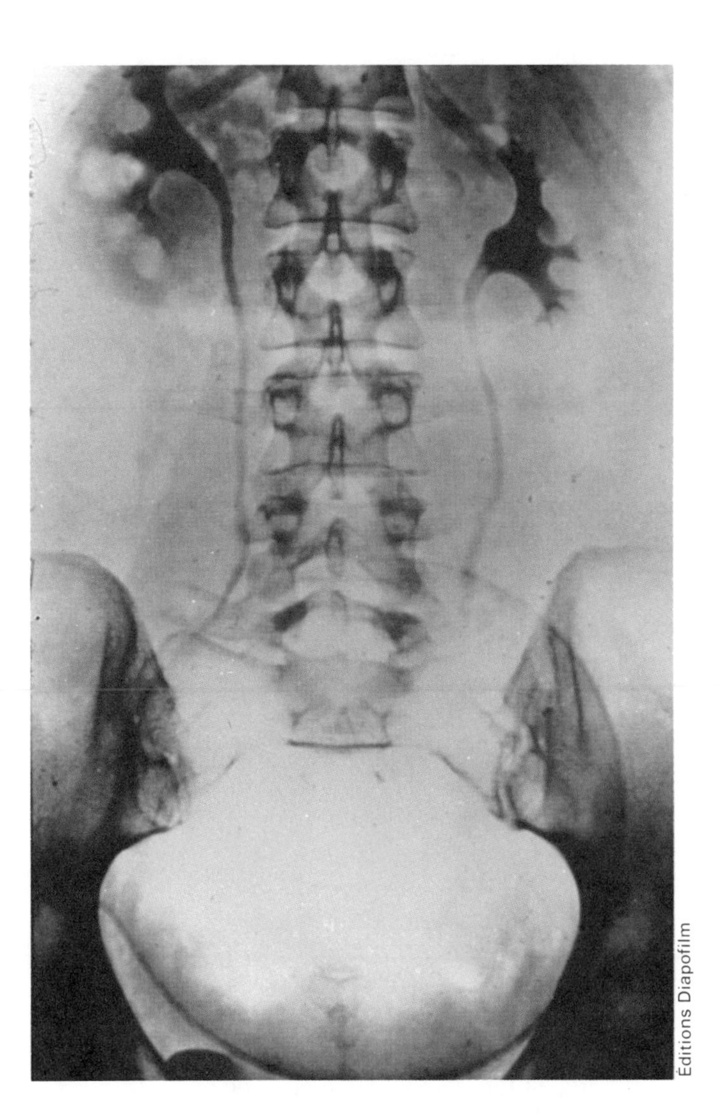

Éditions Diapofilm

VA PLUS LOIN

Le rein artificiel

Documente-toi au sujet du rein artificiel. Réponds aux questions suivantes :

a) Qu'est-ce qu'un rein artificiel ? À quoi sert-il ?

b) Comment fonctionne-t-il ? (Donne un schéma explicatif.)

c) Quelle est la fréquence des séances de dialyse pour une personne dont les reins ne fonctionnent plus ? Quelle est la durée d'une séance ?

d) Comment la personne est-elle reliée à l'appareil ?

FAIS LE POINT

SECTION A L'élimination du dioxyde de carbone

1. Dans le montage illustré ci-dessous, l'eau de chaux se trouble progressivement, tandis que l'eau colorée monte dans le tube. Explique ces deux phénomènes.

Figure 6-12.

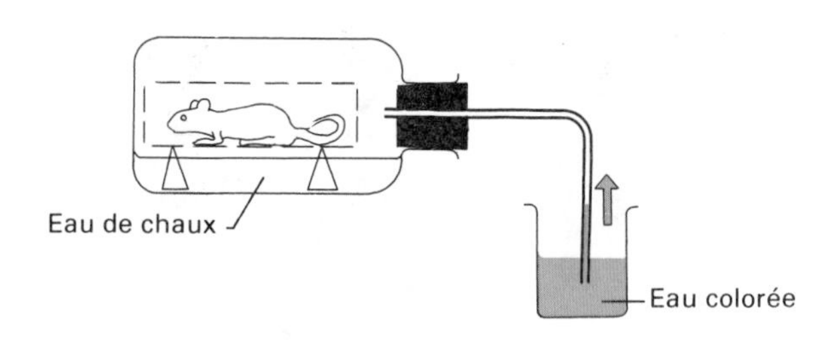

2. Dans le montage suivant, si j'aspire par le tube A, le liquide reste rose. Si je souffle dans le tube B, le liquide vire au jaune. Explique ces deux phénomènes.

Figure 6-13.

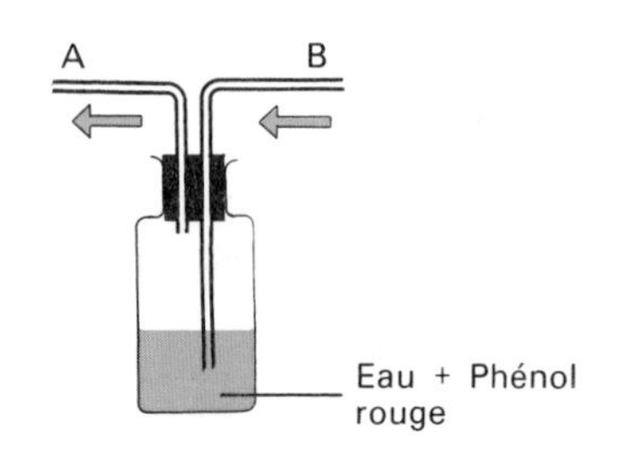

3. Au cours de l'expérience illustrée ci-dessous, que devient la bougie ? Que devient l'eau de chaux ? Que devient l'eau colorée ?

Figure 6-14.

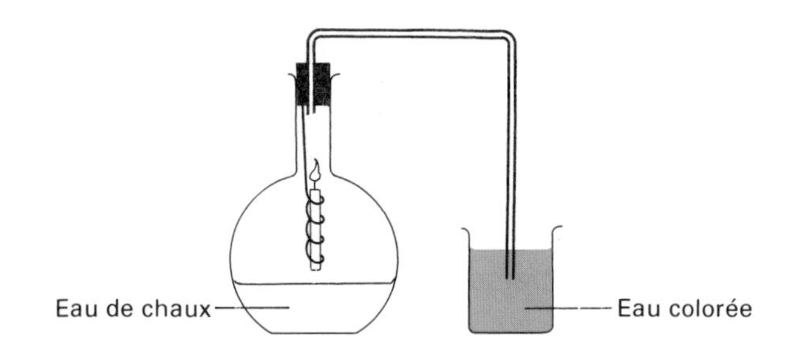

4. Les diagrammes suivants donnent les compositions simplifiées de l'air inspiré et de l'air expiré.

Figure 6-15.
La comparaison entre l'air inspiré et l'air expiré.

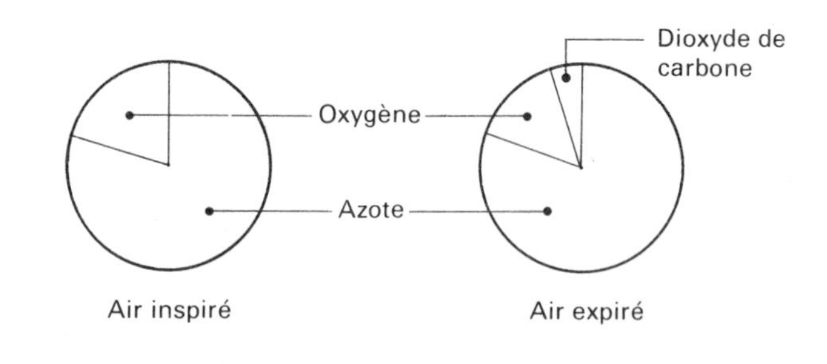

Ces diagrammes démontrent que :
a) le dioxyde de carbone n'apparaît en proportion notable que dans l'air expiré.
b) l'air expiré est enrichi en oxygène.
c) l'air expiré est enrichi en azote.
d) l'air expiré est appauvri notablement en azote.

5. Recopie le schéma ci-dessous et indique par des flèches le trajet suivi par le dioxyde de carbone à partir de la cellule.

Figure 6-16.
Le trajet du dioxyde de carbone.

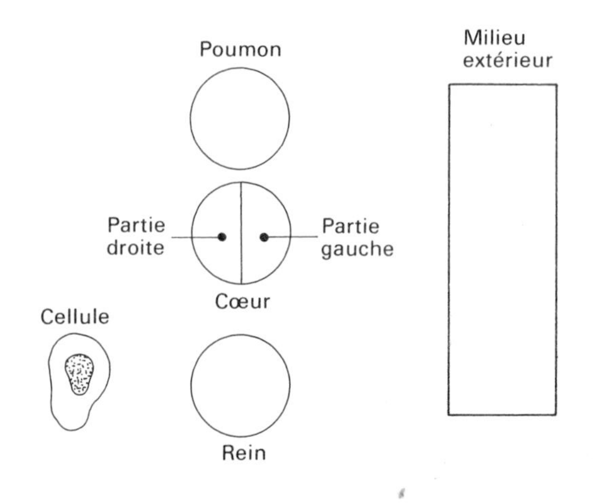

6. Le système respiratoire réagit à l'activité physique en :
a) accélérant son rythme de fonctionnement afin d'éliminer davantage d'oxygène et de dioxyde de carbone.

b) accélérant son rythme de fonctionnement afin de fournir plus d'oxygène et d'éliminer plus de dioxyde de carbone.
c) réduisant son rythme de fonctionnement afin d'éliminer moins d'oxygène et de dioxyde de carbone.
d) réduisant son rythme de fonctionnement afin de laisser plus de temps à l'oxygène pour se diffuser dans le sang.

7. En se plaçant un sac de polythène sur le visage, on respire rapidement un air vicié, c'est-à-dire surchargé en dioxyde de carbone. Dans ces conditions, le taux sanguin de dioxyde de carbone monte constamment. Il faut donc s'attendre à respirer :
a) sans rythme défini, de façon irrégulière.
b) sans changer de rythme.
c) de moins en moins vite.
d) de plus en plus vite.

8. D'après la numérotation ci-dessous, lorsque 1 augmente :
a) 2 et 3 augmentent et 4 diminue.
b) 2, 3 et 4 diminuent.
c) 2, 3 et 4 augmentent.
d) 2 et 3 diminuent et 4 augmente.

1. Consommation de combustibles par les cellules.
2. Production de dioxyde de carbone.
3. Taux sanguin de dioxyde de carbone.
4. Élimination de dioxyde de carbone.

9. Parmi les moyens qui permettent de diminuer la tendance à l'essoufflement, le moins pertinent du point de vue de la santé est :
a) le refus de toute activité physique qui pourrait provoquer l'essoufflement.
b) la pratique régulière d'activités physiques.
c) l'élimination de l'embonpoint.
d) l'élimination du tabagisme.

10. Le poumon a une influence sur la qualité du sang. Il fait en sorte de :
a) faire varier la qualité du sang en fonction des conditions de l'environnement.
b) faire varier la qualité du sang en fonction de l'activité de l'organisme.
c) maintenir la qualité du sang en annulant des changements que les cellules lui font subir.
d) maintenir la qualité du sang en annulant les changements que l'absorption digestive lui fait subir.

SECTION B Le rôle du rein dans l'élimination des déchets azotés

1. Reproduis et complète le tableau suivant :

Tableau 6-4.
Les organes du système excréteur rénal et leurs fonctions.

Fonctions	Organes
Filtration du sang, élimination des déchets et production d'urine	•
Transport de l'urine à partir de l'organe producteur	•
Accumulation d'urine	•
Évacuation de l'urine à l'extérieur	•

2. Recopie le schéma ci-dessous et indique par des flèches le trajet suivi par un déchet azoté à partir de la cellule.

Figure 6-17.
Le trajet d'un déchet azoté.

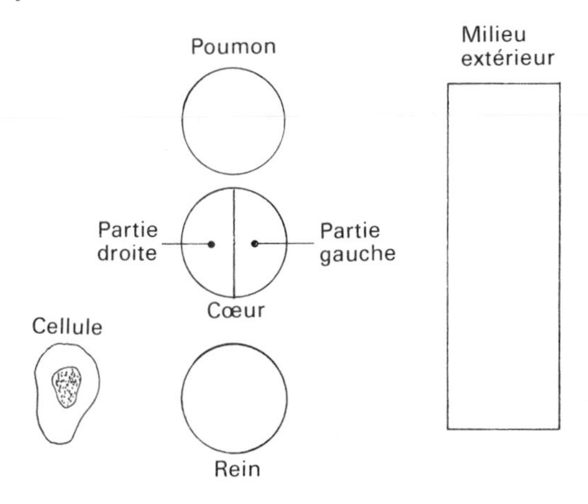

3. Note le facteur qui influence le moins la quantité d'urine produite.
a) La quantité d'eau absorbée.
b) La teneur en dioxyde de carbone de l'air inspiré.
c) La teneur de l'alimentation en sels minéraux.
d) La transpiration.

4. Note l'action que le rein n'a pas, normalement, sur le sang.
a) Le contrôle du volume.
b) Le contrôle des taux de sels minéraux.
c) L'élimination des protéines.
d) L'élimination des déchets azotés.

SECTION A L'élimination du dioxyde de carbone

1. La c////// vive d'une substance organique ou sa dégradation au cours de la r////// cellulaire produisent un d////// : le dioxyde de carbone. Celui-ci peut être détecté grâce à l'e////// de c////// ou au phénol rouge.
2. Par rapport à l'air inspiré, l'air expiré est plus riche en d////// d////// c////// et plus pauvre en o////// ; sa teneur en a////// ne varie pratiquement pas.
3. Le s////// se charge du dioxyde de carbone produit par les cellules et l'abandonne dans l'air alvéolaire des p//////. La ventilation pulmonaire rejette le dioxyde de carbone à l'e////// du corps.
4. Le r////// respiratoire s'accélère lorsque le taux de d////// d////// c////// dans le sang augmente, c'est-à-dire lorsque la respiration cellulaire est activée. Cet effet accélère l'é////// du dioxyde de carbone.
5. Le r////// respiratoire est plus élevé après un exercice physique qu'au r//////.
6. La régularité des activités physiques, l'élimination de l'e////// et l'élimination du t////// sont trois moyens qui permettent de réduire la tendance à l'essoufflement.
7. Le p////// contribue à l'équilibre du s////// en l'enrichissant en oxygène et en éliminant son dioxyde de carbone.

☐ *Comment une grande capacité pulmonaire influence-t-elle la tendance à l'essoufflement ?*

SECTION B Le rôle du rein dans l'élimination des déchets azotés

1. Les principaux organes du système excréteur sont les r//////, les u//////, la v////// et l'u//////.
2. Les r////// filtrent le sang pour en retirer l'u//////. Les u////// conduisent l'urine à la vessie qui l'emmagasine. L'u////// permet à la vessie de se vider à l'extérieur.
3. Le sang se charge des déchets azotés produits par les c////// ; le système excréteur rénal les rejette ensuite à l'e//////.
4. La quantité d'e////// absorbée, la qualité de l'alimentation (en sels minéraux, notamment) et la t////// sont des facteurs qui font varier la quantité d'urine produite.
5. Le r////// contribue à l'équilibre du s////// en réglant ses quantités d'eau et de sels minéraux et en éliminant ses déchets azotés (l'urée, surtout).

☐ *Donne deux façons de faciliter le travail des reins.*

Deuxième partie

La relation

Comment communique-t-on avec l'environnement ?

Ton livre de biologie est un élément de ton environnement. Pour le connaître, tu dois entrer en contact avec lui. Le contact visuel représente un des principaux moyens dont tu disposes pour communiquer avec cet objet.

a) Donne des caractéristiques du livre que tu perçois en le regardant.

Si tu fermes les yeux, tu peux encore communiquer avec lui, en le touchant, par exemple.

b) Donne des caractéristiques du livre que tu perçois en le touchant.

Sans voir ni toucher ton livre, il te reste encore des moyens de reconnaître au moins sa présence.

Souffle doucement, par exemple, sur le bord de ses pages, sans les toucher, les yeux fermés ; tu constateras qu'elles produisent un son particulier. Tu peux donc entendre ton livre. Si tu n'es pas enrhumé(e), tu peux aussi le flairer.

À la rigueur, tu pourrais même y goûter, mais nous n'insisterons pas pour que tu le fasses ; tu trouverais probablement un goût amer à la biologie...

As-tu conscience, maintenant, du nombre de signaux que tu reçois à chaque instant de ce qui t'entoure ? Les organes spécialisés qui te servent à les capter sont tes organes des sens.

c) Nomme les *organes des sens.*

Tu communiques efficacement avec tes semblables grâce à un système complexe de signaux visuels et auditifs.

d) Comment nomme-t-on ce système de signaux ?

Pour mieux entrer en communication sensorielle avec ton environnement, tu as besoin de bouger. Tu marches pour aller voir et entendre un spectacle, tu avances la main pour caresser un animal, tu t'approches d'une fleur pour en saisir le parfum, tu mastiques pour savourer les aliments.

e) Donne d'autres exemples de mouvements associés à des relations sensorielles.

Les organes qui te permettent de te mouvoir sont tes muscles et tes os ; ils constituent ton système moteur. Grâce à tes mouvements, tu peux améliorer ta perception de l'environnement et aussi agir sur lui. Ainsi, lorsque tu pétris de la pâte pour lui donner la forme que tu as choisie tu lui communiques une de tes idées.

f) Donne d'autres exemples qui montrent comment tu communiques tes idées à ton environnement.

Pour agir efficacement, il te faut un plan d'action. C'est ton système nerveux qui le prépare d'après les données qu'il reçoit des organes des sens, données qu'il rassemble, trie, compare et met en mémoire.

g) Le schéma ci-dessous résume le principe de ta relation avec l'environnement. Quel cercle du schéma symbolise les organes des sens ? Le système moteur ? Le système nerveux ?

Figure 7-1.
La relation avec l'environnement.

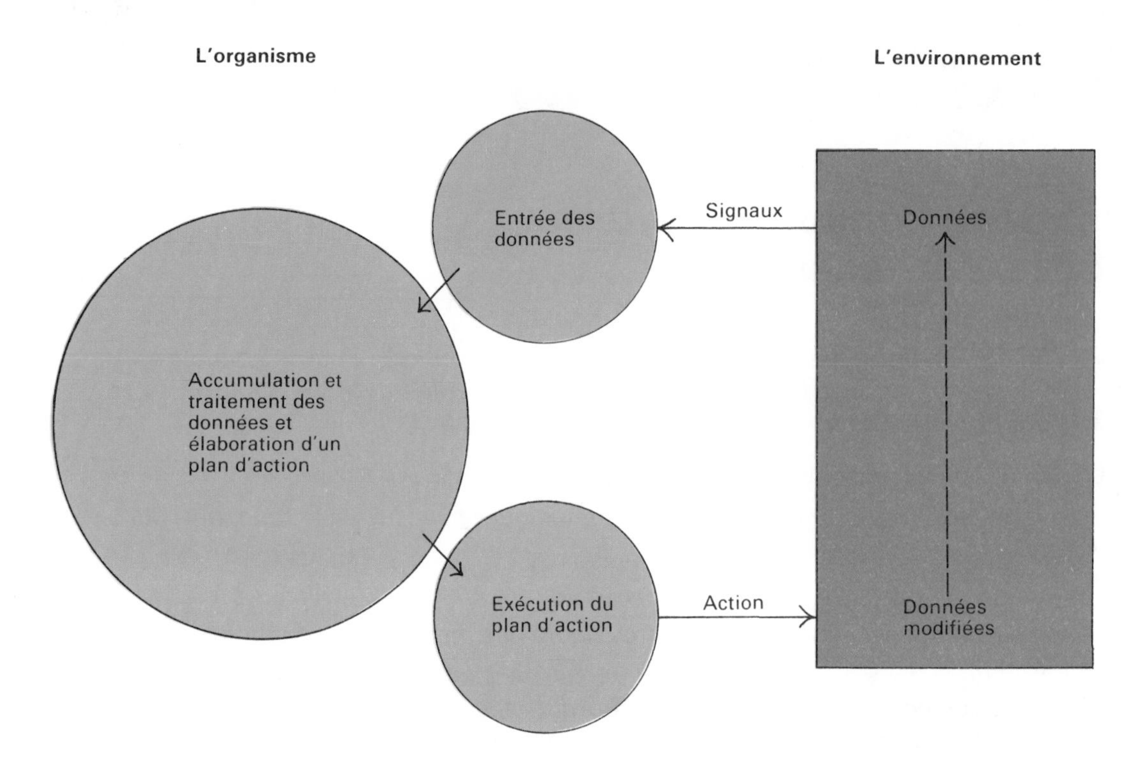

h) Est-il possible de vivre en étant privé(e) d'un de ses sens ? En étant partiellement paralysé(e) ?

i) Qu'est-ce que la paraplégie ? L'hémiplégie ? La quadraplégie ?

j) As-tu l'occasion de fréquenter des personnes handicapées ? Juges-tu qu'il serait possible de mieux intégrer ces personnes à la vie active de notre société ? As-tu des suggestions à formuler en ce sens ?

Chapitre 7

La relation sensorielle

Es-tu doué(e) pour le portrait ?

Matériel : 1 miroir ; 1 feuille à dessin.

Pour situer tes organes des sens sur un dessin, tu n'as pas besoin de représenter ton corps au grand complet ; il te suffit de représenter ta tête.

a) Dessine ta propre tête, telle que tu peux l'observer dans le miroir. Fais en sorte que tous les organes des sens apparaissent.

b) Représente près de chaque organe des sens le symbole d'un facteur extérieur auquel il est sensible. Relie par une flèche le symbole à l'organe des sens correspondant.

Par exemple, tu peux relier une ampoule électrique à l'œil, un poste de radio à l'oreille, une salière à la langue, un séchoir à cheveux à la joue, un flacon de parfum au nez. Fais preuve d'imagination et d'humour.

c) Donne un titre à ton œuvre.

La relation sensorielle et la relation motrice sont les deux formes de la communication avec l'environnement.

Tu vis dans un monde qui change constamment. Le temps qu'il fait, la mode, le prix des aliments, ton entourage, la circulation automobile, tout change autour de toi. Ton corps lui-même se transforme en vieillissant.

Pour profiter le mieux possible de ton milieu de vie, tu dois faire face à ses variations, c'est-à-dire t'y adapter. Analysons un exemple d'adaptation à un changement du milieu.

Céline roule à bicyclette; elle aborde un carrefour alors que le feu de circulation passe au rouge. Sa vie peut être mise en danger si elle poursuit sa route. Céline s'adapte à la situation par un mouvement simple et efficace: elle saisit à pleines mains ses poignées de freins.

Ce mouvement des mains résulte d'un travail musculaire. Il s'est produit parce qu'un signal venu du milieu extérieur sous forme de lumière rouge a informé Céline d'un danger. Le signal a été capté par un organe récepteur, l'œil, puis transmis au système nerveux qui l'a analysé et qui a commandé la réaction des muscles du membre supérieur. Une information venue du milieu extérieur (le feu de circulation) a donc déclenché une action sur un élément de ce même milieu (la bicyclette).

La relation avec l'environnement est essentielle à ta survie. Elle met en jeu tes organes les plus gros, c'est-à-dire tes muscles (40% de ta masse corporelle) et tes os (15% de ta masse corporelle). Elle met aussi en jeu tes organes les plus complexes, c'est-à-dire ton système nerveux et tes organes des sens. Ces derniers sont à la base de ta relation avec l'environnement. Sans relation sensorielle, tes actions n'auraient pas de signification; tu n'en connaîtrais jamais les effets, puisque tu ignorerais ce qui t'entoure.

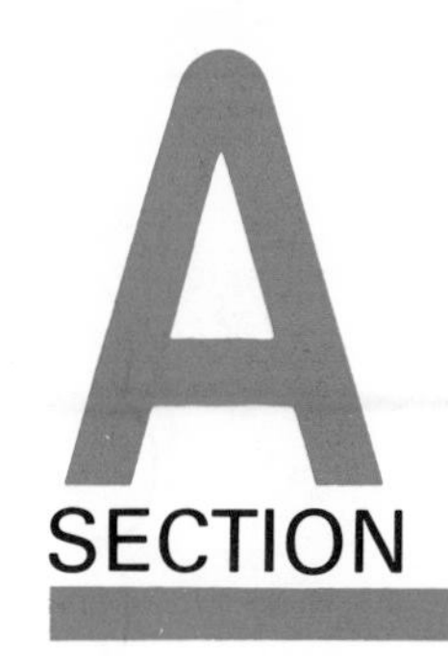

Le milieu : source de stimulus

Comment exprime-t-on les impressions produites par l'environnement ?

Ta relation sensorielle avec l'environnement te procure une multitude d'impressions que tu exprimes couramment par des adjectifs. Par exemple, tu exprimes des impressions visuelles en disant « c'est éclairé » ou « c'est multicolore » ou encore « c'est décoratif ».

Tes sens te procurent cinq sortes d'impressions : visuelles, auditives, tactiles, olfactives et gustatives.

a) D'après ces catégories, classe les impressions énumérées ci-dessous.
   — Brillant
   — Chaud
   — Inodore
   — Mélodieux
   — Parfumé
   — Rouge
   — Rugueux
   — Rythmé
   — Savoureux
   — Sucré

b) Rattache d'autres adjectifs aux différentes catégories d'impressions. Tu constateras ainsi la variété des informations que tu reçois de l'environnement grâce à tes organes des sens.

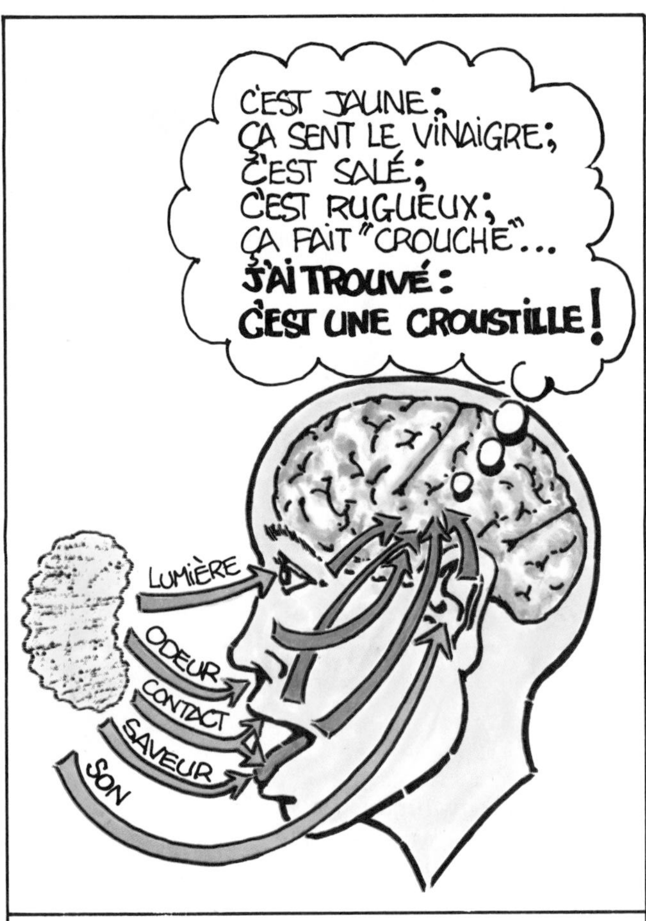

Les organes des sens sont des récepteurs de stimulus qui sont perçus dans le cerveau.

Ton milieu de vie te transmet un flot continuel d'informations qui influencent ton comportement. On appelle *stimulus* tout facteur capable de déclencher une réponse (réaction) de l'organisme. Nous nous limiterons ici à l'étude des stimulus d'origine externe, captés par les organes des sens. D'autres stimulus viennent de l'intérieur du corps. Le mal de dents, par exemple, est un signal interne qui t'incite fortement à adopter un comportement approprié : consulter un dentiste.

1. La lumière

La lumière représente, comme la chaleur, de l'énergie émise sous forme de *radiations* (rayons). À chaque instant, tu es «bombardé(e)» par toutes sortes de radiations dont tu ne perçois qu'une partie. Par exemple, les ondes radio n'ont apparemment aucun effet sur toi, bien qu'elles soient de même nature que les radiations de lumière ou de chaleur ; tu ne possèdes pas d'organe récepteur sensible à cette qualité de rayonnement.

L'œil est sensible à la lumière, ce qui signifie qu'il réagit à celle-ci ; la lumière est le stimulus de l'œil. À partir de ce récepteur, les radiations lumineuses les plus énergétiques produisent sur toi une sensation de violet, et les moins énergétiques une sensation de rouge. Les autres couleurs représentent les sensations produites par les radiations lumineuses intermédiaires. Lorsque ton œil capte en même temps toutes les sortes de radiations lumineuses, tu éprouves une sensation de blanc.

La faculté d'éprouver des sensations à partir de la lumière constitue le *sens de la vue*. La *vision* est la perception du monde extérieur obtenue grâce au sens de la vue.

- Connais-tu le nom des radiations invisibles qui traversent ton corps lorsque tu te fais radiographier ?
- Lorsque tu regardes un arc-en-ciel, ton œil capte séparément les radiations lumineuses de la lumière blanche. Peux-tu énumérer les sept sensations de base qui en découlent ?
- Comment nomme-t-on le fait d'être privé du sens de la vue ?

2. Le son

Le son est un phénomène physique qui ressemble très superficiellement à la lumière ; les physiciens parlent en effet d'*ondes sonores* aussi bien que d'ondes lumineuses. En réalité, le son est d'une toute autre nature que la lumière ; c'est une vibration qui se déplace nécessairement dans un milieu matériel, alors que la lumière se propage parfaitement dans le vide. D'autre part, le son est beaucoup plus lent que la lumière (340 m/s dans l'air, contre 300 000 km/s). Ainsi, l'éclair d'une explosion nucléaire déclenchée à la surface de la terre parviendrait en 1,3 s à des cosmonautes installés sur la lune. Si son bruit pouvait franchir le vide cosmique, il leur parviendrait environ 13 jours plus tard.

Les ondes sonores qui te parviennent habituellement sont des mouvements de va-et-vient très rapides (vibrations) des molécules d'air. L'oreille est le récepteur des ondes sonores ; il s'agit d'un organe très complexe dont les parties essentielles sont situées profondément dans la tête.

La faculté d'éprouver des sensations à partir des sons constitue le *sens de l'ouïe*. L'*audition* est la perception des sons obtenue grâce au sens de l'ouïe.

- Pourquoi un(e) spectateur(trice) au hockey entend-il(elle) toujours les coups de sifflet de l'arbitre avec un certain retard par rapport à l'action qui les provoque ?
- Lorsqu'un avion atteint la vitesse du son, quelle est sa vitesse horaire approximative ?
- Le son se transmet-il de l'air à l'eau ? Justifie ton opinion.
- Le son se propage-t-il dans l'eau ? Justifie ton opinion.
- Le son peut-il se propager dans des solides ? Justifie ton opinion.

3. Les odeurs

Toutes les matières s'évaporent plus ou moins rapidement et libèrent des molécules dans l'air. Lorsque ces molécules sont capables de stimuler une région spécialisée des fosses nasales, elles constituent une odeur. Le nez est le récepteur des odeurs.

Beaucoup de molécules présentes dans l'air ne sont pas perçues comme des odeurs, parce qu'elles n'ont pas d'effet stimulant sur le nez. Par exemple, le dioxyde de carbone n'est pas senti, même s'il se trouve en proportion importante dans l'air : ce n'est pas une substance *odorante*. Par contre, nous commençons à percevoir une odeur de vinaigre lorsque l'air ambiant contient au moins 500 000 000 de molécules d'*acide acétique* par mètre cube. Un chien perçoit cette odeur avec 200 000 molécules seulement par mètre cube. Notons que 500 000 000 de molécules d'acide acétique par mètre cube représentent aussi peu que 1 molécule pour 50 millions de milliards de molécules de l'air. L'acide acétique est une substance très odorante.

La faculté d'éprouver des sensations à partir des odeurs constitue le *sens de l'odorat*. La perception des odeurs est l'*olfaction*.

- L'odorat d'un chien est beaucoup plus sensible à l'acide acétique que celui de l'homme. De combien de fois ?

4. Les saveurs

Les saveurs sont les qualités particulières qui permettent à certaines substances de stimuler un organe récepteur : la langue.

La faculté d'éprouver des sensations à partir des saveurs constitue le *sens du goût*. La perception des saveurs est la *gustation*.

Comparé à l'odorat, le goût est un sens rudimentaire ; il ne permet de distinguer que quatre saveurs fondamentales : le salé, le sucré, l'amer et l'acide.

- Comment dit-on en un seul mot : « qui a une saveur » ? « Qui n'a pas de saveur » ?

5. Les contacts tactiles

Le contact *tactile* avec un objet (le fait de le toucher) te permet d'en apprécier de nombreuses caractéristiques. La faculté d'éprouver des sensations à partir des contacts tactiles constitue le *sens du toucher*, ou tact. Le principal organe récepteur des stimulus tactiles est la peau, mais la langue possède aussi une bonne sensibilité tactile. On distingue deux sortes de stimulus tactiles : le chaud et le froid d'une part, la pression d'autre part.

- Toutes les régions de la peau ont-elles le même type de sensibilité ? Justifie ton opinion.

6. La douleur

Lorsqu'une contrainte anormale s'exerce sur un organe, elle cause généralement une sensation de douleur. Les récepteurs de la douleur sont répartis dans tout le corps.

La valeur de la douleur comme signal d'alarme est évidente. Toutefois, la sensation de douleur n'est pas toujours proportionnée à sa cause. La simple piqûre d'une aiguille cause une douleur vive ; inversement, une maladie mortelle peut ne s'accompagner d'aucune douleur.

- La lumière peut-elle causer une douleur aux yeux ? Dans quelles circonstances ?
- Vois-tu d'autres situations où un stimulus cause une douleur à un organe des sens ?

à toi de jouer

1. DRESSER UNE LISTE DE TYPES DE STIMULUS POUVANT ÊTRE PERÇUS.

   Cet objectif est traité avec le suivant.

2. ASSOCIER À CHACUN DES STIMULUS UN ORGANE RÉCEPTEUR.

   Imagine que tu souffres d'une carie dentaire avancée et que tu te laisses tenter par un cornet de crème glacée à la fraise.

   Dresse une liste des stimulus qui agissent sur toi à partir du cornet de crème glacée que tu dégustes. Associe un récepteur à chacun d'eux. Présente ta réponse selon le modèle du tableau 7-1.

Tableau 7-1.
La relation sensorielle avec un cornet de crème glacée.

Stimulus	Récepteurs
• Lumière	• Œil
•	•
•	•
•	•
•	•
•	•
•	•

VA PLUS LOIN

1. **Recherche dans le domaine de l'acoustique**

   Recherche quelles sont les caractéristiques d'une vibration. Définis successivement :

   — La période ;
   — La longueur d'onde ;
   — La fréquence ;
   — L'amplitude ;
   — Les harmoniques.

   Explique, en fonction de ces données, en quoi consistent les trois principales caractéristiques d'un son, soit :

   — La hauteur ;
   — L'intensité ;
   — Le timbre.

2. **Recherche sur les ondes électromagnétiques**

   a) Qu'est-ce que les ondes électromagnétiques ?

   b) Donne un schéma situant les différentes catégories d'ondes électromagnétiques, les unes par rapport aux autres.

   c) Qu'est-ce qu'un spectre lumineux ? Dessine en couleurs le spectre de la lumière solaire.

B

SECTION

L'anatomie de l'œil

Comment des images peuvent-elles se former dans l'œil ?

Matériel : 1 boîte de carton ; papier ciré ; ruban adhésif ; ciseaux ; 1 compas ; 1 miroir.

En pénétrant dans l'œil, la lumière forme des images organisées. Le fond de l'œil ressemble à une sorte d'écran de cinéma sur lequel se projette le spectacle du monde extérieur. Tu peux facilement réaliser chez toi ou en classe un piège à images comparable à l'œil : cela s'appelle une chambre noire. Le schéma ci-dessous t'explique comment faire ; tu peux voir que c'est très simple.

Figure 7-2.
Une chambre noire.

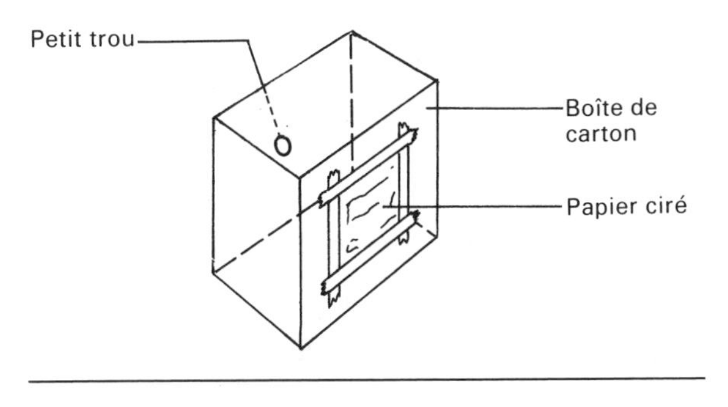

— Avec du ruban adhésif, referme complètement la boîte ;
— Dans la plus grande face, découpe avec des ciseaux une fenêtre d'environ 5 cm sur 5 cm ;
— Bouche la fenêtre avec du papier ciré fixé avec du ruban adhésif ;
— Avec une pointe de compas, perce un petit trou (2 mm de diamètre environ) au centre de la face opposée.

Il te reste à voir fonctionner le système. Pour cela, il suffit de te trouver dans une pièce obscure où fonctionne un appareil de télévision. Observe l'image de la télévision à travers la chambre noire ; elle se projette sur l'écran de papier ciré. Rapproche-toi et éloigne-toi de la télévision et constate le changement de l'image observée.

a) Résume brièvement tes observations.

L'œil possède une chambre noire ; le petit trou qui permet à la lumière d'y entrer se nomme pupille.

b) Dessine un de tes yeux tel que tu peux l'observer dans un miroir et situe la pupille sur ton schéma.

c) Représente telle que tu l'imagines une coupe de l'œil faite d'avant en arrière et passant par la pupille.

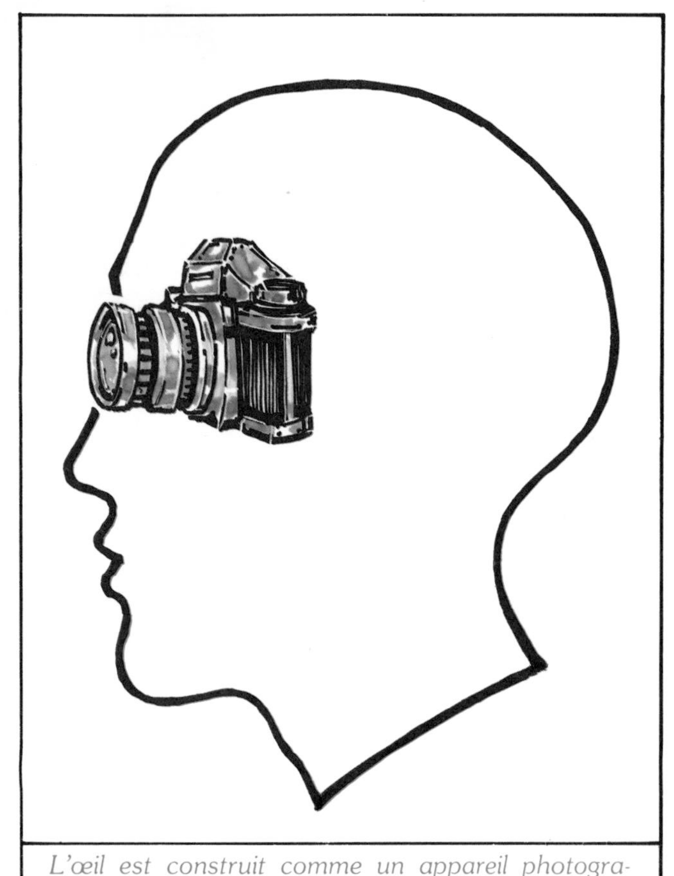

L'œil est construit comme un appareil photographique.

L'œil est un organe à structure très simple. Cependant, il représente un magnifique exemple d'adaptation à une fonction.

L'œil est fait d'abord pour recueillir des images nettes de l'environnement. Il réussit tellement bien dans ce domaine qu'il est copié à des millions d'exemplaires par l'industrie sous forme d'appareils photographiques : l'objectif, le diaphragme, la chambre noire, la pellicule, le boitier rigide, sont autant de répliques d'éléments de l'œil. Il semble bien n'exister qu'un procédé pour obtenir de bonnes images sur une surface sensible à la lumière.

Ton œil est une sphère presque parfaite d'environ 25 mm de diamètre. Sa paroi comprend plusieurs membranes superposées. Son contenu est formé de plusieurs milieux transparents.

1. Les membranes de l'œil

De l'extérieur vers l'intérieur, la paroi de ton œil est formée de trois membranes principales : la *sclérotique*, la *choroïde* et la *rétine*.

Figure 7-3.
Les membranes de l'œil.

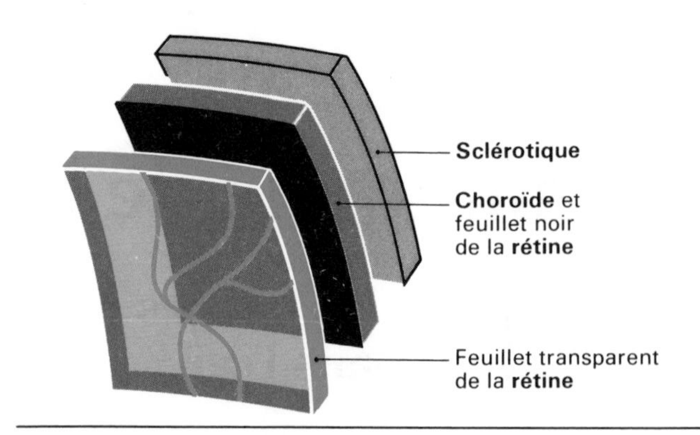

La sclérotique. La sclérotique est une membrane relativement rigide, fibreuse et résistante, de 1 mm d'épaisseur. Elle constitue une sorte de squelette de l'œil, et détermine sa forme. Tu connais la sclérotique sous le nom de « blanc de l'œil ». Elle est visible par transparence à travers une autre membrane nommée *conjonctive*, qui représente le prolongement de la peau en avant de l'œil. Lorsque tu as l'œil rouge, tu ne souffres pas d'une irritation de la sclérotique, mais de la conjonctive qui la recouvre.

Vers l'avant, la sclérotique fait place à une membrane transparente plus bombée : la *cornée*.

La choroïde. La choroïde est une membrane brune qui double intérieurement la sclérotique. Elle renferme de nombreux vaisseaux sanguins qui nourrissent l'œil.

Une partie de la choroïde est visible de l'extérieur : celle qui constitue l'*iris*, c'est-à-dire le disque troué et coloré de l'œil. La lumière entre dans la chambre noire de l'œil par le trou de l'iris, ou *pupille*.

Figure 7-4.
Une vue externe de l'œil.

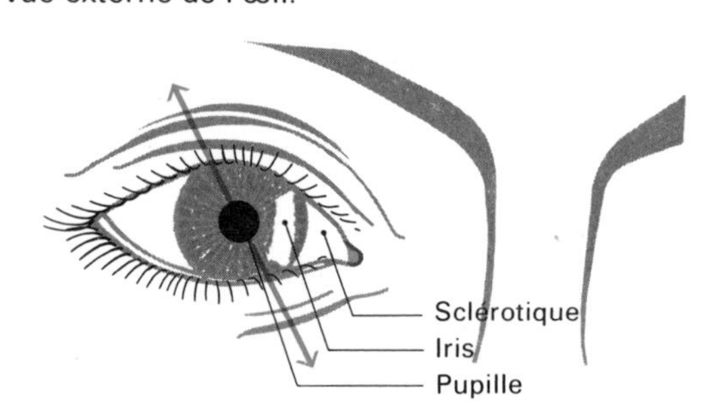

Plan de la coupe donnée à la figure 7-5

Figure 7-5.
La coupe axiale de l'œil.

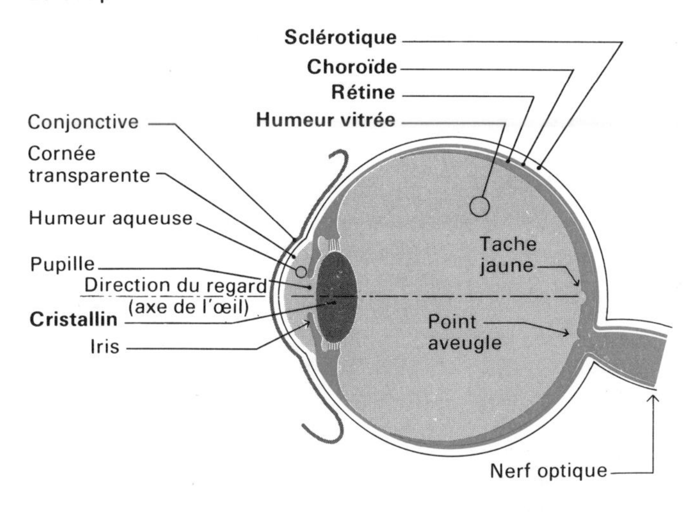

La rétine. La rétine est un prolongement direct du cerveau dans l'œil. Elle comprend deux sortes de tissus, ou *feuillets*. Le feuillet externe, mince et noir, est inséparable de la choroïde. Le feuillet interne, plus épais et transparent, peut se décoller facilement du précédent. Le nerf optique assure la continuité entre la rétine et le cerveau.

La lumière provoque des modifications chimiques dans la rétine : on dit que la rétine est sensible à la lumière.

- Quelle est la conséquence d'une perte de transparence de la cornée ?
- Quel est le contraire de « transparent » ?
- Chez les oiseaux, une membrane de l'œil est transformée en os et mérite ainsi pleinement d'être désignée comme une membrane squelettique. De quelle membrane s'agit-il ?

2. Les milieux transparents

L'œil est rempli de trois milieux transparents : l'*humeur aqueuse*, le *cristallin* et l'*humeur vitrée*.

L'humeur aqueuse. L'humeur aqueuse représente la petite quantité de liquide qui remplit l'espace compris entre la cornée et l'iris.

Le cristallin. Le cristallin est un solide en forme de lentille biconvexe (dont les deux faces sont bombées) ; il est situé derrière l'iris.

L'humeur vitrée. L'humeur vitrée est une gelée transparente comme de la vitre ; elle occupe la plus grande partie de la chambre noire de l'œil.

Les milieux transparents fonctionnent dans leur ensemble comme une loupe ; ils sont indispensables à la formation d'images de qualité dans le fond de la chambre noire de l'œil, sur la rétine.

- La cataracte est une maladie de l'œil caractérisée par une perte de transparence du cristallin. Quelle en est la conséquence sur la vue ? Comment la chirurgie peut-elle corriger cette situation ?
- Peux-tu établir les correspondances entre les différentes parties d'un appareil photographique et celles de l'œil ?

Quelles parties de l'œil reconnais-tu sur ce modèle?

à toi de jouer

1. TRACER ET ANNOTER UN SCHÉMA D'UNE COUPE TRANSVERSALE DE L'ŒIL.

Figure 7-6.
Le plan de la coupe à représenter.

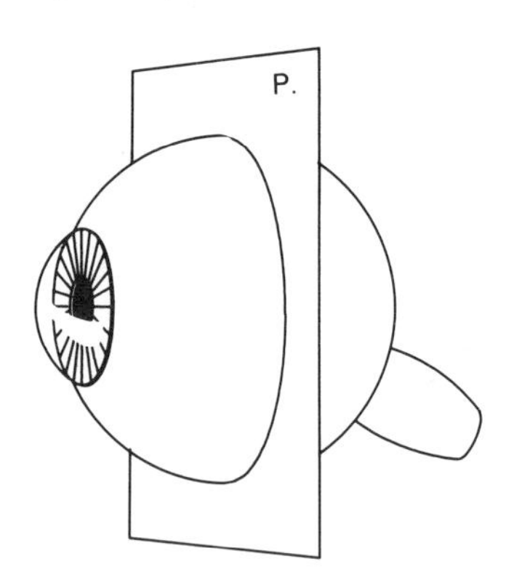

a) Trace le schéma de la coupe de l'œil qui serait faite selon le plan P. indiqué sur la figure 7-6. Place les annotations suivantes : sclérotique, choroïde, rétine, humeur vitrée. Colorie ton schéma pour distinguer les membranes les unes des autres. Donne-lui un titre.

b) Nomme les deux milieux transparents qui ne figurent pas sur ton schéma.

c) Sans chercher à distinguer les différentes membranes, trace le schéma d'une autre coupe de l'œil qui montre les trois milieux transparents. Identifie ces milieux en annotations. Titre ton schéma : Coupe axiale de l'œil.

2. DRESSER UNE LISTE DE DIFFÉRENCES ENTRE LES MILIEUX TRANSPARENTS ET LES MEMBRANES DE L'ŒIL.

a) Reproduis et complète le tableau 7-2.

Tableau 7-2.
La comparaison entre les milieux transparents et les membranes de l'œil.

	Ensemble des milieux transparents	Ensemble des membranes
Situation dans l'œil	•	•
Comportement vis-à-vis de la lumière	•	•

b) Nomme la membrane transparente qui remplace la sclérotique à l'avant de l'œil.

3. ÉNUMÉRER LES RÔLES :
   - DE CHACUNE DES MEMBRANES ;
   - DE L'ENSEMBLE DES MILIEUX TRANSPARENTS.

Reproduis et complète le tableau suivant en définissant de façon brève le rôle de chacun des éléments de l'œil.

Tableau 7-3.
Le rôle des différents éléments de l'œil.

Éléments de l'œil	Rôles
Sclérotique	•
Choroïde	•
Rétine	•
Milieux transparents	•

VA PLUS LOIN

1. **Comparaison entre deux pièges à images**

   Trace sur une même page le schéma de la coupe d'un appareil photographique et celui de la coupe d'un œil. Annote les schémas et fais apparaître comme tu l'entends les correspondances entre les deux.

2. **Enquête sur les organes annexes de l'œil**

   À l'aide d'un ou de plusieurs schémas, démontre :

   — Comment l'œil bouge dans son orbite (cavité osseuse) ;
   — D'où viennent les larmes et où elles vont.

La physiologie de l'œil

Comment transmettre à distance de l'information visuelle ?

Il est possible de transmettre une image par téléphone, l'exercice suivant va te le prouver.

a) Trouve dans un catalogue une image en noir et blanc représentant un objet de forme simple ;

b) Transforme l'image en une série de données faciles à transmettre ; pour cela, procède en deux étapes :
   — Recouvre l'image d'un quadrillage, comme dans le modèle ci-dessous ;

Figure 7-7.
Le principe du codage d'une image.

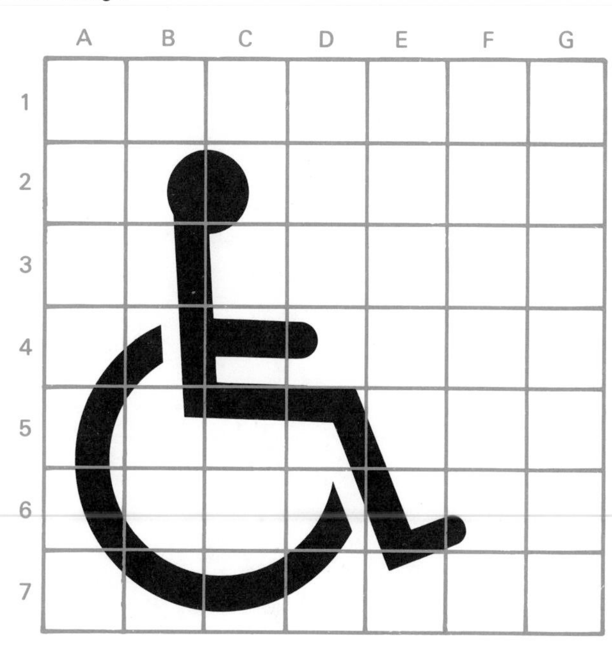

— Analyse l'image carré par carré ; définis chacun d'eux par ses coordonnées (comme dans une grille de mots croisés) et par sa couleur ; pour cette dernière, tu dois choisir entre le noir et le blanc, sans autre possibilité.

c) Écris le message téléphonique le plus court qui permettra à un(e) correspondant(e) de reconstituer l'image ;

d) Transmet ton message (par téléphone ou autrement) à un(e) camarade, qui te transmettra le sien ;

e) Représente l'image telle que définie dans le message que tu as reçu ; tu auras ainsi transformé l'image originale en image numérique, semblable à celles qui sont produites par ordinateur.

f) Essaie d'identifier ce que tu as représenté.

g) Compare l'image originale avec l'image numérique correspondante. Comment pourrait-on améliorer la qualité de cette dernière ?

Dans l'œil, la rétine analyse point par point les images qu'elle recueille. Les caractéristiques de chaque point sont codées, c'est-à-dire transformées en signaux que le nerf optique transmet au cerveau. Celui-ci décode les messages rétiniens qu'il reçoit et les transforme en images cérébrales qui représentent les perceptions visuelles.

L'image originale de notre exercice représenterait donc l'image rétinienne, tandis que l'image numérique représenterait l'image cérébrale.

h) Peut-on entendre une conversation téléphonique en approchant l'oreille de la ligne qui la transmet ? Les fils téléphoniques conduisent-ils des sons ?

i) Le nerf optique conduit-il de la lumière au cerveau ?

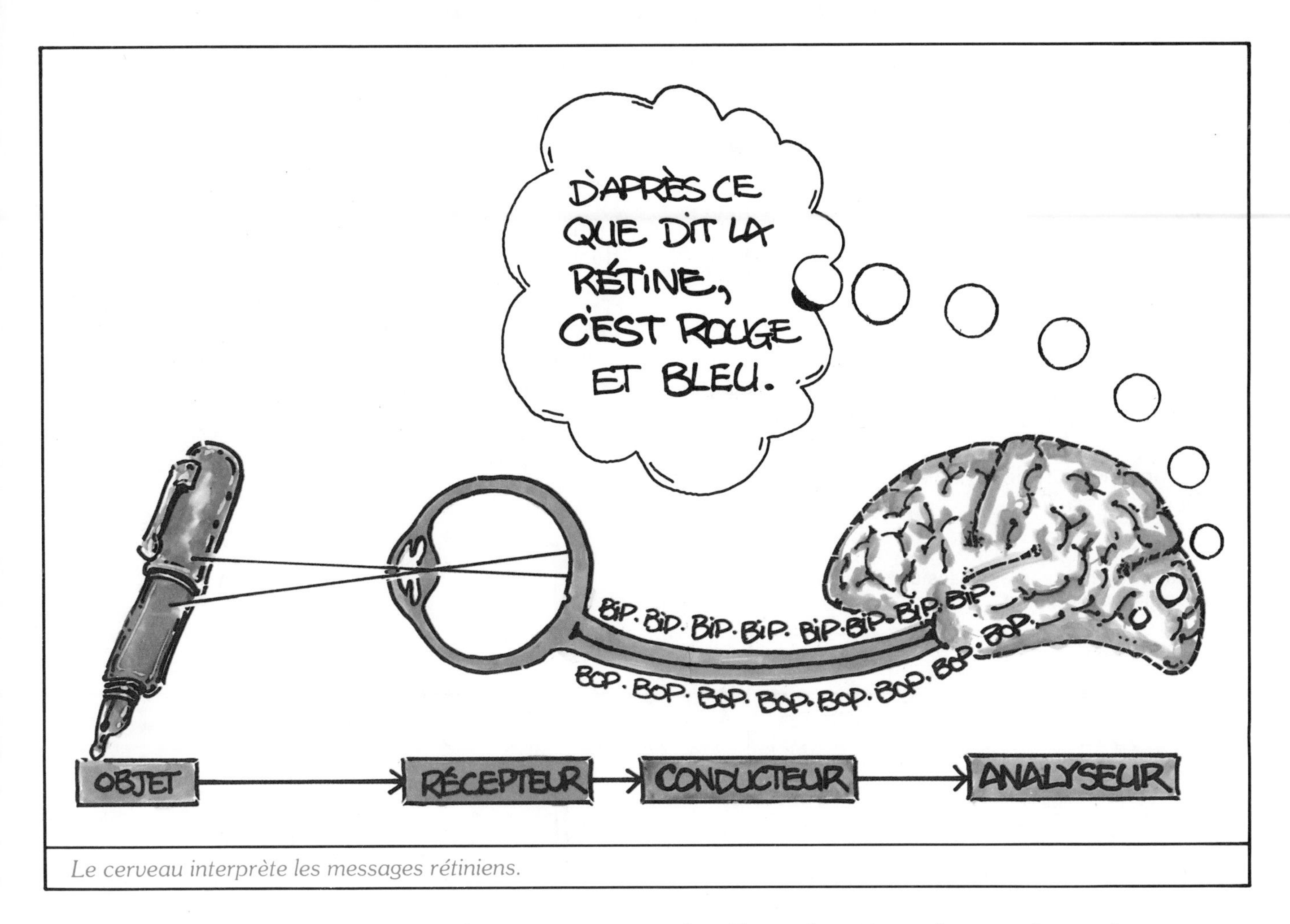

Le cerveau interprète les messages rétiniens.

La participation de l'œil est nécessaire à la vision, mais elle n'est pas suffisante. Certains aveugles possèdent des yeux en parfait état. La perception des images est le résultat d'une activité du cerveau. Elle est possible parce qu'une ligne de transmission de données existe entre l'œil et le cerveau : le *nerf optique*.

L'image perçue, ou *image cérébrale*, n'est pas de même nature que l'*image rétinienne*. En fait, la question de savoir pourquoi nous percevons à l'endroit des images rétiniennes renversées ne se pose pas... Autant demander comment un objet aussi rond qu'un disque peut servir à produire de la musique de danses carrées. Le disque gravé fait jouer de la musique à la chaîne stéréo, mais il n'y a pas de sons dans le disque. De même, la rétine impressionnée par les images qu'elle reçoit « fait jouer » le cerveau, par l'intermédiaire du nerf optique.

Pour bien comprendre le fonctionnement de l'œil, il faut d'abord connaître le principe de la formation des images dans une chambre noire. Oublions donc temporairement que l'œil est un organe vivant et considérons-le comme un simple appareil photographique.

1. La formation des images dans une chambre noire

Figure 7-8.

La construction d'une image dans une chambre noire à très petite ouverture.

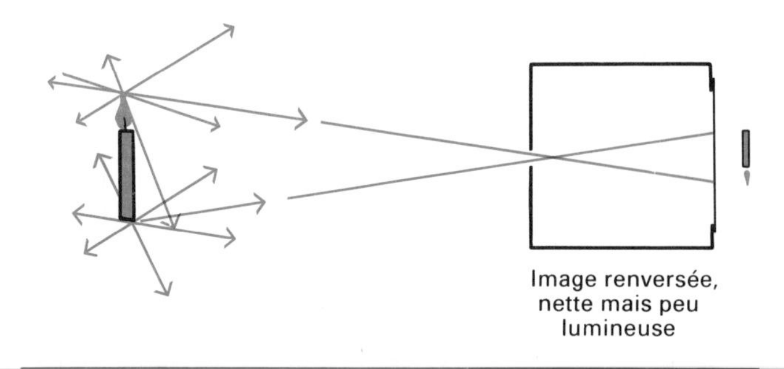

Chaque point de la surface d'un objet éclairé émet de la lumière dans toutes les directions libres. On dit qu'il *diffuse* de la lumière. C'est donc une source de lumière qui produit une infinité de rayons lumineux. Une toute petite partie de cette lumière peut entrer dans la chambre noire par son ouverture étroite. Les images recueillies sur l'écran sont peu lumineuses et renversées. Si l'ouverture est très petite, les images sont relativement nettes (figure 7-8).

Figure 7-9.
La construction d'une image dans une chambre noire à grande ouverture.

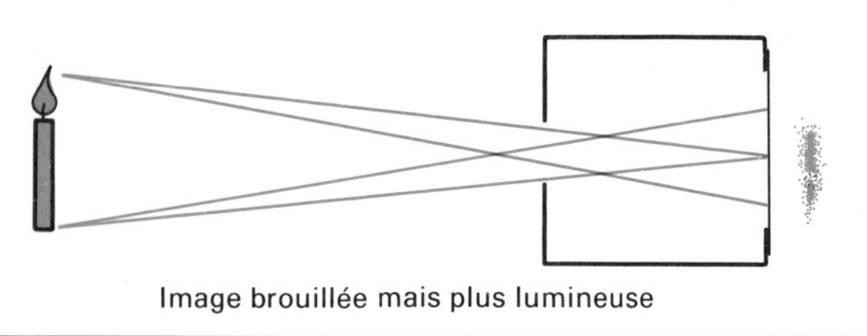

On peut améliorer la luminosité des images en agrandissant l'ouverture. Mais alors les images deviennent brouillées, car à chaque point de l'objet correspond non un point mais une tache de lumière sur l'écran (figure 7-9).

Figure 7-10.
La construction d'une image dans une chambre noire munie d'une lentille convergente.

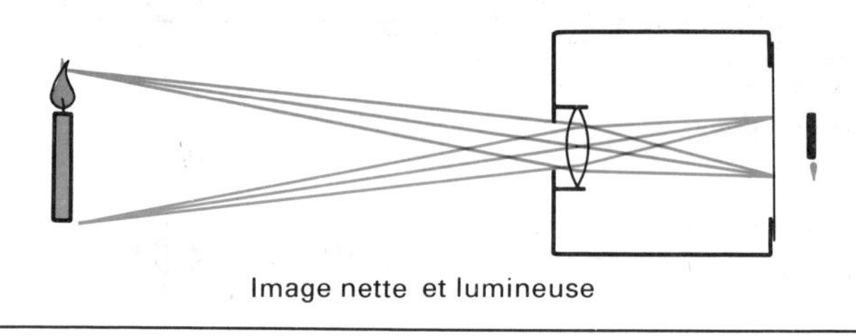

Pour retrouver la netteté sans perdre la luminosité, on peut placer une lentille *convergente* derrière l'ouverture. Si la lentille est bien calculée, elle fera dévier les rayons lumineux de telle sorte qu'à chaque point de l'objet corresponde un point de l'image (figure 7-10).

Figure 7-11.
La construction simplifiée d'une image dans une chambre noire munie d'une lentille convergente.

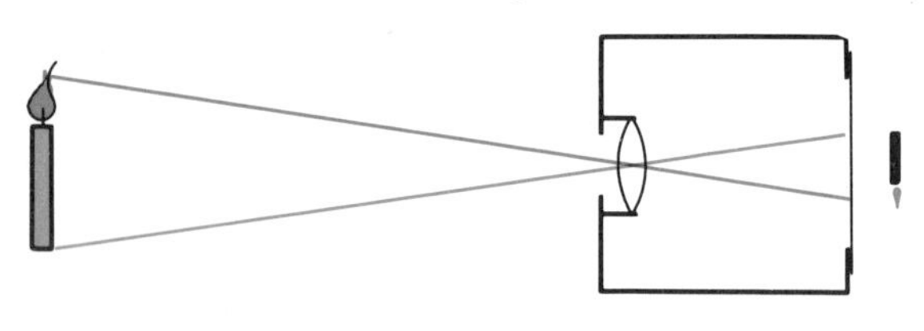

On remarquera que les rayons dirigés vers le centre de la lentille ne sont pas déviés. Pour situer l'image sur le schéma, il suffit donc de tracer les rayons passant par ce point (figure 7-11).

• Lorsqu'elle passe d'un milieu transparent à un autre, la lumière est souvent déviée. Ce phénomène se produit en particulier lorsqu'elle passe de l'air au verre. Comment peut-on facilement vérifier que la lumière est déviée lorsqu'elle passe de l'air à l'eau, ou inversement ?

2. La formation des images sur la rétine de l'œil

Dans la chambre noire de l'œil située derrière l'iris, l'ouverture (pupille) est variable, mais jamais infiniment petite. Les images rétiniennes devraient donc être brouillées.

Cependant, les milieux transparents dans leur ensemble ont la même action sur la lumière qu'une lentille convergente. Ils permettent d'obtenir des images nettes sur la rétine.

Figure 7-12.
La construction d'une image dans l'œil réduit (modèle théorique de l'œil).

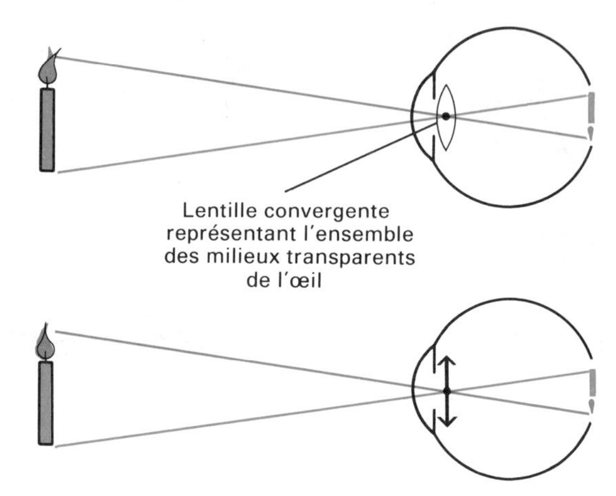

Simplification de la figure ci-dessus: double flèche symbolisant la lentille convergente.

On appelle *œil réduit* un modèle théorique de l'œil, destiné à montrer comment il recueille des images. Il existe plusieurs modèles d'œil réduit. La figure 7-12 représente l'un des plus simples.

• La plupart des rayons lumineux sont déviés une première fois lorsqu'ils touchent l'œil, une seconde fois en entrant dans le cristallin et une troisième fois lorsqu'ils en sortent, avant d'atteindre la rétine. Pourquoi est-il plus facile de représenter le trajet de la lumière dans l'œil réduit que dans l'œil réel ?

3. La mise au point des images rétiniennes

Sur la rétine de l'œil, comme sur la pellicule d'un appareil photographique, il est impossible de recueillir l'image nette à la fois d'un objet rapproché et d'un objet éloigné. La mise au point ne peut se faire que sur l'un ou l'autre des objets.

Lorsque l'œil ne fait aucun effort particulier, l'image des objets éloignés (situés à plus de 60 m) est au point sur la rétine, tandis que celle des objets rapprochés (situés à moins de 60 m) est plus ou moins brouillée. Pour la vision rapprochée, l'œil doit faire un effort d'ajustement en déviant davantage les rayons lumineux, donc en augmentant sa convergence. Cet effet est obtenu par la déformation du cristallin, qui prend alors une forme plus bombée. On appelle *accommodation* l'effort d'adaptation de l'œil à la vision rapprochée.

- Pour bien réussir une photographie de paysage, comment faut-il régler la distance sur l'appareil ? Si on prend ensuite un portrait sans modifier le réglage, quel résultat obtient-on ?

4. La rétine, membrane sensible à la lumière

Après avoir étudié l'œil-caméra, nous revenons à l'œil-organe vivant.

Figure 7-13.
La structure et le fonctionnement de la rétine.

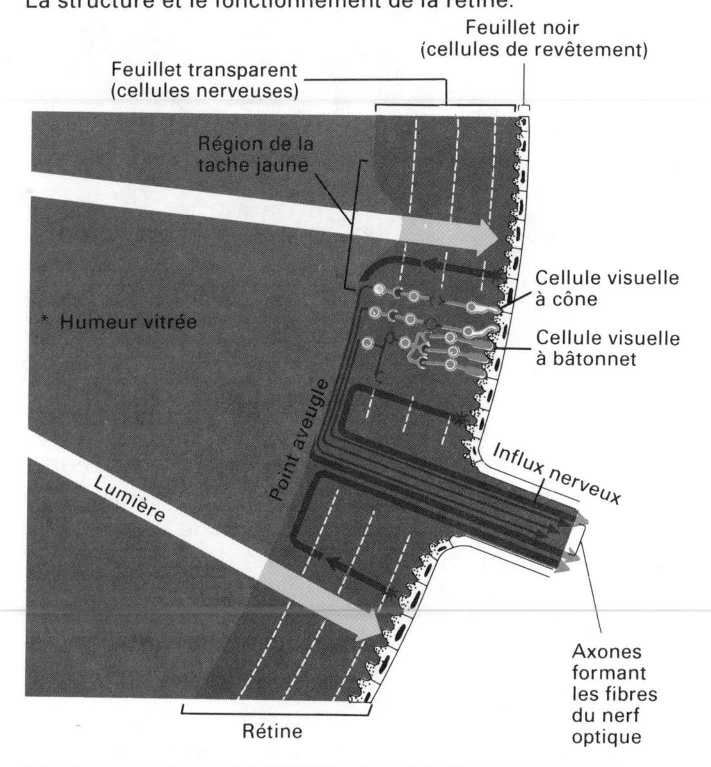

Le feuillet transparent de la rétine contient les cellules de l'œil sensibles à la lumière, ou *cellules visuelles*. Celles-ci n'existent que dans la partie éclairable de la rétine, soit dans la moitié arrière de l'œil.

Les cellules visuelles sont des cellules nerveuses spécialisées dans lesquelles la lumière déclenche des réactions chimiques. On dit qu'elles sont *excitables* par la lumière. Chaque cellule visuelle réagit à la lumière en produisant des signaux répétés, nommés *influx nerveux*, dont le rythme varie en fonction des caractéristiques de la lumière (couleur ou intensité). Une cellule visuelle est donc responsable de l'analyse et du codage d'un point de l'image rétinienne. Or il y a 132 millions de cellules visuelles dans une rétine. Tu comprendras que l'analyse des images par la rétine est incomparablement plus fine que celle que tu avais réalisée dans l'exercice préliminaire, en début de section. Pour obtenir une finesse comparable, tu aurais dû utiliser une grille à 132 millions de carrés.

Les influx nerveux sont transmis par les cellules visuelles à d'autres cellules nerveuses du feuillet transparent de la rétine.

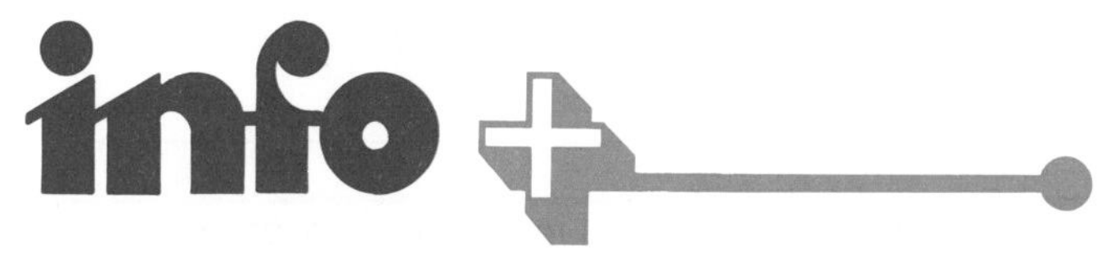

Les deux sortes de cellules visuelles

Chaque cellule visuelle possède un prolongement sensible à la lumière. On distingue deux sortes de cellules visuelles, l'une dont le prolongement a la forme d'un cône et l'autre celle d'un bâtonnet.

Les cellules à cône sont concentrées dans la région nommée *tache jaune oculaire* située autour du pôle postérieur de la rétine. C'est dans cette région que se forment les images des objets que l'on regarde attentivement.

Les cellules à bâtonnet, exclues de la tache jaune, sont majoritaires dans le reste de la rétine sensible à la lumière. On estime que chaque rétine renferme 125 millions de bâtonnets et 7 millions de cônes.

Les cônes ne fonctionnent que s'ils sont fortement éclairés ; ils sont responsables de la vision dite *diurne* (de jour). Les cônes sont indispensables à la vision des couleurs et à la vision détaillée des objets.

Les bâtonnets ne fonctionnent que s'ils sont faiblement éclairés ; ils sont responsables de la vision dite crépusculaire ou *nocturne*. Les bâtonnets font voir le monde en gris.

- Dans le domaine de la télévision, quel appareil recueille des images de son environnement et les code en signaux électriques ?

3. Les rôles du nerf optique et du cerveau

Certaines cellules nerveuses rétiniennes (des *neurones*) sont munies d'un long prolongement, nommé *axone*, qui s'engage dans le nerf optique. Chacun de ces axones, entouré d'une gaine isolante, forme l'une des 50 000 fibres du nerf optique. Celles-ci conduisent au cerveau les influx nerveux en provenance des cellules visuelles.

Figure 7-14.
La relation anatomique œil-cerveau.

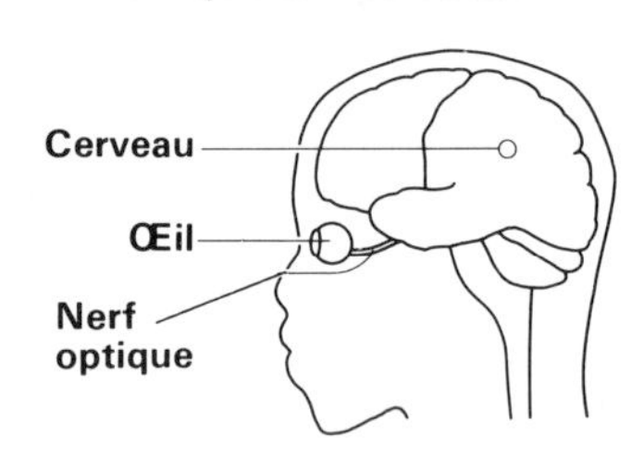

Dans le cerveau, les influx aboutissent dans une région spécialisée de l'*écorce cérébrale*: la *zone optique*. Chaque cellule visuelle de la rétine est en rapport avec un point précis de cette zone. L'image rétinienne est donc projetée point par point dans le cerveau.

Figure 7-15.
Le trajet des influx nerveux des yeux à la zone optique.

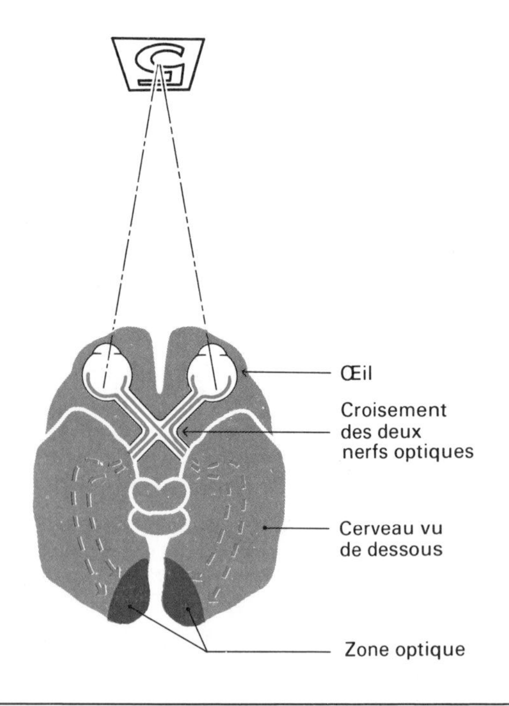

Dans un premier temps, la stimulation de la zone optique par les influx nerveux rétiniens y fait naître des sensations élémentaires d'ombre, de lumière et de couleur. Celles-ci sont ensuite organisées en perceptions d'images compréhensibles.

Figure 7-16.
Les principales zones spécialisées de la partie gauche du cerveau.

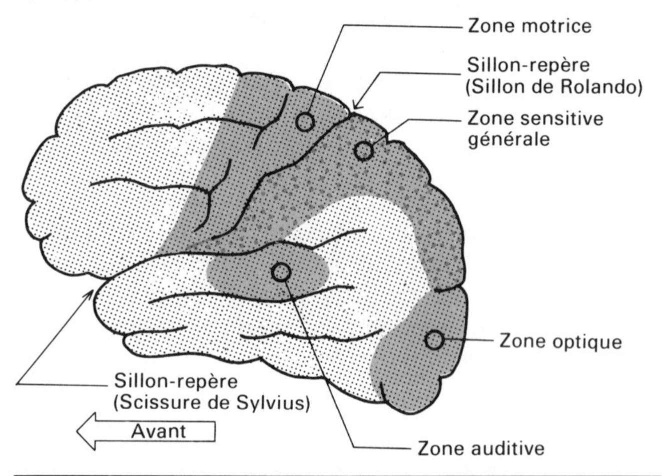

L'auteur du dessin ci-dessus a abusé des conventions de la perspective pour t'induire en erreur et te faire percevoir quelque chose d'impossible selon les lois de la physique. Dans la vision, le cerveau doit prendre en compte une multitude de données ; il lui arrive de se tromper dans le traitement de celles-ci.

Pour apprécier correctement le milieu extérieur, tu as besoin de tes sens, bien sûr, mais aussi de ton jugement.

- Pourquoi peut-on dire que chaque point de ce que l'on voit se projette dans le cerveau ?
- Est-il possible d'éprouver des sensations visuelles sans aucune lumière ? Comment ? Pourquoi ?

à toi de jouer

1. SUR UN SCHÉMA DE L'ŒIL, TRACER LE TRAJET PARCOURU PAR LES RAYONS LUMINEUX JUSQU'AU RÉCEPTEUR, LA RÉTINE.

Figure 7-17.
Le trajet des rayons lumineux jusqu'à la rétine.

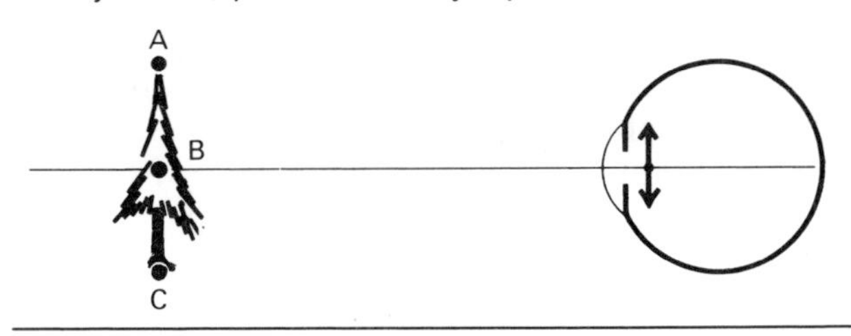

L'œil qui est schématisé ci-dessus est celui d'un observateur qui voit distinctement le sapin.

a) Dans ces conditions, reproduis le schéma et trace les rayons lumineux issus de A, de B et de C qui pénètrent dans l'œil réduit. Utilise trois couleurs différentes et marque A′, B′ et C′ les images rétiniennes respectives de A, de B et de C.

b) Représente derrière l'œil l'image rétinienne du sapin. Respecte sa dimension.

L'expérience de Mariotte permet de vérifier l'existence d'une petite zone insensible à la lumière, dans la rétine du fond de l'œil. Cette zone est dépourvue de cellules visuelles et se situe juste au début du nerf optique ; on la nomme point aveugle.

Figure 7-18.
L'expérience de Mariotte.

Fixe la croix de ton œil droit en fermant l'œil gauche. Lorsque le cercle noir se trouve à une certaine distance de l'œil, il semble disparaître. Son image est alors invisible car elle se forme au point aveugle.

Figure 7-19.
L'interprétation de l'expérience de Mariotte.

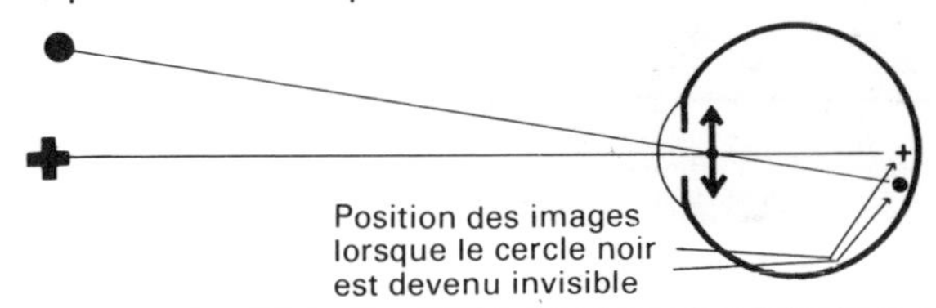

c) Reproduis le schéma 7-19 et place le nerf optique.

2. NOMMER LES CARACTÉRISTIQUES DES CELLULES NERVEUSES QUI COMPOSENT LA RÉTINE.

Les cellules nerveuses de la rétine possèdent deux propriétés remarquables : elles sont différenciées en vue de remplir une tâche précise et elles sont capables de réagir à une stimulation.

a) Résume en un seul mot chacune de ces deux propriétés.

b) Nomme les signaux transmissibles aux autres cellules de la rétine, qui prennent naissance dans les cellules visuelles sous l'action de la lumière.

c) Quel est le rôle des cellules nerveuses de la rétine autres que les cellules visuelles ?

3. DONNER LA NATURE DU NERF OPTIQUE.

a) Nomme les longs prolongements cellulaires qui passent dans le nerf optique sous forme de fibres.

b) Où sont situées les cellules dont ils dépendent ?

4. DÉMONTRER LE RÔLE TRANSMETTEUR DU NERF OPTIQUE.

a) La coupure accidentelle d'un nerf optique entraîne la perte de la vue pour l'œil correspondant. Pourquoi ?

b) Résume en une phrase le rôle du nerf optique.

5. SUR UN SCHÉMA DE LA TÊTE, LOCALISER LE CERVEAU.

Cet objectif sera traité avec le suivant.

6. SUR UN SCHÉMA DU CERVEAU, LOCALISER LA ZONE OPTIQUE, SIÈGE DE LA VISION.

Compare les figures 7-14 et 7-16.

a) Reproduis la figure 7-14.

b) Sur ton schéma, colorie en bleu la zone optique. Colorie en gris le reste du cerveau proprement dit.

VA PLUS LOIN

1. **La persistance des sensations visuelles et le cinéma**

   Documente-toi au sujet du phénomène de la persistance des sensations visuelles et réponds aux questions suivantes :

a) Qu'est-ce que la persistance des sensations visuelles ?

b) Comment peut-on vérifier de façon simple l'existence de ce phénomène ?

c) Comment le cinéma met-il à profit la persistance des sensations visuelles ?

d) Quel argument un spectateur de cinéma malicieux pourrait-il invoquer pour exiger un remboursement de 50 % du prix de son billet ?

2. **L'importance du jugement dans la perception visuelle**

   Recherche et dessine avec soin des figures qui donnent lieu à des illusions d'optique (par exemple : une figure où des droites apparaissent comme des courbes). Reproduis aussi des images ambiguës, c'est-à-dire des images qui peuvent être perçues de deux façons différentes (par exemple : une image qui peut être interprétée soit comme un visage de jeune femme, soit comme un visage de vieille femme, selon l'attention avec laquelle on la regarde).

Société des jeux du Québec

Comment l'information contenue dans la partition musicale est-elle transmise aux touches du piano?

L'hygiène de l'œil

« Bonjour ! Comment vois-tu ? »

a) As-tu déjà subi un examen de la vue ? Si oui, à quel endroit ? Il y a combien de temps ? Combien as-tu payé pour l'examen lui-même ?

b) Portes-tu des verres correcteurs (des lunettes ou des verres de contact) ? Si oui, quel est ton problème visuel ?

c) Si tu n'as jamais subi d'examen de la vue, éprouves-tu des difficultés particulières pour lire un texte imprimé en petits caractères ?

d) Fais une enquête statistique parmi les élèves de ta classe. Détermine le nombre d'individus entrant dans chacune des catégories définies ci-dessous.

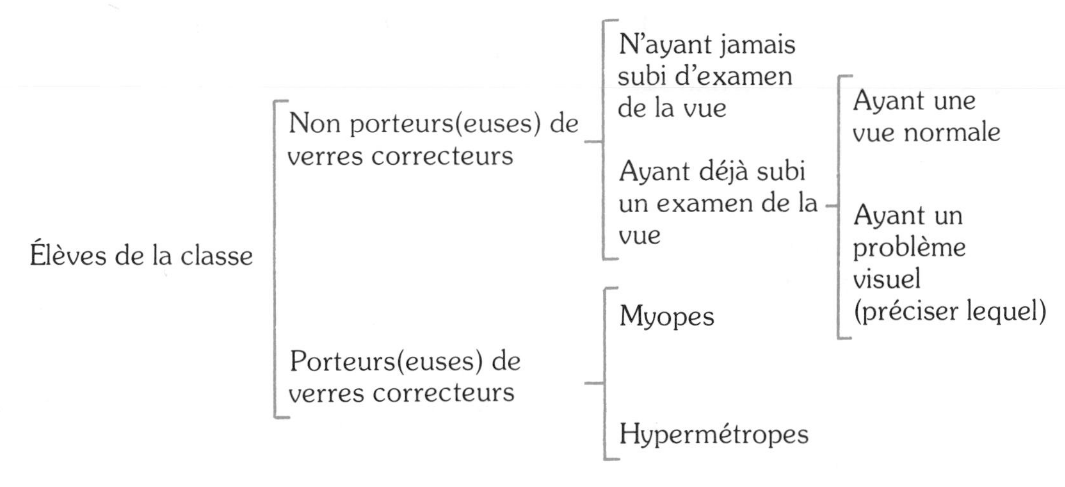

e) Parmi les élèves myopes de la classe, combien d'entre eux (elles) ont deux parents myopes ? Un seul parent myope ? Aucun parent myope ?

f) D'après ta propre expérience ou celle de tes camarades, énumère les principaux inconvénients de la myopie et d'une autre anomalie visuelle de ton choix.

g) As-tu déjà subi ou failli subir une blessure à l'œil ? Dans quelles circonstances ?

h) T'arrive-t-il parfois de porter des lunettes ou une visière protectrices ? Dans quelles circonstances ?

i) Es-tu satisfait(e) de l'éclairage, dans la salle où tu te trouves en ce moment ? Selon toi, pourrait-il être amélioré ? Comment ? Quelle personne aurait le pouvoir de faire apporter les correctifs qui seraient éventuellement souhaitables ?

j) Illustre par des exemples les avantages que procure une meilleure vue dans les trois domaines suivants : le confort, le plaisir et la sécurité.

Il est essentiel de bien voir.

« J'y tiens comme à la prunelle de mes yeux. » Cette phrase résume tout le prix que chacun(e) attache à sa vue. Tu as déjà vécu des situations où tu as dû fonctionner dans l'obscurité totale ; avoue qu'un sentiment d'impuissance et d'insécurité se développe facilement dans de telles circonstances. Tu admires la volonté et le courage des non-voyants qui réussissent à rester actifs dans notre société, à exercer un métier, à faire des études, à pratiquer des sports.

Tes yeux valent bien que tu en prennes soin jour après jour et que tu les fasses vérifier de temps en temps par une personne compétente. Avec un peu d'attention pour eux, tu auras toutes les chances de conserver une bonne vue très longtemps.

Qu'est-ce qu'une bonne vue ? Qu'est-ce qu'une vue défectueuse et comment la corrige-t-on ? Comment préserve-t-on la santé de ses yeux ? Nous abordons maintenant toutes ces questions.

1. L'acuité visuelle

L'*acuité visuelle* est la principale qualité de la vue ; elle représente la capacité de percevoir le détail des objets observés. Dans le langage courant, c'est ce qu'on appelle avoir la vue perçante.

Le test de Snellen mesure cette qualité au moyen de lettres construites selon le principe illustré à la figure 7-20.

Figure 7-20.
Le principe du test de Snellen.

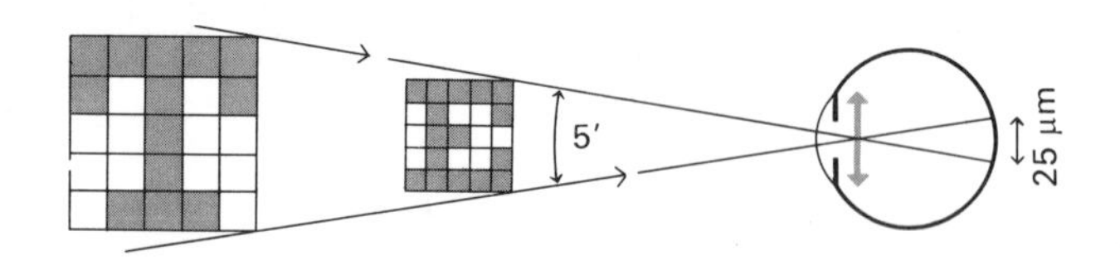

Ton acuité visuelle est normale si tu es capable de lire les lettres du test lorsque tu les vois sous un angle de 5' ($\frac{1}{12}$ °). La hauteur de leur image rétinienne est alors de 25 µm. Dans ces conditions, des lettres de 8,75 mm de hauteur sont reconnues à une distance de 6 m (20 pi).

L'acuité visuelle s'exprime numériquement par une fraction dont le numérateur est 6 dans la notation métrique et 20 dans la notation nord-américaine traditionnelle.

Le résultat $\frac{6}{6}$ ($\frac{20}{20}$) signifie qu'on lit à 6 m (20 pi) ce que la majorité de la population lit à la même distance. L'acuité visuelle est donc normale.

Le résultat $\frac{6}{15}$ ($\frac{20}{50}$) signifie qu'on lit à 6 m (20 pi) ce que la majorité de la population lit à 15 m (50 pi). L'acuité visuelle est faible.

Le résultat $\frac{6}{5}$ ($\frac{20}{15}$) signifie qu'on lit à 6 m (20 pi) ce que la majorité de la population lit à 5 m (15 pi). L'acuité visuelle est excellente.

- Quelle note préférerais-tu obtenir pour un examen de biologie : $\frac{6}{6}$, $\frac{6}{15}$, $\frac{6}{5}$?

2. Les anomalies optiques de l'œil

Les problèmes de la vue relèvent de deux spécialités professionnelles : l'optométrie et l'ophtalmologie. L'ophtalmologiste est un(e) médecin spécialiste de l'œil ; il (elle) est habilité(e) à en traiter tous les problèmes, y compris les maladies. L'optométriste n'est pas médecin ; il (elle) peut seulement traiter les problèmes optiques de l'œil en bonne santé, les seuls que nous aborderons ici.

Pour voir distinctement un objet, il est indispensable que son image rétinienne soit nette. Chaque point de l'objet se projette alors exactement sur la rétine. Lorsque l'objet se rapproche de l'observateur, son image se déplace dans le même sens et tend à se former derrière la rétine. Celle-ci recueille alors une image floue. C'est l'accommodation qui, par déformation du cristallin, maintient l'image sur la rétine. Plus l'objet est rapproché, plus l'effort d'accommodation est important. La distance la plus courte à laquelle un objet puisse être vu distinctement se nomme *distance minimale de vision distincte* ; elle correspond au maximum de déformation du cristallin.

Figure 7-21.
La vision des objets rapprochés.

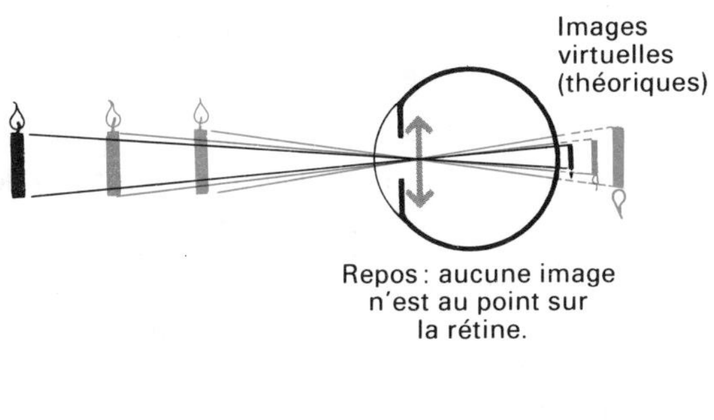

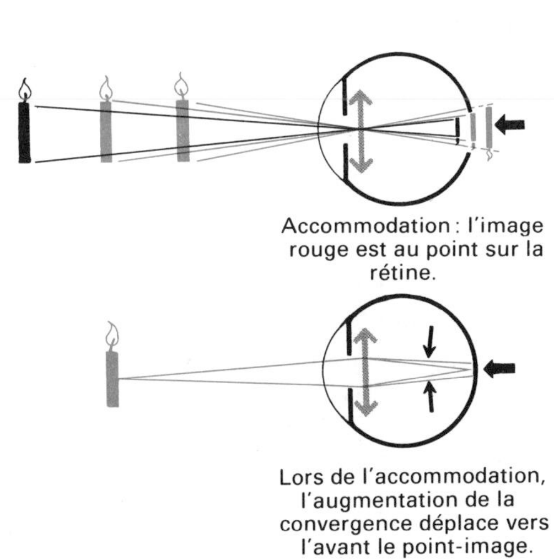

La presbytie. Avec l'âge, l'élasticité du cristallin diminue et les muscles qui le déforment faiblissent. Ainsi, la distance minimale de vision distincte augmente inévitablement : c'est le phénomène de la *presbytie*. Tu comprends pourquoi la personne âgée qui a égaré ses lunettes est obligée de tenir à bout de bras le journal qu'elle lit.

La myopie et l'hypermétropie. La profondeur d'un œil normal est telle que l'image d'un objet situé à plus de 60 m est au point sur la rétine sans besoin particulier d'adaptation. Cependant, dans bien des cas, cette harmonie entre la convergence et la profondeur de l'œil n'est pas parfaite. Compte tenu de sa convergence, si l'œil est trop profond, il est *myope* ; s'il n'est pas assez profond, il est *hypermétrope*. Dans un cas comme dans l'autre, l'œil au repos (qui n'accommode pas) ne recueille pas d'images rétiniennes nettes des objets éloignés. L'hypermétropie passe généralement inaperçue, car l'accommodation permet alors de voir de loin ; cependant, la distance minimale de vision distincte est anormalement longue. Inversement la myopie, qui empêche absolument de bien voir de loin, favorise la vision de très près.

Figure 7-22.
L'influence de la profondeur de l'œil sur la vision.

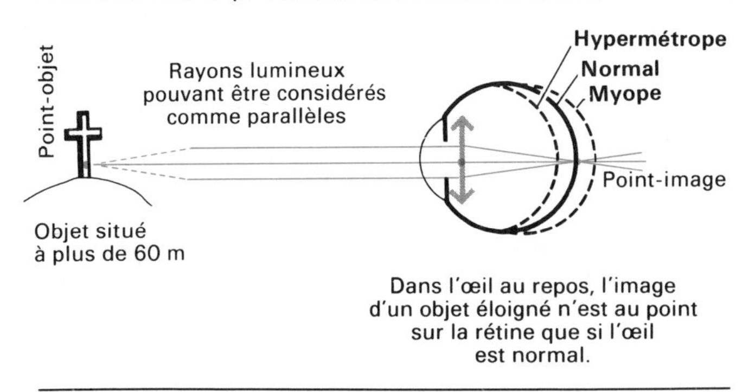

Figure 7-23.
Les principaux types de vision.

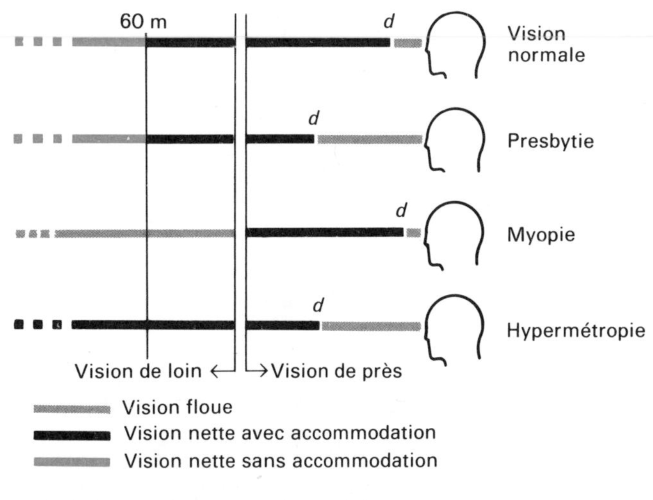

Des lunettes, ou des verres de contact (lentilles cornéennes) appliqués directement sur l'œil, remédient à ces imperfections optiques. On corrige la myopie à l'aide de verres divergents ; on corrige au contraire l'hypermétropie et la presbytie à l'aide de verres convergents. Soulignons cependant que l'œil presbyte est un œil normal dont le pouvoir d'accommoder a diminué ; un verre correcteur le place dans la situation d'un œil myope pour la vision éloignée. La personne presbyte ne doit donc porter ses lunettes que pour lire ou pour faire des travaux minutieux.

Figure 7-24.
La correction de la myopie.

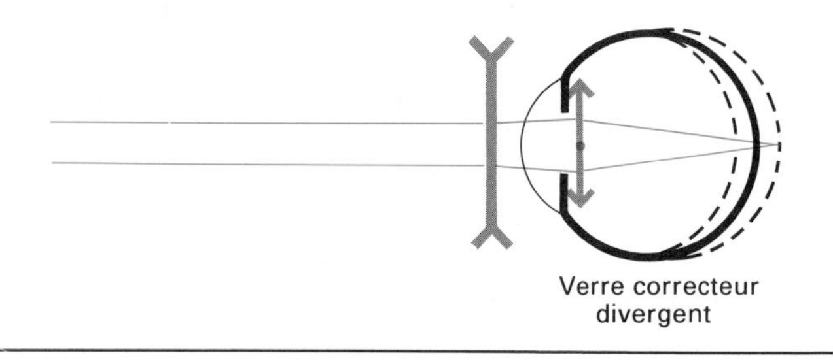

Figure 7-25.
La correction de l'hypermétropie (et de la presbytie).

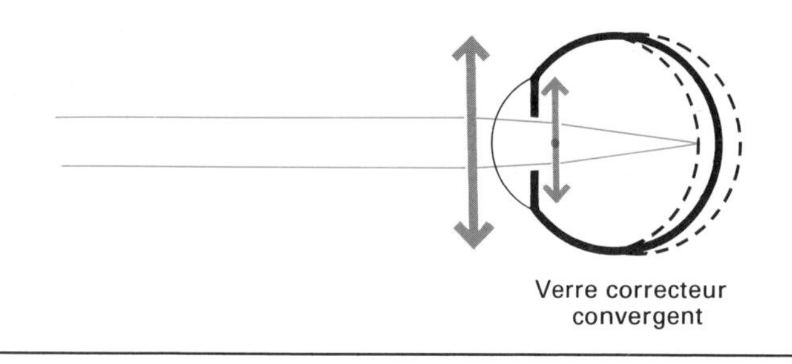

Figure 7-26.
Deux types de verres correcteurs.

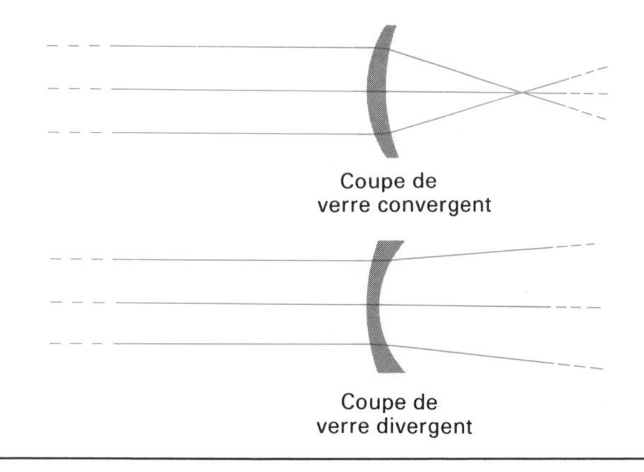

- Pourquoi y a-t-il dans ta classe beaucoup plus de myopes reconnus que d'hypermétropes ?
- Peut-on être à la fois myope et hypermétrope ? presbyte et hypermétrope ? presbyte et myope ?
- Qu'est-ce que des verres à double foyer ? À qui sont-ils destinés ?

3. L'hygiène visuelle

Quelques précautions simples peuvent t'aider à conserver une bonne vue. D'abord, tu dois t'assurer d'un bon éclairage partout où tu travailles. Lorsque tu écris, par exemple, la lumière doit venir de la gauche si tu es droitier (droitière) et de la droite si tu es gaucher (gauchère). Un bon abat-jour permet de n'éclairer que la feuille de papier, laissant tes yeux dans la pénombre. Un mauvais éclairage t'oblige à lire de plus près, force ton œil à accommoder inutilement et prédispose ainsi à la myopie. Une distance de lecture de 25 à 30 cm est très raisonnable. En lisant de trop près, tu ressens rapidement une fatigue oculaire qui peut s'accompagner de maux de tête, comme dans le cas de l'hypermétropie non corrigée.

Les rayons ultra-violets peuvent brûler la rétine ; ne regarde jamais sans protection appropriée (des verres teintés spéciaux) les sources de tels rayons comme une éclipse solaire, une lampe solaire ou l'arc électrique d'un soudeur.

Des lunettes de soleil dont les verres sont mal usinés ou mal ajustés causent des maux de tête ; consulte un opticien pour bien les choisir.

Les écrans cathodiques des terminaux d'ordinateurs sont soupçonnés d'endommager l'œil à la longue ; à tout hasard, réduis si possible la brillance de l'écran lorsque tu travailles avec ces appareils.

Enfin, ne manque aucune occasion de subir un examen de la vue gratuit. Souviens-toi qu'une bonne partie des échecs scolaires est liée à une mauvaise vue non corrigée. Alors, dans ce domaine comme ailleurs, mets toutes les chances de ton côté !

- De ta place, peux-tu lire sans difficulté ce qui est écrit au tableau de la classe ?
- Comment devrait-on se protéger les yeux lorsqu'on travaille avec une scie électrique, lorsqu'on pose de la laine de verre dans un grenier et lorsqu'on frappe avec un marteau sur une pierre ou sur un clou en acier ?

à toi de jouer

1. MESURER, À L'AIDE D'UN TABLEAU D'ÉVALUATION, SON ACUITÉ VISUELLE PERSONNELLE.

Figure 7-27.
La carte de Snellen pour la mesure de l'acuité visuelle.

6/24	U F V	20/80
6/18	N R T S	20/60
6/15	O C L C T	20/50
6/12	U P N E S R	20/40
6/9	T O R E C	20/30
6/6	T V H P R U	20/20
6/5	P T N U E H V	20/15

IMPORTANT: L'EXAMEN FAIT AU MOYEN DE CETTE CARTE DONNE UN RESULTAT APPROXIMATIF.
Cet examen doit être fait à 3 m (10 pi).

La figure 7-27 est une réduction de moitié de la carte standard de Snellen. Elle est destinée à être lue à une distance de 3 m par un sujet placé le dos à la lumière.

— Demande à un(e) camarade de tenir devant toi la carte de Snellen et assure-toi que l'éclairage n'est pas éblouissant ;

— Masque ton œil droit avec ta main afin de lire de l'œil gauche ;

— Lis les lettres que te désigne ton (ta) camarade ; lorsque tu auras commis une erreur dans la lecture d'une ligne donnée, tu te reporteras à la ligne immédiatement au-dessus pour trouver la mesure de ton acuité visuelle ;

— Si tu portes des lunettes, fais une seconde mesure sans tes lunettes ;

— De la même façon, mesure et note ton acuité visuelle pour l'œil droit ;

— Recopie et complète le tableau ci-dessous.

Tableau 7-4.
La mesure de mon acuité visuelle.

	Acuité visuelle	
	Œil gauche	**Œil droit**
Vue non corrigée	•	•
Vue corrigée (s'il y a lieu)	•	•

2. DONNER LA CAUSE ET L'EFFET DE LA MYOPIE ET DE L'HYPERMÉTROPIE.

a) Dans l'œil myope au repos, où l'image d'un objet éloigné se forme-t-elle par rapport à la rétine ?

b) Dans l'œil hypermétrope au repos, où se forme l'image du même objet ?

c) Dans un cas comme dans l'autre, où se situent par rapport à l'œil les objets qui sont toujours vus brouillés, même si l'œil accommode ?

3. DISTINGUER L'HYPERMÉTROPIE DE LA PRESBYTIE.

a) Compare les effets de l'hypermétropie à ceux de la presbytie.

b) Donne les causes respectives de l'hypermétropie et de la presbytie.

4. DÉCRIRE L'EFFET CORRECTIF DES LUNETTES OU DES LENTILLES CORNÉENNES.

Les lentilles cornéennes sont aussi nommées verres de contact.

a) Reproduis et complète le tableau suivant.

Tableau 7-5.
La correction des principales anomalies visuelles.

Anomalies visuelles	Types de verres correcteurs
Myopie	•
Hypermétropie	•
Presbytie	•

b) Comment les verres divergents et les verres convergents déplacent-ils respectivement les images : vers l'avant de l'œil ou vers l'arrière ?

Fédération du sport scolaire du Québec

5. DONNER DES RÈGLES À SUIVRE PERMETTANT DE RÉDUIRE LA FATIGUE DE L'ŒIL.

a) Explique le rapport qui existe entre la déformation de ton cristallin et la distance à laquelle tu lis. Rapproche-toi du présent texte en fermant un œil.

b) Explique pourquoi, à partir d'une certaine distance de l'œil, les lettres apparaissent brouillées.

c) Mesure cette distance à l'aide d'une règle graduée et note sa mesure en centimètres.

d) Donne deux conditions de lecture qui permettent de réduire la fatigue de l'œil.

Fédération du sport scolaire du Québec

Lequel de ces deux enfants prend le mieux soin de ses yeux?

VA PLUS LOIN

1. Enquête sur le glaucome

Présente ton rapport selon le plan suivant :

a) Qu'est-ce que le glaucome ?

b) Quels en sont les symptômes ?

c) Quelles en sont les méthodes de dépistage ?

d) Quelles sont les causes du glaucome et comment le traite-t-on ?

e) Quelles sont les personnes susceptibles d'avoir le glaucome ?

2. Enquête sur le décollement de la rétine

Présente ton rapport selon le plan suivant :

a) Qu'est-ce qu'un décollement de la rétine ?

b) Par quoi est-il causé ?

c) Quels en sont les symptômes ?

d) Comment le traite-t-on ?

3. Enquête sur l'astigmatisme

Présente ton rapport selon le plan suivant :

a) Qu'est-ce que l'astigmatisme ?

b) Quels en sont les effets sur la vision en général et sur la lecture en particulier ?

c) Comment le corrige-t-on ?

4. Enquête sur l'Institut national canadien pour les aveugles

Recherche comment cet institut est organisé et financé, et dresse une liste des services qu'il dispense aux non-voyants.

SECTION E

L'anatomie et la physiologie de l'oreille

Où se trouvent les parties essentielles de l'oreille et comment réagissent-elles aux sons ?

Matériel : 1 récipient en verre ou en porcelaine à bord circulaire ; pellicule plastique ; sucre en poudre ordinaire ; 1 poste de radio.

a) Par quelle sorte de langage les oiseaux communiquent-ils entre eux ? Sont-ils sourds ? Ont-ils une oreille apparente ?

b) La partie de ton oreille que tu peux pincer est-elle indispensable à l'audition ? Justifie ta réponse.

c) Où se trouvent les parties essentielles de l'oreille ?

Tu peux facilement réaliser chez toi ou en classe un montage qui va te faire observer un phénomène comparable à celui que le son produit sur l'oreille. L'illustration ci-dessous t'explique comment faire.

Figure 7-28.
Un système sensible au son.

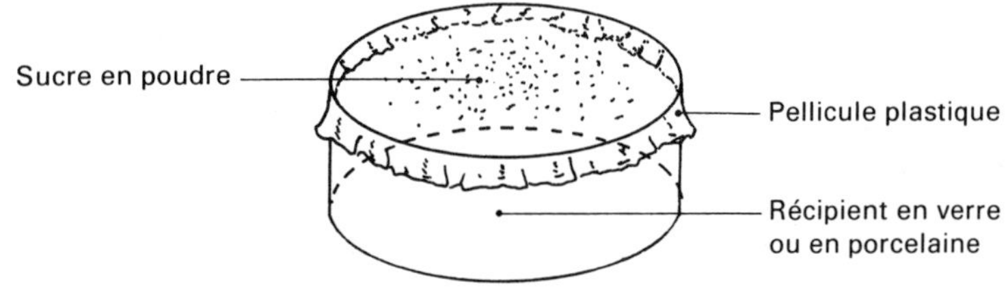

Pour voir fonctionner le système, il suffit de le placer près d'un poste de radio ouvert.

d) Décris ce que tu observes.

Tu vois que le son peut mettre une membrane en mouvement. On appelle vibrations les mouvements de va-et-vient très rapides qui constituent un son. Les vibrations sonores se transmettent des molécules d'air à la pellicule plastique tendue sur le récipient.

Il est possible de transformer des sons en signaux électriques transmissibles à distance par fil.

e) Quel appareil d'usage courant effectue ce travail ?

Ton oreille effectue un travail tout à fait comparable à celui de l'appareil en question.

L'oreille est un organe très complexe anatomiquement.

Figure 7-29.
La structure de l'oreille.

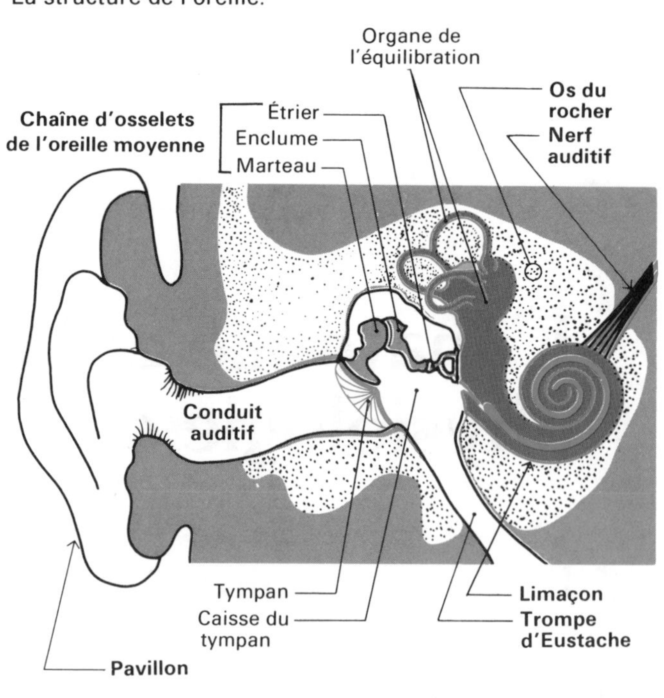

L'oreille est un organe plus complexe que l'œil et plus difficile à observer, car ses parties essentielles sont situées à l'intérieur d'un os du crâne. Son anatomie détaillée n'est correctement établie que depuis 150 ans environ. Quant à la réaction de l'oreille aux sons, elle n'est comprise que depuis quelques dizaines d'années seulement.

La fonction de l'oreille est fondamentalement la même que celle de l'œil : elle code en signaux compréhensibles pour le cerveau de l'information venue du milieu extérieur. Puisque le son est du mouvement, il s'agit pour l'oreille d'utiliser ce mouvement pour créer des influx dans un nerf... Au cerveau de jouer par la suite.

On distingue trois grandes parties dans l'oreille : l'oreille externe, l'oreille moyenne et l'oreille interne. L'oreille interne transforme les sons en influx nerveux ; l'oreille externe capte les sons dans l'air ; l'oreille moyenne transmet les sons de l'oreille externe à l'oreille interne.

1. L'oreille externe

L'oreille externe est la seule partie apparente de l'oreille. Elle comprend le *pavillon*, semi-rigide, et le conduit auditif fermé par le *tympan*, une membrane fibreuse de 1 cm de diamètre. La muqueuse qui tapisse le conduit auditif renferme des glandes qui produisent une sorte de gomme brune : le *cérumen*.

La fonction de l'oreille externe consiste seulement à capter les vibrations de l'air et à les canaliser en direction du tympan.

- Qu'est-ce que le pavillon d'une trompette ?

2. L'oreille moyenne

L'oreille moyenne est d'abord une petite cavité emplie d'air, creusée dans l'os temporal (os du crâne). Elle renferme une chaîne de trois osselets articulés entre eux : le *marteau*, l'*enclume* et l'*étrier*. Le marteau est fixé au tympan. L'étrier s'emboîte dans une petite ouverture donnant sur l'oreille interne : la *fenêtre ovale*. Un joint élastique assure l'étanchéité de l'emboîtement. Une membrane élastique ferme une seconde ouverture donnant sur l'oreille interne : la *fenêtre ronde*.

Figure 7-30.
La transmission des vibrations sonores dans l'oreille.

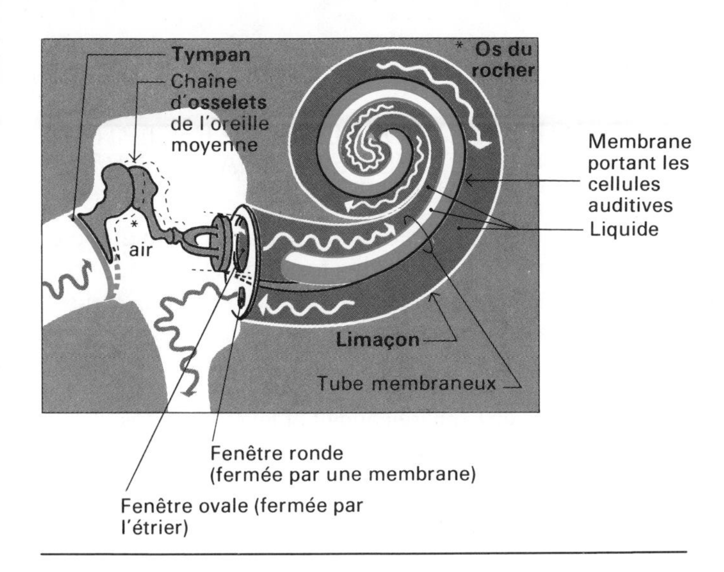

La cavité de l'oreille moyenne, ou *caisse du tympan*, communique avec le pharynx par un canal long de 4 cm : la *trompe d'Eustache*. Celle-ci est habituellement fermée à son extrémité inférieure, mais elle s'entrouvre pendant la déglutition et met alors la caisse du tympan à la pression atmosphérique.

La chaîne des osselets de l'oreille moyenne fonctionne comme un système de leviers qui renforce les vibrations du tympan afin de les transmettre au liquide qui emplit l'oreille interne.

- Comment varie la pression atmosphérique en fonction de l'altitude ?
- On ressent un bourdonnement d'oreille, et même parfois de la douleur, lorsque la pression de l'air n'est pas égale sur les deux faces du tympan. Pourquoi ressent-on ce désagrément lorsqu'on descend une longue pente en automobile ou lorsqu'on atterrit en avion ? Comment peut-on le faire cesser ?
- La surface de la fenêtre ovale est environ 10 fois plus petite que celle du tympan. Quel est l'avantage de cette disposition pour la transmission des sons au liquide de l'oreille interne ?
- Qu'est-ce qu'une otite ? Comment une infection de la gorge peut-elle se transmettre à l'oreille moyenne ?

3. L'oreille interne

L'oreille interne s'appelle aussi le *labyrinthe*. Elle se présente comme un système de conduits et de cavités empli de liquide et creusé dans une partie de l'os temporal : le *rocher*.

Dans l'oreille interne, les cellules auditives baignent dans le liquide. Elles sont rassemblées dans un curieux conduit en forme de coquille d'escargot : le *limaçon*.

Les cellules auditives sont excitables mécaniquement ; elles réagissent aux vibrations sonores qui se propagent dans le liquide ambiant, en produisant des influx nerveux. Les fibres du nerf auditif transmettent ces influx au cerveau, dans une région spécialisée nommée *zone auditive*. C'est là que prennent naissance les perceptions sonores.

En plus du limaçon, qui est l'organe essentiel de l'ouïe, l'oreille interne comprend un dispositif responsable du sens de l'équilibre. Ceci explique pourquoi certains troubles auditifs sont associés à des problèmes d'équilibration (des vertiges et des chutes).

- Qu'appelle-t-on un labyrinthe dans le langage courant ?

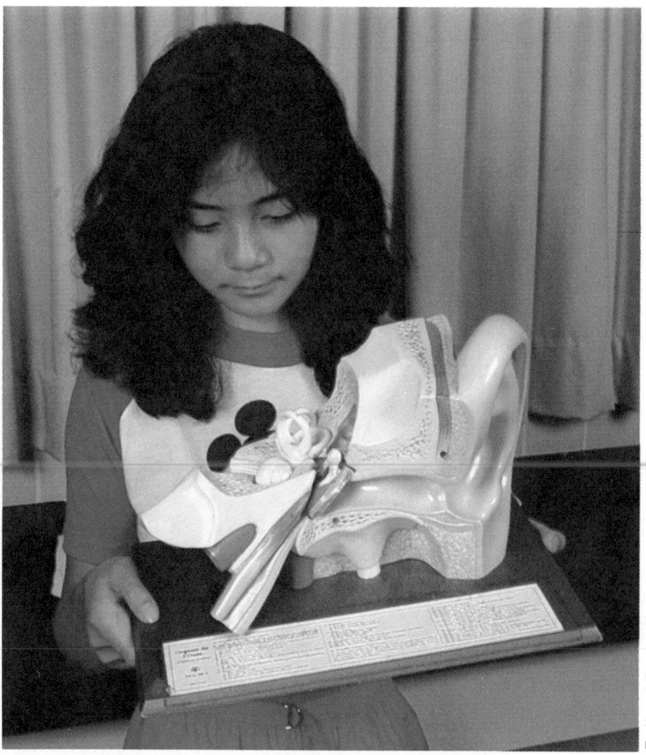

Rolland Renaud

Quelles parties de l'oreille reconnais-tu sur ce modèle?

à toi de jouer

1. RECONNAÎTRE SUR UN SCHÉMA LA PLACE OCCUPÉE PAR L'OREILLE EXTERNE, MOYENNE ET INTERNE.

a) Reproduis le diagramme schématique de l'oreille humaine figuré ci-dessous.

Figure 7-31.
Le diagramme de l'oreille.

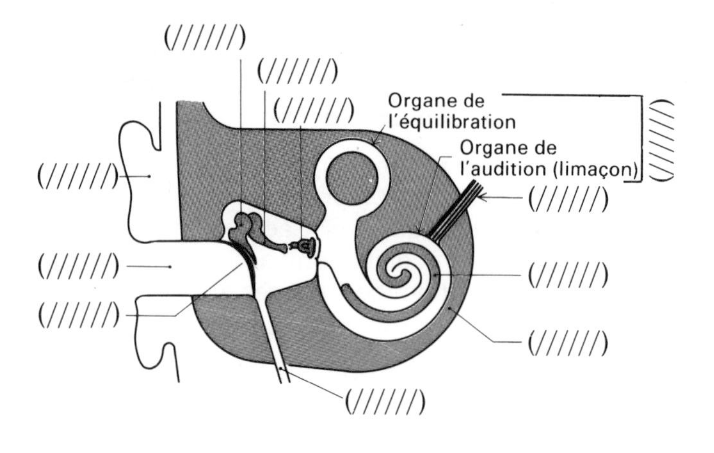

b) Colorie en rouge la cavité de l'oreille moyenne et en bleu le liquide de l'oreille interne.

c) Place les annotations suivantes : conduit auditif, enclume, étrier, labyrinthe, marteau, membrane portant les cellules auditives, nerf auditif, os du rocher, pavillon, trompe d'Eustache.

2. DRESSER LA LISTE DES PRINCIPALES ÉTAPES DE LA TRANSMISSION D'UN SON.

En reliant leurs noms par des flèches, indique dans quel ordre les organes suivants transmettent un message sonore : conduit auditif, limaçon, nerf auditif, osselets, pavillon, tympan, zone auditive du cerveau.

3. IDENTIFIER ET LOCALISER LE RÉCEPTEUR, LE TRANSMETTEUR ET L'ANALYSEUR DE L'APPAREIL AUDITIF.

a) Reproduis le tableau ci-dessous et complète-le en associant à chacune des fonctions l'une des trois structures suivantes : nerf auditif, oreille, zone auditive du cerveau.

Tableau 7-6.
Les structures de l'appareil auditif et leurs fonctions.

Fonctions	Structures
Récepteur	•
Transmetteur	•
Analyseur	•

b) Nomme l'ensemble constitué par les trois structures citées précédemment.

c) Reproduis la figure suivante. En t'inspirant de la figure 7-11, délimite et colorie en bleu la zone auditive du cerveau.

Figure 7-32.
La zone auditive du cerveau.

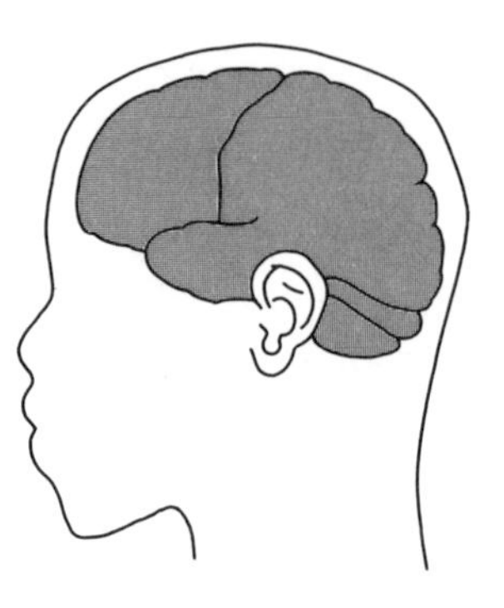

VA PLUS LOIN

Enquête sur l'organe de Corti et son fonctionnement.

Recherche de la documentation sur la structure la plus importante du limaçon : l'organe de Corti.

Développe les points suivants dans ton rapport :
— La structure et la localisation de l'organe de Corti ;
— La structure de la membrane basilaire ;
— La disposition des cellules auditives et leurs caractéristiques ;
— Le fonctionnement de l'organe de Corti.

L'hygiène de l'ouïe

As-tu l'ouïe fine ?

En répondant au petit questionnaire suivant, tu auras peut-être une meilleure idée de la qualité de ton ouïe. Si tu avais un doute à ce sujet, tu ne devrais pas hésiter à consulter un médecin, car les problèmes auditifs se règlent rarement d'eux-mêmes.

Réponds par «jamais», «parfois» ou «souvent» à chacune des questions ci-dessous ; enregistre deux points pour chaque «souvent» et un point pour chaque «parfois».

a) Entends-tu des bourdonnements ou des sifflements dans tes oreilles ?

b) Lorsque quelqu'un te parle, lui demandes-tu de répéter ce qu'il vient de dire ?

c) Es-tu obligé(e) de regarder attentivement la personne qui te parle pour comprendre ce qu'elle te dit ?

d) Arrive-t-il que tu n'entendes pas le téléphone ?

e) Te reproche-t-on de trop monter le son de la télévision ?

f) Les membres de ta famille te disent-ils que tu n'entends rien lorsqu'ils te parlent ?

g) As-tu de la difficulté à participer aux conversations de groupe ?

Si tu totalises 12 à 14 points, tu es atteint(e) de surdité avancée.

Si tu totalises de 7 à 11 points, tu devrais subir un examen de l'ouïe.

Si tu totalises moins de 7 points, alors tu viens de constater que tu as une bonne ouïe et qu'il serait dommage de la laisser se détériorer.

Dans la vie courante, l'oreille subit de nombreuses agressions.

L'ouïe te tient en liaison permanente avec ton environnement en captant des messages infiniment variés. La sonnerie du réveil indique qu'il est temps de te lever ; « Ô Canada » diffusé par la télévision vers 20 h te signale le début d'une partie de hockey. Pour avoir de l'information sur ton corps, le médecin l'écoute fonctionner avec son stéthoscope.

Le son se prête à des modulations illimitées. Il est le moyen idéal de communication entre les humains. Pense à la variation de sens que tu peux introduire par une simple inflexion de voix dans un propos tel que : « Ah, c'qu'on s'amuse ici ! ». Pense à toutes les émotions qui peuvent être communiquées par la musique.

L'oreille ressemble à une porte qui communique directement avec l'âme.

Pense aussi à la solitude des sourds-muets et à la cruauté de certaines réactions face à la simple surdité. Pourquoi n'avons-nous pas la même compassion envers les sourds qu'envers les aveugles ? Pour ton information, note qu'il y a environ trois fois plus de sourds que d'aveugles.

Lorsque l'ouïe se détériore, elle ne permet plus d'entendre certains sons (les aigus d'abord), ou fait entendre les sons déformés ou assourdis. La cause de la perte d'audition peut être une détérioration des cellules auditives, du nerf auditif ou de la zone auditive du cerveau. Elle peut être aussi une détérioration du système de transmission des sons à travers l'oreille externe et l'oreille moyenne.

Analysons trois causes d'affaiblissement de l'ouïe qui se situent dans l'oreille elle-même.

1. L'occlusion du conduit auditif par le cérumen

Normalement, le cérumen sèche et forme des écailles qui s'éliminent d'elles-mêmes ou par nettoyage de l'entrée du conduit auditif avec un linge humide. S'il est trop abondant, il peut s'accumuler et former un bouchon. Lorsqu'on se lave, l'eau peut repousser le bouchon au fond du conduit auditif et le faire gonfler. Il s'ensuit une surdité partielle avec un bourdonnement d'oreille désagréable.

On peut alors essayer de dissoudre le cérumen avec un liquide acheté en pharmacie, mais dans la plupart des cas il faut s'en remettre au médecin qui dispose des instruments appropriés pour régler le problème.

La tige coiffée de coton est inefficace pour nettoyer le conduit auditif ; elle refoule l'essentiel du cérumen vers la partie profonde du conduit et contribue à la formation du bouchon.

Le savon a parfois une action irritante sur le conduit auditif et peut aussi stimuler la formation de cérumen.

Le cérumen est une substance utile pour protéger l'oreille contre les infections ; ne contrarions pas trop la nature en cherchant à l'éliminer complètement.

- On dit parfois qu'il ne faut pas introduire dans l'oreille d'objet plus pointu que... le coude. Avec quels objets rigides est-on parfois tenté de nettoyer le conduit auditif ? Est-ce une bonne habitude ?

2. La rupture du tympan

La rupture du tympan peut être causée par un bruit intense et brutal, tel que celui d'une explosion, par la plongée sous-marine ou même par une gifle malencontreuse. Elle s'accompagne d'un léger saignement et d'une surdité instantanée avec des bourdonnements et une sensation de vertige. Il faut alors isoler le tympan déchiré en introduisant un tampon de coton stérile dans le conduit auditif. En général, une déchirure simple du tympan se répare rapidement sans problème.

À la suite d'une otite (infection de l'oreille moyenne), le tympan peut se percer spontanément ; le médecin peut aussi le percer afin de permettre l'écoulement vers l'extérieur du pus accumulé dans l'oreille interne.

- Pourquoi la pression augmente-t-elle beaucoup plus rapidement lorsqu'on plonge dans une piscine que lorsqu'on dévale une pente en automobile ?

3. La perte de sensibilité dans les structures mécaniques de l'oreille

Tout ce qui bouge dans l'oreille sous l'effet d'un son peut se détériorer lorsque le son est trop fort et dure trop longtemps. Le tympan perd de son élasticité ; les osselets s'usent ; les cellules auditives, qui ressemblent à de petites brosses, perdent ou cassent leurs cils raides.

La surdité du chaudronnier est une maladie professionnelle classique provoquée par le bruit du martèlement de la tôle. Les opérateurs(trices) de machinerie lourde, les métallurgistes, les travailleurs(euses) du bois, les travailleurs(euses) du textile, les aviateurs(trices), etc. sont menacé(e)s par la surdité progressive ; ils (elles) devraient passer un test audiométrique (de mesure de la sensibilité de l'ouïe) tous les ans.

L'intensité du bruit s'exprime en *décibels* (dB) ; l'échelle ci-dessous situe différents niveaux d'intensité sonore exprimés en décibels.

140 dB	Avion à réaction au décollage
120 dB	Seuil de douleur
90 dB	Cri
80 dB	Aspirateur
60 dB	Conversation normale
30 dB	Murmure
10 dB	Respiration
0 dB	Seuil d'audition

Un protecteur auditif est nécessaire lorsqu'on subit 85 dB pendant 5 h par jour.

Quelles sont les performances d'une bonne ouïe ?

— La capacité de percevoir une gamme continue de 1 600 sons, du plus grave au plus aigu ;

— La capacité de distinguer 350 forces de son, du plus doux au plus puissant.

En tout, une bonne oreille permet de distinguer plus de 400 000 sons. Dans les sociétés primitives, elle conserve cette qualité avec l'âge. Dans notre société industrielle, au contraire, l'ouïe s'affaiblit rapidement. La détérioration est déjà avancée à ton âge. Tu as ta part de responsabilité si tu écoutes ta musique préférée en montant trop le son de l'appareil. La fréquentation assidue des discothèques et l'usage du balladeur sont d'ailleurs d'excellents moyens de devenir rapidement « dur d'oreille ».

De temps en temps, tu pourrais accorder un repos à tes oreilles et à ton esprit en t'efforçant d'écouter le silence.

- Après une maladie telle que les oreillons, la rougeole, la varicelle ou la coqueluche, il arrive qu'un enfant devienne moins attentif aux bruits de l'environnement. Que devraient faire les parents lorsqu'ils s'en rendent compte ?
- Pourquoi les populations d'Amazonie, de Nouvelle-Guinée et de certaines régions d'Afrique ont-elles une ouïe bien plus sensible que la nôtre ?

à toi de jouer

1. NOMMER TROIS CAUSES POUVANT DIMINUER LA SENSIBILITÉ DE L'OUÏE.

En sortant de la piscine où il a simplement nagé sans plonger, Charles ressent un bourdonnement désagréable venant de son oreille droite et constate qu'il est sourd de cette oreille.

a) Indique la cause probable de la surdité de Charles.

Nicole pratique la plongée sous-marine durant ses vacances; en cherchant à ramasser un coquillage par 6 m de fond, elle ressent une vive douleur à l'oreille droite. Revenue en surface, elle constate qu'elle est sourde de cette oreille et qu'un peu de sang s'écoule du conduit auditif.

b) Indique la cause probable de la surdité de Nicole.

c) Nomme les structures de l'oreille qui risquent de se détériorer chez les amateurs de musique populaire.

2. DONNER LES RÈGLES D'HYGIÈNE CORRESPONDANT À CES CAUSES.

a) Dans quelle région du conduit auditif peut-on raisonnablement enlever le cérumen ? De quelle façon ?

b) Lorsqu'on attend une explosion, quel est le moyen le plus simple de prévenir une rupture de tympan ?

Les travailleurs(euses) de la construction portent obligatoirement un casque protecteur; les soudeurs(euses) portent un masque protecteur.

c) Quel dispositif protecteur est souvent porté par un(e) opérateur(trice) de lave-auto ? Pourquoi ?

VA PLUS LOIN

1. **Le drame de la surdité chez un grand musicien**

Beethoven devint sourd; ce fut le grand drame de sa vie. Recherche dans une de ses biographies quelle fut l'évolution de son infirmité, et quelles en furent les conséquences sur sa vie et sur son œuvre. Explique aussi comment la surdité lui permit de démontrer une volonté hors du commun.

2. **Le langage des sourds-muets**

Apprends à dire « bienvenue » dans le langage des sourds-muets. Apprends ensuite la signification de 10 signes courants de ce langage.

3. **Une petite initiation à l'harmonie musicale**

Si tu sais jouer de la guitare, de l'accordéon ou du piano, et si tu as la possibilité de jouer devant tes camarades de classe, prépare un jeu-questionnaire destiné à apprécier s'ils ont l'oreille musicale.

Tu pourrais par exemple commencer par leur enseigner à distinguer le mode majeur du mode mineur, puis leur jouer des phrases musicales dont ils devraient reconnaître le mode.

Tu pourrais ensuite initier tes camarades aux intervalles (la seconde, la tierce, la quinte, la septième, l'octave), puis les leur faire reconnaître.

Tu pourrais continuer avec les accords parfaits majeurs et mineurs, les accords de septième, etc.

Chacun(e) dans la classe ferait le compte de ses bonnes et de ses mauvaises réponses.

L'anatomie et la physiologie de la peau

Quelles sont les fonctions de la peau ?

Figure 7-33.
Les données pour l'estimation de la surface corporelle.

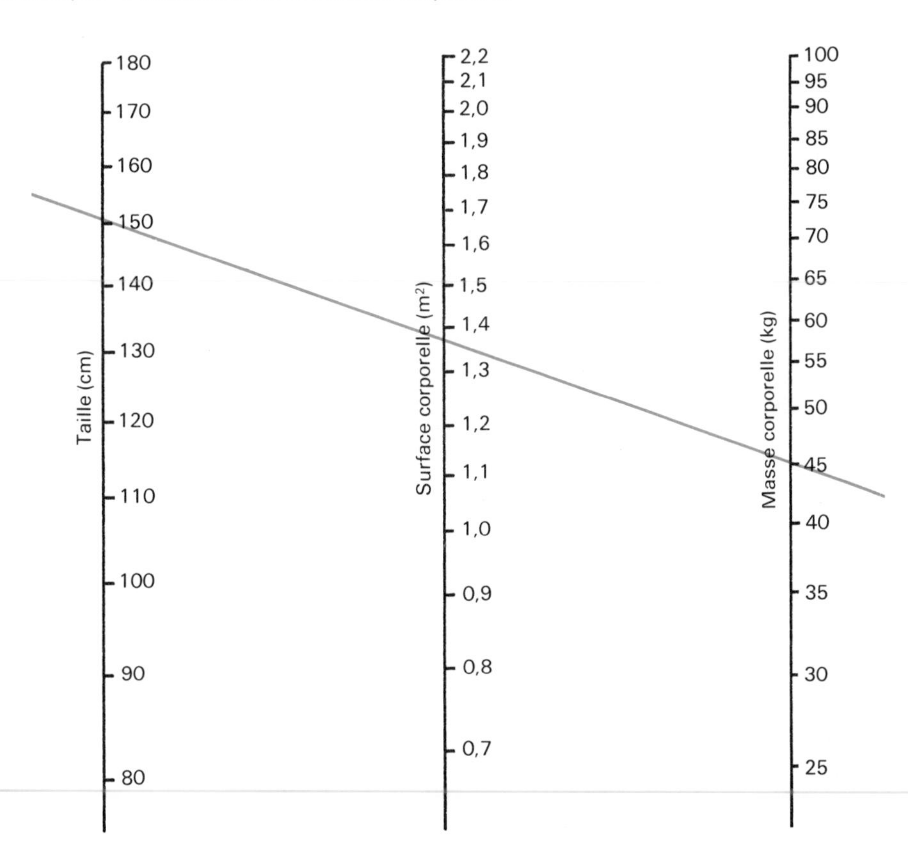

Le graphique ci-dessus s'appelle un nomogramme. Il permet d'estimer rapidement la surface de la peau en fonction de la taille et de la masse corporelle. Dans l'exemple donné en démonstration, la surface de la peau d'un individu mesurant 150 cm et pesant 45 kg serait de 1,36 m².

a) À l'aide d'une règle, trouve combien mesure ta peau (sans tracer quoi que ce soit sur le livre). Indique les mesures de ta taille et de ta masse corporelle.

b) La peau est la plus grande glande de ton corps. Nomme son principal produit de sécrétion.

La lèpre est une maladie qui se traduit par d'horribles crevasses dans la peau des mains, des avant-bras et du visage. En même temps, la peau atteinte perd sa sensibilité parce que ses nerfs sont détruits. Beaucoup de lépreux ont la révélation de leur état par hasard, en se laissant brûler cruellement les doigts sans rien sentir.

c) Risques-tu de te brûler les doigts sans t'en apercevoir ? Pourquoi ?

d) Dans une cuisine, lorsque tu veux apprécier la température d'un récipient, approches-tu de lui la paume ou le dos de ta main ? Quelle face de ta main a la meilleure sensibilité à la chaleur ?

e) Est-ce qu'il t'arrive de percevoir du froid comme du chaud ? Dans quelles circonstances ? Donne ton explication du phénomène.

f) Faut-il qu'un objet entre en contact avec la peau nue pour le percevoir tactilement ? Quelles structures annexes de la peau sont très sensibles au contact léger ?

g) Les individus communiquent entre eux par le toucher. Donne un exemple et essaie de préciser le sens du message échangé.

La peau est un organe très sensible.

«Il existe 193 espèces vivantes de singes et de gorilles. 192 d'entre elles sont couvertes de poils. La seule exception est un singe nu qui s'est donné le nom d'Homo sapiens (...) À part les touffes de poils sur la tête, sous les aisselles et autour des organes génitaux, la surface de la peau est toute entière exposée[1]*.»*

La peau est une barrière qui empêche les liquides de ton corps de s'échapper. De plus, elle arrête les microbes, ainsi que les radiations nocives. Son rôle ne se limite pourtant pas à te protéger; elle règle ta perte de chaleur pour maintenir la température de ton corps constante; elle assure de plus $\frac{1}{7}$ de tes échanges respiratoires, et participe à l'excrétion en produisant la sueur.

Mais la nudité même de ta peau en fait un organe du toucher exceptionnel. Les contacts tactiles avec ton environnement inerte et surtout avec tes semblables sont un besoin pour toi comme pour tous les humains. Le contact d'une peau avec une autre peau ne permet-il pas les plus belles formes de communication sociale?

1. La structure de la peau

La peau est constituée de trois couches superposées bien identifiables en coupe au microscope: l'*épiderme*, le *derme* et l'*hypoderme*. Elle possède aussi des *appendices cutanés* (des poils, des ongles, des glandes).

Figure 7-34.
La structure de la peau.

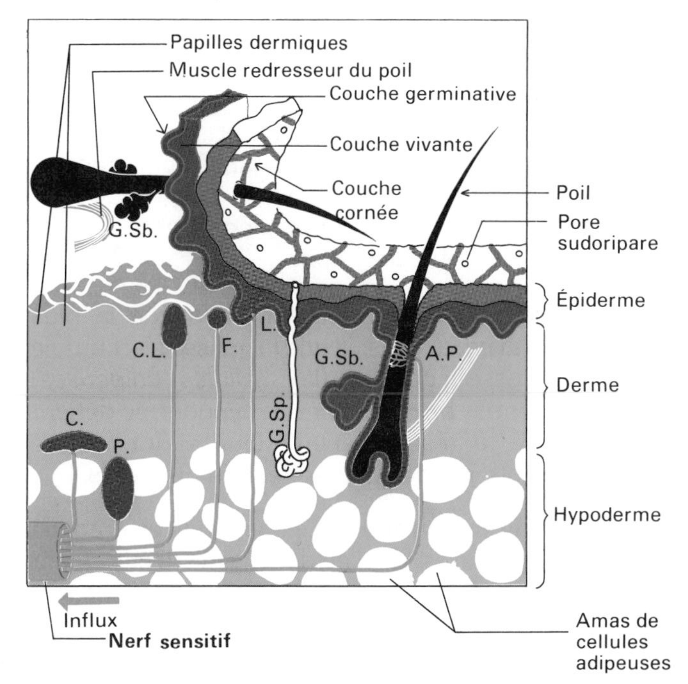

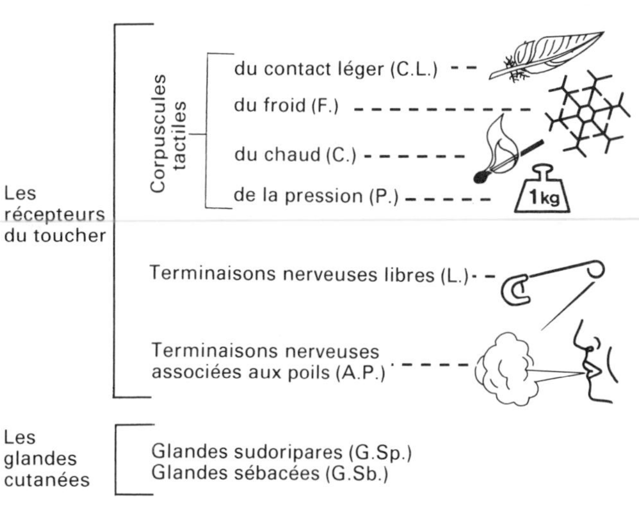

1. Desmond Morris, *Le singe nu*, Paris, Éditions Bernard Grasset, 1968, p. 7 et p. 14.

L'épiderme. L'épiderme est un tissu d'épaisseur variable qui peut atteindre 2 mm à la plante du pied ou à la paume de la main. Il est formé de quelques dizaines de couches de cellules qui se renouvellent constamment. En profondeur, les plus jeunes sont vivantes, molles et jointives. En surface, les plus vieilles sont mortes et transformées en écailles cornées qui se détachent sous forme de poussière imperceptible. Toutes les cellules de l'épiderme sont filles des cellules de la couche la plus profonde, ou *couche génératrice*, qui se divisent inlassablement.

La couleur de la peau tient à la présence, en quantité variable, d'une substance noire, brune ou orange : la *mélanine*. Dans la peau blanche, la mélanine est peu abondante et se localise dans la couche génératrice. Dans la peau noire, elle est abondante et se répartit dans toutes les cellules épidermiques. La mélanine forme un écran protecteur contre les rayons ultra-violets nocifs.

Il n'y a pas de sang dans l'épiderme.

Le derme. Le derme constitue le « sous-tapis » de l'épiderme, plus épais que ce dernier. Il est riche en vaisseaux sanguins et s'encastre dans l'épiderme par des pointes coniques, ou *papilles*. Les cellules du derme sont dispersées dans un enchevêtrement de fibres inertes, imbibé de lymphe.

L'hypoderme. L'hypoderme est la couche la plus profonde de ta peau. C'est là que la graisse s'accumule dans de grosses cellules (les *cellules adipeuses*) formant des amas bien délimités. L'hypoderme détient l'essentiel de ta réserve énergétique et forme une couche isolante précieuse dans les climats froids.

Les appendices cutanés. Les appendices cutanés sont des structures de l'épiderme qui s'enfoncent profondément dans le derme. Ils comprennent des formations cornées, les ongles et les poils, ainsi que 2 000 000 de glandes sécrétrices de sueur, ou *glandes sudoripares*. Chaque poil est logé dans une gaine à laquelle sont annexés un muscle redresseur et une *glande sébacée*. Les muscles redresseurs des poils sont responsables de la chair de poule, tandis que les glandes sébacées produisent un liquide huileux : le *sébum*.

- Une égratignure qui ne saigne pas entaille quel tissu de la peau ? Justifie ta réponse.
- Les pores de la peau servent-ils à faire respirer la peau ? À quoi servent-ils ?
- Si tu te frottais le cuir chevelu (une région particulière de la peau) avec le bout des doigts, tu risquerais de laisser une tache translucide sur la feuille de papier où tu écris. Quelle substance en serait responsable ?

2. La peau, organe sensoriel

Le derme et l'hypoderme renferment un assortiment de minuscules récepteurs spécialisés, sensibles aux modifications physiques de l'environnement immédiat : les *corpuscules tactiles*. Chacun d'eux se prolonge par une fibre nerveuse. On les classe en quatre catégories :

— Les corpuscules sensibles au contact léger (corpuscules du contact léger), qui sont les récepteurs du toucher proprement dit ;
— Les corpuscules sensibles au refroidissement (corpuscules du froid) ;
— Les corpuscules sensibles au réchauffement (corpuscules du chaud) ;
— Les corpuscules sensibles aux variations de pression (corpuscules de la pression).

Le derme et l'hypoderme renferment aussi des terminaisons nerveuses sensitives non reliées aux corpuscules tactiles. Les unes restent libres et pénètrent dans l'épiderme ; ce sont les récepteurs de la douleur. Les autres sont reliées aux poils et réagissent au moindre effleurement de ceux-ci ; elles sont d'autres récepteurs du toucher proprement dit.

- Les corpuscules tactiles sont-ils répartis uniformément dans toute la peau ? Justifie ta réponse.

3. La transmission de l'information de la peau au cerveau

Figure 7-35.

La voie de transmission d'un influx nerveux sensitif à partir de la peau.

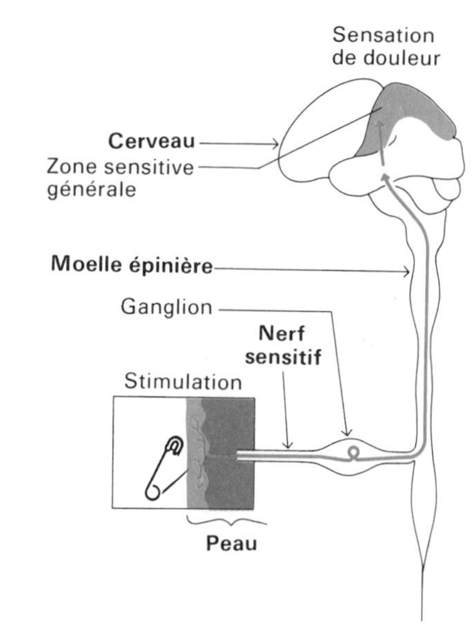

Les terminaisons nerveuses de la peau, stimulées directement ou par l'intermédiaire des corpuscules tactiles, produisent des influx nerveux qui sont conduits par les fibres nerveuses auxquelles elles appartiennent.

Les fibres nerveuses de la peau sont des prolongements de cellules situées dans de petites masses de tissu nerveux nommées *ganglions*. À partir d'un territoire de peau déterminé, les fibres se rassemblent pour former un nerf sensitif porteur d'un ganglion. La plupart des nerfs sensitifs sont reliés à un gros cordon nerveux abrité dans la colonne vertébrale : la *moelle épinière*. Celle-ci se prolonge dans le crâne par l'encéphale.

Chaque territoire de peau est en relation avec un territoire du cerveau situé dans la zone sensitive générale. Ce territoire réagit aux messages nerveux qui lui parviennent du territoire de peau correspondant en produisant des sensations tactiles, douloureuses ou thermiques, selon le cas.

La zone sensitive générale située dans la moitié droite du cerveau reçoit les messages de la moitié gauche du corps, et inversement.

- En supposant que l'influx nerveux soit conduit par les fibres nerveuses à une vitesse de 60 m/s, combien de temps met-il pour aller du pied au cerveau, si la distance entre ces deux organes est de 1,50 m ?

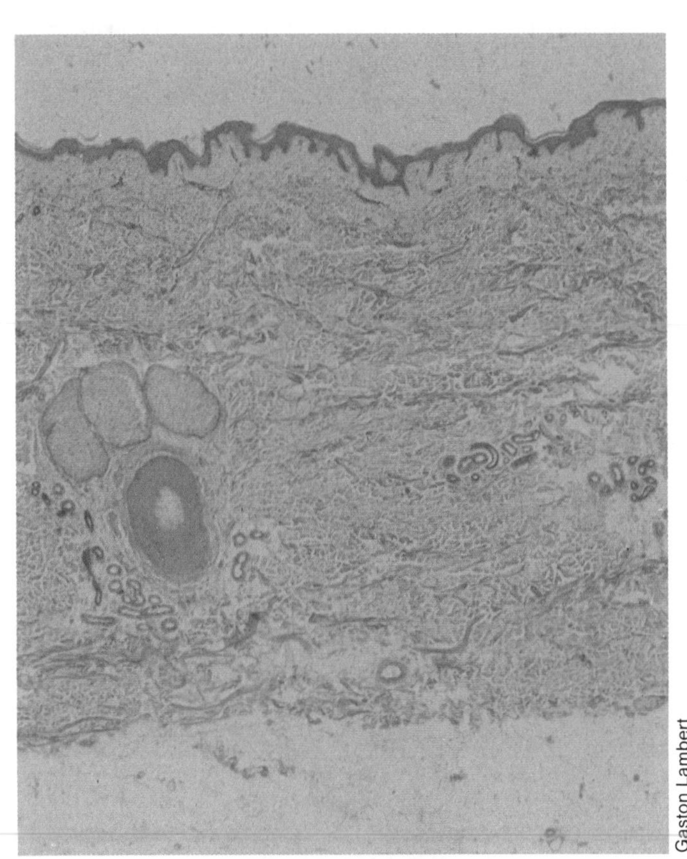

Gaston Lambert

Une coupe de la peau vue au microscope.

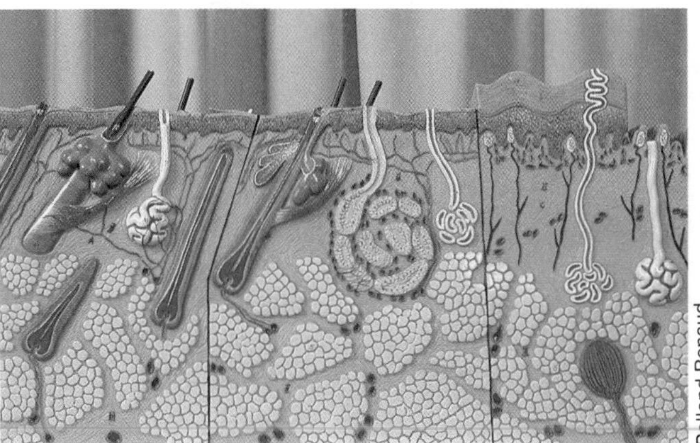

Rolland Renaud

Quelles structures de la peau reconnais-tu sur ce modèle?

à toi de jouer

1. LOCALISER, SUR UNE COUPE DE LA PEAU, LES TROIS PRINCIPALES COUCHES COMPOSANTES.

Examine la photographie prise au microscope qui apparaît à la page précédente.

a) Tire un schéma très simple de cette photographie, faisant apparaître seulement les limites des trois couches composantes de la peau.

b) Donne un titre à ton schéma et place les annotations suivantes : derme, épiderme, hypoderme.

2. NOMMER LES PRINCIPALES SENSATIONS PERÇUES PAR LA PEAU.

Reproduis le tableau ci-dessous et complète-le, en associant à chaque stimulus applicable sur la peau le type de sensation qu'il détermine (douloureuse, thermique ou tactile).

Tableau 7-7.
Les sensations déterminées par quelques stimulus de la peau.

Stimulus	Types de sensations
Frôlement	•
Piqûre	•
Eau tiède	•
Glaçon	•
Pincement modéré	•

3. ASSOCIER À CHACUNE DE CES SENSATIONS DES STRUCTURES CUTANÉES.

a) Cite les trois grandes catégories de récepteurs sensoriels de la peau.

b) Reproduis et complète le tableau suivant.

Tableau 7-8.
Les récepteurs des sensations perçues à partir de la peau.

Types de sensations	Récepteurs cutanés
Douloureuses	•
Tactiles	• • •
Thermiques	• •

4. DÉMONTRER EXPÉRIMENTALEMENT QUE LA RÉPARTITION DES POINTS SENSIBLES EST INÉGALE.

A. *Évaluer l'acuité tactile.*

Matériel : 1 compas à pointes sèches ; 1 règle graduée.

L'acuité tactile est la faculté de percevoir distinctement deux points de contact rapprochés sur la peau. Elle se mesure d'après l'écartement qu'il suffit de leur donner pour qu'ils soient perçus distinctement.

— Demande à un(e) camarade de te servir de sujet d'expérience ; il (elle) devra fermer les yeux ;
— Mesure un écartement de 20 mm des pointes du compas ;
— Appuie au gré de ta fantaisie (sans piquer !) une ou deux pointes sur la paume de la main de ton (ta) patient(e) ; il (elle) annonce ce qu'il (elle) perçoit en ces termes : « un point » ou « deux points » ;
— Cherche et note le plus petit écartement pour lequel ton sujet ne se trompe jamais ;
— Reprends la même expérience successivement dans les régions suivantes :
- La dernière phalange du majeur ;
- La deuxième phalange du majeur ;
- L'avant-bras.

a) Présente tes résultats sous forme de tableau, selon le modèle du tableau 7-9.

Tableau 7-9.
L'acuité tactile.

Territoires explorés	Distances utiles des deux points de contact (mm)
Paume de la main	•
Dernière phalange du majeur	•
Deuxième phalange du majeur	•
Avant-bras	•

b) Dans quel territoire exploré la densité des corpuscules du contact léger est-elle la plus forte ? La plus faible ?

On estime que la peau renferme 500 000 points de tact. Les deux pointes du compas sont perçues distinctement lorsqu'elles stimulent deux points de tact distincts.

B. *Évaluer la sensibilité thermique.*

Matériel : 1 bain-marie à 55°C ; 1 bécher contenant de la glace fondante ; 1 crayon à mine ; 1 stylo rouge ; 1 stylo bleu ; 1 épingle à couture.

— Trace au stylo un quadrillage de 5 cm sur 5 cm (25 carreaux de 1 cm de côté) dans le creux de la main d'un(e) camarade ;
— Pique l'épingle dans la gomme du crayon ;
— Lis attentivement les instructions suivantes, puis passe à l'expérience ;
— Touche rangée par rangée le centre de chaque carreau avec la tête de l'épingle chaude (trempée quelques secondes dans l'eau chaude avant chaque essai) ;
— Ton sujet dit « chaud » s'il perçoit de la chaleur, et « non » s'il n'en perçoit pas ;
— Chaque fois qu'il annonce « chaud », marque au stylo rouge le point de chaud qui vient d'être détecté, sur la peau ;
— Lorsque l'expérience est terminée, reprends-la, mais en refroidissant l'épingle dans l'eau glacée ; marque d'un point bleu chaque carreau pour lequel ton sujet annonce : « froid » ; un point de chaud et un point de froid peuvent se trouver ensemble dans un même carreau ;
— Reprends ensuite la recherche des points de chaud et de froid dans un quadrillage tracé sur le dos de la main.

a) Relève les deux quadrillages avec leurs points rouges et bleus. Indique la signification des points colorés.

b) Place les titres suivants : Répartition des points de chaud et des points de froid. Paume de la main. Dos de la main.

c) Compare les sensibilités respectives au chaud et au froid des deux territoires de la peau explorés.

— Fais la même expérience sur ton propre visage avec l'épingle chaude, puis avec l'épingle froide.

d) Indique quelle région du visage a la meilleure sensibilité thermique.

On estime que la peau renferme 20 000 points de chaud et 250 000 points de froid.

C. *Vérifier l'existence de points de douleur dans la peau.*

Matériel : 1 aiguille à coudre très pointue.

— Sur ta main ou ton avant-bras, vérifie avec l'aiguille ta sensibilité douloureuse dans 1 cm^2 de peau seulement. En aucun cas tu ne dois faire saigner. Constate simplement que seules certaines piqûres causent une douleur vive.

On estime que la peau renferme en moyenne 170 points de douleur par cm^2.

La cornée de l'œil ne renferme que des terminaisons nerveuses libres, pas de corpuscules tactiles.

a) Indique d'après ton expérience le genre de sensibilité que possède la cornée.

b) Les informations qui précèdent concernant la cornée permettent de relier un type de récepteur tactile à un type de sensation. Quelle est cette relation ?

5. NOMMER CHACUNE DES STRUCTURES QUI CORRESPONDENT AU RÔLE DE RÉCEPTEUR, DE TRANSMETTEUR ET D'ANALYSEUR DU TOUCHER.

Reproduis et complète le tableau suivant.

Tableau 7-10.
La fonction des différentes structures du toucher.

Fonctions	Structures du toucher
Récepteur	•
Transmetteur	• •
Analyseur	•

6. NOMMER TROIS RÔLES NON SENSITIFS DE LA PEAU.

a) Nomme la fonction de la peau à laquelle se rattachent les rôles suivants : bloquer les rayons ultra-violets ; empêcher l'invasion microbienne ; empêcher la perte des liquides du corps.

b) Nomme la fonction de la peau à laquelle se rattachent les rôles suivants : rejeter avec la sueur des produits superflus ; rejeter du dioxyde de carbone.

c) Nomme un aliment essentiel qui peut se former dans la peau (voir le tableau 1-2 dans le chapitre 1 section A). En quelle saison risque-t-on le moins de manquer de cet aliment ?

VA PLUS LOIN

L'écriture des aveugles

a) Recherche en quoi consiste l'alphabet Braille ; donnes-en tous les signes.

b) Écris une phrase courte dans cet alphabet. Donne le relief en retournant ta feuille sur un journal et en appuyant au dos de chaque point avec un stylo à bille.

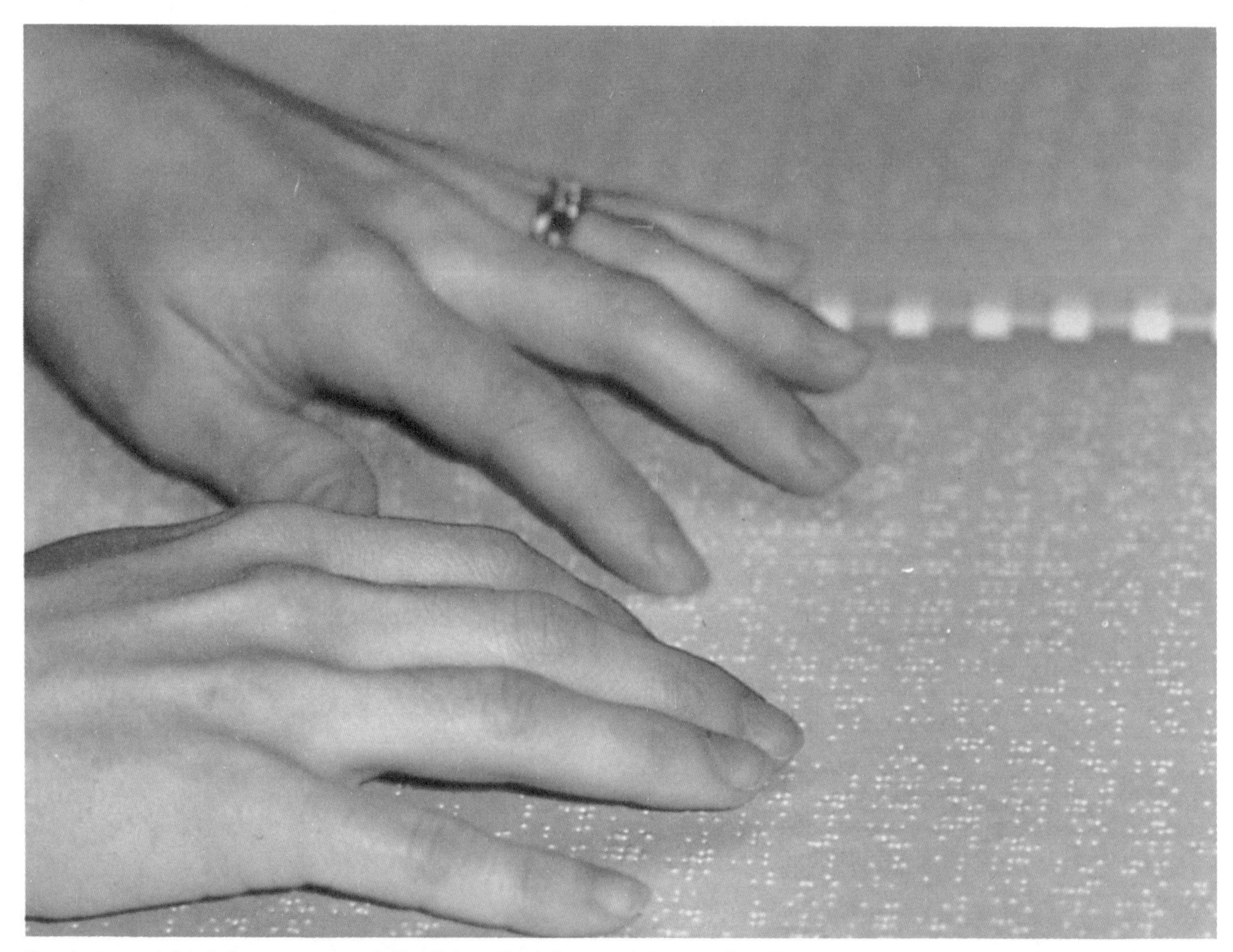

Que font ces doigts? Que penses-tu de l'acuité tactile de la peau à leur extrémité?

SECTION

L'hygiène de la peau

Es-tu bien dans ta peau ?

a) Es-tu préoccupé(e) par l'aspect de ta peau ? Pourquoi ?

b) Énumère les soins que tu apportes à ta peau (y compris aux appendices cutanés).

c) Énumère des établissements commerciaux qui s'occupent de la peau ou des appendices cutanés.

d) Existe-t-il un lien entre l'apparence de la peau et l'état de santé général ? Donne un exemple.

e) Un manque de soins de la peau peut-il affecter la santé générale ? Donne un exemple.

f) Est-ce qu'il t'arrive de maltraiter ta peau ? Dans quelles circonstances ?

g) D'après toi, le soleil est-il l'ami de la peau ? Es-tu bien informé(e) des effets du soleil sur la peau ?

h) As-tu des problèmes d'acné ? Aimerais-tu en savoir plus long sur cette question ?

Le soleil n'est pas le meilleur ami de la peau.

L'apparence de la peau préoccupe la plupart d'entre nous; l'importance du marché des produits d'hygiène ou de beauté destinés à être appliqués sur la peau en témoigne. C'est un fait, la peau influence — souvent de façon injustifiée — la vie sociale, affective et professionnelle des individus.

Ta peau est un organe vital qui affronte en « première ligne » un environnement de plus en plus agressif. Sa grande sensibilité influence tout ton organisme. Tu peux facilement vérifier ce fait en te plaçant sous une douche froide. Au début, le sang se retire de la peau et le souffle est coupé; ensuite, le sang afflue à la peau et la respiration devient plus profonde.

Inversement, ta peau reflète ton état général. Une bonne santé physique et psychique se traduit par un teint frais; au contraire, des troubles digestifs peuvent faire jaunir la peau. Une éruption cutanée (des rougeurs ou des boutons) est souvent la première manifestation d'une intoxication alimentaire ou autre.

Tu prends soin de ta peau, c'est bien, mais tu vas peut-être découvrir que tu lui fais aussi du mal sans le savoir.

1. L'importance de la propreté de la peau

La peau se salit inévitablement. Le sébum agglomère les poussières de l'air, les minuscules écailles d'épiderme mort, ainsi que les résidus d'évaporation de la sueur (l'urée, le sel). Il se forme de la sorte une crasse qui gêne l'accomplissement des diverses fonctions de la peau. Elle bloque notamment les pores qui permettent l'excrétion de la sueur et du sébum.

Dans les plis de la peau (à l'aine, aux aisselles) et partout où la sueur ne s'évapore pas librement, celle-ci fermente sous l'action des microbes qui vivent sur la peau et dégage une odeur désagréable. Les chaussures en caoutchouc et les sous-vêtements en tissu synthétique accentuent ce phénomène.

L'utilisation d'un antisudorifique est une solution malsaine aux problèmes d'odeurs, car il s'oppose à une fonction vitale de la peau. Le désodorisant, pour sa part, ne fait que retarder la difficulté en ralentissant le développement des microbes. Quant au parfum, il peut masquer les odeurs jusqu'à un certain point. Notons aussi que ces produits sont souvent responsables d'irritations de la peau.

La vraie solution aux problèmes d'odeurs corporelles consiste simplement à se laver avec un savon qui respecte l'acidité naturelle de la peau, sans tomber dans l'exagération. Les normes suivantes sont données à titre indicatif.

— Les cheveux : lavage deux fois par semaine ;
— Le visage : lavage matin et soir (et au besoin, sans savon) ;
— Les mains : lavage avant et après chaque repas et aussi souvent que nécessaire ;
— Les organes génitaux externes, les aisselles et les pieds : lavage matin et soir ;
— L'ensemble du corps : bain ou douche au moins trois fois par semaine et après chaque transpiration abondante.

La propreté est la première condition du bien-être quotidien. Elle témoigne du respect de soi et des autres. Élément de l'hygiène physique, la propreté est aussi un des fondements de l'hygiène mentale.

- A-t-on nécessairement besoin d'un désodorisant pour se sentir propre ?

2. Le soleil et la peau

Notre civilisation valorise démesurément le hâle, ou bronzage ; il symbolise la santé, la beauté, ainsi que la réussite sociale et sentimentale. Autrefois, on l'associait plutôt aux rudes travaux des champs. Les personnes de la meilleure société évitaient alors de mettre le nez au soleil, quand elles ne poussaient pas l'obstination jusqu'à se blanchir la peau au jus de citron. Le bronzage est une mode qui finira bien par passer lorsque les mises en garde des dermatologues seront entendues.

Le hâle est une réaction de défense de la peau à certaines radiations invisibles du soleil: les *rayons ultra-violets (U.V.)*.

Les physiciens en distinguent trois catégories: les U.V.-A, Les U.V.-B et les U.V.-C. Les U.V.-C, mortels, sont bloqués dans la haute atmosphère par la couche d'ozone. Les U.V.-A, relativement inoffensifs, parviennent jusqu'à nous en grande quantité et pénètrent jusque dans le derme des peaux claires. Quant aux U.V.-B, ils nous atteignent de façon très variable, surtout lorsque le soleil est haut dans le ciel (en été, entre 11h et 14h). Ils sont absorbés par l'épiderme mais, dans les peaux claires, ils atteignent néanmoins le derme en petites quantités. Les U.V.-B sont beaucoup plus actifs physiologiquement et nocifs que les U.V.-A. Seuls les U.V.-B stimulent la production de vitamine D et de mélanine dans l'épiderme.

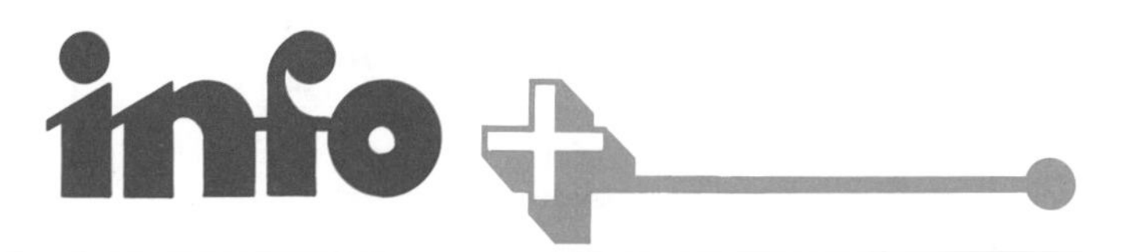

Les actions respectives des U.V.-A et des U.V.-B sur la peau

Figure 7-36.
La pénétration des rayons ultra-violets dans la peau blanche.

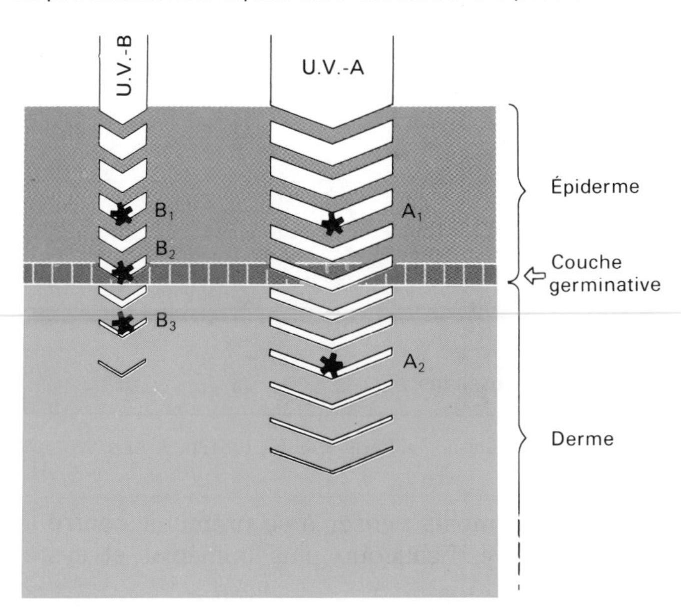

La figure 7-36 te donne une idée des quantités respectives d'U.V.-A et d'U.V.-B qui pénètrent dans la peau exposée au soleil. Leurs effets dans les différentes couches de la peau sont les suivants:

— A_1: modification et redistribution de la mélanine déjà existante → hâle immédiat, peu protecteur, qui disparaît en quelques heures;
— A_2 et B_3: réaction inflammatoire → rougeur, puis coup de soleil, puis brûlure;
— B_1: mort de cellules;
— B_2: accélération de la production de mélanine par certaines cellules et de sa distribution aux cellules voisines → hâle protecteur durable; aussi, accélération des divisions cellulaires normales → épaississement de l'épiderme (protecteur);
— B_2 et B_3: multiplication de cellules anormales → tache anormale → possibilité de cancer à long terme (10 à 20 ans plus tard);
— B_3: mort de cellules; atrophie des vaisseaux sanguins; ralentissement des activités cellulaires → racornissement du derme → vieillissement de la peau et formation de rides.

Les dermatologues sont formels: aucun hâle ne se produit sans dommages aux cellules. L'exposition inconsidérée au soleil conduit au vieillissement prématuré de la peau. Sous l'action des rayons ultraviolets, l'épiderme s'épaissit, tandis que le «sous-tapis» (le derme), normalement souple et moelleux, se transforme en un «paillasson» desséché. Par ailleurs, les spécialistes connaissent bien les taches anormales de la peau souvent associées aux retours de voyages dans le Sud. Beaucoup de ces lésions sont susceptibles d'évoluer en cancers à plus ou moins long terme. On sait que les U.V. sont responsables non seulement des coups de soleil, mais aussi de la plupart des taches qui se développent sur la peau. Les effets nocifs des U.V. s'additionnent; les dégats causés par 10 saisons de bronzage de 8 jours chacune sont les mêmes que ceux qui sont causés par une exposition au soleil durant 80 jours consécutifs... La peau a bonne mémoire.

Comme le fait de se chauffer au soleil constitue malgré tout un des plaisirs de la vie, on peut minimiser les risques en prenant deux précautions: s'exposer très progressivement (voir le tableau 7-12) et s'enduire la peau d'une huile ou d'une crème filtrante formant écran aux U.V.-B (les plus nocifs). Les médecins recommandent les filtres solaires à base d'acide para-aminobenzoïque (PABA).

Notons que ces produits n'arrêtent pas complètement les U.V.-B. Toutes les parties du corps exposées au soleil doivent en être enduites. Un bain détruit le film protecteur qu'ils forment sur la peau.

Tableau 7-11.
Les phototypes cutanés *.

Phototypes	Couleur des cheveux	Couleur de la peau en hiver	Taches de rousseur	Coups de soleil	Capacité de bronzage	Protection contre le soleil
Albinos	Blancs	Rose	Aucune	Répétés	Aucune	Aucune
I	Roux	Laiteuse	Beaucoup	Répétés	Difficile	Très faible
II	Dorés	Claire	Peu	Avant bronzage et après longue exposition	Difficile	Faible
III	Châtains	Claire	Très peu		Difficile	Légère
IV	Blonds	Claire	Aucune		Facile	Grande
V	Brun clair	Mate	Aucune	Avant bronzage	Très facile	Grande
VI	Bruns	Mate	Aucune	Aucun	Très facile	Très grande
Négroïde	Noirs	Noire	Aucune	Aucun	—	Très grande

Tableau 7-12.
Comment s'exposer au soleil avec un minimum de risques *.

	Temps d'exposition pour les phototypes I, II, III			Temps d'exposition pour les phototypes IV, V, VI		
Jours	Immobile	En mouvement	À l'ombre découverte	Immobile	En mouvement	À l'ombre découverte
1er	10 min	20 min	15 min	15 min	45 min	30 min
2e	15 min	30 min	25 min	30 min	60 min	45 min
3e	20 min	40 min	35 min	45 min	75 min	60 min
4e	25 min	40 min	45 min	60 min	Illimité	Illimité
5e 6e 7e 8e	45 min	1 h	2 h	Illimité		

- Pas d'exposition en plein soleil entre 11 h et 14 h.
- Utilisation obligatoire d'huile ou de crème filtrante pour les phototypes I et II.

- Augmenter la durée de $\frac{1}{3}$ par temps nuageux clair ou brumeux.
- Les chiffres sont donnés à titre indicatif ; des variations individuelles sont possibles.

* Ces tableaux sont inspirés de J.P. Cesarini et Liliane Schnitzer, *La peau*, Coll. « Que sais-je ? », Paris, P.U.F., 1981, p. 96 et p. 98.

Les peaux claires (les *phototypes* I, II et III de la race blanche) sont particulièrement sensibles aux U.V. Même si leurs propriétaires ne prennent pas au sérieux le risque lointain et imprécis du cancer, ils devraient au moins penser à se prémunir contre le coup de soleil, beaucoup plus immédiat et systématique.

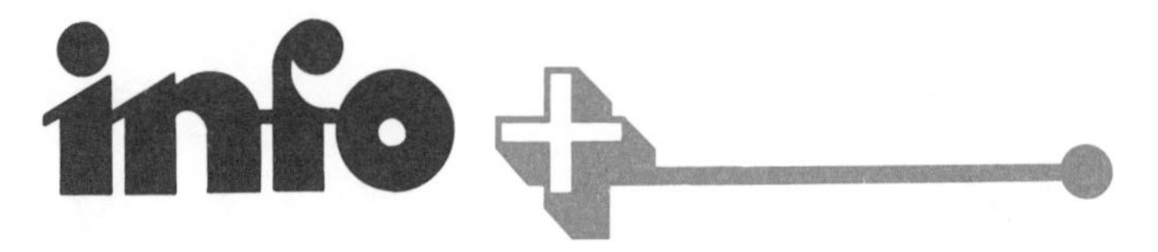

Le hâle artificiel

Plusieurs méthodes permettent de développer un hâle en toute saison.

Les lampes solaires produisent de fortes quantités d'U.V. On ne doit donc s'y exposer qu'en prenant les mêmes précautions que sous le soleil. De deux choses l'une : ou ces lampes produisent des U.V.-B et sont alors dangereuses, ou elles produisent des U.V.-A seulement et sont donc inaptes à faire développer un épaississement et un hâle protecteurs de la peau.

Certains produits, dits *photodynamisants*, ont la propriété de stimuler la production de mélanine dans les cellules spécialisées de l'épiderme soumises à l'action des U.V. ; ils permettent donc de bronzer vite, en minimisant le besoin de s'exposer aux radiations nocives. On en retrouve dans certaines préparations pour bronzer, à étendre sur la peau. On considère comme inquiétantes les substances qui modifient le métabolisme cellulaire. C'est ce que font les photodynamisants dans l'épiderme et leurs effets secondaires sont encore mal connus.

Certains produits colorants tels que le carotène, absorbable sous forme de pilules, donnent à la peau une teinte qui imite plus ou moins bien le hâle. De tels produits servent seulement à se teindre par l'intérieur, et en aucun cas à se protéger contre les rayons du soleil.

- Pourquoi les scientifiques surveillent-ils avec une certaine inquiétude l'épaisseur de la couche d'ozone située dans la haute atmosphère ?
- Est-il nécessaire d'avoir le teint hâlé pour être en parfaite santé ?

3. L'acné

L'acné est un problème courant chez les adolescent(e)s ; il est lié au fonctionnement des glandes sébacées. On rappelle que celles-ci sont associées aux poils et qu'elles sécrètent l'enduit gras de la peau, ou sébum. À ton âge, les glandes sébacées du visage, du cuir chevelu, du dos et de la poitrine s'hypertrophient et produisent davantage de sébum. En même temps, la couche cornée de l'épiderme s'épaissit, rendant la sortie du sébum plus difficile. Les glandes sébacées engorgées et dilatées se nomment *comédons*. Ils sont révélés en surface par des points noirs. Les comédons peuvent s'enflammer sans chaleur ni douleur ; ils constituent alors les petits foyers d'infection connus sous le nom de boutons d'acné. L'acné est une maladie bénigne et non contagieuse parce qu'elle est causée par des microbes normalement présents sur toutes les peaux.

L'acné est plus ou moins marquée selon les périodes. Ainsi, elle s'atténue souvent en été grâce à l'action *antibactérienne* des rayons ultra-violets. Par contre, ces mêmes U.V., en épaississant la couche cornée de l'épiderme, sont aussi responsables d'un retour en force du problème à l'automne. Les causes premières de l'acné ne sont ni la malpropreté, ni l'alimentation. Les croustilles, le cola et le chocolat ne causent pas l'acné mais pourraient la favoriser. Par contre, on sait que l'équilibre hormonal de l'organisme (qui se modifie à ton âge), conditionne fortement l'acné. Ainsi, chez une jeune femme, l'acné peut être influencée dans un sens ou dans l'autre par l'usage de pilules anticonceptionnelles.

On peut traiter l'acné en combattant les microbes qui en sont responsables avec des antibiotiques. Ceux-ci peuvent être absorbés par la bouche ou appliqués sous forme de crème sur les boutons. On peut aussi la traiter en rétablissant l'évacuation des glandes sébacées vers l'extérieur. On parvient à ce résultat en asséchant la peau avec l'aide d'une pommade et en la lavant avec un savon approprié matin et soir. Ce traitement décolle la couche cornée qui obstrue les pores des follicules pileux. On évite tout ce qui peut nuire à l'assèchement naturel de la peau (par exemple des cheveux sur le front, l'utilisation d'huile ou de lait démaquillant). Pour ne pas ajouter à l'infection, on recommande de ne pas se passer les mains sur le visage.

Bien qu'elles ne soient pas la cause directe de l'acné, les habitudes alimentaires sont à surveiller. Ainsi, une alimentation équilibrée, facile à digérer, sans abus de graisses, d'épices et d'excitants (le thé, le café, le cola) est un facteur qui aide à enrayer l'acné. L'habitude de manger lentement, en mastiquant bien, agit dans le même sens.

Tu constates qu'on en revient toujours aux mêmes principes de base de la santé : bien manger, bien respirer, etc.

- L'acné est-elle une fatalité à laquelle les adolescent(e)s ne peuvent pas échapper ?
- Pourquoi certains médecins disent-ils que le remède le plus efficace contre l'acné consiste à supprimer les miroirs dans la maison ?

à toi de jouer

1. NOMMER TROIS AVANTAGES D'UNE PROPRETÉ CUTANÉE.

a) Comment la propreté influence-t-elle les fonctions de la peau ?

b) Quelle sensation la propreté cutanée procure-t-elle au physique comme au moral ?

c) Cite un fait, tiré de ton expérience personnelle, qui illustre l'importance de la propreté cutanée dans les rapports avec les autres.

2. NOMMER DEUX MESURES À RESPECTER POUR ÉVITER LES COUPS DE SOLEIL.

a) D'après le tableau 7-11, indique quel est ton phototype cutané.

b) D'après les tableaux 7-11 et 7-12, note la progression des durées d'exposition que tu devrais suivre pour éviter les coups de soleil, si tu restes immobile sur une plage ensoleillée.

c) À quelle condition pourrais-tu rester plus longtemps en plein soleil sans mesure de protection particulière ?

d) Nomme les radiations responsables des coups de soleil.

e) Explique l'effet d'une huile ou d'une crème filtrante de bonne qualité sur la peau.

3. DRESSER LA LISTE DE QUELQUES MESURES D'HYGIÈNE À SUIVRE EN CAS D'ACNÉ.

a) Donne la fréquence des lavages de la peau recommandée en cas d'acné.

b) Cite deux types de produits qu'il faut éviter de mettre sur la peau en cas d'acné.

c) Quel genre d'alimentation peut aider à contrôler l'acné ?

d) Donne une raison de ne pas presser les points noirs entre les doigts.

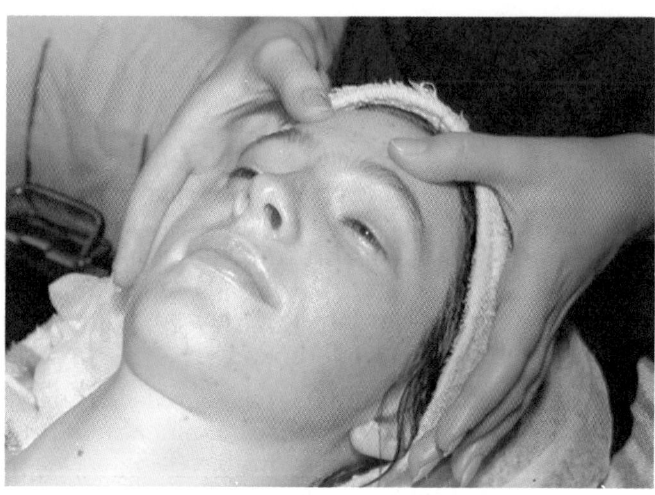

Visa Beauté

Peux-tu donner quelques exemples de soins qui s'appliquent à la peau du visage?

VA PLUS LOIN

1. Enquête sur les huiles, crèmes ou laits filtrants du commerce

Dresse un inventaire des produits solaires en vente dans les pharmacies. Classe-les d'après leur contenu et le facteur de protection qu'ils offrent.

2. Enquête sur les crèmes anti-acné

Dresse un inventaire des crèmes anti-acné que l'on peut se procurer dans les pharmacies sans ordonnance. Indique le type d'action qu'elles ont sur la peau, d'après les indications figurant sur l'emballage.

3. Enquête sur le phénomène de l'allergie

Recherche des personnes qui souffrent d'une forme quelconque d'allergie et demande-leur de te résumer leur expérience du phénomène. Recherche ensuite dans un ouvrage spécialisé de l'information sur ce sujet.

Développe les points suivants dans ton rapport :

— La définition de l'allergie ;
— Les manifestations physiologiques de l'allergie ;
— Les facteurs qui peuvent déclencher une réaction allergique ;
— Le mécanisme de la réaction allergique ;
— Le traitement de l'allergie.

SECTION

La gustation et l'olfaction

À quoi servent le goût et l'odorat ?

a) Comme les autres sens, le goût et l'odorat ont aussi un rôle protecteur. Donnes-en des exemples.

b) Si tu étais privé(e) d'odorat, plusieurs plaisirs te seraient refusés. Lesquels, par exemple ?

c) Cherche dans le dictionnaire le sens des mots suivants : inodore, insipide, odorant, sapide.

d) Aimerais-tu te trouver en compagnie d'un personnage « inodore », tenant des discours « insipides » ? D'un personnage « savoureux » ?

Tu vois que les odeurs et les saveurs font partie des plaisirs de la vie.

e) L'un des bons moyens de faire plaisir à quelqu'un consiste à lui offrir un mélange de saveurs et d'odeurs. Quelle forme prend généralement ce mélange ?

L'odorat et le goût peuvent être des sens d'une étonnante précision.

La gustation est la perception des saveurs par le sens du goût. L'olfaction est la perception des odeurs par le sens de l'odorat.

L'étude conjointe du goût et de l'odorat se justifie par le fait qu'il s'agit de deux sens qui permettent d'apprécier la qualité chimique de diverses substances et qui coopèrent étroitement. Leur fonction protectrice est évidente. Percevoir l'odeur suspecte d'une fuite de gaz ou la saveur piquante d'une conserve avariée sont deux avantages qui peuvent te sauver la vie.

Dans une autre perspective, percevoir le goût et l'odeur du ragoût de pattes représente un plaisir qu'on prend généralement le temps de savourer... Plaisir d'autant plus grand qu'il se prend presque toujours à plusieurs, au même moment et au même endroit. Ainsi, le goût et l'odorat contribuent à renforcer le sentiment d'appartenance à un groupe, qui est le plus souvent la famille.

1. L'odorat

Par rapport à la plupart des mammifères, tu es un infirme de l'odorat. Celui que tu possèdes demeure pourtant d'une précision étonnante. Tu distingues des milliers d'odeurs différentes, difficiles à décrire, mais que ta mémoire enregistre fidèlement. Leur pouvoir évocateur est d'ailleurs surprenant : une simple odeur retrouvée peut faire surgir à ton esprit une foule de souvenirs tout à fait inattendus.

Le nez, récepteur de l'odorat. Les cellules sensibles aux odeurs, ou *cellules olfactives*, sont regroupées dans une petite région spécialisée de la muqueuse du nez : la *tache jaune olfactive* (d'une dimension de 2 cm^2). Chaque cellule olfactive possède un long prolongement, ou axone, qui rejoint une languette faisant partie du cerveau : le *bulbe olfactif*. La tache jaune est séparée du bulbe olfactif par un os du crâne percé de trous : la *lame criblée*. L'ensemble de tous les axones passant à travers la lame criblée constitue un nerf très court nommé *nerf olfactif*. Il y a une tache jaune dans le haut de chaque fosse nasale, donc deux taches jaunes, deux nerfs olfactifs et deux bulbes olfactifs.

Figure 7-37.
L'appareil olfactif.

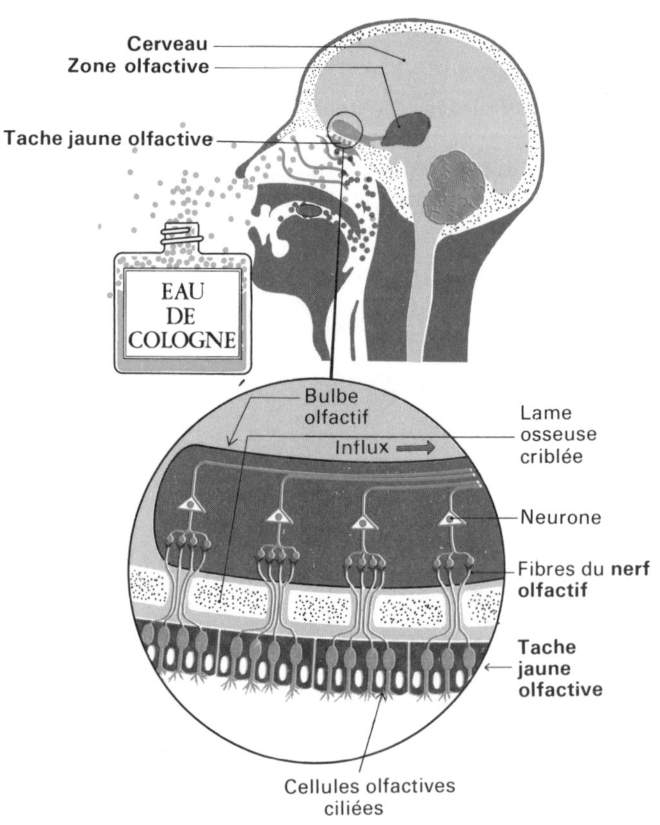

Figure 7-38.
La liaison tache jaune-cerveau.

La physiologie de l'odorat. Toutes les molécules gazeuses ne stimulent pas les cellules olfactives, seules les molécules odorantes peuvent le faire. Elles atteignent la tache jaune par un remous du courant d'air principal traversant les fosses nasales, ou par simple diffusion. Les molécules odorantes des aliments mastiqués se diffusent dans les fosses nasales par le pharynx.

Pour que les cellules olfactives produisent des influx nerveux, il faut que les molécules odorantes se dissolvent dans le mucus et entrent en contact avec leurs cils. Le nerf olfactif conduit les influx au bulbe olfactif. La zone du cerveau où naissent les sensations gustatives comprend le bulbe olfactif lui-même et une région du cerveau située derrière lui.

L'odorat peut se *saturer*, c'est-à-dire s'habituer à une odeur trop persistante. Il cesse alors de la percevoir, mais garde toute sa sensibilité à l'égard des autres odeurs.

Quelques éléments d'hygiène olfactive. Examinons quelques facteurs susceptibles d'affaiblir le sens de l'odorat.

En cas de rhume, la muqueuse nasale gonfle et sécrète un excès de mucus. La respiration par le nez devient difficile, voire impossible. Les molécules odorantes ne parviennent plus aux cellules olfactives et on ne sent plus ce qu'on mange.

Un air ambiant trop sec dessèche la muqueuse nasale, il n'y a donc plus de mucus pour dissoudre les molécules odorantes. Inversement, trop d'humidité sur la muqueuse a pour effet de diluer les molécules odorantes. Celles-ci ne viennent plus en nombre suffisant pour stimuler efficacement les cils des cellules olfactives.

- L'expression « tache jaune » est utilisée à la fois pour désigner une zone spécialisée de la muqueuse nasale et une zone spécialisée de la rétine. Qu'y a-t-il de commun entre les deux taches jaunes ?

Figure 7-39.
La langue vue de dessus.

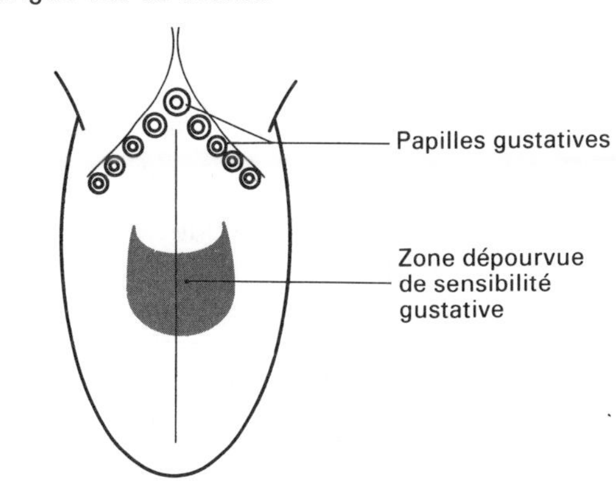

Les papilles les plus évidentes sont alignées en V au fond de la langue. D'autres papilles plus petites et plus nombreuses recouvrent la face supérieure de la langue, en avant du V.

Figure 7-40.
La coupe de papilles gustatives de la langue.

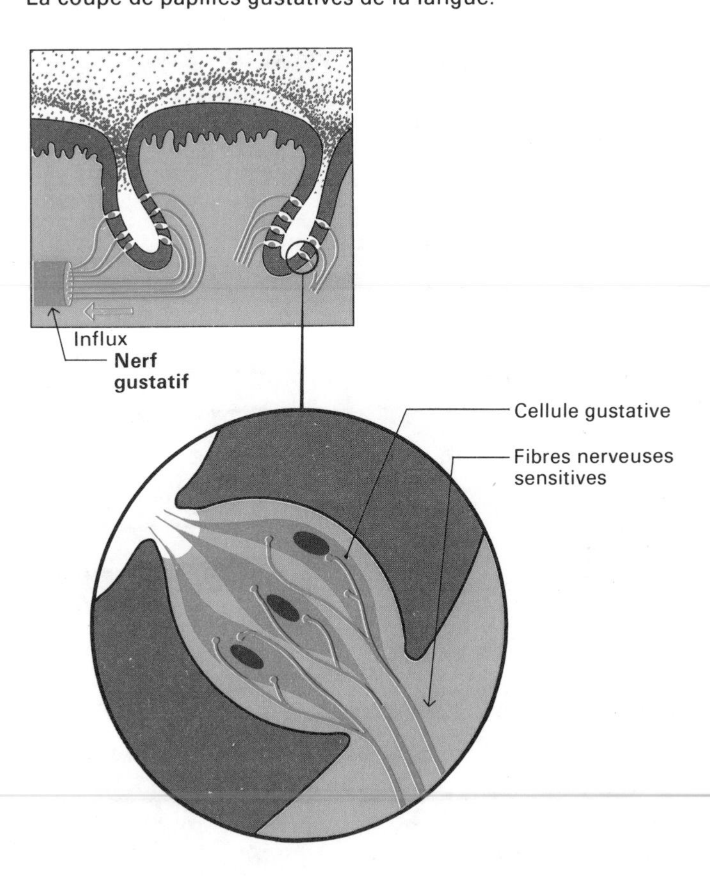

Figure 7-41.
La structure d'un bourgeon gustatif.

2. Le goût

Comparé à ton odorat, ton goût est un sens peu précis. Il te permet seulement de percevoir quatre saveurs de base : le salé, le sucré, l'acide et l'amer.

La langue, récepteur du goût. La langue est un muscle revêtu d'une muqueuse garnie d'un millier de minuscules structures en relief, ou *papilles gustatives*, qui la rendent plus ou moins rugueuse.

Les cellules sensibles aux saveurs, ou *cellules gustatives*, sont réparties par groupes de 4 à 10 en un millier de *bourgeons gustatifs*, concentrés dans certaines papilles. Chaque cellule est entourée par l'extrémité d'une fibre nerveuse.

Les fibres nerveuses en provenance de tous les bourgeons gustatifs se rassemblent pour former deux paires de *nerfs gustatifs* qui sont reliés à l'encéphale.

La physiologie du goût. Les cellules gustatives produisent des influx nerveux lorsque leur extrémité est touchée par des molécules *sapides* dissoutes. Ces messages nerveux sont transmis à l'encéphale par les nerfs gustatifs. Les sensations gustatives prennent naissance dans la zone gustative du cerveau.

On ne peut établir de relation précise entre la structure des molécules sapides et leur saveur. Ainsi le sucre et ses substituts alimentaires, tels que les cyclamates, sont chimiquement très différents. Inversement, il arrive que deux substances chimiques très voisines aient des saveurs très différentes.

Quelques éléments d'hygiène gustative. Les saveurs fortes *émoussent* (affaiblissent) le sens du goût. Ainsi le poivre, les épices en général et le sel peuvent aider à masquer d'autres saveurs plus ou moins agréables. Quant à l'alcool et le tabac, ils détériorent la muqueuse de la langue et diminuent ainsi la sensibilité gustative.

- Les papilles de la langue sont-elles visibles à l'œil nu ? Et les bourgeons gustatifs ?

Michel Dussault

D'après toi, ces petites bouteilles contiennent-elles essentiellement des saveurs ou des odeurs?

à toi de jouer

1. LOCALISER ET DONNER LA FONCTION :
   - DE LA TACHE OLFACTIVE ;
   - DES BOURGEONS GUSTATIFS.

Figure 7-42.
La localisation des récepteurs de l'odorat et du goût.

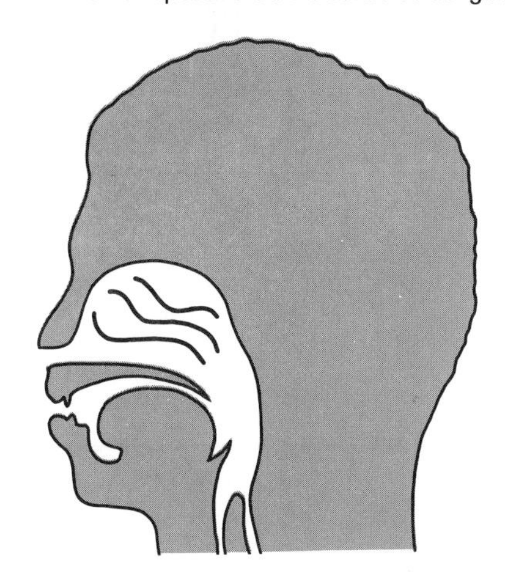

a) Reproduis le schéma ci-dessus. Colorie en rouge l'emplacement de la tache jaune olfactive et celui des bourgeons gustatifs. Inscris ces termes en annotations.

b) En croisant une personne, tu perçois un parfum très agréable. Explique le genre de lien matériel qui s'est établi entre ta tache jaune olfactive et la personne en question.

c) Pourquoi le verre n'a-t-il pas de saveur, contrairement à un bonbon ?

2. ÉNUMÉRER LES CONDITIONS NÉCESSAIRES À LA PERCEPTION :
   - DES ODEURS ;
   - DES SAVEURS.

Reproduis le tableau 7-13 et complète-le en y inscrivant de façon ordonnée les termes suivants : volatiles, odorantes, solubles dans la salive, sapides, source située à distance du récepteur, source située au contact du récepteur.

Tableau 7-13.
Les conditions nécessaires à la perception d'une odeur et d'une saveur.

Caractéristiques des substances perçues	
par l'odorat	**par le goût**
•	•
•	•
•	•

3. DÉMONTRER LA RELATION QUI EXISTE ENTRE L'OLFACTION ET LA GUSTATION.

Matériel : sirops de framboise, de fraise et de menthe ; essence de menthe non sucrée ; 4 gobelets ; bâtonnets de bois ; 8 pailles à boire ; 1 foulard.

— Prépare 4 gobelets de boissons différentes en diluant les produits aromatisants dans l'eau froide ;
— Demande à un(e) camarade de jouer le rôle de dégustateur(trice) ; invite-le(la) à s'entraîner à bien reconnaître chacune des 4 boissons en la flairant et en la goûtant.

a) Pendant ce temps, reproduis le tableau suivant.

Tableau 7-14.
Les résultats des tests de reconnaissance par l'odorat et par le goût.

		Boissons sucrées			Menthe non sucrée
		Framboise	Fraise	Menthe	
Reconnaissance en flairant	Essais				
	Succès				
Reconnaissance en goûtant	Essais				
	Succès				

— Bande les yeux de ton sujet avec le foulard ;
— Demande-lui d'identifier les boissons que tu vas lui faire flairer ; respecte les instructions suivantes :
  - Pour la menthe, fais préciser « sucrée » ou « non sucrée » ;
  - Fais flairer cinq fois chaque boisson dans le désordre ;
  - Note chaque essai en traçant une croix dans la case appropriée du tableau ;
  - Note chaque succès d'identification par une croix dans la case inférieure ;
— Laisse ton sujet les yeux bandés et demande-lui de se pincer le nez ;
— Recommence les opérations précédentes, mais cette fois en faisant goûter cinq fois chaque boisson dans le désordre, avec des pailles ;
— Note essais et succès dans les cases appropriées du tableau.

b) Quel sens permet de bien distinguer la fraise de la framboise ? La menthe sucrée de la menthe non sucrée ?

c) La framboise, la fraise et la menthe ont-elles une saveur ou une odeur caractéristique ?

— Goûte chacune des boissons en te pinçant le nez et en le libérant dès que tu viens d'avaler.

d) Quel genre de sensation perçois-tu, le nez bouché, lorsque tu bois de la framboise ou de la fraise ? Lorsque tu bois de la menthe non sucrée ?

e) Quel genre de sensation perçois-tu en te débouchant le nez, dans tous les cas ?

4. NOMMER CHACUNE DES STRUCTURES QUI CORRESPONDENT AU RÔLE DE RÉCEPTEUR, DE TRANSMETTEUR ET D'ANALYSEUR.

a) Reproduis le tableau ci-dessous et complète-le avec les termes suivants : nez, nerfs gustatifs, langue, zone gustative du cerveau, nerf olfactif, zone olfactive du cerveau.

Tableau 7-15.
Les fonctions des structures de l'odorat et du goût.

Fonctions	Organes	
	Olfaction	Gustation
Récepteur	•	•
Transmetteur	•	•
Analyseur	•	•

Convenons de symboliser par des cercles concentriques la disposition relative des structures appartenant aux récepteurs de l'odorat et du goût, la plus petite au centre et la plus grande sur le pourtour (voir ci-dessous).

Figure 7-43.
Les structures olfactives.

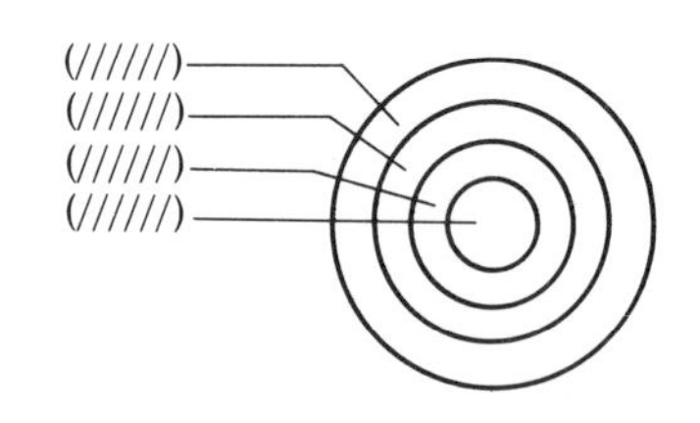

Figure 7-44.
Les structures gustatives.

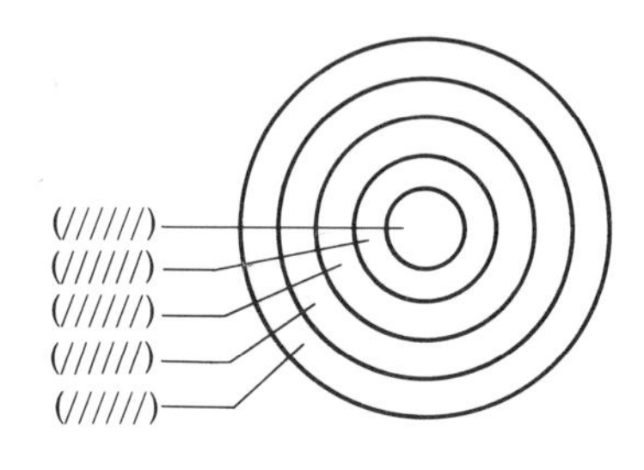

— Recopie ces deux schémas et place en annotations les termes suivants : nez, muqueuse nasale, bourgeon gustatif, cellule olfactive, langue, muqueuse linguale, papille gustative, tache jaune olfactive, cellule gustative.

5. FORMULER DEUX CONSEILS D'HYGIÈNE PERMETTANT DE CONSERVER LA QUALITÉ DE CES DEUX SENS.

a) Cite deux situations qui nuisent à l'olfaction.

b) Cite deux types de facteurs qui nuisent à la gustation.

VA PLUS LOIN

Enquête sur les parfums

Quels ingrédients entrent dans la composition des parfums ? D'où proviennent-ils ? Donne quelques exemples.

Le système nerveux

Comment transmettre de l'information à distance ?

Tu peux facilement influencer à distance une personne en te servant du téléphone. Par exemple, tu peux l'amener à interrompre son repas ou son sommeil, à chercher un renseignement pour toi, à te raconter sa journée, etc. Tout ce qui influence d'une manière ou d'une autre ton (ta) correspondant(e) représente de l'information. La sonnerie du téléphone elle-même constitue de l'information puisqu'elle amène la personne qui l'entend à se précipiter sur son appareil. L'information qu'un abonné A transmet à un abonné B est conduite par les fils téléphoniques.

a) Existe-t-il une ligne directe entre ton téléphone et ceux de tes correspondants ?

Le central téléphonique constitue un lieu de passage obligatoire pour toutes les informations qui circulent sur le réseau téléphonique d'un secteur donné.

b) Trace un schéma qui montre comment l'information circule d'un abonné à un autre dans un réseau téléphonique. Dispose comme ci-dessous les éléments de base de ton schéma.

Figure 7-45.
Le principe de la communication par téléphone.

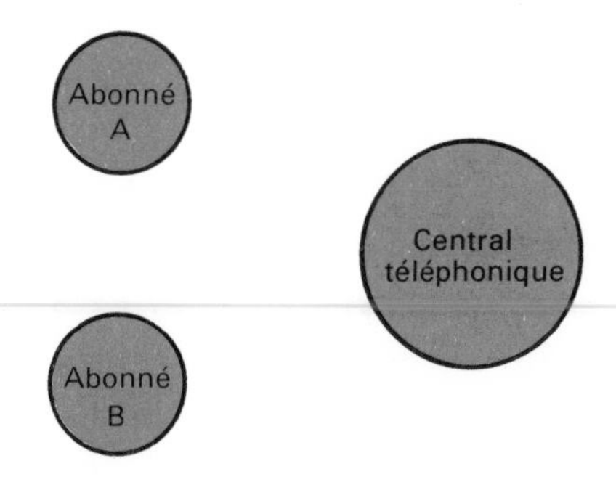

Le système nerveux a pour fonction de transmettre rapidement de l'information d'un point à un autre de ton corps. À l'image d'un réseau téléphonique, il est centralisé. Par exemple, ton gros orteil peut influencer ton nez par l'intermédiaire du système nerveux, l'information passant obligatoirement par des nerfs et des centres nerveux.

c) Reproduis la figure 7-46 et complète-la en y situant correctement les éléments suivants : orteil, nez, centres nerveux.

Figure 7-46.

Le principe de la communication par système nerveux.

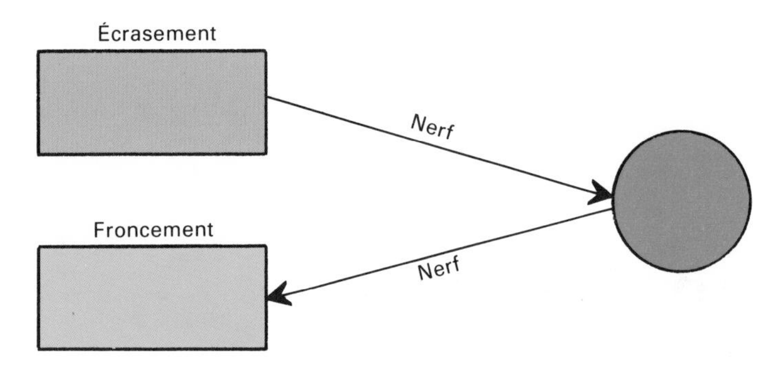

d) Illustre par des schémas semblables au moins deux autres types de liaisons que le système nerveux peut assurer entre deux organes.

Le système nerveux n'est pas le seul système qui transmet de l'information à travers ton corps ; le système circulatoire en transmet lui aussi.

e) Rappelle comment l'hypophyse transmet de l'information aux os pour les faire grandir.

Le système nerveux est un incroyable enchevêtrement de circuits de communication.

Deux grands réseaux de communication assurent la transmission rapide de messages d'un point à l'autre de ton organisme : le système circulatoire et le système nerveux.

Nous avons déjà souligné la présence dans le sang de messages chimiques nommés hormones. D'autre part, l'étude des sens t'a familiarisé(e) avec d'autres types de signaux : les influx nerveux. Ceux-ci représentent des signaux électriques transmis par les cellules nerveuses et leurs longs prolongements cytoplasmiques.

Le système nerveux est le principal système responsable de l'harmonie des fonctions dans ton organisme ; c'est lui qui fait se comporter comme un tout l'immense population de tes cellules. En particulier, le système nerveux te permet d'agir en fonction des informations reçues du milieu extérieur par tes organes des sens.

Ton système nerveux est un vaste réseau de cellules très spécialisées nommées neurones qui forment des circuits complexes parcourus par les influx nerveux. Les neurones sont des cellules incapables de se reproduire. À chaque seconde, tu perds des neurones qui ne sont pas remplacés ; les capacités de fonctionnement de ton système nerveux ont donc tendance à s'affaiblir avec le temps.

Figure 7-47.
Le principe d'organisation d'un système de communication centralisé.

Réseau téléphonique		Système nerveux
Lignes	———	Nerfs
Central	———	Centres nerveux
Abonnés	———	Organes périphériques

Dans son organisation et son fonctionnement, le système nerveux peut être comparé à un réseau téléphonique. Il comprend essentiellement deux types de structures : les centres nerveux et les nerfs.

1. Le système nerveux central

Les centres nerveux forment un ensemble nommé *système nerveux central*, protégé par des structures osseuses. La partie du système nerveux central qui est enfermée dans la boîte crânienne est l'*encéphale*. Celle qui se loge dans la colonne vertébrale est la moelle épinière. Entre le système nerveux central et les os qui l'entourent s'intercalent trois membranes : les *méninges*. Celles-ci forment une sorte de matelas empli de liquide, qui amortit les chocs.

Figure 7-48.
La vue dorsale du système nerveux central.

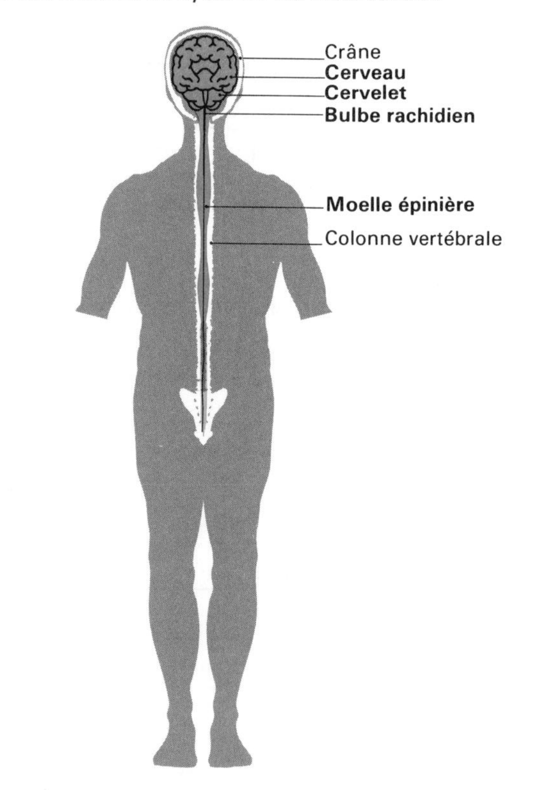

a) L'encéphale

L'encéphale représente la partie la plus volumineuse du système nerveux central. Il comprend trois grandes parties : le *cerveau* proprement dit, le *tronc cérébral* et le *cervelet*. Ses cavités sont remplies du même liquide que les méninges.

Figure 7-49.
La coupe de l'encéphale, faite selon le plan de symétrie.

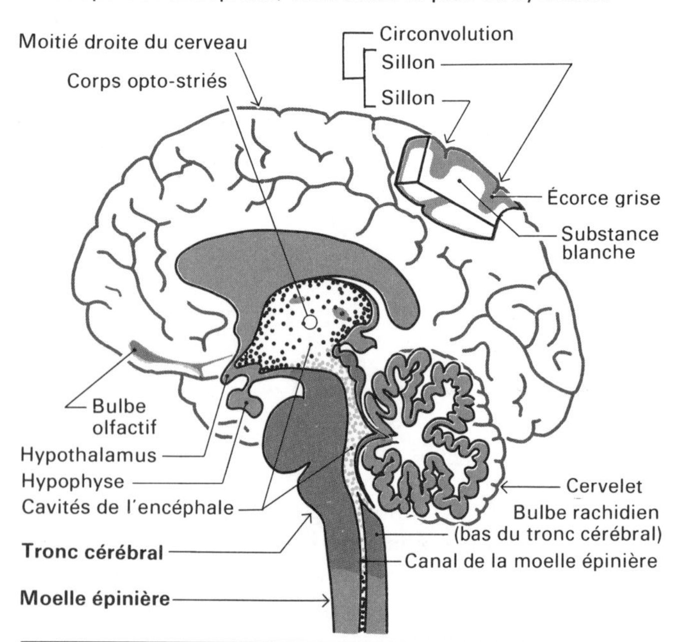

Le cerveau. Le cerveau est un organe mou de 1350 g environ. Ses parties les plus volumineuses sont deux masses à surface « frisée », formant les $\frac{5}{6}$ de l'encéphale : les *hémisphères cérébraux*. Ils englobent deux masses beaucoup plus petites : les *corps opto-striés*.

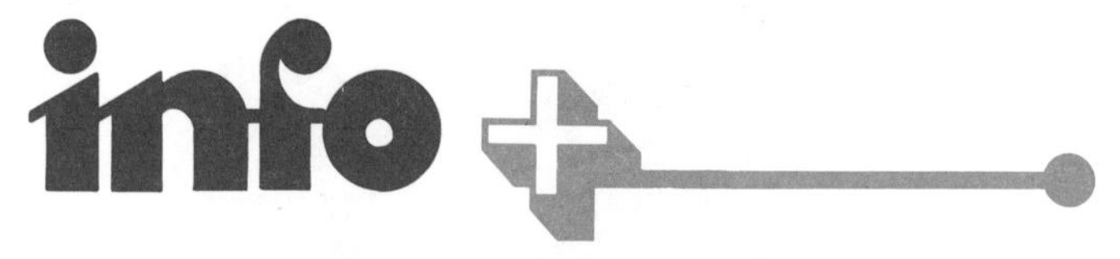

La structure du cerveau

Dans les centres nerveux, le tissu nerveux se présente sous deux aspects : la *substance blanche* et la *substance grise*. Dans le cerveau, la substance grise constitue à la fois des noyaux dans la substance blanche et une écorce de 3 mm d'épaisseur qui recouvre les hémisphères cérébraux. La surface de cette écorce grise cérébrale est augmentée par de nombreux replis plus ou moins profonds formant des sillons qui délimitent des *circonvolutions* ; elle mesure près de 0,2 m^2.

L'importance de l'hypothalamus

On appelle *hypothalamus* la partie du cerveau située juste au-dessus de l'hypophyse ; sa taille est comparable à celle d'un phalange de doigt. L'hypothalamus contrôle la température du corps, l'appétit, la soif, le taux de sucre dans le sang, la croissance, le sommeil, la reproduction, etc. De plus, on y localise un centre des émotions (la colère, la peur) et un centre du plaisir.

Le tronc cérébral. Le tronc cérébral est une structure à laquelle se rattachent le cerveau, le cervelet, la moelle épinière et dix paires de nerfs crâniens sur douze. Sa partie inférieure, nommée *bulbe rachidien*, contrôle en particulier les rythmes respiratoire et cardiaque.

Le cervelet. Le cervelet est une masse de 140 g environ, encore plus « frisée » que le cerveau. En coupe, il montre comme lui une écorce grise recouvrant de la substance blanche.

b) La moelle épinière

La moelle épinière est un cordon mesurant environ 1 cm de diamètre et 45 cm de long. Elle prolonge le tronc cérébral vers le bas. En son centre, un canal étroit communique avec les cavités de l'encéphale.

Figure 7-50.
La liaison moelle épinière – nerfs rachidiens.

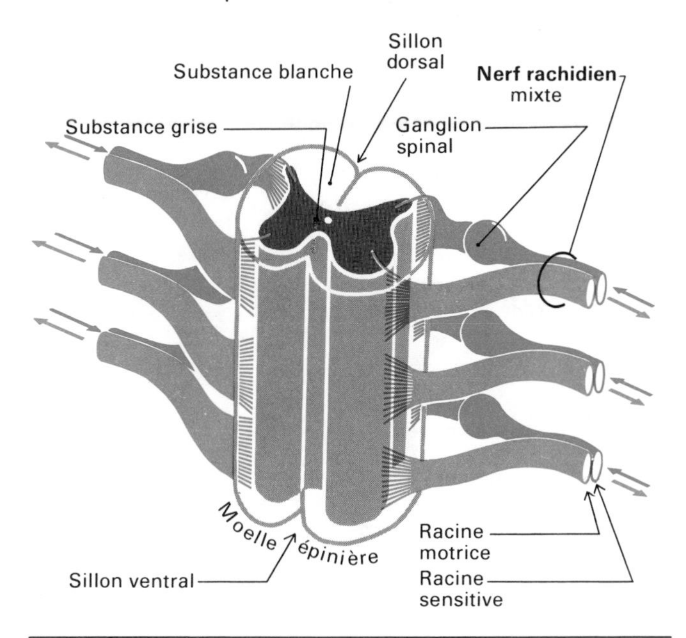

À droite et à gauche de la moelle épinière se détachent 31 paires de nerfs rachidiens. Les méninges recouvrent aussi la moelle épinière et les racines des nerfs rachidiens.

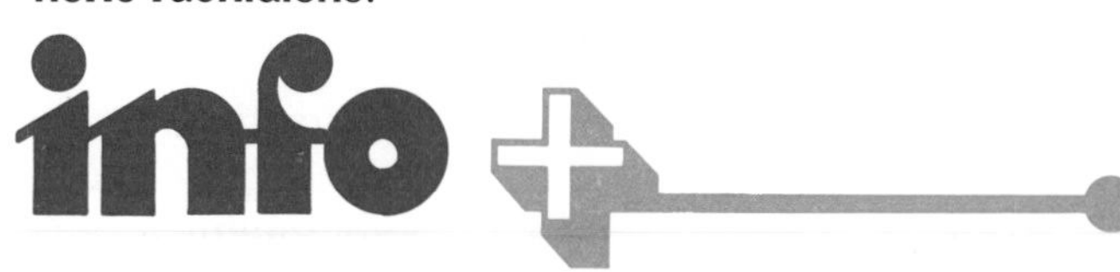

La structure de la moelle épinière

En coupe transversale, la moelle épinière montre la substance grise en forme d'ailes de papillon, entourée de substance blanche.

La croissance de la moelle épinière n'a pas suivi celle de la colonne vertébrale ; un filament rattache la moelle épinière au fond du canal rachidien, trop grand pour elle.

c) Les nerfs

Le système nerveux central est relié aux autres organes, ou organes *périphériques*, par des nerfs qui portent parfois de petits renflements nommés ganglions nerveux. Chaque nerf comprend plusieurs paquets de fibres nerveuses. Il se ramifie dans un territoire bien déterminé de l'organisme. Certains nerfs sont bien individualisés ; d'autres participent à la formation de réseaux complexes, ou *plexus*, qui s'intercalent entre les centres nerveux et les organes périphériques.

Figure 7-51.
Le système nerveux central et les nerfs rachidiens.

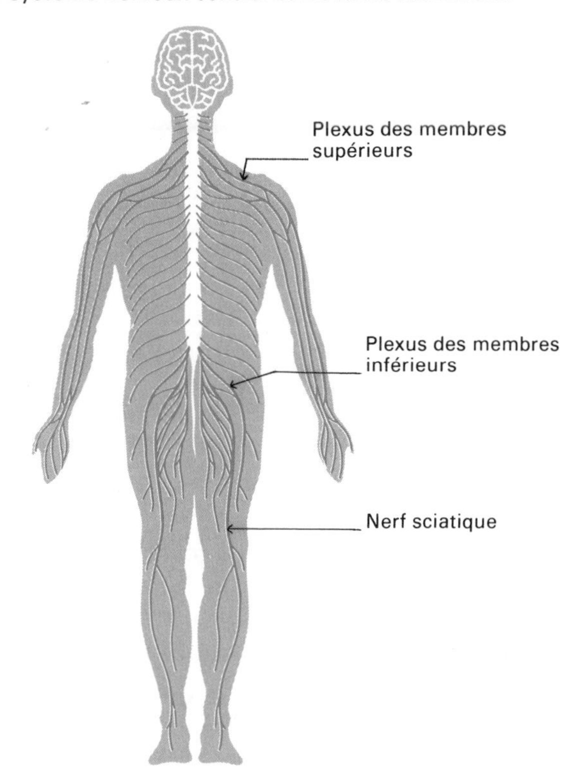

On rappelle qu'il existe 31 paires de nerfs rachidiens reliés à la moelle épinière, et 12 paires de nerfs crâniens reliés au tronc cérébral ou au cerveau.

Une fibre nerveuse ne conduit des influx nerveux que dans un seul sens. Lorsqu'ils vont en direction des centres nerveux, la fibre est dite *sensitive*. Lorsqu'ils vont en direction des organes périphériques, la fibre est dite *motrice*. Un nerf peut contenir l'une ou l'autre sorte de fibres ou les deux. On parle ainsi de *nerfs sensitifs, moteurs* ou *mixtes*. Grâce à tes nerfs, un « dialogue » permanent existe entre tes organes périphériques et ton système nerveux central. Les informations qui parviennent aux centres nerveux sous forme d'influx nerveux ont deux origines : ton environnement (par tes organes des sens) et ton propre corps (par des capteurs disséminés dans tous tes organes). Ces informations sont transmises par les nerfs sensitifs aux centres nerveux qui les analysent, les rassemblent et les intègrent. Les centres nerveux leur donnent suite au besoin, en envoyant par les nerfs moteurs des stimulations aux organes appropriés, généralement dans le meilleur intérêt de ton organisme.

- Une ponction lombaire consiste à prélever du liquide qui entoure les centres nerveux au moyen d'une aiguille creuse et d'une seringue. Dans quelle région du corps s'effectue une ponction lombaire ? Pourquoi choisit-on cette région ?

- La colonne vertébrale s'appelle aussi épine dorsale ou rachis. Pourrais-tu justifier les termes moelle épinière et nerf rachidien ?
- Connais-tu les adjectifs qui sont dérivés des noms encéphale, cerveau, cervelet et cou ?
- De la plus grande à la plus petite, dans quel ordre se classent les quatre structures suivantes : le cerveau, l'encéphale, les hémisphères cérébraux, le système nerveux central.

2. Le contrôle de la vie de relation par le système nerveux

Ta *vie de relation* représente toutes les fonctions qui te permettent de percevoir ton environnement, de te situer par rapport à lui et d'agir. Analysons le rôle du système nerveux dans ces trois domaines.

La détection et le traitement de l'information venant de l'extérieur du corps. L'information recueillie par tes organes des sens est d'abord transmise par des nerfs sensitifs soit à la moelle épinière, soit au tronc cérébral, soit directement au cerveau. Elle passe ensuite par les corps opto-striés pour atteindre les régions spécialisées de l'écorce cérébrale. C'est là qu'elle donne lieu à des sensations conscientes, ou *perceptions*.

La détection et le traitement de l'information venant de l'intérieur du corps et se rapportant à son équilibre. Ton organe de l'équilibration, situé dans l'oreille interne, envoie à tes centres nerveux de l'information sur la position de ton corps dans l'espace. Le traitement de cette information s'effectue dans le tronc cérébral, qui commande en retour les réactions appropriées de tes muscles pour que ton corps conserve son équilibre.

De même, des capteurs situés dans tes muscles et tes articulations envoient au tronc cérébral de l'information sur la façon dont travaillent ces structures. Cette information, qui passe par les nerfs rachidiens et la moelle épinière, est traitée comme celle qui provient de l'oreille interne. Elle déclenche des réactions musculaires inconscientes et involontaires. De tels *automatismes* commandés par le système nerveux se nomment *réflexes*. C'est par une série de réflexes que tu parviens le plus souvent à rétablir ton équilibre après avoir trébuché. La prise de conscience de l'incident intervient après coup ; le cerveau proprement dit n'a ici qu'un rôle accessoire.

La commande des mouvements volontaires. Contrairement à un réflexe, un mouvement volontaire s'accompagne d'une connaissance consciente de ce qu'il représente et de la raison pour laquelle tu le fais. Tu conçois d'abord le projet du mouvement, puis tu le réalises en lui consacrant de l'attention.

Figure 7-52.
La voie de transmission d'un influx nerveux volontaire.

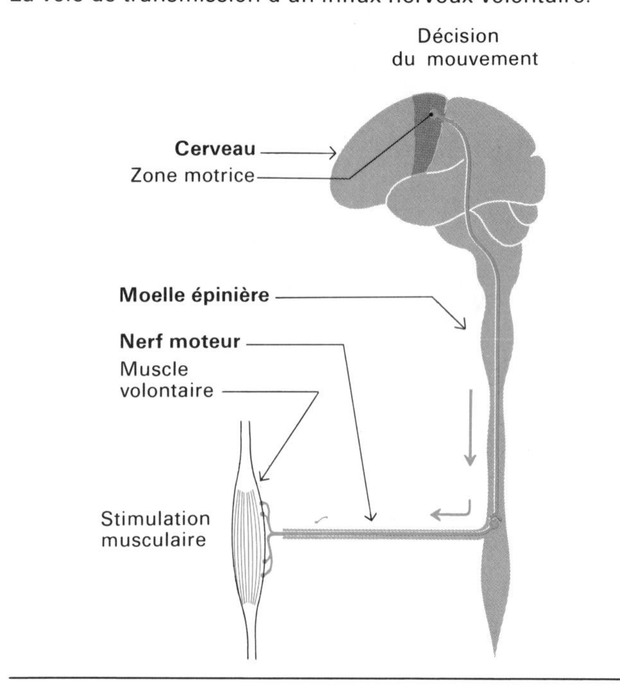

Il n'est pas toujours facile de distinguer les mouvements volontaires des mouvements réflexes. Par exemple, le fait d'étendre volontairement le bras entraîne des contractions automatiques de certains muscles du dos. D'autre part, le réflexe qui te fait ouvrir la main lorsque tu as saisi un objet brûlant peut être bloqué par ta volonté ; c'est ce qui se passe lorsque tu enlèves la coquille d'un œuf que tu viens de cuire.

La décision d'effectuer un mouvement volontaire est prise dans une région de l'écorce grise du cerveau nommée *zone motrice*. Chaque territoire de cette région commande un groupe déterminé de muscles dans la moitié opposée du corps. Ses ordres sont transmis à la moelle épinière, qui commande à son tour les muscles par un ou plusieurs nerfs rachidiens. Le tronc cérébral n'est qu'un lieu de passage des influx nerveux moteurs volontaires.

La coordination des mouvements. Un mouvement met généralement en action plusieurs muscles qui travaillent en harmonie. Le cervelet a la charge de contrôler l'exécution des mouvements et de coordonner les actions musculaires. Ce centre nerveux reçoit des influx moteurs en provenance du cerveau et du tronc cérébral ; il est donc informé des ordres qui sont donnés aux muscles. Il reçoit aussi des influx sensitifs en provenance des organes des sens, des muscles et des articulations ; il est donc informé de la façon dont sont exécutés les ordres donnés aux muscles. Le cervelet compare les ordres de mouvement à leur exécution par les muscles. Lorsqu'il constate une différence, il envoie un signal d'erreur aux centres de commande du mouvement, qui réagissent en modifiant leurs ordres.

- Connais-tu un moyen simple de perturber le fonctionnement de ton système d'équilibration ?
- Quel genre d'appareil conçu par l'être humain est capable de comparer des données afin de contrôler le fonctionnement d'une machine ou de tout autre système ?

3. La question du siège de l'intelligence

Ton intelligence c'est ton aptitude à connaître, à comprendre, à établir des relations entre les éléments d'une situation et à t'y adapter pour atteindre tes objectifs. C'est aussi ta capacité d'apprendre.

On a cru longtemps que l'intelligence était localisée dans la région du cerveau située immédiatement derrière le front. Cependant, on constate que l'ablation chirurgicale ou la destruction accidentelle d'une partie importante de cette région n'a pas de conséquences dramatiques chez le (la) patient(e). Une certaine altération de sa personnalité peut se manifester, mais il (elle) demeure capable de fonctionner normalement.

On n'a pas localisé de siège précis des facultés intellectuelles dans le cerveau. C'est l'ensemble du cerveau qui leur permet de se manifester.

La spécialisation des hémisphères cérébraux

Chacun des hémisphères cérébraux contribue à sa façon aux fonctions de l'esprit. L'hémisphère gauche traite l'information qu'il reçoit de façon analytique, élément par élément ; il est dominant dans le raisonnement scientifique et les activités intellectuelles qui s'accomplissent selon une procédure bien définie. De plus, il contrôle le langage chez 96 % des individus. L'hémisphère droit, au contraire, traite l'information de façon globale, comme un tout ; c'est l'hémisphère de l'intuition, des émotions et du sens artistique.

- On a pu peser après leur mort le cerveau de deux écrivains célèbres : Lord Byron et Anatole France. On trouva respectivement 2230 g et 1017 g. D'après toi, faut-il avoir une grosse tête pour être intelligent ? Justifie ta réponse.

4. Les caractères généraux des réflexes

On appelle réflexe une réponse (réaction) involontaire, automatique, à une excitation. Dans un réflexe, un mécanisme nerveux inconscient, réglé à l'avance, transmet une excitation d'un organe nommé *récepteur* à un autre organe nommé *effecteur*.

Figure 7-53.
Le principe d'un réflexe.

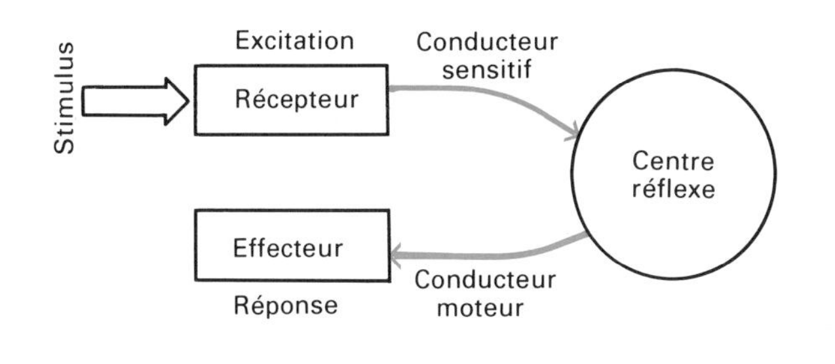

Le récepteur est l'organe qui réagit à l'application d'un stimulus en produisant des influx nerveux.

L'effecteur est l'organe qui réagit en fin de compte à l'excitation du récepteur par le stimulus.

Le centre réflexe est le centre nerveux qui traite l'information en provenance du récepteur et qui stimule directement l'effecteur.

Les nerfs sont les organes qui conduisent l'excitation du récepteur au centre réflexe (nerf sensitif) et du centre réflexe à l'effecteur (nerf moteur). Un nerf rachidien peut être à la fois le conducteur sensitif et le conducteur moteur, mais par des fibres distinctes. Dans un réflexe, le centre nerveux renvoie donc vers un point précis du corps les influx nerveux qui lui parviennent d'un autre point.

Certains automatismes font partie des caractéristiques de l'espèce humaine : ce sont les *réflexes innés*. Par exemple, le réflexe qui ajuste le diamètre de la pupille à la lumière ambiante (le *réflexe iridien*).

Au contraire, d'autres réflexes font partie de l'éducation de chacun(e) ; on les nomme réflexes acquis ou *réflexes conditionnés*. Le réflexe de freinage devant un feu rouge entre dans cette catégorie. Il n'appartient qu'aux seuls automobilistes. Il s'acquiert et se perfectionne par l'entraînement et une pratique régulière. Il se détériore s'il n'est pas utilisé pendant une certaine période. L'écorce grise du cerveau est indispensable à l'acquisition et à la conservation des réflexes conditionnés, alors qu'elle n'intervient pas dans les réflexes innés.

- Peux-tu citer des réflexes innés et des réflexes conditionnés faciles à observer ?
- Un chien dont l'écorce cérébrale a été détruite peut encore se tenir sur ses pattes, mais il ne marche que lorsqu'on le pousse. Les réflexes de la marche sont-ils des réflexes innés ? Justifie ta réponse.
- Le réflexe par lequel certains élèves dans une classe ferment leur livre ou leur cahier lorsqu'ils entendent la sonnerie marquant la fin du cours est-il un réflexe inné ? Justifie ta réponse.

5. L'hygiène du système nerveux

Il n'y a pas de vie saine et heureuse sans un parfait fonctionnement du système nerveux. L'activité physique et intellectuelle, la vie affective, les fonctions de nutrition sont gouvernées par lui. L'arrêt du fonctionnement du cerveau est le signe officiel de la mort. Des dommages aux centres nerveux peuvent entraîner des paralysies ou des pertes de sensibilité, ou au contraire des crises de convulsions. Une difficulté de transmission des influx nerveux dans le cerveau peut se traduire par une dépression nerveuse ou une maladie mentale.

Analysons d'abord des facteurs qui affectent le système nerveux. Nous envisagerons par la suite les moyens d'améliorer certains aspects de son fonctionnement.

a) Le surmenage, première manifestation du déséquilibre nerveux

Après une journée de travail intellectuel intense, tu éprouves le besoin de te « changer les idées » ; tu ressens de la fatigue intellectuelle. Le surmenage est une forme aggravée de cet état. Le sujet montre alors une grande émotivité ; il est irritable et passe de la violence à l'abattement. Il fixe avec peine son attention et exprime difficilement sa pensée. Son sommeil est troublé ; ses rapports avec ses proches se détériorent et son rendement professionnel diminue. Les fonctions organiques elles-mêmes sont perturbées. Des troubles digestifs, des ulcères d'estomac, des désordres cardio-vasculaires, des tremblements, un manque de coordination peuvent être des symptômes du surmenage.

Des causes de fatigue nerveuse existent dans l'environnement. On peut à volonté créer expérimentalement les manifestations d'un désordre nerveux profond, l'épilepsie, chez la souris. Il suffit de la soumettre à un bruit intense ou à des éclairs lumineux produits à un certain rythme. Tu imagines que les mêmes causes puissent avoir les mêmes effets à un degré moindre sur l'organisme humain. Même des facteurs climatiques tels que les changements de température et le vent peuvent déclencher l'angoisse et l'irritabilité chez certaines personnes.

b) Les facteurs chimiques de fatigue nerveuse

De nombreuses substances chimiques peuvent modifier le fonctionnement de l'organisme : ce sont les drogues au sens large du terme. Certaines drogues sont contenues dans des aliments courants ; d'autres sont des médicaments ; d'autres enfin sont des produits consommés illégalement, ou *stupéfiants*.

Les drogues les plus inquiétantes sont celles qui ont le pouvoir d'entraîner une dépendance (*toxicomanie*) chez l'usager. D'après leur action sur le système nerveux, on peut les classer en trois grandes catégories :

— Les drogues qui réduisent l'activité du système nerveux central ; exemples : alcool, barbituriques, tranquillisants, opium et ses dérivés (morphine, codéine, héroïne), antihistaminiques ;
— Les drogues qui stimulent l'activité du système nerveux central ; exemples : amphétamines, cocaïne, caféine (dans le thé, le café et le cola), nicotine ;
— Les drogues qui faussent l'activité du système nerveux central ; exemples : LSD, mescaline, dérivés du cannabis (marijuana, hachisch), solvants volatils des colles, peintures, produits de nettoyage, etc.

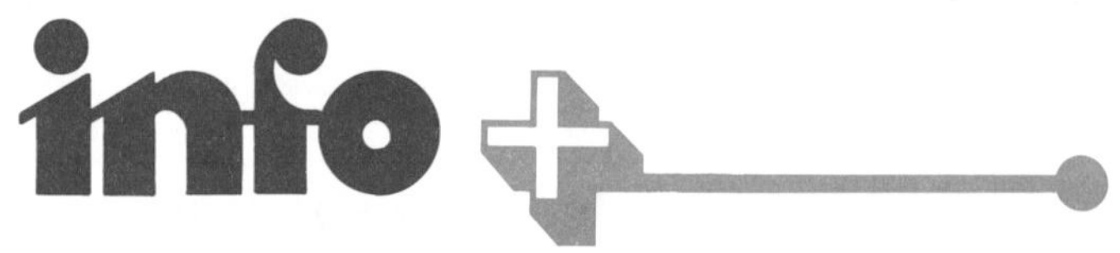

Les effets physiologiques du cannabis

L'une des drogues illicites les plus courantes est constituée par une plante nommée cannabis indica, plus connue sous les noms de chanvre indien, de marijuana, d'« herbe » ou de « pot ». Elle renferme plusieurs poisons du système nerveux dont le plus abondant est une substance nommée tétrahydrocannabinol. Les feuilles de cannabis en contiennent 1 à 3%. L'extrait de cannabis nommé « hachisch » en contient de 30 à 90%. La dose toxique de cette substance est de l'ordre de 5 à 10 mg et une cigarette de marijuana en contient 10 à 30 mg.

Le tétrahydrocannabinol est soluble dans les graisses : ceci ralentit son élimination et permet son accumulation en doses croissantes dans l'organisme qui en reçoit régulièrement. Dans le cerveau, il accélère la destruction naturelle des neurones (cellules nerveuses). D'autre part, le tétrahydrocannabinol perturbe les mécanismes délicats qui assurent la transmission des influx nerveux d'un neurone à l'autre. Il s'ensuit une transmission défectueuse, ou même un blocage des messages nerveux. Le cerveau peut cesser d'interpréter ces messages, les interpréter de façon incomplète ou avec des erreurs. Les perceptions sont alors modifiées ; en particulier, le sujet perd une partie de ses notions d'espace et de temps et peut devenir un danger au volant d'une automobile.

c) Les moyens d'améliorer le rendement intellectuel

Un bon équilibre physique est un préalable indispensable à la réussite scolaire. Il implique le respect des règles d'hygiène alimentaire, d'équilibre aliments-activités et d'hygiène sensorielle déjà abordées dans ce cours. Le refus de se laisser détruire par les substances toxiques de tous ordres fait évidemment partie des conditions de base de la réussite.

Si toutes ces conditions sont réunies dans ton cas, alors tu peux obtenir le meilleur rendement scolaire possible avec une bonne méthode de travail intellectuel.

Figure 7-54.
L'emploi du temps idéal d'un(e) adolescent(e).

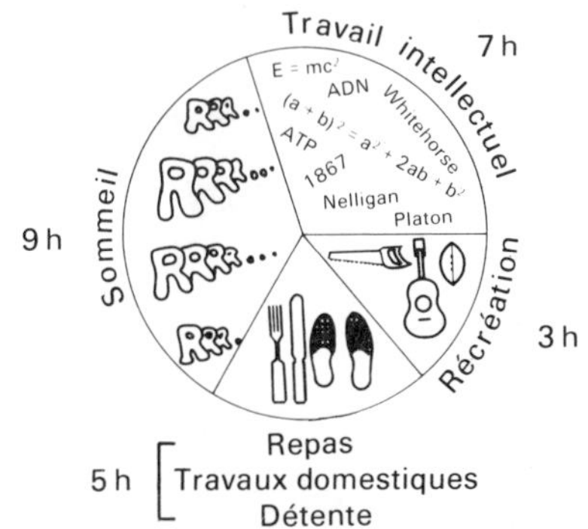

« C'est un truisme[2] profondément erroné, répété par tous les manuels et par d'importants personnages dans leurs discours, d'affirmer que nous devrions cultiver l'habitude de penser à ce que nous faisons, au moment où nous le faisons. C'est exactement l'inverse qui est vrai. La civilisation progresse en multipliant le nombre des opérations importantes que nous pouvons accomplir sans y penser[3]. »

2. Truisme : évidence.
3. Alfred North Whitehead, cité par Anthony Smith, *Le corps et ses secrets*, Paris, Librairie Arthène Fayard, 1969, p. 468.

L'ordre est le moyen de développer les automatismes indispensables à un fonctionnement efficace. En t'imposant de l'ordre dans tous les domaines, tu éviteras le sentiment d'être débordé par les événements et les choses ; tu éviteras en même temps une des principales causes de découragement et d'échec.

Les principes d'une méthode de travail efficace.

— Respecte les 9 h de sommeil dont tu as besoin et évite de veiller après 22 h ; la théorie de la réussite scolaire par le sommeil a été maintes fois vérifiée ;
— Répartis ton travail scolaire sur une semaine, par tranches quotidiennes sensiblement égales ;
— Alterne les activités ; après un travail difficile, fais un travail facile ;
— Revois tes notes de cours le soir même, à la maison ;
— Apprends tes leçons le soir, de façon à laisser ton subconscient travailler pendant la nuit ; encore un rapide coup d'œil le lendemain matin, et tout sera clair dans ton esprit ;
— Efforce-toi de faire en classe l'essentiel du travail de compréhension et de mémorisation ;
— Lorsque tu travailles au brouillon, écris petit et fais un effort de présentation ;
— Ne manque pas une occasion d'entraîner ta mémoire ; rien ne peut l'encombrer ; plus tu la fais travailler, plus sa puissance se développe ; jouer aux cartes, apprendre des poèmes ou des chansons, faire du théâtre sont des activités qui améliorent la mémoire ;
— En classe, ne te contente pas d'écouter ; prends des notes courtes par écrit de façon à associer un message visuel au message auditif ; note intégralement le plan du cours en faisant apparaître la hiérarchie des titres et des sous-titres ; saute une ligne avant et après chaque titre de paragraphe ; souligne et encadre ce qui te paraît le plus important.

L'organisation des loisirs. La détente est aussi importante que le travail et mérite autant d'attention.

— Privilégie les loisirs actifs ; en été, « va jouer » dans l'eau ; en hiver, « va jouer » dans la neige ; pratique au moins un sport régulièrement ; ne néglige pas pour autant d'autres types d'activités très valorisantes ; apprendre à jouer d'un instrument de musique, par exemple, est à la portée de chacun ; cette activité développe la coordination et la sensibilité, elle permet aussi d'apprécier les résultats de la discipline et de la persévérance ; réussir à jouer un passage difficile jugé impossible à première vue, après une heure de travail méthodique, est une source de satisfaction et contribue à affirmer la confiance en soi ;

— Exploite les ressources de la bibliothèque de ton quartier ou de ton école ; le livre est un merveilleux instrument de détente, de connaissance et d'accomplissement de soi ; de plus, c'est un bon moyen de reprendre contact avec le silence ;
— Prends en main ta vie sociale ; organiser avec des ami(e)s une fondue ou une épluchette de blé d'Inde n'est pas dispendieux et constitue une bonne façon de prendre la vie du bon côté ;
— Enfin, si tu te découvres des aptitudes particulières dans un domaine digne d'intérêt, développe-les de toutes les façons possibles ; agis comme si tu voulais devenir le (la) meilleur(e) dans le domaine en question.

Et souviens-toi que l'une des clés du bonheur est la capacité de créer quelque chose à partir de sa propre imagination.

- Le bruit excessif et les éclairs lumineux sont des causes de fatigue nerveuse. Peux-tu nommer un endroit où ces deux facteurs sont réunis ?
- Pourquoi une mauvaise perception de l'espace et du temps est-elle dangereuse chez un(e) conducteur(trice) d'automobile ?
- Combien de livres as-tu lus durant les douze derniers mois ? Aimerais-tu en lire davantage ? Y a-t-il quelque chose qui t'en empêche ?
- Pour s'endormir rapidement après s'être mis au lit, il faut être prêt psychologiquement au sommeil. Pour y parvenir, la meilleure solution consiste à s'installer confortablement dans le calme pour accomplir quelques gestes rituels. Par exemple, beaucoup de personnes se préparent au sommeil en savourant une infusion. Ce qui compte ici n'est pas ce qu'on boit, mais plutôt la façon dont on s'installe pour le boire. As-tu un rituel personnel de préparation au sommeil ? Si oui, peux-tu le décrire ?

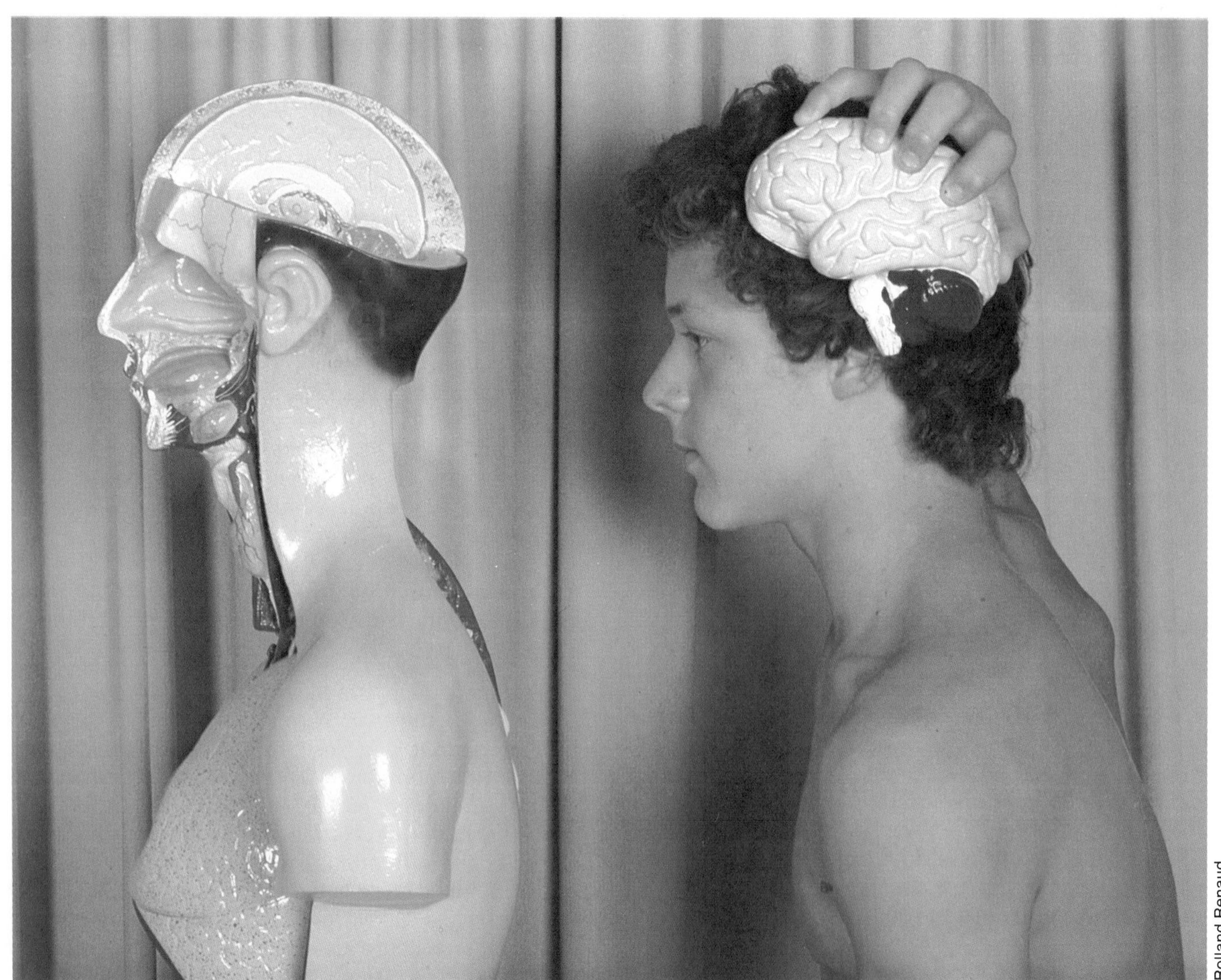

Rolland Renaud

Quelles parties du système nerveux reconnais-tu ici?

à toi de jouer

1. RECONNAÎTRE LES PARTIES PRINCIPALES DU SYSTÈME CÉRÉBRO-SPINAL.

On appelle système cérébro-spinal la partie du système nerveux qui gouverne les fonctions de relation. Celle qui gouverne les fonctions de nutrition se nomme système nerveux autonome. Ces deux divisions du système nerveux sont étroitement associées l'une à l'autre ; il ne sera pas question ici de les distinguer. En effet, les parties du système nerveux que nous étudions ici font presque toutes partie du système cérébro-spinal. Les autres ne sont pas au programme.

— Reproduis le schéma ci-dessous et annote-le avec les termes suivants : encéphale, cerveau, tronc cérébral, cervelet, moelle épinière, nerfs.

Figure 7-55.
Le système cérébro-spinal vu de côté.

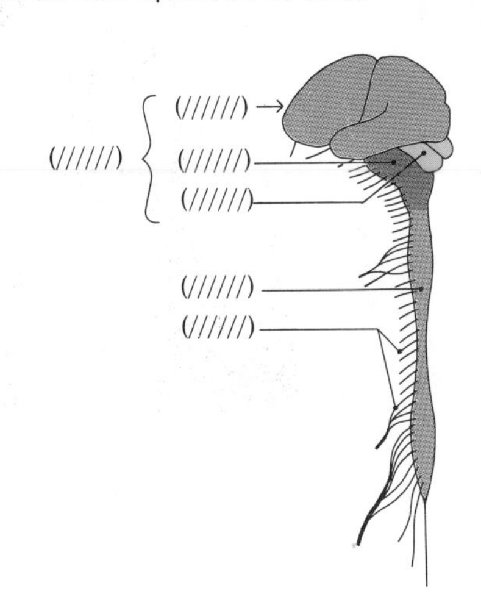

2. LOCALISER LES PARTIES SERVANT À LA TRANSMISSION DES INFLUX.

a) En te servant des noms qui figurent sur ton schéma, énumère dans l'ordre les organes qui assurent la transmission des influx nerveux créés par un stimulus tactile de la main. Précise si le nerf est sensitif ou moteur. Relie par des flèches les éléments de ton énumération.

b) De la même façon, énumère dans l'ordre les organes assurant la transmission des influx qui commandent les mouvements volontaires du pied.

À la suite d'un accident d'automobile qui lui a brisé la colonne vertébrale, André est devenu paraplégique, c'est-à-dire paralysé des membres inférieurs ; il est condamné à vivre en chaise roulante.

c) Explique la cause probable de l'infirmité d'André.

À la suite d'une intervention chirurgicale dans le bras droit, Danielle s'est retrouvée avec le pouce droit paralysé et insensibilisé.

d) Explique la cause probable de l'infirmité de Danielle.

3. ÉNUMÉRER LES DEUX FONCTIONS DE L'ENCÉPHALE.

a) Donne la fonction de l'encéphale par rapport à l'information qui lui parvient de l'extérieur et de l'intérieur du corps.

b) Donne la fonction de l'encéphale dans la réalisation des mouvements volontaires.

4. INDIQUER LE RÔLE JOUÉ PAR LE SYSTÈME NERVEUX :
- DANS LES FACULTÉS INTELLECTUELLES ;
- DANS LES RÉFLEXES.

a) Quelle région du cerveau semble ne pas avoir de spécialisation ?

b) Situe avec un maximum de précision le siège de l'intelligence.

c) Réalise et analyse le réflexe rotulien, d'après les instructions qui suivent :

— En position assise, les pieds posés à plat sur le sol, palpe avec la main gauche le tendon de la rotule situé en avant du genou droit ;
— Palpe avec la main droite le muscle extenseur de la jambe, situé sur le dessus de la cuisse ; le tendon de la rotule est son prolongement ;
— Étends la jambe droite ; tu sens le muscle extenseur durcir et le tendon se raidir ; ces deux actions sont plus nettes si tu bloques le mouvement en accrochant le sol du bout du pied ;
— Demande à un(e) camarade de te servir de sujet d'expérience ; fais-le (la) asseoir, la cuisse droite croisée par dessus la cuisse gauche ;
— Avec une règle, applique un coup sec sur le tendon de la rotule du genou droit ; une légère

contraction du muscle extenseur situé sur la cuisse tend à projeter la jambe vers l'avant ;

— Frappe à plusieurs reprises et constate toujours la même réaction.

Le réflexe rotulien est déclenché par le brusque étirement du tendon de la rotule sous l'effet du choc. Le centre réflexe est ici la moelle épinière. Un nerf rachidien nommé nerf sciatique fonctionne à la fois comme conducteur sensitif et moteur dans ce réflexe.

d) En t'inspirant de la figure 7-53, schématise le principe du réflexe rotulien en remplaçant les termes généraux par ceux qui suivent : étirement, fibres motrices du nerf sciatique, fibres sensitives du nerf sciatique, moelle épinière, muscle, tendon.

5. INDIQUER DEUX MOYENS PERMETTANT D'AMÉLIORER LE RENDEMENT INTELLECTUEL.

a) Décris un procédé, faisant appel à plusieurs sens, utilisé par ton professeur pour te transmettre ses messages.

b) L'emploi du temps de nombreux travailleurs(euses) est organisé selon le système des « trois huits », c'est-à-dire huit heures de travail, huit heures de loisirs... À quoi est en principe consacré le troisième bloc de huit heures ?

c) En dehors de l'équilibre aliments-activités, cite deux équilibres indispensables à une vie saine et à un bon rendement intellectuel.

6. ÉNUMÉRER LES CAUSES QUI FONT QUE LES DOMMAGES CAUSÉS À DES CELLULES NERVEUSES PAR UN ACCIDENT OU PAR L'USAGE DES DROGUES SONT PERMANENTS.

a) Explique pourquoi une destruction de cellules est plus grave dans le cerveau que dans la peau.

b) Reproduis le tableau 7-16 et complète-le en plaçant dans les cases appropriées les noms de ces trois drogues : alcool, caféine et marijuana.

Tableau 7-16.
Quelques effets de trois drogues.

Effets	Noms des drogues
Insomnie, tremblements, irritabilité, stimulation.	•
Somnolence, allongement du temps de réaction, difficultés d'élocution, démarche vacillante.	•
Perceptions sensorielles amplifiées, jovialité accrue, incapacité de se concentrer, désorientation.	•

Rolland Renaud

Quels sont les organes essentiels à la communication? Sous quelles formes l'information peut-elle être transmise d'un cerveau à un autre?

VA PLUS LOIN

1. **Enquête sur l'alcool**

   L'alcool fait partie des drogues socialement admises. Apprends à mieux la connaître et présente ton rapport selon le plan suivant.

   a) Comment sont fabriquées trois boissons alcoolisées : la bière, le vin et le whisky ?

   b) Comment s'exprime la teneur en alcool d'une boisson ?

   c) D'après les indications figurant sur l'étiquette d'une petite bouteille de bière, comment peut-on calculer la quantité d'alcool pur qui s'y trouve ?

   d) Quelles sont les dispositions du code de la route qui se rattachent au problème de la consommation d'alcool par les conducteurs(trices) de véhicules automobiles ?

   e) Résume brièvement des effets de l'alcool sur l'organisme.

2. **Enquête sur quelques drogues**

   Recherche la nature et l'origine des drogues suivantes : amphétamine, LSD, héroïne, cocaïne, hashisch. Résume brièvement les principaux effets de chacune sur l'organisme humain.

3. **Enquête sur des maladies du système nerveux**

   Recherche les principales caractéristiques des maladies suivantes : dépression nerveuse, ataxie de Friedreich, paralysie cérébrale, sclérose en plaques, épilepsie, zona, méningite, encéphalite.

4. **Enquête sur le stress**

   Le problème du stress nous concerne tous plus ou moins. Documente-toi sur cette question et présente ton rapport selon le plan suivant :

   a) Qu'est-ce que le stress ? Quelles en sont les principales manifestations ?

   b) Donne des exemples de situations stressantes.

   c) Quels dangers comporte un stress intense et prolongé ?

   d) Le stress est-il toujours nuisible pour la personne qui le subit ?

   e) Est-il possible de se soustraire aux effets du stress ? Comment ?

Tous ces produits influencent le système nerveux. Peux-tu préciser les effets de quelques-uns d'entre eux?

FAIS LE POINT

SECTION A Le milieu, source de stimulus

1. Dans la liste ci-dessous, note les termes qui correspondent à des stimulus pouvant être perçus.
   a. Chaud et froid
   b. Douleur
   c. Langue
   d. Lumière
   e. Nez
   f. Odeur
   g. Œil
   h. Oreille
   i. Peau
   j. Pression
   k. Saveur
   l. Son
   m. Tous les organes

   a) a, b, c, d, e, f, g
   b) h, i, j, k, l, m
   c) a, b, d, f, j, k, l
   d) c, e, g, h, i, m

2. D'après la liste ci-dessus, on peut établir une série d'associations entre stimulus et récepteurs, soit :
   a) a-c, b-i, d-l, f-k, e-c, g-h
   b) a-i, b-m, d-g, f-e, j-i, k-c, l-h
   c) c-a, e-b, g-d, h-f, i-j, m-k
   d) a-h, b-i, c-j, d-k, e-l, f-m, g-a

SECTION B L'anatomie de l'œil

1. Reproduis le schéma ci-dessous et complète-le avec les annotations suivantes : choroïde, cristallin, humeur aqueuse, humeur vitrée, rétine, sclérotique.

Figure 7-56.
Une coupe de l'œil.

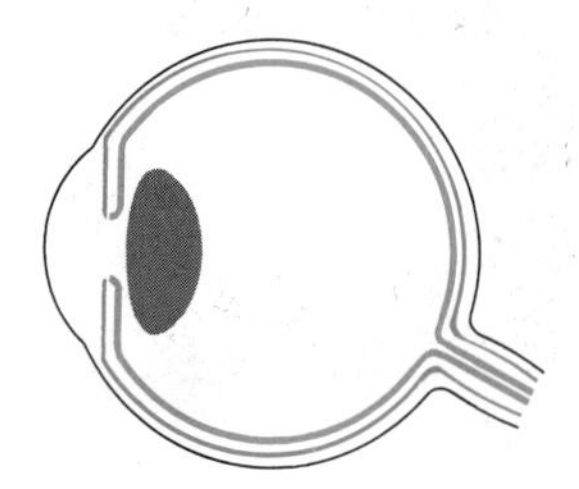

2. La paroi de l'œil est constituée de :
   a) milieux transparents superposés.
   b) membranes plus ou moins opaques superposées.
   c) membranes limpides et homogènes.
   d) membranes transparentes.

3. Le contenu de l'œil est représenté par des :
   a) milieux opaques superposés.
   b) membranes transparentes superposées.
   c) membranes transparentes.
   d) milieux transparents limpides et homogènes.

4. La cornée de l'œil s'apparente aux milieux transparents parce qu'elle est :
   a) sur le pourtour de l'œil.
   b) à l'intérieur de l'œil.
   c) dans le milieu de l'œil.
   d) transparente.

5. Reproduis le tableau suivant et complète-le avec ces termes : choroïde, milieux transparents, rétine, sclérotique.

Tableau 7-17.
Les caractéristiques de quelques éléments de l'œil.

Caractéristiques	Éléments de l'œil
Membrane protectrice qui donne sa forme à l'œil	•
Membrane nourricière riche en vaisseaux sanguins	•
Membrane nerveuse sensible à la lumière	•
Système optique qui conduit la lumière dans l'œil	•

SECTION C La physiologie de l'œil

1. Reproduis le schéma ci-dessous.

Figure 7-57.
Le trajet des rayons lumineux pénétrant dans l'œil réduit.

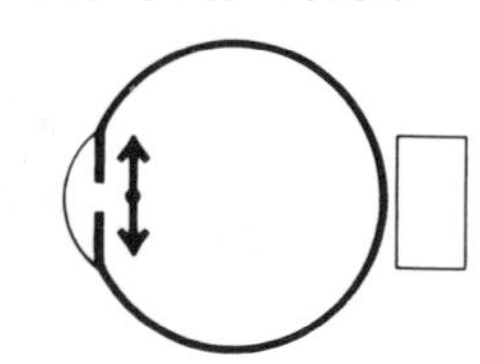

En admettant que l'observateur(trice) voit distinctement la bougie, trace les faisceaux de lumière, provenant des points A et B, qui pénètrent dans l'œil. Utilise deux couleurs différentes.
Dans le rectangle derrière l'œil, dessine de la grandeur appropriée l'image rétinienne de la bougie.

2. Note la caractéristique qui ne s'applique pas aux cellules nerveuses de la rétine.
a) Sécrétrices des larmes.
b) Très spécialisées.
c) Excitables.
d) Capables de générer et de conduire des influx.

3. Les fibres du nerf optique représentent :
a) des prolongements nommés axones de certaines cellules de la rétine.
b) des prolongements nommés axones de certaines cellules de la sclérotique.
c) des prolongements nommés cônes et bâtonnets des cellules visuelles.
d) des prolongements nommés cônes et bâtonnets de certaines cellules de la choroïde.

4. La rupture du nerf optique :
a) empêche la formation des images dans l'œil et entraîne la cécité.
b) interrompt la transmission des influx nerveux de l'œil au cerveau et entraîne la cécité.
c) empêche la lumière d'atteindre le cerveau et entraîne la cécité.
d) n'entraîne pas la cécité à condition que l'œil demeure intact.

Figure 7-58.
Une partie importante des centres nerveux.

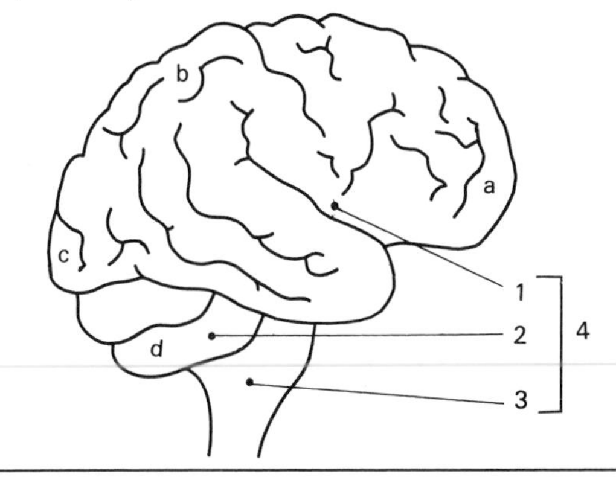

5. Sur le schéma ci-dessus, le cerveau est numéroté :
a) 1
b) 2
c) 3
d) 4

6. D'après la figure 7-58, un accident peut entraîner une cécité partielle lorsqu'il se produit en :
a) a
b) b
c) c
d) d

SECTION D L'hygiène de l'œil

1. L'acuité visuelle de Josiane est de $\frac{6}{12}$ pour chacun de ses yeux. Cette notation signifie que Josiane :
a) doit s'approcher à 6 m ou moins pour voir des détails que la majorité des personnes voit à 12 m ; sa vue est faible.
b) voit à 12 m des détails que la majorité de la population ne peut voir qu'à 6 m ou moins ; sa vue est excellente.
c) voit à 12 ans comme elle voyait à 6 ans ; sa vue ne baisse pas.
d) voit les dimensions des objets réduites aux $\frac{6}{12}$ des dimensions normales.

2. Reproduis le tableau ci-dessous et complète-le en y inscrivant la mesure de ton acuité visuelle pour chacun des deux yeux (sans verres correcteurs). Indique si ton acuité visuelle est excellente, normale, faible ou très faible.

Tableau 7-18.
La qualité de ma vision.

	Œil gauche	Œil droit
Acuité visuelle	•	•
Appréciation	•	•

3. Lise (14 ans) a de grands yeux au regard vague. Elle est incapable de lire au tableau sans lunettes. Par contre, elle enlève ses lunettes pour examiner les fins détails d'une bague, qu'elle distingue alors parfaitement.
Robert (14 ans) a de petits yeux vifs. Il lit difficilement les petits caractères de son livre. Par contre, il lit aisément l'écriture du tableau, du fond de la classe.
Quelles sont les anomalies visuelles respectives de Lise et de Robert ?

4. Lorsque l'image des objets éloignés se forme systématiquement en avant de la rétine, l'œil est :
a) myope.
b) hypermétrope.
c) presbyte.
d) normal.

5. Lorsque l'image des objets éloignés tend à se former derrière la rétine, l'œil est :
   a) myope.
   b) hypermétrope.
   c) presbyte.
   d) normal.

6. Lorsque l'image des objets éloignés se forme sur la rétine sans effort particulier d'adaptation de l'œil, celui-ci est :
   a) myope.
   b) hypermétrope.
   c) presbyte.
   d) normal.

7. Michel, qui a 14 ans, porte les mêmes verres correcteurs que son grand-père. Tous deux voient très bien de loin, sans lunettes. Quelles sont les anomalies visuelles respectives de Michel et de son grand-père ?

8. Note la série d'associations correcte.

   Les anomalies optiques de l'œil
   1. Myopie
   2. Hypermétropie
   3. Presbytie

   Leurs causes
   a. Œil trop court
   b. Œil trop long
   c. Capacité d'accommodation réduite en raison de l'âge

   a) 1-a, 2-b, 3-c
   b) 1-b, 2-a, 3-c
   c) 1-c, 2-a, 3-b
   d) 1-b, 2-c, 3-a

9. Reproduis le tableau suivant et complète-le en te servant de ces termes : convergents, divergents, hypermétropie, myopie, presbytie.

Tableau 7-19.

La correction des principales anomalies visuelles.

Anomalies visuelles	Types de verres correcteurs	Objectifs des corrections
•	•	Faire reculer l'image dans l'œil
•	•	Faire avancer l'image dans l'œil
•		

10. Note l'activité la plus fatigante pour l'œil.
    a) Regarder les nuages.
    b) Regarder la fenêtre.
    c) Lire.
    d) Regarder le bout de son nez.

11. À quelle distance lis-tu le présent texte ? Est-elle convenable ?

12. Pour un(e) droitier(ère) qui écrit, l'éclairage le plus approprié devrait venir :
    a) de l'avant.
    b) de l'arrière.
    c) de la droite.
    d) de la gauche.

SECTION E L'anatomie et la physiologie de l'ouïe.

Figure 7-59.

La structure de l'oreille.

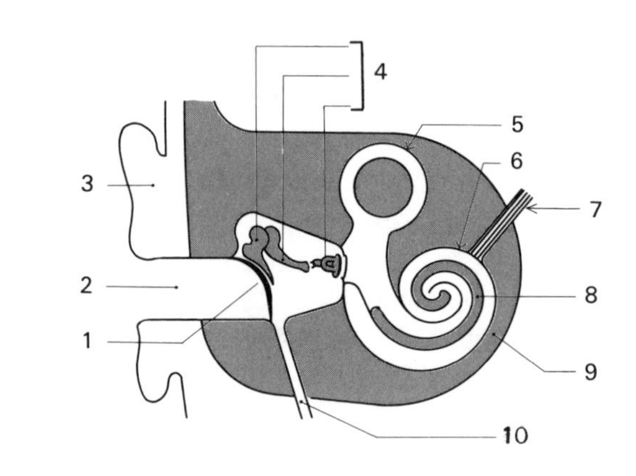

1. Le numéro 4 désigne des structures situées dans :
   a) l'oreille externe.
   b) l'oreille moyenne.
   c) l'oreille interne.
   d) le pharynx.

2. Les numéros 3 et 2 désignent respectivement :
   a) l'oreille et le tube auditif.
   b) le pavillon et le conduit auditif.
   c) le lobe et le canal acoustique.
   d) l'oreille et le canal auditif.

3. Les numéros 1, 10 et 9 désignent respectivement :
   a) le tympan, la trompe d'Eustache et l'os temporal.
   b) la fenêtre ovale, le conduit auditif et le rocher de l'os temporal.
   c) la fenêtre ronde, le canal lacrymal et l'os frontal.
   d) la cloison auditive, le canal acoustique et l'os maxillaire.

4. Les organes numérotés 5 et 6 :
   a) font partie du limaçon.
   b) font partie du labyrinthe.
   c) participent tous deux à la fonction d'audition.
   d) sont inclus dans le rocher de l'os maxillaire.

5. Note le chemin que suit la transmission d'un message sonore dans l'appareil auditif.
   a. Conduit auditif
   b. Limaçon
   c. Nerf auditif
   d. Osselets
   e. Pavillon
   f. Tympan
   g. Zone auditive du cerveau

   a) e → a → f → d → b → c → g
   b) e → a → f → b → d → c → g
   c) e → a → d → f → b → c → g
   d) e → a → f → c → b → d → g

6. Note la série d'associations correcte.

   Les structures de l'appareil auditif
   1. Oreille
   2. Nerf auditif
   3. Zone auditive du cerveau

   Leurs fonctions
   a. Analyseur
   b. Récepteur
   c. Transmetteur

   a) 1-b, 2-c, 3-a
   b) 1-a, 2-b, 3-c
   c) 1-b, 2-a, 3-c
   d) 1-a, 2-b, 3-c

7. Un individu est presque sourd d'une oreille. Des examens minutieux ne révèlent rien d'anormal ni dans l'oreille ni dans le nerf auditif. Dans quel autre organe faut-il rechercher la cause de cette déficience ?

SECTION F L'hygiène de l'ouïe

1. Note la cause la moins susceptible de diminuer la sensibilité de l'ouïe.
   a) Le percement du lobe du pavillon de l'oreille pour porter un bijou.
   b) L'occlusion du conduit auditif par le cérumen.
   c) La rupture du tympan.
   d) La détérioration des articulations entre les osselets.

2. Note la règle d'hygiène de l'ouïe la moins pertinente.
   a) Nettoyer régulièrement le conduit auditif avec une tige coiffée de coton.
   b) Porter un protecteur auditif pour travailler dans une scierie.
   c) Éviter de fréquenter trop souvent les discothèques.
   d) Éviter la plongée sous-marine trop profonde.

SECTION G L'anatomie et la physiologie de la peau

Figure 7-60.
Une coupe de la peau.

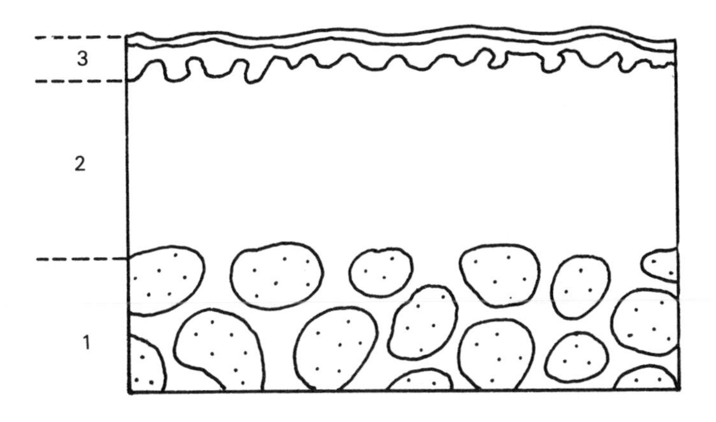

1. Dans le schéma ci-dessus, le derme, l'épiderme et l'hypoderme sont respectivement numérotés :
   a) 1, 2 et 3.
   b) 2, 3 et 1.
   c) 1, 3 et 2.
   d) 3, 1 et 2.

2. Note les types de sensations qui sont perçues à partir de la peau.

   Des types de sensations
   a. Auditives
   b. Douloureuses
   c. Gustatives
   d. Olfactives
   e. Tactiles
   f. Thermiques

   a) a, e, f
   b) b, c, e
   c) d, e, f
   d) b, e, f

3. Note la série d'associations correcte.
   Les stimulus
   1. Le frôlement d'une plume
   2. La piqûre d'une aiguille
   3. La pression de la main contre le bord d'une table
   4. Le froid d'une vitre
   5. La chaleur d'un animal

   Les récepteurs cutanés
   a. Les corpuscules tactiles
   b. Les terminaisons nerveuses libres

   a) 1-a, 2-b, 3-a, 4-b, 5-a
   b) 1-b, 2-a, 3-b, 4-a, 5-b
   c) 1-a, 2-b, 3-a, 4-a, 5-a
   d) 1-b, 2-a, 3-b, 4-b, 5-b

4. Marc vérifie son acuité tactile à l'aide d'un compas à pointes sèches, dans différents territoires de peau. Il détermine à chaque fois l'écartement minimal des pointes qui permet de percevoir deux contacts distincts sur la peau. Les données de son expérience sont les suivantes :
   Les territoires testés
   1. L'extrémité de l'index
   2. Le dos de la main
   3. La peau du dos

   L'écartement minimal des pointes du compas
   a. 2 mm
   b. 5 mm
   c. 70 mm

   Note la série d'associations correcte.
   a) 1-a, 2-b, 3-c
   b) 1-b, 2-c, 3-a
   c) 1-c, 2-a, 3-b
   d) 1-a, 2-c, 3-b

5. Note le territoire de peau le plus sensible à la chaleur et au froid.
   a) Le creux de la main.
   b) Le revers de la main.
   c) Le visage.
   d) Le bras.

6. Note la série d'associations correcte.
   Les types de points sensibles cutanés
   1. Points de chaud
   2. Points de froid
   3. Points de tact
   4. Points de douleur

   Leur nombre dans la peau
   a. 170/cm^2
   b. 20 000
   c. 250 000
   d. 500 000

   a) 1-d, 2-b, 3-c, 4-a
   b) 1-c, 2-b, 3-a, 4-d
   c) 1-a, 2-b, 3-c, 4-d
   d) 1-b, 2-c, 3-d, 4-a

7. Note la série d'associations correcte.
   Les structures du toucher
   1. Cerveau
   2. Moelle épinière
   3. Nerf sensitif
   4. Peau

   Leurs fonctions
   a. Analyseur
   b. Récepteur
   c. Transmetteur

   a) 1-a, 2-b, 3-c, 4-a
   b) 1-c, 2-b, 3-a, 4-b
   c) 1-b, 2-a, 3-a, 4-c
   d) 1-a, 2-c, 3-c, 4-b

8. Note la fonction non assumée par la peau.
   a) La protection.
   b) L'excrétion.
   c) La production de vitamine C.
   d) La production de vitamine D.

SECTION H L'hygiène de la peau

1. Note l'avantage que la propreté de la peau ne procure pas.
   a) Une meilleure réalisation des fonctions de la peau.
   b) Un bronzage plus rapide, si on le désire.
   c) Le bien-être personnel.
   d) Le bien-être d'autrui.

2. Note la mesure d'hygiène cutanée la plus pertinente.
   a) Utiliser un désodorisant.
   b) Utiliser un antisudorifique.
   c) Se parfumer.
   d) Se laver à l'eau et au savon.

3. En laissant s'accumuler la crasse sur la peau :
   a) on favorise la transpiration, donc l'évacuation de la chaleur corporelle, et on se sent bien.
   b) on contrarie la transpiration, donc l'évacuation de la chaleur corporelle, et on se sent mal.
   c) on favorise la transpiration, donc on contrarie l'évacuation de la chaleur corporelle, et on se sent mal.
   d) on contrarie la transpiration, donc on favorise l'évacuation de la chaleur corporelle, et on se sent bien.

4. Parmi les mesures énoncées ci-dessous, note les deux qui sont les plus pertinentes pour éviter les coups de soleil.
   a. Exposition graduelle au soleil
   b. Bronzage préventif par lampe solaire
   c. Bronzage préventif par pilules
   d. Application d'huile filtrante sur la peau
   a) a et b
   b) b et c
   c) c et d
   d) a et d

5. Parmi les mesures énoncées ci-dessous, note celles qui aident à contrôler l'acné.
   a. Lavage soir et matin
   b. Pressage méthodique des points noirs
   c. Utilisation d'une lotion huileuse
   d. Nutrition sans épices ni excitants
   e. Utilisation de lait démaquillant
   a) a, b, c, d
   b) b, d, e
   c) a et d
   d) b et e

SECTION I La gustation et l'olfaction

Figure 7-61.
Une coupe de la tête

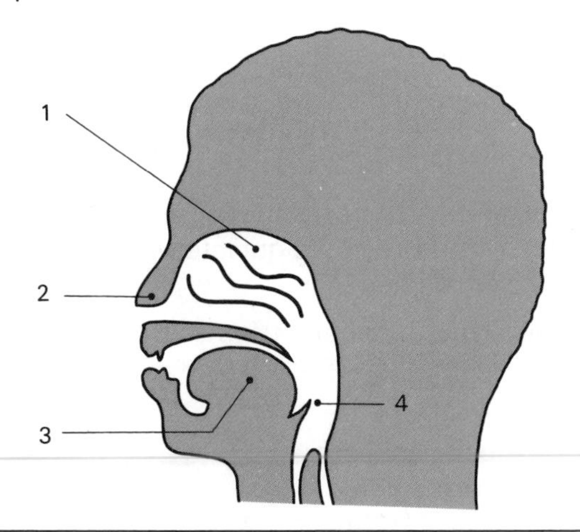

1. Sur le schéma ci-dessus, l'emplacement de la tache jaune olfactive est numéroté :
   a) 1
   b) 2
   c) 3
   d) 4

2. Sur la figure 7-61, l'organe qui porte les bourgeons gustatifs est numéroté:
   a) 1
   b) 2
   c) 3
   d) 4

3. Les bourgeons gustatifs sont concentrés dans des structures minuscules nommées :
   a) papilles.
   b) villosités.
   c) glomérules.
   d) cornets.

4. Nous percevons le sucre contenu dans un fruit parce que cette substance est :
   a) soluble et odorante.
   b) soluble et sapide.
   c) volatile et odorante.
   d) volatile et sapide.

5. Nous percevons l'essence à distance parce que cette substance est :
   a) soluble et odorante.
   b) soluble et sapide.
   c) volatile et odorante.
   d) volatile et sapide.

6. La soi-disant saveur caractéristique des bonbons à la menthe est en réalité leur odeur. Les bonbons à la menthe ont essentiellement une saveur de sucre, comme tous les bonbons. Pour prendre conscience de ces faits, il suffit de :
   a) sucer un bonbon à la menthe tout en respirant très fort.
   b) sucer un bonbon à la menthe en se pinçant le nez.
   c) s'introduire un bonbon à la menthe dans le nez.
   d) croquer un bonbon à la menthe.

7. Reproduis le tableau ci-dessous et complète-le avec les termes suivants : langue, nerf gustatif, nerf olfactif, nez, zone gustative du cerveau, zone olfactive du cerveau.

Tableau 7-20.
Les structures qui permettent de percevoir un bonbon à la menthe.

	Stimulus sucre	Stimulus menthe
Récepteurs	•	•
Transmetteurs	•	•
Analyseurs	•	•

8. Note la série qui associe correctement les règles d'hygiène aux types de perceptions qu'elles favorisent.

Les règles d'hygiène
1. Se moucher si nécessaire
2. Respirer un air suffisamment humide
3. Éviter l'alcool et le tabac
4. Éviter de manger trop salé ou trop épicé

Les types de perceptions
a. Gustation
b. Olfaction

a) 1-a, 2-b, 3-a, 4-b
b) 1-a, 2-b, 3-b, 4-a
c) 1-a, 2-a, 3-b, 4-b
d) 1-b, 2-b, 3-a, 4-a

SECTION J Le système nerveux

1. Note la série qui associe correctement les organes numérotés sur le schéma à leurs noms.

Figure 7-62.
Le système cérébro-spinal.

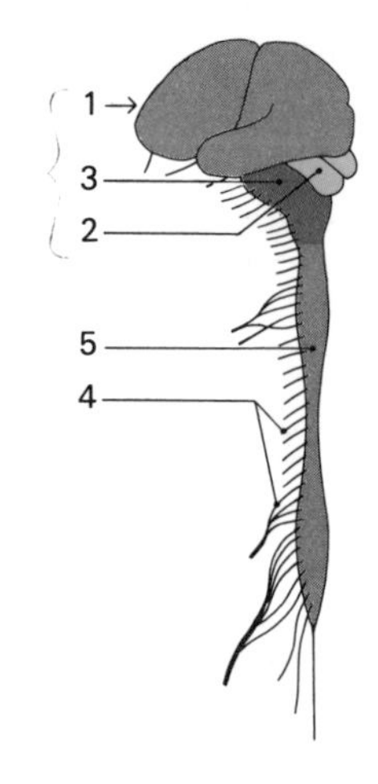

Les noms des organes
a. Cerveau
b. Cervelet
c. Moelle épinière
d. Nerf
e. Tronc cérébral

a) 1-a, 2-b, 3-c, 4-d, 5-e
b) 1-a, 2-c, 3-b, 4-d, 5-e
c) 1-b, 2-a, 3-e, 4-d, 5-c
d) 1-b, 2-c, 3-d, 4-e, 5-a

2. L'ensemble cerveau-cervelet-tronc cérébral se nomme :
a) système nerveux.
b) bulbe rachidien.
c) encéphale.
d) axe cérébro-spinal.

3. Les influx nerveux sont transmis des centres nerveux aux organes périphériques ou inversement par :
a) la moelle épinière.
b) les nerfs.
c) les ganglions.
d) les méninges.

4. Note la fonction qui n'appartient pas à l'encéphale.
a) Détecter et traiter l'information en provenance des organes des sens.
b) Détecter et traiter l'information venant de l'intérieur du corps et permettant le contrôle de l'équilibre.
c) Commander et contrôler les mouvements volontaires.
d) Commander les mouvements réflexes.

5. Le siège des facultés intellectuelles est :
a) le cerveau.
b) la partie du cerveau située immédiatement derrière le front.
c) la moitié gauche du cerveau seulement.
d) la moitié droite du cerveau seulement.

6. Le seul fait de garder la bouche ouverte chez le dentiste crée chez toi une tendance à baver, malgré tous tes efforts pour ne pas saliver. Cette activité, gouvernée par le système nerveux, est :
a) un acte volontaire.
b) un acte réfléchi.
c) une réaction volontaire.
d) un réflexe.

7. Parmi les structures nerveuses énumérées ci-dessous, note celles qui interviennent dans le réflexe rotulien.

Des structures nerveuses
a. Cerveau
b. Cervelet
c. Moelle épinière
d. Nerf rachidien
e. Tronc cérébral

a) a, b, c, d, e
b) b, c, d
c) b, c, d, e
d) c, d

8. Le seul fait de poser un grain de sel sur la langue déclenche automatiquement la salivation.

C'est le bulbe rachidien qui commande cette réaction involontaire dont la figure 7-63 résume le mécanisme général.

Reproduis le schéma en remplaçant quatre de ses termes généraux par les quatre termes suivants qui s'appliquent au phénomène physiologique décrit ici : bulbe rachidien, glande salivaire, langue, sel.

Figure 7-63.
Le principe d'une réaction involontaire.

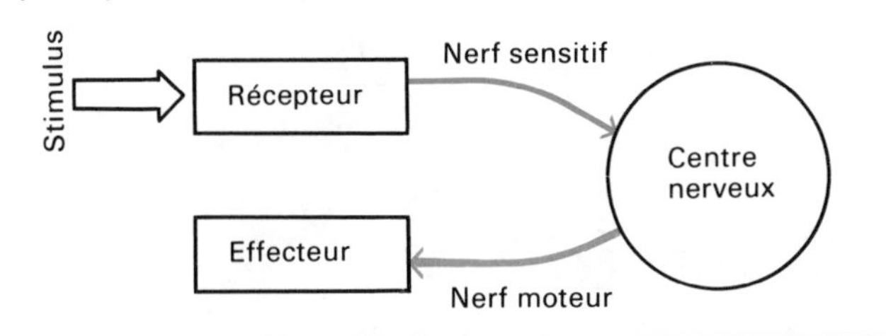

9. Note le moyen le moins susceptible d'améliorer de façon durable le rendement intellectuel.
a) Dormir 9 h par jour.
b) Faire du sport durant ses loisirs.
c) Avoir une alimentation équilibrée.
d) Faire usage de médicaments stimulants.

10. Note le moyen le plus susceptible d'améliorer le rendement intellectuel.
a) Entendre et lire en même temps un texte qu'on veut retenir.
b) Économiser sa mémoire et ne l'utiliser que pour les choses importantes.
c) Attendre d'être seul(e), dans le calme, pour commencer à réfléchir à ce qui s'est fait en classe.
d) Reporter au dimanche soir tous les exercices difficiles qui sont à faire pour les jours suivants, afin de bénéficier du repos intellectuel de la fin de semaine.

11. Note l'action que les drogues n'ont pas sur le système nerveux.
a) Stimuler le renouvellement des cellules nerveuses.
b) Accélérer la destruction des cellules nerveuses.
c) Modifier les conditions de transmission des influx nerveux.
d) Modifier l'interprétation des influx nerveux dans le cerveau.

SECTION A Le milieu, source de stimulus

1. La l//////, le s//////, les o//////, les s//////, le c////// et le f//////, la p//////, etc., sont des stimulus des organes des sens. Lorsqu'une stimulation excessive s'exerce sur un organe quelconque, il peut en résulter une sensation de d//////.
2. L'o//////, l'o//////, le n////// et la l////// sont les récepteurs respectifs de la lumière, du son, des odeurs et des saveurs. La p////// est le récepteur du chaud, du froid et de la pression.

☐ *Énumère les organes qui te permettent d'apprécier toutes les propriétés des croustilles.*

SECTION B L'anatomie de l'œil

1. La paroi de l'œil est formée de trois membranes superposées : la s//////, la c////// et la r//////. La c////// transparente remplace la sclérotique à l'avant de l'œil. Les milieux transparents représentent le contenu de l'œil. Ils comprennent l'h////// v//////, l'h////// a////// et le c//////.
2. Les milieux transparents se laissent facilement traverser par la lumière, tandis que les membranes de l'œil sont o//////, à l'exception de la cornée.
3. La s////// est rigide et donne sa forme à l'œil. La c////// est une membrane nourricière, riche en vaisseaux sanguins. La r////// est une membrane nerveuse sensible à la lumière. Les m////// t////// forment un système optique convergent.

☐ *Dessine la coupe de l'œil.*

SECTION C La physiologie de l'œil

1. La lumière qui pénètre dans l'œil est plus ou moins déviée par les m////// t//////. Elle forme des i////// renversées sur la rétine.
2. La r////// contient des cellules nerveuses, très spécialisées, excitables, capables de produire et de conduire des i////// nerveux.
3. Le n////// o////// est formé principalement par la réunion de longs prolongements de certaines cellules nerveuses de la rétine.
4. Le nerf optique conduit les influx nerveux de la r////// au c//////.
5. Le contenu du c////// se nomme encéphale. Le c////// représente la partie la plus volumineuse de l'encéphale.
6. Les perceptions visuelles sont produites dans une région située à l'arrière du cerveau et nommée z////// o//////.

☐ *Identifie le récepteur, le transmetteur et l'analyseur dans l'appareil visuel.*

SECTION D L'hygiène de l'œil

1. On peut mesurer l'a////// visuelle à l'aide d'une carte de Snellen. Une mesure de $\frac{6}{9}$ signifie que le sujet voit à 6 m des détails que la plupart des gens sont capables de voir à 9 m.
2. La m////// et l'h////// sont deux anomalies optiques courantes de l'œil. Dans l'œil myope (trop profond), l'image des objets éloignés est située en avant de la r////// ; ces objets sont donc vus brouillés. L'h////// est l'inverse de la m////// ; elle empêche de voir correctement les objets rapprochés.
3. La p////// est une anomalie optique de l'œil qui se développe avec l'âge. Elle a pour cause une perte d'élasticité du c//////, qui nuit à la vision rapprochée. Les effets de la p////// sont les mêmes que ceux de l'h//////, mais les causes en sont différentes.
4. On corrige la myopie avec des verres d//////. On corrige l'hypermétropie et la presbytie avec des verres c//////.
5. Un bon é////// non éblouissant est nécessaire pour travailler à l'aise sans fatiguer les yeux. Un mauvais éclairage oblige à voir de plus près et encourage la m//////. Une distance de l////// de 25 à 30 cm est raisonnable.

☐ *À quand remonte ton dernier examen de la vue ? Que sais-tu de la qualité de ta propre vision ?*

SECTION E L'anatomie et la physiologie de l'ouïe

1. L'oreille comprend trois parties : l'oreille e//////, l'oreille m////// et l'oreille i//////. L'oreille externe comprend le p////// et le c////// a////// fermé par le t//////. L'oreille moyenne correspond à une petite cavité osseuse qui communique avec le pharynx par la t////// d'E//////. Elle renferme une chaîne de trois o////// qui transmettent les vibrations du tympan au liquide de l'oreille interne. L'oreille interne ou l////// est un système de conduits creusés dans le r////// de l'os t//////. Elle comprend un organe de l'équilibration et un organe de l'audition nommé l//////.
2. Les sons captés par le pavillon sont transmis au limaçon par le c////// a//////, le t////// et les o//////. Le limaçon convertit les vibrations sonores en influx nerveux qui sont transmis par le n////// a////// à la z////// a////// du cerveau.
3. Dans l'appareil auditif, l'o////// fonctionne comme r//////, le nerf auditif comme t////// et la zone auditive du cerveau comme a//////.

☐ *Trouve des analogies entre les principes de fonctionnement de l'appareil visuel et ceux de l'appareil auditif.*

SECTION F L'hygiène de l'ouïe

1. La sensibilité de l'ouïe peut diminuer pour de multiples causes. Les plus fréquentes sont :
   — L'occlusion du conduit auditif par le c////// ;
   — La rupture du t////// ;
   — La détérioration des o////// ;
   — La détérioration des cellules auditives situées dans le l//////.
2. En cherchant à enlever le cérumen, on le repousse bien souvent au fond du c////// a////// ; il vaut donc mieux ne pas trop s'en préoccuper. Les sons aigus et puissants ainsi que la p////// sous-marine peuvent être des causes de rupture du tympan. Les sons forts et prolongés (moteurs, industries, discothèques) entraînent une perte de s////// progressive de toutes les structures qui vibrent dans l'oreille.

☐ *Fais l'inventaire des sons forts et prolongés auxquels ton oreille est soumise couramment.*

SECTION G L'anatomie et la physiologie de la peau

1. La peau comprend trois couches superposées : l'é//////, le d////// et l'h//////.
2. À partir de la peau sont perçues des sensations t//////, d////// et t//////.
3. Les c////// t////// sont les récepteurs des stimulus thermiques et tactiles. Les t////// nerveuses libres sont les récepteurs de la douleur.
4. Il existe dans la peau des points sensibles à différents stimulus et inégalement répartis : 500 000 points de t//////, 20 000 points de c//////, 250 000 points de f//////, et environ 170 points de d////// par centimètre carré.
5. Comme tous les autres sens, le toucher met en jeu un r////// (la peau), qui envoie des influx à un a////// (la zone sensitive générale du cerveau). La transmission des influx de la peau au cerveau est effectuée par des n////// sensitifs et généralement par la m////// épinière.
6. La peau n'est pas seulement un organe sensoriel. C'est aussi un organe p//////, e//////, r////// et producteur de vitamine D.

☐ *Quelle région de la peau possède la meilleure acuité tactile ? la plus grande sensibilité à la chaleur ?*

SECTION H L'hygiène de la peau

1. Pour bien remplir ses fonctions, la peau doit être p//////. La propreté c////// est une des principales conditions du bien-être personnel et du bien-être d'autrui.
2. Les coups de soleil sont causés par les r////// u//////-v//////. On peut les éviter en s'exposant graduellement au soleil et en s'enduisant d'h////// filtrante de bonne qualité.
3. L'acné est une affection de la peau non contagieuse et très courante chez les a//////. Quelques mesures d'hygiène peuvent aider à contrôler l'acné :
   — Se l////// matin et soir ;
   — Tenir les m////// loin du visage et ne pas maltraiter la peau ;
   — Éviter tout ce qui peut nuire à l'a////// naturel de la peau ;
   — Éviter les excès alimentaires.

☐ *Pourquoi est-il important de se laver les mains souvent ?*

SECTION I La gustation et l'olfaction

1. La tache olfactive est le récepteur de l'o//////. Elle est située dans le haut des f////// n//////. Les b////// g////// sont les récepteurs du goût. Ils sont situés sur la langue et concentrés dans certaines papilles.
2. Pour qu'une o////// soit perçue, il faut que les cellules nerveuses de la tache olfactive soient touchées par des molécules gazeuses o////// transportées par l'air. Pour qu'une s////// soit perçue, il faut que les bourgeons gustatifs soient touchés par des molécules dissoutes s//////.
3. Nous percevons la qualité chimique des aliments à la fois par le g////// et par l'o////// ; ces deux sens sont complémentaires.
4. Dans l'appareil olfactif, le n////// (la tache jaune qui s'y trouve) fonctionne comme récepteur, le n////// o////// comme transmetteur et la zone olfactive du c////// comme analyseur. Dans l'appareil gustatif, la l////// (les bourgeons gustatifs qui s'y trouvent) fonctionne comme récepteur, les n////// g////// comme transmetteurs et la zone gustative du cerveau comme a//////.
5. L'olfaction est favorisée par la libre circulation de l'a////// dans les fosses nasales et par une humidification convenable de la m////// nasale. La g////// est contrariée par la consommation d'alcool, de mets salés ou épicés, ainsi que par l'usage du tabac.

☐ *Pourquoi les aliments paraissent-ils fades lorsqu'on est enrhumé(e) ?*

SECTION J Le système nerveux

1. Le système nerveux comprend les c////// n////// et les n//////. Les centres nerveux comprennent l'e////// et la m////// é//////. L'encéphale comprend le c//////, le t////// c////// et le c//////.
2. Les n////// conduisent les influx nerveux des centres nerveux aux organes périphériques, et inversement.
3. L'e////// assure la détection et le traitement de l'information provenant de l'extérieur du corps comme de l'intérieur. C'est aussi le centre de commande des mouvements v//////.
4. Le c////// dans son ensemble est le siège des facultés intellectuelles. La moelle épinière est un centre nerveux qui peut à lui seul commander des r//////, c'est-à-dire des réactions automatiques et involontaires à des stimulations déterminées.
5. On peut améliorer son r////// i////// en utilisant simultanément plusieurs sens et en adoptant un régime de vie équilibré.
6. Les c////// nerveuses qui sont détruites ne sont pas remplacées. Les d////// peuvent accélérer la destruction des cellules nerveuses, et modifier les conditions de transmission ou d'interprétation des influx nerveux.

☐ *Quelles sont, d'après toi, les conséquences d'une coupure complète de la moelle épinière en son milieu ?*

Chapitre 8

Le système moteur

Comment aborder scientifiquement l'étude des mouvements ?

Tu es capable de réaliser une multitude de mouvements, des plus simples aux plus complexes. Tu comprendras mieux les mécanismes qu'ils mettent en jeu si tu te prêtes au petit exercice qui suit :

— Pose la main gauche à plat sur la table, devant toi, puis déplace-la pour saisir ton oreille gauche.

Le mouvement que tu viens de réaliser est l'un des plus simples qui soient. Pourtant, tu peux le décomposer en plusieurs mouvements encore plus simples.

— Repose ta main gauche sur la table, puis expérimente la série de mouvements élémentaires qui suit :

- Plier le membre supérieur (fléchir l'avant-bras sur le bras) ;
- Tourner la main d'un quart de tour ;
- Avancer légèrement le coude ;
- Plier les doigts pour saisir l'oreille.

Chacun de ces mouvements élémentaires met en jeu un groupe bien défini de muscles qui sont commandés par le cerveau. Les muscles qui font plier le bras sont différents de ceux qui font tourner la main. Tu apprendras bientôt à situer quelques muscles de ton corps, en relation avec les mouvements simples qu'ils commandent.

Pour saisir ton oreille, tu as fait fonctionner des articulations : le coude, le poignet, l'épaule et les articulations des doigts. Les articulations sont essentielles aux mouvements ; elles correspondent aux jointures entre les os. Sans un squelette articulé, l'action des muscles serait inefficace.

a) Choisis un mouvement quelconque et décompose-le en mouvements élémentaires.

b) Efforce-toi d'associer à chaque mouvement élémentaire l'articulation qu'il fait fonctionner.

La capacité de bouger librement peut te sembler bien banale. Tu sais pourtant que de nombreuses personnes en sont privées et qu'elles doivent affronter des problèmes difficiles.

c) Dresse une liste des activités que tu ne pourrais plus pratiquer si tu devais te déplacer en chaise roulante.

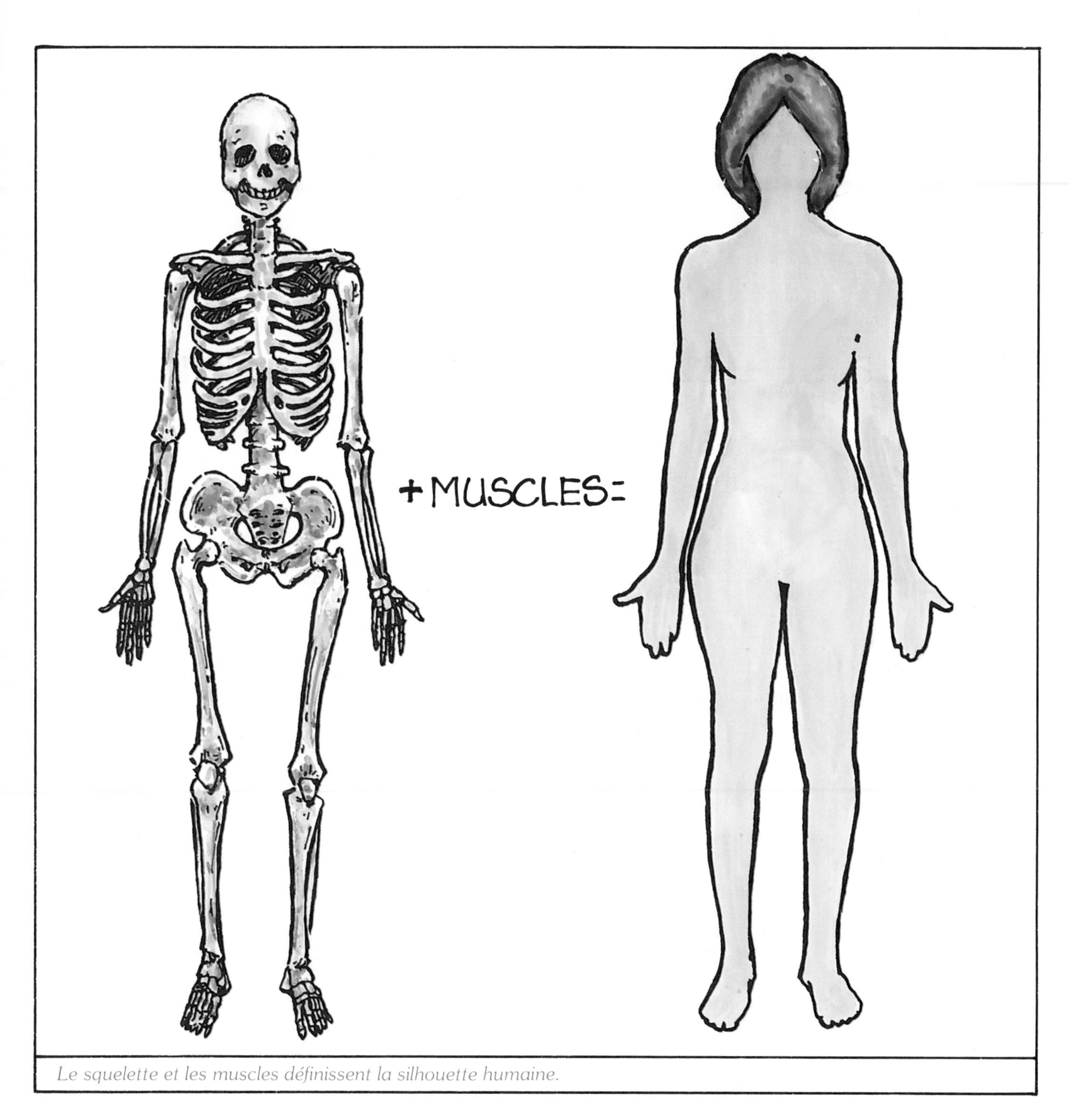

Le squelette et les muscles définissent la silhouette humaine.

Le corps humain est une superbe machine faite pour se mouvoir. La danse, le patinage artistique, la gymnastique et les sports en général expriment la beauté du corps en mouvement. Inversement, le fait d'être immobilisé par un accident ou une maladie représente une épreuve souvent pénible. Le système moteur est essentiel à la survie et au bien-être.

Pour évoluer dans ton environnement, pour en tirer le meilleur parti possible, tu as besoin d'un système moteur. Celui-ci est constitué d'une structure articulée, le squelette, manœuvrée par de nombreux moteurs, les muscles.

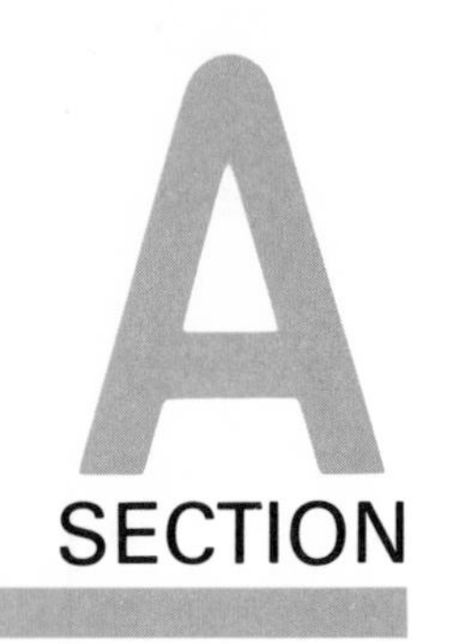

La structure générale du corps

Pourquoi la démarche bipède et la station verticale ?

Les caractéristiques les plus évidentes de l'être humain sont sa démarche bipède (sur deux pieds) et sa station verticale.

a) Peux-tu citer des animaux bipèdes ? En quoi la forme générale de leurs pattes postérieures est-elle différente de celle des membres inférieurs de l'homme ?

En 1978 furent découvertes en Tanzanie (Afrique orientale) les empreintes de pas fossilisées d'un être bipède. Elles sont tout à fait comparables à celles que tu laisses dans le sable humide d'une plage, à ceci près qu'elles datent d'environ 3 600 000 ans.

b) Pourquoi les scientifiques sont-ils très intéressés par ce genre de découverte ?

c) Combien de siècles représentent 3 600 000 ans ? À combien de siècles remonte la naissance du Christ ?

Une autre caractéristique de l'être humain est sa capacité de fabriquer des outils.

d) En quoi consistaient les tout premiers outils durables fabriqués par des êtres humains ?

Les plus anciens outils humains retrouvés à ce jour datent d'environ 1 800 000 ans. Ils ont été découverts en Tanzanie.

e) Pourquoi la capacité de fabriquer des outils marque-t-elle un jalon important dans l'histoire du genre humain ?

f) Un chimpanzé possède-t-il des mains, comme un être humain ? Qu'est-ce qu'il lui manque pour fabriquer des outils ?

La structure particulière du corps humain offre de nombreux avantages. Par exemple, le fait de se tenir debout et d'avoir les deux yeux qui regardent vers l'avant favorise la vision binoculaire (des deux yeux à la fois). La petite expérience suivante va te montrer l'avantage de la vision binoculaire.

— Demande à un(e) de tes camarades de se tenir accroupi(e) à environ 2 m en face d'une table, assez bas pour qu'il (elle) ne puisse pas en voir le dessus ;
— Demande-lui de fermer les yeux et dispose sept ou huit petits objets différents sur la table ;
— Demande maintenant à ton sujet de ne regarder que d'un œil et de classer les objets du plus proche au plus éloigné ;
— Fais-lui ensuite reprendre son classement en regardant des deux yeux.

g) Donne les résultats de l'expérience et tires-en la conclusion.

Figure 8-1.
L'organisation générale du corps humain.

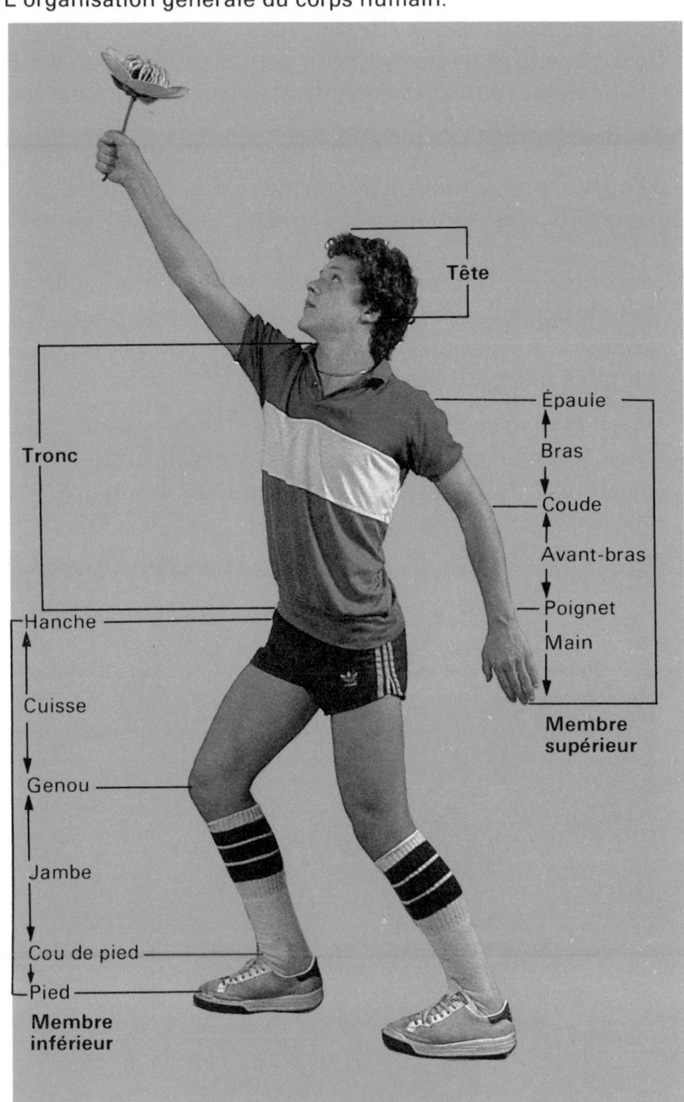

La plupart des mammifères sont *quadrupèdes*; leurs quatre pattes sont faites pour la locomotion terrestre (la marche ou la course). D'autres ont développé des ailes (la chauve-souris), des rames (le dauphin) ou de puissants ressorts (le kangourou) qui leur permettent respectivement de voler, de nager ou de sauter.

Le gorille est *quadrumane* (a quatre mains), un état qui s'harmonise avec son régime alimentaire végétarien. Deux paires de mains capables de saisir ne sont pas de trop lorsqu'on est obligé de faire des acrobaties dans les arbres pour atteindre les fruits et les jeunes pousses dont on se nourrit.

L'être humain réalise un intéressant compromis: il est à la fois bipède (a deux pieds) et bimane (a deux mains).

La station verticale favorise la vision et une mobilité particulière de la tête... Mais elle entraîne un équilibre instable.

1. Les grandes régions anatomiques du corps

Ton corps comprend trois grandes parties: la tête, le tronc et les membres. Regarde la figure 8-1 et remarque bien que le bras proprement dit représente seulement une partie du membre supérieur, et la jambe une partie du membre inférieur. Tes membres sont essentiels à ta communication avec l'environnement.

- Dans quelle grande partie du corps sont situés la plupart des systèmes assurant les fonctions de nutrition?

2. Les conséquences et les causes de la station verticale

En se dressant verticalement, l'être humain a dû faire face à plusieurs difficultés: un équilibre instable, des problèmes circulatoires (le sang ayant tendance à s'attarder dans les jambes), une efficacité moindre de l'odorat pour chasser. En contrepartie, la station verticale lui a donné deux avantages décisifs. L'un tient à la position surélevée de la tête, qui favorise la vision ; l'autre, à la libération des membres antérieurs. Les mains sont ainsi devenues des pinces très adroites contrôlées par un grand centre de commande situé dans la zone motrice du cerveau.

Un aperçu de l'évolution humaine

Dans l'histoire de l'espèce humaine, tout s'est passé comme si le cerveau et la main s'étaient mutuellement influencés dans leur évolution. Les scientifiques pensent en effet que les ancêtres de l'être humain, il y a plusieurs millions d'années, menaient une vie comparable à celle des gorilles actuels, se nourrissant de fruits et de jeunes pousses qu'ils trouvaient dans les grands arbres de la forêt tropicale. Des mains capables de saisir se seraient développées chez eux, afin de les aider à se déplacer de branche en branche.

Un assèchement du climat aurait progressivement transformé leur milieu de vie, la forêt faisant place à une steppe. Nos ancêtres auraient alors commencé à vivre au sol et à chasser pour remplacer la nourriture végétale devenue insuffisante. Or ils n'étaient ni assez forts physiquement ni assez agiles pour réussir dans ce nouveau mode de vie. Ils auraient donc été obligés d'apprendre à utiliser des armes : des pierres et des gourdins. La démarche bipède serait alors devenue une nécessité ; le redressement du corps se serait accentué en même temps que l'habileté manuelle se développait. Le fait de devoir recourir à la ruse pour chasser aurait aussi stimulé le développement des facultés intellectuelles de nos ancêtres.

Pour reprendre une vieille plaisanterie, disons que l'être humain descendrait d'un singe étant lui-même descendu de sa branche, le climat ne lui ayant pas laissé d'autre choix.

Société des jeux du Québec

Société des jeux du Québec

D'où viennent les informations dont l'encéphale a besoin pour contrôler l'équilibre parfois délicat de la station verticale ?

à toi de jouer

1. LOCALISER LES TROIS RÉGIONS ANATOMIQUES DU CORPS.

— Reproduis le dessin ci-dessous ; colorie le tronc en rouge ; annote le schéma avec les termes suivants : tête, tronc, membre supérieur, membre inférieur.

Figure 8-2.
Les trois grandes régions anatomiques du corps.

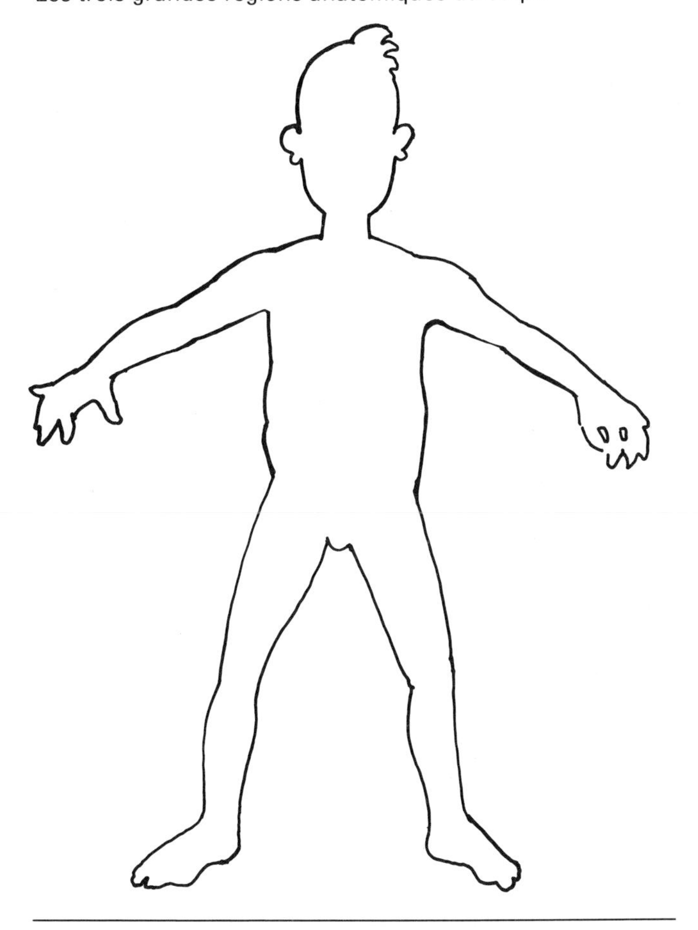

2. NOMMER QUELQUES AVANTAGES DE LA STATION VERTICALE.

a) La position surélevée de la tête favorise un sens. Lequel ?

— D'une seule main, saisis un stylo et enlève son capuchon ; pour réussir l'opération, ta main doit former deux pinces.

b) Comment sont formées les deux pinces en question ?

— Touche avec le pouce l'extrémité des autres doigts (n'insistons pas sur la difficulté de réaliser cet exercice avec le gros orteil).

c) À quelle fonction le membre supérieur est-il adapté ?

d) Chez nos ancêtres chasseurs, quel fut l'avantage de n'avoir à utiliser qu'une seule paire de membres pour la locomotion ?

Fédération du sport scolaire du Québec

Quelle est la vitesse maximale atteinte par un humain dans une course de 100 m ?

VA PLUS LOIN

Enquête sur les ancêtres de l'être humain

a) Dresse un arbre généalogique montrant le lien de parenté qui existe entre l'être humain actuel et les singes actuels.

b) Lucy est un personnage célèbre depuis 1974 dans le monde des scientifiques à la recherche des ancêtres de l'être humain. De qui s'agit-il ? Que sait-on à son sujet ?

SECTION

Le squelette

As-tu du talent pour la bande dessinée ?

La facilité avec laquelle les auteurs de bande dessinée représentent le corps humain dans toutes sortes d'attitudes a de quoi nous émerveiller. Essaies-tu parfois de les imiter ? L'exercice qui suit va te faire découvrir que ce n'est peut-être pas aussi difficile qu'on le pense.

Schématiquement, on peut envisager le squelette comme un assemblage de segments plus ou moins rigides, articulés entre eux, selon le principe illustré ci-dessous.

Figure 8-3.
Les grandes lignes du squelette.

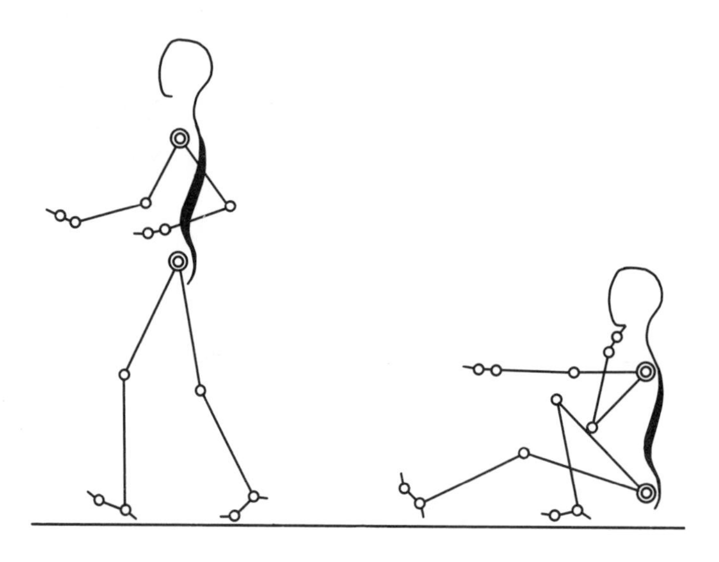

a) Dans le même style, dessine les grandes lignes du squelette de notre personnage dans deux autres attitudes. Pour simplifier, tu t'en tiendras à la vue de côté.

b) Dans une revue ou un journal, découpe une photo de sportif ou de sportive en action. Situe les principales articulations du corps, puis dégage les grandes lignes du squelette des membres en t'inspirant de l'illustration qui suit.

Figure 8-4.
Les grandes lignes du squelette des membres.

Société des jeux du Québec

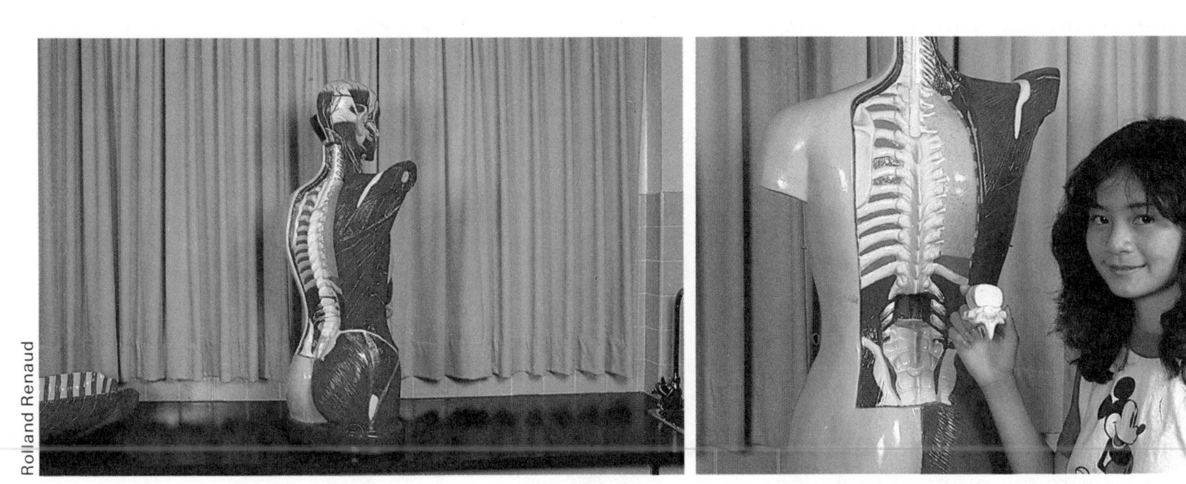

Rolland Renaud

Rolland Renaud

Peux-tu identifier la pièce maîtresse du corps humain qui apparaît sur ces modèles ?

Le squelette est le système de soutien de notre corps.

Imagine un instant ce que tu serais sans système de soutien. Tu pourrais ressembler par exemple à une limace géante, et te déplacer en rampant.

Ton corps est construit sur une charpente osseuse, le squelette, qui fixe les grandes lignes de ta structure. Le squelette détermine ta taille, tes proportions, tes attitudes corporelles. La chair qui l'entoure est disposée selon des lois très précises. Les spécialistes savent reconstituer des silhouettes entières à partir de fragments de squelette. Les dessins de tes ancêtres préhistoriques au dos voûté, au front bas, à l'arcade sourcilière saillante et aux mâchoires puissantes ne sont pas des inventions pures et simples, mais des reconstitutions faites scientifiquement à partir de restes de squelettes tirés du sol. Il est même possible de retrouver les traits d'un visage à partir d'une tête osseuse.

Ton squelette est d'ailleurs plus qu'un système de soutien, c'est aussi une réserve de sels minéraux. Les os sont formés aux deux tiers de calcium et de phosphore qui les rendent durs et rigides. Le sang peut venir chercher ces minéraux dans les os pour les transporter aux cellules. D'autre part, c'est dans les os que les éléments figurés (les globules et les plaquettes) de ton sang sont continuellement renouvelés.

Dans son ensemble, ton squelette présente des propriétés qui semblent contradictoires. Il est à la fois rigide et flexible, solide et changeant, fixe mais permettant une grande liberté de mouvement. Ne perds pas de vue qu'il s'agit d'une structure vivante qui évolue et se réorganise constamment pour s'adapter au travail que tu exiges d'elle.

1. L'organisation générale du squelette

On s'entend généralement pour compter 214 os dans un squelette humain. Ce nombre inclut les osselets de l'oreille moyenne et les rotules des genoux. Il peut varier d'un individu à l'autre car des os de moindre importance peuvent manquer ou être en surplus (des côtes et des phalanges des orteils, par exemple).

Les os sont articulés entre eux. Aux *articulations*, ils sont unis par des *ligaments* (liens) fibreux qui leur laissent une liberté de mouvement très variable. La plupart des os fonctionnent comme des leviers actionnés par les muscles qui s'y rattachent.

a) La colonne vertébrale

Figure 8-5.
Le tronc et la tête vus en coupe.

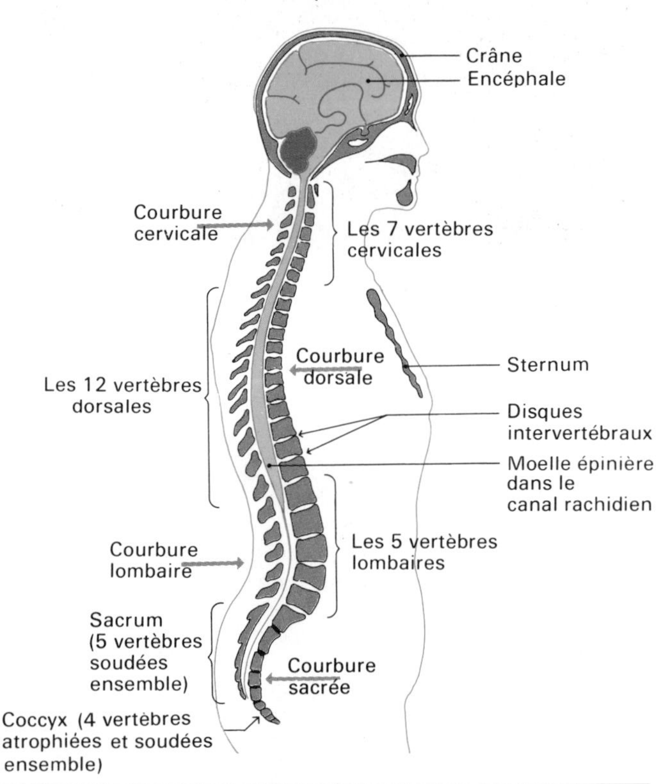

La pièce fondamentale de ton squelette est un axe déformable long de 75 cm environ, la *colonne vertébrale*, aussi nommée épine dorsale ou rachis. Il s'agit d'un empilement de 33 os très courts, les *vertèbres*. À partir de la tête, les 24 premières vertèbres sont articulées entre elles. Les 5 suivantes sont soudées en un seul os nommé *sacrum*. Les 4 dernières, minuscules, sont également soudées entre elles et forment un début de queue nommé *coccyx*. La première vertèbre (atlas) est articulée avec le crâne ; elle pivote autour de la seconde vertèbre (axis).

Figure 8-6.
Les deux premières vertèbres.

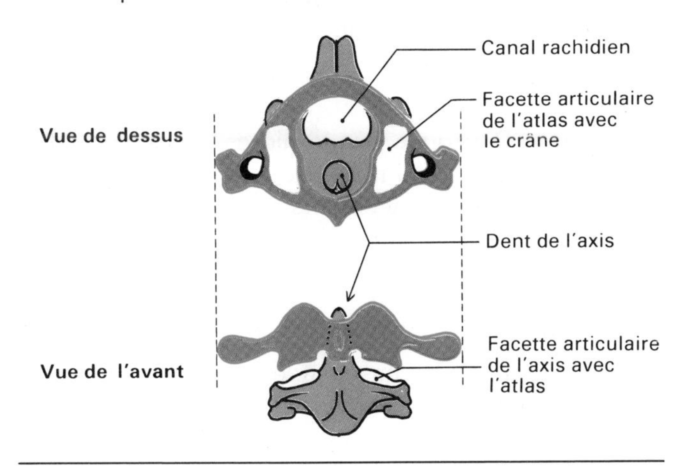

Une vertèbre est un os troué, de forme assez compliquée. L'alignement des trous vertébraux forme le *canal rachidien* qui abrite la *moelle épinière* et les racines des *nerfs rachidiens*. Ces derniers sortent du canal rachidien par des orifices situés sur les côtés, à la jointure des vertèbres.

Figure 8-7.
L'articulation d'une côte avec des vertèbres.

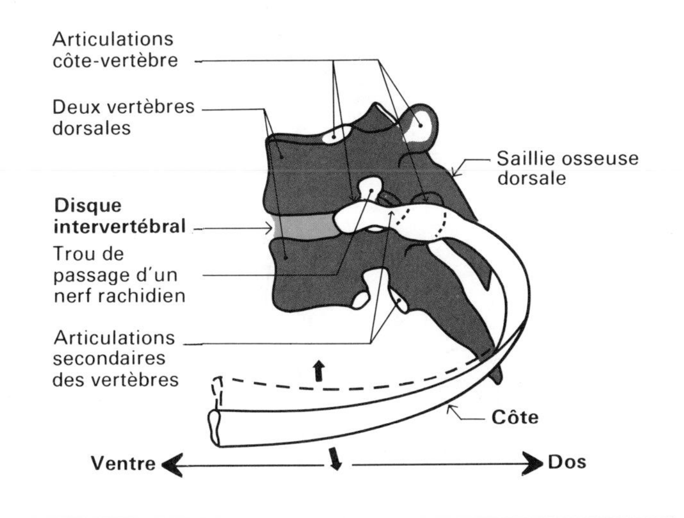

Deux vertèbres successives sont reliées entre elles principalement par de solides ligaments : les *disques intervertébraux*, intercalés entre les *corps vertébraux*. Ce sont des coussins à la fois fibreux et cartilagineux dont la partie centrale est molle et dont l'épaisseur atteint 9 mm dans la région du creux du dos.

L'articulation complexe qui unit deux vertèbres successives ne leur permet guère de bouger l'une par rapport à l'autre. Mais, puisque les articulations sont nombreuses le long de la colonne vertébrale, leurs possibilités s'additionnent et d'importants mouvements du tronc sont réalisables : des flexions et des rotations. Tu les pratiques certainement en gymnastique. En faisant jouer systématiquement toutes les articulations de ta colonne vertébrale, tu empêches certaines d'entre elles de se bloquer et de te causer des malaises.

Vue de côté, ta colonne vertébrale présente quatre courbures. À ta naissance, elle n'en avait qu'une, la courbure dorsale. La courbure du cou est apparue lorsque tu as commencé à t'asseoir, et celle du bas du dos lorsque tu as commencé à marcher. La forme sinueuse de la colonne vertébrale est donc une adaptation à la station verticale. Elle facilite le maintien en équilibre de l'ensemble formé par le tronc et la tête sur les articulations des hanches. D'autre part, elle permet d'absorber les chocs verticaux qui risqueraient autrement d'ébranler le cerveau lorsque tu cours ou que tu sautes.

L'importance de la colonne vertébrale est soulignée par l'existence d'une technique médicale consacrée au traitement de ses anomalies, la chiropractie. Tout problème de la colonne vertébrale entraîne des troubles fonctionnels plus ou moins importants, et bien souvent des douleurs. L'exagération des courbures normales de la colonne vertébrale (le dos rond, le dos creux) ainsi que le développement de courbures latérales (la scoliose, reconnaissable de dos au fait qu'une épaule est plus haute que l'autre) sont des problèmes fréquents chez l'adolescent(e). Dans la plupart des cas, on peut y remédier par des exercices de gymnastique corrective supervisés par un(e) physiothérapeute. Une colonne vertébrale déformée peut être à l'origine de troubles respiratoires, circulatoires, digestifs et autres.

Dans le bas du dos (la *région lombaire*), l'écrasement des disques intervertébraux entraîne un tassement des vertèbres avec glissement de l'une sur l'autre. Les nerfs rachidiens se trouvent alors pincés, ce qui entraîne les maux de dos fréquents chez les travailleurs et les travailleuses de force. À ton âge, tu devrais penser à ménager ta colonne vertébrale en évitant de soulever de lourdes charges. Si tu dois le faire malgré tout, fais travailler tes jambes plutôt que ton dos.

- Pourquoi le fait d'étirer la colonne vertébrale peut-il soulager les maux de dos ?
- Pourquoi vaut-il mieux porter un sac à dos qu'un sac à poignées ?

b) La cage thoracique

La *cage thoracique* est la partie du squelette qui protège le cœur et les poumons. Elle comprend les 12 paires de côtes avec leurs cartilages, les 12 vertèbres dorsales et le *sternum*.

Figure 8-8.
La coupe transversale de la cage thoracique.

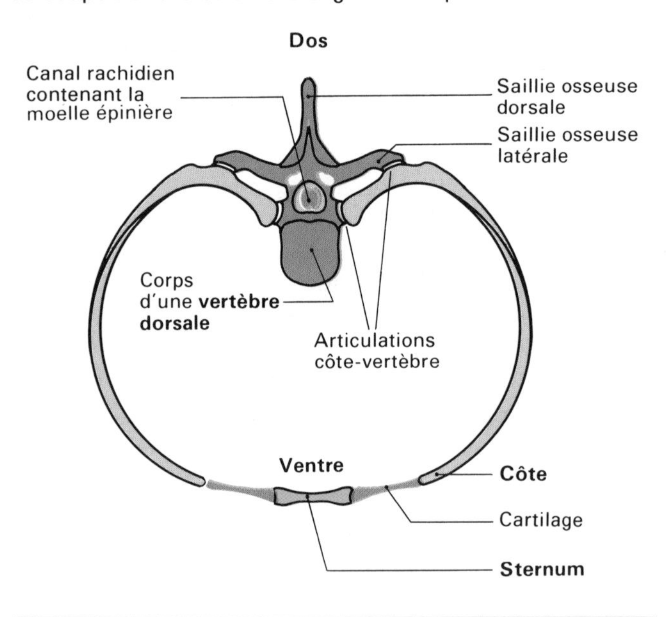

Figure 8-9.
Le squelette du tronc.

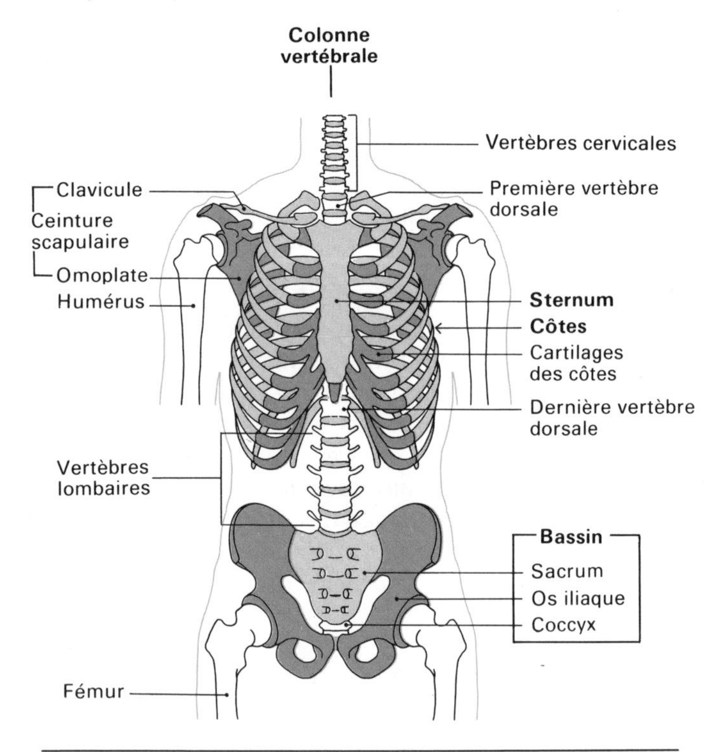

Les côtes sont des os plats articulés par paires avec les vertèbres dorsales. Les 10 premières paires de côtes se prolongent vers l'avant par des cartilages reliés au sternum. Les 2 dernières paires de côtes (les côtes flottantes) ne se rattachent pas au sternum.

L'articulation des côtes avec les vertèbres ne leur permet aucun mouvement d'avant en arrière, mais seulement de faibles mouvements de haut en bas. Lorsqu'elles sont relevées par les muscles respiratoires, les côtes augmentent le volume de la cage thoracique, ce qui appelle l'air dans les poumons (inspiration).

- Pourquoi les dernières côtes sont-elles brisées plus fréquemment que les autres dans les accidents ?

c) La tête osseuse

On appelle tête osseuse le squelette de la tête. On y reconnaît deux régions : le crâne et la face.

Figure 8-10.
La tête osseuse.

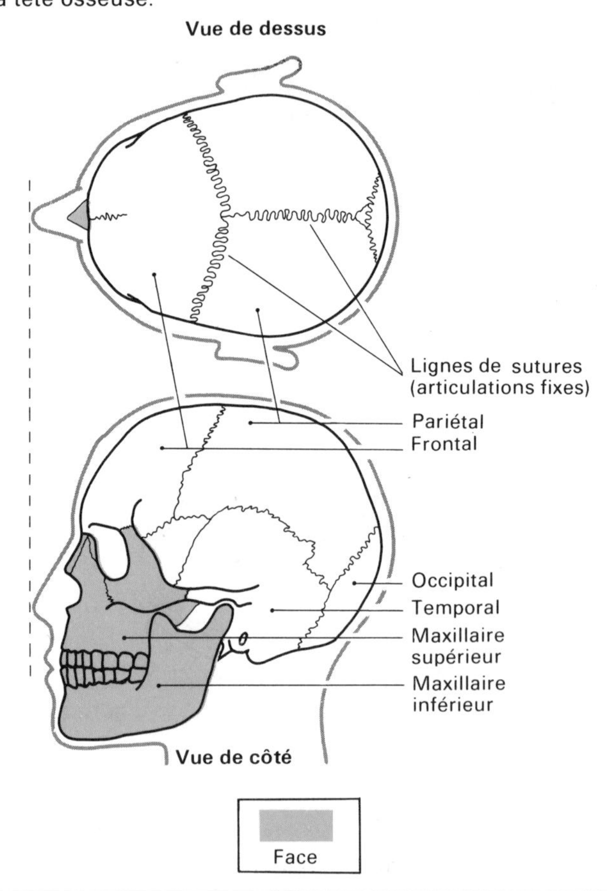

Le crâne. Le crâne forme une boîte arrondie qui contient l'encéphale. Il est constitué d'os plats assemblés à la façon des pièces d'un casse-tête. De telles articulations immobilisent les os. Ce sont des articulations fixes, ou *sutures*. Dans le prolongement du canal rachidien, le crâne est percé d'un orifice qui laisse passer la partie inférieure du tronc cérébral. De chaque côté, deux bourrelets arrondis articulent le crâne avec l'atlas. Ils permettent à la tête de s'incliner faiblement d'avant en arrière.

Figure 8-11.
L'articulation du crâne avec la colonne vertébrale.

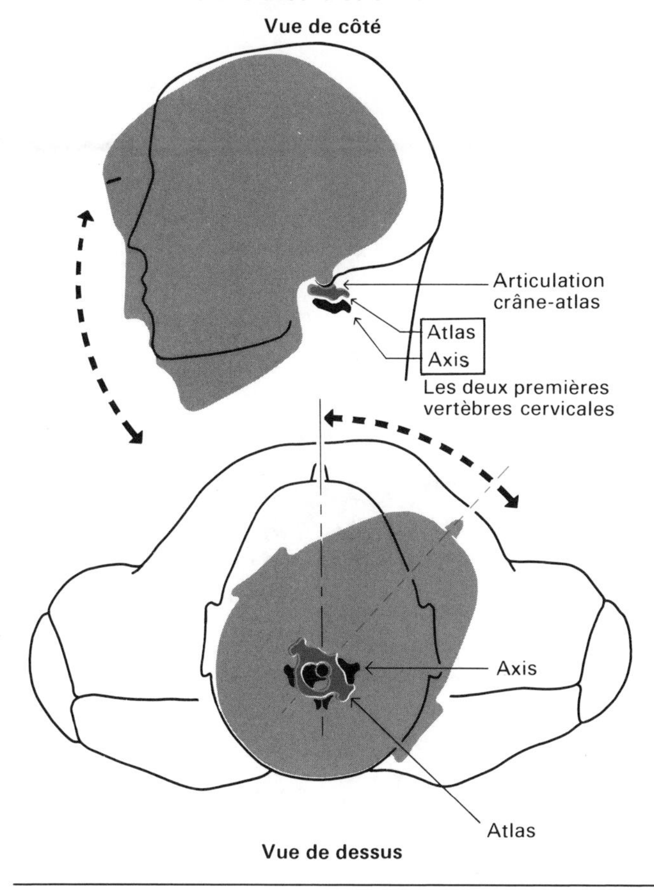

La face. La face comprend des os fixes, réunis entre eux et aux os du crâne par des sutures, et formant le squelette de la mâchoire supérieure. Elle comprend aussi un os mobile, articulé avec le crâne : c'est l'os de la mâchoire inférieure, ou maxillaire inférieur.

- Peux-tu situer sur toi l'articulation du maxillaire inférieur avec le crâne ?

d) Le squelette des membres

Les membres proprement dits sont articulés avec des structures osseuses annexées au tronc : les ceintures. La ceinture scapulaire constitue le squelette de l'épaule. À gauche et à droite, elle comprend un os plat, l'*omoplate*, et un os long, la *clavicule*. Elle n'est pas articulée avec la colonne vertébrale, mais maintenue en place par des muscles.

La ceinture pelvienne comprend une paire de grands os plats, les os iliaques, solidement fixés au sacrum. Ce sont les os des hanches. En avant, les deux os iliaques sont réunis par une articulation presque immobile, la *symphyse pubienne*. Celle-ci ne fonctionne que chez la femme, lorsqu'elle accouche.

Avec le sacrum et le coccyx, les os iliaques forment une sorte de cuvette, nommée *bassin* ou pelvis, dont les proportions varient selon le sexe. Chez la femme, le bassin est plus large et moins haut que chez l'homme ; il est adapté à la maternité.

L'étude du squelette des membres est facilitée par le fait que le membre supérieur et le membre inférieur ont fondamentalement la même structure : on dit que ce sont des *organes homologues*. À toute partie de l'un correspond une partie de l'autre. Ainsi, les trois parties du membre inférieur (le bras, l'avant-bras et la main) ont pour homologues respectifs les trois parties du membre inférieur (la cuisse, la jambe et le pied).

Figure 8-12.
Les structures comparées des squelettes du membre supérieur et du membre inférieur.

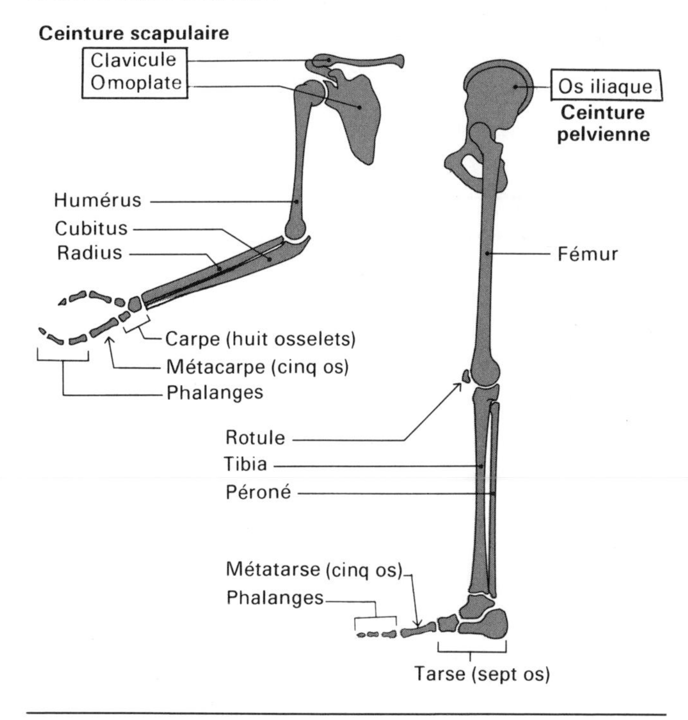

Figure 8-13.
Le squelette de la main.

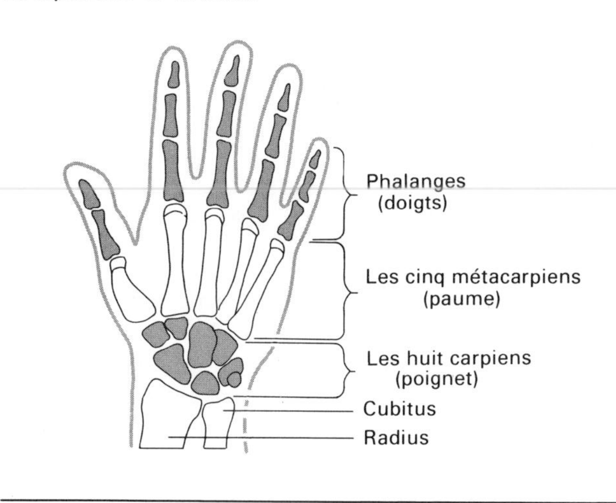

Figure 8-14.
Le squelette du pied.

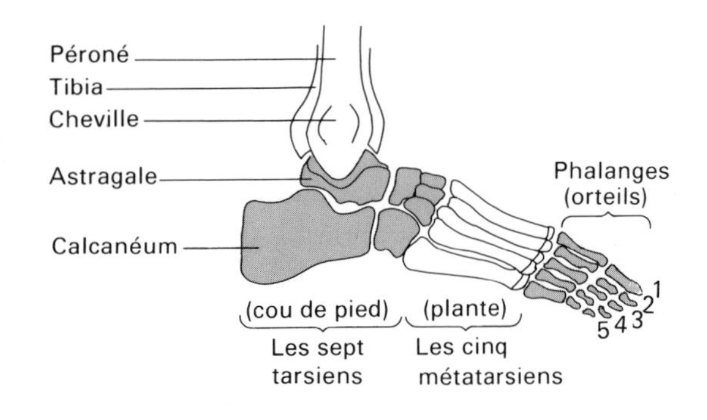

Nous devons admettre que nos bras, nos jambes, l'aile de la chauve-souris, la rame du dauphin, la patte du chat et celle du cheval sont des variations autour d'une même structure de base. Un peu comme le camion à 10 roues, la camionnette, la voiture familiale et le bolide de formule 1 sont des variantes dérivées d'une même structure fondamentale : une boîte montée sur des roues.

Les formes différentes des véhicules automobiles sont liées à des différences de fonctions. On ne destine pas au même usage un camion et une voiture de course. De la même façon, la patte du cheval et l'aile de la chauve-souris ne sont pas destinées au même travail. Il en va de même de notre membre supérieur et de notre membre inférieur. Le premier est fait pour prendre ; il est adapté à la *préhension*. Le second est fait pour marcher et courir sur la terre ferme ; il est adapté à la *locomotion* terrestre.

- Les êtres vivants présentent toutes sortes d'adaptations. Par exemple le fait, pour le chat, d'avoir certaines dents en forme de poignards constitue une adaptation à un certain régime alimentaire. Lequel ?
- À quel genre d'adaptation correspond, chez l'être humain, le fait d'avoir la peau plus ou moins foncée ?

2. Les articulations

Nous avons déjà décrit des articulations fixes, ou sutures (entre les os de la tête), et des articulations peu mobiles, ou articulations semi-mobiles (entre les vertèbres). Il nous reste à envisager les articulations qui permettent une grande liberté de mouvement, ou articulations mobiles. C'est surtout dans les membres que se trouvent de telles articulations.

Figure 8-15.
Les articulations de l'épaule et du coude.

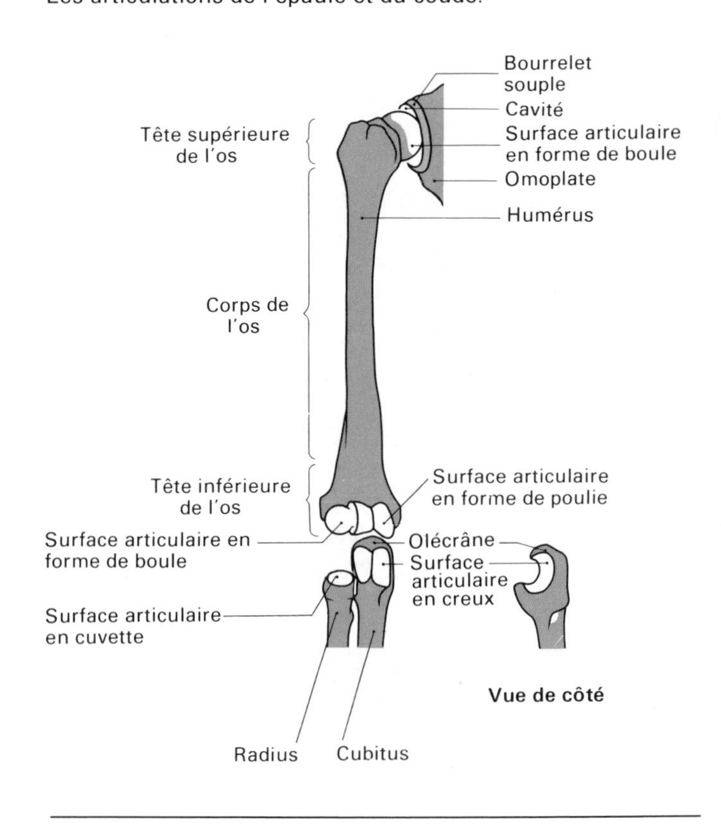

Figure 8-16.
Les articulations de la hanche et du genou.

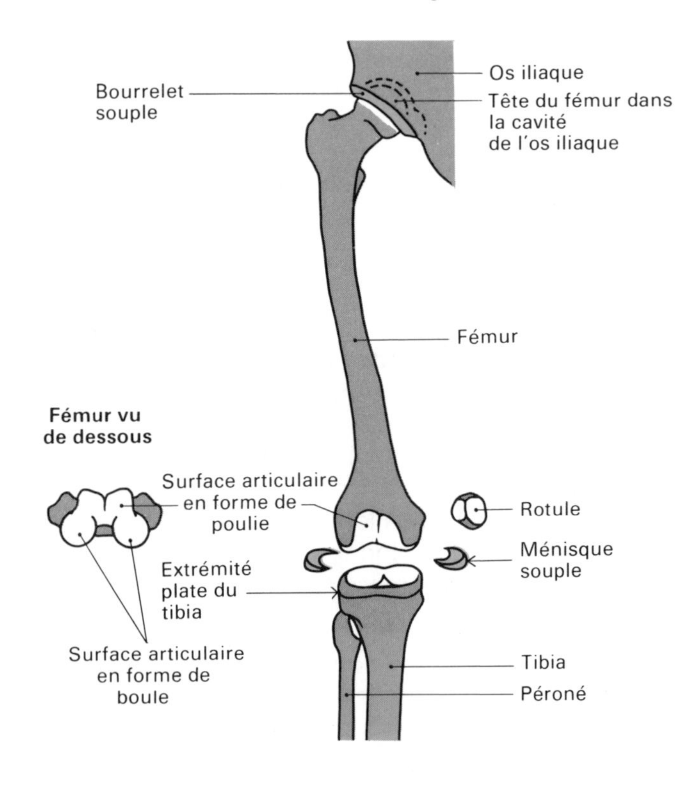

Le type de mouvement permis par une articulation mobile dépend de la forme des surfaces articulaires. Les ligaments qui unissent les os sont disposés de façon à gêner le moins possible le mouvement. Dans les articulations mobiles, les surfaces articulaires sont revêtues d'une couche de cartilage blanc, parfaitement lisse, souple et élastique, capable de supporter les pressions et les chocs. Son épaisseur varie de 1 à 7 mm.

L'articulation mobile est enfermée dans une enveloppe fibreuse, ou capsule, qui maintient les os en place. Des épaississements de la capsule, peu extensibles et résistants, sont tendus d'un os à l'autre ; ce sont les ligaments externes. Ils renforcent la capsule et freinent le mouvement dès qu'il devient trop prononcé. D'autres ligaments sont parfois situés à l'intérieur même de l'articulation.

Figure 8-17.
L'articulation de la hanche.

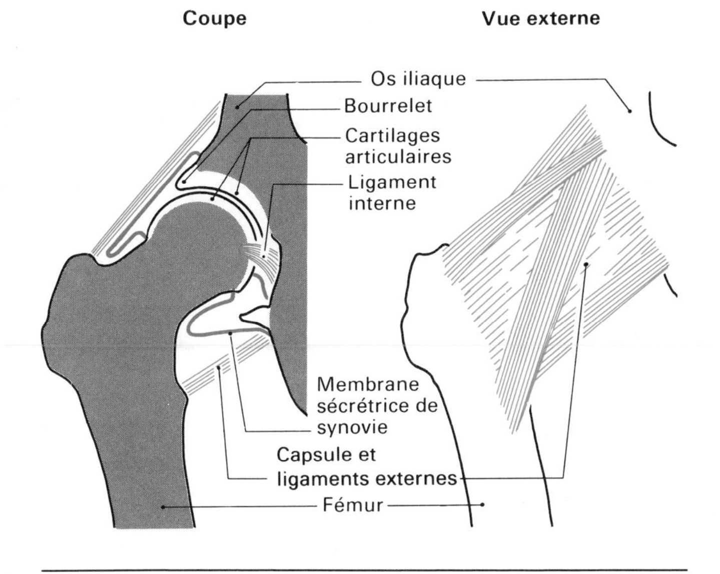

- Comment peut-on empêcher une articulation de gonfler, après un accident ?
- Qu'est-ce que l'arthrite ?

Le glissement des *cartilages articulaires* l'un sur l'autre est facilité par une sorte d'huile transparente, la *synovie*, sécrétée par la capsule. Lorsque celle-ci est abîmée, à la suite d'un choc par exemple, elle produit une quantité exagérée de liquide. L'articulation gonfle : c'est l'épanchement de synovie.

Figure 8-18.
La coupe de l'articulation du genou.

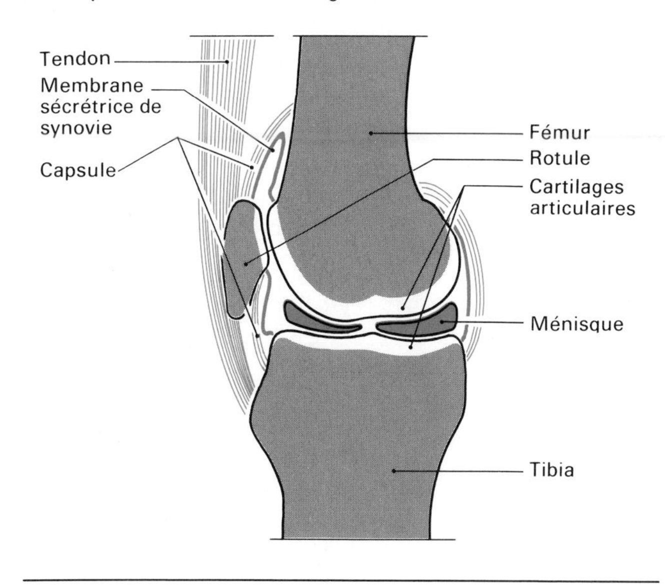

3. La croissance des os

Le tissu osseux se forme de deux façons différentes :
— Soit par l'accumulation de sels minéraux dans une membrane fibreuse ; c'est l'*ossification* directe ;
— Soit par le remplacement progressif d'un cartilage par du tissu osseux ; c'est l'ossification indirecte.

Les os du crâne se forment par ossification directe seulement. Chez le nouveau-né, des régions du crâne nommées *fontanelles* demeurent membraneuses, et mettent environ 15 mois à s'ossifier.

Figure 8-19.
Le crâne d'un nouveau-né vu de dessus.

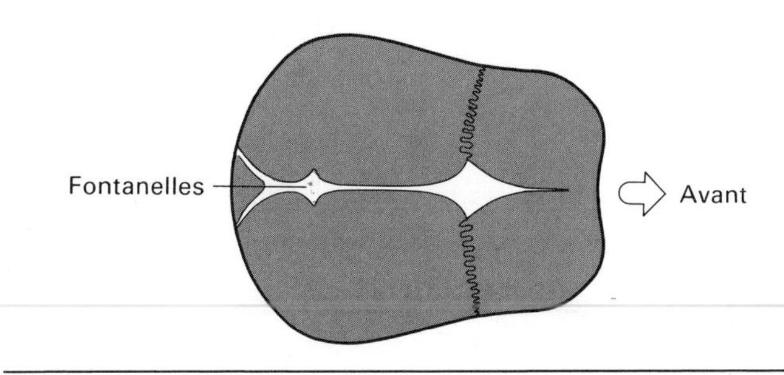

Les os longs sont d'abord des pièces cartilagineuses chez l'embryon. Pour les transformer en pièces osseuses, les deux procédés d'ossification interviennent. Le tissu osseux le plus dur (os compact) se forme par ossification directe d'une membrane fibreuse nommée *périoste*. Le périoste entoure la partie allongée de l'os (corps de l'os). Le tissu osseux le plus tendre (os spongieux) se développe par ossification indirecte à partir de foyers d'ossification qui envahissent le cartilage.

Figure 8-20.

Le développement du tibia.

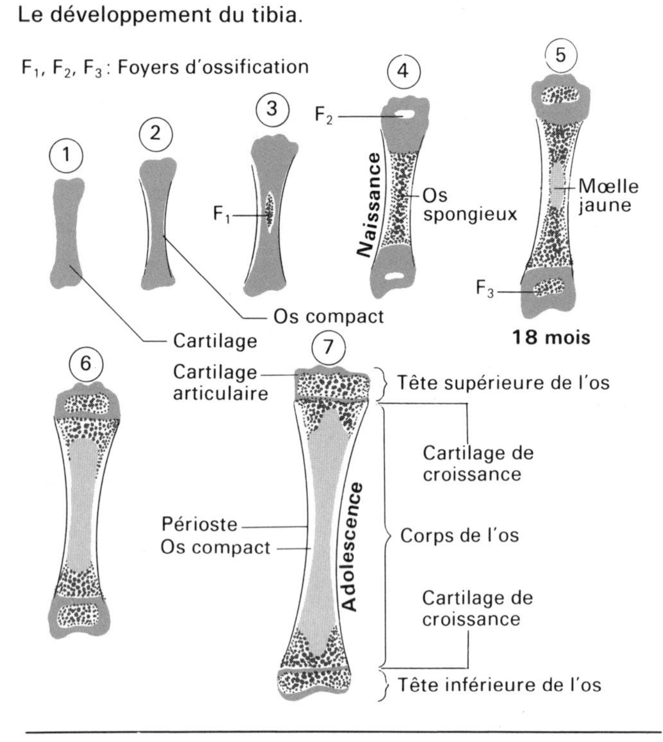

Le périoste assure la croissance en épaisseur de tous les os. Il se transforme d'abord en tissu osseux fibreux dans sa partie profonde. Ce tissu fibreux est ensuite restructuré de façon à former des cylindres osseux entremêlés, très résistants.

Figure 8-22.

La croissance en épaisseur du corps d'un os long (section transversale).

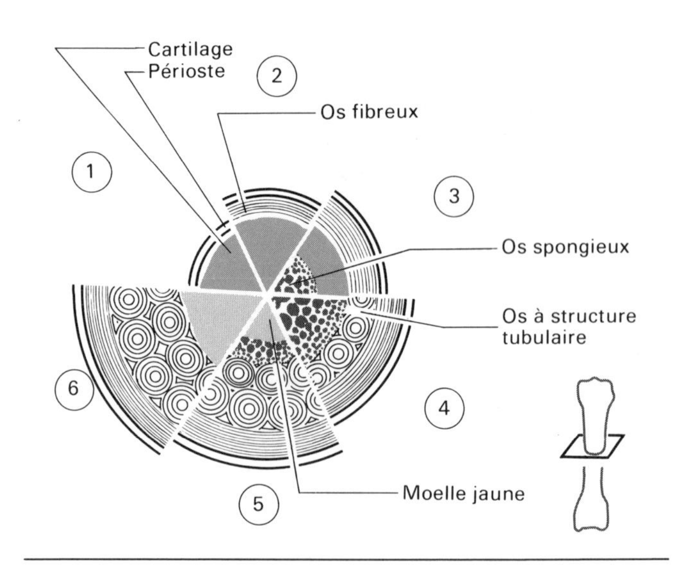

À ton âge, le cartilage subsiste non seulement autour des surfaces articulaires, mais aussi sous forme de plaques de 2 mm d'épaisseur dans les os longs. Elles marquent les limites entre le corps de l'os et ses extrémités renflées. Ces plaques sont les *cartilages de croissance*. Tant qu'ils existent, ils allongent le corps de l'os. Ils disparaissent normalement avant l'âge de 24 ans.

Figure 8-21.

Le fonctionnement d'un cartilage de croissance.

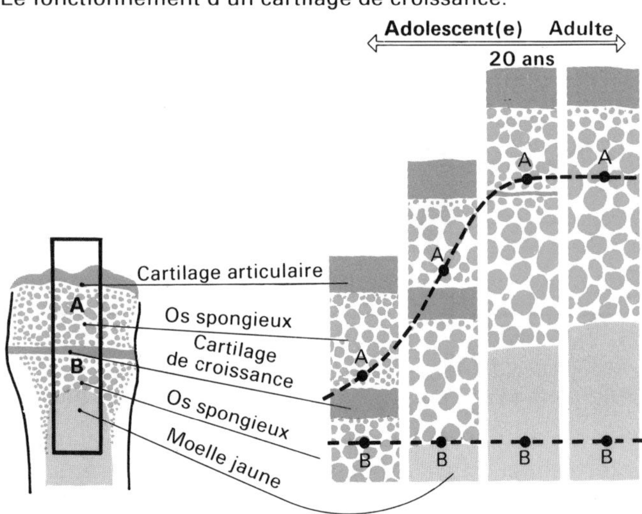

N.B. : La zone d'allongement se situe entre les points A et B.

Figure 8-23.

La structure de l'os compact.

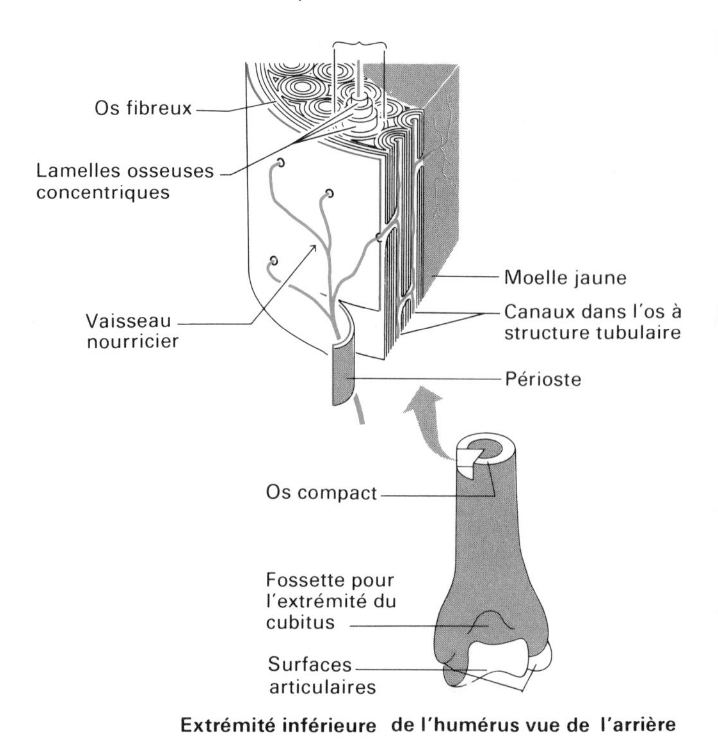

Le tissu osseux spongieux est formé de lamelles osseuses entrecroisées, disposées de façon à offrir un maximum de rigidité. Les espaces entre les lamelles sont occupés par la *moelle rouge*, où se forment les éléments figurés du sang, en particulier les globules rouges. Dans le corps de l'os, la moelle rouge se transforme en un tissu graisseux, la *moelle jaune*, qui ronge l'os et agrandit le canal qui la contient. En cas de nécessité (par exemple en cas d'hémorragie), la mœlle jaune peut fabriquer des globules rouges et redevenir de la moelle rouge.

Un os long est un organe à la fois léger, rigide et résistant, très bien adapté à sa fonction de soutien pour les trois raisons suivantes :
— C'est un gros tube dans son ensemble ;
— Le tissu osseux compact est formé de minuscules tubes entremêlés ;
— Le tissu osseux spongieux possède une architecture entrecroisée.

- Pourquoi les pieds de chaises et les cadres de bicyclettes sont-ils faits avec des tubes plutôt qu'avec des tiges pleines ?
- Quelle est l'utilité des fontanelles, lors de l'accouchement ?

4. Les blessures du squelette

Dans le sens de la longueur, un os long est extrêmement résistant. Un fémur, par exemple, pourrait supporter une masse de l'ordre de 1 t. Cependant, un os long est relativement fragile lorsqu'il est frappé de côté.

Trois accidents courants peuvent affecter le squelette : la fracture, l'entorse et la luxation.

a) La fracture

On dit qu'il y a fracture lorsque l'os est brisé. Dans un membre, une fracture avec déplacement des morceaux d'os entraîne une déformation et parfois un raccourcissement, ainsi qu'une douleur très variable. Lorsque les extrémités fracturées viennent à frotter l'une contre l'autre, une *crépitation* osseuse est perçue par l'ouïe et le toucher.

Les fractures les plus fréquentes se produisent à l'extrémité inférieure du radius, dans les os de la jambe, dans les côtes, à la clavicule et au col du fémur.

Une *fracture simple* est une blessure qui ne s'infecte pas. Dans une *fracture ouverte*, l'os brisé traverse les chairs et apparaît à l'extérieur. Dans ce cas, une infection microbienne est à craindre, comme dans toute plaie.

On appelle *cal* la cicatrice osseuse qui soude les fragments de l'os fracturé. Le périoste et la moelle osseuse fournissent les cellules nécessaires à la réparation. Le cal forme un bourrelet perceptible au toucher pendant plusieurs années à la surface de l'os.

- As-tu déjà subi une fracture ? Pourrais-tu résumer ton expérience ?
- Pourquoi une fracture simple ne s'infecte-t-elle pas ?

b) L'entorse

L'entorse est un accident qui affecte une articulation. Lorsque celle-ci a été forcée sans être déboîtée, les ligaments sont étirés ou déchirés, tandis que la capsule est plus ou moins détériorée. Les signes de l'entorse sont principalement la douleur vive et le gonflement. Ce genre d'accident est fréquent chez les sportifs et les sportives. Il se produit le plus souvent à la cheville, au genou, au poignet et aux doigts.

- As-tu déjà subi une entorse ? Pourrais-tu résumer ton expérience ?

c) La luxation

La luxation est, en somme, un genre d'entorse, mais plus grave puisque l'articulation est déboîtée. Extérieurement, les signes de cet accident sont les mêmes que ceux d'une fracture, mais sans les crépitations osseuses. L'épaule et le coude sont les articulations les plus sujettes à la luxation. Notons qu'il existe un certain nombre de familles où des filles naissent avec la hanche déboîtée : c'est la luxation congénitale de la hanche. Cette anomalie non douloureuse empêche de marcher normalement ; elle peut et doit être traitée.

- Qu'est-ce qu'une dislocation de l'épaule ?

à toi de jouer

1. IDENTIFIER LES DEUX PARTIES COMPOSANTES D'UNE TÊTE.

Reproduis le schéma suivant. Trace une ligne rouge marquant la limite approximative entre les deux grandes parties de la tête. Identifie-les sur le schéma.

Figure 8-24.
Les deux grandes parties de la tête.

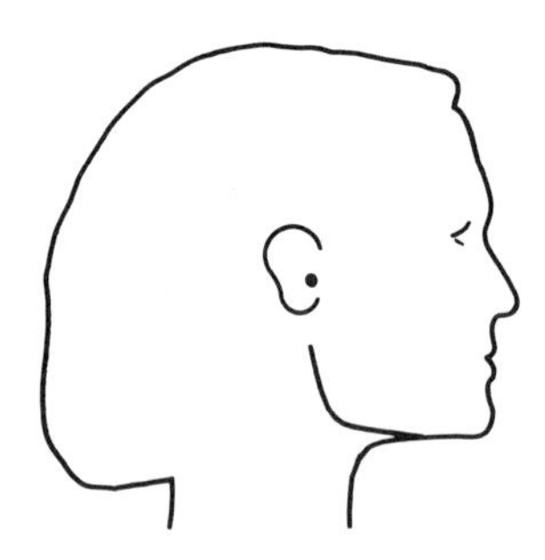

2. DÉCRIRE LA FORME, LA DISPOSITION ET LE MODE D'UNION DES OS DU CRÂNE.

a) Nomme quatre os du crâne. Quelle forme ont-ils ?

b) Quelle est la forme de l'assemblage qu'ils réalisent ?

c) Quel genre d'articulation les unit ?

3. DONNER LA FONCTION DU CRÂNE.

Nomme le contenu du crâne. Quelle est la fonction du crâne par rapport à son contenu ?

4. DÉCRIRE LA COMPOSITION DU THORAX ET LA DISPOSITION DES CÔTES.

a) Dresse l'inventaire des 37 os qui forment la cage thoracique. Nomme aussi les pièces ventrales non osseuses qui en font partie.

b) Comment les côtes s'articulent-elles sur la colonne vertébrale ? Quel genre de mouvement ce type d'articulation permet-il ?

5. DÉCRIRE LE RÔLE DES CÔTES DANS LES ÉCHANGES GAZEUX.

a) Comment le mouvement des côtes fait-il varier le volume de la cage thoracique ?

b) Pourquoi les variations de volume de la cage thoracique sont-elles vitales ?

6. TRACER UN SCHÉMA DE LA COLONNE VERTÉBRALE EN INDIQUANT LES COURBURES, LE NOMBRE DE VERTÈBRES ET LEUR MODE D'UNION.

a) Inspire-toi de la figure 8-5 pour tracer un schéma simplifié de la colonne vertébrale. Contente-toi de représenter le corps des vertèbres, c'est-à-dire la partie située en avant du canal rachidien. Respecte la forme de l'ensemble et colorie en rouge les articulations.

b) Annote ton schéma en y inscrivant les noms :
— des cinq groupes de vertèbres (indiquer à chaque fois le nombre d'éléments) ;
— des deux premières vertèbres ;
— des quatre courbures de la colonne ;
— des liens qui unissent les vertèbres.

c) Précise dans le titre de ton schéma comment est vue la colonne vertébrale.

d) Deux vertèbres successives peuvent-elles bouger beaucoup l'une par rapport à l'autre ? Pourquoi ?

7. EXPLIQUER LA MOBILITÉ ET LA RÉSISTANCE DE LA COLONNE VERTÉBRALE PAR SES CARACTÉRISTIQUES.

a) Explique pourquoi la colonne vertébrale dans son ensemble est très flexible, bien que chacune de ses articulations soit peu mobile.

b) Décris les particularités qui donnent à la colonne vertébrale sa souplesse et sa résistance aux chocs.

8. OBSERVER SUR UN MODÈLE L'ALIGNEMENT DES DEUX PREMIÈRES VERTÈBRES.

— Observe bien la figure 8-11.

a) Identifie la principale articulation qui fonctionne lorsque tu inclines la tête (le mouvement du oui).

b) Identifie la principale articulation qui fonctionne dans la rotation de la tête (le mouvement du non). Pourquoi l'axis porte-t-il bien son nom ?

9. RELIER LES MODES D'AGENCEMENT DES OS DES MEMBRES AUX MOUVEMENTS QU'ILS PERMETTENT.

a) Nomme deux articulations en forme de boule.

b) Nomme deux os réunis par une articulation en forme de poulie.

c) Reproduis le tableau ci-dessous et complète-le avec les termes suivants : flexion et extension, rotation, boule, poulie.

Tableau 8-1.
L'influence de la forme des surfaces articulaires sur le mouvement possible.

Formes des surfaces articulaires	Types de mouvements possibles
•	•
•	•

Le cubitus forme la pointe du coude (olécrâne). Il s'articule avec la main du côté du petit doigt. L'autre os de l'avant-bras est le radius ; il s'articule avec la main du côté du pouce.

a) Palpe les deux os de ton avant-bras et indique comment ils sont disposés lorsque tu regardes la paume de ta main.

b) Recommence le même exercice après avoir retourné ta main.

c) Reproduis le tableau ci-dessous et complète-le avec les termes suivants : paume dessus, paume dessous, croisés, parallèles.

Tableau 8-2.
La disposition des os de l'avant-bras selon la position de la main.

Positions de la main	Dispositions des os de l'avant-bras
•	•
•	•

d) Décris la particularité de la tête du radius située du côté du coude, qui permet à cet os de tourner sur lui-même lorsque la main se retourne.

10. COMPARER L'ORGANISATION OSSEUSE DU MEMBRE SUPÉRIEUR À CELLE DU MEMBRE INFÉRIEUR.

a) Reproduis le schéma suivant. Indique en rouge les noms des os du membre supérieur et en bleu ceux des os du membre inférieur.

Réfléchis bien aux correspondances (homologies) entre les os de la jambe et ceux de l'avant-bras. Souviens-toi de la position des os de l'avant-bras par rapport au pouce. Le cubitus forme la pointe du coude ; le tibia est l'os que l'on palpe à l'avant de la jambe.

Figure 8-25.
Le plan d'organisation du squelette des membres.

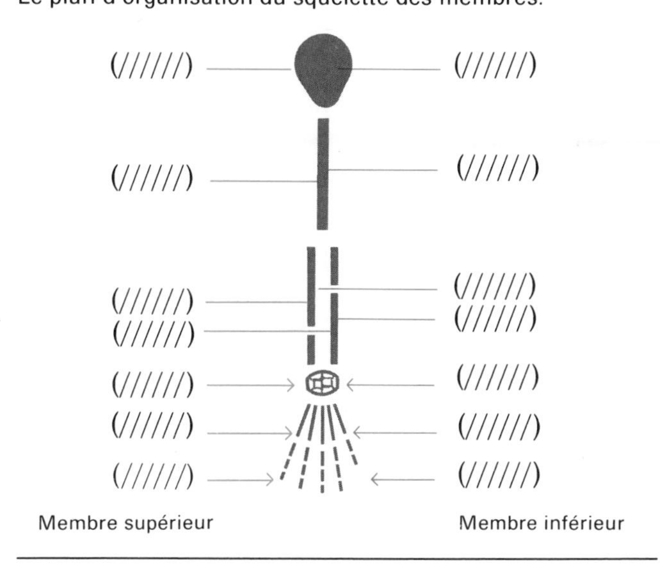

b) Nomme un os du membre inférieur qui semble ne pas avoir d'équivalent dans le membre supérieur.

c) Compare l'organisation osseuse de base du membre supérieur à celle du membre inférieur.

11. DÉCRIRE LE RÔLE DES LIGAMENTS DANS UNE ARTICULATION.

a) Nomme les deux sortes de liens qui unissent les os dans une articulation mobile. Ont-ils une influence sur le mouvement ? Explique.

12. IDENTIFIER, SUR UN OS FRAIS ET JEUNE, LA MOELLE, LE CARTILAGE ARTICULAIRE, LE CARTILAGE D'ACCROISSEMENT, L'OS SPONGIEUX, L'OS COMPACT ET LE PÉRIOSTE.

Matériel : 1 humérus de veau, scié dans le sens de la longueur.

— Dessine la coupe de l'os à une échelle raisonnable ; délimites-en les tissus et identifie-les ; colorie :

- les cartilages en bleu ;
- la moelle jaune en gris ;
- l'os compact en rouge clair ;
- l'os spongieux en pointillé rouge ;
- le périoste en rouge foncé.

13. ÉNUMÉRER LA OU LES FONCTION(S) DE LA MOELLE, DES CARTILAGES D'ACCROISSEMENT ET DU PÉRIOSTE.

a) Où est située la moelle rouge ? Pourquoi est-elle rouge ? Quel est son rôle principal ?

b) Reproduis et complète le tableau suivant :

Tableau 8-3.
La croissance d'un os long.

Tissus responsables de la croissance d'un os long	Types de croissance
•	•
•	•

14. DRESSER LA LISTE DES DIFFÉRENCES ENTRE UNE FRACTURE, UNE ENTORSE ET UNE LUXATION.

Reproduis le tableau qui suit et coche (✓) dans les cases appropriées les caractéristiques des accidents du squelette.

Tableau 8-4.
Les caractéristiques des accidents du squelette.

	Fractures	Entorses	Luxations
Os brisé			
Crépitations osseuses			
Articulation déboîtée			
Capsule ou ligaments détériorés			
Déformation possible du membre			
Douleur			

15. DÉTERMINER, À L'AIDE D'UN MANUEL DE PREMIERS SOINS, LA CONDUITE À TENIR EN FACE DE CES TROIS BLESSURES.

Matériel : 1 manuel de premiers soins.

a) Recherche et résume ce que tu peux faire d'utile si tu es témoin d'une fracture, d'une luxation et d'une entorse, en attendant l'intervention d'un médecin.

b) Reproduis le tableau suivant et coche (✓) dans les cases appropriées ce qui doit être fait dans le traitement des accidents du squelette.

Tableau 8-5.
Le traitement des accidents du squelette.

	Fractures	Entorses	Luxations
Réduction			
Remise en contact des surfaces articulaires			
Immobilisation			

16. ÉNUMÉRER LES CONDITIONS NÉCESSAIRES AU DÉVELOPPEMENT NORMAL DU SQUELETTE.

a) Nomme deux minéraux emmagasinés dans les os. Quelles propriétés mécaniques donnent-ils aux os ? Comment entrent-ils dans l'organisme (voir le chapitre 1, section A).

b) Nomme deux vitamines indispensables à la croissance en général, et à celle du squelette en particulier (voir le chapitre 1, section A).

c) Nomme un aliment de tous les jours contenant les quatre aliments simples qui viennent d'être cités.

d) Nomme deux substances chimiques fabriquées par l'organisme, qui sont nécessaires à la croissance en général et à celle du squelette en particulier (voir le chapitre 5, section A). Quel moyen de transport les conduit aux os ?

e) Reproduis et complète le tableau suivant :

Tableau 8-6.
Les hormones nécessaires à la croissance.

Hormones nécessaires à la croissance	Glandes productrices
•	•
•	•

Le thymus est une glande située entre les poumons, au-dessus du cœur. Il est développé chez l'enfant, mais diminue de volume chez l'adulte au point de disparaître parfois complètement. Il joue un rôle essentiel dans la formation de certains globules blancs. Son rôle en tant que glande endocrine capable d'influencer la croissance n'est pas établi.

VA PLUS LOIN

1. **Enquête sur l'anatomie comparée des membres**

   Recherche dans un livre de zoologie la structure des membres antérieurs de quelques mammifères : un chat (ou un autre mammifère à griffes), un cheval (ou un autre mammifère à sabots), une chauve-souris et un dauphin (ou un phoque). Compare ces structures à celle du membre supérieur humain. Présente ton rapport sous la forme d'une série de schémas. Colorie les schémas de façon à faire apparaître clairement les principaux segments des membres et leurs correspondances d'un animal à l'autre.

2. **Enquête sur la chiropractie**

   Organise ton rapport selon le plan suivant :

   a) Qu'est-ce que la chiropractie ?

   b) Les méthodes de la chiropractie et leurs résultats.

   c) Comment devient-on chiropracticien(ne) ?

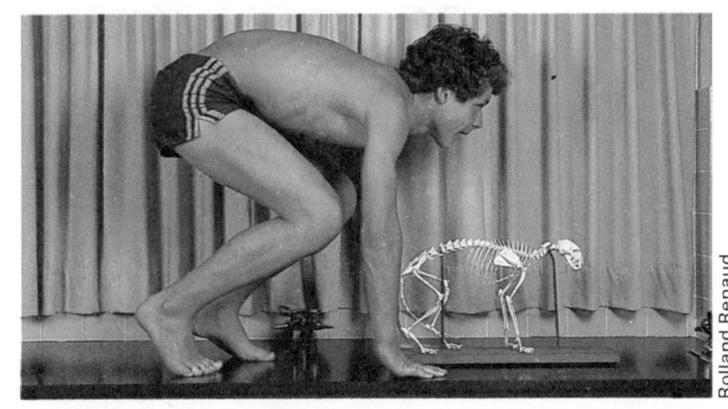
Rolland Renaud

Compare le plan d'organisation d'un humain à celui d'un chat. Qu'en penses-tu ?

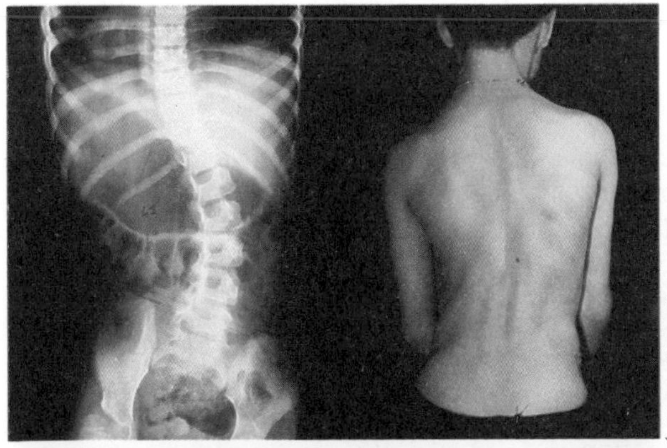
Éditions Diapofilm

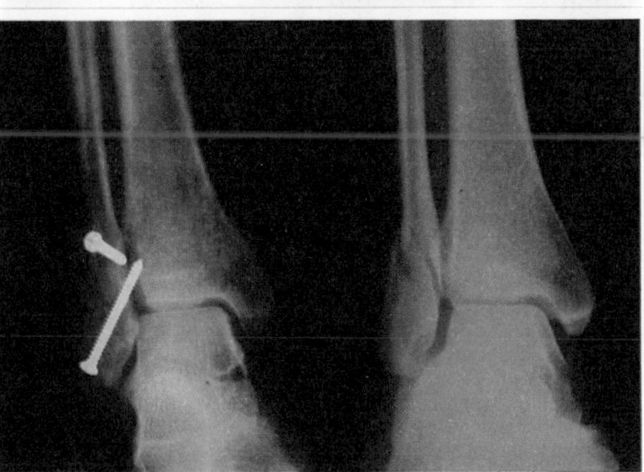
Éditions Diapofilm

Peux-tu identifier ces trois problèmes du squelette ?

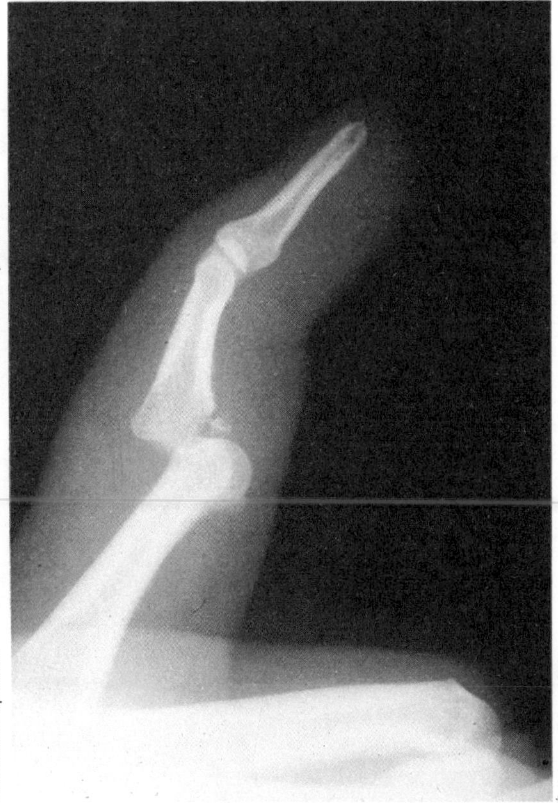
Éditions Diapofilm

SECTION

Les muscles

Quel mécanisme assure la coopération entre le système moteur et les organes des sens ?

Il y a toujours un décalage dans le temps entre la cause d'un mouvement et le mouvement lui-même ; c'est ce qu'on appelle le temps de réaction. Tu peux facilement expérimenter cette notion.

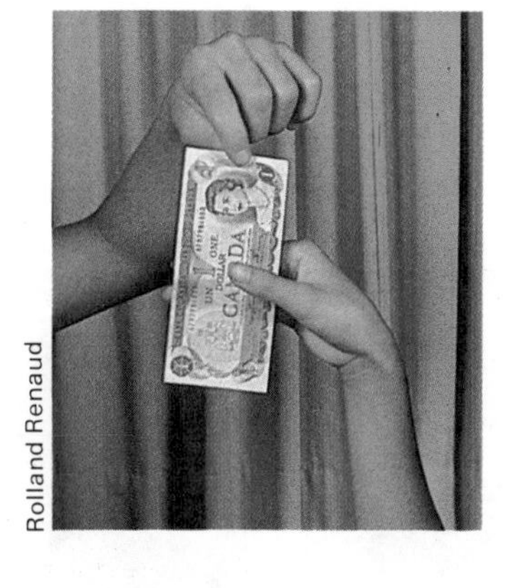

Rolland Renaud

L'attrapera ? L'attrapera pas ?

— Place un billet de banque neuf (1 $ suffit) entre les doigts écartés d'un(e) camarade et demande-lui de saisir ce billet au passage, lorsque tu vas le lâcher.

— Fais l'expérience à plusieurs reprises. Tu vas constater que tu ne risquerais pas grand-chose en proposant à ton sujet de lui donner le billet s'il l'attrape.

Les organes qui font bouger les doigts sont des muscles situés dans la main et l'avant-bras. Dans l'expérience, une information venue du billet est donc transmise aux muscles moteurs des doigts.

a) Décris le cheminement de cette information.

b) Identifie le stimulus des muscles.

c) D'après toi, quelle est la cause du temps de réaction mis en évidence par l'expérience ?

Les muscles sont les moteurs du corps. Ils transforment l'énergie chimique en mouvement et en chaleur.

Les muscles sont les organes qui te permettent de sauter, danser, courir, marcher, balayer, écrire, parler, mastiquer, respirer, grimacer, serrer le poing, cligner de l'œil, etc. Chacun de tes mouvements est dû à un travail musculaire.

Les muscles sont les moteurs de ton corps. Nous te proposons ici de faire connaissance avec eux. Mieux tu comprendras leur fonctionnement et mieux tu sauras les utiliser pour aller plus vite, plus loin, plus longtemps.

1. Une vue d'ensemble des muscles

Tu peux commencer ou arrêter quand tu veux les mouvements qui viennent d'être énumérés; ils sont commandés par des *muscles volontaires.*

Mais tu ne peux pas empêcher ton cœur de battre, ton estomac de mélanger et même ta peau de frissonner; ces mouvements sont commandés par des *muscles involontaires.*

Tous les muscles sont commandés par le sytème nerveux, même le cœur. Mais celui-ci fonctionne de façon très particulière, puisqu'il peut battre même sorti de l'organisme; c'est un *muscle automatique.*

Les muscles les plus gros sont volontaires et fixés sur les os. On les nomme *muscles squelettiques.* Dans une cuisse de poulet ou une côtelette de porc, ce sont des muscles squelettiques que tu détaches des os pour les déguster. Il y a d'autres sortes de muscles appartenant aux organes contenus dans les grandes cavités du corps, tels l'estomac, l'intestin, l'utérus, la vessie et la paroi des vaisseaux sanguins. Ce sont des muscles involontaires nommés *muscles viscéraux.*

Tableau 8-7.
La comparaison des deux grandes catégories de muscles.

Muscles viscéraux	Muscles squelettiques
Courtes fibres lisses à un seul noyau	Longues fibres striées à plusieurs noyaux
Plutôt blancs	Plutôt rouges
Involontaires	Volontaires
Commandés par le système nerveux autonome	Commandés par le système nerveux cérébrospinal
Réactions lentes	Réactions rapides

Nous n'étudierons que les muscles squelettiques. Ils réalisent les mouvements les plus variés en utilisant les os comme des leviers; de plus, ils enveloppent de chair notre squelette et contribuent ainsi à dessiner notre silhouette. Une grande part de la beauté corporelle dépend des muscles squelettiques.

- Dans quelle région du corps administre-t-on habituellement une injection intramusculaire?
- « Il était si maigre qu'il n'avait plus que la peau sur les os. » Quels organes semblent avoir disparu chez le malheureux dont il est question ici?

2. Un muscle moteur de l'avant-bras : le biceps

Le biceps brachial est un muscle en forme de fuseau divisé en deux branches. Situé en avant du bras, c'est lui qui représente la force au bras de Popeye. Sa partie charnue, rouge et volumineuse se nomme *ventre* ; c'est aussi sa partie active, celle qui contient de minuscules moteurs élémentaires : les *fibres musculaires*. Le ventre est recouvert par une enveloppe fibreuse nommée *aponévrose*. Elle se prolonge aux deux extrémités du muscle par des cordons blanc nacré : les *tendons*. Ces derniers continuent le périoste des os auxquels ils sont fixés.

En tant que muscle, le biceps peut changer de forme activement. Lorsqu'il travaille, son ventre gonfle mais perd en longueur ce qu'il gagne en épaisseur. Sans changer de volume, le muscle se raccourcit. On dit qu'il se *contracte*. Note qu'un muscle ne travaille qu'en tirant, jamais en poussant.

Figure 8-26.
Le biceps brachial.

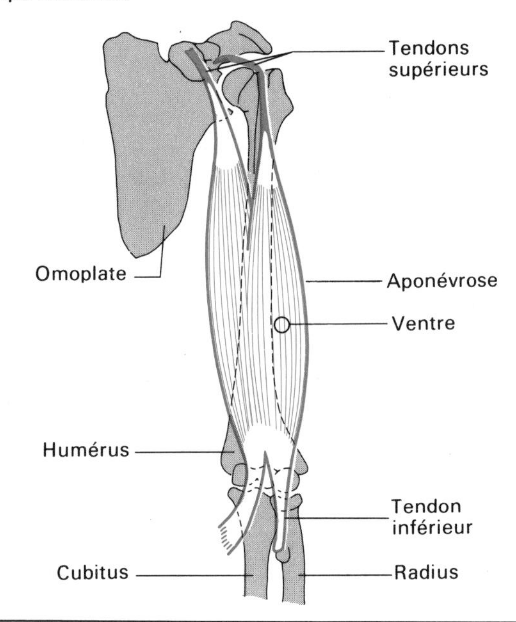

En haut, le biceps est solidement attaché à l'omoplate qui lui sert de point fixe. En bas, le tendon est fixé au radius qui peut se déplacer, grâce à l'articulation du coude, lorsque le biceps se contracte. Le radius entraîne alors le reste de l'avant-bras et la main.

Le biceps est un *muscle fléchisseur* de l'avant-bras sur le bras.

- Saurais-tu situer un muscle équivalent au biceps brachial dans les membres inférieurs ?
- Qu'est-ce qu'une tendinite ?

Figure 8-27.
La mécanique du membre supérieur.

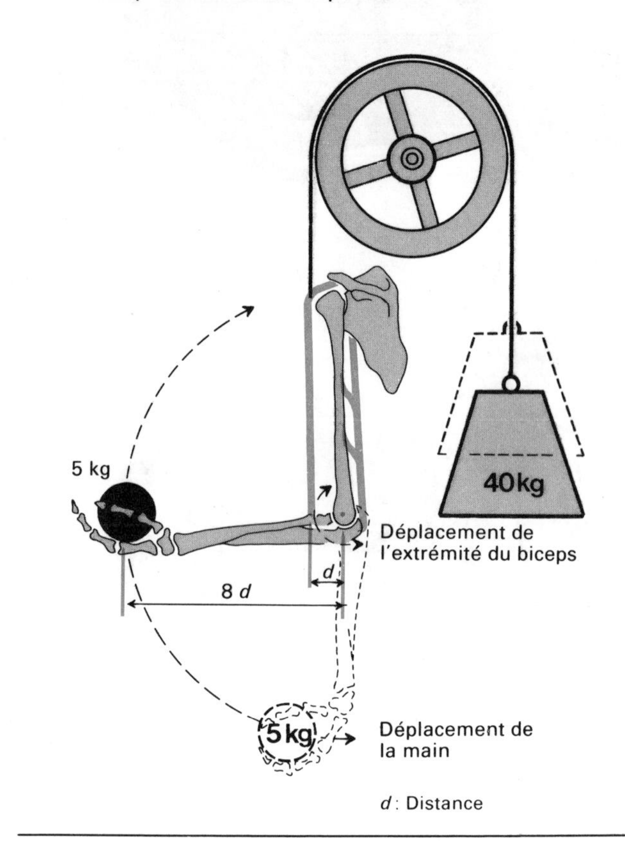

3. Le triceps brachial, muscle antagoniste du biceps

Le triceps brachial est situé à l'arrière du bras. Il ressemble au biceps, mais il se divise en trois branches au lieu de deux.

En se contractant, le triceps étend l'avant-bras dans le prolongement du bras ; son action est donc inverse de celle du biceps. Alors que le biceps est un *muscle fléchisseur*, le triceps est un *muscle extenseur*. Biceps et triceps forment un couple de *muscles antagonistes*.

- Lorsque tu es accroupi(e), tes membres inférieurs sont-ils en flexion ou en extension ? Quels muscles doivent travailler pour te mettre debout : des fléchisseurs ou des extenseurs ?

Figure 8-28.
Le couple biceps-triceps.

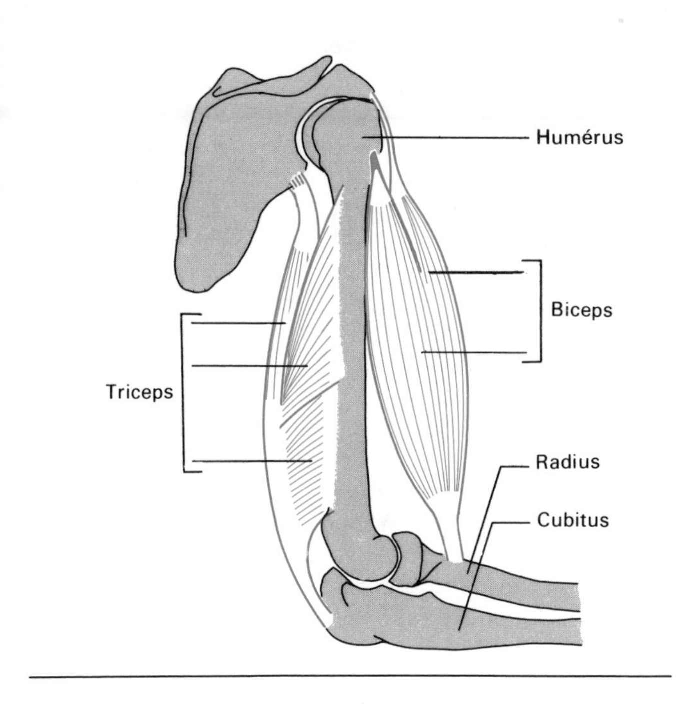

4. Un muscle moteur du bras : le deltoïde

Le deltoïde est le muscle triangulaire qui recouvre l'articulation de l'épaule et forme le renflement du haut du bras. Le ventre du muscle est fixé directement sur l'omoplate, la clavicule et l'humérus.

Figure 8-29.
Le deltoïde.

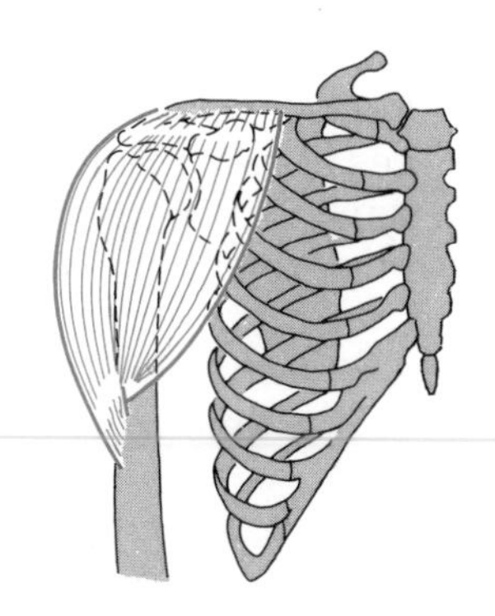

Selon les parties du deltoïde qui se contractent, ce muscle peut élever le bras vers l'avant, vers l'arrière, ou l'écarter du tronc (mouvement d'*abduction*). Il permet donc de faire tourner le bras autour de l'articulation de l'épaule.

5. Les propriétés du muscle

Les expériences classiques destinées à montrer les propriétés des muscles sont facilement réalisables sur la grenouille.

Figure 8-30.
Les excitants du muscle.

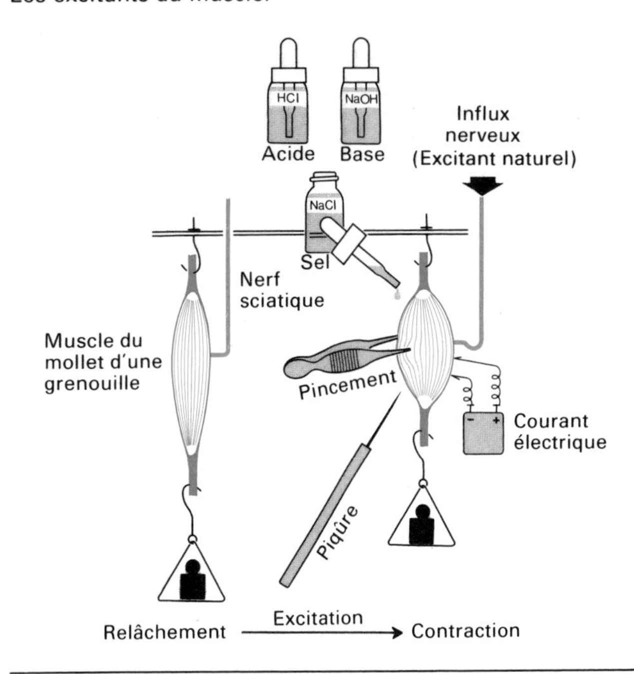

L'élasticité. Le muscle reprend sa longueur initiale après avoir été modérément étiré : il est élastique.

L'excitabilité. Le muscle réagit à différents excitants en se contractant : il est *excitable* et *contractile*. Le courant électrique est un excitant particulièrement pratique d'emploi ; il ne détériore pas le muscle ; son intensité et sa durée sont facilement réglables et on peut l'appliquer de façon répétée. Il est donc souvent employé dans les expériences.

Dans l'organisme, l'excitant vient d'un nerf : c'est *l'influx nerveux*. Une fibre nerveuse stimule en même temps entre 10 et 100 fibres musculaires auxquelles elle se rattache. On appelle *unité motrice* l'ensemble constitué par une fibre nerveuse et les fibres musculaires qu'elle commande. Rappelons ici que les influx moteurs volontaires prennent naissance dans l'écorce cérébrale située du côté opposé à celui où s'effectue le mouvement.

La contractilité. La contraction d'un muscle est la somme des contractions de ses fibres. La contraction d'une fibre musculaire est totale ou nulle, jamais intermédiaire : c'est la loi dite du tout ou rien. Par contre, un muscle dans son ensemble peut se contracter de façon graduelle. C'est donc le nombre d'unités motrices en action qui fait la différence entre une faible et une forte contraction musculaire.

Une contraction musculaire durable se nomme *tétanos physiologique*. Elle est commandée par des influx nerveux successifs très rapprochés, et persiste avec eux.

Le courant électrique domestique stimule artificiellement les muscles 120 fois par seconde; il déclenche un tétanos physiologique. Ne commets jamais l'imprudence d'entrer en contact, même indirectement, avec un fil électrique sous tension; tu pourrais être incapable de réagir et tu risquerais l'asphyxie à la suite du blocage de tes muscles respiratoires.

Figure 8-31.
La contraction des fibres musculaires.

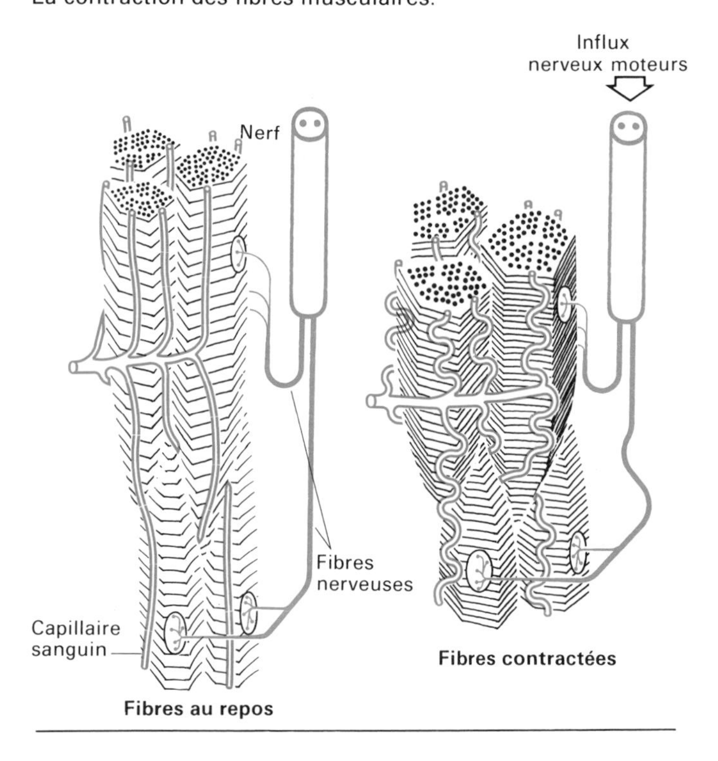

La tonicité. Nos postures sont déterminées par de légères contractions permanentes de nos muscles. On appelle tonicité, ou *tonus* musculaire, ce phénomène commandé par le système nerveux, qui s'atténue beaucoup pendant le sommeil.

En ce moment tu es éveillé(e), nous le supposons en tout cas. Tu dois te concentrer si tu veux faire disparaître le tonus de tes muscles et prendre ainsi conscience de son existence. Par exemple, tu peux décontracter le visage, laisser retomber les épaules, amollir les bras et les jambes... Cela s'appelle se relaxer; cette pratique peut être très utile dans les moments d'énervement.

- Qu'est-ce qu'une crampe?
- Pourquoi une redoutable maladie infectieuse a-t-elle été nommée tétanos?
- As-tu déjà été victime d'un choc électrique sérieux? Dans quelles circonstances? Qu'as-tu ressenti? Si tu étais témoin d'un tel accident, que devrais-tu faire et surtout ne pas faire?
- Dans quelles circonstances dit-on d'une personne qu'elle manque de tonus?

6. La coopération entre les muscles, le système circulatoire et le système respiratoire

Les muscles réussissent à transformer en travail mécanique environ 25 % de l'énergie chimique des carburants qu'ils brûlent (le glucose, par exemple). Le reste est perdu sous forme de chaleur. On dit que leur rendement est de 25 %. Cette performance est médiocre, comparée à celle des moteurs à essence, dont le rendement peut aller jusqu'à 40 %.

Le travail d'un muscle et sa production de dioxyde de carbone (emporté par le sang) sont proportionnels à sa consommation de carburants et d'oxygène (apportés par le sang); c'est pourquoi les muscles sont des organes très riches en vaisseaux sanguins. Au maximum de son effort, un muscle peut dépenser jusqu'à 10 fois plus d'énergie qu'au repos. Le débit du sang qui le traverse augmente alors à peu près dans la même proportion, par suite des phénomènes suivants:
— La dilatation des capillaires;
— L'accélération des battements du cœur;
— L'élévation de la pression artérielle.
La respiration s'accélère en même temps que la circulation.

La fatigue musculaire. Un muscle au travail n'est pas toujours suffisamment approvisionné en oxygène par le système cardiorespiratoire, surtout si celui-ci est déficient. Dans ces conditions, le muscle ne brûle plus complètement son principal carburant, le glucose; il le gaspille en le transformant en un déchet nommé *acide lactique*. Si le muscle continue malgré tout son effort, l'acide lactique s'accumule et provoque une sensation douloureuse; en même temps, il empêche les fibres musculaires de se contracter, ce qui amène le relâchement du muscle. Tout cela constitue le phénomène de la fatigue musculaire.

Une autre forme de fatigue musculaire, beaucoup plus rare, est causée par l'épuisement des réserves de carburants disponibles dans le corps. On l'observe parfois chez les marathonien(ne)s. Les athlètes la préviennent au besoin en absorbant des tablettes de glucose lors d'une épreuve sportive.

Figure 8-32.
L'oxygénation du muscle.

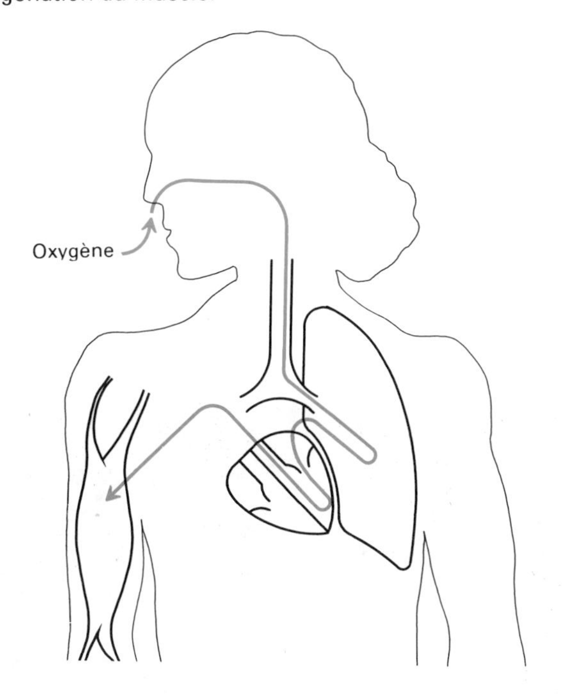

• Lorsque tu montes rapidement un escalier d'une vingtaine de marches, à quel moment ton cœur bat-il le plus vite : quand tu montes ou quand tu as fini de monter ? Et ta respiration, quand est-elle la plus rapide ? Que ressens-tu une fois arrivé(e) en haut ? Pendant combien de temps ? Saurais-tu l'expliquer ?

Que devient l'acide lactique ?

La fatigue disparaît lorsque l'acide lactique du muscle revenu au repos se déverse dans le sang. Une partie de ce déchet est éliminée dans l'urine ; une autre partie est transformée dans le foie en glucose réutilisable par le muscle... L'art d'accommoder les restes, en somme.

L'adaptabilité des muscles à l'effort

Les muscles sont capables de s'adapter aux efforts que nous exigeons d'eux. Ils se renforcent en travaillant ; leurs tendons deviennent plus solides ; leurs fibres grossissent (leur nombre ne change pas) et leurs capillaires sanguins se développent. La force de chaque fibre étant augmentée, moins de fibres sont alors nécessaires pour un même travail du muscle ; les groupes de fibres qui se relaient dans l'action ont donc plus de temps pour se reposer.

7. Les moyens d'accroître la résistance à la fatigue musculaire

Il existe différents moyens d'accroître la résistance à la fatigue musculaire. Énumérons-en quelques-uns.

L'entraînement. S'entraîner signifie ici pratiquer des exercices physiques réguliers et gradués, en particulier dans le but de faire reculer le seuil de la fatigue.

L'exercice renforce non seulement les muscles qu'il fait travailler directement, mais aussi le cœur et les muscles respiratoires. L'organisme augmente ainsi sa capacité d'absorber de l'oxygène, et les muscles en bénéficient lorsqu'ils entrent en action.

Le rythme de travail. Il faut savoir adopter un rythme de travail régulier et réaliste, en rapport avec sa forme physique et l'importance de l'effort anticipé.

À vouloir « achever avant d'avoir commencé » (le déneigement d'une entrée, par exemple), on risque de s'arrêter épuisé(e) au bout de quelques minutes. En adoptant dès le départ un rythme de travail modéré, on gagnera du temps et on évitera de la fatigue.

L'alternance travail-détente. La pause ne devrait pas être commandée par la fatigue ; elle devrait au contraire être prévue d'avance et considérée comme faisant partie du travail. Savoir se détendre entre deux périodes actives est aussi important que de savoir travailler. D'autre part, de bonnes nuits de sommeil sont nécessaires pour bien reposer à la fois les muscles et le système nerveux qui les commande.

Une alimentation convenable. L'alimentation doit s'adapter à l'effort musculaire ; les vrais sportifs et les vraies sportives le savent, et surveillent leur régime alimentaire.

Tu sais par expérience qu'un repas trop lourd ne prédispose pas à l'effort physique ; le creux à l'estomac non plus. Ce que nous appelons la collation constitue le repas léger idéal qui prépare l'entrée en action des muscles.

D'une façon générale, les glucides, aliments énergétiques plus légers à digérer et plus rapidement utilisables que les lipides, devraient être préférés en vue du travail musculaire. Les crudités ne devraient pas être négligées, car elles sont riches en vitamines B et C qui facilitent l'utilisation du glucose par le muscle.

Une aération suffisante. L'oxygène doit parvenir abondamment au travailleur ou à la travailleuse, au sportif ou à la sportive. Un local bien aéré et un col ouvert pour faciliter la respiration font partie de ces petits riens qui, mis bout à bout, finissent par faire la différence entre l'épuisement et la simple fatigue qui accompagne la satisfaction de l'effort accompli.

- Si tu désirais participer dans quelques années au marathon de Montréal, quelle discipline de vie devrais-tu t'imposer d'ici là ?
- Dans un marathon, ceux qui partent « en flèche » sont-ils les premiers à l'arrivée ? Pourquoi ?
- Pourquoi l'entraîneur d'une équipe de hockey impose-t-il le couvre-feu à ses joueurs à la veille d'une partie importante ?
- On applique parfois un inhalateur sur le visage d'un coureur ou d'une coureuse de fond épuisé(e). Que lui administre-t-on de la sorte ? Pourquoi ?
- Y a-t-il des travaux fatigants que tu aimerais faire pour le seul plaisir ? Lesquels ?

Les muscles en chiffres

Les muscles squelettiques représentent, à eux seuls, 40 % de la masse du corps. Les auteurs ne s'entendent pas sur leur nombre ; certains en comptent plus de 400 et d'autres, plus de 650.

La longueur des fibres musculaires peut dépasser 4 cm, pour un diamètre de l'ordre de $\frac{1}{10}$ mm.

Une section de muscle montre, au microscope, plus de 2000 sections de capillaires sanguins par millimètre carré.

Dans les muscles moteurs de la main, une fibre nerveuse commande environ 10 fibres musculaires. Dans ceux du pied, une fibre nerveuse commande environ 100 fibres musculaires. Tire toi-même la conclusion de ces données pour expliquer scientifiquement l'expression « écrire comme un pied ».

Marathon international de Montréal

Quelles formes prend l'énergie dépensée par ces athlètes ?

à toi de jouer

1. LOCALISER EXPÉRIMENTALEMENT LE MUSCLE RESPONSABLE :
   - DE LA FLEXION DE L'AVANT-BRAS ;
   - DE L'ABDUCTION DU BRAS.

Pour situer les muscles responsables d'un mouvement donné, il faut bloquer le mouvement. On palpe alors à travers la peau les muscles contractés (durcis).

— Tu peux bloquer le mouvement de flexion de l'avant-bras en glissant la main sous la table devant laquelle tu es assis(e), et en essayant — sans forcer outre mesure — de la soulever ;

— Tu peux bloquer le mouvement d'abduction du bras (éloignement du tronc) en essayant de repousser de côté, avec le coude, une table ou un mur ;

— Apprécie bien l'étendue des deux muscles responsables principalement de ces deux mouvements ; utilise le texte notionnel pour identifier ces deux muscles ;

— À plusieurs reprises, laisse reposer sur la table l'avant-bras à demi fléchi, puis soulève-le ; palpe, au creux du coude, le tendon inférieur du muscle fléchisseur de l'avant-bras ; constate la variation de sa tension ;

— Reproduis et complète le tableau suivant :

Tableau 8-8.

Le rôle de deux muscles.

Mouvements	Principaux muscles responsables
Flexion de l'avant-bras	•
Abduction du bras	•

2. NOMMER LES CHANGEMENTS OBSERVABLES VISUELLEMENT QUE SUBISSENT LES MUSCLES LORS DE LEUR CONTRACTION.

a) Soit un muscle en fuseau qui se contracte. Comment varie sa longueur ? Comment varie son plus grand diamètre ?

b) L'expérience décrite ci-dessus a été réalisée sur une patte de grenouille. Tires-en la conclusion en ce qui a trait au volume du muscle.

Figure 8-33.

L'étude expérimentale d'un aspect de la contraction musculaire.

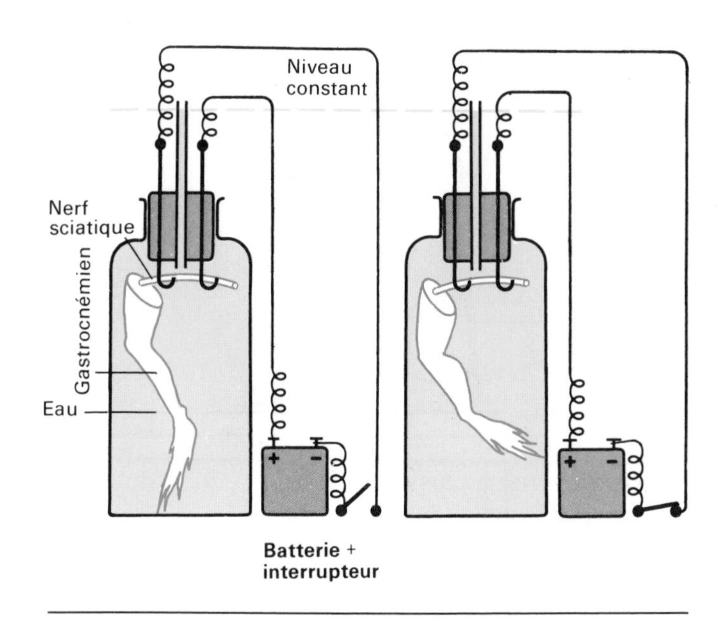

Le muscle gastrocnémien est extenseur du pied ; il est stimulé ici par l'intermédiaire du nerf sciatique.

3. IDENTIFIER SUR UN MUSCLE SES DIFFÉRENTES PARTIES.

Le principal muscle du mollet se nomme gastrocnémien.

— Place-toi debout, pieds joints ; penche-toi et saisis à pleines mains tes deux mollets ;

— Dresse-toi maintenant sur la pointe des pieds ;

a) Quel terme général désigne la partie active du gastrocnémien dont tu perçois la contraction ?

b) Cherche le nom du lien qui rattache ce muscle à l'os du talon (il porte le nom d'un célèbre héros de la guerre de Troie).

c) Nomme l'enveloppe fibreuse dont le lien en question est le prolongement.

4. DÉMONTRER, À L'AIDE D'UN SCHÉMA OU D'UN MODÈLE, QUE LA CONTRACTION MUSCULAIRE AMÈNE LE MOUVEMENT.

a) Reproduis la figure 8-34 en modifiant la position du pied. Représente-le en extension, talon relevé, tel qu'il est lorsque tu te hisses sur la pointe des pieds. Respecte bien la position des orteils. Annote le schéma.

Figure 8-34.
Le muscle gastrocnémien.

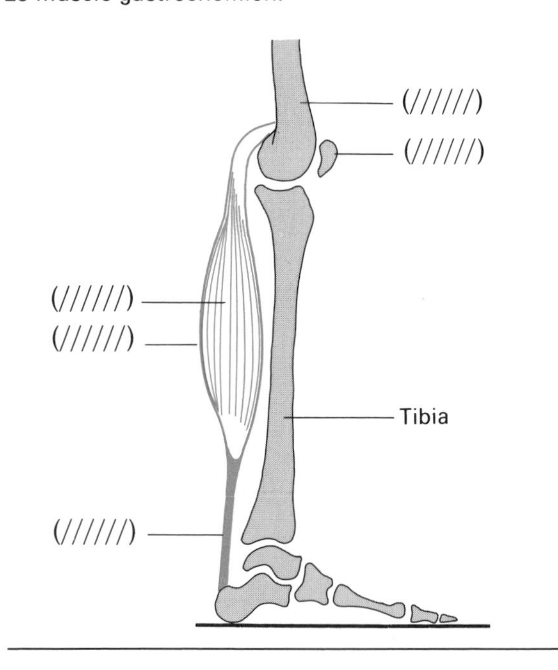

b) Expérimente à plusieurs reprises l'action du gastrocnémien.

c) Quels sont les seuls organes qui ne se soulèvent pas lors de sa contraction ?

5. DÉMONTRER QUE LA FIXATION D'UN MUSCLE SUR L'OS EST ESSENTIELLE.

Explique quelle serait la conséquence du sectionnement du tendon d'Achille sur l'action du gastrocnémien.

6. À L'AIDE D'UN SCHÉMA OU D'UN MODÈLE, DÉMONTRER L'EFFET ANTAGONISTE DU BICEPS ET DU TRICEPS.

Les lignes rouges du schéma symbolisent le biceps et le triceps.

Figure 8-35.
Le principe d'action du couple biceps-triceps.

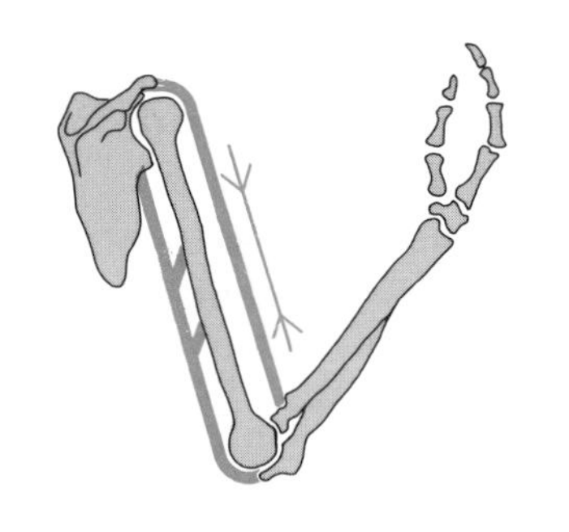

a) Dans le style du schéma ci-dessus, représente l'avant-bras en extension. Indique, par une double flèche, l'action du muscle actif.

b) Reproduis le tableau 8-9 et complète-le avec les termes suivants : relâché, contracté.

Tableau 8-9.
L'antagonisme biceps-triceps.

	État des muscles	
Mouvements de l'avant-bras	Biceps	Triceps
Flexion	•	•
Extension	•	•

7. DONNER LA NATURE DES EXCITANTS QUI PEUVENT FAIRE RÉAGIR UN MUSCLE.

Identifie et classe les excitants susceptibles de provoquer la contraction d'un muscle. Présente-les selon le modèle du tableau 8-10.

Tableau 8-10.
Les stimulus du muscle.

Types	Excitants
Chocs physiques	• •
Excitants chimiques	• • •
Excitant expérimental physique de choix	•
Excitant physiologique	•

8. TRACER SUR UN SCHÉMA LE TRAJET PARCOURU PAR L'INFLUX NERVEUX LORS D'UN ACTE VOLONTAIRE.

Figure 8-36.
Le trajet des influx nerveux volontaires.

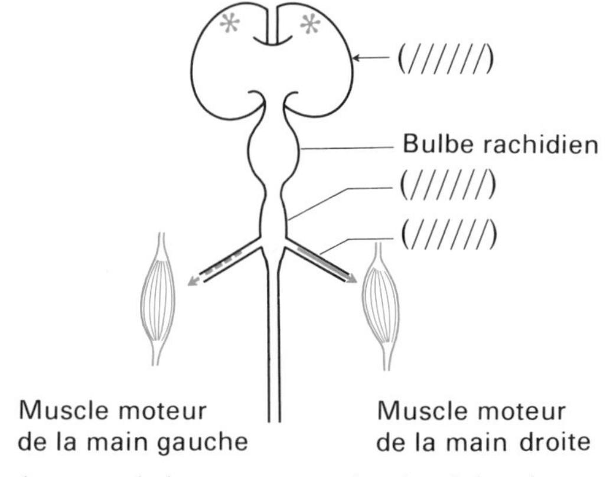

* Centre de commande des mouvements volontaires de la main.

a) Reproduis la figure 8-36. Complète la légende avec les termes suivants : moelle épinière, cerveau, nerf.

Dans la figure 8-36, la coupe très simplifiée des hémisphères cérébraux passe par la zone motrice volontaire.

b) Sur le schéma, trace deux lignes rouges indiquant le trajet suivi par l'influx nerveux qui commande un mouvement volontaire de la main. La ligne aboutissant à droite sera continue ; la ligne aboutissant à gauche sera pointillée.

On se rappellera qu'un hémisphère cérébral commande la main située du côté opposé.

9. DÉFINIR ÉLASTICITÉ MUSCULAIRE.

a) Établis la différence entre les propriétés mécaniques de la gomme à mâcher et celles de la gomme à effacer.

b) Définis l'élasticité d'un muscle.

10. NOMMER DEUX CAUSES DE LA FATIGUE MUSCULAIRE.

a) Nomme un carburant essentiel du muscle.

b) Explique quelle conversion d'énergie est opérée par le muscle.

c) Nomme l'élément transporté par le sang qui permet au muscle de brûler complètement son carburant.

d) Cite les deux déchets produits par la combustion normale du glucose dans les fibres musculaires.

e) Cite le déchet dérivé du glucose qui s'accumule dans un muscle sous-oxygéné. Nomme la sensation dont il est responsable.

f) Comment varie le nombre de fibres en action dans le muscle à mesure que ce déchet s'y accumule ? Pourquoi ?

11. NOMMER QUATRE MOYENS D'ACCROÎTRE LA RÉSISTANCE À LA FATIGUE MUSCULAIRE.

a) Cite une façon de renforcer la musculature.

b) Cite deux aspects de l'organisation du travail susceptibles d'épargner de la fatigue.

c) Cite trois types d'aliments favorisant à court terme le travail musculaire.

d) Cite une disposition du local de travail susceptible d'éviter de la fatigue.

VA PLUS LOIN

1. Enquête sur deux sports populaires

La course à pied est une activité physique très discutée. Certains l'approuvent sans réserve, d'autres l'accusent de nuire à la santé.

Le ski de fond est une activité physique très populaire et particulièrement bien adaptée à notre milieu de vie.

Enquête sur la course à pied ou sur le ski de fond et présente ton rapport selon le plan suivant :

— La définition de l'activité ;
— Qui peut la pratiquer et qui ne le devrait pas ;
— Les risques qu'elle comporte ;
— Les avantages qu'elle procure ;
— L'équipement nécessaire, son prix, où on peut se le procurer ;
— Le déroulement d'une pratique bien menée ;
— Le programme d'entraînement de ceux et celles qui font de la compétition ;
— L'alimentation recommandée pour ceux et celles qui pratiquent l'activité ;
— Où et quand on peut pratiquer l'activité dans la région ; à quelles conditions ;
— Le calendrier des principales manifestations ouvertes au grand public dans la province ou les environs ;
— En conclusion, pourquoi tu as décidé de faire ou de ne pas faire de la course à pied ou du ski de fond.

2. Enquête sur les exercices de musculation

Recherche, en vue d'une démonstration en classe, des exercices de musculation simples, réalisables sans accessoires spécialisés. Identifie bien, à chaque fois, le groupe de muscles appelés à travailler et à se développer.

FAIS LE POINT

SECTION A La structure générale du corps

1. Note la série qui associe correctement les grandes régions du corps, telles qu'indiquées sur la figure 8-37, à leurs noms.

Figure 8-37.
Les grandes régions du corps.

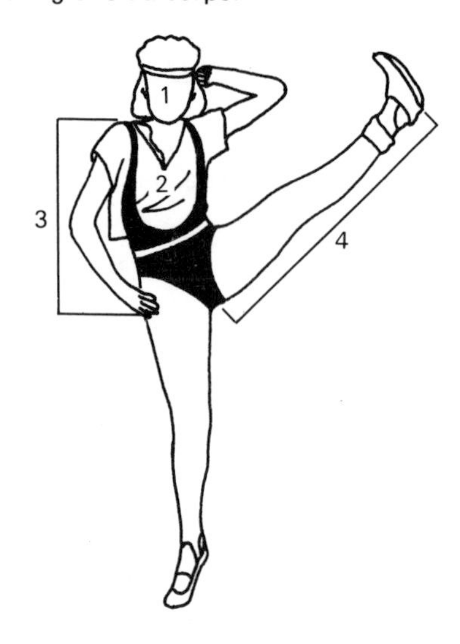

Les noms des régions

a. Tête
b. Crâne
c. Ventre
d. Tronc
e. Membre supérieur
f. Bras
g. Jambe
h. Membre inférieur

a) 1-a, 2-d, 3-e, 4-h
b) 1-a, 2-c, 3-e, 4-h
c) 1-b, 2-c, 3-e, 4-h
d) 1-b, 2-c, 3-f, 4-g

2. La position surélevée de la tête et la liberté des membres antérieurs sont deux caractéristiques de notre station verticale. Elles favorisent respectivement :
a) la gustation et la course.
b) la vision et la préhension.
c) la circulation et la locomotion.
d) l'olfaction et la course.

SECTION B Le squelette

1. Note le schéma qui délimite correctement la face et le crâne.

Figure 8-38.
La face et le crâne.

a) 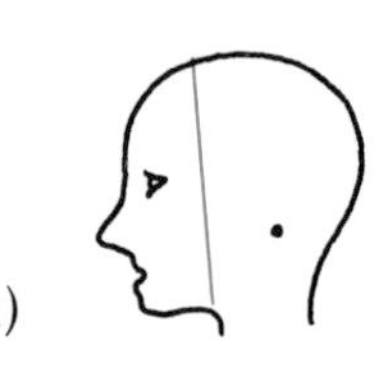

b) 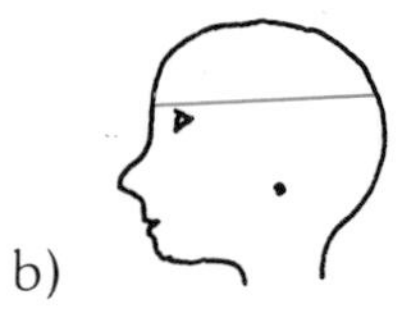

c) 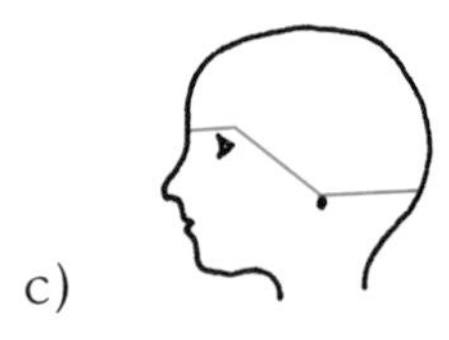

d) 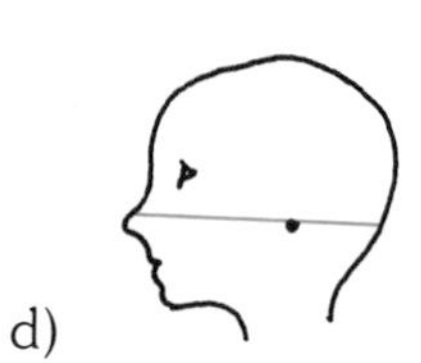

2. « Ensemble d'os plats disposés en voûte et unis entre eux de manière à ne permettre aucun mouvement chez l'adulte. » Cette description s'applique :
a) à la cage thoracique.
b) au bassin.
c) à la face.
d) au crâne.

3. La principale fonction du crâne consiste à protéger :
a) le cerveau seulement.
b) l'encéphale seulement.
c) tous les centres nerveux.
d) tout le système nerveux cérébro-spinal.

4. Dans les formules ci-dessous, les lettres C, V et S symbolisent respectivement les côtes, les vertèbres dorsales et le sternum. Note la formule qui s'applique à la cage thoracique.
a) 12 (V + S + C)
b) 12 (V + S) + C
c) 12 (V + C) + S
d) 12 (2C + V) + S

5. Les côtes sont :
a) immobiles.
b) mobiles de droite à gauche.
c) mobiles de haut en bas.
d) soudées entre elles.

6. Une cause de l'inspiration pulmonaire est :
a) la contraction de la cage thoracique.
b) l'augmentation de volume de la cage thoracique.
c) la dilatation active des poumons.
d) l'élasticité des poumons qui les ramène à leur volume initial après une contraction active.

7. Note le schéma qui représente la colonne vertébrale vue du côté droit.

Figure 8-39.
La colonne vertébrale vue du côté droit.

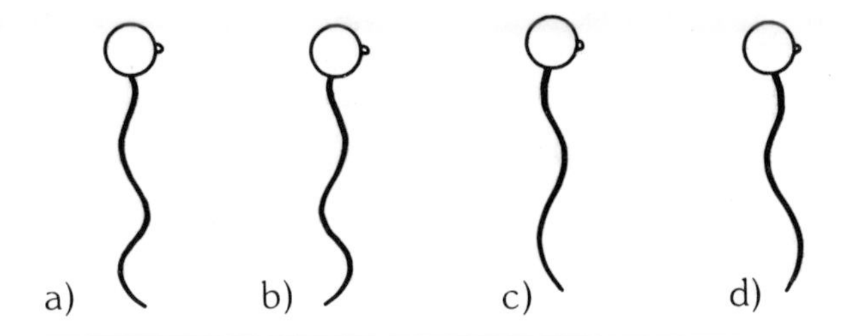

8. La colonne vertébrale comprend :
a) 33 vertèbres formant 33 os.
b) 33 vertèbres formant 26 os.
c) 12 vertèbres formant 12 os.
d) 24 vertèbres formant 20 os.

9. Les principaux liens qui unissent les vertèbres se nomment :
a) disques intervertébraux.
b) facettes articulaires.
c) ligaments alvéolaires.
d) apophyses articulaires.

10. Le mode d'articulation des vertèbres leur permet :
a) des mouvements amples.
b) des mouvements réduits.
c) des mouvements imperceptibles et occasionnels.
d) de ne jamais bouger les unes par rapport aux autres.

11. Note la propriété que la colonne vertébrale ne possède pas.
a) La rigidité.
b) La souplesse.
c) La résistance aux chocs.
d) La déformabilité d'ensemble.

12. Les articulations qui permettent respectivement la rotation et l'inclinaison de la tête sont les articulations :
a) crâne-atlas et atlas-axis.
b) atlas-axis et crâne-atlas.
c) crâne-axis et atlas-axis.
d) atlas-axis et crâne-axis.

13. Dans les membres, les surfaces articulaires sphériques et cylindriques permettent respectivement des mouvements :
a) de flexion et de torsion.
b) de flexion et de rotation.
c) de torsion et de flexion.
d) de rotation et de flexion.

14. Note la série d'associations correcte.

Les segments du membre supérieur
1. Avant-bras
2. Bras
3. Ceinture scapulaire
4. Main

Les segments du membre inférieur
a. Ceinture pelvienne
b. Cuisse
c. Jambe
d. Pied

a) 1-c, 2-b, 3-d, 4-a
b) 1-d, 2-a, 3-c, 4-b
c) 1-c, 2-b, 3-a, 4-d
d) 1-b, 2-c, 3-a, 4-d

15. Note la série d'associations correcte.

Les articulations du membre supérieur
1. Coude
2. Épaule
3. Poignet

Les articulations du membre inférieur
a. Cou de pied
b. Genou
c. Hanche

a) 1-b, 2-c, 3-a
b) 1-c, 2-b, 3-a
c) 1-a, 2-c, 3-b
d) 1-c, 2-a, 3-b

16. Les principaux liens qui unissent les os en limitant le moins possible leurs mouvements se nomment :
a) tendons.
b) cartilages.
c) ligaments.
d) surfaces articulaires.

17. Note la série qui associe correctement les structures de l'os, telles qu'indiquées sur la figure 8-40, à leurs noms.

Figure 8-40.
La coupe d'un humérus de veau.

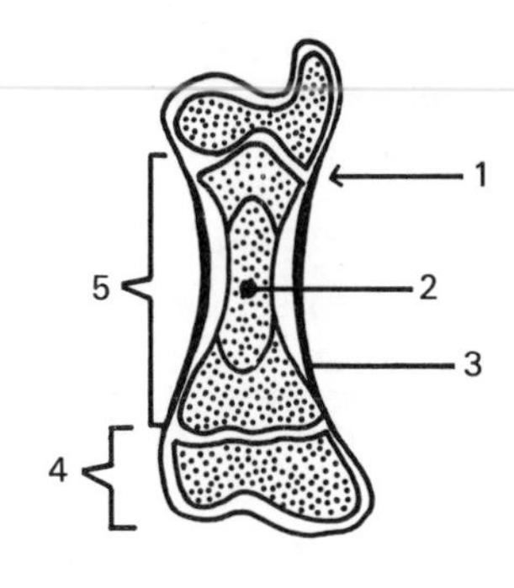

Les noms des structures

a. Cartilage de croissance
b. Corps de l'os
c. Tête de l'os
d. Moelle jaune
e. Périoste

a) 1-e, 2-d, 3-a, 4-b, 5-c
b) 1-c, 2-a, 3-d, 4-e, 5-b
c) 1-a, 2-d, 3-e, 4-c, 5-b
d) 1-e, 2-b, 3-c, 4-a, 5-d

18. La substance molle qui emplit les cavités de l'os spongieux se nomme :
a) moelle jaune.
b) moelle rouge.
c) matière grise.
d) matière blanche.

19. Note la série d'associations correcte.
Des tissus de l'os
1. Cartilage
2. Moelle rouge
3. Périoste

Leurs fonctions
a. Croissance en épaisseur
b. Croissance en longueur
c. Formation des globules rouges

a) 1-a, 2-b, 3-c
b) 1-b, 2-a, 3-c
c) 1-a, 2-c, 3-b
d) 1-b, 2-c, 3-a

20. Michel a raté une marche en descendant un escalier ; il s'est tordu le pied. Sa cheville est très enflée et douloureuse.

Odile a fait une chute en patinant ; elle est tombée sur sa main droite. Elle a très mal dans la région du coude droit et ne peut plus bouger son avant-bras. Une drôle de saillie est palpable à la pointe du coude. En essayant de manœuvrer l'avant-bras immobilisé avec sa main valide, Odile ne perçoit aucun crépitement.

Marc a fait une mauvaise chute en ski ; sa jambe droite, qui le fait atrocement souffrir, a pris une courbure anormale. Dès qu'il cherche à bouger sa jambe blessée, Marc perçoit des crépitements internes.

D'après ces informations, il semble bien que :

a) Michel a une entorse, Odile une fracture et Marc une luxation.

b) Michel a une fracture, Odile une luxation et Marc une entorse.

c) Michel a une entorse, Odile une luxation et Marc une fracture.

d) Michel a une fracture, Odile une entorse et Marc une luxation.

21. Dans une clinique près d'un centre de ski, trois blessés ont reçu des soins.

Les soins reçus
1. Réduction et pose d'un plâtre
2. Remise en contact des surfaces articulaires et pose d'un plâtre
3. Pose d'un bandage

Les types de blessures probables
a. Fracture
b. Entorse
c. Luxation

Note la série d'associations correcte.
a) 1-a, 2-b, 3-c
b) 1-a, 2-c, 3-b
c) 1-b, 2-c, 3-a
d) 1-c, 2-a, 3-b

22. Note le facteur le moins indispensable au développement normal du squelette.
a) Une alimentation riche en calcium et en phosphore.
b) Une alimentation riche en glucides.
c) Une alimentation riche en vitamines D et A.
d) Un fonctionnement normal de la thyroïde et de l'hypophyse.

SECTION C Les muscles

1. Note les associations correctes entre les muscles localisés sur la figure 8-41 et leurs fonctions.

Les fonctions des muscles localisés
a. Abduction du bras
b. Flexion de l'avant-bras

Figure 8-41.

La localisation de quelques muscles moteurs du membre supérieur.

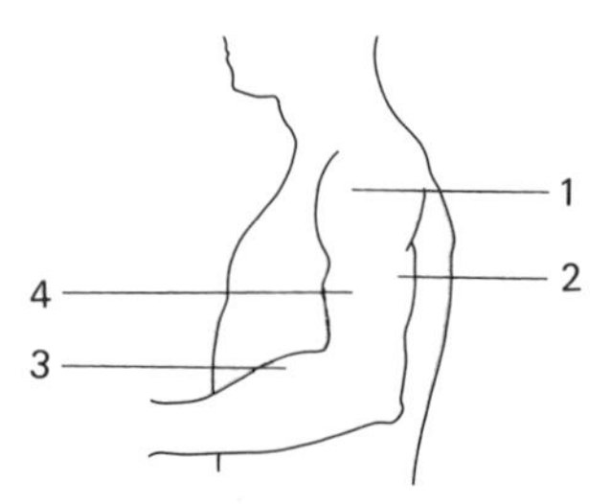

a) 1-a, 2-b
b) 1-a, 3-b
c) 4-a, 2-b
d) 1-a, 4-b

2. Note les associations correctes.

Des muscles
1. Biceps brachial
2. Deltoïde

Leurs actions
a. Abduction du bras
b. Extension
c. Flexion de l'avant-bras

a) 1-a, 2-b
b) 1-b, 2-a
c) 2-a, 3-b
d) 3-a, 1-b

3. Lorsqu'un muscle se contracte :
a) il se raccourcit et garde son volume.
b) il se raccourcit et augmente son volume.
c) il s'allonge et garde son volume.
d) il s'allonge et augmente son volume.

4. Note la série d'associations correcte entre les structures du muscle, telles qu'indiquées sur la figure 8-42, et leurs noms.

Les noms des structures
a. Aponévrose
b. Ligament
c. Tendon
d. Ventre

Figure 8-42.
Le biceps brachial

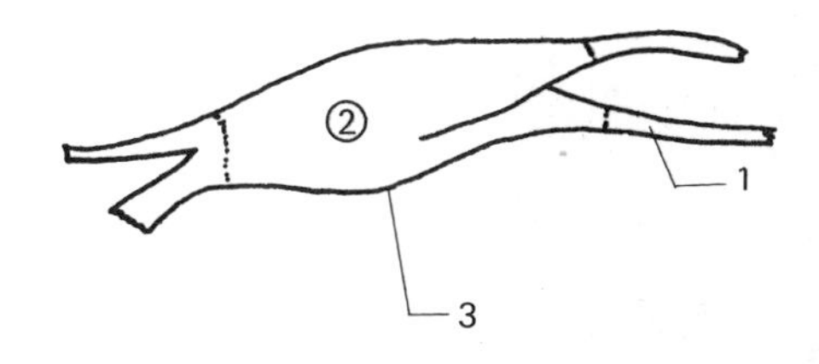

a) 1-c, 2-d, 3-a
b) 1-b, 2-d, 3-a
c) 1-c, 2-a, 3-d
d) 1-b, 2-a, 3-d

5. Les muscles sont essentiellement des :
a) moteurs biologiques.
b) stimulants des os.
c) réserves de nourriture.
d) masses destinées à parfaire la silhouette.

6. Quel mouvement deviendrait impossible si le tendon que l'on sent au creux du coude était coupé ?
a) L'abduction du bras.
b) L'extension du bras.
c) La flexion de l'avant-bras.
d) La flexion du bras.

Figure 8-43.
Deux muscles.

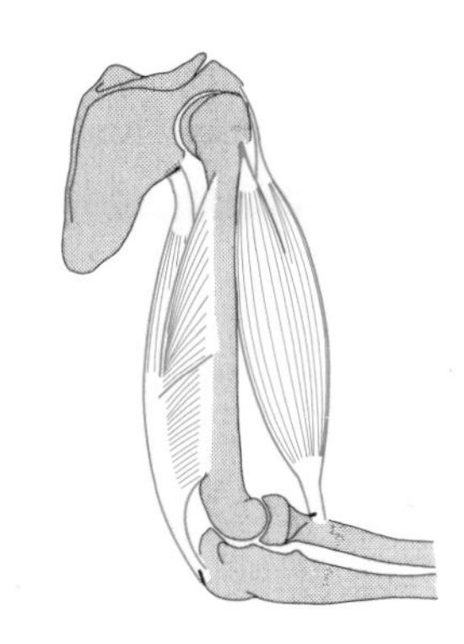

7. Les deux muscles figurés dans le schéma 8-43 sont :
a) complémentaires car l'un et l'autre sont fléchisseurs.
b) complémentaires car l'un et l'autre sont extenseurs.
c) antagonistes car l'un est fléchisseur et l'autre est extenseur.
d) complémentaires car l'un est fléchisseur et l'autre est extenseur.

8. Note la série d'associations correcte.

Des excitants du muscle
1. Acide
2. Électricité
3. Influx nerveux
4. Piqûre

La nature de ces excitants
a. Chimique
b. Physiologique
c. Physique

a) 1-a, 2-c, 3-b, 4-c
b) 1-a, 2-b, 3-c, 4-c
c) 1-a, 2-b, 3-b, 4-c
d) 1-b, 2-c, 3-b, 4-c

9. Note le schéma qui fait apparaître correctement le trajet parcouru par un influx nerveux volontaire qui commande le muscle du mollet de la jambe droite.

Figure 8-44.
Le trajet d'un influx nerveux volontaire.

a) ______

b) ______

c) ______

d) ______

10. L'expérience qui est résumée par le schéma 8-45 démontre :
a) l'excitabilité du muscle.
b) la contractilité du muscle.
c) l'antagonisme du muscle.
d) l'élasticité du muscle.

Figure 8-45.
La réaction d'un muscle à une traction plus ou moins forte.

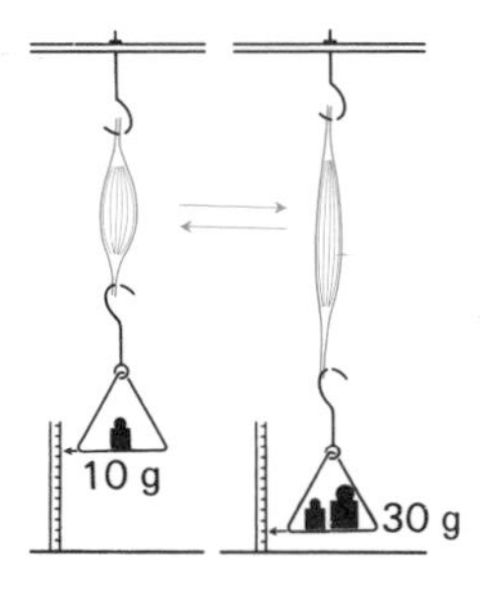

11. Parmi les causes habituelles de fatigue musculaire, on ne relève pas :
a) l'approvisionnement insuffisant en oxygène.
b) l'épuisement des réserves de carburants.
c) l'accumulation de déchets tels que l'acide lactique.
d) un taux de glucose trop élevé dans le sang.

12. Parmi les facteurs énumérés ci-dessous, note ceux qui peuvent accroître la résistance à la fatigue musculaire.
a. Des exercices musculaires réguliers et gradués.
b. Un rythme de travail adapté à la condition physique.
c. La détente après le travail.
d. Une alimentation équilibrée.
e. Une aération suffisante.
f. L'usage du tabac.
g. L'usage de l'alcool.

a) a, b, c, d, e
b) b, c, d, e, f
c) c, d, e, f, g
d) a, b, d, e, g

Société des jeux du Québec

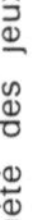

Société des jeux du Québec

Société des jeux du Québec

En plus d'une meilleure santé, on peut tirer toutes sortes de satisfactions de la pratique d'un sport. Peux-tu en citer quelques-unes?

SECTION A La structure générale du corps

1. Les trois grandes régions anatomiques du corps sont la t//////, le t////// et les m//////.
2. La position surélevée de la tête et la liberté des membres antérieurs sont deux avantages de la s////// verticale.

☐ *Quels sont les avantages d'avoir des mains qui ne touchent pas le sol lorsqu'on marche ?*

SECTION B Le squelette

1. La tête comprend deux grandes parties : le c////// et la f//////.
2. Les os du c////// sont plats, disposés en voûte, et unis entre eux de manière à ne permettre aucun m//////.
3. Le crâne protège l'e//////.
4. La c////// t////// est l'ensemble formé par les vertèbres dorsales, les côtes et le sternum. Les c////// sont articulées avec les vertèbres dorsales de façon à être légèrement mobiles de bas en haut. La plupart des côtes sont articulées avec le s//////.
5. En se relevant, les côtes font augmenter le volume de la cage thoracique et permettent ainsi l'i////// de l'air dans les poumons.
6. La c////// v////// a une forme sinueuse. Elle comprend normalement 33 vertèbres articulées les unes avec les autres par des d////// fibreux et cartilagineux permettant des mouvements réduits.
7. La c////// v////// est souple à cause de sa forme sinueuse ; elle est mobile grâce au grand nombre d'éléments qui la composent ; elle est résistante aux chocs à cause de sa forme sinueuse et de ses d////// intervertébraux.
8. L'articulation du c////// avec la première vertèbre permet d'incliner la tête d'arrière en avant. L'articulation des deux premières v////// entre elles permet de tourner la tête de droite à gauche.
9. Les surfaces articulaires en forme de poulie permettent des mouvements de f////// et d'e//////. Les surfaces articulaires en forme de boule permettent des mouvements de r//////.
10. Le membre inférieur et le membre supérieur ont fondamentalement la même organisation. Ils s'articulent l'un et l'autre à une c////// ; ils possèdent chacun trois a////// principales ; à chaque segment de l'un correspond un segment de l'autre.
11. Les l////// relient les os entre eux aux articulations. Ils sont disposés de façon à limiter le moins possible le m//////.
12. Dans un os long de jeune animal, des c////// de c////// unissent les têtes de l'os au corps de l'os. Le p////// est l'enveloppe fibreuse mince de l'os. Les cavités internes de l'os sont emplies de m////// r////// et de m////// j//////.
13. Les g////// r////// du sang se forment dans la moelle rouge. Le p////// assure la croissance en épaisseur de l'os. Les cartilages de croissance assurent la croissance en l//////.
14. On dit qu'il y a f////// lorsqu'un os est brisé. On parle de l////// lorsqu'une articulation est déboîtée, et d'e////// lorsqu'elle a simplement été forcée de façon anormale.
15. On soigne généralement les accidents du squelette en immobilisant la région atteinte. Dans le cas d'une fracture, il faut d'abord remettre bout à bout les morceaux d'os brisés : c'est la r//////. Dans le cas d'une l//////, il faut d'abord remettre en place les surfaces articulaires.

16. Pour que le squelette se développe normalement, il faut une alimentation riche en c//////, en p//////, en vitamine D et en vitamine A. De plus, les glandes endocrines telles que la t////// et l'h////// doivent fonctionner normalement.

□ *Si les os ne contiennent pas assez de sels minéraux, ils ne sont pas assez rigides. Quelles en sont les conséquences ?*

SECTION C Les muscles

1. Le b////// brachial est un muscle responsable de la f////// de l'avant-bras ; il est situé à l'avant du bras. Le d////// est un muscle responsable de l'a////// du bras ; il recouvre l'articulation de l'épaule.
2. Lorsqu'un muscle se contracte, il se r////// sans changer de v//////.
3. Le v////// d'un muscle est sa partie renflée et active. L'a////// est son enveloppe. Un t////// est un lien par lequel un muscle se rattache à un os.
4. Les os se laissent entraîner par les m////// ; les muscles sont les moteurs des os, qui entraînent à leur tour les autres organes.
5. Lorsqu'un m////// n'est plus rattaché au squelette par une de ses extrémités, il travaille à vide ; les os ne bougent pas.
6. Le b////// et le t////// forment un couple de muscles antagonistes.
7. Différents e////// peuvent faire réagir un muscle. L'électricité, une piqûre ou un pincement, sont des excitants p//////. Les acides, les bases et les sels sont des excitants c//////. L'i////// n////// est l'excitant qui agit normalement dans l'organisme ; c'est l'excitant physiologique.
8. Dans un mouvement volontaire, l'i////// n////// parcourt le trajet suivant : cerveau → moelle épinière → nerf moteur → muscle.
9. Le muscle reprend sa longueur initiale après avoir été modérément étiré : il est é//////.
10. La f////// musculaire peut avoir deux sortes de causes : l'insuffisance de l'approvisionnement des muscles en carburants et en o////// ; l'accumulation de déchets.
11. Pour accroître la résistance à la fatigue musculaire, il faut faire travailler ses muscles régulièrement et de façon graduée, adopter un bon r////// de travail, se d////// entre les périodes de travail, s'a////// correctement et disposer d'une bonne aération.

□ *Résume les liens qui existent entre la respiration, la circulation et l'activité musculaire.*

Troisième partie

La reproduction

Pourquoi la sexualité est-elle une composante essentielle de chacun(e) ?

La plupart des fonctions accomplies par un organisme sont indispensables à sa propre survie.

a) Énumère quelques fonctions indispensables à ta survie en tant qu'individu.

Les organismes accomplissent une fonction qui ne concerne pas leur survie individuelle, mais celle de leur espèce.

b) Quelle est cette fonction ?

Pour produire un nouvel être humain, deux parents sont nécessaires. Sauf exception, une communication doit alors s'établir entre eux.

c) Quelles formes cette communication peut-elle prendre ?

Le sexe masculin et le sexe féminin se complètent pour assurer la procréation.

d) Énumère les principales caractéristiques du sexe auquel tu appartiens.

e) Le fait d'être classé(e) soit comme garçon, soit comme fille, influence-t-il ta vie de tous les jours ? Donne des exemples.

f) Qu'est-ce qu'un stéréotype d'ordre sexuel ? Donnes-en un exemple.

La reproduction implique la transmission de certains caractères de chacun des parents aux enfants.

g) Une fille peut-elle ressembler à son père ? Un garçon à sa mère ? Note quelques caractères dont tu as hérité de ton père et d'autres de ta mère.

Le système reproducteur humain ne sert pas seulement à la procréation.

h) En dehors de la procréation, à quoi sert le système reproducteur ?

Chapitre 9

L'anatomie et la physiologie du système reproducteur

Comment se développent les différences entre le corps masculin et le corps féminin ?

Face à un bébé, tu as souvent du mal à dire si c'est un garçon ou une fille. Naturellement, s'il porte des chaussons bleus et si sa maman l'appelle Jean-Michel, tu commences à avoir de bonnes raisons de croire qu'il s'agit d'un garçon. Remarque bien, cependant, que ces caractères sexuels très superficiels reflètent davantage la perception que les parents ont de leur enfant que ce qu'il est biologiquement.

a) À part les organes génitaux externes, existe-t-il des différences significatives entre l'apparence d'un garçon et celle d'une fille, à l'âge de 6 mois ?

b) D'après toi, les différences physiques apparentes entre un garçon et une fille à l'âge de 8 ans sont-elles plus significatives qu'à l'âge de 6 mois ? Justifie ta réponse.

c) Existe-il des différences physiques significatives entre un garçon et une fille à l'âge de 17 ans ? Lesquelles ?

d) À l'âge de 17 ans, qui paraît le plus avancé dans son développement physique, la fille ou le garçon ?

e) Vers quel âge les différences physiques entre une fille et un garçon commencent-elles à devenir évidentes ?

f) D'après toi, quel mécanisme physiologique accentue la féminité ou la masculinité du corps, au début de l'adolescence ?

Ton appareil reproducteur c'est d'abord un ensemble d'organes intégrés dans le grand tout fonctionnel de ton corps. Ils méritent respect et attention, tout comme les autres organes, ni plus, ni moins.

Regarde autour de toi ; chaque humain représente un être unique (double, dans le cas des jumeaux vrais), une expérience que la nature ne refera sans doute jamais. C'est la *reproduction sexuée* qui assure cette diversité. Dans ce type de reproduction, un mâle et une femelle coopèrent pour produire un nouvel être à leur image, mais tout à fait original, compte tenu de l'ensemble de ses caractères. Ainsi, tu dois à tes deux parents tes caractères de base : ton sexe, la couleur de ta peau, ton groupe sanguin, ta taille, etc. Tes autres caractères, et en particulier ta personnalité, dépendent surtout du milieu dans lequel tu vis.

Ton sexe, c'est ta qualité de garçon ou de fille. Tout ce que tu vis en relation avec cette qualité représente ta sexualité. En tant que garçon ou fille, tu as certaines caractéristiques biologiques dont tu as hérité de tes parents. Ainsi, tes cellules ont un certain contenu chromosomique ; tu as une certaine anatomie et une certaine physiologie. Tu adoptes aussi certains comportements, mais ils sont probablement beaucoup plus le reflet de ton éducation en général que de ton sexe biologique.

En assurant la *procréation*, la sexualité invite les individus à se mettre au service de l'espèce en participant à sa survivance. Cette fonction reproductrice, *génitale*, est essentielle, mais ne représente pourtant qu'un aspect de la sexualité. Pour les humains, la sexualité est d'abord un moyen privilégié de communication avec certain(e)s de leurs semblables. C'est pourquoi elle influence l'équilibre psychologique de chacun(e).

Dans ce chapitre et celui qui suivra, tu trouveras l'information qui t'aidera à vivre ta sexualité de façon éclairée, étant conscient(e) de tes responsabilités et sans craindre l'inconnu ni les lendemains.

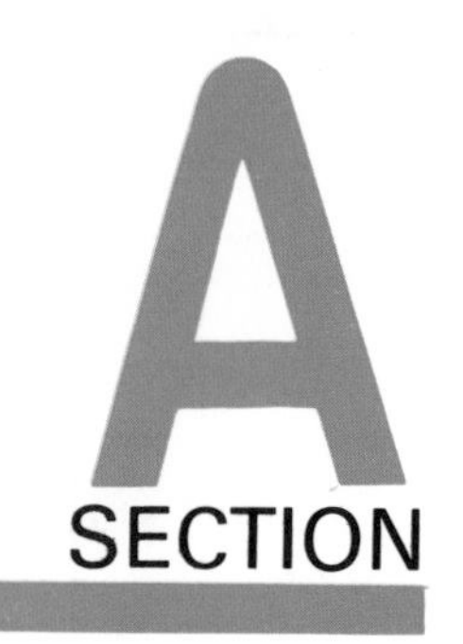

L'anatomie du système reproducteur féminin

Quel est le rôle du système reproducteur féminin dans la procréation ?

Le 25 juillet 1978, la naissance en Angleterre de Louise Brown fut annoncée au monde entier. Elle marquait une étape importante du développement de la biologie : la réussite du premier bébé éprouvette.

Pour faire naître Louise, il a fallu recueillir sur sa mère une cellule reproductrice femelle, ou ovule, que l'on a mis en contact avec des cellules reproductrices mâles, ou spermatozoïdes, provenant de son père. L'ovule est alors devenu un œuf fécondé qui a commencé immédiatement à se développer pour former un embryon. Celui-ci a été introduit dans l'organisme maternel au bout de 72 h. Il y a poursuivi normalement son développement jusqu'à la naissance.

La mère de Louise a donc contribué de deux façons à l'existence de sa fille :
— En produisant l'ovule ;
— En hébergeant et en nourrissant l'embryon.

Ces deux fonctions auraient très bien pu être remplies par deux femmes différentes.

Dans les conditions naturelles, le système reproducteur féminin remplit une troisième fonction : conduire les spermatozoïdes à la rencontre de l'ovule.

Trace un schéma du système reproducteur féminin, tel que tu l'imagines, en indiquant la fonction des différentes parties.

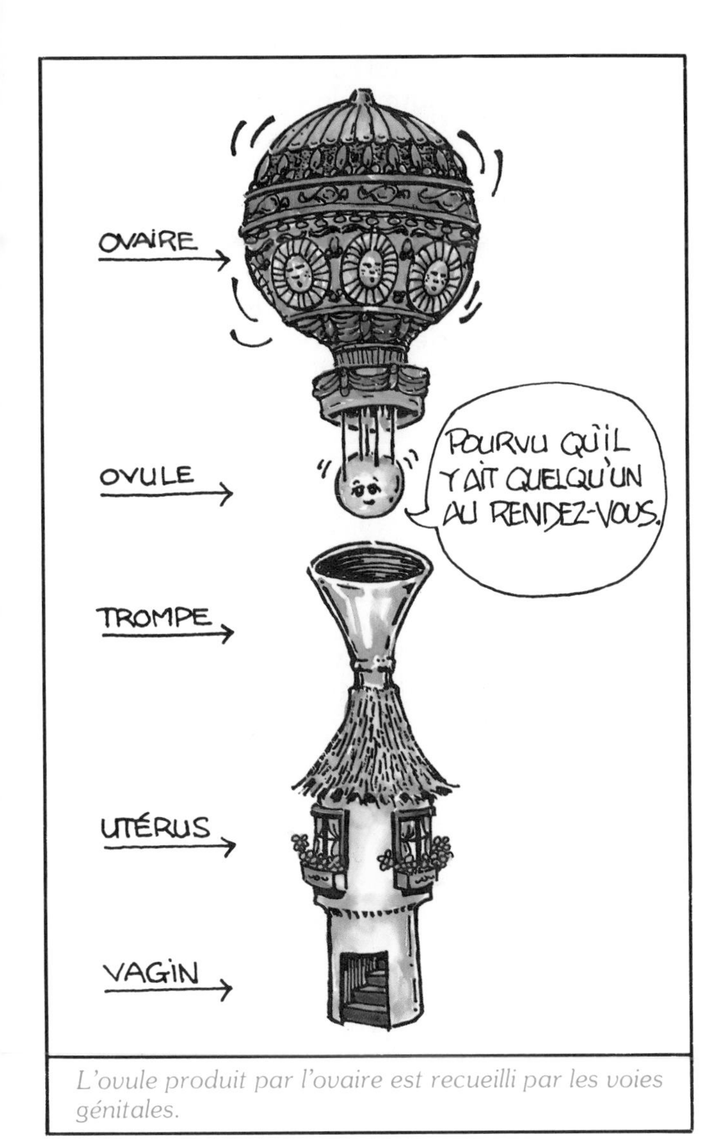

L'ovule produit par l'ovaire est recueilli par les voies génitales.

Figure 9-1.
L'appareil génital féminin vu de face.

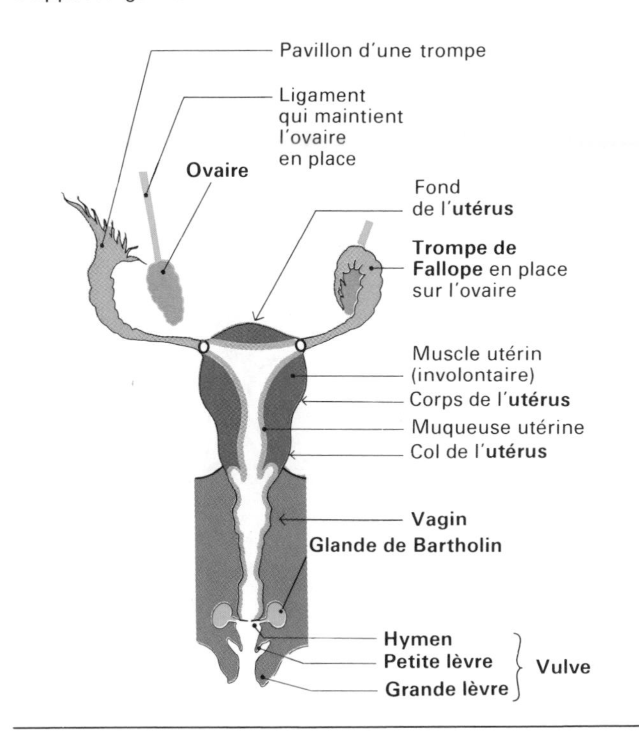

La fonction première du *système reproducteur*, ou *appareil génital*, consiste à produire et à libérer des cellules reproductrices nommées *gamètes*. L'appareil féminin accomplit cette tâche avec une régularité remarquable en libérant chaque mois un gamète femelle, ou *ovule*. Le système reproducteur féminin est de plus le lieu accueillant où tout commence habituellement pour un nouvel être humain.

Les principaux organes génitaux féminins se situent dans la cavité abdominale, au creux du bassin ; ils comprennent les *glandes génitales* et les *voies génitales*.

1. Les glandes génitales

On nomme *ovaires* les glandes génitales femelles. À maturité, ce sont deux organes de la taille d'une grosse amande, suspendus à un ligament vertical. Pendant près de 40 ans, ils travaillent à produire un ovule en moyenne toutes les 4 semaines. Nous verrons plus loin qu'ils accomplissent aussi d'autres fonctions importantes.

Dès sa naissance, une fille possède environ 200 000 ovules par ovaire. L'ovule est une grosse cellule reproductrice vivant au ralenti et incapable de se multiplier. Il mûrit lentement dans une sorte de petit nid individuel nommé *follicule*.

À partir de l'adolescence, un seul follicule vient normalement à maturité chaque mois. Il éclate alors et libère son ovule.

- Chez une jeune fille, l'ovaire est rose et lisse. Chez une femme adulte, il se *flétrit* progressivement et se couvre de petites cicatrices. Pourquoi ?

Figure 9-2.
La coupe du bassin de la femme.

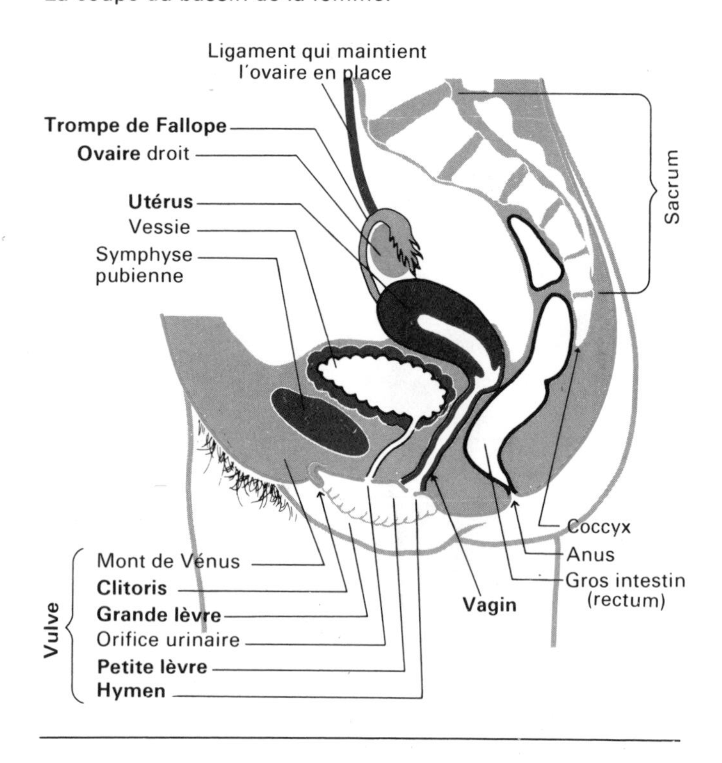

Le vagin. Le vagin est un conduit long de 7 à 8 cm, à paroi élastique, en forme de cylindre aplati. Il est compris entre le gros intestin d'une part, et l'ensemble formé par la vessie et l'urètre d'autre part. Sa cavité est ouverte aux bactéries. Certaines y sont à leur place, d'autres y sont au contraire tout à fait indésirables. Nous reviendrons sur cette question.

Le vagin permet l'union sexuelle avec l'homme et reçoit le *sperme*, c'est-à-dire le liquide qui renferme les gamètes mâles, ou *spermatozoïdes*. C'est aussi le passage naturel par lequel l'enfant vient au monde.

Figure 9-3.
La vulve.

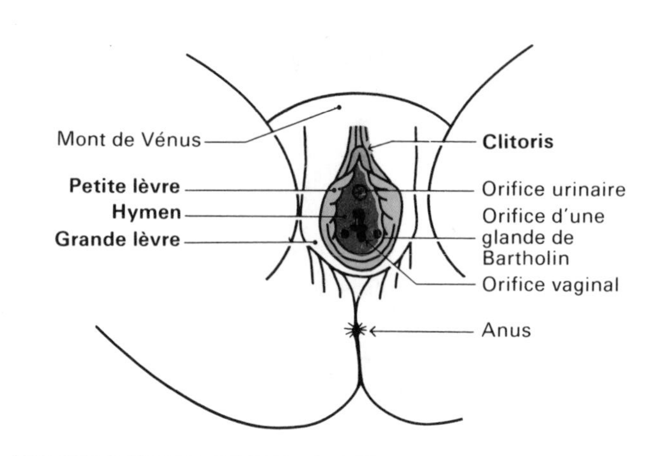

2. Les voies génitales

Les voies génitales féminines ont la forme d'un Y dont les deux branches sont les *trompes de Fallope* et dont le pied est constitué par l'*utérus* et le *vagin*. Elles débouchent à l'extérieur dans la *vulve*.

Les trompes de Fallope. Les trompes sont des canaux de forme évasée, longs de 10 à 14 cm et tapissés de cils à l'intérieur. Leur extrémité mobile, ou *pavillon*, vient se placer sur l'ovaire correspondant. Au moment de l'ovulation, un des pavillons vient recueillir l'ovule. Les battements des cils entraînent ensuite celui-ci vers la partie étroite de la trompe.

L'utérus. L'utérus est un muscle en forme de poche à paroi épaisse. Il ressemble à une poire placée à l'envers et légèrement recourbée vers l'avant. Un système de ligaments le maintient en place de façon lâche. Sa partie inférieure, ou *col*, s'emboîte dans le vagin. Sa muqueuse est riche en vaisseaux sanguins et possède de nombreuses glandes.

L'utérus accueille l'*embryon*. Il abrite donc l'enfant en cours de développement durant la grossesse.

La vulve. La vulve est l'ensemble des organes génitaux externes féminins. Elle comprend l'ouverture du vagin, partiellement fermée par une membrane nommée *hymen* qui se rompt durant les premiers rapports sexuels. L'ouverture du vagin est cachée par deux paires de replis de la peau : les *petites lèvres* et les *grandes lèvres*. Vers l'avant, les petites lèvres se rejoignent et viennent recouvrir un petit organe très sensible : le *clitoris*. Au niveau du *pubis* (la partie avant de la ceinture pelvienne), les grandes lèvres se continuent par une bosse rembourrée de graisse, qui se couvre de poils au début de l'adolescence : le *mont de Vénus*.

L'urètre débouche à l'extérieur par l'orifice urinaire, logé entre les petites lèvres, en avant de l'orifice vaginal.

La vulve est *lubrifiée* par un liquide transparent sécrété par les glandes de Bartholin. Elles débouchent de chaque côté de l'orifice vaginal, par deux orifices minuscules.

- Une femme peut-elle toucher le col de son utérus ?
- La partie la plus étroite des voies génitales féminines peut s'obstruer facilement, ce qui entraîne l'*infécondité*. De quelle partie s'agit-il ?

à toi de jouer

1. IDENTIFIER SUR UN SCHÉMA DE L'APPAREIL REPRODUCTEUR FÉMININ LES PRINCIPALES STRUCTURES ANATOMIQUES QUI LE COMPOSENT.

Reproduis le schéma ci-dessous et donne-lui un titre. Inscris les annotations suivantes : vulve, vagin, utérus, trompe de Fallope, ovaires.

Figure 9-4.

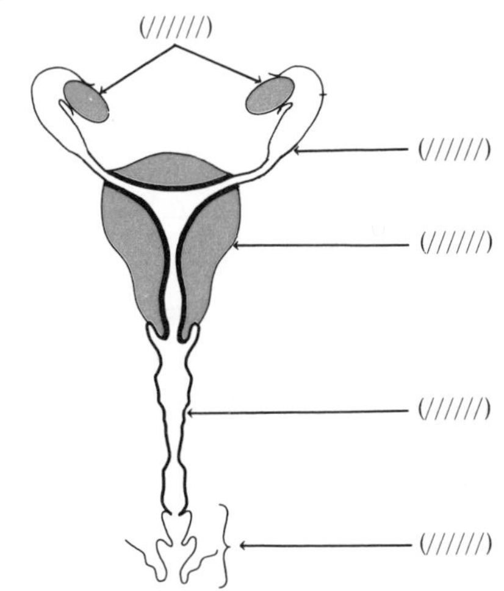

2. SITUER SUR UN ÉCORCHÉ OU SUR UN SCHÉMA DE L'ANATOMIE FÉMININE LES PRINCIPALES STRUCTURES ANATOMIQUES QUI LE COMPOSENT.

a) Sur un écorché, ou sur la figure 9-2 de ce livre, repère bien les principaux organes qui composent l'appareil génital féminin.

b) Situe la vulve par rapport au bassin.

c) Situe le vagin par rapport à la vessie et à l'urètre.

d) Situe l'utérus par rapport à la vessie.

e) Indique la position et la hauteur des trompes par rapport à l'utérus.

f) Situe les ovaires par rapport aux trompes ; nomme l'os de la colonne vertébrale qui se trouve à leur hauteur.

3. DONNER LE RÔLE DE CHACUNE DES PRINCIPALES STRUCTURES SEXUELLES FÉMININES.

a) Nomme l'organe génital auquel donne accès le principal orifice de la vulve.

b) Cherche dans le dictionnaire le sens exact du mot copulation. Nomme le principal organe féminin qui participe à la copulation.

c) Décris brièvement les fonctions respectives de l'ovaire, de la trompe de Fallope et de l'utérus.

VA PLUS LOIN

1. Les techniques d'exploration de l'appareil génital féminin

a) Décris brièvement les instruments suivants : l'endoscope, le spéculum.

b) En quoi consiste la laparoscopie ?

c) En quoi consiste la technique de l'échographie ? Quel est son avantage sur la radiographie ?

2. Les maladies du système reproducteur féminin

Recherche la définition des termes suivants : vaginite, métrite, salpingite, fibrome, rétroflexion de l'utérus, dysménorrhée.

SECTION

La puberté chez l'adolescente

As-tu conscience d'être en pleine transformation ?

Ton corps est en train de subir la transformation qui va l'amener à l'état adulte.

a) Énumère les conséquences de cette transformation en les classant en trois catégories :
   — Les problèmes ;
   — Les avantages ;
   — Les responsabilités nouvelles.

b) As-tu l'occasion de parler de tes préoccupations particulières d'adolescent(e) ? Avec qui ? Éprouves-tu de la gène à en parler ? Pourquoi ?

c) Crois-tu qu'il serait utile d'organiser en classe une table ronde où seraient confrontées les réponses de chacun(e) à la question a ? Pourquoi ?

d) Énumère en les classant les différences que tu connais entre l'enfant et l'adulte, ceci pour chacun des deux sexes.

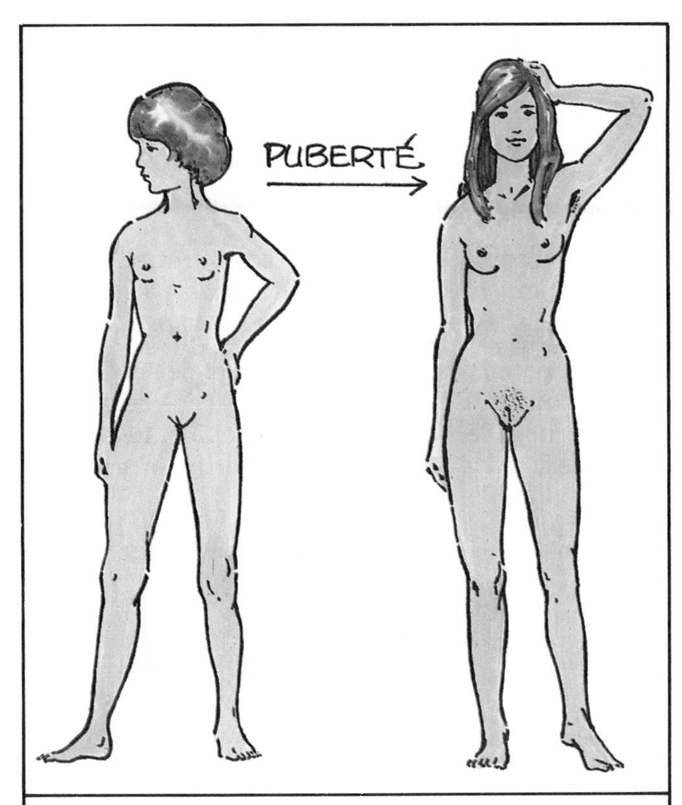

Quelques milligrammes de substances chimiques dans le sang changent une enfant en adolescente.

Tes organes génitaux se sont formés bien avant ta naissance. Alors que tu vivais depuis quatre mois dans le ventre de ta mère, ton sexe externe était déjà reconnaissable. Pendant ton enfance, tes organes génitaux n'étaient pas en état de fonctionner et grandissaient lentement. Mais à ton âge, cette situation est en train de se modifier.

La *puberté* est l'époque de la vie où l'appareil génital subit une brusque poussée de croissance qui le rend capable de fonctionner. En même temps, l'organisme connaît toute une série d'autres transformations.

En fait, la *maturité sexuelle* survient bien avant la maturité physique générale, particulièrement chez le garçon. En tant qu'étape de la vie, la puberté est le début de l'adolescence. En tant que phénomène, la puberté se définit comme l'ensemble des transformations physiques, physiologiques et psychologiques qui se produisent lors du passage de l'enfance à l'adolescence.

La puberté féminine est marquée notamment par les premières *pertes menstruelles* de sang. Celles-ci constituent un repère précis et très évident qui permet de constater qu'en un siècle, l'âge moyen de la puberté s'est abaissé de près de deux ans dans les pays industrialisés. Cette tendance à la *précocité sexuelle* est probablement liée à l'amélioration des conditions de vie.

1. Le mécanisme physiologique de la puberté

C'est le cerveau qui déclenche la puberté. Il se sert pour cela de sa minuscule glande endocrine : l'hypophyse. Il agit donc dans ce domaine par signaux chimiques (hormones) déversés dans le milieu intérieur et transportés par le sang.

Au moment de la puberté, l'hypophyse augmente sa production de deux hormones qui agissent sur l'ovaire :

- L'*hormone folliculostimulante*, connue internationalement sous le sigle FSH (pour *follicle stimulating hormone*) ;
- L'*hormone lutéinisante*, ou LH (pour *luteinising hormone*).

L'hormone folliculostimulante. Dans l'ovaire, la FSH stimule le développement et la maturation d'un follicule contenant un ovule. Certaines cellules, situées sur le pourtour du follicule, se mettent alors à sécréter dans le sang des hormones sexuelles femelles nommées *œstrogènes*. Les œstrogènes sont les hormones ovariennes responsables des principales manifestations de la puberté.

L'hormone lutéinisante. La LH provoque l'éclatement du follicule mûr, donc l'expulsion de son ovule dans la trompe de Fallope. Elle favorise ensuite la cicatrisation de la cavité laissée par le follicule éclaté, en y faisant se développer un tissu glandulaire nommé *corps jaune*. Celui-ci est une glande endocrine qui sécrète une autre hormone sexuelle femelle : la *progestérone*. Cette hormone prépare l'organisme féminin à la maternité.

- Lorsqu'une femme est *stérile* (incapable de produire des ovules), est-ce nécessairement l'ovaire qui en est la cause première ? Justifie ta réponse.

2. Le cycle menstruel

Le cerveau agit donc par l'hypophyse sur l'ovaire. À son tour, l'ovaire agit pratiquement sur tout l'organisme pour contrôler la progression de la puberté. Toutes ces interactions s'effectuent au moyen d'hormones transportées par le sang.

Les hormones ovariennes ont de nombreux effets dans le corps de l'adolescente. En particulier, elles provoquent des transformations physiologiques qui se répètent avec une certaine régularité et qui constituent le *cycle menstruel*.

Figure 9-5.
Les variations de l'état physiologique d'une femme au cours de sa vie.

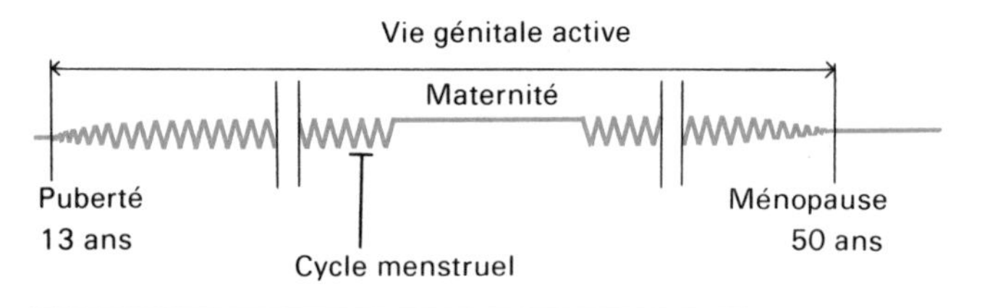

La manifestation la plus évidente du cycle menstruel est l'écoulement de sang provenant de l'utérus, que l'on nomme *règles* ou *menstruation*. Le phénomène dure environ 4 jours et se répète en moyenne tous les 28 jours, depuis l'âge de 13 ou 14 ans jusque vers l'âge de 45 à 50 ans. Tout au long de cette période de la vie féminine, la menstruation ne cesse normalement que durant la grossesse et l'allaitement. L'étude détaillée du cycle menstruel se fera dans la prochaine section.

- On parle parfois de cycle de la végétation ou de cycle des saisons. De quoi veut-on parler ?

3. Les autres manifestations de la puberté

En plus du cycle menstruel, la puberté féminine est marquée par d'importants changements *morphologiques*, c'est-à-dire qui concernent la taille et la forme des organes.

Entre l'âge de 9 et 11 ans, chez la fille, le premier signe de la puberté est le début du développement des seins, dont la pointe prend une teinte foncée vers l'âge de 12 ou 13 ans. Il faut environ 8 ans pour que ces organes se développent complètement.

Des poils apparaissent sur le pubis vers l'âge de 11 ans, et aux aisselles 1 à 2 ans plus tard.

Le bassin s'élargit ; des dépôts de graisse sous la peau arrondissent les hanches et perfectionnent les formes du corps. C'est ainsi que se dessine la silhouette féminine.

Les glandes sébacées se dilatent et se laissent fréquemment infecter par des bactéries. Des boutons d'acné juvénile apparaissent alors sur la peau.

L'appareil génital se développe et devient en état de fonctionner. Entre l'âge de 12 et 13 ans, les ovaires grossissent et la taille de l'utérus double. Les petites lèvres de la vulve grandissent et deviennent sensibles.

Figure 9-6.
L'action des hormones qui contrôlent la physiologie sexuelle féminine.

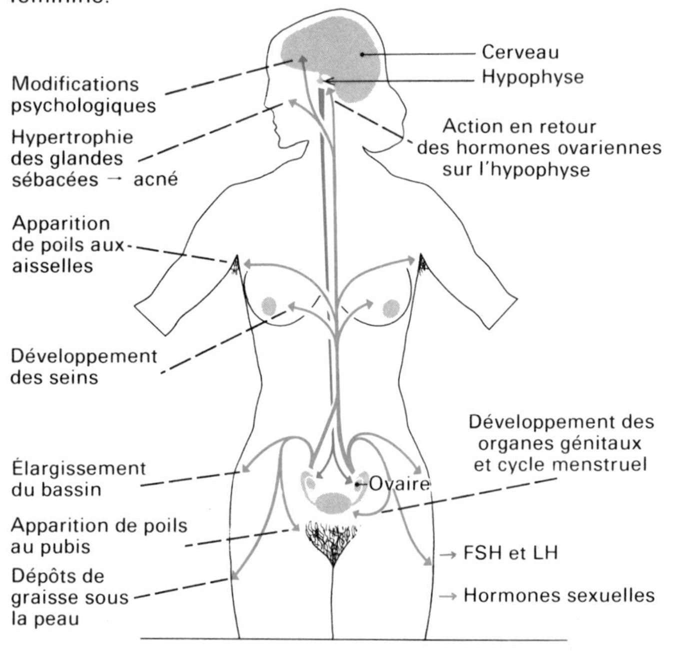

Chez la fille comme chez le garçon, la puberté est aussi marquée par des changements psychologiques. La sensibilité se modifie. Ainsi, la mélancolie alterne souvent brusquement avec l'exubérance. Le besoin de tendresse s'affirme en même temps que celui de communiquer avec les autres adolescent(e)s. Parallèlement, l'esprit critique se développe, au point que toute forme d'autorité peut être remise en question. On veut être aimé(e) et respecté(e). Il est alors important que l'adolescent(e) trouve dans son entourage la compréhension, la confiance et le sentiment de sécurité dont il (elle) a besoin pour bien s'accepter dans son corps en transformation.

- Dans la silhouette féminine, quels sont les deux principaux changements qui interviennent au cours de l'adolescence?

à toi de jouer

1. IDENTIFIER SUR UN SCHÉMA LES GLANDES RELIÉES À LA PHYSIOLOGIE SEXUELLE FÉMININE.

Reproduis le schéma ci-dessous et annote-le.

Figure 9-7.
Les glandes qui gouvernent la physiologie sexuelle féminine.

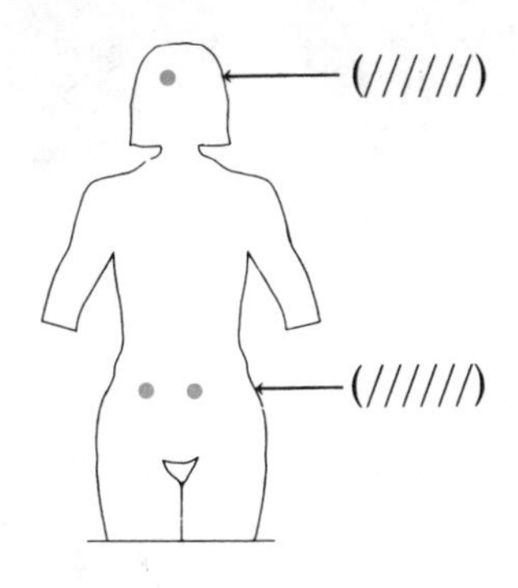

2. DÉFINIR CE QU'EST UNE HORMONE.

a) Recherche dans le chapitre 5 section A (La croissance et la réparation) les caractéristiques des hormones.

b) Reproduis et complète le tableau ci-dessous.

Tableau 9-1.
Les caractéristiques des hormones.

Nature des hormones	•
Organes qui les produisent	•
Moyen de transport qu'elles utilisent dans l'organisme	•
Ordre de grandeur des quantités mises en jeu	•
Rôle des hormones	•

3. NOMMER LES HORMONES OVARIENNES.

Reproduis et complète le tableau suivant.

Tableau 9-2.
Les hormones ovariennes.

Rôles	Hormones
Détermination des principales manifestations de la puberté	•
Contrôle de la maternité	•

4. NOMMER LES HORMONES HYPOPHYSAIRES QUI GOUVERNENT LA PHYSIOLOGIE SEXUELLE FÉMININE.

Reproduis et complète le tableau suivant.

Tableau 9-3.
Les hormones hypophysaires qui stimulent l'ovaire.

	Hormones	
Rôles	**Noms français**	**Sigles internationaux**
Stimulation de la production d'œstrogènes	•	•
Stimulation de la production de progestérone	•	•

5. DÉFINIR CE QU'EST LA PUBERTÉ.

Donne une définition du phénomène nommé puberté.

6. DÉCRIRE LE RÔLE DES HORMONES SEXUELLES DANS L'APPARITION DE LA PUBERTÉ.

a) Décris en quelques mots l'étendue de l'action des hormones ovariennes.

b) Nomme l'important phénomène physiologique qui débute au moment de la puberté par l'action combinée des hormones sexuelles ovariennes et hypophysaires.

7. DRESSER LA LISTE DES CHANGEMENTS QUI APPARAISSENT CHEZ L'ADOLESCENTE À LA PUBERTÉ.

a) Reproduis et complète le tableau ci-dessous.

Tableau 9-4.
Les manifestations de la puberté chez l'adolescente.

Changements morphologiques	de la poitrine	•
	des aisselles et du pubis	•
	du bassin	•
	de l'hypoderme	•
	de l'épiderme	•
	de l'appareil génital	•
Changements physiologiques		•
Changements psychologiques		•

b) Aide-toi d'un dictionnaire pour définir la période d'un phénomène cyclique et périodique.

c) Quelle est la période du phénomène cyclique qui rythme la vie sexuelle féminine?

Société d'éditions photographiques et techniques

Quelle influence les changements du corps liés à la puberté peuvent-ils avoir sur la psychologie des adolescent(e)s?

VA PLUS LOIN

Les hormones hypophysaires

Si petite qu'elle soit, l'hypophyse produit une variété impressionnante d'hormones. Donne une classification des hormones hypophysaires et précise les principaux effets de chacune.

Le cycle menstruel

Qu'est-ce qu'un phénomène cyclique ?

La succession des jours de la semaine est un phénomène cyclique. L'intervalle de temps qui s'écoule par exemple entre le début d'un jeudi et le début du jeudi suivant est d'une semaine. On dit que la période de ce phénomène cyclique est d'une semaine.

a) Combien de temps s'écoule entre deux levers de soleil successifs ? Quelle est la période de la course apparente du soleil dans le ciel ?

b) Essaie de trouver la période de chacun des phénomènes cycliques suivants :
   — Les phases de la lune ;
   — Les taches à la surface du soleil ;
   — Les jours et les nuits ;
   — La végétation dans nos régions ;
   — Les systoles et les diastoles cardiaques chez un sujet au repos ;
   — Les inspirations et les expirations chez un sujet au repos ;
   — Le nombre de pages d'un journal quotidien.

c) Chez la femme, quelle est la période du cycle menstruel ?

d) Combien de temps s'écoule, en moyenne, entre les débuts de deux menstruations successives (grossesse exclue) ?

e) Si la menstruation d'une femme débute le 27 avril, vers quelle date devrait, en principe, commencer la menstruation suivante ?

   Les ovaires fonctionnent selon le cycle menstruel. On appelle ovulation la libération d'un ovule par un ovaire.

f) Si l'ovulation d'une femme se produit le 14 avril, vers quelle date devrait se produire l'ovulation suivante ?

C'est le cerveau qui contrôle le cycle menstruel.

On appelle cycle menstruel un ensemble de modifications cycliques et périodiques qui affectent l'organisme féminin de la puberté à la *ménopause*. Il s'agit d'un phénomène physiologique normal dont le mécanisme est une merveille de précision. Sa connaissance est indispensable pour bien comprendre dans quelles conditions et à quel moment une femme est féconde. Que tu sois une fille ou un garçon, ce problème te concerne ou te concernera.

Nous insisterons ici principalement sur les aspects du cycle menstruel relatifs à l'ovaire et à l'utérus.

1. L'origine et la destinée des cellules reproductrices femelles

Les ovules se forment à partir de cellules spéciales qui cessent de se multiplier dans les ovaires bien avant la naissance. Dès leur formation, elles commencent à accumuler dans leur cytoplasme des réserves de nourriture (l'équivalent, en beaucoup plus modeste, du jaune de l'œuf de poule). Elles grossissent ainsi très lentement jusqu'à la puberté. À la naissance, l'ovaire contient environ 200 000 ovules qui commencent à peine à mûrir. Chaque ovule se trouve au centre d'un nid microscopique nommé follicule. La plupart des follicules et des ovules sont destinés à disparaître avant la puberté. Quelques centaines seulement pourront évoluer complètement.

- En dehors de l'alimentation humaine, à quoi sert le jaune de l'œuf de poule ?

2. Le cycle hormonal et le cycle ovarien

Pour faciliter la description du cycle menstruel, on le divise en deux phases en se référant aux transformations subies par l'ovaire. La phase 1 correspond au développement d'un follicule et la phase 2 à la présence de son remplaçant : le corps jaune. Les deux phases sont séparées par l'*ovulation*.

a) Le développement d'un follicule

À partir de la puberté, l'hypophyse accroît son déversement d'hormone folliculostimulante (FSH) et d'hormone lutéinisante (LH) dans le sang. Certains follicules ovariens réagissent à ces hormones en grossissant par multiplication des cellules entourant l'ovule. Lorsque le diamètre d'un follicule atteint environ 0,3 mm, celui-ci se creuse d'une cavité qui s'emplit de liquide. L'enveloppe des follicules qui se développent fonctionne comme une glande endocrine ; elle déverse dans le sang des œstrogènes.

Les follicules n'arrivent pas ensemble à maturité, mais chacun à son tour, à des intervalles de 28 jours en moyenne, dans l'un ou l'autre des ovaires, sans que l'*alternance* soit systématique.

Parvenu au maximum de son développement, le follicule apparaît comme une boule emplie de liquide, de la taille d'une petite cerise. À la veille d'être libéré, l'ovule, entouré de cellules folliculaires, se trouve en suspension dans le liquide folliculaire.

La phase 1 du cycle menstruel est donc caractérisée par le développement complet d'un follicule.

Figure 9-8.
L'évolution d'un follicule dans l'ovaire.

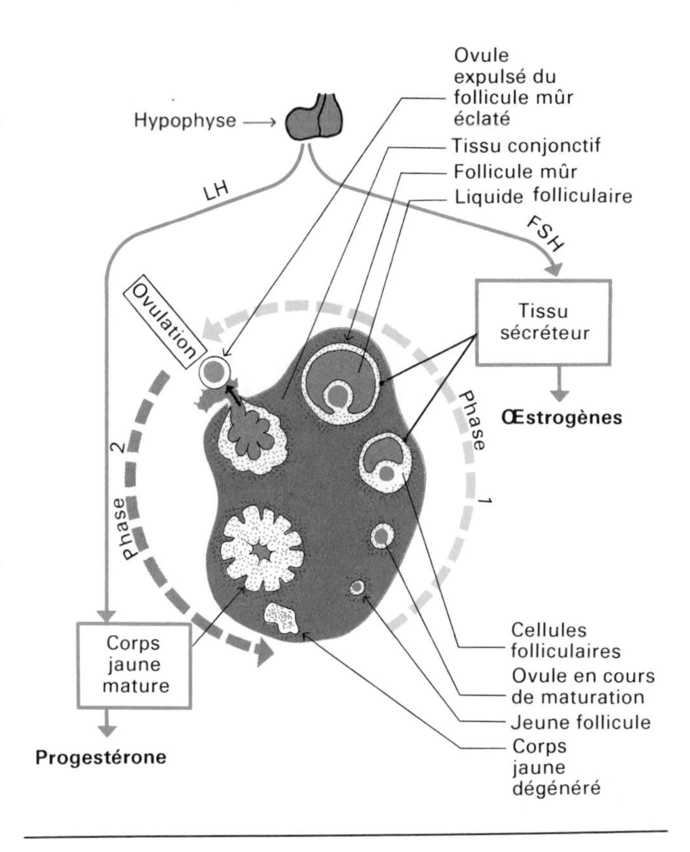

b) L'ovulation

Par un mécanisme complexe, les œstrogènes agissent en retour sur l'hypophyse. Ainsi, à la fin de la phase 1, le taux d'œstrogènes dans le sang atteint un maximum (pic) auquel l'hypophyse réagit en libérant une forte décharge de FSH et surtout de LH. Ces deux hormones collaborent alors pour provoquer une augmentation de la pression du liquide folliculaire, ce qui entraîne l'éclatement du follicule mûr : c'est l'ovulation, première condition de la fécondité féminine. L'ovule libéré, entouré de cellules folliculaires, est immédiatement recueilli par la trompe de Fallope.

L'ovulation passe généralement inaperçue. Elle est liée cependant à une petite élévation de la température du corps, et cause parfois une certaine douleur abdominale. Même si l'ovulation se produit au milieu du cycle menstruel, on peut considérer qu'elle en est le but ultime.

On appelle *fertilité* la capacité de produire des gamètes (ovules ou spermatozoïdes). La capacité de procréer se nomme *fécondité*. On peut être à la fois fertile et infécond(e) (par suite de l'obstruction des voies génitales, par exemple). En somme, l'ovulation rend la femme fertile, mais pas nécessairement féconde.

c) L'entrée en jeu du corps jaune

Après l'ovulation, les cellules folliculaires se multiplient et grossissent pour former un tissu glandulaire qui emplit la cavité du follicule éclaté. C'est ainsi que se forme le corps jaune, une glande endocrine qui produit la progestérone.

C'est l'hormone lutéinisante (LH) qui est responsable de la transformation du follicule en corps jaune. La phase 2 du cycle menstruel est donc caractérisée par le développement du corps jaune. Les interactions entre les hormones hypophysaires et les hormones ovariennes sont extrêmement complexes. Ainsi les hormones ovariennes peuvent soit stimuler soit freiner la sécrétion de FSH et de LH par l'hypophyse. Vers la fin du cycle, le taux de LH dans le sang baisse. Il s'ensuit une réduction de la taille du corps jaune, donc une chute de la production de progestérone. C'est ce phénomène qui déclenche la menstruation.

On comprend donc que la moindre anomalie du dosage des hormones dans le sang puisse entraîner un dérèglement du cycle menstruel.

- Pour traiter certaines maladies, on peut administrer des hormones au (à la) patient(e). Pourquoi la plupart des médecins hésitent-ils à prescrire ce genre de traitement ?
- Comment la mesure de la température du corps de la femme peut-elle servir à situer le moment de l'ovulation ?

3. Le cycle utérin et la menstruation

L'utérus participe de façon évidente au cycle menstruel en réagissant aux hormones sexuelles. Chaque mois, ces hormones préparent l'utérus à accueillir l'embryon en provoquant l'épaississement de sa muqueuse, en vue d'une grossesse. Si l'embryon n'est pas au rendez-vous, la nature démolit ce qu'elle avait construit. Il s'ensuit une hémorragie périodique : la menstruation. On convient de fixer le début du cycle menstruel au premier jour de la menstruation.

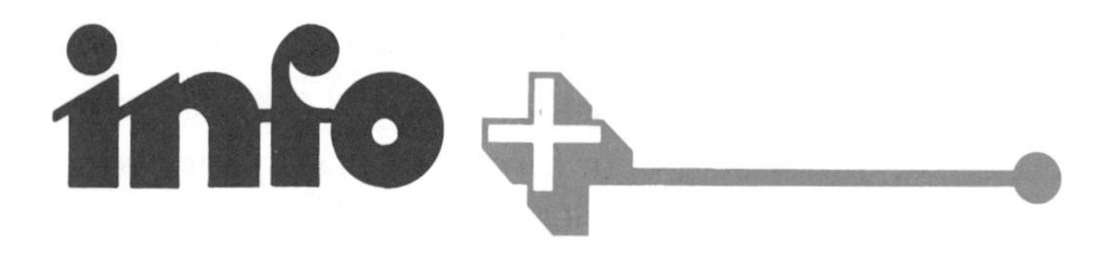

L'évolution de la muqueuse utérine, d'une menstruation à l'autre

À la fin de la menstruation, vers le 5e jour du cycle, la muqueuse utérine est réduite à une épaisseur de 1 mm environ. Elle ne tarde pas à réagir aux œstrogènes en formant un épais tapis de cellules chargé de lymphe et de sang et pourvu de glandes en tubes de plus en plus nombreuses. Dans le col de l'utérus, ces glandes grossissent et sécrètent avant l'ovulation un mucus abondant qui s'épaissit par la suite pour former un bouchon : la *glaire cervicale*.

Après l'ovulation, la croissance de la muqueuse continue, stimulée par la progestérone qui vient aider les œstrogènes. Elle atteindra 6 mm d'épaisseur, avec des glandes et des vaisseaux sanguins très développés.

Figure 9-9.
La structure de la muqueuse utérine à la fin de son développement.

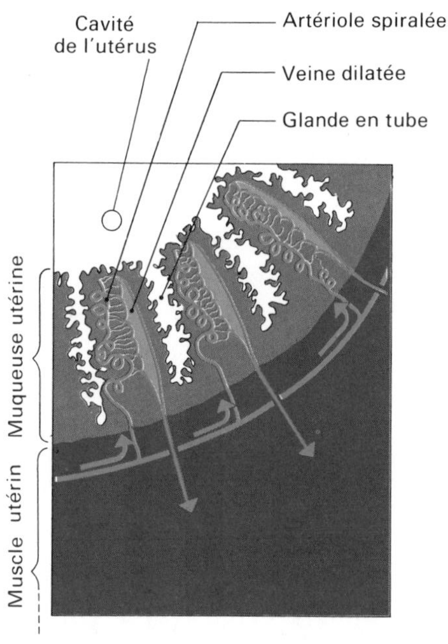

À l'approche de la fin du cycle, le ralentissement de la sécrétion des hormones ovariennes s'accompagne d'une détérioration de la muqueuse utérine. Son épaisseur diminue de moitié par perte d'eau, tandis que ses cellules dégénèrent.

À la veille de la menstruation, les artères se resserrent. Privée de sang, la muqueuse blanchit et commence à dépérir. Les artères se rompent les unes après les autres, provoquant de petites hémorragies qui se succèdent durant 4 jours sur des surfaces de quelques millimètres carrés à chaque fois. Chaque hémorragie dure environ 1 h 30 min. Au total, la perte de sang atteint en moyenne 20 à 80 cm^3. Les lambeaux de tissus morts se détachent et sont évacués par la vulve avec le sang. Cette élimination est facilitée par de légères contractions involontaires de l'utérus.

La phase du cycle utérin qui suit l'ovulation a une durée relativement constante, allant de 12 à 16 jours. Par contre, la phase qui précède l'ovulation est beaucoup plus variable ; c'est elle qui détermine les cycles longs (jusqu'à 37 jours) et les cycles courts (19 jours seulement). Ces considérations seront à ne pas perdre de vue lorsqu'il s'agira de situer la période de fertilité de la femme.

Figure 9-10.
Les principaux aspects du cycle menstruel.

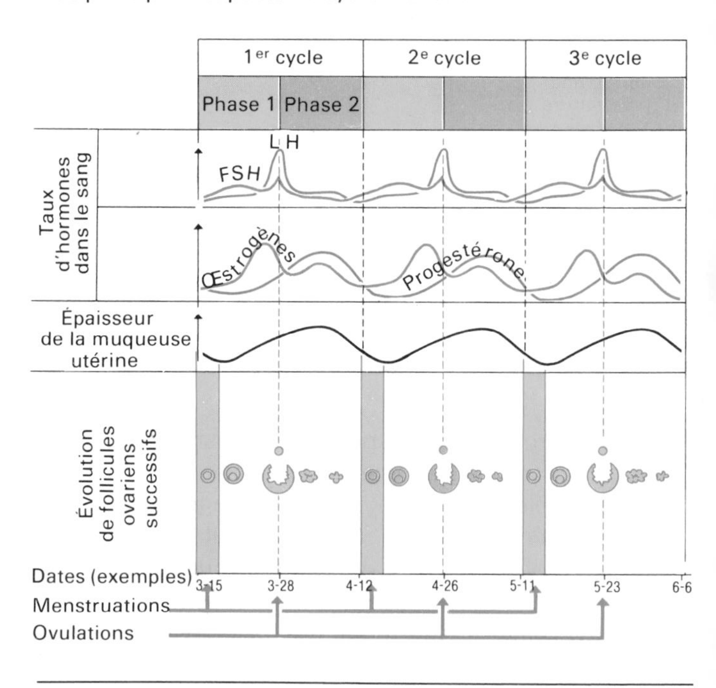

- Pourquoi les menstruations cessent-elles après l'ablation des ovaires ?
- Est-ce un hasard si les deux adjectifs « mensuel » et « menstruel » se ressemblent ? Explique.

4. L'ovule, produit du cycle menstruel

L'objet libéré par le cycle menstruel semble bien modeste, compte tenu du travail qui lui est consacré dans l'organisme de la femme. Il s'agit en effet d'une seule cellule : l'ovule. Cependant, cet objet microscopique détient un fabuleux potentiel de développement qui ne demande qu'à être activé.

L'ovule est une cellule immobile en forme de boule. Comme toutes les cellules, il est formé d'un cytoplasme limité par une membrane vivante, et d'un noyau. Celui-ci contient les filaments nommés chromosomes qui gouvernent l'activité de la cellule (voir le chapitre 5 section A).

Dans l'espèce humaine, le noyau d'une cellule renferme 23 paires de chromosomes, soit 2 assortiments de chromosomes numérotables de 1 à 23 et identifiables par leur forme au microscope. Chacun des parents a fourni un des assortiments, soit 23 chromosomes différents. Nos cellules renferment donc 23 chromosomes d'origine maternelle et 23 autres, homologues des précédents, d'origine paternelle.

C'est le gamète femelle (ovule) qui transmet à l'enfant ses 23 chromosomes d'origine maternelle. Or, l'ovule contient au départ 46 chromosomes, soit le double de ce qui est nécessaire. Il lui faut donc perdre exactement la moitié de ses chromosomes. Cette *épuration chromosomique* se produit au moment de l'ovulation.

Le mécanisme de l'épuration chromosomique de l'ovule

Au moment de l'ovulation, l'ovule subit une division très spéciale du point de vue chromosomique. Celle-ci lui permet d'expulser ses 23 chromosomes superflus dans une petite cellule sans avenir nommée *globule polaire*. On remarquera que toutes les réserves de nourriture restent dans l'ovule et que les chromosomes restent doubles.

Figure 9-11.
Le principe de l'épuration chromosomique de l'ovule.

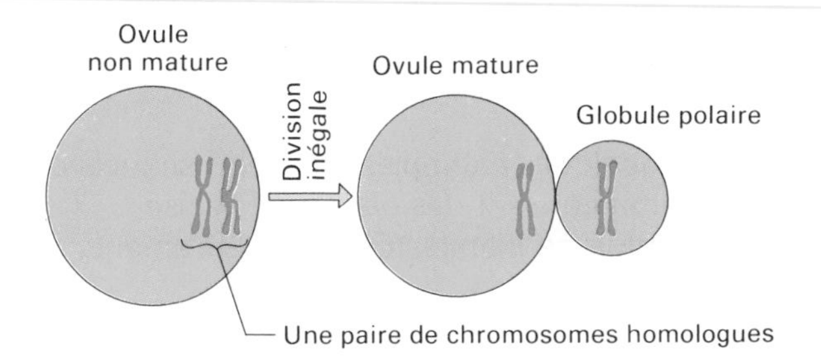

L'ovule n'est pas nu. Il est entouré d'une double enveloppe qui comprend :
- À l'intérieur, une épaisse membrane inerte, la *membrane pellucide* ;
- À l'extérieur, au moins une couche de cellules folliculaires.

Figure 9-12.
L'ovule, tel qu'il est libéré.

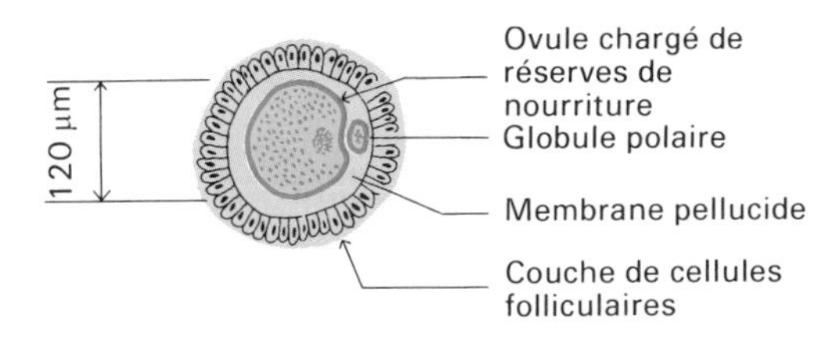

Pour un spermatozoïde, atteindre l'ovule n'est donc pas facile. Il faut compter sur l'aide de plusieurs autres spermatozoïdes pour réussir à forcer le passage.

Mais la fécondation (l'union de l'ovule avec un spermatozoïde) est un événement exceptionnel. Habituellement, l'ovule ne rencontre pas de spermatozoïde ; il n'est pas fécondé. Passé un délai de 24 à 48 h il commence à rapetisser et meurt inévitablement en quelques jours. Conduit par la trompe dans l'utérus, il passe inaperçu dans la menstruation.

Nous étudierons plus loin la destinée prodigieuse de l'ovule qui rencontre des spermatozoïdes.

- Pourquoi est-il préférable de dire que nos cellules renferment 23 paires de chromosomes, plutôt que 46 chromosomes ?
- Quelle est la principale différence entre l'ovule et le globule polaire ? Quelle est leur principale analogie ?

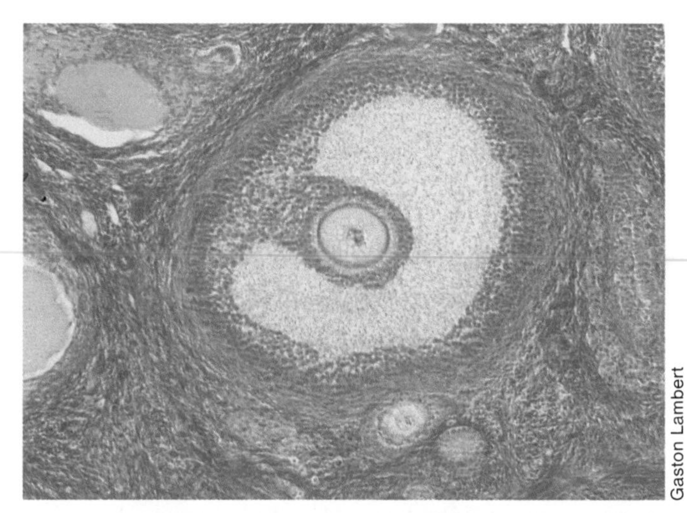

Peux-tu situer l'ovule sur cette coupe d'ovaire photographiée au microscope?

à toi de jouer

1. NOMMER LES PHÉNOMÈNES QUI MARQUENT UN CYCLE MENSTRUEL.

a) Nomme l'événement essentiel qui se produit vers le milieu du cycle menstruel.

b) Explique comment évolue l'utérus entre la menstruation et l'ovulation.

c) D'après le dictionnaire, définis les mots squame et desquamer.

d) Identifie l'organe génital qui se desquame périodiquement en subissant des hémorragies. Nomme ce phénomène particulier.

e) Nomme un organe bien visible de notre corps qui se desquame en permanence, sans hémorragie.

2. DÉCRIRE L'ACTION DES HORMONES OVARIENNES À L'INTÉRIEUR DU CYCLE.

a) Nomme le type d'hormones ovariennes qui est prépondérant durant la phase 1 du cycle menstruel. Donne son origine précise.

b) Décris la réaction de l'utérus à cette sécrétion.

c) Nomme la glande endocrine ovarienne qui se développe au cours de la phase 2 du cycle menstruel. Nomme l'hormone qu'elle produit. Nomme l'hormone hypophysaire dont elle dépend.

d) Décris la réaction de la muqueuse utérine à une baisse du taux d'hormones ovariennes dans le sang.

3. CIRCONSCRIRE LE MOMENT DE L'OVULATION.

a) Nomme le type d'hormones dont la sécrétion atteint son maximum un peu avant l'ovulation.

b) Nomme le type d'hormones dont la sécrétion atteint son maximum au moment de l'ovulation.

c) Vers quel jour du cycle menstruel a lieu l'ovulation ?

4. NOMMER DEUX INDICES PERMETTANT DE CONNAÎTRE LE MOMENT DE L'OVULATION.

Donne un indice de l'ovulation qui se manifeste systématiquement, et un autre qui se manifeste occasionnellement.

5. DÉFINIR L'IMPORTANCE DE L'OVULATION.

a) Nomme l'objet le plus important qui est produit par le cycle menstruel.

b) Quelle est la première condition de la fécondité féminine ?

6. DONNER LES PRINCIPALES CARACTÉRISTIQUES DE L'OVULE.

a) Combien l'ovule contient-il de chromosomes ?

b) Quel est le diamètre de l'ovule ?

c) Quelle est la durée de vie utile de l'ovule non fécondé, à partir de sa libération par l'ovaire ?

VA PLUS LOIN

Enquête sur les cycles sexuels des animaux

Documente-toi sur les cycles sexuels chez divers animaux. Présente ton rapport en deux parties.

a) Explique d'abord ce qu'est le rut chez les animaux, et donne une idée du mécanisme qui le déclenche.

b) Décris quelques exemples de cycles sexuels chez des mammifères et des oiseaux. Précise comment ils se manifestent extérieurement.

L'hygiène féminine

En quoi consiste l'hygiène féminine ?

La menstruation impose aux femmes des mesures d'hygiène particulières.

a) De quels produits d'hygiène les femmes ont-elles besoin pour absorber l'écoulement sanguin de la menstruation ?

b) Dans quelles situations sont représentées les femmes qui apparaissent dans les messages publicitaires pour ces produits ? Donne des exemples.

c) D'après toi, l'activité physique est-elle incompatible avec la menstruation ?

d) La menstruation est-elle une maladie ? Pourquoi est-elle souvent perçue comme telle ?

e) Quels sont les responsables des odeurs corporelles ? À partir de quoi s'alimentent-ils ? Quelle est la façon la plus simple de s'en débarrasser ?

f) Quels sont les avantages de la propreté corporelle ?

La propreté et l'exercice physique sont essentiels au bien-être de tous les jours.

L'idée que le corps humain puisse comporter des « parties honteuses », indignes d'être regardées même par leur propriétaire, fait sourire la plupart d'entre nous. Cette idée fut pourtant généralement acceptée en d'autres temps. La négligence de certaines personnes à l'égard de quelques centimètres carrés de leur peau ressemble à un reste de ce vieux préjugé.

Les soins de propreté aident ton corps à te procurer un maximum de satisfactions. Les organes génitaux externes en ont autant besoin que les autres parties du corps ; il n'y a donc aucune raison de les négliger.

1. L'hygiène sexuelle cutanée

Chez les deux sexes, la peau de la région génitale et des aisselles renferme des glandes sudoripares spéciales qui sécrètent une sueur à odeur caractéristique. Plus que l'augmentation de la température, ce sont des stimulations psychiques (la nervosité, les émotions, etc.) qui déclenchent cette sécrétion particulière de la peau.

Dans ces régions du corps, alimentées aussi en sueur ordinaire et en sébum, les microbes trouvent un milieu très favorable à leur prolifération et produisent des composés malodorants.

On comprend que les organes génitaux externes, les régions avoisinantes, ainsi que les aisselles demandent à être lavés matin et soir, car ils sont à l'origine d'une part importante des odeurs corporelles.

En plus, chez la femme, les proliférations microbiennes sont alimentées dans la région génitale par les sécrétions en provenance du vagin (mucus du vagin lui-même et du col de l'utérus) et des glandes de Bartholin. À ces sécrétions s'ajoute périodiquement le flot menstruel constitué de sang qui ne coagule pas et de débris de la muqueuse utérine.

- La quantité de substances pouvant servir de nourriture aux microbes de la peau, dans la région génitale de la femme, est-elle constante d'un jour à l'autre ?

2. L'hygiène au moment de la menstruation

Le flot menstruel peut être absorbé extérieurement par des serviettes hygiéniques appliquées contre la vulve. On utilise généralement des serviettes jetables en papier absorbant ou en coton. Elles sont offertes en divers formats, selon les besoins.

Le flot menstruel peut aussi être absorbé à l'intérieur du vagin à l'aide de tampons textiles jetables ; ils sont présentés dans un tube rigide qui sert à les introduire au fond du vagin. Une fois libéré de son tube, le tampon gonfle et reste en place ; il ne devrait alors causer aucune gêne. Comme les serviettes, les tampons existent en divers formats. L'hymen n'empêche pas l'utilisation des tampons hygiéniques.

Notons ici qu'une maladie microbienne potentiellement mortelle, nommée *syndrome du choc toxique*, a été associée à tort ou à raison à l'usage de certains tampons. Toute femme chez qui survient une fièvre brusque accompagnée de vomissements et de diarrhée, lors de l'utilisation de tampons ou peu de temps après, devrait consulter d'urgence un médecin.

Chez beaucoup de femmes, la menstruation ne donne lieu à aucun malaise particulier. Certaines femmes se trouvent même alors soulagées d'une sensation de gonflement qu'elles ressentent pendant les jours qui précèdent. Par ailleurs, la menstruation améliore souvent l'aspect de la peau en y faisant disparaître diverses petites affections.

Cependant, plusieurs désagréments peuvent accompagner la menstruation : une légère sensation de dépression ou au contraire d'excitation, un mauvais sommeil, des maux de tête et de dos, une sensation de tension et de chaleur dans le bassin, ainsi qu'un gonflement et une sensibilité particulière de la poitrine. Habituellement, ces symptômes n'empêchent pas la femme de mener une vie sociale normale. Dans le cas contraire, elle aurait intérêt à consulter un médecin, tout comme en cas de dérèglement du cycle menstruel.

La meilleure façon de réduire les malaises liés à la menstruation consiste à se tenir en forme et à continuer la pratique de ses activités physiques pendant cette période. En plus de faire oublier les malaises, l'exercice soulage la tension psychologique et la congestion des organes. Notons que la menstruation n'empêche pas de se baigner, de se doucher, de nager, et qu'elle ne constitue même pas une contre-indication aux rapports sexuels.

- Pourquoi l'exercice physique soulage-t-il la congestion des organes internes ?

Les aspects sociaux du cycle menstruel

L'extrait qui suit va te faire prendre conscience du genre de préjugés que notre société continue d'entretenir à l'égard du corps de la femme. Lis-le attentivement, il mérite réflexion.

« Même si les menstruations sont un phénomène normal, on les considère souvent comme anormales, sales et honteuses. Au cours de l'histoire, et même de nos jours dans certains milieux, on isole les femmes menstruées et on restreint leurs activités. Certains de ces rites peuvent avoir été bénéfiques aux femmes en les dégageant de certaines tâches ménagères. Mais de nos jours elles semblent avoir perdu ces privilèges : il n'en reste qu'une propension à considérer la femme menstruée comme vulnérable (tu vas être malade si tu te laves les cheveux pendant tes menstruations), sale et contagieuse (ne fais pas l'amour, ne te baigne pas !...) ou irresponsable (n'engagez pas de femmes, elles sont toujours malades).

« Sauf avec des intimes, une femme menstruée est censée faire comme si de rien n'était. Si elle réduit ses activités, elle trouve un prétexte pour justifier son absence. Si elle a mal, elle souffre en silence ou déclare qu'elle est malade. Certaines femmes sont gênées d'acheter des tampons ; certains hommes refusent de le faire. Découvrir en public une tache de sang sur des vêtements devient une catastrophe sociale. Si les menstruations étaient perçues comme normales, de tels comportements sembleraient complètement ridicules.

« Plusieurs facteurs perpétuent ces préjugés : nos attitudes face à la sexualité, au rôle des femmes et aux fonctions du corps. On ne considère pas les organes reproducteurs d'une femme comme partie intégrante de son corps. Les médecins les tripotent avec indifférence ; l'hystérectomie (ablation de l'utérus) est pratiquée pour des raisons souvent douteuses. Lorsque la méthode contraceptive d'une femme élimine ses menstruations, on lui dit qu'elle est bien débarrassée.

« On utilise souvent le cycle menstruel pour discréditer les capacités intellectuelles et émotives des femmes. Les études qui déclarent que les actes les plus violents commis par les femmes le sont juste avant ou pendant leurs menstruations ne disent pas que les femmes commettent moins d'actes criminels juste avant ou pendant leur ovulation. Par ailleurs, les hommes qui n'ont ni menstruations ni ovulation commettent énormément plus d'actes violents que les femmes.

« Cependant, il est vrai que les femmes sont affectées par leur cycle menstruel. Le cycle lui-même est contrôlé par l'hypophyse et l'hypothalamus qui font tous deux partie du cerveau. Mais ce n'est pas une raison pour en conclure que les femmes sont des êtres inférieurs ; ce genre de raisonnement prendrait pour acquis que le corps et le cerveau de l'homme sont la norme pour tous les êtres humains et que les femmes sont inférieures parce qu'elles s'écartent de cette norme. La norme devrait inclure tout autant les modèles féminins que les modèles masculins.

« Nous ne sommes pas, par contre, opposés à toute interférence dans le cycle menstruel. La pilule est un bienfait pour de nombreuses femmes. L'hystérectomie peut sauver une vie. Mais les femmes doivent bien s'assurer que ceux qui interfèrent dans leur cycle ont vraiment un respect fondamental de l'intégrité du corps féminin[1]. »

1. Les Presses de la Santé de Montréal, *Le contrôle des naissances*, Montréal, 1980, p. 10.

à toi de jouer

1. IDENTIFIER SUR UN SCHÉMA LES ORGANES GÉNITAUX EXTERNES FÉMININS.

a) Reproduis le schéma ci-dessous. Consulte la section A de ce chapitre pour compléter les annotations.

Figure 9-13.

Une coupe de la vulve.

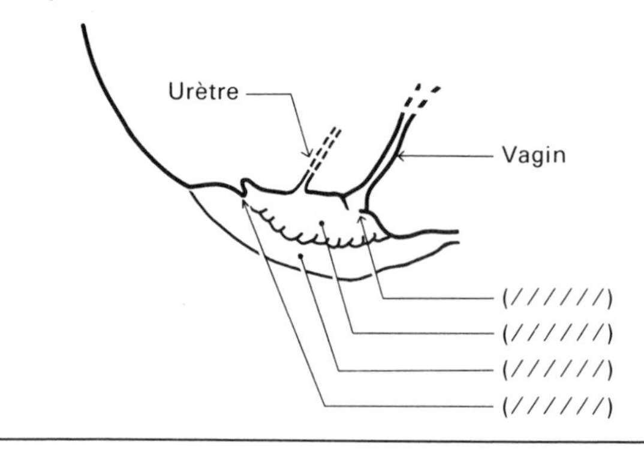

b) Nomme les glandes qui débouchent de part et d'autre de l'orifice vaginal et qui n'apparaissent pas sur le schéma 9-13.

2. DÉFINIR LE RÔLE DES GLANDES DE BARTHOLIN.

Reporte-toi à la section A de ce chapitre pour décrire la sécrétion des glandes de Bartholin. À quel moment est-elle utile ?

3. ÉTABLIR QUELQUES RÈGLES D'HYGIÈNE PERSONNELLE AYANT TRAIT AUX ORGANES GÉNITAUX FÉMININS.

a) Énumère les sécrétions glandulaires qui alimentent les proliférations microbiennes dans la région génitale de la femme. Quelles en sont les conséquences désagréables ? Quel est le moyen le plus simple d'y remédier ?

b) Décris deux moyens d'absorber le flot menstruel.

c) Procure-toi le mode d'emploi qui se trouve dans toute boîte de tampons hygiéniques et colle ce document sur une feuille blanche qui fera partie de ton rapport d'activités.

d) Sur les schémas du document en question, identifie en annotations les principaux organes génitaux féminins, externes et internes.

4. RECONNAÎTRE LA POSSIBILITÉ DE MALAISES AU MOMENT DE LA MENSTRUATION.

a) Énumère les malaises d'ordre psychologique qui peuvent être liés à la menstruation.

b) Énumère les malaises physiques qui peuvent être liés à la menstruation.

5. PRÉCISER LE RÔLE DE L'EXERCICE PHYSIQUE AU MOMENT DE LA MENSTRUATION.

a) Énumère les effets bénéfiques de l'exercice physique pratiqué au moment de la menstruation.

b) Énumère des activités physiques auxquelles se livrent les femmes qui apparaissent dans les messages publicitaires (télévisés ou autres) consacrés aux serviettes ou tampons hygiéniques.

6. ÉTABLIR L'IMPORTANCE DE LA PROPRETÉ CUTANÉE AU MOMENT DE LA MENSTRUATION.

a) À quel moment du cycle féminin et dans quelle région du corps les microbes de la peau disposent-ils de l'alimentation la plus abondante ?

b) Rappelle le lien qui existe entre les microbes et les odeurs corporelles désagréables.

c) Rappelle la mesure d'hygiène la plus efficace contre les odeurs corporelles plus particulièrement liées à la menstruation.

VA PLUS LOIN

Les anomalies de la menstruation

Recherche quelles sont les anomalies de la menstruation les plus fréquentes et quelles en sont les causes. Donne si possible un aperçu des traitements qui peuvent s'appliquer en pareil cas.

L'anatomie du système reproducteur masculin

Comment le système reproducteur masculin est-il relié au système urinaire ?

L'une des fonctions du système reproducteur masculin consiste à rejeter avec force le sperme à l'extérieur. Le sperme est un liquide contenant les gamètes mâles, ou spermatozoïdes. Il se forme par mélange des spermatozoïdes produits par les glandes génitales mâles, ou testicules, avec des liquides produits par des glandes accessoires.

Le sperme et l'urine sont rejetés à l'extérieur par le même conduit : l'urètre.

a) Représente un testicule, une glande accessoire et la vessie par trois cercles, comme ci-dessous.

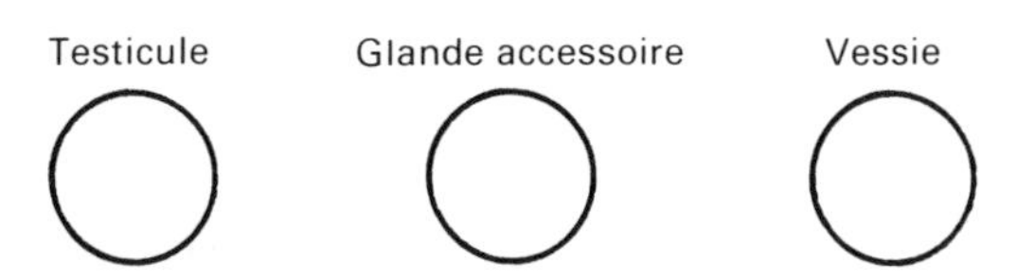

b) À partir de ces trois cercles, schématise un système simple de conduits permettant de rejeter l'urine et le sperme à l'extérieur. Tiens compte de toutes les informations données plus haut.

c) Sur chaque conduit, indique ce qu'il transporte.

d) Place correctement sur un conduit une valve (═╪═) qui empêche l'urine de se mélanger au sperme et de s'écouler librement à l'extérieur.

e) Place correctement une autre valve permettant aux principaux composants du sperme de bien se mélanger avant d'être rejetés à l'extérieur.

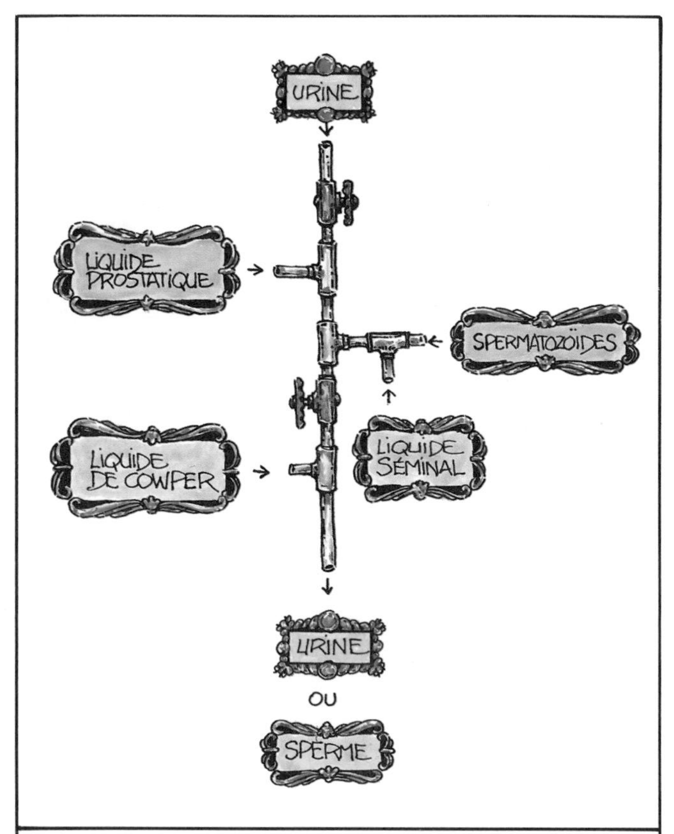

L'appareil uro-génital masculin, tout un système de plomberie.

Les phénomènes essentiels de la reproduction se déroulent dans le système reproducteur féminin. Celui-ci est le lieu chaud et secret qui accueille et protège une nouvelle vie en développement. Le système reproducteur masculin est, au contraire, très perceptible anatomiquement. Son action est dirigée vers l'extérieur, vers l'autre système, sans lequel ses produits sont inutiles.

Tout comme l'appareil génital femelle, l'appareil génital mâle comprend des glandes génitales et des voies génitales. En plus, on y trouve d'importantes *glandes accessoires.*

1. Les glandes génitales

On nomme *testicules* les glandes génitales mâles. Il s'agit d'une paire d'organes en forme de petits œufs aplatis, de consistance ferme, mesurant 4 à 5 cm de long chez l'adulte. Ils sont logés dans un système d'enveloppes recouvert par la peau et formant un sac nommé *scrotum*, ou *bourse*, qui pend au-dessous de l'abdomen.

Cette situation externe des testicules est essentielle puisqu'ils ne peuvent fonctionner qu'à une température inférieure de 4°C à celle de l'intérieur du tronc. Avant la naissance, les testicules se forment dans la cavité abdominale, près des reins, puis ils descendent progressivement. Ils finissent normalement par s'installer dans le scrotum en traversant la paroi abdominale par un étroit canal. Le testicule qui ne franchirait pas ce passage ne fonctionnerait pas le moment venu.

Le principal rôle du testicule consiste à produire de façon continue une multitude de cellules mobiles nommées spermatozoïdes, ou gamètes mâles, ceci depuis la puberté (entre 13 et 15 ans) jusqu'à l'extrême vieillesse. On estime que 1000 milliards de spermatozoïdes pourraient être produits au cours d'une vie humaine. Par comparaison avec l'ovaire, qui égrène lentement les gamètes femelles, le testicule produit un « torrent » de gamètes mâles.

- Lorsqu'un homme se baigne dans l'eau froide, son scrotum se contracte et remonte les testicules près du corps. Lorsqu'il a chaud, au contraire, son scrotum se relâche et permet aux testicules de s'éloigner du corps. Quelle est l'utilité de ces réactions ?

Figure 9-14.

L'appareil génital masculin vu de l'arrière (les testicules ont été écartés).

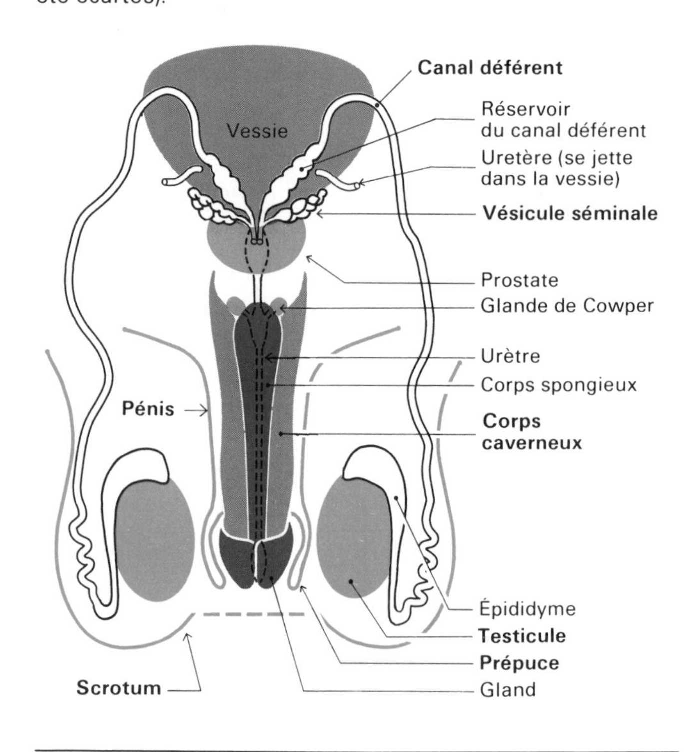

2. Les voies génitales

À partir du testicule, les spermatozoïdes sont évacués vers l'extérieur par une structure nommée *épididyme*, prolongée par un solide conduit long de 40 cm environ : le *canal déférent*.

Chaque canal déférent est tapissé de cils à l'intérieur. Il remonte dans la cavité du bassin et longe la vessie, derrière laquelle il se dilate pour former un réservoir, avant de rejoindre l'urètre. Nous avons déjà parlé de ce dernier conduit dans l'étude des voies urinaires. Comme nous l'avons vu, il s'engage dans un organe génital externe nommé *pénis*, ou *verge*, qui constitue l'organe *copulateur* masculin. Dans le pénis, l'urètre est entouré d'une gaine spongieuse (le *corps spongieux*) qui s'élargit pour former l'extrémité sensible du pénis, nommée *gland*. Un repli de la peau, le *prépuce*, recouvre le gland plus ou moins complètement.

Figure 9-15.
Les organes génitaux externes masculins.

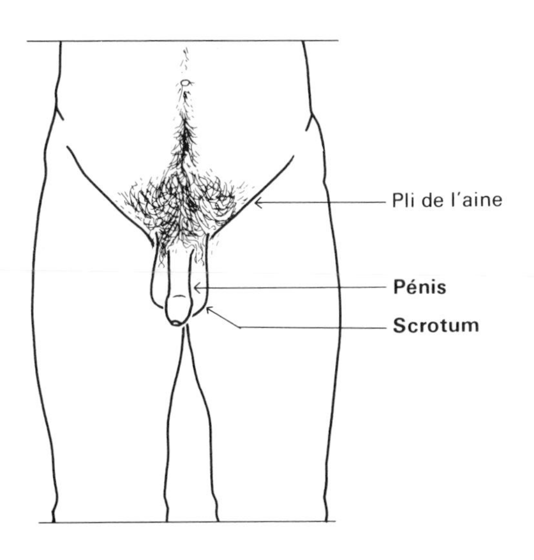

Le corps du pénis est surtout formé des *corps caverneux*, une paire de structures en forme de cylindres capables de se gorger de sang et ainsi de gonfler tout en durcissant. Ce phénomène peut être déclenché par une stimulation mécanique du pénis, une stimulation visuelle, une émotion ou même par la seule pensée. Le pénis est alors amené à se dilater et à se redresser : on dit qu'il entre en *érection*. C'est seulement dans cet état de rigidité que le pénis peut participer à la *copulation*.

- Il se produit parfois des situations où la stimulation mécanique du pénis ne parvient pas à déclencher l'érection. Quel genre de facteur peut alors s'opposer à celle-ci ?

Figure 9-16.
La coupe du bassin de l'homme.

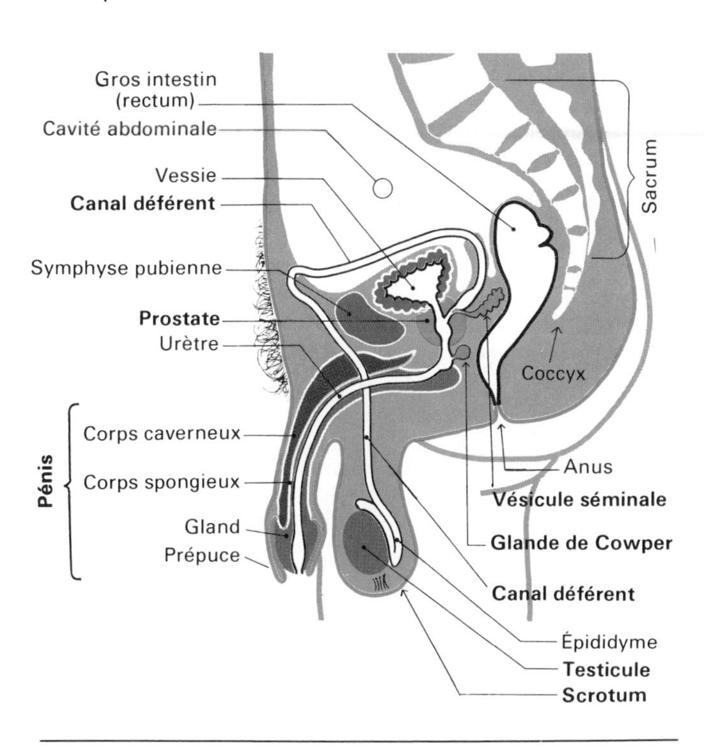

3. Les glandes accessoires

Pour devenir actifs, les spermatozoïdes libérés par le testicule ont besoin d'un milieu de vie nutritif. Il leur est fourni dans les voies génitales par plusieurs sécrétions dont le mélange forme le *plasma séminal*. Plusieurs glandes accessoires du système reproducteur masculin y contribuent.

La prostate. La *prostate* est la glande accessoire la plus volumineuse. Elle enveloppe, sous la vessie, la région où les canaux déférents rejoignent l'urètre. De la taille d'une balle de ping-pong chez l'adulte, la prostate augmente de volume chez la personne âgée, qui peut alors éprouver de la difficulté à uriner.

Le liquide sécrété par la prostate est blanc laiteux ; il s'écoule dans l'urètre par de multiples ouvertures.

Les vésicules séminales. À son entrée dans la prostate, chaque canal déférent est pourvu d'une glande accessoire nommée *vésicule séminale*. Cet organe se présente comme un sac d'aspect bosselé, long de 5 à 6 cm. Il sécrète un liquide qui contient un sucre indispensable à la mobilité des spermatozoïdes : le fructose.

Les glandes de Cowper. Deux autres petites glandes, nommées *glandes de Cowper*, sont annexées à l'urètre. Elles sont situées sous la prostate, dans la région de la racine du pénis.

Le mélange complexe de spermatozoïdes et de sécrétions glandulaires accessoires (le plasma séminal) se nomme *sperme*, ou semence mâle. Destiné à être déposé dans le vagin, le sperme est seul capable d'empêcher la mort de l'ovule.

- Il arrive que les spermatozoïdes contenus dans le sperme soient normaux, mais immobiles. Le sujet est alors infécond. Quelle peut être la cause de cette situation ?

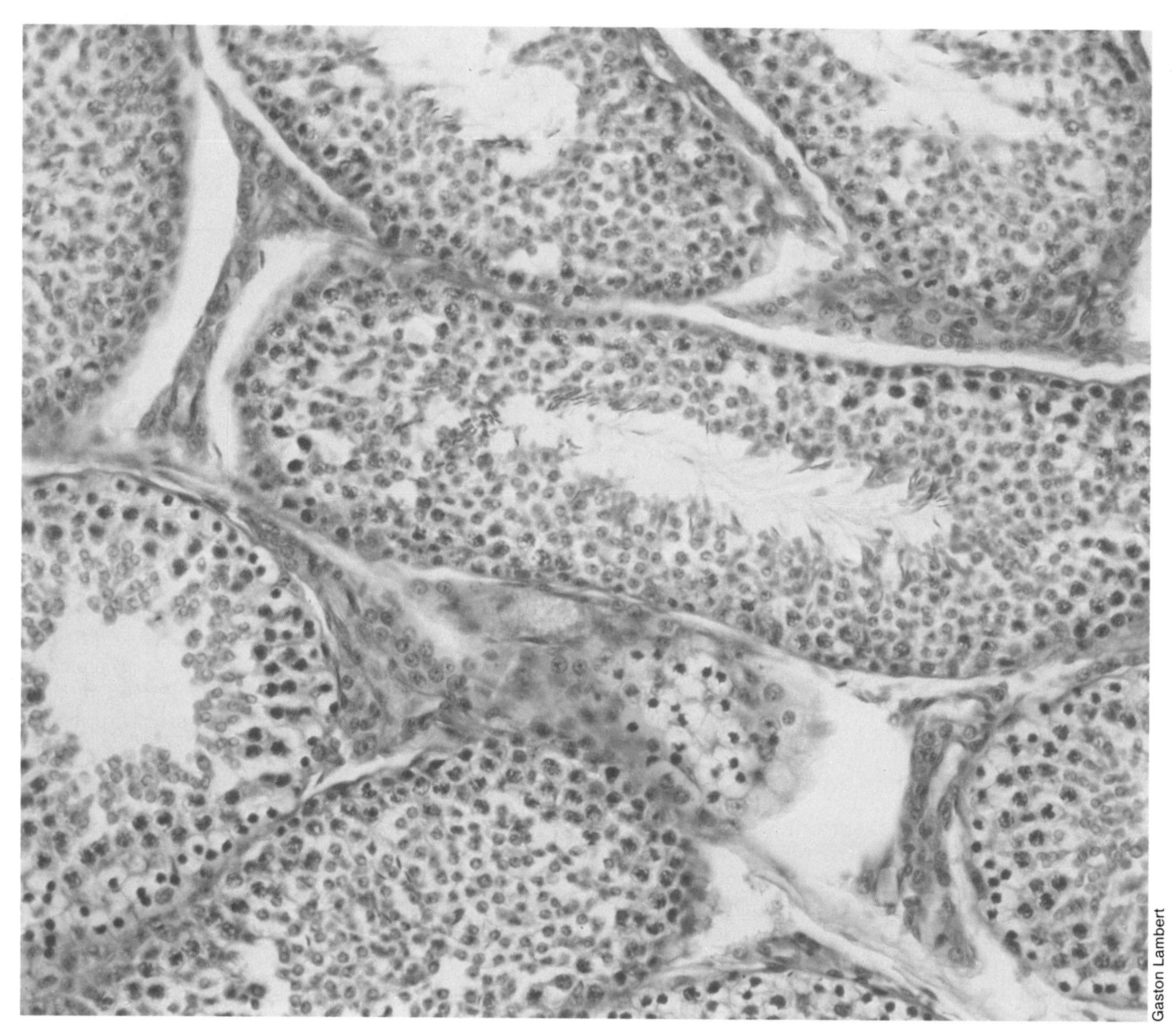

Sur cette coupe de testicule photographiée au microscope, peux-tu situer les spermatogonies et les spermatozoïdes?

à toi de jouer

1. IDENTIFIER SUR UN SCHÉMA DE L'APPAREIL REPRODUCTEUR MASCULIN LES PRINCIPALES STRUCTURES ANATOMIQUES QUI LE COMPOSENT.

Reproduis le schéma 9-17 et donne-lui un titre. Complète-le avec les annotations suivantes : pénis, canal déférent, prostate, vésicule séminale, glande de Cowper, testicule, scrotum.

Figure 9-17.

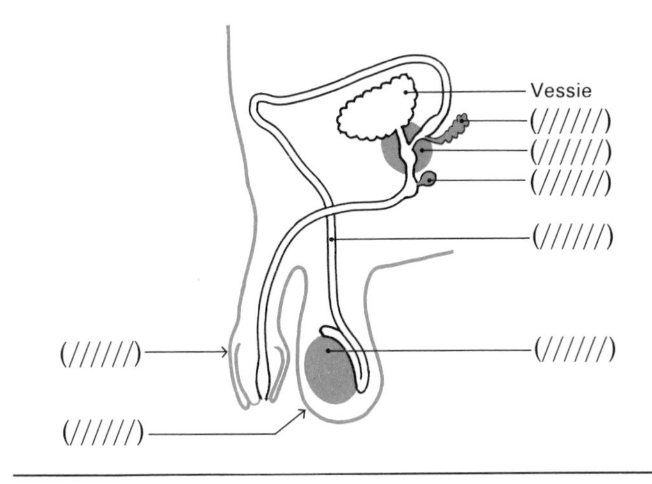

2. SITUER SUR UN ÉCORCHÉ OU SUR UN SCHÉMA DE L'ANATOMIE MASCULINE LES PRINCIPALES STRUCTURES SEXUELLES.

Sur un écorché ou sur la figure 9-16 de ce livre, repère bien les principaux organes qui composent l'appareil génital masculin.

a) Situe le pénis par rapport aux testicules.

b) Nomme le conduit uro-génital du pénis.

c) Nomme le conduit qui relie le testicule à l'urètre.

d) Situe, par rapport à la vessie, le confluent entre l'uretère et les canaux déférents.

e) Situe la prostate par rapport à la vessie.

f) Situe les vésicules séminales par rapport à la prostate.

g) Précise à quel conduit se rattache la vésicule séminale.

h) Situe les glandes de Cowper par rapport au pénis.

i) Précise à quel conduit se rattachent les glandes de Cowper.

j) Situe les testicules par rapport à l'abdomen. Par rapport à la cavité abdominale, précise en quoi la localisation des ovaires diffère de celle des testicules.

k) Nomme le sac qui contient les testicules.

3. DONNER LE RÔLE DE CHACUNE DES PRINCIPALES STRUCTURES SEXUELLES MASCULINES.

a) Quelle est la fonction des testicules ?

b) Quelle est la fonction des canaux déférents ?

c) Nomme le liquide complexe sécrété par les trois types de glandes accessoires annexées aux voies génitales.

d) Nomme le mélange formé par les produits des testicules et des glandes accessoires.

e) À quel organe féminin le pénis est-il destiné à s'adapter ? Rappelle le nom donné à l'union des deux organes. Indique quelle est alors la fonction du pénis, essentielle à la reproduction.

VA PLUS LOIN

Les maladies du système reproducteur masculin

Recherche la définition des termes suivants : orchite, prostatite, épididymite, cryptorchidie, monorchidie, inversion du testicule.

SECTION

La puberté chez l'adolescent

À quel âge survient la puberté ?

La puberté est une étape normale du développement de chacun(e). Ses manifestations surviennent plus ou moins tôt selon le sexe et les individus. Essayons d'en situer quelques-unes statistiquement, dans le cadre de la classe.

Nous retiendrons seulement quatre manifestations de la puberté :
— L'apparition de poils au pubis ;
— L'apparition de poils aux aisselles ;
— La menstruation chez les filles ;
— L'éjaculation (émission de sperme), volontaire ou non, chez les garçons.

Nous allons te demander des renseignements personnels qui devront demeurer strictement confidentiels. Pour garantir l'anonymat de tes réponses, travaille au crayon à mine, sur une feuille ordinaire non identifiée, et présente tes réponses exactement de la façon suivante :

— Si tu es une fille :

P. 9 10 11 12 13 14 15 16 Âges
(pour pubis) 2 cm = 1 a

A.
(pour aisselles)

M.
(pour menstruation)

— Si tu es un garçon :

P. 9 10 11 12 13 14 15 16
(pour pubis)

A.
(pour aisselles)

É.
(pour éjaculation)

a) Reproduis les trois échelles d'âges qui te concernent, en te limitant à ce qui apparaît en rouge sur le modèle.

b) Sur chaque échelle, marque d'une croix l'âge approximatif d'apparition pour la première fois du phénomène correspondant. Par exemple, si les poils au pubis sont apparus vers 11 ans et 3 mois, place la croix comme ceci :

P. 9 — 10 — 11 ✕ — 12 — 13 — 14 — 15 — 16

c) Après compilation des résultats de la classe, reproduis et complète le tableau suivant.

Tableau 9-5.

Les âges moyens d'apparition de quelques manifestations de la puberté.

	Filles	**Garçons**
Apparition de poils au pubis	•	•
Apparition de poils aux aisselles	•	•
Menstruation	•	
Éjaculation		•

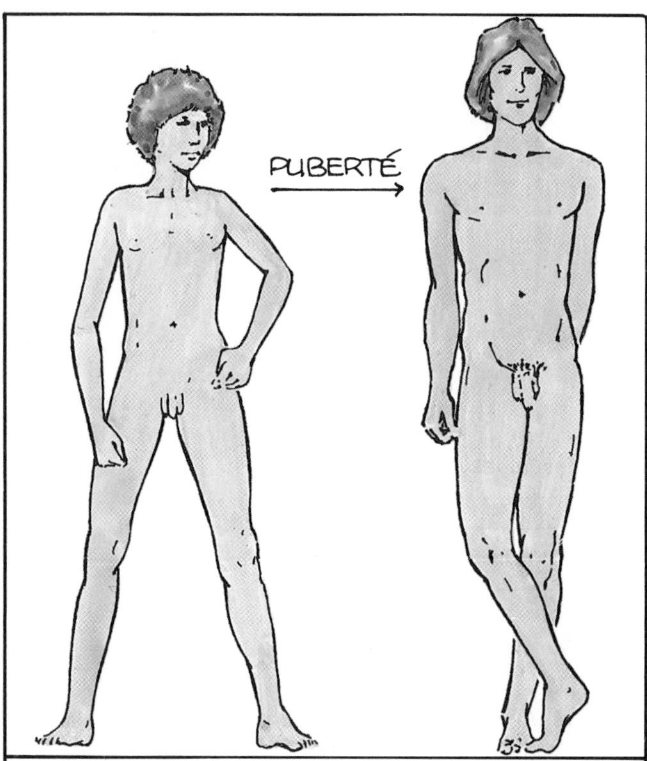

Quelques milligrammes de substances chimiques dans le sang changent un enfant en adolescent.

La puberté chez le garçon est déclenchée à partir du cerveau par les mêmes signaux chimiques que chez la fille. Quant aux transformations de tous ordres qui surviennent alors dans l'organisme masculin, elles sont aussi profondes que dans l'organisme féminin. Les pubertés masculine et féminine sont donc deux aspects d'une même réalité. Cependant, comme il n'existe pas de cycle menstruel chez le garçon, le début de sa puberté est plus difficile à situer que chez la fille.

1. Les manifestations de la puberté chez le garçon

Le premier symptôme de la puberté masculine est l'apparition de poils au pubis vers 13 ans. Dans les mois qui suivent, la voix devient plus grave par suite d'un agrandissement du larynx. Durant la période de transition, le contrôle des muscles de cet organe est imprécis ; chanter peut alors être difficile, car la voix devient rugueuse et fausse facilement : on dit qu'elle *mue*.

Les poils des aisselles apparaissent vers 15 ans et la barbe commence à pousser peu après.

Vers 15 ans également, le volume des organes génitaux augmente de façon marquée. En même temps le scrotum brunit, se plisse et se couvre de poils. Les spermatozoïdes apparaissent entre 14 et 16 ans. Les seins eux-mêmes peuvent gonfler temporairement. Par ailleurs, l'acné est de règle chez presque tous les garçons.

Les changements psychologiques liés à la puberté sont du même ordre chez le garçon que chez la fille (voir la section B).

- Pourquoi les chorales masculines comprennent-elles généralement des jeunes garçons et des adultes, mais pas d'adolescents ?

2. Les fonctions du testicule et leur contrôle par l'hypophyse

La vie sexuelle masculine est contrôlée par les mêmes hormones hypophysaires que la vie sexuelle féminine. Cependant, elles sont sécrétées de façon continue chez l'homme, et non de façon cyclique comme chez la femme.

L'hormone folliculostimulante (FSH) stimule la production de spermatozoïdes par le testicule. Quant à l'hormone lutéinisante (LH), elle agit également sur le testicule, mais pour lui faire produire des hormones sexuelles mâles, ou *androgènes*. Le principal androgène se nomme *testostérone*. Chez le garçon, la puberté est déclenchée par une brusque augmentation des sécrétions simultanées de LH et d'androgènes.

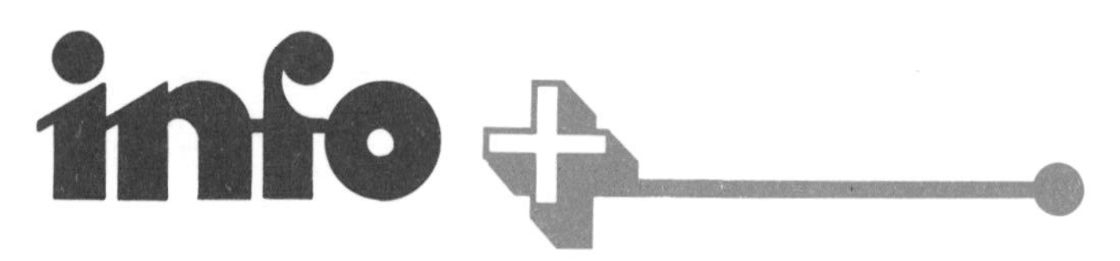

Le testicule : deux glandes en une

Les deux fonctions du testicule (la production de spermatozoïdes et la production d'androgènes) sont réalisées par deux structures distinctes de la glande. Les spermatozoïdes se forment dans de fins tubes ramifiés : les *tubes séminifères*. Les androgènes sont produits dans des groupes de cellules situées entre les tubes séminifères : les *cellules interstitielles*.

Figure 9-18.
La structure du testicule et de l'épididyme.

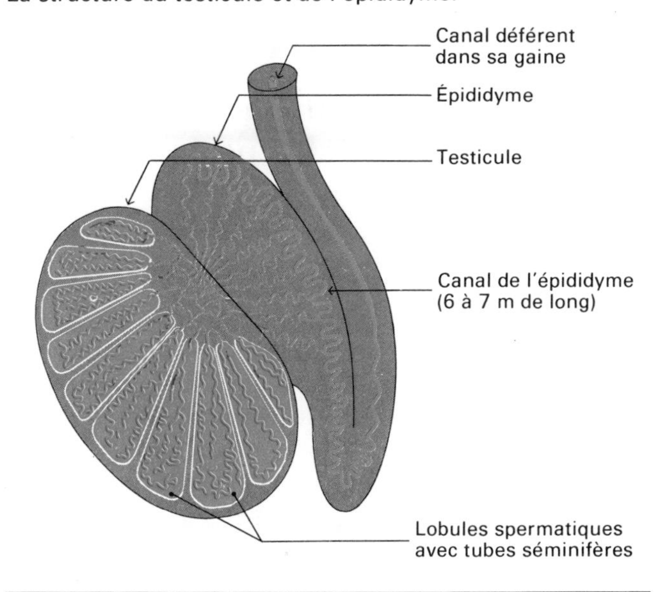

Figure 9-19.
Une coupe transversale de tubes séminifères (observation au microscope).

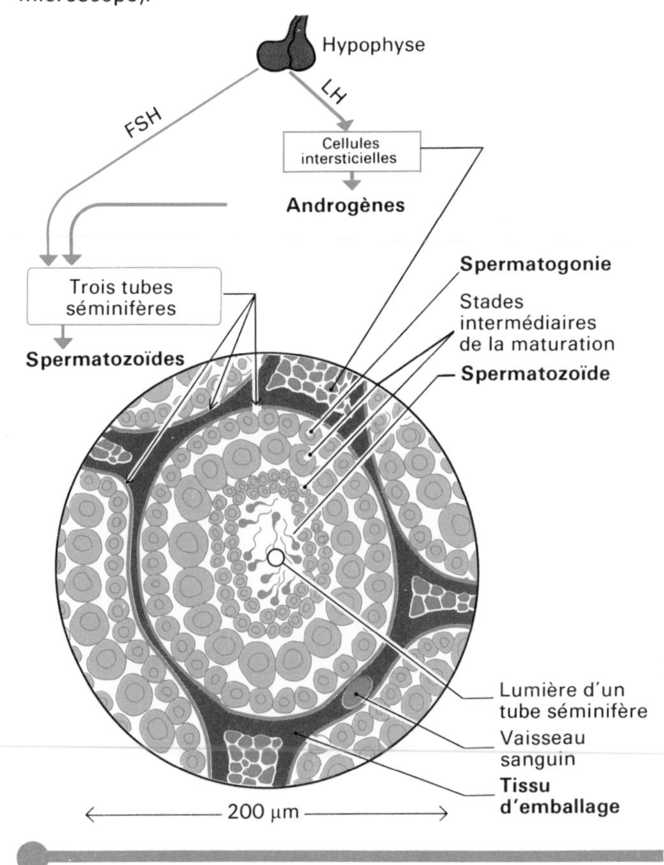

- L'injection de testostérone à un jeune singe de sexe mâle provoque une variation de la taille de ses organes sexuels. Dans quel sens ?

3. L'action des androgènes

Pour bien apprécier l'importance des androgènes chez l'adolescent, on peut étudier les effets d'une opération qui était encore socialement admise, même en occident, jusqu'au siècle dernier : la *castration* (l'ablation des glandes génitales).

L'ablation des testicules chez un jeune garçon empêche la puberté. En grandissant, il acquiert une silhouette et une psychologie particulières, qui font de lui un *eunuque*. Les caractères anormaux de l'eunuque sont liés à l'absence d'androgènes testiculaires dans le sang.

L'eunuque est un individu stérile, pratiquement sans désir sexuel, avec une voix aiguë. Il présente de plus les caractéristiques suivantes :

— Les organes génitaux restent comme ceux d'un enfant ;
— La musculature, la répartition des masses de graisse et des poils sont de type féminin ; les muscles restent peu développés ; par contre, l'enveloppe graisseuse du corps s'épaissit ;
— Les os ont une croissance prolongée, car les cartilages de croissance tardent à disparaître ; ainsi, l'eunuque est un individu de grande taille à cause de ses longues jambes ;
— La peau est lisse comme chez la femme.

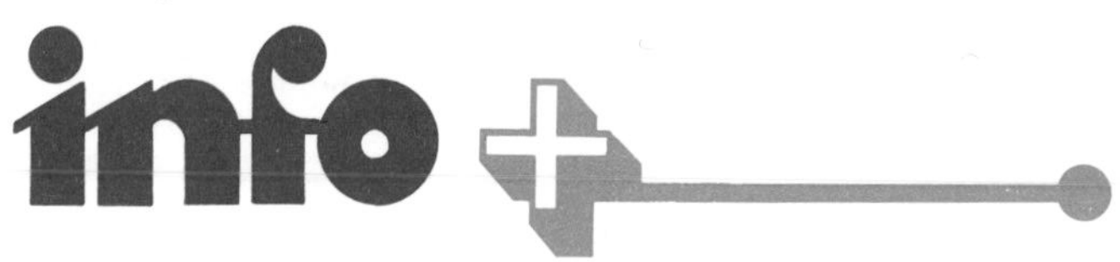

Les aspects sociologiques de la castration

La stérilité et l'absence de désir sexuel qui les caractérisent ont longtemps fait des eunuques les serviteurs attachés aux *harems* en Orient. Dans les sociétés chrétiennes, on cherchait par la castration à favoriser l'épanouissement des qualités vocales du jeune garçon exceptionnellement doué pour le chant, en empêchant la mue de se produire. C'est ainsi que l'on forgeait les admirables chœurs de la Chapelle Sixtine, à Rome. Rappelons également qu'au XVIIIe siècle de célèbres eunuques se produisaient dans les cours princières d'Europe et jouissaient de la gloire et de la fortune. Certaines œuvres chantées (de Mozart, en particulier), ne sont plus données de nos jours, faute de personnel approprié pour les interpréter.

Les androgènes contrôlent donc une large part du développement de l'homme et de son activité sexuelle. Leur production débute avant la naissance ; ils sont alors responsables de la différenciation des voies génitales mâles. En leur absence, ce sont des voies génitales femelles qui se développent. Le taux d'androgènes (et de LH) dans le sang reste bas pendant l'enfance, après une forte élévation qui survient entre 2 et 6 mois. Il augmente brusquement de nouveau au moment de la puberté et se stabilise vers l'âge de 15 ans. À partir de 50 ans, il décroît lentement, mais ne tombe jamais à zéro. Notons que le taux sanguin d'œstrogènes, chez la femme, varie de façon tout à fait analogue, au cours de la vie.

Figure 9-20.

L'action des hormones qui contrôlent la physiologie sexuelle masculine.

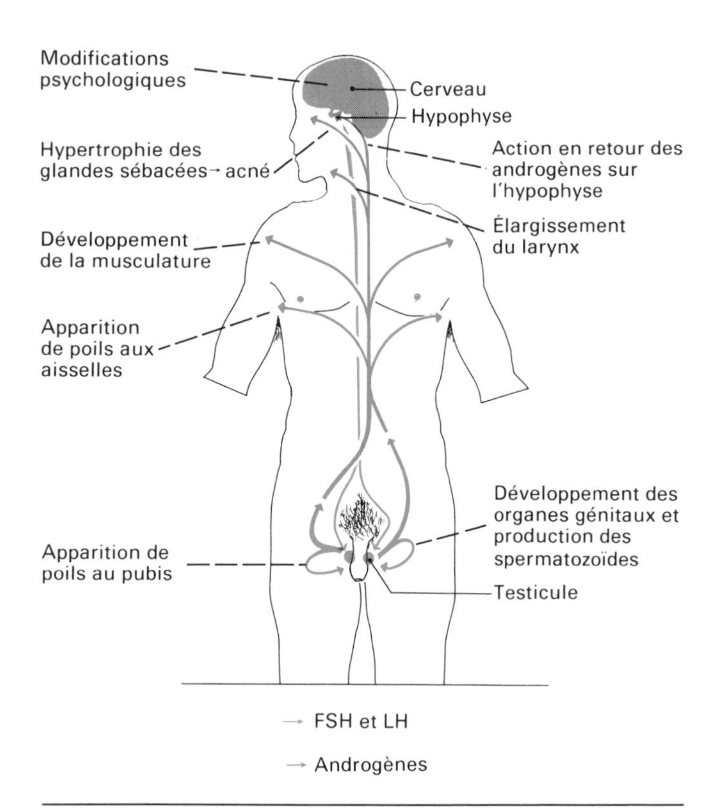

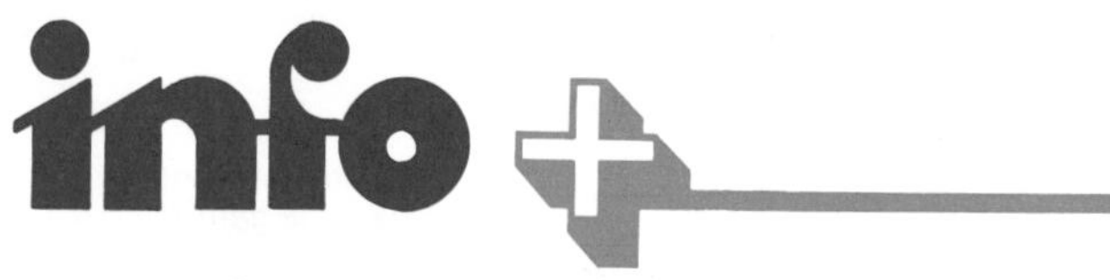

Les substances analogues aux hormones mâles et les performances sportives

L'industrie pharmaceutique produit des substances artificielles proches des androgènes. Elles favorisent comme eux le développement des muscles et renforcent l'ossature, sans que leur effet masculinisant soit trop évident. Ce sont les fameux *stéroïdes anabolisants* dont certains athlètes (hommes et femmes) font usage, au mépris de la morale sportive, des règlements et probablement de leur santé.

- Pourquoi les effets de la castration sont-ils beaucoup moins marqués lorsqu'elle est pratiquée chez l'adulte que lorsqu'elle l'est chez l'enfant ?

à toi de jouer

1. IDENTIFIER SUR UN SCHÉMA LES GLANDES RELIÉES À LA PHYSIOLOGIE SEXUELLE MASCULINE.

Reproduis et complète le schéma suivant.

Figure 9-21.

Les glandes qui gouvernent la physiologie sexuelle masculine.

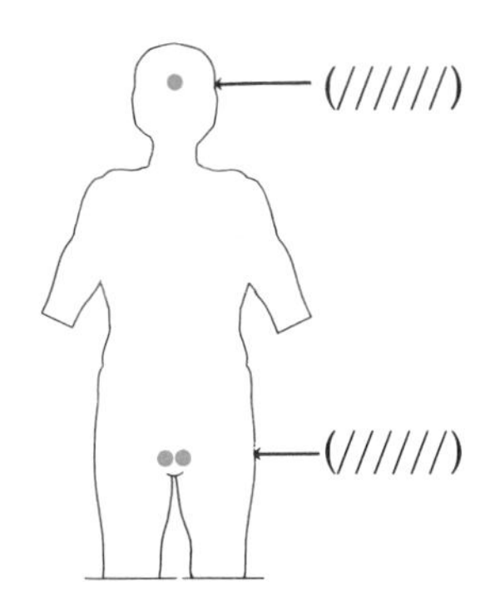

2. NOMMER LES HORMONES TESTICULAIRES.

Donne le nom général des hormones testiculaires. Nomme la principale d'entre elles.

3. DISTINGUER L'ACTION DES HORMONES HYPOPHYSAIRES CHEZ L'HOMME ET CHEZ LA FEMME.

a) Rappelle le nom du phénomène qui rythme la vie sexuelle féminine. Existe-t-il un phénomène comparable chez l'homme ?

b) Explique en quoi le mode de sécrétion de la FSH et de la LH est différent chez l'homme et chez la femme.

4. DRESSER LA LISTE DES CHANGEMENTS QUI APPARAISSENT CHEZ L'ADOLESCENT À LA PUBERTÉ.

a) Reproduis et complète le tableau ci-dessous.

Tableau 9-6.

Les changements liés à la puberté chez l'adolescent.

Changements morphologiques	de la musculature	•
	des aisselles, du pubis et du visage	•
	de l'épiderme	•
	du larynx	•
	de l'appareil génital	•
Changements physiologiques du testicule		• •
Changements psychologiques		• • •

b) Explique la relation qui existe entre la taille du larynx et la hauteur de la voix.

VA PLUS LOIN

Les facteurs qui stimulent l'hypophyse

Pour stimuler les glandes génitales, l'hypophyse a besoin d'être elle-même stimulée. Recherche quels sont les facteurs qui provoquent la sécrétion de LH et de FSH par l'hypophyse.

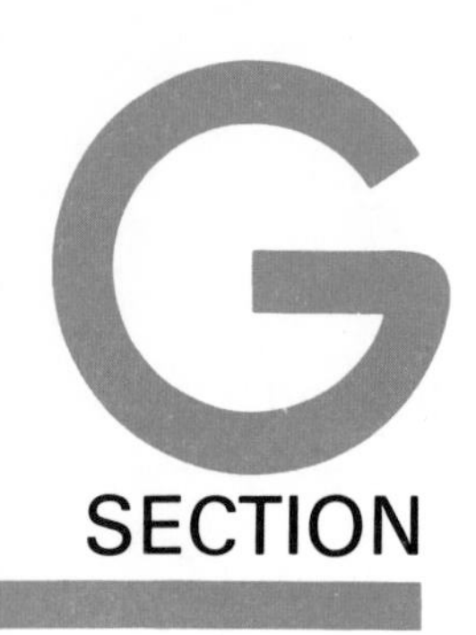

SECTION

La physiologie du système reproducteur masculin

À quoi servent les principaux organes génitaux masculins ?

Quatre glandes participent à l'élaboration du sperme.

a) Nomme ces quatre glandes.

La vasectomie est une opération à laquelle beaucoup d'hommes se soumettent dans le but de ne pas procréer. Elle consiste à couper les canaux déférents et à ligaturer leurs extrémités coupées.

b) De quoi est composé le sperme produit par un homme *vasectomisé* ?

Certains animaux possèdent un os dans leur pénis, notamment les chats, les chiens et les singes.

c) Quelle est l'utilité de cet os ?

d) Quel mécanisme met le pénis en état de rigidité ? Quel terme exact désigne cet état ?

e) Explique pourquoi le pénis apparaît comme un organe bien adapté à sa fonction.

La mobilité des spermatozoïdes est nécessaire pour qu'ils remplissent leur fonction.

L'ovule et le spermatozoïde sont deux aspects d'une même réalité, tout comme les systèmes qui les produisent. En apparence, tout les distingue ; cependant, ils se ressemblent beaucoup pour l'essentiel, c'est-à-dire le programme de vie qu'ils sont chargés de transmettre d'une génération à l'autre.

Dans le système reproducteur masculin, la nature a mêlé quelque peu l'appareil urinaire et l'appareil génital. C'est pourquoi le rejet des spermatozoïdes à l'extérieur met en jeu un système de valves disposées le long de canalisations, afin que le sperme ne se mélange pas à l'urine.

1. Les spermatozoïdes

Les spermatozoïdes se forment à partir de certaines cellules constituant la paroi de tubes très fins, ou tubes séminifères, situés dans les testicules. Les androgènes et la FSH agissent ensemble sur ces cellules pour les amener à se transformer en spermatozoïdes. Décrivons les principales étapes du phénomène.

Sur le pourtour des tubes séminifères, des cellules d'apparence banale se multiplient sans relâche à partir de la puberté : ce sont les *spermatogonies*. Leur noyau renferme les 23 paires de chromosomes caractéristiques de l'espèce humaine. L'un des chromosomes de la 23e paire est semblable aux deux chromosomes de la 23e paire de la femme : on le nomme chromosome X. Son homologue est plus court : on le nomme chromosome Y. Ces chromosomes déterminent le sexe. On les nomme *chromosomes sexuels*. Ils forment donc un couple du type XX chez la femme et du type XY chez l'homme.

Les spermatogonies finissent par gonfler modérément, avant de subir l'épuration chromosomique déjà décrite chez les cellules reproductrices femelles. Cette fois, cependant, en l'absence de réserves nutritives encombrantes, les divisions sont égales et toutes les cellules qui en découlent continuent leur évolution.

Figure 9-22.
La formation des spermatozoïdes.

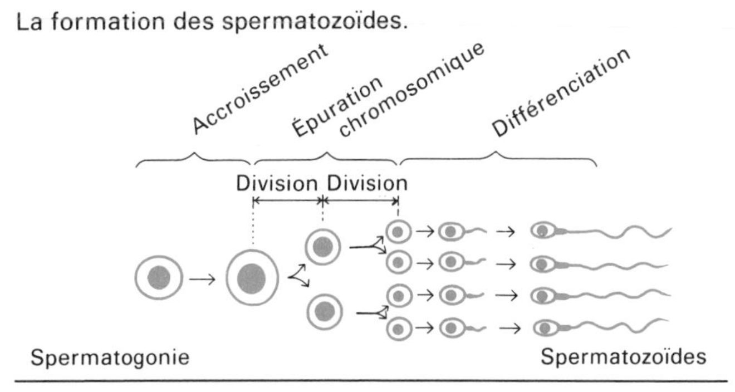

La répartition des chromosomes sexuels lors de l'épuration chromosomique

L'épuration chromosomique s'effectue en deux divisions successives. À partir d'une cellule sont d'abord formées deux, puis quatre cellules. Celles-ci se différencient en spermatozoïdes en développant un système locomoteur et un système perforateur destiné à attaquer chimiquement les enveloppes de l'ovule.

Figure 9-23.

La répartition des chromosomes sexuels au cours de la formation des spermatozoïdes.

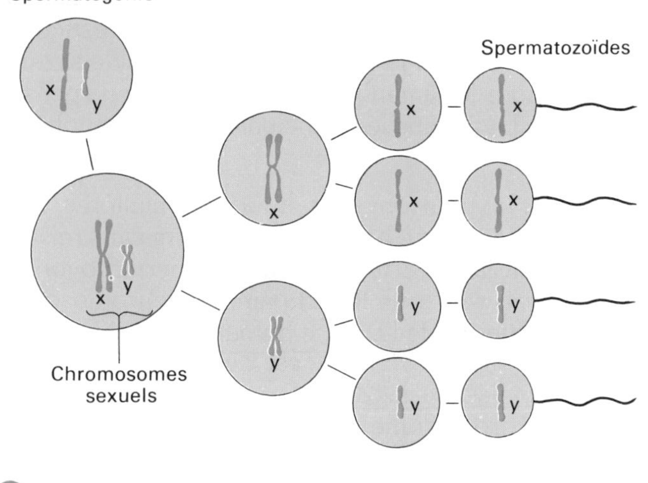

Figure 9-24.

Le spermatozoïde (longueur totale : 65 μm).

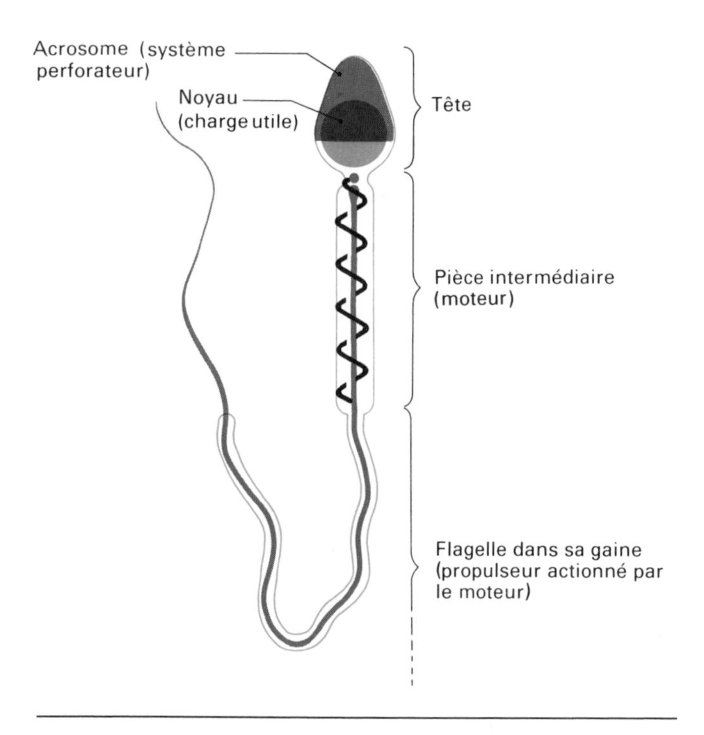

Les spermatozoïdes sont pourvus de 23 chromosomes seulement. Il est important de noter que 50% des spermatozoïdes détiennent un chromosome X, et 50% un chromosome Y. En d'autres termes, un spermatozoïde a autant de chances de détenir un chromosome X qu'un chromosome Y. Dans le premier cas, il sert à produire une fille ; dans le second cas, il sert à produire un garçon. Si le hasard seul choisit le type de spermatozoïde qui est appelé à collaborer avec un ovule pour produire un enfant, il devrait donc naître statistiquement autant de garçons que de filles. C'est d'ailleurs sensiblement ce qui est observé.

- Dans les tubes séminifères où sont situées les cellules les moins évoluées ? Où sont situés les spermatozoïdes ? Cette disposition est-elle logique ? Pourquoi ?

2. L'éjaculation

Les spermatozoïdes sont poussés lentement dans le canal déférent : les plus vieux par les plus jeunes, à partir des tubes séminifères. Le mouvement des cils et les contractions du canal déférent facilitent leur progression. Baignant dans un liquide épais, ils sont immobiles et s'accumulent dans le réservoir du canal déférent, situé près de l'urètre.

Figure 9-25.

La disposition des sphincters de l'urètre.

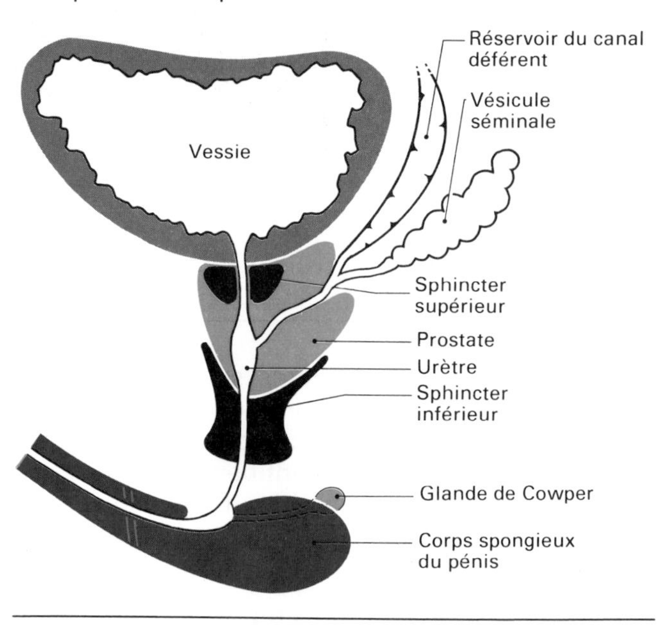

L'utilisation de l'urètre est partagée entre l'appareil urinaire et l'appareil génital. Il existe donc une possibilité de mélange entre l'urine et les spermatozoïdes. Or l'urine tue les spermatozoïdes ; elle ne doit donc jamais les rencontrer. Deux dispositifs l'en empêchent : un sphincter (muscle en forme d'anneau) situé autour de l'urètre, contre la vessie, et un bourrelet qui peut gonfler dans l'urètre, bloquant ainsi toute remontée du sperme dans la vessie. Un second sphincter entoure l'urètre sous la prostate. Pendant l'érection du pénis, les trois dispositifs de fermeture bloquent l'urètre. D'une part, il est alors impossible d'uriner ; d'autre part, les produits génitaux (les spermatozoïdes et les liquides de la prostate et des vésicules séminales) ne peuvent pas s'écouler à l'extérieur.

Pendant le rapport sexuel, l'excitation détermine des contractions musculaires involontaires des canaux déférents et des vésicules séminales. Le contenu de ces organes se mélange au liquide prostatique dans la partie élargie de l'urètre qui traverse la prostate. Le sperme complet se forme, maintenu sous pression derrière le sphincter inférieur qui est fermé.

Au moment de l'*orgasme* (le sommet de l'excitation dans le rapport sexuel), le sphincter inférieur s'ouvre à plusieurs reprises, de façon rythmée. Cette action, combinée à des contractions brusques et vigoureuses du pénis, projette plusieurs jets de sperme, en principe dans le vagin de la partenaire : c'est l'*éjaculation*. Les contractions et relâchements musculaires bien coordonnés qui déterminent l'éjaculation sont commandés par un centre réflexe situé dans la partie terminale de la moelle épinière.

Au total, l'éjaculation libère en moyenne 3,5 cm^3 de sperme, renfermant 350 000 000 de spermatozoïdes. Aidés par les contractions des voies génitales femelles, les spermatozoïdes, devenus actifs dans le plasma séminal, remontent l'utérus, puis les trompes. Leur flagelle les propulse à la vitesse de 3 mm/min. La plupart d'entre eux meurent dans les 48 h. Quelques-uns, cependant, pourraient survivre plus longtemps (jusqu'à 6 jours).

- La sécrétion des glandes de Cowper s'écoule dans l'urètre avant l'éjaculation. Pourquoi facilite-t-elle cette dernière ?

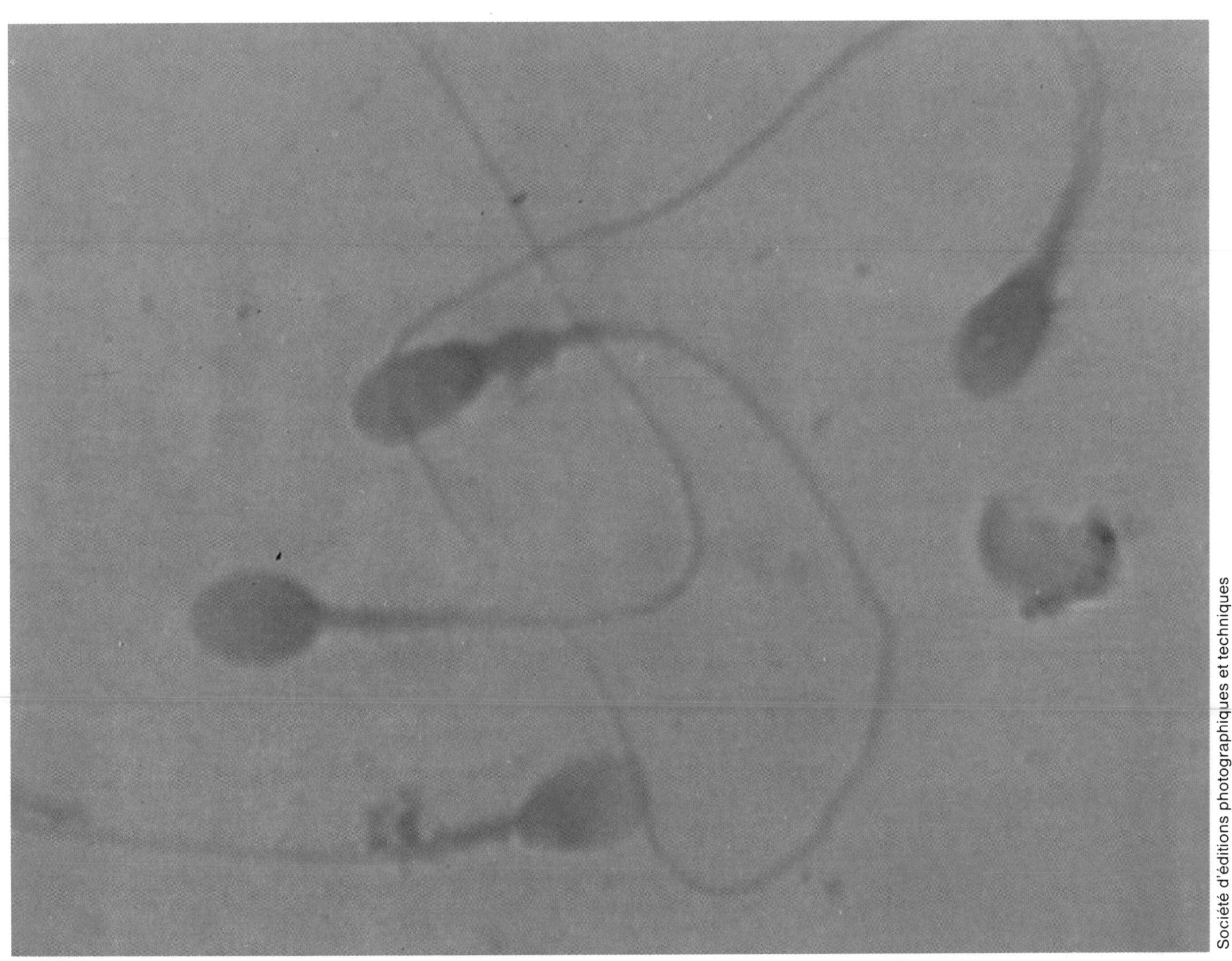

Société d'éditions photographiques et techniques

Quels sont ces organismes vivants?

à toi de jouer

1. DÉCRIRE LES PRINCIPALES CARACTÉRISTIQUES DES SPERMATOZOÏDES.

a) Calcule le nombre moyen de spermatozoïdes par cm^3 de sperme.

b) Donne le nombre de chromosomes du spermatozoïde. Compare-le à celui de l'ovule.

c) Explique comment le contenu chromosomique des spermatozoïdes permet de les classer en deux catégories.

d) Nomme le propulseur du spermatozoïde.

e) Donne la longueur du spermatozoïde.

f) Calcule en combien de temps approximativement un spermatozoïde libéré dans les voies génitales femelles parcourt sa propre longueur.

g) Quel est, en moyenne, le temps de survie habituel des spermatozoïdes dans les voies génitales femelles ? Quel est leur record de survie ?

2. ÉTABLIR DES DIFFÉRENCES ENTRE LES ÉLÉMENTS CONSTITUTIFS DU SPERME.

a) De quoi la partie du sperme qui vient des testicules est-elle constituée ?

b) Nomme la partie du sperme qui vient des glandes annexes. Rappelle les noms de ces dernières.

3. SUR UN SCHÉMA, TRACER LES VOIES PARCOURUES PAR LE SPERME ET PAR L'URINE.

a) Énumère les dispositifs qui peuvent isoler la portion d'urètre traversant la prostate.

b) Reproduis les schémas 9-26 et 9-27. Sur le schéma approprié, trace en pointillé rouge le trajet du sperme à partir du testicule. Sur l'autre schéma, trace en pointillé bleu le trajet de l'urine à partir de la vessie.

Figure 9-26.
Le trajet du sperme.

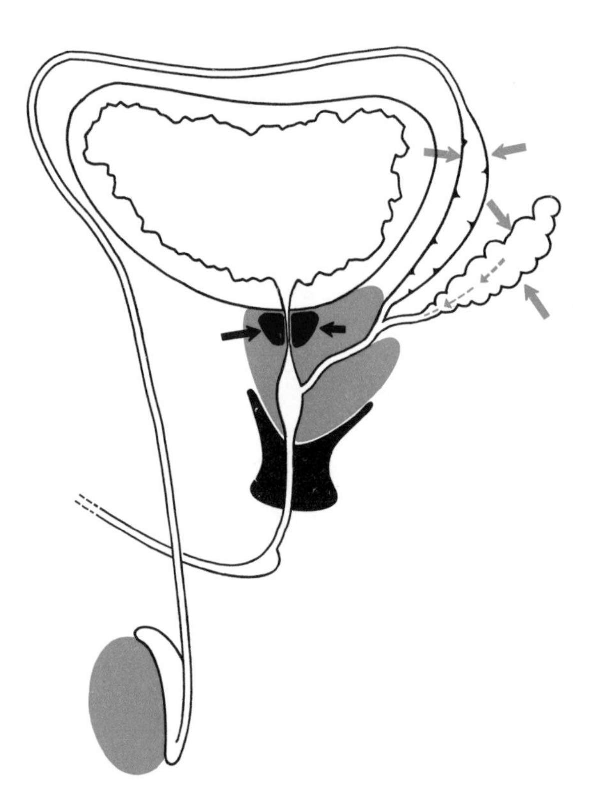

Figure 9-27.
Le trajet de l'urine.

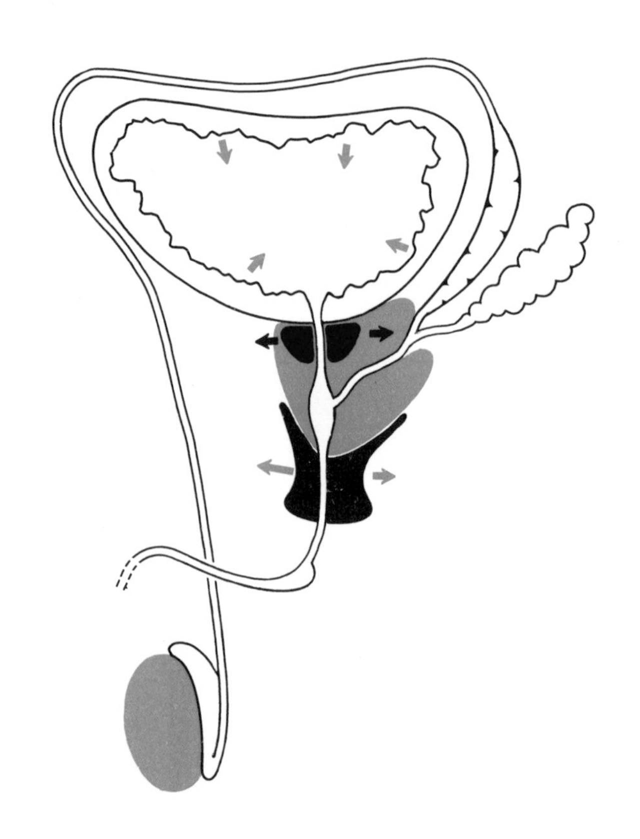

4. DÉCRIRE LA NATURE ET LA FONCTION DE L'ÉRECTION.

a) D'après la section E (L'anatomie du système reproducteur masculin), explique en quoi consiste l'érection chez l'homme et quel en est le mécanisme.

b) Explique pourquoi l'érection est indispensable à tout rapport sexuel.

5. DISTINGUER L'ÉRECTION DE L'ÉJACULATION.

a) Explique en quoi consiste l'éjaculation. À quel moment d'un rapport sexuel se produit-elle?

b) De l'érection ou de l'éjaculation, lequel des deux phénomènes se produit le plus souvent sans l'autre?

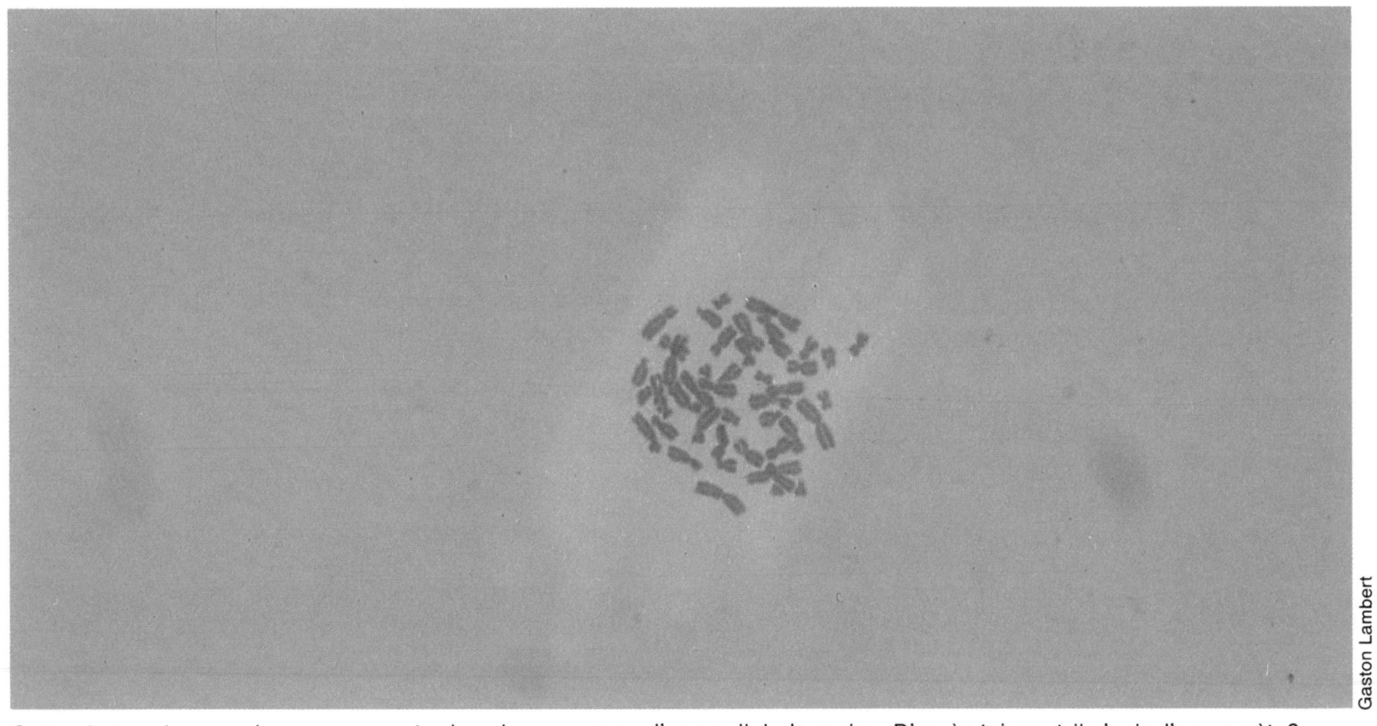

Gaston Lambert

Cette photo prise au microscope montre les chromosomes d'une cellule humaine. D'après toi, peut-il s'agir d'un gamète? Pourquoi?

VA PLUS LOIN

Enquête sur les effets de quelques formules chromosomiques anormales

Normalement, la 23e paire de chromosomes est du type XX chez la femme et du type XY chez l'homme. Mais il arrive qu'il y ait un chromosome X ou Y en plus ou, au contraire, en moins.

Décris différentes anomalies chromosomiques de ce type et explique leurs conséquences sur l'organisme.

L'hygiène masculine

En quoi consiste l'hygiène masculine ?

a) La propreté générale est-elle plus importante chez un garçon que chez une fille ? Donne ton opinion et justifie-la.

b) Y a-t-il une raison de négliger les organes génitaux lors de la toilette quotidienne ?

c) Cherche dans le dictionnaire le sens exact du mot circoncision. Y a-t-il un rapport quelconque entre la circoncision et la castration ?

d) Pourquoi certains garçons sont-ils circoncis et d'autres pas ?

e) Bien que la circoncision ne modifie pas de façon significative la jouissance lors des rapports sexuels, elle peut entraîner une certaine diminution de la sensibilité du gland. Quelle en est la cause ?

La propreté de chacun(e) est essentielle au bien-être de tous et de toutes.

Le pénis n'est qu'un élément de la masculinité parmi beaucoup d'autres. Cet organe — relativement modeste, tout compte fait — a son utilité, comme tous les autres ; il ne mérite ni d'être adoré ni d'être négligé.

Pour leur bien-être et aussi pour celui de leurs compagnes, les hommes ont intérêt à prendre soin de leurs organes génitaux externes comme des autres régions de leur corps.

1. La circoncision

L'extrémité renflée du pénis, ou gland, est normalement recouverte d'un repli de la peau : le prépuce. On appelle *circoncision* l'ablation chirurgicale du prépuce.

Cette opération mineure est parfois une nécessité du point de vue médical, par exemple lorsque le prépuce se ferme à son extrémité et empêche d'uriner, ou encore lorsqu'il est trop étroit et rend alors l'érection douloureuse. Certaines religions en font une obligation rituelle. Dans la religion juive, la circoncision est pratiquée le septième jour suivant la naissance. Dans la religion musulmane, elle est faite vers l'âge de huit ans. De nombreux hôpitaux d'Amérique du Nord appliquaient jadis la circoncision à tous les garçons nouveaux-nés sans raison apparente, bien souvent sans que les parents soient consultés. Cette coutume n'a plus cours aujourd'hui.

En fait, la circoncision est une pratique aussi vieille que le monde. C'est ainsi que les momies égyptiennes masculines sont toutes circoncises. De nos jours, le minuscule prépuce de l'enfant continue d'alimenter des querelles entre partisans et adversaires de la circoncision, les uns et les autres prétendant avoir l'hygiène de leur côté. Essayons de voir clair dans cette notion d'hygiène, étant entendu que le problème a bien d'autres aspects.

Contre la circoncision systématique. La coutume de circoncire les garçons semble effectivement découler de considérations d'hygiène. Dans les régions arides du Moyen-Orient, berceau des religions juive et musulmane, l'infiltration de sable sous le prépuce cause souvent une douloureuse inflammation du gland. Les hommes nomades dormant sous la tente dans le désert sont particulièrement sujets à cette mésaventure. Par contre, il faut reconnaître que dans notre civilisation, où l'on a l'habitude de dormir dans des draps propres, ce genre de risque est négligeable. La circoncision, précisément destinée à prévenir l'inflammation du gland par le sable, n'aurait donc pas de sens chez nous. De plus, comme toute intervention chirurgicale, elle comporte des dangers d'infection. La circoncision représenterait donc un facteur de risque inutile, en même temps qu'une pratique douloureuse et désuète.

Pour la circoncision systématique. Les études statistiques montrent que le cancer de l'utérus est rare en Israël, c'est-à-dire dans une population où la circoncision est de règle. La relation entre le prépuce et le cancer pourrait s'interpréter selon la théorie suivante.

Une sécrétion glandulaire pâteuse et jaunâtre nommée *smegma* est produite par le prépuce, et s'accumule à la base du gland. Les bactéries qui prolifèrent sur ce milieu élaboreraient des produits cancérigènes pour l'utérus. En supprimant le smegma, la circoncision limiterait les proliférations bactériennes indésirables et réduirait par conséquent le risque de cancer.

À vrai dire, personne ne peut affirmer avec certitude que c'est bien la circoncision qui protège les femmes juives du cancer de l'utérus ; bien d'autres facteurs peuvent intervenir.

- Lorsque la circoncision est pratiquée avec cérémonie sur un garçon de huit ans, s'agit-il seulement d'une mesure d'hygiène ?

2. La nécessité de la propreté des organes génitaux masculins

De nos jours, les médecins sont d'avis que de bonnes habitudes d'hygiène sont aussi efficaces que la circoncision comme moyen de prévenir le cancer de l'utérus. En d'autres termes, un prépuce propre vaudrait bien un pénis sans prépuce.

Du strict point de vue hygiénique, la circoncision ne serait donc pas nécessaire. Par contre, dans tous les cas, la propreté des organes génitaux externes devrait être soigneusement entretenue, chez les deux sexes, surtout si l'on a des relations sexuelles. À ces occasions, le pénis peut recueillir toutes sortes de microbes *pathogènes* (générateurs de maladies) d'une partenaire infectée. Inversement, il peut transmettre de tels microbes à une partenaire saine. La propreté décourage au moins la prolifération superficielle des microbes.

Le scrotum, le pénis et les régions avoisinantes devraient donc être savonnés chaque jour. Le prépuce devrait être retroussé afin de bien nettoyer la base du gland.

Tu sais déjà que la propreté est une des principales conditions du bien-être. Pense aussi que se sentir bien dans sa peau est un préalable essentiel pour s'épanouir sexuellement.

- En dehors des microbes proprement dits (les bactéries et les virus), des organismes microscopiques causent fréquemment des infections de la peau ou des muqueuses, y compris sur les organes génitaux. De quels organismes s'agit-il ?

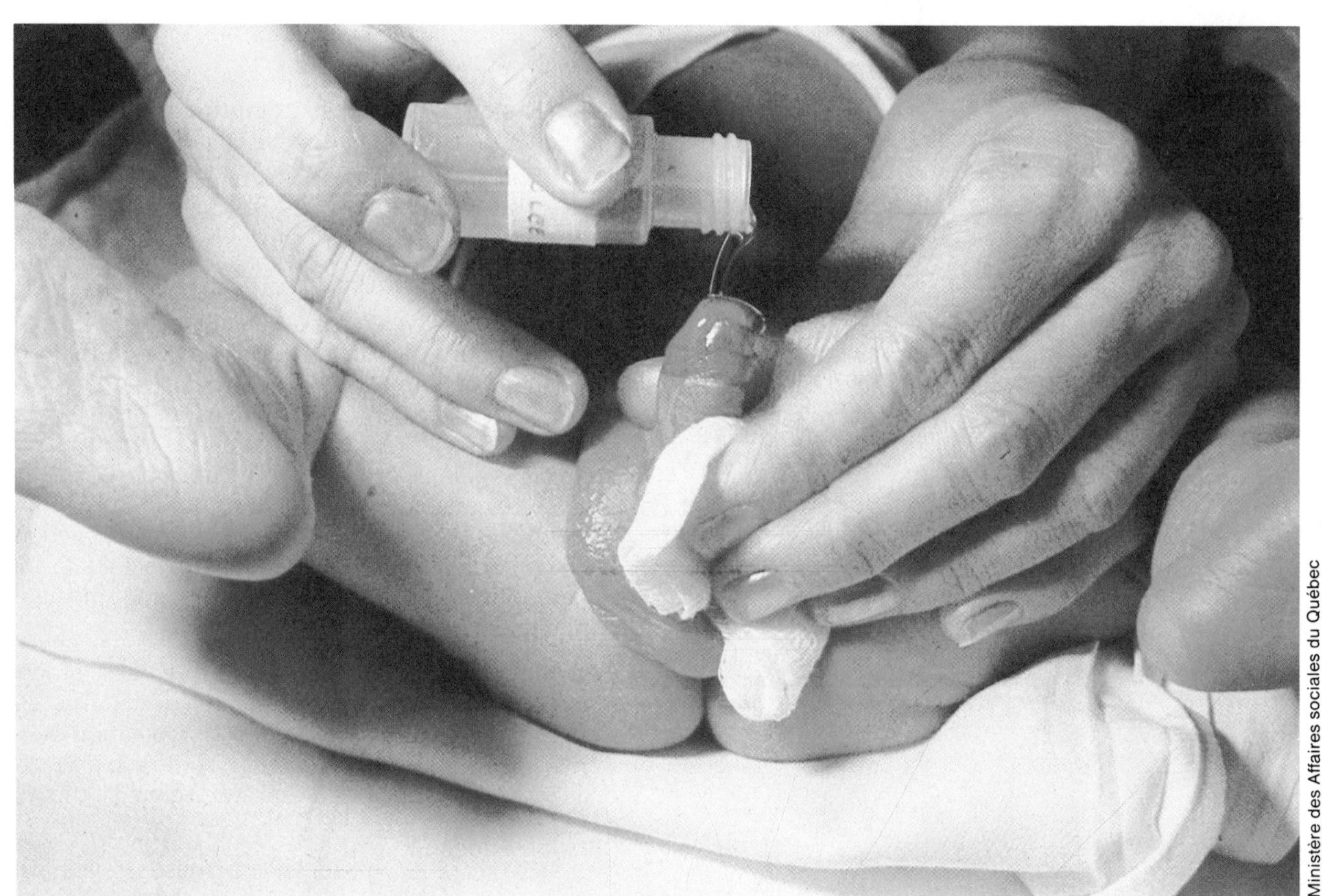

Ministère des Affaires sociales du Québec

Ce bébé est-il circoncis?

à toi de jouer

1. DÉFINIR LA CIRCONCISION.

Définis successivement le gland, le prépuce et la circoncision.

2. ÉNUMÉRER DES CAS QUI NÉCESSITENT LA CIRCONCISION.

a) Cite deux dispositions du prépuce qui rendent nécessaire la circoncision. Note les conséquences qu'elles entraînent.

b) Identifie une maladie qui pourrait être moins fréquente si la circoncision était généralisée.

c) Nomme deux religions qui font de la circoncision une obligation.

3. DÉFINIR LE SMEGMA.

Donne les caractéristiques du smegma (sa localisation, son aspect) et précise pourquoi il pose un problème d'hygiène.

4. ÉTABLIR QUELQUES RÈGLES D'HYGIÈNE PERSONNELLE AYANT TRAIT AUX ORGANES GÉNITAUX MASCULINS.

Décris les soins requis quotidiennement par les organes génitaux externes masculins. Quelle région demande un soin tout particulier ?

5. DONNER LES AVANTAGES DE LA PROPRETÉ DES ORGANES GÉNITAUX.

a) Explique pourquoi la propreté des organes génitaux est un facteur de santé pour soi-même et pour les autres.

b) En dehors de toute considération de santé physique, donne un autre avantage de la propreté des organes génitaux, à l'égard de soi-même et des autres.

VA PLUS LOIN

Les atteintes aux organes génitaux externes

La circoncision est une opération couramment pratiquée sur les garçons. Dans certaines sociétés, on pratique sur les filles une opération nommée excision. De quoi s'agit-il ?

Dans les mêmes sociétés qui pratiquent l'excision sur les filles, on pratique aussi parfois l'infibulation. De quoi s'agit-il ? Quel est le but de cette opération ?

FAIS LE POINT

SECTION A L'anatomie du système reproducteur féminin

1. Note la série d'associations correcte.

Figure 9-28.
La coupe de l'appareil génital féminin.

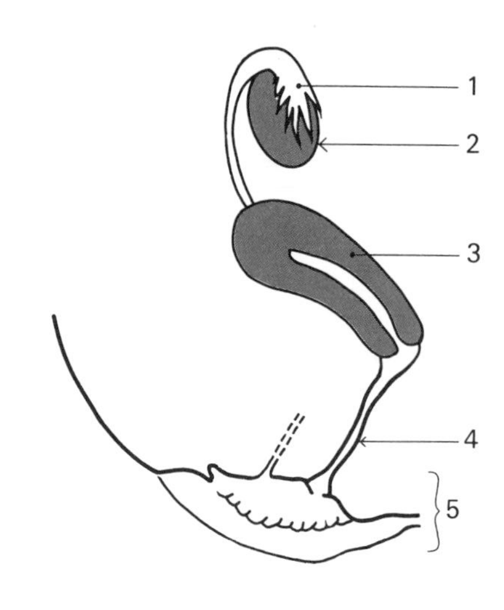

Les noms des organes génitaux
a. Ovaire
b. Trompe de Fallope
c. Utérus
d. Vagin
e. Vulve

a) 1-a, 2-c, 3-d, 4-e, 5-b
b) 1-a, 2-d, 3-c, 4-b, 5-e
c) 1-c, 2-d, 3-a, 4-b, 5-e
d) 1-b, 2-a, 3-c, 4-d, 5-e

2. Note la série d'associations correcte.

Les organes
1. Ovaire
2. Trompe de Fallope
3. Utérus
4. Vagin
5. Vulve

Leur situation
a. Organes génitaux externes
b. Derrière la vessie et l'urètre
c. Derrière et par-dessus la vessie, à l'intérieur du bassin
d. De chaque côté de l'utérus
e. À l'intérieur du bassin, au niveau du sacrum, à l'extrémité des voies génitales

a) 1-c, 2-b, 3-a, 4-d, 5-e
b) 1-d, 2-e, 3-c, 4-a, 5-d
c) 1-e, 2-c, 3-d, 4-a, 5-b
d) 1-e, 2-d, 3-c, 4-b, 5-a

3. Note la série d'associations correcte.

Les organes
1. Ovaire
2. Trompe de Fallope
3. Utérus
4. Vagin
5. Vulve

Leurs fonctions
a. Protection de l'orifice génital externe
b. Développement de l'embryon
c. Copulation
d. Production des ovules
e. Récupération et transport de l'ovule

a) 1-a, 2-b, 3-c, 4-e, 5-d
b) 1-b, 2-c, 3-a, 4-d, 5-e
c) 1-d, 2-e, 3-b, 4-c, 5-a
d) 1-d, 2-b, 3-e, 4-a, 5-c

SECTION B La puberté chez l'adolescente

1. Note le schéma qui situe correctement les principales glandes gouvernant la physiologie sexuelle féminine.

Figure 2-29.
Les glandes qui gouvernent la physiologie sexuelle féminine.

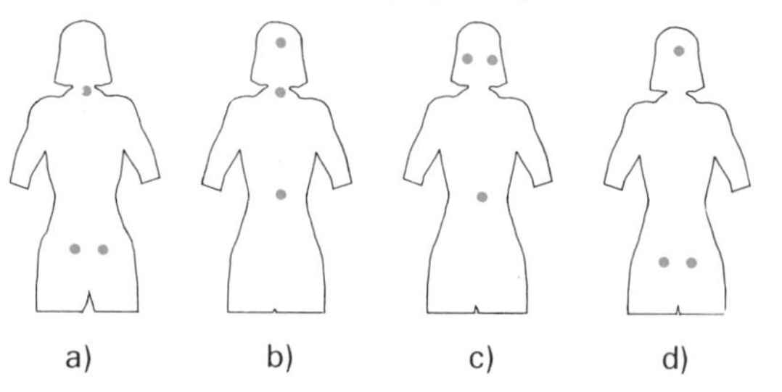

2. Les deux principales glandes qui gouvernent la physiologie sexuelle féminine sont :
a) la thyroïde et l'hypophyse.
b) le pancréas et la glande mammaire.
c) l'ovaire et l'hypophyse.
d) l'ovaire et la thyroïde.

3. Une hormone est essentiellement :
a) un aliment déversé dans le sang en très petite quantité par une glande digestive.
b) un déchet déversé dans les voies urinaires par le rein.
c) un message chimique déversé dans le sang en très petite quantité par une glande endocrine.
d) une substance chimique antimicrobienne sécrétée par certains globules blancs.

4. L'hypophyse agit sur l'ovaire principalement par l'intermédiaire des hormones :
a) folliculostimulante (LH) et lutéinisante (FSH).
b) de croissance (STH) et lutéinisante (LH).
c) de croissance (STH) et folliculostimulante (LH).
d) folliculostimulante (FSH) et lutéinisante (LH).

5. L'ovaire réagit aux stimulus venant de l'hypophyse en sécrétant principalement :
a) des œstrogènes et de la progestérone.
b) de la thyroxine et de la progestérone.
c) des androgènes et de la thyroxine.
d) de l'adrénaline et des œstrogènes.

6. La puberté représente :
a) la première étape de l'adolescence, marquée par d'importants changements physiologiques et psychologiques.
b) une phase de stabilité entre les changements de l'enfance et ceux de l'adolescence.
c) la fin de l'adolescence, alors que l'organisme devient adulte et capable de procréer.
d) le début de l'adolescence, marqué par la stabilité des organes et des fonctions.

7. Les hormones ovariennes agissent :
a) sur les organes génitaux seulement.
b) sur l'ensemble du corps féminin.
c) sur le psychisme seulement.
d) sur les organes génitaux externes seulement.

8. L'important phénomène physiologique qui affecte la femme de la puberté à la ménopause, sauf durant les grossesses, se nomme :
a) période de fertilité.
b) fécondation.
c) cycle menstruel.
d) cycle périodique.

9. Parmi les phénomènes énumérés ci-dessous, note ceux qui apparaissent à la puberté chez l'adolescente.
a. Croissance des seins
b. Ralentissement de la croissance générale
c. Apparition de poils au pubis et aux aisselles
d. Perfectionnement de la silhouette générale
e. Disparition de l'émotivité
f. Cycle menstruel

a) a, b, c, e
b) a, c, d, f
c) b, c, d, e, f
d) a, b, c, d, e, f

SECTION C Le cycle menstruel

1. À partir du cinquième jour du cycle menstruel, la muqueuse utérine :
a) se détruit.
b) s'épaissit.
c) atteint son épaisseur maximale.
d) commence à diminuer d'épaisseur.

2. Le phénomène instantané qui marque un cycle menstruel est :
a) la menstruation.
b) le dépérissement de la muqueuse utérine.
c) le développement de la muqueuse utérine.
d) l'ovulation.

3. Au cours des tout premiers jours du cycle menstruel, la muqueuse utérine :
a) est en pleine reconstitution.
b) est en cours de dépérissement ; c'est la menstruation.
c) termine sa reconstitution.
d) commence sa reconstitution.

4. Note la série d'associations correcte.

Les variations du taux d'hormones dans le sang
a. Élévation du taux d'œstrogènes
b. Élévation du taux de progestérone
c. Baisse des taux d'œstrogènes et de progestérone

Leurs conséquences physiologiques
1. Épaississement de la muqueuse utérine
2. Menstruation
3. Ovulation

a) 1-c, 2-a, 3-b
b) 1-b, 2-a, 3-c
c) 1-b, 2-c, 3-a
d) 1-a, 2-b, 3-c

5. Dans le cadre du cycle menstruel, l'ovulation se produit :
a) juste après une importante sécrétion d'œstrogènes.
b) juste avant une importante sécrétion d'œstrogènes.
c) juste après une importante sécrétion de progestérone.
d) juste avant une importante sécrétion de progestérone.

6. Parmi les indices suivants, note ceux qui permettent de connaître le moment de l'ovulation.
   a. Légère élévation de température
   b. Étourdissement
   c. Légère douleur abdominale
   d. Légère nausée
   e. Sensation de gonflement
   a) a, b, c, d
   b) b, c, d, e
   c) a, b, c
   d) a, c
7. Note l'affirmation fausse.
   a) L'ovulation se produit en moyenne tous les 14 jours.
   b) En général, l'ovulation met en jeu un seul ovule à la fois.
   c) L'ovulation représente le but ultime du cycle menstruel.
   d) L'ovulation rend la femme fertile.
8. Note l'affirmation fausse.
   a) L'ovule est une cellule à 23 chromosomes.
   b) L'ovule est une grosse cellule ciliée.
   c) Le diamètre de l'ovule est de l'ordre de 120 μm.
   d) L'ovule peut survivre pendant une semaine dans les voies génitales, bien qu'il soit condamné au bout de 24 h.

SECTION D L'hygiène féminine

1. Note la série d'associations correcte.

   Les noms des organes génitaux
   a. Clitoris
   b. Grande lèvre
   c. Hymen
   d. Orifice d'une glande de Bartholin
   e. Petite lèvre

Figure 9-30.
Les organes génitaux externes féminins.

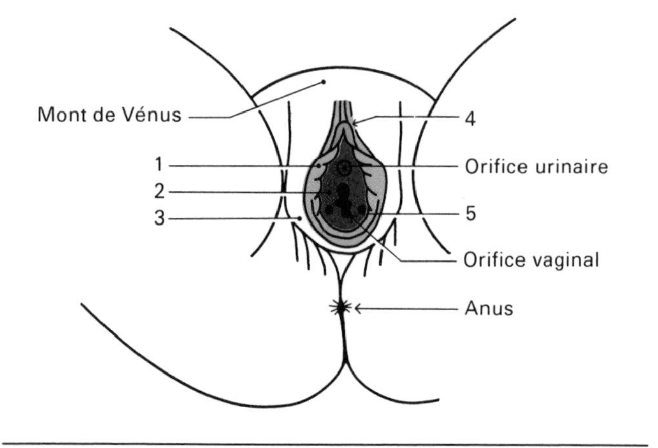

   a) 1-a, 2-c, 3-b, 4-e, 5-d
   b) 1-a, 2-b, 3-c, 4-d, 5-e
   c) 1-a, 2-b, 3-e, 4-c, 5-d
   d) 1-e, 2-c, 3-b, 4-a, 5-d
2. Les glandes de Bartholin ont pour fonction :
   a) la production cyclique d'hormones.
   b) la lubrification de l'entrée du vagin.
   c) la production de sueur à odeur spéciale.
   d) l'excrétion de déchets du métabolisme.
3. Note la mesure d'hygiène la moins pertinente qui puisse s'appliquer aux organes génitaux externes féminins.
   a) L'enlèvement des sécrétions.
   b) L'entretien de la propreté.
   c) Le lavage quotidien.
   d) L'application de désodorisant.
4. Une légère sensation de dépression, des maux de dos et de tête, de légères crampes et une lourdeur à l'abdomen sont les principaux malaises qui peuvent accompagner :
   a) l'ovulation.
   b) la menstruation.
   c) la sécrétion d'œstrogènes.
   d) la sécrétion de progestérone.
5. Note l'affirmation fausse.
   a) Pendant la menstruation, il est préférable de rester allongée le plus possible.
   b) L'exercice physique peut atténuer les malaises de la menstruation.
   c) Pendant la menstruation, l'hygiène cutanée est indispensable pour éliminer les odeurs.
   d) Pendant la menstruation, on peut se baigner, se doucher et nager.

SECTION E L'anatomie du système reproducteur masculin

1. Note la série d'associations correcte.

   Les noms des organes génitaux
   a. Glande de Cowper
   b. Prostate
   c. Testicule
   d. Vésicule séminale

Figure 9-31.
Le système reproducteur masculin.

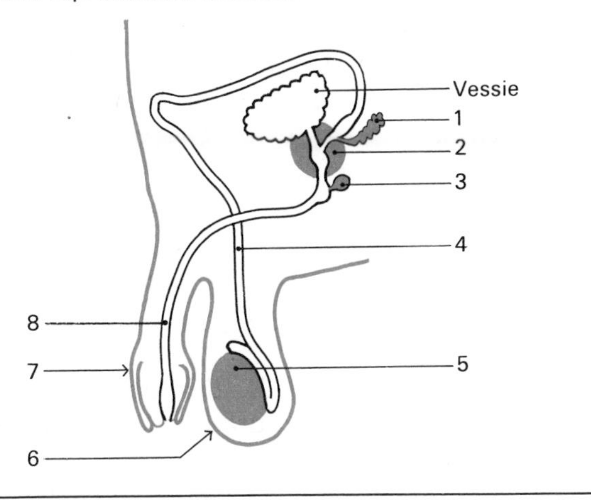

a) 1-b, 2-a, 3-c, 5-d
b) 1-d, 2-b, 3-a, 5-c
c) 1-c, 2-b, 3-a, 5-c
d) 1-a, 2-b, 3-d, 5-c

2. Note la série qui associe correctement les numéros de la figure 9-31 aux noms de la liste ci-dessous.

Les noms des organes génitaux
a. Canal déférent
b. Pénis
c. Scrotum
d. Urètre

a) 4-a, 6-d, 7-b, 8-c
b) 4-d, 6-a, 7-b, 8-c
c) 4-d, 6-a, 7-c, 8-b
d) 4-a, 6-c, 7-b, 8-d

3. Note la série d'associations correcte.

Les organes
1. Canal déférent
2. Glande de Cowper
3. Pénis
4. Prostate
5. Testicule
6. Vésicule séminale

Leur situation
a. Externe ; au-dessus et en avant du scrotum
b. Traverse la paroi abdominale au niveau de l'aine
c. Autour de l'urètre, sous la vessie
d. Sur le canal déférent, près de la prostate
e. Sur l'urètre, à la racine du pénis
f. Dans le scrotum

a) 1-c, 2-d, 3-a, 4-f, 5-b, 6-e
b) 1-d, 2-a, 3-f, 4-b, 5-e, 6-c
c) 1-b, 2-e, 3-a, 4-c, 5-f, 6-d
d) 1-b, 2-e, 3-d, 4-a, 5-c, 6-f

4. Note la série d'associations correcte.

Les organes
1. Canaux déférents
2. Glandes de Cowper
3. Pénis
4. Prostate
5. Testicules
6. Vésicules séminales

Leurs fonctions
a. Copulation
b. Conduction des spermatozoïdes
c. Production des spermatozoïdes
d. Sécrétion accessoire

a) 1-b, 2-d, 3-a, 4-d, 5-c, 6-d
b) 1-b, 2-d, 3-c, 4-d, 5-a, 6-d
c) 1-c, 2-d, 3-a, 4-b, 5-d, 6-d
d) 1-b, 2-d, 3-c, 4-a, 5-d, 6-d

SECTION F La puberté chez l'adolescent

1. Note le schéma qui situe correctement les principales glandes gouvernant la physiologie sexuelle masculine.

Figure 9-32.
Les glandes qui gouvernent la physiologie sexuelle masculine.

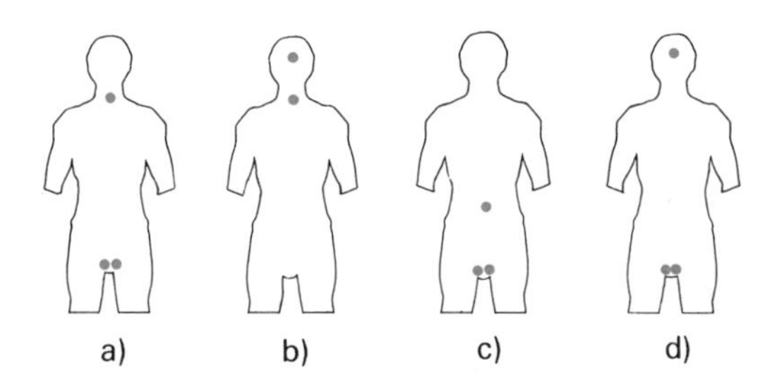

2. Les hormones testiculaires se nomment :
a) FSH et LH.
b) androgènes.
c) œstrogènes.
d) progestérone.

3. L'action des hormones hypophysaires est :
a) continue chez l'homme et cyclique chez la femme.
b) continue chez la femme et cyclique chez l'homme.
c) continue chez les deux sexes.
d) cyclique chez les deux sexes.

4. Parmi les changements qui affectent l'adolescent à la puberté, on ne note pas :
   a) la multiplication des poils.
   b) l'élargissement des épaules et le développement de la musculature.
   c) la mue de la voix.
   d) le développement de l'appareil génital, avec transformation des spermatozoïdes en spermatogonies.

SECTION G La physiologie du système reproducteur masculin

1. Note l'affirmation fausse.
   a) Dans 1 cm^3 de sperme on trouve en moyenne un million de spermatozoïdes.
   b) Chaque spermatozoïde renferme normalement 23 chromosomes.
   c) Un spermatozoïde mesure environ 65 μm.
   d) La survie des spermatozoïdes dans les voies génitales de la femme peut atteindre quatre jours, et même davantage.

2. Le sperme représente :
   a) l'ensemble des spermatozoïdes.
   b) les spermatozoïdes dans le liquide prostatique.
   c) les spermatozoïdes dans le liquide des vésicules séminales.
   d) les spermatozoïdes et le plasma séminal.

3. D'après la numérotation de la figure 9-33, note dans quel ordre se font les trajets respectifs du sperme et de l'urine.

Figure 9-33.
Le système reproducteur masculin.

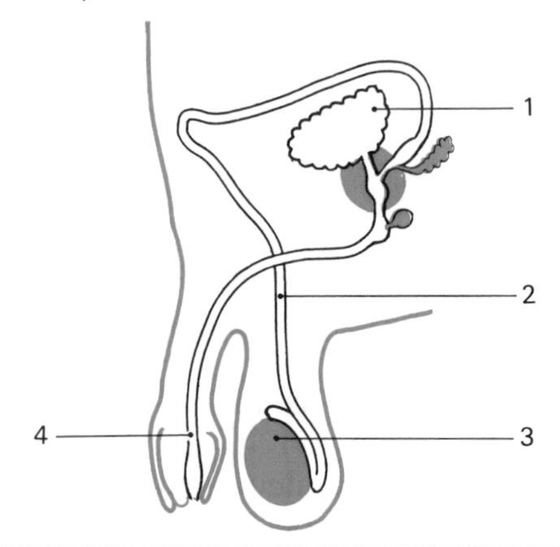

   a) Sperme : 3 → 2 → 4
      Urine : 1 → 2 → 3
   b) Sperme : 3 → 2 → 1 → 4
      Urine : 3 → 2 → 4
   c) Sperme : 3 → 2 → 4
      Urine : 1 → 4
   d) Sperme : 1 → 2 → 3 → 2 → 4
      Urine : 1 → 4

4. Note l'affirmation pertinente.
   a) Les canaux déférents débouchent dans la portion de l'urètre qui peut être isolée par deux sphincters.
   b) Ce sont des muscles du pénis qui contrôlent l'admission dans l'urètre soit de sperme, soit d'urine.
   c) Au moment de l'éjaculation, un sphincter placé sur chacun des canaux déférents s'ouvre pour admettre le sperme dans l'urètre.
   d) Dans l'appareil uro-génital masculin, les sphincters ont pour fonction de favoriser le mélange en justes proportions du sperme et de l'urine.

5. Le phénomène qui est déterminé par l'accumulation de sang dans les corps caverneux du pénis sous l'influence du système nerveux se nomme :
   a) éjaculation.
   b) coït.
   c) érection.
   d) orgasme.

6. Note l'affirmation pertinente.
   a) L'érection du pénis se produit le plus souvent sans éjaculation.
   b) L'éjaculation se produit le plus souvent sans érection du pénis.
   c) Le rapport sexuel est tout à fait possible sans érection du pénis.
   d) Une stimulation mécanique du pénis est indispensable pour qu'il entre en érection.

7. L'expulsion de jets successifs de sperme par le pénis se nomme :
   a) éjaculation.
   b) coït.
   c) érection.
   d) orgasme.

SECTION H L'hygiène masculine

1. L'ablation du prépuce se nomme :
a) castration.
b) circonflexion.
c) circoncision.
d) circonvolution.

2. Note l'affirmation la moins pertinente.
On pratique l'ablation du prépuce :
a) parce qu'il est parfois trop étroit.
b) parce que le rapport sexuel est plus agréable sans prépuce.
c) pour des raisons d'hygiène.
d) pour des raisons religieuses.

3. Le smegma représente :
a) le milieu de vie des spermatozoïdes.
b) la sécrétion des glandes de Cowper, émise juste avant l'éjaculation.
c) la sécrétion de la prostate.
d) une sécrétion pâteuse, jaunâtre, qui s'accumule à la base du gland.

4. Note la mesure d'hygiène la moins pertinente qui puisse s'appliquer aux organes génitaux externes masculins.
a) L'enlèvement du smegma.
b) Le lavage quotidien.
c) L'entretien de la propreté du pénis et du scrotum.
d) L'application de désodorisant.

5. Note l'affirmation la plus discutable.
La propreté des organes génitaux :
a) est un gage de santé, au même titre que celle des autres parties du corps.
b) est un facteur essentiel du bien-être personnel.
c) constitue une marque de respect et d'affection à l'égard des personnes qui partagent son intimité.
e) ne doit pas être une préoccupation, car il s'agit d'une région honteuse du corps qui ne mérite pas de soins particuliers.

EN BREF

SECTION A L'anatomie du système reproducteur féminin

1. L'appareil génital féminin comprend une paire de glandes génitales, les o//////, ainsi que des voies génitales : les t////// de F//////, l'u////// et le v//////. Celui-ci s'ouvre à l'extérieur au milieu des organes génitaux externes, ou v//////.
2. Les o////// sont situés à l'extrémité des t//////, au niveau du sacrum. Les t////// de F////// sont situées de chaque côté de l'u//////. L'u////// est situé à l'intérieur du bassin, en position centrale. Le v////// est situé derrière la vessie et l'urètre. La v////// est située en-dessous du bassin ; c'est la partie externe de l'appareil génital.
3. Les ovaires produisent un o//////, en moyenne tous les 28 jours, ainsi que des h//////. L'o////// est recueilli par une trompe qui le transporte en direction de l'u//////. L'u////// est le lieu du développement de l'embryon. Le v////// est l'organe copulateur féminin. La v////// protège l'entrée du vagin.

☐ *Chez la femme, y a-t-il des parties communes entre les voies urinaires et les voies génitales ? Lesquelles ?*

SECTION B La puberté chez l'adolescente

1. La physiologie sexuelle féminine est contrôlée par des glandes endocrines : l'h////// et les o//////.
2. Une h////// est un message chimique déversé en très petite quantité dans le sang par une glande endocrine. Elle permet à la glande d'agir à distance sur un autre organe.
3. Les hormones hypophysaires qui contrôlent la physiologie sexuelle féminine sont l'h////// f////// (FSH) et l'h////// l////// (LH).
4. Les ovaires réagissent aux hormones hypophysaires en produisant périodiquement un o//////, et en sécrétant des hormones sexuelles femelles : les o////// et la p//////.
5. La p////// est l'ensemble des modifications physiologiques et psychologiques qui se produisent lors du passage de l'enfance à l'a//////.
6. Les hormones hypophysaires et ovariennes déclenchent le c////// m////// à partir de la puberté. De plus, les hormones ovariennes sont responsables de changements importants qui affectent tout le corps.
7. Les principaux changements qui apparaissent chez l'adolescente au moment de la puberté sont les suivants :
   — Croissance des s////// ;
   — Apparition de poils au p////// et aux a////// ;
   — Modification de la silhouette générale ;
   — Croissance des organes génitaux ;
   — Déclenchement du cycle menstruel et début des m//////.

☐ *Comment se situe la maturité sexuelle par rapport à la maturité physique générale ?*

SECTION C Le cycle menstruel

1. Au cours des cycles menstruels successifs, les o////// alternent avec les m//////. On fait arbitrairement débuter chaque cycle avec la m//////, c'est-à-dire l'hémorragie qui accompagne la destruction de la m////// utérine. Cette m////// se reconstitue entre les m//////.

2. Le cycle menstruel reflète les variations des taux d'h////// dans le sang. Sa p////// est de 28 jours. Dans la première phase du cycle, le taux d'o////// dans le sang s'élève et passe par un maximum juste avant l'ovulation. Dans la seconde phase, après l'ovulation, c'est surtout le taux de p////// qui augmente. En fin de cycle, les taux d'hormones sexuelles dans le sang diminuent, ce qui provoque la m//////.
3. L'o////// se produit 12 à 16 jours avant la fin du cycle menstruel. Elle est provoquée par une forte décharge d'hormones h//////.
4. L'ovulation coïncide avec une légère augmentation de la t////// corporelle. Elle peut aussi s'accompagner d'une légère d////// abdominale.
5. L'ovulation rend la femme f////// ; on peut considérer qu'elle représente le but ultime du cycle menstruel.
6. L'ovule est une grosse cellule de 120 μm de diamètre, avec un n////// à 23 c//////. Il peut survivre utilement dans une trompe pendant 24 h seulement.

☐ *Si un cycle menstruel débute le 22 avril, vers quelle date devrait se produire l'ovulation ? la menstruation suivante ?*

SECTION D L'hygiène féminine

1. La vulve représente l'ensemble des organes génitaux externes féminins. Elle comprend les g////// l//////, les p////// l//////, le c//////, l'h////// et les g////// de B//////.
2. Les g////// de B////// sécrètent un liquide épais, destiné à lubrifier l'entrée du v//////.
3. Pour entretenir la propreté des organes génitaux externes féminins, il est nécessaire d'enlever les s////// qui s'y accumulent et de les l////// tous les jours.
4. La menstruation peut donner lieu à des m////// tels qu'une légère sensation de dépression, des maux de d////// et de t//////, ainsi que des crampes et une certaine lourdeur abdominale.
5. L'e////// p////// est bénéfique au moment de la menstruation. Il soulage la tension et fait oublier les malaises.
6. La p////// de la peau est importante au moment de la menstruation, comme en tout autre moment. Elle empêche le développement des odeurs. Pendant la menstruation, il n'y a aucun danger particulier à se b//////, se d//////, ou aller à la piscine.

☐ *Pourquoi les odeurs corporelles pourraient-elles se développer plus facilement pendant la menstruation ? Est-il difficile de les prévenir ?*

SECTION E L'anatomie du système reproducteur masculin

1. L'appareil génital masculin comprend une paire de glandes génitales (les t//////), des voies génitales (les c////// d////// et l'u//////) et des glandes accessoires (la p//////, les v////// s////// et les g////// de C//////). L'u////// débouche à l'extrémité du pénis.
2. Les testicules sont en position externe, enfermés dans le s//////. Les canaux déférents pénètrent dans l'abdomen et contournent la v////// pour rejoindre l'u//////. La p////// entoure l'urètre, sous la vessie. Les vésicules séminales sont directement reliées aux c////// d//////, près de la prostate. Les glandes de Cowper sont reliées à l'u//////, dans la région de la racine du pénis. Le p////// est un organe externe situé au-dessus et en avant du scrotum.
3. Les testicules produisent les s//////, infiniment nombreux, que les c////// d////// conduisent à l'u//////. Ils produisent aussi des h//////. La prostate, les vésicules séminales et les glandes de Cowper produisent des liquides qui forment le p////// s//////.

☐ *Chez l'homme, y a-t-il des parties communes entre les voies urinaires et les voies génitales ? Lesquelles ?*

SECTION F La puberté chez l'adolescent

1. La physiologie sexuelle masculine est contrôlée par des glandes endocrines : l'h////// et les t//////.
2. Les principales h////// testiculaires se nomment androgènes. La t////// est le principal androgène.
3. Chez l'homme, il n'y a pas de cycle sexuel comparable au cycle menstruel. Cette différence entre les sexes tient à une sécrétion d'hormones hypophysaires c////// chez l'homme et c////// chez la femme.
4. Les principaux changements qui apparaissent chez l'adolescent à la puberté sont les suivants :
— Mue de la voix ;
— Apparition de p//////, en particulier au pubis, aux aisselles et au visage ;
— Modification de la s////// générale ;
— Croissance des organes génitaux ;
— Formation des s////// à partir des spermatogonies, dans les t//////.

☐ *Chez quel sexe la maturité sexuelle est-elle généralement la plus précoce ?*

SECTION G La physiologie du système reproducteur masculin

1. Chaque cm³ de s////// renferme en moyenne 100 000 000 de spermatozoïdes. Les spermatozoïdes sont de petites cellules, mobiles grâce à un f//////. Leur n////// renferme 23 c//////, comme celui de l'ovule. Ils peuvent survivre quatre j////// et plus dans les voies génitales de la femme.
2. Le sperme est le mélange formé à partir des s////// (produits par les testicules) et du p////// s////// (sécrété par les glandes accessoires).
3. Le sperme se forme dans la portion de l'urètre qui traverse la p//////. Il est évacué par l'u//////, tout comme l'urine en provenance de la v//////. Des s////// disposés le long de l'urètre contrôlent l'admission du sperme ou de l'urine dans ce conduit.
4. L'érection du pénis résulte de l'accumulation de s////// dans les c////// c//////, sous l'influence du système nerveux. Elle donne à cet organe la fermeté nécessaire pour permettre un r////// s//////.
5. Le pénis en érection peut assurer l'é//////, c'est-à-dire l'expulsion du sperme par jets successifs. Il n'y a pas d'éjaculation sans é//////, mais l'é////// n'implique pas nécessairement l'éjaculation.

☐ *Dans certains cas pathologiques, il arrive que le sperme soit émis en direction de la vessie, et non vers l'extérieur. Quels dispositifs sont alors déficients, le long des voies uro-génitales ?*

SECTION H L'hygiène masculine

1. La c////// est l'ablation du prépuce.
2. La c////// s'impose parfois lorsque le prépuce est trop étroit. Elle se pratique le plus souvent pour des raisons d'hygiène et des raisons r//////.
3. Le s////// est une sécrétion pâteuse qui s'accumule à la base du gland.
4. Pour entretenir la propreté des organes génitaux externes masculins, il est nécessaire de les l////// tous les jours, en prenant soin de retrousser le p//////, s'il y a lieu, afin d'enlever le s//////.
5. La p////// des organes génitaux s'impose pour l'homme comme pour la femme, et pour les mêmes raisons.

☐ *Y a-t-il des raisons de penser qu'un prépuce propre soit plus dangereux pour la santé de la partenaire sexuelle qu'un pénis sans prépuce ?*

Chapitre 10

La physiologie de la procréation

Où en est la natalité au Québec ?

L'exercice qui suit est destiné à te faire prendre conscience du problème de population qui se pose au Québec comme dans la plupart des pays industrialisés. Il peut être fait en équipe de quatre élèves, avec un rapport par équipe. Il s'appuie sur les graphiques et tableaux de données qui suivent.

Graphique 10-1 *.
La pyramide de la population du Québec en 1979 **.

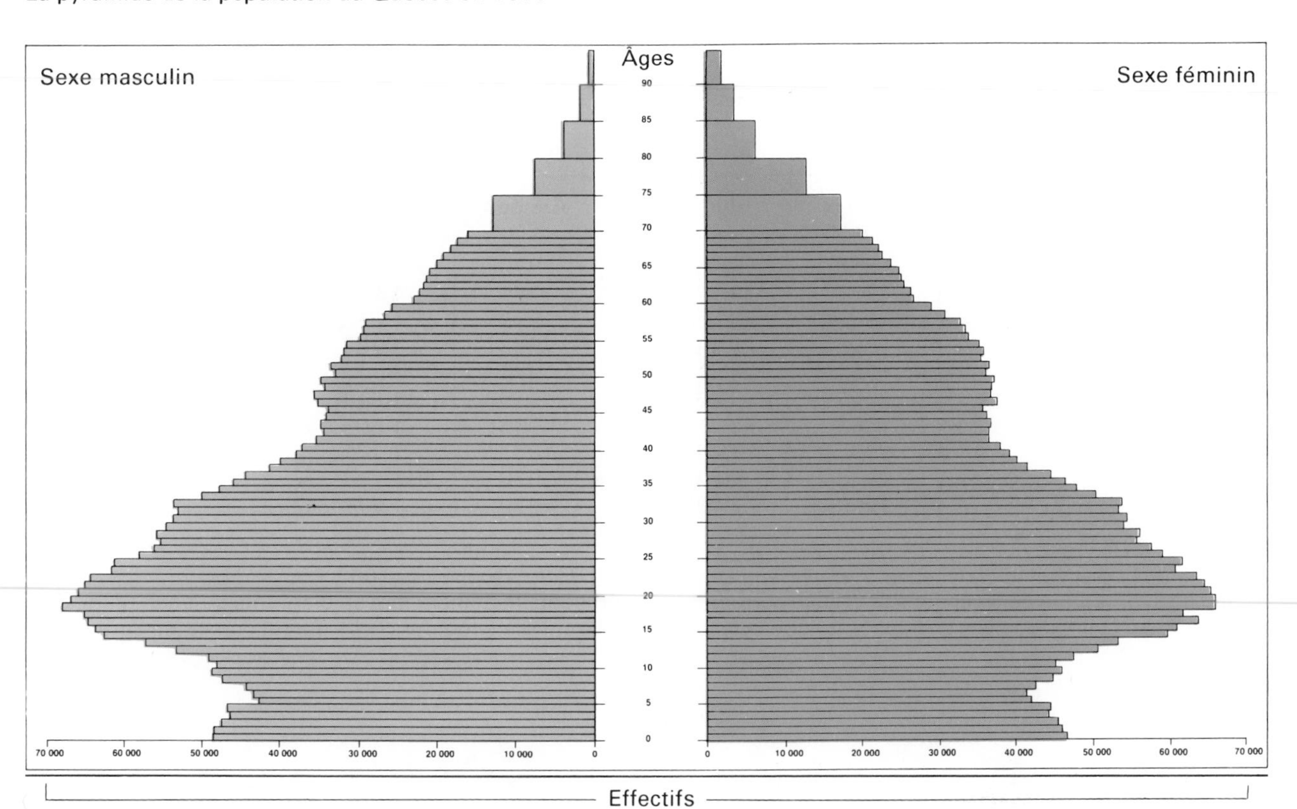

* Bureau de la statistique du Québec. *Annuaire du Québec 1979-1980*, Québec, p. 163. Statistique Canada. *Estimation de la population selon le sexe et l'âge, Canada et provinces, 1er juin 1979*, Ottawa, nº de cat. 91-202.

** Notons que la population totale du Québec était estimée à 6 288 300 personnes au 1er janvier 1980.

Graphique 10-2 *.

Le taux de fécondité ** par âge au Québec, en 1970 et 1979.

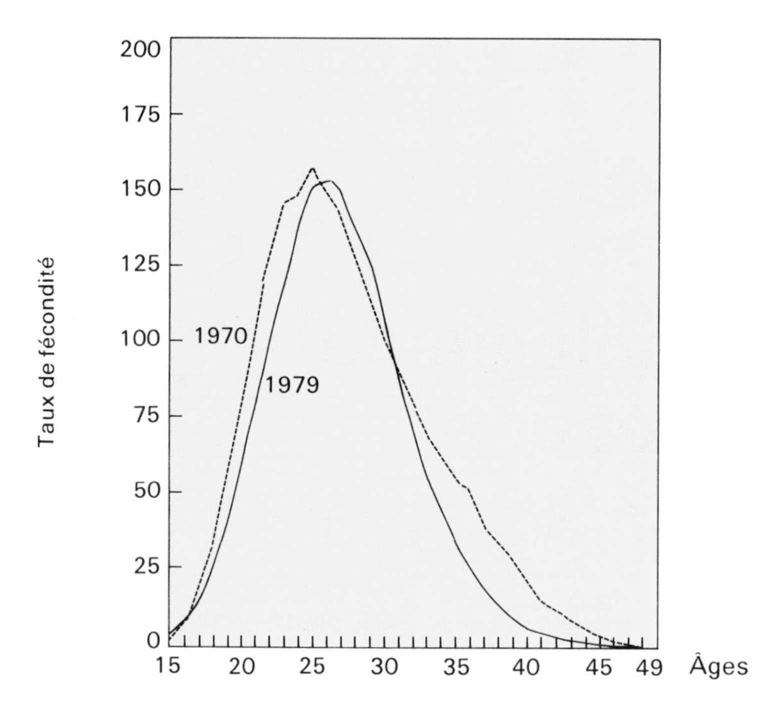

* Bureau de la statistique du Québec. *Annuaire du Québec 1979-1980*, Québec, p. 166.

** Le taux de fécondité est le nombre moyen d'enfants mis au monde au cours d'une année par 1000 femmes d'un âge donné.

Tableau 10-1 *

L'indice synthétique de fécondité ** au Québec, de 1960 à 1979.

Années	Indices	Années	Indices
1960	3,858	1970	2,077
1961	3,774	1971	1,972
1962	3,664	1972	1,813
1963	3,549	1973	1,789
1964	3,411	1974	1,777
1965	3,063	1975	1,814
1966	2,717	1976	1,805
1967	2,441	1977	1,761
1968	2,270	1978	1,727
1969	2,186	1979	1,777

* Bureau de la statistique du Québec. *Annuaire du Québec 1979-1980*, Québec, p. 165.

** L'indice synthétique de fécondité est valable pour un an. Il représente le nombre moyen d'enfants qu'une femme devrait avoir stat quement au cours de sa vie, en supposant que la fécondité générale reste toujours celle qui fut constatée durant l'année en quest

Tableau 10-2 *.

L'indice synthétique de fécondité dans quelques pays en 1970 et en 1979.

	1970	1979
Québec	2,08	1,78
Ontario	2,37	1,68
Canada	2,33	1,76
États-Unis	2,48	1,84
R.F.A.	2,01	1,40
France	2,47	1,87
Pays-Bas	2,58	1,57
Suisse	2,09	1,50
Italie	2,37	1,71

* Bureau de la statistique du Québec, *Annuaire du Québec 1979-1980*, Québec, p. 165.

Tableau 10-3 *.

Le nombre de naissances selon le rang au Québec, en 1970 et en 1979.

	Rangs de naissance						
	1er	2e	3e	4e	5e	6e et +	Total
1970	40 175	26 669	13 603	6 628	3 566	5 871	96 512
1979	45 901	35 885	13 573	3 206	772	556	99 893

* Bureau de la statistique du Québec, *Annuaire du Québec 1979-1980*, Québec, p. 167.

a) Commente chacun des graphiques et tableaux présentés.

b) Donne ton opinion sur les causes de la baisse de la natalité observée ces dernières années au Québec. Essaie d'en prévoir les conséquences à long terme sur la société québécoise.

c) Selon toi, qu'est-ce qui pourrait amener une reprise de la natalité au Québec ?

Il est important de bien définir ses objectifs avant d'agir.

En introduisant le plaisir dans la sexualité, la nature nous a tendu plusieurs pièges dont tu as déjà plus ou moins clairement conscience. Par exemple, elle peut te faire croire que tu agis pour toi-même, pour ta seule satisfaction, alors même que tu agis bien davantage au service de l'espèce à laquelle tu appartiens, ce qui n'a pas du tout la même signification.

Ce dernier chapitre va te donner la chance de connaître les principales facettes de ces pièges ; après, tu seras libre de les éviter ou de t'y précipiter. Tu vas aussi découvrir que la liberté est un privilège difficile à exercer, parce qu'elle a pour contrepartie la responsabilité.

La relation sexuelle

Faire l'amour, qu'est-ce que cela signifie ?

« Nous avons appris à cacher tout ce qui concerne notre corps et notre sexualité, à faire comme si cela n'existait pas, à ne pas en parler. Nous avons vite appris que la sexualité est un tabou, le plus souvent parce que nos parents ne sont pas à l'aise de parler d'un sujet comme celui-là.

« D'une part, nous avons appris que la relation sexuelle fait partie de la vie d'un homme et d'une femme, d'autre part, nous grandissons sans savoir ce que c'est que faire l'amour : il est donc difficile d'aller à la découverte de la sexualité, parce que le silence qui règne autour d'un tel sujet nous donne l'impression que nos désirs sexuels sont répréhensibles, honteux, condamnables ; et notre méconnaissance de la sexualité fait en sorte que nous nous sentons mal à l'aise.

« Mal à l'aise, d'abord, de découvrir son désir ou du moins ce besoin de tendresse et de caresse à partager avec un partenaire ; désir diffus qui prend forme de plus en plus et qui cherche à s'exprimer..., mais où chacun se retrouve plus ou moins gauche, dans ce nouveau territoire à explorer, parce qu'on ne sait pas trop comment s'y prendre, parce qu'on ne sait pas trop, non plus, comment ces désirs vont être accueillis, parce qu'on ne sait pas trop, surtout, ce qu'on désire vraiment.

« Mal à l'aise, enfin, d'imaginer qu'on puisse se retrouver nu devant quelqu'un qu'on ne connaît pas vraiment. Et mal à l'aise, bien sûr, de se retrouver nus, pour de vrai, l'un en face de l'autre ; gênés à en rougir, timides et, bien entendu, inquiets de ne pas faire les choses comme il faut ; peur, enfin, de ne pas être aussi séduisant, physiquement, que Superman ou Miss America. Peur, donc, d'être ridicule, de faire rire de soi, peur aussi de décevoir.

(...) « Dans ces conditions, il peut arriver qu'une première relation sexuelle apporte plus de désagrément que de plaisir, parce que notre gêne, notre peur et notre ignorance nous paralysent, en quelque sorte [1] ».

a) Quel genre d'inquiétude peut venir perturber la première relation sexuelle ?

b) D'après toi, est-il préférable que la première relation sexuelle soit improvisée, afin de laisser s'exprimer la spontanéité de chacun des partenaires ? Penses-tu au contaire qu'il vaut mieux commencer à s'y préparer longtemps à l'avance ? Justifie ton opinion.

On parle souvent indifféremment de rapport sexuel et de relation sexuelle. Il y a une nuance importante entre un rapport et une relation, dans la vie de tous les jours. Par exemple, lorsque tu paies des achats à la sortie d'un magasin, tu es en rapport pour quelques instants avec la personne qui tient la caisse. Par contre, s'il advenait que tu dînes avec cette personne parce que tu te plais en sa compagnie, alors tu serais en relation avec elle. La qualité de la communication n'est pas la même dans un simple rapport et dans une relation véritable.

c) D'après toi, quelle est la différence entre une relation sexuelle et un rapport sexuel ?

1. Christine L'Heureux, *La première fois*, Montréal, Jean Basile éditeur, 1980, p. 21 à 23.

La relation sexuelle exprime l'amour entre deux êtres.

Dans l'espèce humaine, l'appareil génital ne sert pas seulement à la reproduction. Il est aussi un instrument de plaisir qui permet à l'homme et à la femme d'exprimer le sentiment le plus fort qui puisse rapprocher et unir deux personnes : l'amour.

Tout dépend donc de la façon dont l'être humain utilise son corps et de la connaissance qu'il en a. Dans cette section, tu trouveras des renseignements précis sur la relation sexuelle. Tu découvriras aussi ce qui peut rendre une relation sexuelle enrichissante pour les partenaires. Tu trouveras donc à la fois de l'information et de la matière à réflexion..., juste de quoi éclairer ton jugement.

1. Le rapport sexuel

L'action centrale du rapport sexuel est le *coït*, ou copulation. Le coït commence avec l'introduction du pénis en érection dans le vagin, suivie de mouvements rythmés de va-et-vient. Il passe par un moment de plaisir intense nommé orgasme. Chez l'homme, l'orgasme déclenche presque immédiatement l'éjaculation. Le coït est généralement précédé de caresses et de baisers qui constituent les *préliminaires* du rapport sexuel. Les préliminaires sont importants, car ils facilitent le coït en faisant monter la tension sexuelle des deux partenaires. En particulier, ils déclenchent la sécrétion des glandes de Bartholin qui participent à la lubrification de l'entrée du vagin.

Après le coït, le rapport sexuel s'achève par une phase de détente qui se prête aux échanges de tendresse entre les partenaires.

- Est-il possible d'obtenir l'orgasme sans coït ? Comment ?
- Après l'éjaculation, l'homme est dans l'impossiblité de continuer le coït. D'autre part, l'orgasme survient rarement en même temps chez la femme et chez l'homme. Cette réalité peut-elle avoir des conséquences sur l'harmonie du couple ?

2. La relation sexuelle

De même que le rapport sexuel ne se limite pas au coït, la relation sexuelle ne se limite pas au rapport sexuel.

Dans une véritable relation sexuelle interviennent les sentiments, la connaissance mutuelle des partenaires, leur désir de communiquer, de partager et, quelquefois, de procréer. La relation sexuelle concerne l'ensemble de la personne, son cœur, son esprit, son âme. C'est donc un des liens les plus étroits qui puisse exister entre deux êtres.

Tu comprends mieux, maintenant, pourquoi un rapport sexuel imposé par la force (comme le viol) ou un rapport sexuel acheté (la prostitution) ne sont pas des relations sexuelles.

- La qualité d'une relation sexuelle se manifeste surtout dans deux phases du rapport sexuel. Lesquelles ? Explique.

3. Les conditions favorables à une relation sexuelle

Nous avons progressé du plus simple au plus complexe : le coït, le rapport sexuel, la relation sexuelle. Pour qu'une relation sexuelle existe, il faut respecter certaines conditions qui ne sont pas seulement physiques, mais aussi et surtout psychologiques. La réussite d'une relation sexuelle dépend en particulier de quatre conditions que nous analysons maintenant.

a) L'amour réciproque

L'amour est couramment défini comme un vif attrait physique ou sentimental qui porte vers une autre personne.

L'attrait physique est ce qui nous porte à désirer le corps d'une autre personne. Sans lui, le rapport sexuel n'est guère possible. Or, ce désir physique peut se transformer en sentiment ; c'est ce qui arrive quand on devient amoureux. La relation sexuelle est une façon d'exprimer le sentiment amoureux. On parle d'amour *réciproque* lorsque ce sentiment existe pour les deux partenaires, l'un pour l'autre.

Pour t'aider à comprendre en quoi consiste l'amour véritable, illustrons-le par deux pensées :
- « Dans le désir, il y a toi et moi ; dans l'amour, il y a nous. »
- « Traite l'autre ainsi que toi-même comme une fin, jamais comme un moyen. »

b) La pleine acceptation mutuelle

Cette expression signifie que chaque partenaire de la relation sexuelle s'accepte d'abord lui-même (elle-même) tel qu'il (elle) est, en particulier qu'il (elle) accepte son corps dans toutes ses parties, y compris les parties génitales. Ensuite, la relation sexuelle peut s'épanouir si chaque partenaire accepte l'autre personne telle qu'elle est, avec ses idées, ses sentiments, son corps particuliers. Les moqueries sur le physique d'une personne ne sont jamais favorables à des relations sexuelles enrichissantes.

S'accepter soi-même et accepter l'autre n'est pas toujours facile ; et il est bien difficile d'accepter quelqu'un que l'on ne connaît que depuis peu de temps. Pour bien s'accepter mutuellement, il faut prendre le temps de bien se connaître.

c) La sécurité physique et psychologique

La réussite d'une relation sexuelle dépend aussi des conditions matérielles dans lesquelles elle a lieu. Ces conditions sont de deux types. D'abord l'état de santé des partenaires, et en particulier le bon état des organes génitaux. Ensuite, toutes les circonstances qui entourent la relation sexuelle : l'endroit, l'heure, la durée, le confort, l'ambiance, le degré d'intimité. Lorsqu'elles sont favorables, ces conditions assurent une certaine sécurité physique de l'homme et de la femme, et permettent entre eux une meilleure communication.

À cela s'ajoutent d'autres facteurs plus psychologiques : la pudeur, les craintes devant les réactions du (de la) partenaire, la peur d'être ridicule ou maladroit(e), la peur d'avoir mal lors du coït, la crainte de commencer une grossesse non désirée, etc. Toutes ces craintes sont augmentées par le peu de connaissance des organes génitaux et du mécanisme de la relation sexuelle : Moins on en sait, plus on a peur !

Comme le corps n'est pas indépendant de l'esprit, tous ces facteurs peuvent gêner les partenaires et amener l'échec du rapport sexuel lui-même. Chez l'homme, une érection insuffisante peut empêcher le coït ; une éjaculation trop rapide peut aussi y mettre fin prématurément. Lorsque ces situations persistent, on parle d'impuissance. Chez la femme, l'incapacité permanente de ressentir l'orgasme, ou même tout plaisir, pendant le rapport sexuel se nomme frigidité.

d) Le sens des responsabilités

Le sens des responsabilités, c'est ici le fait d'assumer avec son (sa) partenaire toutes les conséquences d'une relation sexuelle. On pense tout de suite à une grossesse et aux diverses maladies transmissibles sexuellement. On peut aussi penser à la peine et au mal que l'on peut faire en négligeant les sentiments de l'autre, en le (la) décevant, ou en ne tenant pas compte de ses projets d'avenir. Comme dans tous les autres domaines, le sens des responsabilités lié à la relation sexuelle implique que l'on pense à l'avenir, que l'on imagine les conséquences de ses comportements pour soi-même et pour l'autre. C'est l'affaire de toute une vie que de développer cette attitude qui est le signe de la maturité adulte.

- Le temps qui passe a-t-il une influence sur l'amour véritable ? Explique.

à toi de jouer

1. DÉFINIR LE RAPPORT SEXUEL.

a) Nomme les organes mâle et femelle qui s'adaptent l'un à l'autre dans le coït.

b) À quel moment du coït survient l'éjaculation ?

c) Explique ce que représente le coït vis-à-vis du rapport sexuel.

d) Dans un rapport sexuel, quelle est l'utilité des préliminaires ?

2. DÉFINIR LA RELATION SEXUELLE.

a) Dans une relation sexuelle, qu'est-ce que les partenaires expriment l'un pour l'autre ?

b) En dehors de l'expression des sentiments, et du plaisir, à quoi peut servir une relation sexuelle ?

c) Dans la figure ci-dessous, on a symbolisé par trois cercles respectivement le coït, le rapport sexuel et la relation sexuelle. Reproduis la figure et annote-la correctement.

Figure 10-1.
Trois types d'échanges sexuels.

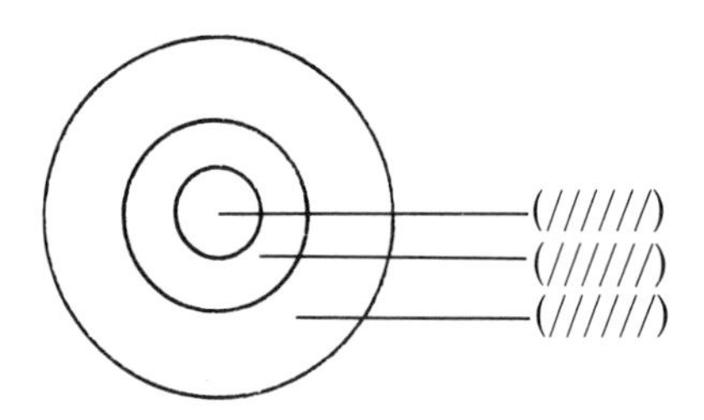

3. ÉNONCER LES CONDITIONS SOUHAITABLES À UNE RELATION SEXUELLE HUMAINE.

Voici une liste d'attitudes qui peuvent conditionner une relation sexuelle.

— *Aimer une personne pour les avantages qu'elle apporte ;*
— *Être attiré(e) physiquement par une personne ;*
— *Se désintéresser de ce que ressent son (sa) partenaire ;*
— *Prendre le temps de se connaître ;*
— *Être sûr(e) que la relation sexuelle n'entraînera pas de maternité non désirée ;*
— *Se précipiter pour réaliser un coït sans préparation ;*
— *Avoir honte de son corps ;*
— *S'intéresser à son (sa) partenaire ;*
— *Craindre d'avoir mal lors de la pénétration ;*
— *Choisir un endroit confortable et tranquille ;*
— *Éviter de parler d'avenir ;*
— *Arrêter une relation sexuelle immédiatement après l'orgasme masculin ;*
— *Aimer son (sa) partenaire ;*
— *Se moquer des sentiments du (de la) partenaire ;*
— *Se sentir utilisé(e) ;*
— *Imposer une relation sexuelle par la force ou par la menace ;*
— *Réagir doucement, mais fermement, à toute réflexion désobligeante du (de la) partenaire ;*
— *S'informer sur le fonctionnement de son propre corps ;*
— *Prendre soin de sa santé ;*
— *Désirer son (sa) partenaire, mais ne pas s'occuper de savoir si ce désir est partagé.*

Certaines de ces attitudes sont favorables à une relation sexuelle épanouissante. D'autres y sont défavorables.

a) Énumère les quatre conditions favorables à une relation sexuelle. Désigne-les respectivement par A, B, C et D.

b) Recopie la liste d'attitudes figurant ci-dessus. Fais suivre chaque énoncé du signe plus (+) s'il exprime une attitude favorable à la relation sexuelle, et du signe moins (-) s'il exprime une attitude défavorable.

c) Essaie de relier chacune des attitudes à l'une des quatre conditions déjà énoncées et désignées par A, B, C et D, en t'inspirant du modèle ci-dessous :

— Aimer une personne pour les avantages qu'elle apporte ; (-) (A)
— Être attiré(e) physiquement par une personne ; (+) (A)
— Se désintéresser de ce que ressent son (sa) partenaire ; (-) (D)
— Prendre le temps de se connaître. (+) (B)

VA PLUS LOIN

L'érotisme et la pornographie

L'érotisme est assez couramment admis dans la société. Il n'en est pas de même pour la pornographie.

a) Qu'est-ce que l'érotisme ?

b) Qu'appelle-t-on les zones érogènes du corps ?

c) En quoi la pornographie diffère-t-elle de l'érotisme ?

d) La limite entre l'érotisme et la pornographie est-elle facile à établir ? Explique.

Ministère des Affaires sociales du Québec

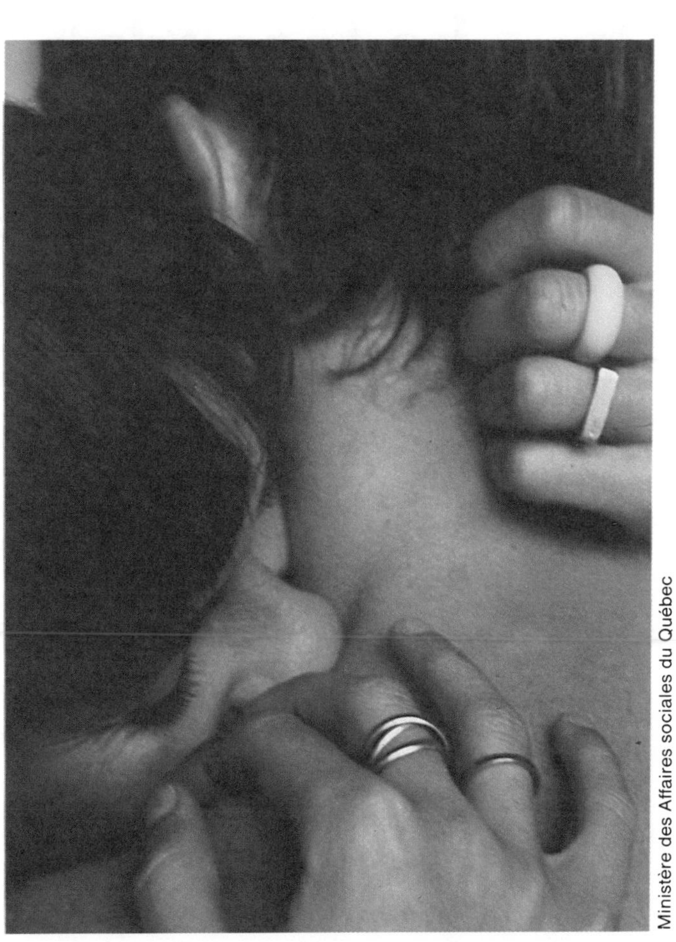

Ministère des Affaires sociales du Québec

Le degré d'intimité n'est pas le même dans une simple relation et dans une relation sexuelle. Pourquoi la relation sexuelle implique-t-elle une connaissance mutuelle approfondie?

SECTION

La fécondation : conséquence physiologique possible d'une relation sexuelle

Sais-tu à quel point une relation sexuelle peut être lourde de conséquences ?

La fécondation est le processus physiologique normal qui enclenche la grossesse. Elle peut donc se concrétiser par la naissance d'un enfant.

a) Combien de relations sexuelles sont nécessaires pour faire un enfant ?

b) Toutes les relations sexuelles entraînent-elles une grossesse ? Pourquoi ?

Se comporter de façon responsable, c'est être capable d'assumer les conséquences de ses actes.

c) Quelles personnes sont responsables de la conception d'un enfant ?

d) Quels sont les besoins d'un enfant, à partir de sa naissance ? Quelles personnes ont le devoir de répondre à ces besoins, en premier lieu ?

e) Serais-tu capable, dans un délai de quelques mois, de répondre aux besoins d'un enfant dont tu aurais la responsabilité ? Qu'est-ce qui changerait, alors, dans ta vie ?

La vie en société implique des droits et des devoirs.

f) D'après toi, quel est le premier des droits humains ?

g) Selon toi, un enfant qui n'est pas encore né a-t-il des droits ? Explique.

Une fécondation est possible dès que l'ovule rencontre des spermatozoïdes.

Trente minutes après avoir été déposés au fond du vagin, des spermatozoïdes sont présents dans les trompes. Les contractions musculaires de l'utérus et des trompes les ont aidés à se déplacer. De 350 millions qu'ils étaient à l'origine, seulement un millier parvient dans chaque trompe ; tous les autres meurent en chemin. On peut supposer que les spermatozoïdes qui survivent sont les plus forts.

La présence de spermatozoïdes dans les voies génitales de la femme peut avoir pour conséquence un événement considérable : le développement d'une nouvelle vie humaine dans son corps.

1. Le déroulement de la fécondation

Si un ovule vient à la rencontre des spermatozoïdes survivants, ceux-ci se collent à son enveloppe externe en cours de désintégration, et se faufilent entre les cellules qui la constituent. Ils tentent de traverser la membrane pellucide pour atteindre la membrane cytoplasmique.

Les spermatozoïdes se frayent un passage à travers les enveloppes de l'ovule en les attaquant chimiquement avec des enzymes contenues dans leur tête. Dès que l'un d'eux à pénétré dans le cytoplasme, la membrane pellucide subit une modification chimique qui empêche les autres spermatozoïdes de la franchir.

Le spermatozoïde qui entre dans le cytoplasme de l'ovule abandonne rapidement son appareil locomoteur devenu inutile. Son noyau gonfle, puis fusionne avec celui de l'ovule pour constituer un noyau à 23 paires de chromosomes. L'ovule dont le noyau vient ainsi d'être renforcé s'appelle alors œuf, ou *zygote*. C'est la première cellule d'un enfant. Tout a donc commencé pour toi avec la rencontre d'un ovule et d'un spermatozoïde.

On nomme *fécondation* l'union d'un gamète mâle (spermatozoïde) et d'un gamète femelle (ovule). Ce phénomène se produit habituellement dans la partie étroite de la trompe, près du pavillon, de 12 à 24 h après l'ovulation.

Figure 10-2.
La fécondation et le début du développement de l'œuf.

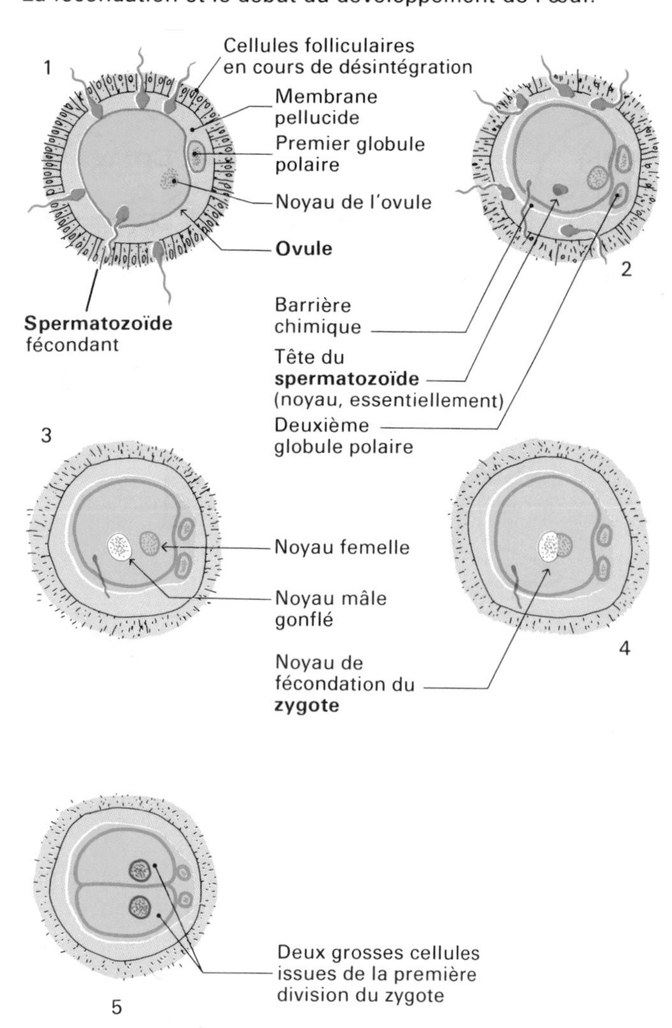

Figure 10-3.
Le comportement d'un type de chromosomes humains lors de la fécondation.

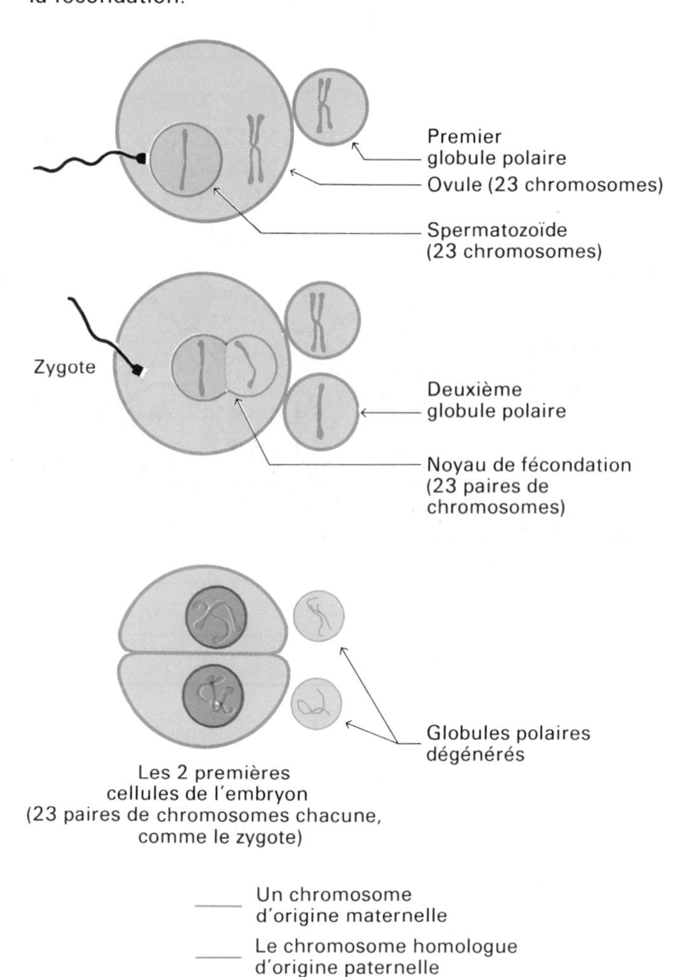

Sitôt fécondé, l'ovule commence une série de divisions qui vont le transformer en un groupe de cellules appelé *embryon*. C'est ainsi que ton corps s'est ébauché.

- Quel mécanisme empêche que deux spermatozoïdes fécondent le même ovule ?

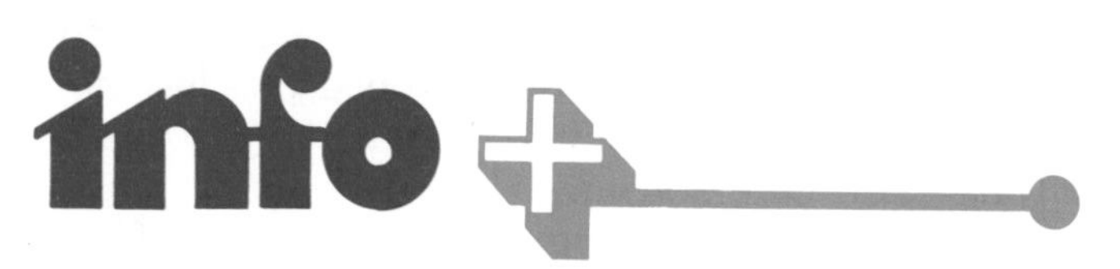

Une réaction de l'ovule à la fécondation

La piqûre du spermatozoïde semble « réveiller » l'ovule. Cette activation est marquée notamment par l'émission du second globule polaire, qui permet aux 23 chromosomes de l'ovule de revenir à l'état simple (voir les figures 9-11 et 10-3).

2. Les droits et les besoins de l'enfant à naître

L'action de donner la vie est lourde de conséquences. Un enfant a des droits et des besoins auxquels les parents doivent répondre. À ce sujet, voici quelques éléments de réflexion.

Le droit à la vie. Le droit à la vie est le premier des droits que tout humain en état de s'exprimer s'accorde généralement sans hésiter. Ce droit élémentaire va de soi. Mais à partir de quand un être humain commence-t-il son existence ? Est-ce dès la fécondation, alors qu'il se résume à une cellule dont l'évolution est inscrite dans les chromosomes ? Faut-il que ses principaux organes soient formés ? Faut-il qu'il ait pris une forme humaine ? Faut-il que la mère le sente bouger ? Avoue que la question est difficile. Si nous nous y attardons, c'est parce qu'un autre droit humain s'est affirmé durant les dernières décennies. Il s'agit du droit de la femme à disposer d'elle-même, ce qui implique la liberté d'accepter ou de refuser une grossesse.

Pour éviter les cas de conscience, la seule solution consiste à ne donner la vie que si elle est désirée. La science nous en donne les moyens et nous reviendrons sur cette question dans une prochaine section.

En dehors du droit à la vie, l'enfant a droit à la satisfaction de quatre besoins fondamentaux : l'amour, la sécurité, des parents responsables et un cadre familial.

L'amour. L'enfant a besoin d'amour. Là encore, il suffit de se laisser guider par le principe : « Traite l'autre comme une fin, jamais comme un moyen. » Ainsi, l'enfant doit être aimé pour lui-même et non, par exemple, à cause de son utilité comme ciment d'une union. En d'autres termes, on ne fait pas un enfant parce qu'on a peur de perdre son (sa) partenaire, mais parce qu'on a décidé de créer ensemble quelque chose de magnifique.

La sécurité. La mère a une responsabilité particulière vis-à-vis de la sécurité de l'enfant à naître. De nombreuses substances chimiques absorbées par la mère peuvent nuire de multiples façons à l'enfant qu'elle porte. C'est le cas du tabac, de l'alcool, des médicaments et des autres drogues. Pour la santé et la sécurité de l'enfant à naître, la mère doit donc mener une vie saine et équilibrée ; dans ce domaine, l'aide du père peut être primordiale.

Des parents responsables. Les parents sont responsables du développement de l'enfant pour de nombreuses années, et nous venons de voir que cette responsabilité commence avant la naissance. L'enfant a besoin de nourriture, de vêtements, de sommeil, de calme. Il a aussi besoin d'être protégé contre les accidents et les maladies. Mais le bien-être matériel n'est pas tout. Les parents doivent aussi veiller à l'épanouissement de la personnalité de l'enfant et à son éducation.

Après avoir fait vivre leur enfant, les parents ont donc la responsabilité de le faire devenir une personne autonome.

Un cadre familial. La famille représente un cadre à l'intérieur duquel l'enfant noue des liens affectifs très forts qui pourront durer toute sa vie.

Le cadre familial peut prendre de nombreuses formes. Pour l'enfant, il est représenté par les personnes avec qui il vit et qui lui procurent l'amour, la sécurité et la stabilité affective dont il a besoin.

- Dans les premières années de sa vie, l'enfant adopte les comportements des personnes qui l'entourent. Comment peut-il devenir sexiste dès cette époque ? Donne des exemples.
- Peux-tu décrire différentes formes de cadre familial ?

Ministère des Affaires sociales du Québec

Avant comme après la naissance, l'enfant a besoin d'amour. Comment peut-on répondre à ce besoin?

Société d'éditions photographiques et techniques

à toi de jouer

1. **SITUER LE LIEU ET LE TEMPS OÙ SE RENCONTRENT LES SPERMATOZOÏDES ET L'OVULE.**

a) Situe le lieu où se réalise habituellement la fécondation.

b) Rappelle la durée de vie normale des spermatozoïdes qui parviennent jusque dans les trompes.

c) Par rapport à l'ovulation, détermine la période durant laquelle se produit habituellement la fécondation.

Dans l'exercice qui suit, on admettra que l'ovule n'est fécondable que pendant la période que tu viens de déterminer; d'autre part, on accordera 1 h aux spermatozoïdes pour atteindre le pavillon, depuis le vagin.

d) Supposons une femme chez qui l'ovulation a lieu le 1er juin, à 20 h. Délimite (en termes de dates et d'heures) la période durant laquelle un rapport sexuel non protégé a de fortes chances d'aboutir chez elle à une maternité.

2. **DÉFINIR LA FÉCONDATION.**

a) Nomme les deux cellules qui se sauvent mutuellement la vie en réalisant la fécondation.

b) Explique comment ces deux cellules en viennent à n'en faire plus qu'une. Nomme cette nouvelle cellule.

c) Quel rapport existe entre cette nouvelle cellule et l'enfant à naître?

3. **IDENTIFIER LES DROITS ET LES BESOINS DE L'ENFANT À NAÎTRE.**

a) Cite le premier des droits humains reconnus.

b) Quel préalable favorise grandement l'amour des parents pour l'enfant?

c) Explique pourquoi une femme enceinte doit éviter de fumer et de consommer de l'alcool.

d) En dehors du bien-être physique de l'enfant, identifie une responsabilité des parents.

e) Identifie le cadre qui garantit le mieux la stabilité affective de l'enfant.

VA PLUS LOIN

1. **Enquête sur quelques maladies héréditaires humaines**

On connaît environ 140 maladies héréditaires humaines. Recherche de l'information sur quelques-unes d'entre elles. Pour chacune, développe les points suivants dans ton rapport :

— Ses signes caractéristiques ;
— Sa répartition géographique, s'il y a lieu ;
— Son mode de transmission.

2. **Recherche sur le mongolisme**

Chaque année, de nombreux enfants naissent handicapés, atteints de mongolisme. Documente-toi sur cette anomalie, et développe les points suivants dans ton rapport :

— Les signes de la maladie ;
— La cause déterminante ;
— La fréquence de la maladie ;
— La relation entre la fréquence du mongolisme et l'âge de la mère.

SECTION

La grossesse : conséquence physiologique normale de la fécondation

Quelles sont les conditions de vie d'un enfant avant sa naissance ?

Pendant la grossesse, un zygote se transforme en bébé prêt à naître, dans le corps de la femme.

a) Qui dirige le développement de l'enfant dans le corps de la mère ? Est-ce l'enfant lui-même ? Est-ce la mère ? Justifie ta réponse par un exemple pris chez les animaux.

b) Où l'enfant en cours de développement trouve-t-il de la nourriture ? De l'oxygène ? Où rejette-t-il ses déchets ?

Dès le début de la grossesse, l'enfant en développement provoque des changements dans le corps de la mère.

c) Peux-tu citer quelques-uns de ces changements ?

À la naissance, les enfants dont les mères fument régulièrement sont en moyenne plus petits et plus fragiles que ceux dont les mères ne fument pas.

d) À ton avis, quelle grande preuve d'amour une femme ayant l'habitude de fumer peut-elle donner à son bébé à naître ?

Pendant les derniers mois de la grossesse, l'enfant à naître entend les bruits de l'extérieur.

e) Crois-tu que le caractère d'un enfant puisse être influencé avant la naissance par les habitudes de vie de sa mère ? Explique.

f) D'après toi, comment le père peut-il commencer à prendre soin de son enfant, avant la naissance ?

La santé du fœtus dépend des habitudes de vie de sa mère.

Tu as donc commencé modestement, sous la forme d'une unique cellule microscopique. Or tu étais à la naissance un être organisé ; tu possédais déjà toutes tes structures actuelles, à peu de choses près. Imagines-tu la complexité et la précision des phénomènes de développement que tu as dû mettre en œuvre pour te créer des yeux, un cerveau, un cœur, des mains, une colonne vertébrale, du sang, etc. ?

Et le corps de ta mère pendant ce temps? Il s'était bien préparé à t'accueillir, mais avoue que tu as un peu abusé de son hospitalité. Tu t'y es confortablement installé(e) pendant des mois et tu y as pris tes aises au point de devenir passablement encombrant(e). Et pourtant, le corps de ta mère ne t'a pas considéré(e) comme un corps étranger ordinaire ; il a accepté de changer ses habitudes et, en plus de te loger, il t'a nourri(e) et protégé(e). Tu étais si bien dans le ventre de ta mère qu'il t'arrive peut-être inconsciemment de souhaiter parfois y retourner.

1. Le développement de l'œuf

La cellule-œuf se divise pour former un minuscule organisme multicellulaire nommé embryon. C'est la *mitose* (voir la figure 5-3 dans le chapitre 5 section A) qui assure la multiplication des cellules de l'embryon. Rappelons que la mitose conserve strictement le contenu chromosomique des cellules, d'une génération cellulaire à l'autre. Chaque cellule de l'embryon possède donc exactement les mêmes chromosomes que le zygote (soit 23 paires).

a) La segmentation

À partir du zygote, la première mitose forme 2 grosses cellules. La seconde en forme 4, plus petites. La troisième en forme 8, encore plus petites. À la quatrième mitose, l'embryon comprend 16 cellules et ressemble à une petite framboise. Nous en sommes alors au quatrième jour, à partir de l'ovulation.

b) La formation de l'embryon et la nidation

L'embryon a commencé à se former dans une trompe. Il est entraîné vers l'utérus en même temps que ses cellules prolifèrent. Il y entre le cinquième jour, alors qu'il a la forme d'une minuscule boule creuse. Il grossit, s'implante sur la muqueuse utérine, puis s'y enfonce, alors qu'elle atteint sa pleine épaisseur (voir le cycle menstruel). Ce phénomène se nomme la *nidation*. Le diamètre de l'embryon est alors d'environ 2,5 mm.

Figure 10-4.
De la fécondation à l'implantation de l'embryon.

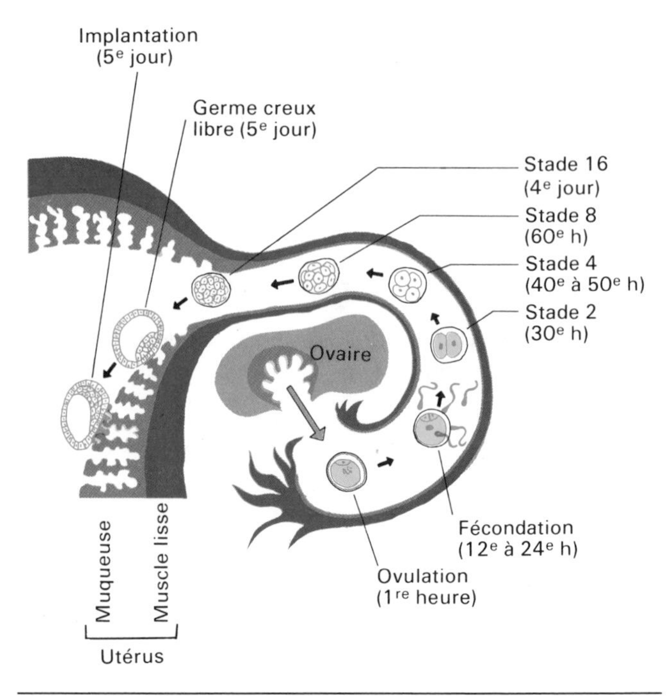

Figure 10-5.
La deuxième semaine.

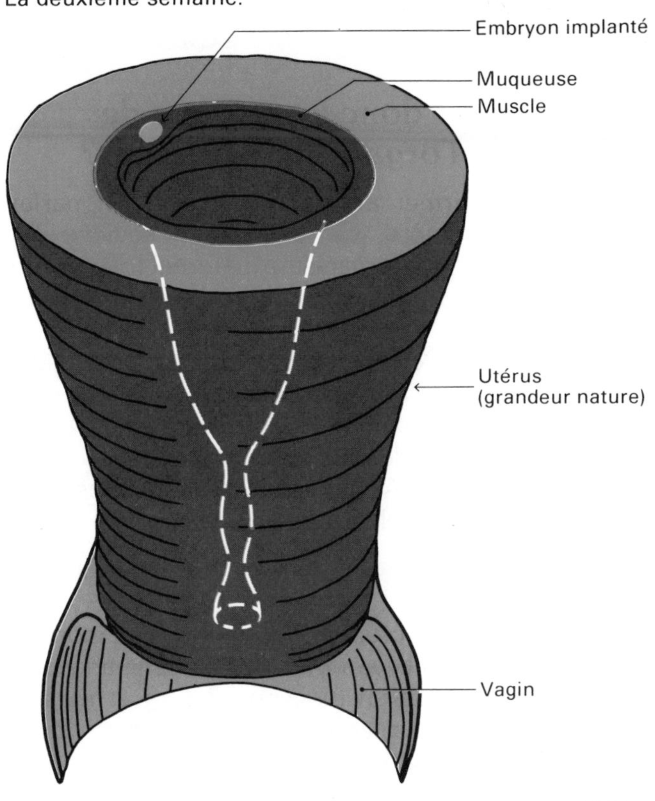

À partir de ce moment, l'embryon se nourrit aux dépens de la muqueuse utérine. Ses cellules continuent de se multiplier. Elles commencent à se déplacer par groupes, les unes par rapport aux autres, et à se différencier. Tous ces phénomènes se déroulent selon une procédure très précise et bien connue. Retenons qu'une partie seulement du groupe de cellules dérivé de l'œuf est destinée à rester l'embryon proprement dit, c'est-à-dire le corps humain au début de son organisation. Le reste produit des enveloppes utiles seulement durant la grossesse. Celles-ci se soudent à la muqueuse utérine pour former avec elle un organe extérieur à l'embryon proprement dit : le *placenta*.

c) Le fœtus

À partir de la neuvième semaine, on peut considérer que le développement embryonnaire proprement dit est terminé. Les organes de l'être humain sont en place et n'ont plus qu'à grandir. On appelle fœtus l'embryon qui a pris forme humaine et dont le sexe est identifiable extérieurement. Au départ, le fœtus mesure environ 3,5 cm sans les membres inférieurs.

- Jadis, plusieurs savants crurent voir dans la tête du spermatozoïde un minuscule être humain recroquevillé. Que penses-tu de cette idée?

2. L'importance du placenta et l'évolution de l'utérus durant la grossesse

Le fœtus est enfermé dans le sac formé par ses enveloppes. Il baigne dans un liquide, le *liquide amniotique*, sécrété par l'enveloppe la plus interne nommée *amnios*. Il est relié au placenta par le *cordon ombilical*. Le nombril correspond à la cicatrice laissée par le cordon ombilical coupé à la naissance.

Figure 10-6.
Trois étapes de la grossesse.

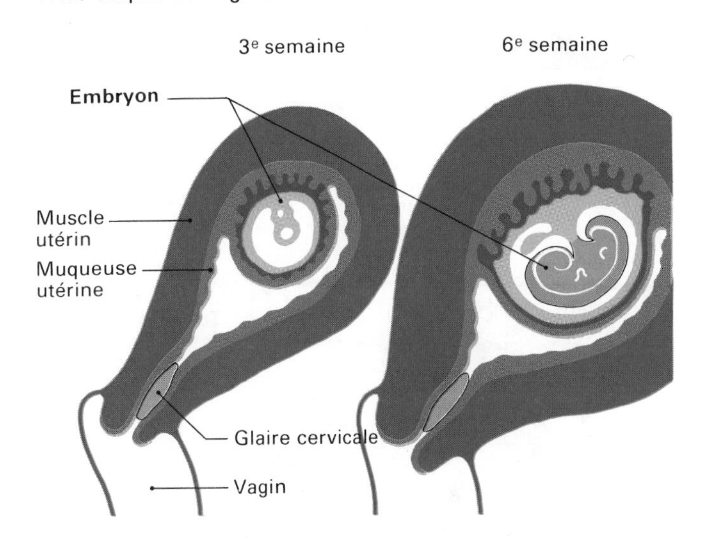

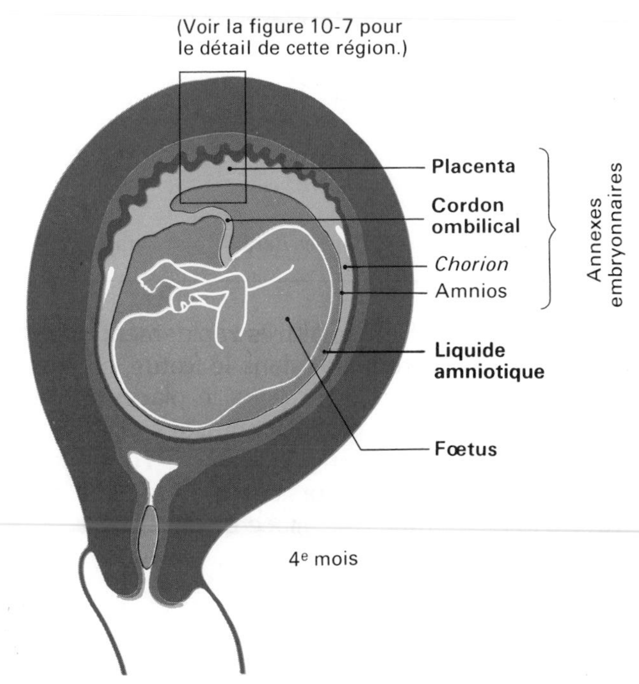

N.B. : Pour les besoins du dessin, la taille de l'embryon de la 3e et de la 6e semaine a été très exagérée par rapport à l'utérus.

Figure 10-7.
Les rapports entre la mère et le fœtus dans le placenta.

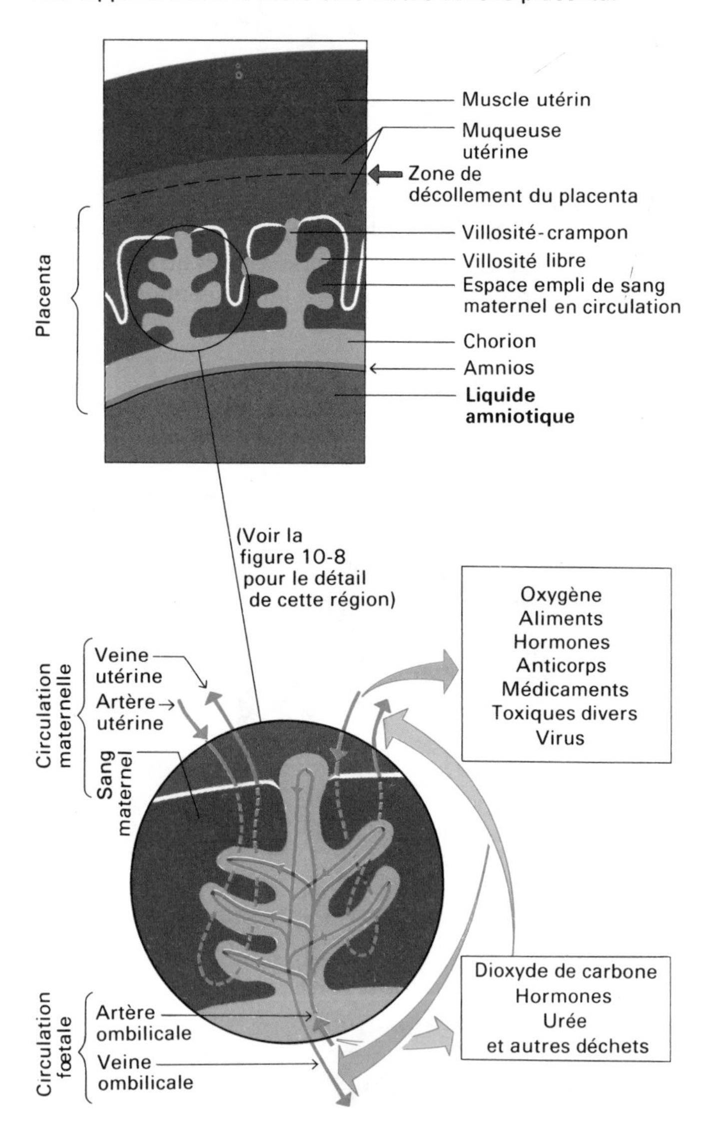

Figure 10-8.
Les circulations et les échanges dans le placenta.

Le cœur du fœtus bat très rapidement. Il entretient à la fois la circulation dans le fœtus, mais aussi une importante circulation dans le placenta, par le cordon ombilical. Dans le placenta, le sang du fœtus côtoie de très près le sang de la mère. Toutes sortes d'échanges se réalisent alors entre les deux milieux, à travers la membrane très mince qui les sépare.

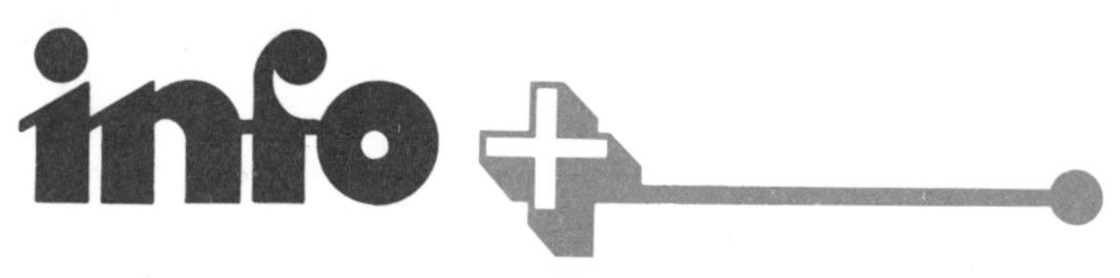

Mais que fait donc le système de défense de l'organisme maternel ?

Le placenta permet au fœtus de vivre en parfait parasite de sa mère. Cette situation soulève une question : Pourquoi l'organisme maternel tolère-t-il ce corps étranger envahissant, alors qu'il rejetterait presque à coup sûr le cœur, le rein ou la peau qu'on tenterait de lui greffer ? La réponse est loin d'être claire, mais on peut raisonnablement penser que c'est pour les mêmes raisons qu'il pourrait tolérer, le cas échéant, une masse de cellules anormales, telle qu'une tumeur cancéreuse. Ainsi, certaines recherches sur le cancer s'intéressent-elles au placenta.

L'utérus suit la croissance du fœtus. Au moment de la nidation, l'embryon mesure 2,5 mm ; à la naissance, le bébé pèse en moyenne 3,3 kg et mesure environ 33 cm, sans les membres inférieurs. Parallèlement, l'utérus passe de la taille d'une poire, avec une masse de 55 g, à la taille d'un gros ballon, avec une masse de 1120 g.

D'autre part, l'utérus n'est plus soumis à la menstruation tant que dure la grossesse et l'allaitement. Nous reviendrons sur ce phénomène. En fait, la menstruation peut réapparaître chez une femme qui allaite, mais elle est alors généralement atténuée. D'autre part, l'ovulation peut reprendre pendant l'allaitement, sans menstruation.

- Pourquoi le fœtus ne se noie-t-il pas dans le liquide amniotique ?

3. Les jumeaux

Sept grossesses sur mille produisent deux enfants qui ne se ressemblent pas plus que les frères et sœurs habituels. On parle alors de *faux jumeaux*.

Trois grossesses sur mille produisent deux enfants de même sexe dont la ressemblance est frappante sur tous les plans. On parle alors de *jumeaux vrais*.

Figure 10-9.
Les grossesses de jumeaux.

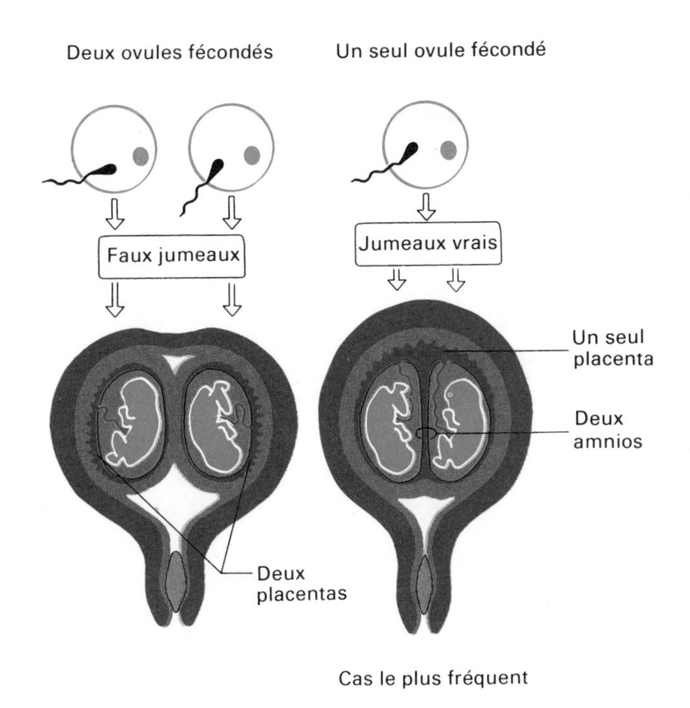

Les faux jumeaux se forment à partir de deux ovules distincts. Les jumeaux vrais sont issus du même ovule. Dans ce dernier cas, le double développement embryonnaire peut survenir plus ou moins tôt. Si ce sont les deux premières cellules de l'embryon qui se séparent, les jumeaux vrais ont chacun leur placenta. Ce cas est rare. Le plus souvent, les jumeaux vrais sont reliés au même placenta, mais logés dans deux amnios distincts. Il arrive aussi qu'ils soient dans le même amnios. Dans les deux derniers cas, le développement double commence à partir du germe creux, au moment de la nidation.

Les jumeaux vrais sont d'un grand intérêt biologique, car ils ont exactement les mêmes chromosomes, donc les mêmes prédispositions héritées de leurs parents. Lorsqu'ils vivent dans des milieux différents, ils permettent de mettre en évidence l'influence du milieu sur le développement de l'individu.

Le fait que les naissances de jumeaux soient plus fréquentes dans certaines familles laisse à penser que ce phénomène résulte de prédispositions héréditaires.

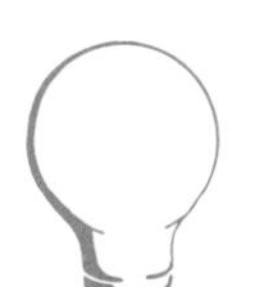

- Pourquoi les premières greffes de rein furent-elles réussies entre jumeaux vrais ?
- Les empreintes digitales des jumeaux vrais sont semblables, mais pas identiques ; les spécialistes savent les distinguer. Compte tenu de cette information, penses-tu que la police ait raison de se fier aux empreintes digitales pour identifier des malfaiteurs ?

4. Les signes d'une grossesse et le principe du test de grossesse

La fécondation elle-même passe totalement inaperçue. Il faut quelques jours pour que ses conséquences se manifestent.

L'absence de menstruation à la date prévue constitue, au bout d'une semaine, une sérieuse présomption de grossesse, mais non une certitude. Bien d'autres facteurs peuvent retarder la menstruation.

Le doute n'est plus permis lorsque d'autres signes s'ajoutent au précédent. Les plus typiques sont les suivants :
— Le picotement des seins avec brunissement des disques entourant les mamelons ;
— Les nausées, surtout le matin ;
— Les taches jaunâtres sur le visage et le brunissement de la ligne médiane du ventre ;
— La salivation plus abondante ;
— L'envie fréquente d'uriner.

En début de grossesse, c'est le placenta lui-même qui empêche la menstruation, en déversant dans le sang de la mère une hormone désignée par le sigle HCG (pour *human chorionic gonadotrophin*). L'HCG prend le relais des hormones hypophysaires, peu abondantes en fin de cycle, pour stimuler l'ovaire. En particulier, l'HCG empêche le corps jaune de dégénérer.

L'HCG passe dans l'urine. Sa présence dans l'urine d'une femme prouve donc la grossesse.

Il existe deux types de tests destinés à détecter l'HCG dans l'urine : des tests biologiques et des tests biochimiques.

Les tests biologiques consistent à injecter l'urine de la femme à une femelle animale vierge. Ainsi, une lapine sacrifiée 36 h après l'injection montre des follicules développés dans les ovaires et des trompes gonflées, lorsque l'urine contient de l'HCG. Avec une espèce particulière de crapaud, l'injection d'urine de femme enceinte provoque la ponte au bout de 15 h.

Les tests biochimiques ont aujourd'hui remplacé les tests biologiques. Ils sont beaucoup plus rapides et faciles d'emploi, et moins coûteux. Plusieurs d'entre eux sont offerts en pharmacie. Ils donnent un résultat assez fiable en quelques heures, voire en quelques minutes.

En pratique, c'est donc environ une semaine après la date attendue pour la menstruation qu'une femme utilise un test de grossesse, afin de confirmer son espoir ou son appréhension. À ce moment, l'embryon est âgé de 21 jours. Il possède des rudiments de cœur, de cerveau, d'yeux, et les bourgeons de ses membres pointent déjà. Sans ses enveloppes, il mesure alors 2,5 mm.

- Pourquoi le test de grossesse n'est-il pas efficace s'il est utilisé par exemple le jour même où la menstruation est attendue ?

5. Les précautions à prendre pendant la grossesse

En menant une vie saine pendant sa grossesse, une femme prend soin de sa propre santé. Elle prend soin bien davantage de celle de l'enfant qu'elle porte, car, pour l'essentiel, la santé de toute une vie se joue avant la naissance.

Analysons les effets de quelques facteurs sur la santé du bébé à naître et sur celle de la mère.

a) L'alimentation

Pendant la grossesse, la femme mange pour deux. Pourtant, elle n'a pas à augmenter sensiblement sa consommation d'aliments. Pour elle et son bébé, elle a surtout besoin d'aliments constructeurs (des protéines) et régulateurs (des vitamines, du calcium, du phosphore, du fer, des fibres, etc.).

b) L'exercice physique

La marche à pied et le bain en piscine font partie des activités physiques modérées recommandées pendant la grossesse. D'autre part, les exercices qui visent à améliorer la souplesse, la relaxation et la maîtrise de la respiration aident à préparer un accouchement facile.

c) Le tabac et l'alcool

Le tabac nuit au développement de l'enfant dans l'organisme maternel et augmente le risque d'une naissance prématurée. La nicotine provoque un resserrement des vaisseaux sanguins du placenta, ce qui prive le fœtus d'une part des nutriments et de l'oxygène dont il a besoin. Le fœtus réagit même directement aux toxiques de la fumée de cigarette. Par exemple, son cœur bat plus vite pendant 20 min à chaque cigarette fumée par sa mère. La femme enceinte a donc de sérieuses raisons de ne pas fumer.

L'alcool aussi est nuisible pour le fœtus. C'est un poison du système nerveux qui peut causer l'arriération mentale. Ses effets excitants immédiats peuvent se manifester chez le fœtus par des symptômes indiscutables d'ivresse (des mouvements désordonnés). Heureusement, certaines femmes éprouvent un dégoût pour l'alcool durant leurs grossesses.

d) Les médicaments et les autres drogues

Le développement embryonnaire peut être gravement perturbé par diverses substances chimiques. Si possible, la femme enceinte ne devrait absorber aucun médicament, pas même de l'aspirine, surtout en début de grossesse.

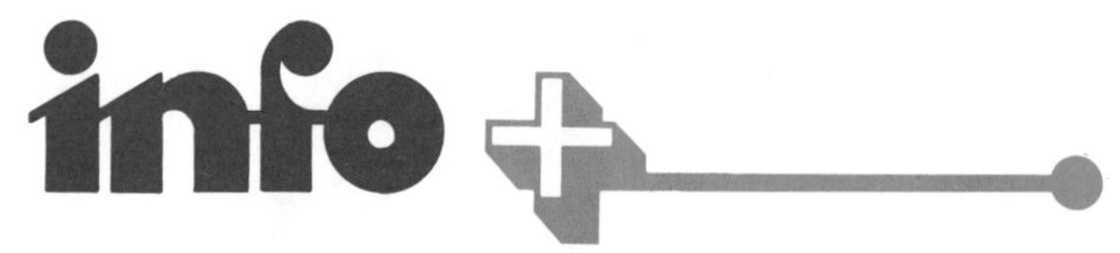

La terrifiante expérience de la thalidomide

La thalidomide est un tranquillisant qui fut commercialisé aux États-Unis et dans certains pays d'Europe au cours des années soixante. Or beaucoup de femmes enceintes qui absorbèrent ce médicament mirent au monde des enfants aux membres atrophiés. La plus typique des malformations provoquées par la thalidomide se nomme *phocomélie*. L'enfant phocomèle est viable ; son intelligence est normale, voire supérieure, mais ses quatre membres sont réduits à des moignons.

Ironie des situations... Plusieurs années après la tragédie qu'elle avait provoquée, la thalidomide fut reconnue et employée comme drogue anticancéreuse.

e) L'environnement

Certains milieux de travail peuvent être nocifs pour le fœtus et la mère à cause d'émanations diverses (les vapeurs de plomb, le sulfure de carbone, les solvants organiques, etc.), de certaines radiations (les rayons x, les radiations atomiques), de vibrations ou d'autres facteurs.

Au Québec, la Loi sur la santé et la sécurité du travail donne le droit à toute femme enceinte de changer de poste de travail sans délai si sa santé ou celle de son bébé sont menacées.

f) Les maladies infectieuses

Certaines maladies à virus, dont la rubéole et la toxoplasmose, peuvent atteindre le fœtus et entraîner des malformations congénitales et des déficiences mentales.

La rubéole. La rubéole est une infection bénigne qui se traduit par une éruption cutanée caractéristique.

Elle est dangereuse pour le fœtus, surtout dans les premiers mois de la grossesse. Beaucoup d'enfants s'immunisent naturellement contre la rubéole en contractant la maladie ; un test de laboratoire permet de vérifier la présence d'anticorps spécifiques dans le sang.

En cas d'absence de tels anticorps, toute femme devrait se faire vacciner contre la rubéole au moins trois mois avant de tenter de concevoir un enfant.

La toxoplasmose. La toxoplasmose est une infection contre laquelle il n'existe pas de vaccin ; elle est dangereuse pour le fœtus à n'importe quel moment de la grossesse. Comme elle se transmet par les excréments du chat, cet animal ne devrait pas être admis dans un appartement où vit une femme enceinte dépourvue d'anticorps spécifiques.

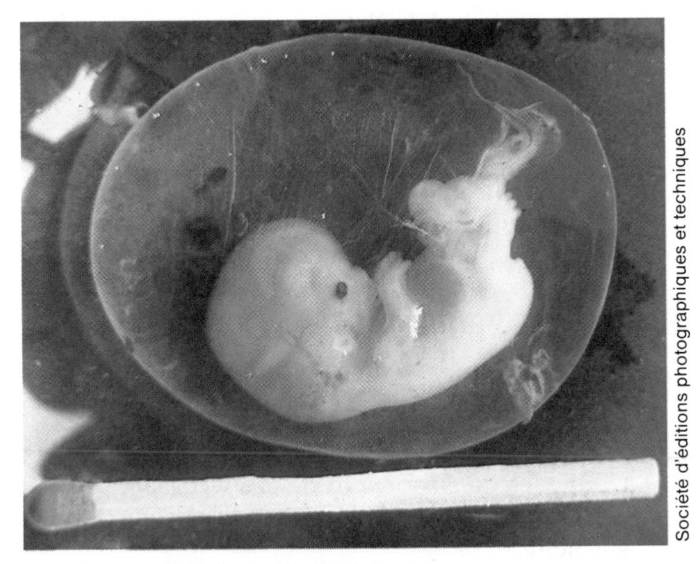

Société d'éditions photographiques et techniques

Quel est le milieu de vie de l'embryon?

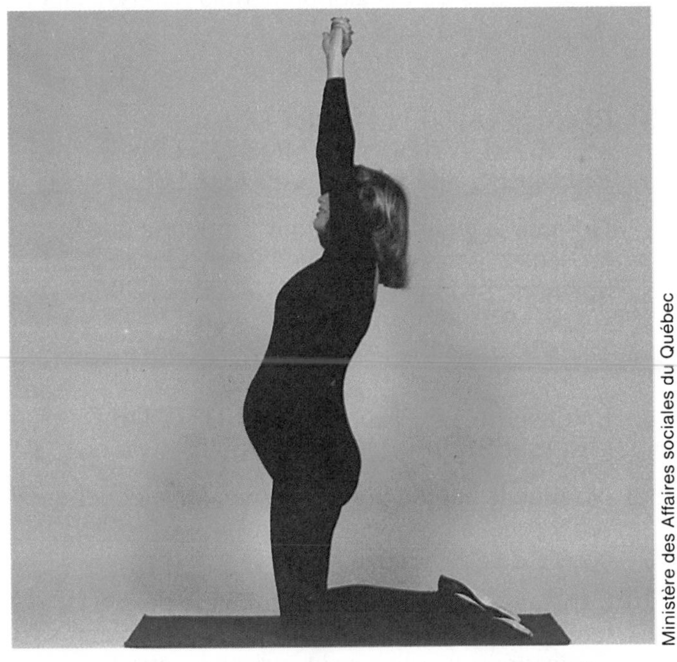

Ministère des Affaires sociales du Québec

Cette femme a-t-elle raison de faire de la gymnastique?

g) Le rythme de vie

Le déroulement normal de la grossesse est favorisé par une vie calme, régulière, sans tension nerveuse. Une femme enceinte devrait pouvoir prendre du repos chaque fois que son état l'exige, et s'accorder beaucoup de sommeil.

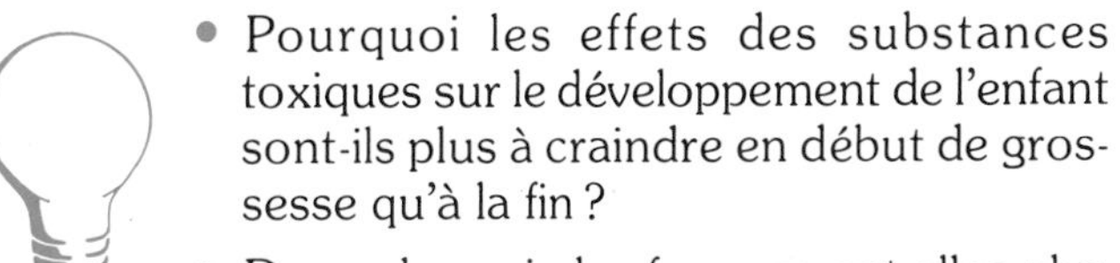

- Pourquoi les effets des substances toxiques sur le développement de l'enfant sont-ils plus à craindre en début de grossesse qu'à la fin ?
- De quel vaccin les femmes ont-elles plus besoin que les hommes ?

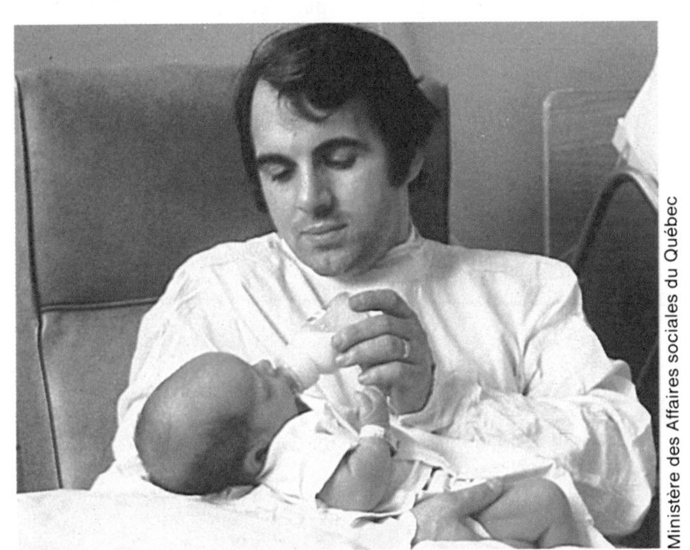

Ministère des Affaires sociales du Québec

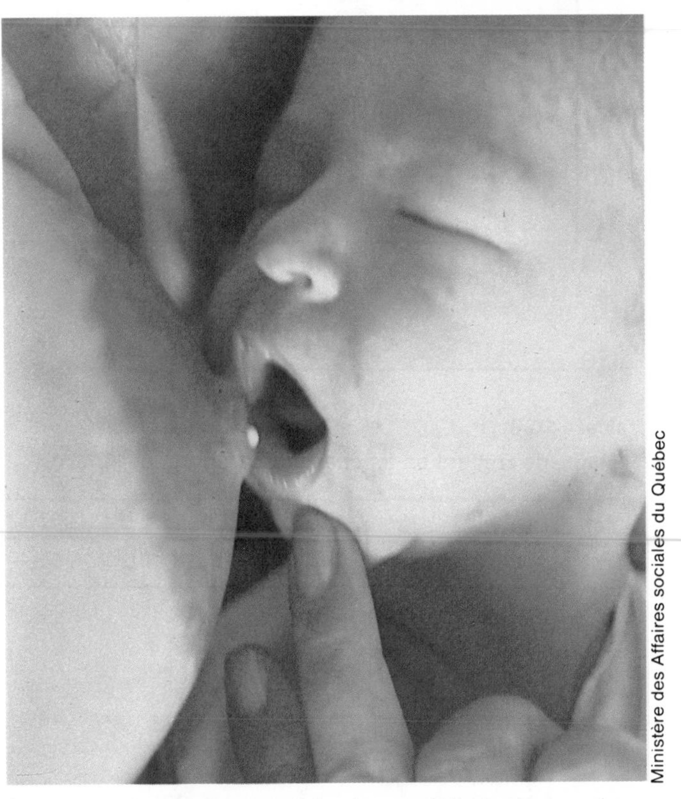

Ministère des Affaires sociales du Québec

Quels sont les avantages et les inconvénients de ces deux façons de nourrir bébé?

à toi de jouer

1. DISTINGUER ZYGOTE, EMBRYON ET FŒTUS.

Matériel : papier millimétrique.

a) Des trois termes énumérés ci-dessus, note celui qui désigne une cellule. Définis cette cellule par rapport à l'enfant. Dans quel organe se forme-t-elle ?

b) Reporte sur du papier millimétrique le système d'axes présenté ci-dessous, puis construis la courbe de croissance de l'enfant avant la naissance d'après les données du tableau. Arrondis bien le tracé de la courbe.

Graphique 10-3.
La courbe de croissance de l'enfant avant la naissance.

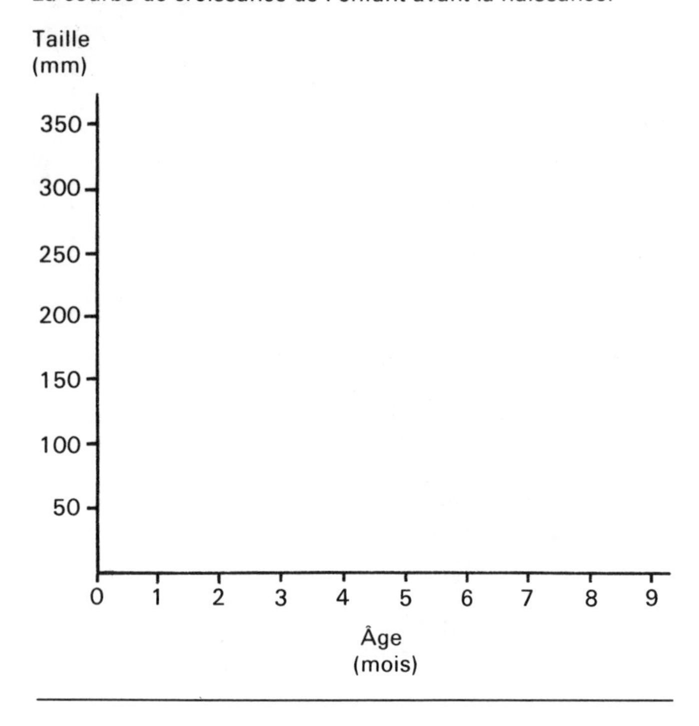

Tableau 10-4.
La taille de l'enfant en fonction de son âge, dans l'utérus.

Âge	Taille sans les jambes (mm)
2 semaines	1,5
4 semaines	5
7 semaines	20
2 mois	33
3 mois	95
4 mois	135
6 mois	230
9 mois	335

c) Sur ton graphique, indique par une ligne verticale la limite entre la période embryonnaire et la période fœtale. Inscris aux endroits appropriés les noms de ces périodes.

2. EXPLIQUER LA CROISSANCE EN FONCTION DE LA DIVISION ET DE LA SPÉCIALISATION CELLULAIRE.

a) Combien de séries de mitoses permettent de passer de l'œuf à l'embryon de 16 cellules ?

b) Combien de cellules le corps humain contient-il approximativement ?

Il est entendu que toutes ces cellules descendent des premières cellules de l'embryon par mitoses successives.

c) Dessine un embryon de 16 cellules. En dehors du nombre, quelle différence vois-tu entre l'assortiment de cellules de ce petit organisme et celui du corps complètement formé ?

d) Quel phénomène a dû se produire pour que des cellules toutes semblables engendrent finalement des cellules très variées ?

e) Donne les conséquences de la spécialisation cellulaire quant à la liberté des cellules et à leur efficacité.

f) À quel stade du développement la différenciation cellulaire commence-t-elle ?

3. RECONNAÎTRE L'ARRÊT DES MENSTRUATIONS COMME UN DES PREMIERS SIGNES DE GROSSESSE.

Nomme la glande endocrine ovarienne que la grossesse empêche de dégénérer. Quelle hormone produit-elle ? (Voir le chapitre 9 section B.)

4. ÉNONCER LE PRINCIPE DU TEST DE GROSSESSE.

a) Nomme le liquide physiologique dans lequel on recherche la preuve d'une grossesse. En quoi consiste cette preuve ?

b) Explique sommairement le principe des tests biologiques de grossesse. Nomme un animal domestique que l'on peut utiliser à cette fin.

5. DONNER LE RÔLE DES STRUCTURES SUIVANTES :
- PLACENTA ;
- CORDON OMBILICAL ;
- LIQUIDE AMNIOTIQUE.

a) Dresse la liste des substances vitales dont le sang du fœtus se charge dans le placenta.

b) Dresse la liste des substances dont le sang maternel se charge dans le placenta.

La surface totale des villosités placentaires atteint jusqu'à 16 m² en fin de grossesse.

c) Nomme un organe autre que le placenta où des villosités forment une énorme surface d'échanges.

d) Quel genre de vaisseau sanguin se charge des substances puisées par les villosités dans le sang maternel ? Par quel organe passe-t-il pour se rendre du placenta au fœtus ?

e) Que fait-on de cet organe à la naissance ?

f) Quelle trace ton corps conserve-t-il de ta vie en parasite du corps de ta mère ?

g) Nomme le milieu de vie de l'embryon et du fœtus. Quels organes thoraciques sont provisoirement inutiles dans ce milieu ?

6. COMPARER LES JUMEAUX IDENTIQUES ET LES JUMEAUX FRATERNELS QUANT À LEUR ORIGINE ET À LEUR RESSEMBLANCE.

a) Quel est le pourcentage approximatif total de naissance de jumeaux ?

b) Combien d'ovules sont nécessaires pour produire des faux jumeaux ? Des jumeaux vrais ? En quoi les uns et les autres diffèrent-ils quant à leur apparence physique ?

7. PRÉCISER LES EFFETS DE QUELQUES FACTEURS À SURVEILLER PENDANT LA GROSSESSE.

Réponds aux questions qui suivent et justifie toutes tes réponses.

a) Le menu ci-dessous convient-il à une femme enceinte ? (Consulte la table de composition des aliments en annexe.)

Menu

— Salade de crevettes et pamplemousse
— Foie de porc frit
— Haricots verts
— Fromage
— Orange

b) Le vin est-il la boisson la plus appropriée pour accompagner son repas ?

c) À la fin du repas, devrait-elle choisir une cigarette ou un carré de menthe au chocolat ?

d) Pour faire passer un mal de tête, devrait-elle prendre des comprimés analgésiques ou boire un grand verre d'eau et faire un peu de marche à l'extérieur ?

e) Devrait-elle choisir la séance de cinéma de 19 h ou celle de 21 h ?

f) Quel animal de compagnie ne devrait-elle pas choisir sans se soumettre à un test préalable ?

g) Quel genre d'exercices physiques peut-elle pratiquer ?

h) Si elle exerce la profession de technicienne aux rayons x (service de radiographie) dans un hôpital, quelle démarche devrait-elle faire sans tarder ?

i) Explique ce qu'il peut y avoir de positif, du point de vue médical, au fait que ta petite sœur ait attrapé la rubéole.

VA PLUS LOIN

1. Recherche sur le système circulatoire du fœtus

Documente-toi sur la structure de l'appareil circulatoire chez le fœtus. Présente ton rapport selon les instructions données ci-dessous.

a) Schématise les particularités de l'appareil circulatoire du fœtus.

b) Indique la raison d'être de ces particularités.

c) Décris les changements qui surviennent dans cet appareil circulatoire à la suite de l'accouchement.

2. Enquête sur les tests de grossesse

Dans une pharmacie, informe-toi des tests de grossesse qui sont vendus couramment. Pour chacun d'eux, relève les points suivants :

a) Comment s'utilise-t-il ?

b) En combien de temps donne-t-il un résultat ?

c) Quel est son prix ?

SECTION

L'accouchement : terme de la grossesse

Comment la naissance d'un enfant est-elle vécue ?

Mettre au monde un enfant dans les conditions normales est une expérience riche d'émotions.

Du jour précédant son accouchement aux premiers cris de son enfant, la mère passe par toute une gamme d'émotions.

a) Essaie d'imaginer ce que ressent la mère pendant cette période.

Lorsque le père assiste à l'accouchement, il passe lui aussi par toutes sortes d'émotions.

b) Essaie d'imaginer ce que ressent le père assistant à la naissance de son enfant.

Et l'enfant lui-même, que ressent-il donc ?

c) Essaie d'imaginer ce que ressent le bébé lors de sa naissance.

À la naissance, le bébé change radicalement de milieu de vie.

L'accouchement est l'expulsion du fœtus par l'organisme maternel. Malgré les techniques modernes, c'est une épreuve difficile pour la mère. Lorsqu'elle donne le jour à un enfant, la femme démontre qu'elle n'est ni faible, ni fragile, mais qu'elle possède au contraire une admirable résistance sur tous les plans.

Pour l'enfant aussi, l'accouchement est une épreuve difficile. Quitter son aquarium douillet, changer brutalement d'élément de vie, faire connaissance avec la pesanteur, la chaleur, le froid, le bruit non assourdi, la lumière... Tout cela constitue un déracinement. Chacun(e) d'entre nous est peut-être resté(e) marqué(e) par la façon dont il(elle) a pris contact avec le monde, lors de sa naissance.

1. Les signes avant-coureurs de l'accouchement

L'accouchement se produit en moyenne 9 mois et 10 jours après la date de la dernière menstruation. Il s'annonce par des crampes répétées provoquées par les contractions de l'utérus. Celles-ci surviennent d'abord toutes les 20 min et durent de 15 à 30 s.

Un liquide clair — le liquide amniotique — peut s'écouler par la vulve. Ceci est dû à la déchirure de la « poche des eaux », c'est-à-dire du sac qui enveloppe le fœtus. Des écoulements de sang peuvent aussi se produire lorsque le col de l'utérus commence à s'ouvrir.

Tous ces symptômes peuvent débuter plusieurs jours avant l'accouchement. Au cours de la dernière journée, les contractions s'accentuent, s'allongent et se rapprochent.

- Les contractions utérines sont-elles des mouvements volontaires ?

2. L'accouchement proprement dit et la délivrance

Un mois avant l'accouchement, le contenu de l'utérus se déplace vers le bas. Lorsque le fœtus se présente normalement, sa tête est appuyée contre le col de l'utérus. Le travail de l'utérus a pour effet de pousser la tête du fœtus dans le col. Celui-ci s'ouvre progressivement : on dit qu'il se *dilate*. En même temps, le bouchon de mucus qui fermait l'utérus est expulsé, mélangé à du sang. La rupture complète de la poche des eaux prépare la sortie du fœtus en lubrifiant et en nettoyant le vagin.

Au plus fort du travail, les contractions utérines peuvent durer près de 2 min et se succéder à quelques minutes d'intervalle. La mère peut aider l'utérus en contractant volontairement les muscles abdominaux et le diaphragme.

Après l'expulsion du fœtus, l'utérus se repose un peu, avant d'expulser le placenta et les enveloppes fœtales qui y sont rattachées. On appelle *délivrance* cette phase qui suit l'accouchement proprement dit.

À la fin de la grossesse, la circulation du sang maternel dans le placenta s'était considérablement réduite. Elle cesse complètement dans les minutes qui suivent la naissance du bébé. Ainsi, le décollement du placenta ne provoque pas, normalement, d'hémorragie sérieuse dans l'utérus.

En moyenne, un accouchement dure de 6 à 12 h.

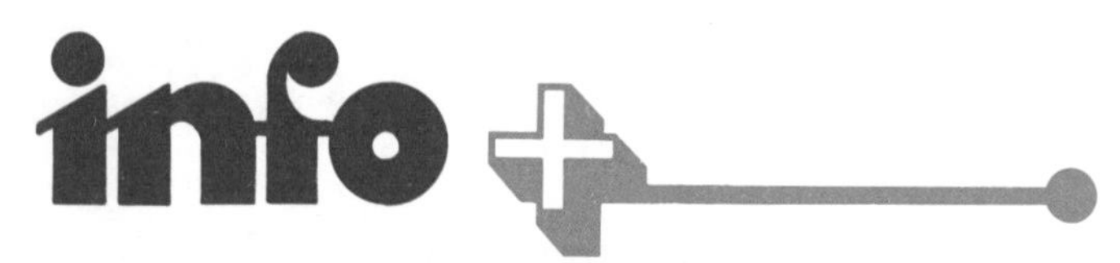

Le contrôle hormonal de la grossesse et de l'accouchement

Les hormones responsables de la grossesse en contrôlent le déroulement et y mettent fin le moment venu.

Nous avons vu que, à peine implanté, l'embryon dirige sa propre destinée, puisque le placenta sécrète en début de grossesse l'hormone (HCG) qui préserve le corps jaune. Ceci permet de maintenir une importante sécrétion de progestérone, empêchant ainsi la menstruation.

Attardons-nous quelques instants sur la progestérone et justifions son titre d'« hormone de la maternité ». Cette hormone agit simultanément sur l'utérus, sur les glandes mammaires et sur l'ovaire.

La progestérone favorise et maintient le plein développement de la muqueuse utérine, indispensable à la nidation. D'autre part, elle paralyse l'utérus et l'empêche de rejeter l'embryon prématurément ; elle protège donc ce dernier.

La progestérone stimule la croissance des glandes mammaires qui, dans les seins, produiront le lait après la naissance de l'enfant. Il en résulte un gonflement de la poitrine.

Enfin, la progestérone empêche le développement des follicules ovariens, donc toute ovulation.

Ainsi on voit que, dès le début de la grossesse, l'embryon se protège, prépare son alimentation future et empêche la concurrence, en se servant de l'ovaire, grâce à l'HCG.

Par la suite, le placenta qui a grandi assume directement la production d'hormones femelles. Dès lors, l'HCG n'est plus aussi utile et sa production diminue considérablement ; elle reste basse durant les six derniers mois de la grossesse.

Pendant le dernier mois, un déséquilibre hormonal va en s'accentuant : Le taux de progestérone dans le sang baisse brusquement, tandis que celui d'œstrogènes se maintient élevé. Dans ces conditions, les œstrogènes devenus prédominants cessent de favoriser l'action de la progestérone sur l'utérus. Au lieu de contribuer à paralyser l'utérus, ils stimulent sa contraction.

Les causes de ce déséquilibre hormonal qui déclenche l'accouchement ne sont pas claires, mais il semble que le vieillissement du placenta y soit pour quelque chose.

Graphique 10-4.
Les variations des taux d'hormones dans le sang de la mère pendant la grossesse.

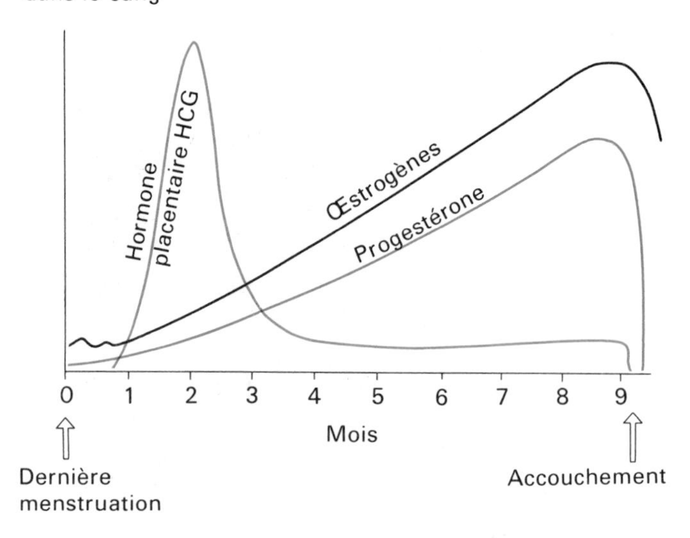

Au moment de l'accouchement, l'utérus est également stimulé par le système nerveux et par une hormone hypophysaire.

- Les femmes accouchaient jadis chez elles. De nos jours, elles accouchent presque toutes à l'hôpital. Pourquoi ?

3. Les soins au bébé naissant

Dès que l'enfant est né, il faut en priorité lui permettre de bien respirer ; c'est pourquoi on aspire les matières accumulées dans ses narines et dans sa bouche. Au besoin, des tapes sur les fesses ou sur la plante des pieds stimuleront sa première respiration. Les yeux sont lavés, et on y introduit quelques gouttes antiseptiques. Le cordon ombilical est d'abord ligaturé à l'aide d'un fil ou d'une pince, puis coupé. Le bout de cordon est alors désinfecté et recouvert d'un pansement stérile. Par la suite, il sèche et tombe de lui-même en quelques jours.

Le bébé est ensuite enveloppé dans une serviette chaude. Parfois, on le laisse quelque temps sur le ventre de la mère. Son premier bain dans l'eau tiède peut avoir lieu immédiatement.

Pour rendre moins brutale l'arrivée de l'enfant dans un environnement où tout est nouveau pour lui, on veille à le garder au chaud, dans le silence et, de préférence, dans une demi-obscurité.

- La peau du bébé naissant est recouverte d'un enduit gras. Pour ne pas détruire cet enduit, on ne savonne pas le bébé lors de son premier bain. D'après toi, quelle est l'utilité d'un tel enduit ?
- Qu'arriverait-il si le cordon ombilical était coupé sans être ligaturé ?

4. Les méthodes d'accouchement

Dans notre civilisation, la mère accouche généralement allongée sur le dos. Dans d'autres sociétés, elle accouche debout, accroupie ou assise.

L'accouchement est une étape délicate de la vie, pour la mère comme pour l'enfant. Une spécialité médicale particulière, l'*obstétrique*, lui est d'ailleurs consacrée. Un accouchement difficile peut mettre deux vies en danger. Une oxygénation insuffisante peut aussi provoquer chez l'enfant des dommages irréversibles au cerveau et le laisser handicapé pour la vie.

L'accouchement naturel. On parle d'accouchement naturel lorsqu'on laisse agir les mécanismes physiologiques automatiques qui réalisent normalement l'accouchement. Il existe des techniques de respiration et de relaxation qui facilitent l'accouchement naturel.

L'accouchement naturel n'est pas toujours possible. Plusieurs facteurs peuvent le rendre problématique, voire impossible : un bassin trop étroit, une grossesse prolongée, et surtout une mauvaise présentation du fœtus dans le col de l'utérus. Dans 90% des cas, c'est le sommet du crâne qui s'engage le premier et le reste du corps suit facilement. Dans 7% des cas, l'enfant se présente par le siège, en position assise en quelque sorte. L'accouchement naturel est encore possible, mais difficile. Dans 2% des cas, enfin, c'est l'épaule qui se présente en premier. Il faut alors une opération chirurgicale pour extraire l'enfant du ventre de sa mère : c'est la *césarienne*.

La césarienne. La césarienne est une opération généralement très simple, qui consiste à inciser l'abdomen, puis l'utérus. Elle se pratique sous anesthésie générale, ou encore sous anesthésie de la moitié inférieure du corps. On y a souvent recours de nos jours, quelquefois sans nécessité absolue. La césarienne est alors une façon expéditive d'accoucher, qui évite bien des complications. Cependant, l'anesthésie générale supprime une grande part de la joie reliée à l'action de mettre au monde un enfant.

L'accouchement sous anesthésie et l'accouchement provoqué. Pour éviter des souffrances à la mère, on peut l'anesthésier localement ou même complètement. Dans ce dernier cas, elle est endormie et ne voit pas naître son enfant.

Il est possible de déclencher ou d'accélérer à volonté un accouchement à l'aide de drogues. On peut, par exemple, injecter à la patiente une hormone hypophysaire qui provoque la contraction de l'utérus. Inversement, d'autres drogues permettent de retarder un accouchement.

- D'après toi, une femme peut-elle accoucher dans l'eau ? Justifie ta réponse.
- Dans quelles circonstances est-on amené à provoquer artificiellement un accouchement ?

5. L'alimentation du nouveau-né

À l'origine, l'aliment du nouveau-né était exclusivement le lait de sa mère. Lorsqu'elle ne pouvait pas ou ne voulait pas allaiter, son bébé était confié à une nourrice.

Le remplacement du lait maternel par le lait de vache en biberon apparut comme une façon pratique et peu coûteuse de libérer la mère d'une corvée. La mode du biberon se répandit rapidement dans tous les milieux des sociétés occidentales, car elle apparut comme un signe d'évolution sociale, de modernisme.

Aujourd'hui, on assiste à un renversement de cette tendance, encouragé par bon nombre de médecins. L'allaitement maternel redevient courant, au moins dans les premiers mois de vie du bébé.

Les règles de base de l'alimentation du nouveau-né. Des recherches scientifiques menées avec le concours d'une équipe de l'Hôpital général juif de Montréal ont permis de dégager les points suivants :

— Le lait maternel est l'aliment de base idéal du nourrisson ;

— Il vaut mieux ne pas donner de lait de vache à un enfant avant l'âge d'un an ;

— À partir de trois ou quatre mois, on peut commencer à lui donner d'autres aliments en complément au lait maternel ; on l'habituera d'abord aux céréales (le riz, l'avoine, l'orge), puis aux légumes, puis aux fruits et enfin aux autres aliments ;

— Un bébé ne devrait consommer ni sel, ni sucre, ni beurre, ni condiments avant l'âge d'un an ; par la suite, ces aliments ne devraient lui être donnés qu'en faibles quantités.

Les avantages du lait maternel. Par rapport au lait de vache, le lait maternel présente de nombreux avantages :

— Il fournit au nourrisson un assortiment idéal de nutriments ; sa pauvreté en fer n'est pas problématique, car le nouveau-né en possède une réserve dans le foie ; les céréales lui apporteront du fer en temps utile ;
— Il renferme des anticorps qui protègent le nourrisson contre diverses maladies infectieuses ;
— Il est à peu près stérile ;
— Sa température est toujours convenable ;
— Il s'oppose aux gastro-entérites, en favorisant le développement de bons microbes dans le gros intestin ;
— Il contient moins de substances susceptibles de déclencher des réactions allergiques (des rougeurs des fesses ; des diarrhées) ;
— Il contient moins d'éléments radioactifs toxiques (le strontium 90 essentiellement.)

L'allaitement maternel présente aussi d'autres avantages :

— Le lait maternel ne demande aucune préparation et coûte peu ; seulement 250 kJ de plus sont requis, en moyenne, dans l'alimentation de la femme qui allaite ;
— Les effets de la grossesse s'atténuent plus vite chez la femme qui allaite ; en particulier, la régression de l'utérus est accélérée ;
— L'allaitement maternel renforce l'affection réciproque de la mère et de l'enfant.

Les inconvénients de l'allaitement maternel.

— Certaines mères ne produisent pas de lait, ou n'en produisent pas assez ;
— La production de lait peut cesser prématurément pour des causes diverses (l'anxiété, par exemple) ;
— Les débuts de l'allaitement peuvent être difficiles ; les seins et les mamelons de la mère peuvent devenir douloureux ;
— La mère doit être à la disposition de son bébé ; cette contrainte nuit à sa vie professionnelle ;
— Le besoin d'intimité de la plupart des mères lorsqu'elles allaitent peut être parfois difficile à satisfaire (en voyage, par exemple).

En définitive, c'est à la mère de décider dans quelle mesure elle veut et peut allaiter. Cependant, elle ne devrait pas en être empêchée par des contraintes matérielles. Les lois du travail, les dispositions des conventions collectives qui encourageraient l'allaitement maternel revaloriseraient grandement le rôle de la mère dans notre société.

• Avant de produire du lait, une mère produit à la fin de sa grossesse un liquide jaunâtre nommé *colostrum*, moins gras que le lait proprement dit. Un bébé nourri au sein absorbe essentiellement du colostrum pendant les premiers jours. Est-ce un avantage ou un inconvénient ? Justifie ta réponse.

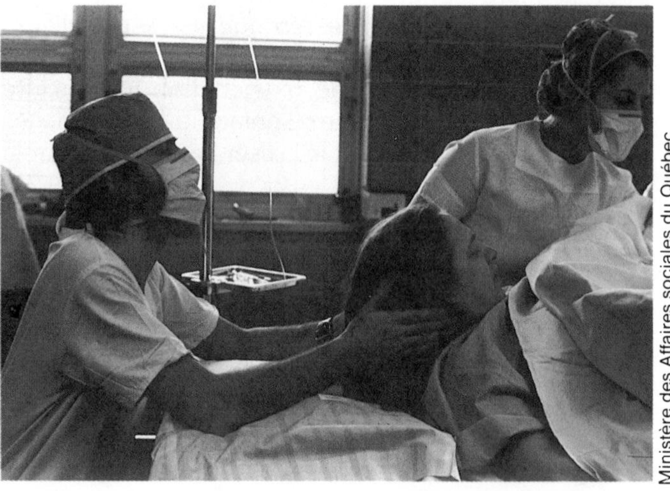

Ministère des Affaires sociales du Québec

Le père a-t-il un rôle à jouer lors de l'accouchement? Pourquoi les personnes qui assistent la mère portent-elles des masques?

à toi de jouer

1. DONNER DEUX SIGNES AVANT-COUREURS DE L'ACCOUCHEMENT.

a) Donne un signe interne de la venue prochaine de l'accouchement.

b) Donne deux signes externes de la venue prochaine de l'accouchement.

2. DISTINGUER ACCOUCHEMENT NATUREL, CÉSARIENNE ET ACCOUCHEMENT PROVOQUÉ.

a) Reproduis et complète le tableau suivant.

Tableau 10-5.
Les méthodes d'accouchement.

Caractéristiques de l'accouchement	Types d'accouchement
Opération chirurgicale	•
Obtenu par une injection d'hormone	•
Processus biologique automatique	•

b) Cherche dans le dictionnaire et note la définition du terme anesthésie.

3. NOMMER QUATRE ÉTAPES DE L'ACCOUCHEMENT.

a) Nomme la partie de l'utérus qui s'ouvre sous l'effet des contractions. Donne le terme consacré qui désigne ce processus d'ouverture.

b) Dans quel conduit le fœtus s'engage-t-il à la sortie de l'utérus ?

c) Nomme le processus qui met un point final à la grossesse, après la sortie du bébé. Quelles structures sont alors expulsées de l'utérus ?

4. DONNER DES RÈGLES D'HYGIÈNE S'APPLIQUANT AU BÉBÉ NAISSANT.

a) Donne deux types de gestes destinés à faciliter ou à stimuler la respiration du nouveau-né.

b) Énumère dans l'ordre les trois opérations qui portent sur le cordon ombilical.

c) Décris les soins de toilette que l'on donne au nouveau-né.

d) Énumère trois qualités de l'environnement idéal pour le nouveau-né.

e) En dehors de la valeur nutritive, donne les propriétés du lait maternel qui favorisent la santé du nourrisson.

f) Nomme un nutriment qui manque dans le lait maternel, et donne un moyen simple de le fournir au nourrisson.

5. IDENTIFIER LES SOURCES D'AIDE OFFERTES DANS LA RÉGION AUX FUTURS PARENTS ET AUX PARENTS POUR LA PÉRIODE PRÉNATALE ET POSTNATALE.

— Enquête sur les ressources mises à la disposition des parents et futurs parents pour la période prénatale et postnatale, en communiquant avec :
- Le centre hospitalier de ta région (informe-toi auprès du Département de santé communautaire ou du Service de planification des naissances) ;
- Le Centre de services sociaux (C.S.S.) ou le Centre local de services communautaires (C.L.S.C.) de ta région ou de ton quartier ;
- Tout autre organisme que tu jugerais approprié.

a) Dresse l'inventaire de ces ressources et note tous les renseignements pertinents (les adresses, les frais éventuels, etc.).

— Enquête dans un C.L.S.C. ou un bureau de la Commission de la Loi sur la santé et la sécurité du travail au sujet des dispositions juridiques qui s'appliquent à la travailleuse enceinte ou qui allaite.

b) Résume et classe ces dispositions.

VA PLUS LOIN

1. Enquête sur les naissances prématurées

Beaucoup de bébés naissent avant terme ; on dit que ce sont des prématurés. Documente-toi sur les soins particuliers dont ils ont besoin. Dans ton rapport, réponds aux questions suivantes :

a) À partir de quel âge un fœtus est-il viable dans les conditions naturelles ? Combien pèse-t-il alors ?

b) À partir de quel âge un fœtus est-il viable, compte tenu des techniques modernes ? Combien pèse-t-il alors ?

c) Qu'est-ce qu'une couveuse ? Comment fonctionne-t-elle ?

d) Comment un bébé en couveuse est-il nourri ?

e) Les enfants nés prématurément restent-ils affaiblis par rapport aux autres ?

2. Recherche sur le destin tragique d'un grand nom de la médecine : I. F. Semmelweiss

En 1846, le jeune docteur Semmelweiss fut chassé de son poste à l'hôpital de Vienne (en Autriche). En 1849, il fut rayé de l'Ordre des médecins autrichiens. Quelle faute avait-il donc commise pour mériter pareil traitement ?

Résume la vie et l'œuvre de Semmelweiss. Explique pourquoi il fait aujourd'hui figure de génial précurseur. Explique aussi comment l'ignorance et les préjugés le détruisirent.

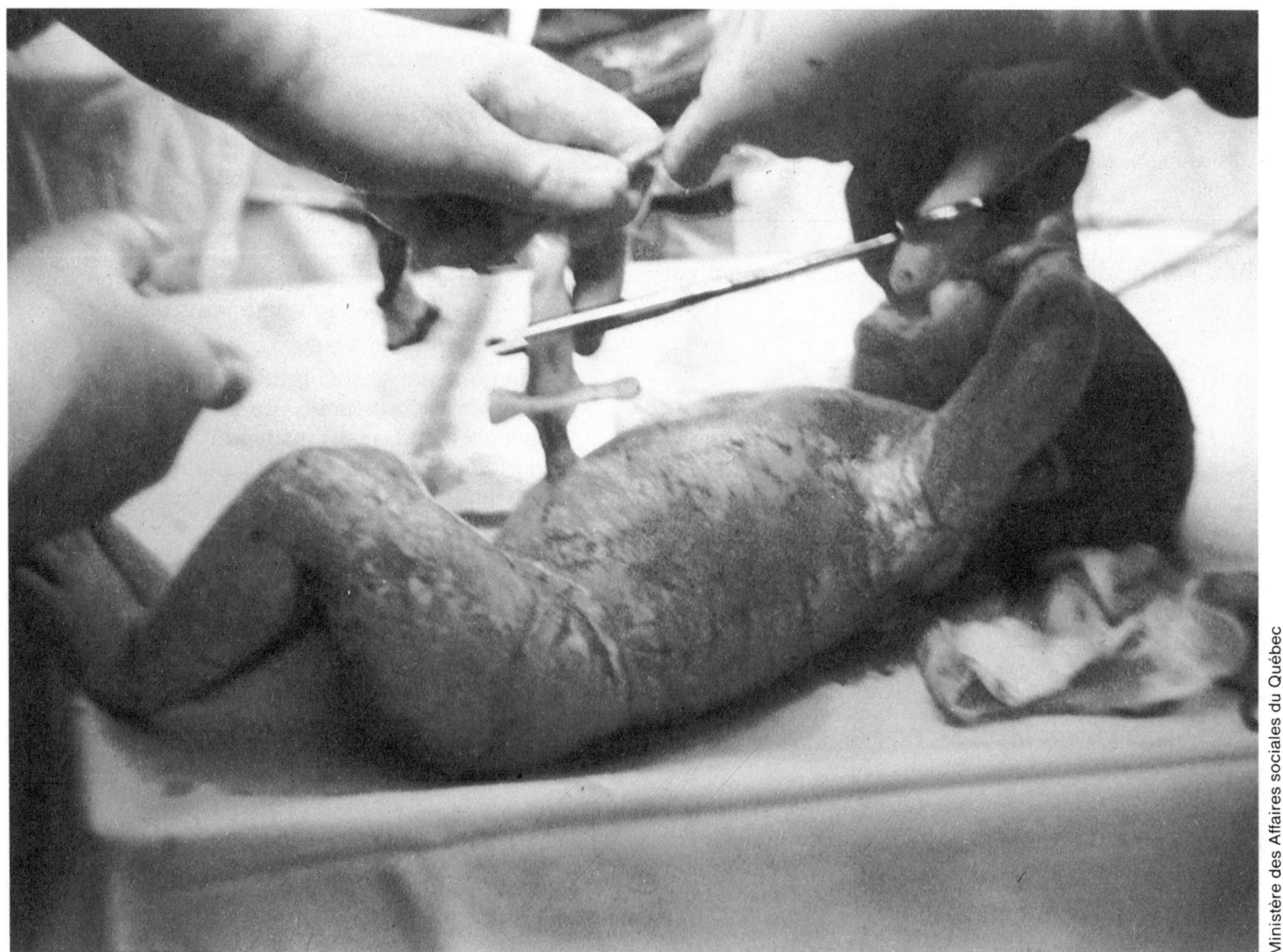

Ministère des Affaires sociales du Québec

Que fait-on ici à ce nouveau-né?

SECTION

Les conséquences pathologiques possibles d'une relation sexuelle

Les relations humaines peuvent-elles comporter des dangers inattendus ?

Plusieurs maladies peuvent se répandre dans la population en se transmettant d'une personne à l'autre : ce sont les maladies contagieuses.

a) Quelles sont les causes déterminantes des maladies contagieuses ?

b) Essaie de deviner quelle est la maladie contagieuse la plus répandue en Amérique du Nord, après le rhume et la grippe.

c) Dans quelles circonstances une maladie contagieuse se transmet-elle le plus facilement ?

d) D'après toi, y a-t-il des cas où une personne pourrait avoir honte d'être malade ? Explique.

e) Si une personne porteuse d'une maladie contagieuse ne se fait pas soigner, alors qu'elle en a la possibilité, mérite-t-elle la confiance de ses amis ? Explique.

f) Connais-tu des maladies graves qui passent inaperçues du (de la) malade jusqu'à un stade avancé ?

g) Suppose que, huit jours après votre dernière rencontre, un(e) ami(e) te fasse savoir qu'il(elle) vient de tomber gravement malade. Si la maladie en question était très contagieuse, que ferais-tu pour te protéger ?

h) Pourquoi les relations sexuelles peuvent-elles favoriser la transmission de certaines maladies ?

En cas de maladie transmise sexuellement, il faut avertir ses partenaires.

Certains microbes qui causent des maladies ne peuvent pratiquement pas vivre en dehors du corps humain. Ils ne peuvent se transmettre d'une personne malade à une personne saine qu'à la suite d'un contact physique étroit. Le contact sexuel représente donc pour eux une chance exceptionnelle de contaminer un nouvel hôte. Ils sont responsables des *maladies vénériennes* ou *maladies transmissibles sexuellement* (M.T.S.).

Dans la plupart des cas, les microbes responsables des maladies transmissibles sexuellement utilisent les organes génitaux pour entrer dans le corps humain ou en sortir. Mais ils peuvent aussi passer à travers les muqueuses d'autres organes (la bouche, l'anus), et même parfois à travers la peau, en profitant de la moindre écorchure.

Pourquoi ces microbes ont-ils tant de succès à notre époque? Pourquoi la médecine ne parvient-elle pas à contrôler leur expansion comme elle l'a fait pour de nombreux autres types de microbes? C'est parce qu'ils bénéficient du soutien de trois alliées puissantes qui ont pour nom l'ignorance, la honte et la peur.

Dans cette section, nous aborderons essentiellement deux M.T.S. parmi les plus préoccupantes : la *syphilis* et la *gonorrhée*.

1. La gonorrhée

Le microbe responsable de la gonorrhée est une bactérie nommée *gonocoque*. Il entre généralement dans le corps de l'homme par l'urètre, et dans celui de la femme par le vagin.

Chez la femme. Le gonocoque peut infecter tout l'appareil génital de la femme et se propager aussi à l'urètre et à l'anus. L'inflammation qu'il provoque dans les trompes amène une obstruction plus ou moins complète de leur canal. Lorsque les trompes sont complètement bouchées, les spermatozoïdes ne peuvent plus atteindre l'ovule. La femme est alors inféconde. Si les trompes sont partiellement bouchées, les spermatozoïdes peuvent atteindre l'ovule et le féconder, mais l'embryon se trouve bloqué dans la trompe et s'y implante. On dit alors qu'il y a *grossesse ectopique* (hors de l'utérus). Cette situation met la vie de la mère en danger. Une intervention chirurgicale est nécessaire pour y mettre fin.

Dans 80% des cas, l'infection se développe chez la femme sans signe extérieur notable. On dit qu'elle est *asymptomatique*, ou *chronique*. Pourtant, les gonocoques sont là, dans le vagin, prêts à contaminer le partenaire sexuel sans que la femme s'en doute.

Dans les autres cas, l'infection se manifeste par des symptômes dont les plus typiques sont des pertes vaginales verdâtres et une irritation de la vulve. Si elle n'est pas traitée, elle passe à la forme chronique au bout de quelques semaines. Elle peut finir par atteindre certaines articulations, qui gonflent et deviennent douloureuses.

Chez l'homme. La forme aiguë est plus fréquente chez l'homme que chez la femme (40% des cas, d'après des données récentes). Elle débute habituellement par une démangeaison de l'extrémité de l'urètre, suivie d'un écoulement qui s'épaissit de jour en jour. L'action d'uriner est insupportablement douloureuse. Si l'infection n'est pas traitée, elle passe à la forme chronique. L'écoulement est alors réduit, mais les urines restent troubles. Le gonocoque finit par se répandre dans l'ensemble des voies génitales et les détériorer. Lorsque les canaux déférents sont bouchés, l'homme devient infécond.

Chez le nouveau-né. Si la mère porte des gonocoques, l'enfant peut s'infecter lorsqu'il traverse le vagin, lors de l'accouchement. Il risque alors d'être atteint d'une infection de l'œil qui peut le rendre aveugle. Tu comprends maintenant pourquoi on prend la précaution de désinfecter les yeux d'un nouveau-né.

- Le fait de ressentir une brûlure dans l'urètre est-il nécessairement un symptôme de gonorrhée ?

2. La syphilis

Le microbe responsable de la syphilis est une bactérie nommée *tréponème pâle*. On n'a jamais pu le cultiver sur un milieu artificiel. Il meurt rapidement hors du corps humain. Il se transmet par n'importe quelle sorte de contact sexuel. Un siège de toilette ou une poignée de porte ne peuvent à peu près pas servir d'intermédiaires.

La première phase de la syphilis. Le tréponème s'introduit dans le corps par une muqueuse ou par une écorchure de la peau. Il prolifère localement sans se manifester.

Au bout de 18 à 25 jours, une sorte de gros bouton dur et rouge, généralement unique, apparaît : c'est le *chancre syphilitique*. Il peut être situé en tout point de la surface du corps. On l'observe le plus souvent sur une lèvre, un doigt, ou sur les organes génitaux externes. Chez la femme, le chancre peut passer inaperçu s'il se développe dans le vagin ou sur le col de l'utérus.

Le chancre est très contagieux, mais disparaît généralement de lui-même en quelques jours. Le(la) malade n'est pas quitte pour autant. S'il n'est pas traité, le tréponème va envahir tout son organisme par la lymphe et le sang, et commencer à commettre des dommages sérieux.

La deuxième phase de la syphilis. Six à sept semaines après l'apparition du chancre, de nouveaux symptômes apparaissent : un mal de gorge ou des taches blanches dans la bouche, ou encore une éruption de boutons sur la peau. La syphilis est parfois surnommée « le grand imitateur » car, superficiellement, elle fait penser à d'autres maladies caractérisées par de tels symptômes. Le diagnostic de la syphilis est donc difficile à établir sans analyses de laboratoire. Cependant, des boutons sur la plante du pied ou la paume de la main sont de bons indices de syphilis.

Les boutons regorgent de microbes qui peuvent se transmettre par simple contact. À ce stade, la syphilis est donc très contagieuse.

La troisième phase de la syphilis. L'éruption de boutons disparaît au bout de quelques semaines ou de quelques mois. Cependant, le tréponème subsiste dans des foyers profonds de l'organisme et s'attaque sournoisement à des organes vitaux : le foie, le cœur, les artères, le système nerveux. Il peut alors provoquer une hémorragie, une crise cardiaque, la *cécité*, la paralysie générale, la *démence*, et finalement la mort. Ces effets peuvent survenir plusieurs dizaines d'années après le début de la maladie.

La syphilis du nouveau-né. La syphilis peut se transmettre de la mère à l'enfant pendant la grossesse. Le tréponème profite alors du placenta pour passer du sang de la mère à celui du fœtus. L'enfant qui nait syphilitique est bien souvent handicapé physiquement ou mentalement.

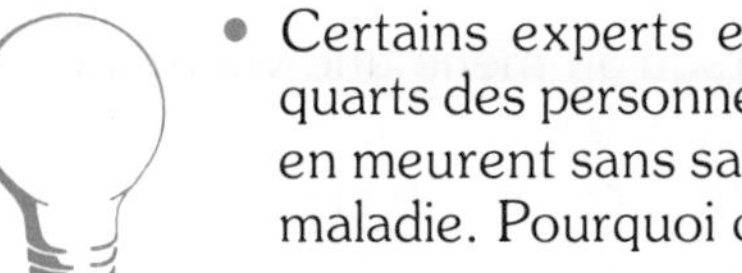

- Certains experts estiment que les trois quarts des personnes atteintes de syphilis en meurent sans savoir qu'elles ont cette maladie. Pourquoi cette situation ?
- On croit que la syphilis est une variante du *pian*, une maladie contagieuse très répandue dans les régions tropicales, c'est-à-dire sous des climats chauds et humides.

Pourquoi le pian, maladie contagieuse ordinaire, est-il devenu la syphilis, maladie transmissible sexuellement, en se répandant dans les régions tempérées ?

3. Le traitement de la gonorrhée et de la syphilis

Les microbes responsables de la gonorrhée et de la syphilis ne disparaissent jamais d'eux mêmes. Si un traitement les a détruits une première fois, l'organisme n'est pas immunisé contre eux ; ils peuvent à nouveau l'infecter.

La *pénicilline* est la principale arme dont on dispose pour combattre le gonocoque et le tréponème. Il s'agit d'un antibiotique tiré d'une moisissure. La pénicilline ne tue pas les microbes, mais elle les empêche de se multiplier, aidant ainsi le système de défense de l'organisme à les éliminer.

Lorsque les microbes sont installés depuis longtemps, il faut prolonger le traitement pour qu'il soit efficace. À ce stade, ils ont généralement déjà commis des dégats irréparables. Il faut donc frapper vite et fort, et, pour cela, diagnostiquer la maladie au plus tôt. Seul un médecin en est capable. Il devrait être consulté sans délai au moindre signe de M.T.S., ou chaque fois que l'on soupçonne avoir eu un contact douteux. Le médecin est tenu à la discrétion et son rôle n'est pas de moraliser, mais d'aider.

- Lorsqu'on est atteint(e) de M.T.S., pourquoi ne faut-il pas essayer de se soigner seul(e).
- L'efficacité de la pénicilline diminue d'année en année. D'après toi, peut-il y avoir un lien entre la perte d'efficacité de la pénicilline et le fait que ce médicament est massivement utilisé dans l'élevage des animaux de boucherie ? Explique.

4. Comment éviter les M.T.S.

La liberté sexuelle est largement responsable de la progression vertigineuse des M.T.S. dans notre civilisation. Cependant, ces maladies ne sont pas inévitables, même lorsqu'on mène une vie très libre. On peut s'en protéger assez efficacement en adoptant les précautions suivantes lors des rapports sexuels :

— Pour l'homme, utiliser un condom ; le condom est un sac en caoutchouc très mince qui isole le pénis de la muqueuse vaginale ;
— Pour la femme, utiliser une mousse vaginale germicide ; ce produit tue à la fois les microbes et les spermatozoïdes ;
— Laver les organes génitaux avec un savon bactéricide ;
— Uriner après le coït ; si des microbes se sont infiltrés dans l'urètre, cette précaution peut aider à les éliminer.

Souviens-toi cependant qu'il n'y a pas de protection absolue contre les M.T.S., sinon l'abstention de toute espèce de contact sexuel.

• Y a-t-il une relation entre le nombre de partenaires sexuel(le)s et le risque de M.T.S. ? Explique.

5. La responsabilité de chacun vis-à-vis des M.T.S.

Lorsqu'une personne vient d'être informée du fait qu'elle a pu contracter une M.T.S. elle devrait s'abstenir de tout rapport sexuel jusqu'à ce que son médecin se soit prononcé. Si elle a confirmation de son état, elle devrait en avertir ses partenaires afin qu'ils(elles) se fassent examiner aussi par un médecin. Il n'est jamais facile de faire savoir à une personne qu'elle est peut-être malade, mais, dans bien des cas, c'est lui rendre un grand service. C'est aussi l'une des principales façons d'enrayer une épidémie. Communiquer avec ceux (celles) qui ont partagé son intimité représente un acte de loyauté élémentaire à leur égard. C'est aussi faire preuve de responsabilité vis-à-vis de l'ensemble de sa communauté et contribuer au bien-être de tous et de toutes.

Dans ce domaine, retenons les trois prescriptions suivantes :

— En cas de gonorrhée, il faut avertir ses partenaires du dernier mois ;
— En cas de syphilis révélée par un chancre, il faut remonter à trois mois ;
— En cas de syphilis non apparente révélée par une analyse de laboratoire, il faut remonter à un an.

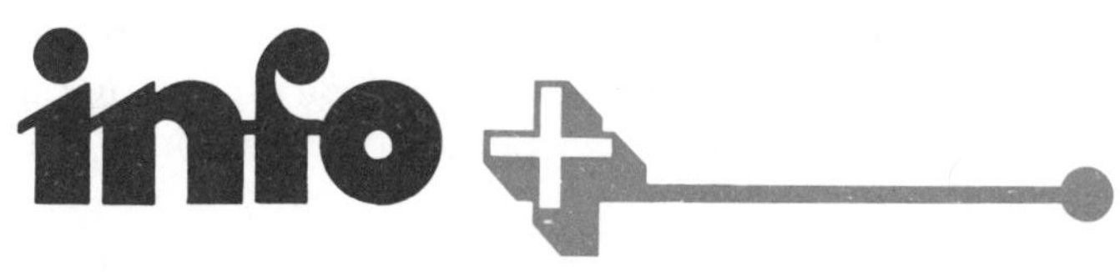

Une M.T.S. en pleine expansion : l'herpès de type II

L'herpès de type II est une maladie préoccupante. Elle est apparentée à une maladie bénigne très commune, l'herpès de type I, qui cause des boutons sur les lèvres.

Les caractéristiques de l'herpès de type II sont les suivantes :

— Agent : un virus ;
— Symptômes : des démangeaisons, puis des rougeurs, puis des ulcères plus ou moins douloureux sur les organes génitaux ou les régions avoisinantes ; l'action d'uriner peut être douloureuse ; les ganglions de l'aine peuvent enfler, et la personne peut faire de la fièvre ;
— Évolution : l'ulcère disparaît généralement de lui-même en deux ou trois semaines ; il réapparaît souvent au même endroit quelques mois plus tard ; avec les années, la fréquence des réapparitions diminue ;
— Risques particuliers chez les femmes : l'herpès de type II prédispose au cancer de l'utérus ; il peut aussi causer une malformation du fœtus ;
— Traitement : il n'y a aucun traitement efficace pour les cas ordinaires ; on peut utiliser des médicaments *antiviraux* pour les cas difficiles ;
— Partenaires à contacter : ceux (celles) du dernier mois.

• Le diagnostic de la syphilis peut se faire à partir du chancre. En l'absence de chancre, il peut se faire à partir d'une analyse de sang. Pourquoi le nombre de partenaires sexuels à avertir peut-il être plus élevé lorsque la maladie est détectée par la deuxième méthode ?

à toi de jouer

1. NOMMER LES DEUX MALADIES VÉNÉRIENNES LES PLUS COURANTES.

Reproduis et complète le tableau ci-dessous.

Tableau 10-6.
Les causes de deux maladies vénériennes.

Maladies	Microbes responsables
•	Gonocoque
•	Tréponème

2. IDENTIFIER LES PRINCIPAUX SYMPTÔMES PERMETTANT DE RECONNAÎTRE UNE MALADIE TRANSMISSIBLE SEXUELLEMENT.

Reproduis et complète les deux tableaux suivants.

Tableau 10-7.
Les symptômes de la gonorrhée.

	Gonorrhée	
	Femme	Homme
Les deux symptômes les plus évidents de la forme aiguë	• •	• •
Les proportions de la forme chronique	•	•
La conséquence ultime sur la fécondité	•	•

Tableau 10-8.
Les symptômes de la syphilis.

	Syphilis
Le signe caractéristique de la première phase	•
Le signe caractéristique de la deuxième phase	•
Quatre conséquences de la troisième phase	• • • •

3. IDENTIFIER LES MOYENS DE PRÉVENIR LES M.T.S.

a) Donne quatre moyens permettant de réduire les risques de M.T.S.

b) Quelle est la seule protection absolue contre les M.T.S. ?

4. EN CAS DE M.T.S., ÉNUMÉRER LES RAISONS QUI JUSTIFIENT LA CONSULTATION PRÉCOCE D'UN MÉDECIN.

a) Nomme la seule autorité habilitée à identifier une maladie, vénérienne ou autre.

b) À quel moment de son évolution une M.T.S. est-elle généralement la plus facile à identifier ?

c) Donne la caractéristique que la gonorrhée et la syphilis ont en commun avec le rhume, la grippe, la varicelle, le choléra, etc.

d) Pour quelle raison consulte-t-on un médecin en cas de M.T.S., alors qu'on ne le fait pas en cas de rhume ?

e) Quelle relation existe entre le moment du diagnostic et la longueur du traitement d'une M.T.S. ?

f) Quelle relation existe entre le moment du début du traitement et les chances de guérison complète d'une M.T.S. ?

5. DONNER LES RAISONS QUI INCITENT À INFORMER LE OU LA PARTENAIRE EN CAS DE M.T.S.

a) Qualifie l'attitude de la personne qui dit à son(sa) partenaire « je t'aime », tout en lui transmettant une M.T.S. en toute connaissance de cause.

b) Qualifie l'attitude de la personne qui dit à son (sa) partenaire « je t'aime, mais tu dois savoir que je suis en traitement pour une gonorrhée ».

c) Rappelle le qualificatif qui s'applique à des maladies, telles que les M.T.S., qui se transmettent d'un individu à l'autre. Rappelle le nom de la propagation elle-même.

VA PLUS LOIN

1. Recherche sur les antibiotiques

Il existe plusieurs types d'antibiotiques. Chacun d'eux s'attaque plus particulièrement à quelques types de microbes. Pour connaître l'efficacité des différents antibiotiques contre un microbe donné, on peut faire un *antibiogramme*. Documente-toi à ce sujet et présente ton rapport en deux points :

— Comment on réalise un antibiogramme ;
— Les principaux antibiotiques, de quoi ils sont tirés, et leur domaine d'action.

2. L'histoire de la découverte du premier antibiotique

En 1928, Alexander Fleming découvre la pénicilline. Raconte les circonstances de cette découverte.

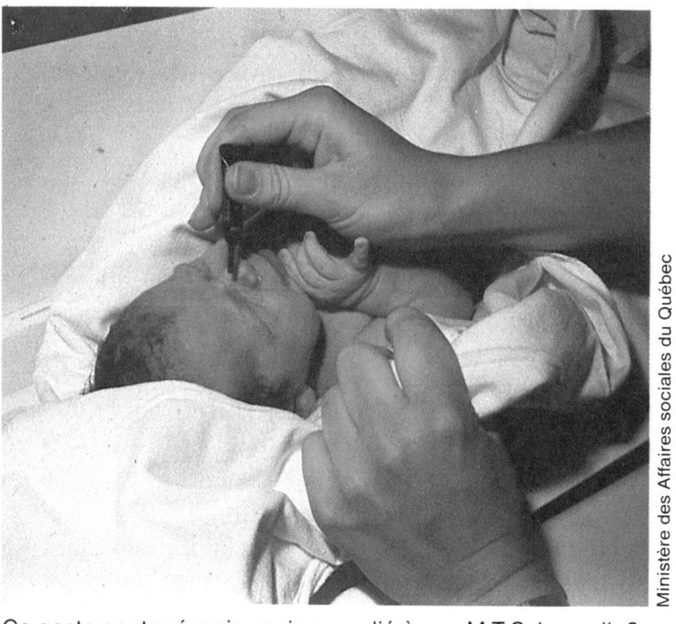

Ministère des Affaires sociales du Québec

Ce geste peut prévenir un risque relié à une M.T.S. Laquelle?

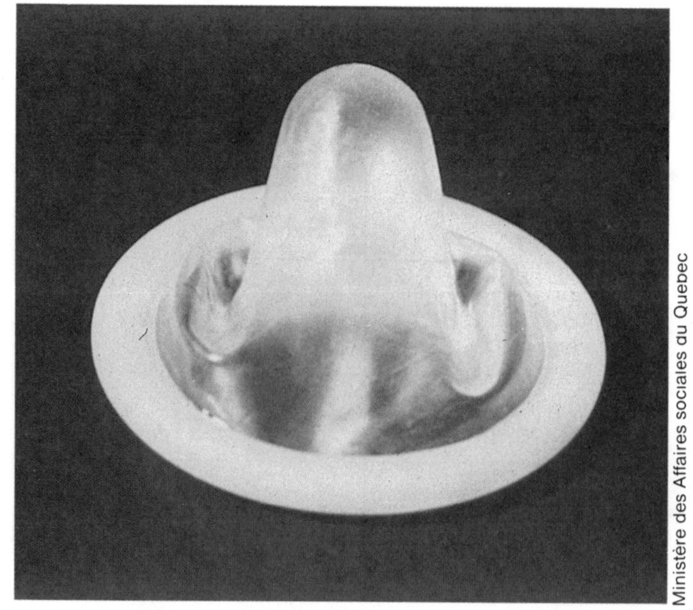

Ministère des Affaires sociales du Québec

Cet objet offre à la fois une protection relative contre les M.T.S. et une bonne protection contre une grossesse non désirée. De quoi s'agit-il?

SECTION

La prévention de la grossesse

Est-il possible de planifier la venue d'un enfant ?

La conception d'un enfant est un acte trop important pour être confié au hasard.

a) As-tu l'intention d'avoir des enfants plus tard ? Pourquoi ?

b) Imagine les raisons pour lesquelles un couple adorant les enfants pourrait ne pas en vouloir.

c) Lorsqu'un couple se sent prêt à accueillir un enfant, est-il sûr de pouvoir le concevoir au moment voulu ? Explique.

d) Existe-t-il des moyens qui permettent d'augmenter les chances de fécondation de l'ovule ? Explique.

e) Connais-tu des moyens d'avoir des relations sexuelles sans risquer de concevoir un enfant ? Explique.

f) Connais-tu la position de ta religion sur la question de la régulation des naissances ?

g) Explique pourquoi une méthode de régulation des naissances devrait être choisie par les deux partenaires d'un couple, après une réflexion sérieuse.

Avant d'adopter une méthode de régulation des naissances, il vaut mieux prendre le temps de s'informer et de réfléchir.

Pour doubler la population humaine, il a fallu 1600 ans, à partir de la naissance du Christ (il y avait 250 millions d'êtres humains, à l'époque). Par la suite, la population a encore doublé au bout de 250 ans, puis 90 ans plus tard, puis 30 ans plus tard. Au début des années quatre-vingts, la population humaine dépassait 4 milliards d'individus. On s'attend à ce qu'elle se situe aux alentours de 6,4 milliards en l'an 2000.

Pour l'humanité dans son ensemble, la régulation des naissances apparaît comme une question de survie collective. Au Canada, cependant, comme dans la plupart des autres pays industrialisés, la régulation des naissances est plutôt perçue comme un moyen de libération des individus et des couples. Chacun a maintenant la possibilité de vivre pleinement sa sexualité, sans craindre une grossesse non désirée, et de procréer selon sa volonté.

Les techniques de régulation des naissances sont nombreuses et variées. Devant la difficulté de choisir, un avis médical et une information complète sont essentiels. Dans les pages qui suivent, tu vas trouver un bref panorama des moyens existants. Certaines méthodes se contentent de tirer parti de l'observation du fonctionnement du corps féminin ; ce sont les méthodes dites naturelles. D'autres font appel à différents moyens artificiels ; ce sont les *méthodes contraceptives* proprement dites.

1. Les contraceptifs chimiques

On distingue deux sortes de contraceptifs chimiques : les pilules contraceptives et les *substances spermicides*.

a) Les pilules contraceptives, ou contraceptifs oraux

Il existe de nombreux types de pilules contraceptives. Presque toutes sont destinées aux femmes.

La pilule classique. Dans les années soixante, une pilule contraceptive a été commercialisée. Elle contenait une sorte de progestérone et un œstrogène. Cette pilule est toujours en usage. Elle se prend durant les 21 premiers jours du cycle seulement. Elle régularise le cycle menstruel à 28 jours, tout en retenant l'ovule dans l'ovaire.

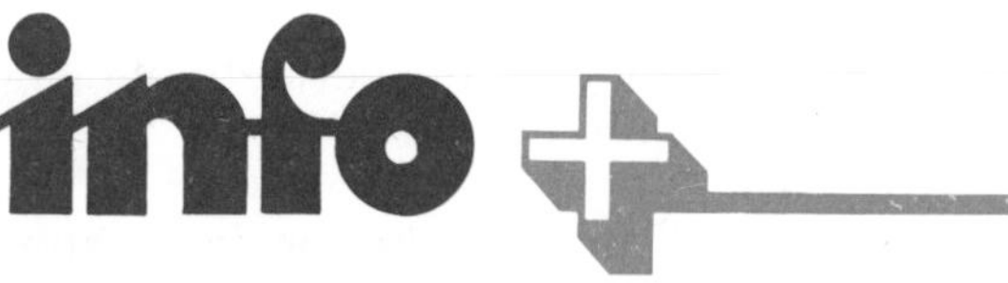

Le mode d'action de la pilule contraceptive

On sait que les hormones sexuelles agissent en retour sur l'hypophyse et peuvent freiner la sécrétion des hormones FSH et LH. Or, la pilule contraceptive contient des substances artificielles proches des hormones sexuelles (progestérone et œstrogène). Dans la première moitié du cycle menstruel, ces substances empêchent la montée du taux de FSH et de LH dans le sang qui provoque normalement l'ovulation. L'ovule reste donc dans l'ovaire. En fin de cycle, c'est normalement la chute des sécrétions d'hormones sexuelles qui déclenche la menstruation. Ces conditions sont recréées artificiellement lorsque la femme cesse après 21 jours de prendre la pilule. La menstruation évite à la femme de ressentir une sensation désagréable de gonflement des organes génitaux.

La minipilule. La minipilule est différente de la pilule classique. Elle contient seulement une sorte de progestérone et elle n'empêche pas l'ovulation. Par contre, la progestérone artificielle agit comme la progestérone naturelle pour provoquer l'épaississement du bouchon de mucus placé dans l'entrée de l'utérus. De ce fait, les spermatozoïdes ne peuvent pas entrer dans l'utérus.

La pilule du lendemain. La pilule du lendemain est encore différente. Elle ne se prend pas sur une base régulière. Elle peut être utilisée de façon exceptionnelle, au lendemain d'une relation sexuelle non protégée. Elle empêche l'implantation de l'embryon dans l'utérus.

Correctement utilisées, la pilule classique et la minipilule sont extrêmement efficaces. Ces deux moyens contraceptifs d'usage courant sont faciles à employer. La femme qui désire avoir un enfant n'a généralement qu'à cesser de prendre la pilule.

Au Canada, la pilule ne peut être obtenue qu'en pharmacie, et sur ordonnance. La femme qui désire l'utiliser doit subir un examen médical complet car il existe de nombreuses contre-indications.

Il existe plus de 20 marques de pilules contraceptives sur le marché. Elles ont toutes des contenus différents en hormones. Pour déterminer la marque qui convient le mieux à l'utilisatrice, il faut généralement en essayer plusieurs.

Les pilules contraceptives agissent sur l'organisme tout entier. Les femmes qui les utilisent devraient être suivies par un médecin, car de nombreux effets secondaires peuvent les affecter. Les principaux portent sur le système circulatoire. Il s'agit surtout de risques accrus de thrombose, d'hémorragie et de crise cardiaque. L'âge et le tabagisme aggravent ces risques. Par contre, rien ne prouve que la pilule prédispose au cancer.

«La femme devrait connaître les symptômes des complications graves et consulter immédiatement un médecin au cas où ils apparaîtraient : douleur intense à une jambe, maux de ventre graves, douleur intense à la poitrine, manque de souffle, maux de tête graves ou changements dans la vision[2]. »

b) Les substances chimiques spermicides

On dit qu'une substance est spermicide lorsqu'elle tue les spermatozoïdes. Introduite dans le vagin avant un rapport sexuel, elle évite théoriquement toute possibilité de fécondation.

Il existe plusieurs substances spermicides dans le commerce. Elles contiennent toutes plus ou moins le même agent actif incorporé à une base (une gelée, une mousse ou un suppositoire) qui l'aide à se répandre dans le vagin. La mousse est la base la plus efficace.

Le produit spermicide est introduit dans le fond du vagin juste avant et juste après le coït. La femme doit attendre au moins six heures avant de se donner une douche vaginale. Les spermicides vaginaux peuvent causer des allergies chez l'un ou l'autre des partenaires. Il suffit bien souvent de changer de marque pour régler le problème.

L'efficacité d'un tel moyen contraceptif employé seul n'est pas parfaite.

- Pourquoi les pilules contraceptives doivent-elles être prises toujours au même moment de la journée ? Pourrais-tu suggérer un moyen de ne pas oublier de prendre la pilule chaque jour ?
- Certaines pilules contraceptives sont présentées en boîtes de 28. Dans chaque boîte, 21 pilules sont d'une couleur, et 7 sont d'une autre couleur. À ton avis, que signifie cette différence de couleur ? Quel est l'intérêt de faire prendre à l'utilisatrice 28 pilules par cycle menstruel, alors que 21 sont suffisantes ?

2. Les procédés mécaniques de contraception

Parmi les moyens mécaniques de contraception, on compte le *stérilet*, le *diaphragme* et le *condom*.

a) Le stérilet

Les femmes soucieuses de ne pas perturber l'équilibre hormonal de leur corps peuvent se faire poser dans l'utérus un petit dispositif contraceptif nommé stérilet. Il en existe une incroyable variété, de toutes les tailles et de toutes les formes, en plastique, parfois recouverts de cuivre.

Le stérilet doit être mis en place dans l'utérus par un médecin. On croit que sa seule présence empêche l'embryon de se fixer sur la muqueuse de l'utérus. À l'échelle de toute une population, le stérilet est un bon moyen de contrôle des naissances, car il est peu coûteux et peut rester en place pendant plusieurs années. Cependant, son efficacité n'est pas parfaite ; elle semble plus grande chez les femmes d'âge mûr, ou ayant déjà été enceintes. La femme qui veut avoir un enfant n'a qu'à faire retirer son stérilet.

2. Les Presses de la Santé de Montréal, *Le contrôle des naissances*, Montréal, 1980, p. 36.

Certaines femmes ne supportent pas le stérilet. Celui-ci peut être responsable de douleurs et d'hémorragies utérines. Il peut aussi causer une infection de l'utérus et des trompes. Enfin, le stérilet accroît le risque de grossesse ectopique.

b) Le diaphragme

Le diaphragme est une membrane circulaire de caoutchouc, entourée d'un anneau semi-rigide. Il est introduit avant un rapport sexuel au fond du vagin, et appliqué contre l'entrée de l'utérus. Il barre l'entrée de l'utérus aux spermatozoïdes. Le diamètre du diaphragme doit être adapté à chaque femme ; seul un médecin peut le déterminer.

Le diaphragme est un moyen contraceptif fiable, réutilisable, simple, pratique et peu contraignant. On l'emploie toujours avec une gelée spermicide. Dans ces conditions, il offre une protection presque absolue s'il est bien ajusté et bien installé. Il faut le laisser en place durant au moins six heures après le rapport sexuel.

c) Le condom

Le condom est un sac de caoutchouc très mince, non réutilisable, dont on recouvre le pénis en érection avant un rapport sexuel. Le sperme éjaculé y reste emprisonné et n'entre pas en contact avec la femme.

Le condom est un bon moyen contraceptif, inoffensif, simple à employer et très facile à se procurer. Il supprime cependant une partie des sensations tactiles du coït. Rappelons que le condom protège assez efficacement contre les maladies transmissibles sexuellement. Ce moyen contraceptif convient bien aux rapports sexuels occasionnels.

- Pourquoi le diaphragme ne doit-il pas être retiré immédiatement après un rapport sexuel ?
- Pourquoi ne faut-il pas lubrifier un condom avec de la vaseline ?

3. La contraception chirurgicale

On peut obtenir une infécondité permanente en coupant les voies génitales par une intervention chirurgicale. Chez la femme, cette opération se nomme *ligature des trompes*. Chez l'homme, elle se nomme *vasectomie*.

a) La ligature des trompes

Chez les femmes d'âge mûr qui ont déjà des enfants, on effectue souvent la ligature des trompes à l'occasion d'une autre intervention chirurgicale (une césarienne, par exemple). Mais la ligature des trompes est une opération qui peut être faite aussi pour elle-même.

Les trompes sont atteintes soit par le ventre, soit par le vagin. Elles sont coupées et ligaturées, ou agrafées, ou brûlées localement par un courant électrique. Cette opération empêche la rencontre des spermatozoïdes et de l'ovule. Généralement pratiquée sous anesthésie générale, elle comporte tous les risques reliés à la chirurgie abdominale.

b) La vasectomie

La vasectomie est une opération très simple, réalisable en un quart d'heure sous anesthésie locale. Les deux canaux déférents sont ligaturés et coupés. Les spermatozoïdes ne peuvent plus quitter le testicule, et le sperme ne comprend plus que du plasma séminal. La virilité n'est pas affectée par la vasectomie, pas plus que la féminité par la ligature des trompes.

L'infécondité obtenue par ces opérations est en pratique irréversible. La décision d'utiliser ce moyen contraceptif ne devrait donc pas être prise à la légère.

Le taux d'échecs de la contraception chirurgicale est très faible. On a pourtant cité plusieurs cas de couples ayant eu un enfant alors que la femme était ligaturée et l'homme vasectomisé.

- Pourquoi une anesthésie locale est-elle suffisante pour une vasectomie, alors qu'une anesthésie générale est nécessaire pour une ligature des trompes ?
- D'après toi, quelles raisons peuvent amener une personne à choisir la contraception chirurgicale ?

4. Les méthodes naturelles de régulation des naissances

Les méthodes naturelles de régulation des naissances sont aussi qualifiées de méthodes douces.

Elles n'impliquent ni modification chimique, ni chirurgie, ni barrière artificielle entre les spermatozoïdes et l'ovule.

a) La méthode Ogino-Knauss

En 1930, les docteurs D. Ogino, au Japon, et B. Knauss, en Autriche, découvrirent presque en même temps que l'ovulation se produit de 12 à 16 jours avant le début de la menstruation. En tenant compte des durées de vie respectives des spermatozoïdes et de l'ovule, on pouvait alors définir une période de fertilité d'environ 10 jours, au milieu du cycle féminin.

Cette découverte reçut une grande publicité, et fut présentée comme la base d'une méthode fiable permettant de produire beaucoup d'enfants avec peu de rapports sexuels. Cependant, le grand public s'intéressa davantage aux deux périodes d'infertilité censées encadrer la période fertile. Il en résultat une sécurité trompeuse, un taux d'échecs élevé, et un grand nombre de grossesses imprévues. Examinons les raisons de ces mésaventures.

La méthode se résume par la formule suivante : Une femme trouve le premier jour de sa période fertile en retranchant 19 jours à son cycle le plus court, et le dernier en retranchant 10 jours à son cycle le plus long. La difficulté vient du fait que beaucoup de femmes ne tiennent aucune comptabilité de leurs cycles. Par ailleurs, la méthode Ogino-Knauss est inapplicable après un accouchement, puisque la menstruation ne revient pas avant deux ou trois mois, et même davantage si la mère allaite son enfant.

b) La méthode Billings, ou méthode du mucus cervical

Les glandes du col de l'utérus sécrètent un mucus dont la quantité et la qualité varient selon la période du cycle menstruel. Il peut être plus ou moins abondant, plus ou moins fluide et plus ou moins transparent. Lorsque ce mucus est épais, il ne s'écoule pas dans le vagin. La vulve est alors sèche. Lorsque ce mucus est fluide, il s'écoule dans le vagin. La vulve est alors humide ; la femme peut facilement recueillir du mucus sur les doigts, à l'entrée du vagin, pour l'examiner.

En prélevant le mucus le matin, pendant plusieurs cycles, la femme peut s'entraîner à déterminer avec une certaine précision le jour de son ovulation. Il correspond au moment où l'humidité de la vulve est à son maximum. Le mucus est alors clair et transparent. Dans les jours qui suivent, il s'épaissit et perd sa transparence, tandis que la vulve redevient sèche. Alors commence la période de sécurité relative des rapports sexuels.

c) La méthode sympto-thermique

La méthode Billings laisse beaucoup de place à l'appréciation personnelle. Son efficacité est discutable lorsqu'elle est employée seule. Cependant, elle peut rendre un grand service si elle est utilisée en même temps qu'une autre méthode douce de régulation des naissances, la *méthode* dite *du thermomètre*, ou des températures. On nomme *méthode sympto-thermique* la combinaison des deux méthodes, les indications de l'une confirmant celles de l'autre.

La méthode du thermomètre permet de s'assurer que l'ovulation a bien eu lieu. Elle détecte en effet l'élévation de la température corporelle qui l'accompagne. Cette méthode ne s'adresse qu'aux femmes très méticuleuses. Elle demande la construction d'une courbe de température à raison d'un point chaque matin au réveil, au moins du 10e au 20e jour du cycle. La méthode du thermomètre est inapplicable lorsque la femme souffre d'une infection qui fait elle-même monter sa température. Bien utilisée, la méthode sympto-thermique assure une bonne sécurité des rapports sexuels dès que le palier haut de la courbe de température est établi. En pratique, cette période de sécurité correspond aux 10 à 12 derniers jours du cycle. En début de cycle, il faut se fier à la méthode Ogino, ou adopter une autre méthode.

d) La méthode du coït interrompu

La méthode du coït interrompu est vieille comme le monde. D'après la Bible (Genèse 38), elle constitue le péché d'Onan. Cette méthode repose sur l'aptitude du partenaire masculin à se retirer du vagin au moment précis où commence son orgasme, un instant avant l'éjaculation. Son efficacité est très variable. Les adolescent(e)s ne devraient jamais s'y fier.

Le coït interrompu exige de l'homme une parfaite maîtrise de soi, et peut le laisser quelque peu insatisfait au point de vue sensuel.

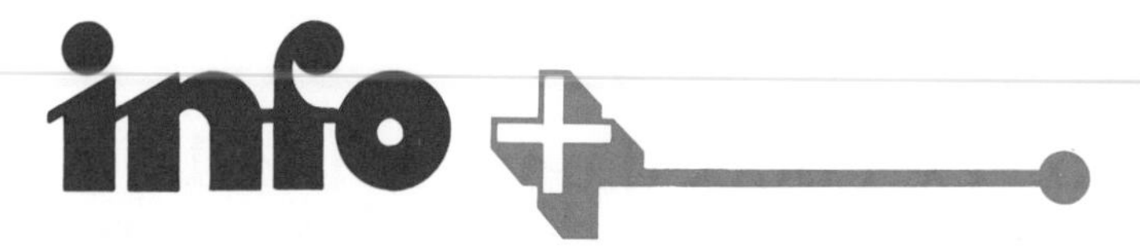

L'avenir de la contraception

Pour la femme, des pilules contraceptives agissant sur une très longue période sont expérimentées. On parle de pilule d'un mois, et même de pilule annuelle. Des méthodes de détermination de la période fertile, fondées sur des analyses d'haleine ou de salive, sont à l'étude.

Pour l'homme, une pilule empêchant la maturation des spermatozoïdes existe déjà, mais elle est encore peu répandue. On envisage aussi la possibilité d'un vaccin contraceptif.

On comprend que le marché des moyens contraceptifs est monopolisé par les grandes compagnies pharmaceutiques. Elles seules ont les moyens de mettre au point de tels produits. Pourtant, des bricoleurs de génie pourraient peut-être encore rivaliser avec les géants de l'industrie. L'article suivant en témoigne :

«*Et voici le slip contraceptif*

«*Il y a quelques lustres qu'on soupçonne le slip, sous-vêtement serré, d'inspiration sportive, qui a supplanté le caleçon, de réduire, voire d'annuler la fertilité masculine en portant les spermatozoïdes à une température mortelle. Voici que l'Association pour la recherche et le développement de la contraception masculine (A.R.D.E.C.O.M.), créée en 1978, propose d'exploiter l'action stérilisante du slip en lançant un slip chauffant à résistance électrique. Ce slip serait porté une heure par jour et provoquerait une hyperthermie à 43° C.* L'idée risque d'échauffer au moins les esprits[3].»

Aurait-on trouvé la solution élégante à tous les problèmes de régulation des naissances ?... Enfin l'espoir d'un moyen contraceptif ingénieux, hygiénique et confortable..., surtout en hiver ! Décidément, on n'arrête pas le progrès.

- La méthode Ogino-Knauss est aussi nommée la méthode de la *continence* périodique. Pourrais-tu expliquer cette appellation ?
- Tu as déjà rencontré l'adjectif « cervical » à propos de certaines vertèbres. Que signifie-t-il dans l'expression « mucus cervical » ?
- Quelles méthodes, généralement utilisées pour éviter une grossesse, peuvent aussi servir à la favoriser ?

5. Le choix d'une méthode de régulation des naissances

Idéalement, les partenaires devraient choisir ensemble, avec l'aide d'un(e) professionnel(le) de la santé, la méthode qui leur convient, quitte à en essayer plusieurs. La décision pourrait être guidée par les critères de choix suivants : l'efficacité, les effets secondaires possibles, les convictions morales et religieuses.

L'efficacité. Toutes les méthodes ne sont pas aussi fiables. Les deux partenaires devraient toujours envisager l'éventualité d'un échec, donc d'une grossesse inattendue. Celle-ci n'a sûrement pas la même signification pour un jeune couple sans enfant et pour des parents dans la quarantaine, avec de grands enfants. Une grossesse non désirée n'a pas non plus la même signification dans une période de chômage et dans une période de prospérité économique. Une femme célibataire n'envisagera pas l'événement de la même façon qu'une femme mariée. L'efficacité que l'on exige d'une méthode de régulation des naissances dépend donc des circonstances vécues par chacun(e).

Les effets secondaires. La régulation des naissances ne devrait pas se faire au détriment de la santé. À ce sujet, rappelons que la pilule et le stérilet peuvent avoir de graves effets secondaires.

Les convictions morales et religieuses. Les parents ont de grandes responsabilités à l'égard de l'enfant. Lorsque les individus ne sont pas prêts à les assumer, ils devraient choisir une méthode efficace de régulation des naissances. Ce choix est d'abord une question de conscience personnelle. Pour les personnes qui ont des convictions religieuses, la position de leur religion sur les méthodes de régulation des naissances peut être déterminante pour éclairer leur décision.

Le droit à la contraception a déjà fait l'objet d'un important débat dans notre société, mais il est aujourd'hui de plus en plus reconnu. Il n'en est pas de même du droit à l'interruption volontaire de la grossesse (l'avortement). Cette question soulève actuellement bien des passions.

Une autre controverse pourrait bien surgir un jour ou l'autre au sujet du droit des parents à procréer librement. Elle existe déjà dans les pays surpeuplés. Quelle forme prendra-t-elle au Canada, où la situation démographique est loin d'être comparable ? Tu auras sûrement beaucoup à dire dans ce débat.

- En dehors de la vasectomie, de quels moyens dispose un homme pour faire sa part dans le domaine de la régulation des naissances ?
- Lorsqu'on parle de stérilisation à propos de contraception, de quoi s'agit-il ?

3. « Et voici le slip contraceptif », *Science et vie*, n° 767, août 1981, p. 64 .

à toi de jouer

1. CONNAÎTRE DES MÉTHODES DE RÉGULATION DES NAISSANCES.

   Cet objectif sera traité avec le suivant.

2. DÉCRIRE LE MODE D'ACTION DES MÉTHODES DE RÉGULATION DES NAISSANCES.

a) Reproduis et complète le tableau suivant.

Tableau 10-9.

Les méthodes de régulation des naissances et leurs principes d'action.

Types	Noms	Principes d'action
Chimiques	• • • •	
Mécaniques	• • •	
Chirurgicales	• •	
Naturelles	• • • •	

b) À partir des données du tableau 10-10, construis point par point la courbe de température correspondante selon le modèle du graphique 10-5.

Tableau 10-10.

L'évolution de la température matinale d'une femme vers le milieu de son cycle menstruel.

Dates	Températures (°C)
12 mai	36,6
13 mai	36,5
14 mai	36,5
15 mai	36,6
16 mai	36,4
17 mai	36,9
18 mai	37,0
19 mai	37,0
20 mai	36,9
21 mai	37,0

Graphique 10-5.

La courbe de température d'une femme.

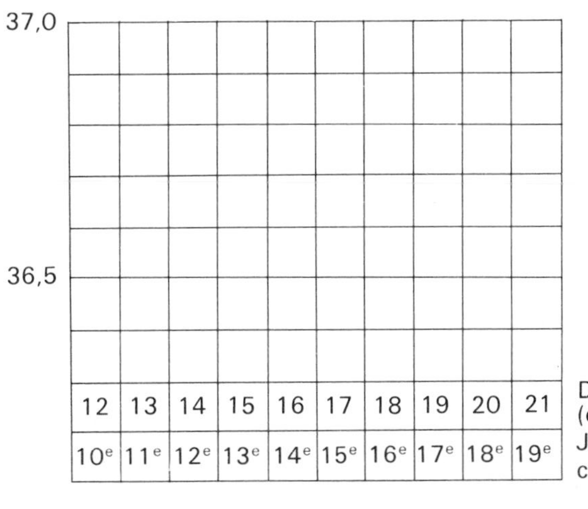

D'après le graphique, l'ovulation a eu lieu le 16 ou le 17 mai, c'est-à-dire au moment de la principale élévation de température.

c) Sous ton graphique, entoure en rouge la date approximative de l'ovulation et écris : ovulation.

d) D'après le graphique, à partir de quelle date cette femme peut-elle avoir des rapports sexuels sans risquer de grossesse ? Si elle veut un enfant, pendant quelle période devrait-elle avoir des rapports sexuels ? Tiens compte du fait que l'ovule devient infécondable 24 h après avoir été libéré par l'ovaire.

3. CONNAÎTRE LE DEGRÉ D'EFFICACITÉ DES MÉTHODES DE RÉGULATION DES NAISSANCES.

a) Nomme les deux méthodes de régulation des naissances les plus radicales.
b) Nomme trois autres méthodes offrant une excellente protection.
c) Nomme trois méthodes offrant une protection acceptable.
d) Nomme deux méthodes relativement peu fiables.
e) En dehors des méthodes chirurgicales, quelle est la seule méthode absolument sûre pour éviter une grossesse ?

4. CONNAÎTRE DES EFFETS SECONDAIRES DE MÉTHODES DE RÉGULATION DES NAISSANCES.

a) Nomme le moyen contraceptif qui provoque le plus d'effets secondaires sur tout l'organisme. Énumère ces principaux effets.
b) Nomme le moyen contraceptif non chirurgical qui peut provoquer le plus d'effets secondaires sur l'appareil génital.
c) Nomme des méthodes de régulation des naissances qui n'entraînent aucun effet secondaire.

5. DISCUTER DE LA RESPONSABILITÉ DES PARTENAIRES DANS LE CHOIX D'UNE MÉTHODE DE RÉGULATION DES NAISSANCES.

a) Cite trois critères de choix d'une méthode de régulation des naissances.
b) Dans le couple, quel partenaire porte le plus souvent la responsabilité de la contraception, avec les méthodes actuelles ?
c) Pour l'épanouissement du couple, trouves-tu normal que l'un des partenaires assume seul et en silence le fardeau de la sécurité des rapports sexuels ?
d) Fais quelques suggestions pratiques qui permettraient aux deux partenaires de prendre leurs responsabilités dans ce domaine.

6. IDENTIFIER LES SOURCES D'INFORMATION ET DE SERVICES POUR LES MOINS DE DIX-HUIT ANS.

a) Enquête pour connaître :
   — Les sources d'information et les services, dans le domaine de la régulation des naissances ;
   — Les sources d'aide pour les jeunes filles en difficulté. Oriente tes recherches vers les endroits déjà indiqués dans ce chapitre pour l'objectif 5 de la section D. Adresse-toi aussi au Service de régulation des naissances (S.E.R.E.N.A.).
b) Dresse un bilan de tes recherches en notant les adresses utiles.

VA PLUS LOIN

1. Enquête sur l'intervention des gouvernements dans le contrôle de la population

Dans certains pays très peuplés tels que le Japon, la Chine, l'Inde, etc., les gouvernements ont adopté une politique de limitation des naissances. Donne un aperçu des mesures utilisées, des réactions de la population et des résultats obtenus.

2. Pour ou contre l'eugénique ?

Dans le dictionnaire Robert, on relève au mot *Eugénique* la citation suivante : « Vers 1870, le cousin de Darwin, Francis Galton, fonde l'Eugénique scientifique, dont l'objet, selon lui, doit être double : entraver la multiplication des inaptes... et améliorer la race » (J. Rostand).

Dans notre société, serait-il concevable qu'on remette en question le droit des individus à procréer librement, afin d'appliquer l'eugénique ?

Participe à un débat sur cette question dans le cadre de ta classe. Résume les arguments qui sont exposés pour ou contre l'eugénique.

FAIS LE POINT

SECTION A La relation sexuelle

1. Les actions aboutissant au coït, à l'orgasme, puis à l'éjaculation, et qui sont suffisantes pour assurer la reproduction constituent :
a) la copulation.
b) le rapport sexuel.
c) la relation sexuelle.
d) la procréation.

2. « *L'homme et la femme se sont toujours servis de l'échange sexuel pour exprimer l'amour qu'ils ont l'un pour l'autre. L'intensité et l'intimité particulière de leurs relations sont des signes révélant l'ardeur de leurs sentiments. Quand l'homme introduit le pénis dans le vagin de sa partenaire, ils s'unissent physiquement si étroitement qu'on peut presque considérer qu'ils font une seule et même personne. Léonard de Vinci parlait de "bête à deux dos" pour désigner un couple qui fait l'amour. Les amants en extase ne se voient pas ainsi. Ils donneraient plus volontiers comme titre à leur composition sculpturale : Union de deux âmes* [4]. »

Le texte ci-dessus donne les caractéristiques :
a) du coït.
b) du rapport sexuel.
c) de la relation sexuelle.
d) de la procréation.

3. Le but habituel de la relation sexuelle est :
a) l'expression de l'affection réciproque de deux êtres.
b) la procréation.
c) l'hygiène de l'appareil génital.
d) l'exercice physique.

4. Parmi les conditions suivantes, note celle qui ne favorise pas l'épanouissement d'une relation sexuelle enrichissante.
a) La pleine acceptation mutuelle.
b) La volonté de domination de l'un(e) des partenaires.
c) La sécurité physique et psychique.
d) Le sens des responsabilités.

4. « Savoir faire l'amour », *Secrets de la vie*, n° 4, 1972, p. 86.

SECTION B La fécondation : conséquence physiologique possible d'une relation sexuelle

Figure 10-10.
L'appareil génital féminin.

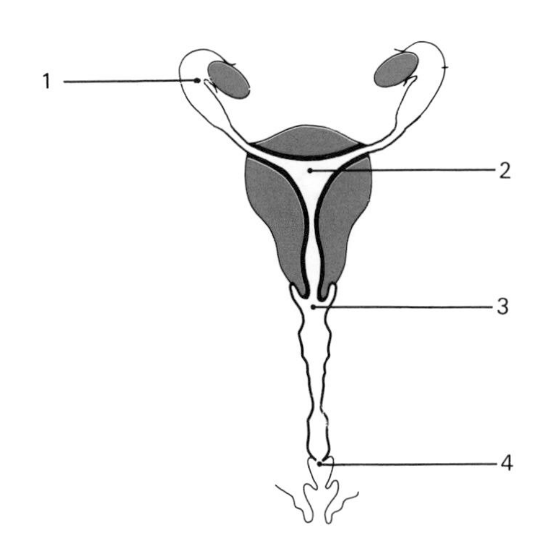

1. D'après le schéma ci-dessus, la rencontre des spermatozoïdes et de l'ovule s'effectue à l'endroit numéroté :
a) 1
b) 2
c) 3
d) 4

2. Si un ovule est fécondable de 7 h à 19 h, le 15 avril, c'est probablement qu'il a été libéré par l'ovaire :
a) le 14 à 7 h.
b) le 15 à 7 h.
c) le 15 à 1 h.
d) le 14 à 19 h.

3. La fécondation est l'union de deux :
a) corps.
b) âmes.
c) organes génitaux.
d) cellules.

4. Un ovule et un spermatozoïde peuvent ensemble réaliser :
a) une copulation.
b) un coït.
c) une relation sexuelle.
d) une fécondation.

5. Note le schéma correct, sachant que E. = enfant, O. = ovule, S. = spermatozoïde et Z. = zygote.

Figure 10-11.

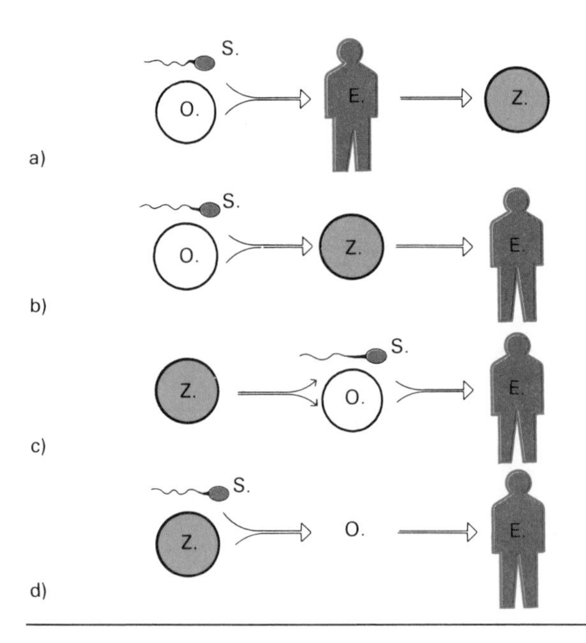

6. Le premier des droits de tout être humain est le droit :
   a) à la vie.
   b) au bonheur.
   c) à la santé.
   d) à l'éducation.
7. L'enfant à naître n'a pas besoin :
   a) d'amour.
   b) de sécurité.
   c) de parents responsables.
   d) de tranquillisants.
8. Pour se développer harmonieusement, un enfant a d'abord besoin :
   a) d'aller très tôt à l'école.
   b) de jouer souvent dans la rue.
   c) d'avoir une bonne gardienne.
   d) de vivre dans un cadre familial.

SECTION C La grossesse : conséquence normale de la fécondation

1. L'organisme de la figure 10-12 est schématisé grandeur nature. Il s'agit d'un :
   a) embryon.
   b) fœtus.
   c) zygote.
   d) nain.

Figure 10-12.

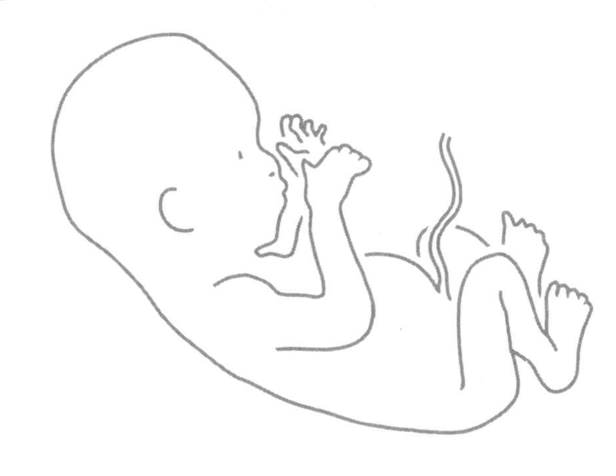

2. Je suis un être humain au tout premier stade de sa formation. Je me nomme :
   a) embryon.
   b) ovule.
   c) spermatozoïde.
   d) zygote.
3. Note la séquence correcte.
   a) Embryon → fœtus → zygote
   b) Fœtus → embryon → zygote
   c) Embryon → zygote → fœtus
   d) Zygote → embryon → fœtus
4. Le phénomène qui assure la multiplication des cellules de l'embryon se nomme :
   a) fécondation.
   b) maturation.
   c) mitose.
   d) nidation.
5. Le phénomène qui accroît l'efficacité des cellules dans certains domaines et les oblige à coopérer dans l'organisme se nomme :
   a) spécialisation.
   b) prolifération.
   c) sélection.
   d) mutation.
6. Note la séquence correcte.
   a) Nidation → persistance du corps jaune → arrêt des menstruations
   b) Persistance du corps jaune → arrêt des menstruations → nidation
   c) Arrêt des menstruations → nidation → persistance du corps jaune
   d) Arrêt des menstruations → persistance du corps jaune → nidation
7. En injectant de l'urine de femme à une lapine, on cherchait jadis la preuve :
   a) d'un rapport sexuel.
   b) d'une ovulation.

c) d'une menstruation.
d) d'une nidation.

8. L'élément contenu dans l'urine de femme enceinte qui peut transformer en quelques heures l'appareil génital d'une lapine vierge est :
a) un déchet produit par l'utérus.
b) un aliment rejeté par le foie.
c) une hormone sécrétée par le placenta.
d) un anticorps produit par l'embryon.

9. L'organe qui assure les échanges entre le sang du fœtus et le sang de la mère se nomme :
a) amnios.
b) cordon ombilical.
c) corps jaune.
d) placenta.

10. Le cordon ombilical relie :
a) les enveloppes fœtales au placenta.
b) le fœtus au placenta.
c) l'embryon au vagin.
d) l'amnios au placenta.

11. Le nombril représente une cicatrice laissée par :
a) la coupure du placenta, à la naissance.
b) la coupure du cordon ombilical, à la naissance.
c) la fermeture de la bouche primitive du fœtus, juste avant la naissance.
d) la fermeture de l'anus primitif du fœtus, juste avant la naissance.

12. Le liquide amniotique se situe :
a) dans le placenta.
b) autour de l'ovule, dans l'ovaire.
c) autour de l'embryon et du fœtus.
d) entre l'amnios et l'utérus.

13. Mireille, Julie, André, Jean et Gilles sont réunis. Deux d'entre eux sont des jumeaux vrais ; deux autres sont des faux jumeaux. Julie et André ont les yeux bleus, tandis que les trois autres ont les yeux bruns. Les vrais jumeaux sont :
a) Julie et André.
b) Mireille et Julie.
c) Jean et Gilles.
d) André et Gilles.

14. Pour produire les 5 individus présentés à la question 13, il a fallu :
a) 5 ovules.
b) 4 ovules.
c) 3 ovules.
d) 2 ovules.

15. Durant sa grossesse, une femme a surtout besoin d'aliments :
a) constructeurs et énergétiques.
b) énergétiques et régulateurs.
c) constructeurs et régulateurs.
d) énergétiques.

16. Une femme enceinte devrait :
a) rester au repos absolu.
b) faire des exercices d'assouplissement et de respiration.
c) faire des exercices de musculation.
d) faire de la course à pied modérée.

17. Pour calmer ses nausées, une femme enceinte devrait prendre si possible :
a) des comprimés antinauséeux.
b) des pilules tranquillisantes.
c) du whisky.
d) un peu de boisson gazeuse et son mal en patience.

18. L'environnement de la mère :
a) n'a pas d'influence sur le fœtus, bien isolé dans l'organisme maternel.
b) peut affecter le fœtus comme sa mère.
c) est un facteur de risque négligeable dans notre civilisation avancée.
d) n'a pas plus d'importance pendant la grossesse qu'avant ou après.

19. Pour limiter sa tension nerveuse, une femme enceinte devrait :
a) se coucher tôt.
b) prendre des tranquillisants.
c) faire usage de cigarettes à bout filtrant.
d) abandonner toute activité professionnelle.

SECTION D L'accouchement : terme de la grossesse

1. Note le signe qui n'est pas caractéristique de l'approche d'un accouchement.
a) Une douleur abdominale continue.
b) Un écoulement de liquide clair.
c) Un écoulement de sang.
d) Des contractions utérines.

2. Une naissance qui n'est pas provoquée par une intervention extérieure à la mère se nomme :
a) césarienne.
b) accouchement sous anesthésie.
c) délivrance.
d) accouchement naturel.

3. Une naissance où le bébé ne passe pas par le vagin se nomme :
a) césarienne.
b) accouchement provoqué.
c) accouchement naturel.
d) accouchement prématuré.

4. Une naissance qui est déclenchée par une injection d'hormone se nomme :
   a) césarienne.
   b) accouchement provoqué.
   c) accouchement naturel.
   d) accouchement sous anesthésie.

5. Note le type d'accouchement le moins douloureux.
   a) Accouchement préparé, utilisant des techniques de respiration.
   b) Accouchement naturel.
   c) Accouchement prématuré.
   d) Accouchement sous anesthésie.

6. D'après la liste ci-dessous, note la séquence correcte.
   Les étapes de l'accouchement
   1. Expulsion du placenta
   2. Engagement du bébé dans le vagin
   3. Dilatation du col
   4. Sortie du bébé
   a) 1 → 2 → 3 → 4
   b) 3 → 2 → 1 → 4
   c) 3 → 2 → 4 → 1
   d) 2 → 3 → 1 → 4

7. À la sortie du bébé, le cordon ombilical n'a pas à être :
   a) coupé.
   b) désinfecté.
   c) noué.
   d) ligaturé.

8. On tape sur les fesses ou sur les pieds d'un bébé naissant dans le but de :
   a) le faire respirer.
   b) le réchauffer.
   c) le faire crier.
   d) faire circuler son sang.

9. On nettoie prioritairement les narines et la bouche d'un bébé pour :
   a) l'aider à respirer.
   b) éviter les infections.
   c) éviter qu'il salisse son oreiller.
   d) améliorer son apparence.

10. Note la disposition qui n'est pas souhaitable dans une salle d'accouchement.
    a) La chaleur.
    b) Un éclairage brillant.
    c) Le silence.
    d) Un bain d'eau tiède.

11. L'aliment de base du nourrisson avant l'âge d'un an devrait être :
    a) le lait de vache.
    b) les céréales enrichies de fer et de vitamine D.
    c) les légumes et les fruits en petits pots.
    d) le lait maternel.

12. Nomme un endroit, dans ta région, où une femme peut suivre des cours de gymnastique prénatale et de préparation à l'accouchement.

SECTION E Les conséquences pathologiques possibles des relations sexuelles

1. La gonorrhée et la syphilis sont deux maladies :
   a) nerveuses.
   b) vénériennes.
   c) de carence.
   d) psychosomatiques.

2. Huit jours après un rapport sexuel avec une femme X, un homme Y ressent une vive démangeaison du pénis ; uriner lui devient insupportable. Il a probablement contracté :
   a) l'herpès de type I.
   b) l'herpès de type II.
   c) la gonorrhée.
   d) la syphilis.

3. Puisque la femme X, telle que définie à la question 2, ne présente aucun symptôme particulier :
   a) elle ne peut pas être responsable de la maladie de Y.
   b) elle n'a pas besoin de consulter un médecin.
   c) elle a peut-être une forme chronique de la maladie de Y.
   d) elle a peut-être une forme aiguë de la maladie de Y.

4. Dans la syphilis, l'hémorragie cérébrale, la crise cardiaque, la cécité, la démence, puis la mort ont pour point de départ :
   a) un chancre.
   b) un goître.
   c) un ulcère.
   d) un orgelet.

5. La syphilis est surnommée « le grand imitateur » à cause :
   a) de sa première manifestation, qui imite un grain de maïs rouge.
   b) du fait que, pendant certaines phases de son évolution, la maladie imite la santé.
   c) de son microbe, dont la forme imite un tire-bouchon.
   d) de la facilité avec laquelle on peut la confondre avec plusieurs autres maladies.

6. Parmi les moyens de réduire les risques de M.T.S., on ne compte pas :
   a) le condom de caoutchouc.

b) la mousse vaginale germicide.
c) la précaution d'uriner avant un rapport sexuel.
d) le lavage des organes génitaux avec un savon bactéricide.

7. Parmi les bonnes raisons de consulter immédiatement un médecin en cas de M.T.S. déclarée ou appréhendée, on ne note pas le fait :
a) que les M.T.S. sont des maladies graves.
b) que la guérison des M.T.S. est d'autant plus facile que le traitement est plus précoce.
c) que le diagnostic des M.T.S. est plus certain lorsqu'il est précoce.
d) que les M.T.S. sont des maladies peu contagieuses, dont les victimes ne peuvent pas se débarrasser en les transmettant à des personnes saines.

8. Une personne atteinte de M.T.S. :
a) ne devrait pas en parler à son (sa) partenaire, afin de ne pas perturber leur entente sexuelle.
b) devrait s'abstenir de tout rapport sexuel.
c) n'a pas à se soucier de la société, car c'est la société qui est responsable de son état.
d) fait preuve de loyauté à l'égard des autres en partageant ses microbes avec eux.

SECTION F La prévention de la fécondation

1. Note l'énumération de méthodes de régulation des naissances qui comporte une erreur.
a) Pilules, spermicides, stérilet.
b) Diaphragme, condom, ligature.
c) Vasectomie, sympto-thermique, coït interrompu.
d) Assimil, Ogino-Knauss, Billings.

2. Note la méthode chimique de régulation des naissances.
a) Le condom.
b) La vasectomie.
c) La méthode Ogino-Knauss.
d) La pilule.

3. Note les moyens contraceptifs qui peuvent agir soit en bloquant l'ovulation, soit en empêchant la nidation, soit en empêchant les spermatozoïdes d'entrer dans l'utérus.
a) Les stérilets.
b) La pilule.
c) Les méthodes chirurgicales courantes.
d) Les spermicides.

4. Note la méthode de régulation des naissances qui s'adresse à la femme.
a) Le condom.
b) La vasectomie.
c) Le diaphragme.
d) Le coït interrompu.

5. Les méthodes Ogino-Knauss et sympto-thermique sont des méthodes :
a) chimiques.
b) mécaniques.
c) chirurgicales.
d) naturelles.

6. Note l'effet secondaire le plus à redouter avec la méthode Ogino-Knauss.
a) Des saignements d'origine utérine.
b) Des étourdissements.
c) Des palpitations cardiaques.
d) Une grossesse imprévue.

7. Le graphique 10-6 représente la courbe de température d'une femme, établie du 22 au 31 janvier dernier. Cette femme pourrait être enceinte si elle a eu un rapport sexuel non protégé :
a) le 22 janvier.
b) le 25 janvier.
c) le 28 janvier.
d) le 30 janvier.

Graphique 10-6.
La courbe de température d'une femme.

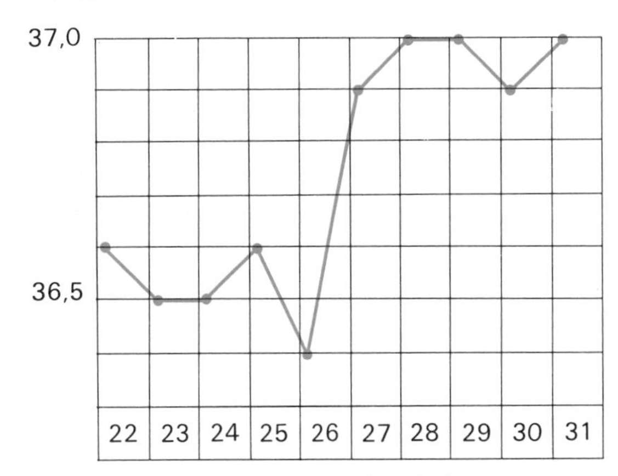

8. Parmi les moyens contraceptifs les plus courants, celui qui entraîne le plus d'effets secondaires est :
a) le diaphragme.
b) la ligature des trompes.
c) la vasectomie.
d) la pilule.

9. Note le facteur qui ne devrait pas entrer en ligne de compte dans le choix d'une méthode de régulation des naissances.
   a) Les effets secondaires de la méthode.
   b) L'efficacité de la méthode.
   c) Les convictions morales et religieuses.
   d) L'ignorance des autres méthodes.

10. Pour un couple, la responsabilité du choix d'une méthode contraceptive devrait reposer :
   a) sur les deux partenaires, secondés par un professionnel de la santé.
   b) sur la femme seule.
   c) sur l'homme seul.
   d) sur un professionnel de la santé.

11. Nomme un endroit de ton quartier ou de ta région où tu peux recevoir des services dans le domaine de la régulation des naissances.

SECTION A La relation sexuelle

1. On appelle coït l'introduction du p////// dans le v//////, suivie de mouvements de va-et-vient qui aboutissent à l'éjaculation. Le coït est l'action centrale du r////// s//////. Celui-ci comprend aussi les actions qui préparent le coït et celles qui le concluent. Il suffit d'un rapport sexuel pour procréer.
2. On appelle relation sexuelle le lien intime unissant deux êtres dans un rapport sexuel ayant pour but la p////// ou l'expression de l'a////// réciproque.
3. Pour qu'une relation sexuelle puisse s'épanouir, quatre conditions sont souhaitables :
   — L'a////// réciproque ;
   — La pleine a////// mutuelle ;
   — La s////// physique et psychologique ;
   — Le sens des r//////.

☐ *Chez l'être humain, l'appareil génital remplit deux grandes fonctions. Lesquelles ?*

SECTION B La fécondation : conséquence physiologique possible d'une relation sexuelle

1. Les spermatozoïdes déposés dans les voies génitales féminines rencontrent l'ovule généralement dans une t//////, près du pavillon. Il peut y avoir fécondation si cette rencontre se produit entre 12 et 24 h après l'o//////.
2. La f////// est l'union d'un gamète mâle (spermatozoïde) et d'un gamète femelle (ovule). Elle produit une nouvelle cellule nommée z//////, qui se développe pour former un enfant.
3. L'enfant à naître a droit à la v//////, comme tout humain. Il a besoin d'a//////, de s//////, de parents responsables et d'un cadre familial pour se développer harmonieusement.

☐ *Toutes les relations sexuelles ont-elles les mêmes chances d'aboutir à une fécondation ? Pourquoi ?*

SECTION C La grossesse : conséquence normale de la fécondation

1. Dans l'utérus, l'enfant est d'abord un z//////, puis un e//////, puis un f//////.
2. Les cellules de l'embryon se multiplient par m//////. Elles se spécialisent progressivement et perdent alors en l////// ce qu'elles gagnent en efficacité.
3. L'arrêt des m////// est l'un des premiers signes d'une grossesse. Il est la conséquence d'une persistance du corps jaune dans l'o//////, à la suite de la n////// de l'embryon dans l'u//////.
4. Lorsque l'embryon est implanté dans l'utérus, il déverse une h////// dans le sang de la mère. Cette hormone se retrouve dans l'u////// maternelle et peut être détectée par différents tests : c'est le principe des tests de g//////. Lorsque l'urine de femme enceinte est injectée à des femelles animales de laboratoire, l'hormone particulière qu'elle renferme provoque des changements dans leur a////// g//////.
5. Le p////// est l'organe qui assure les échanges entre le sang de la mère et le sang du fœtus. Le c////// o////// est le lien qui unit l'embryon ou le fœtus au placenta. Il est coupé à la naissance et la cicatrice qui en résulte forme le n//////. L'embryon baigne dans le l////// a////// sécrété par une de ses enveloppes : l'amnios.

6. Il existe deux sortes de jumeaux : les jumeaux fraternels, ou f////// j//////, et les jumeaux identiques, ou j////// v//////. Les f////// j////// résultent de deux f////// distinctes réalisées à partir de deux ovules. Les j////// v////// résultent d'une seule f////// réalisée à partir d'un seul ovule.

7. Pour sa propre santé et celle de l'enfant qu'elle porte, la femme devrait s'a////// convenablement durant sa grossesse. Elle devrait pratiquer une a////// physique modérée, supprimer l'usage du t//////, de l'a//////, des m////// et autres drogues. Elle devrait vivre dans un environnement sain et s'accorder beaucoup de s//////.

☐ *Que se passe-t-il dans le ventre d'une femme, durant la grossesse ?*

SECTION D L'accouchement : terme de la grossesse

1. L'accouchement s'annonce par des douleurs répétées provoquées par des c////// de l'utérus et des écoulements de l////// a////// plus ou moins chargés de s//////.

2. Dans l'accouchement n//////, on laisse le travail de la mère se dérouler normalement. La c////// est l'opération chirurgicale pratiquée généralement sous anesthésie générale, par laquelle on retire l'enfant du ventre de sa mère. Il est possible de déclencher artificiellement ou de retarder un accouchement par injection d'h//////.

3. L'accouchement se déroule en quatre étapes :
   — La d////// du col de l'utérus ;
   — L'engagement du bébé dans le v////// ;
   — La sortie du bébé ;
   — L'expulsion du p//////.

4. Les principales règles d'hygiène qui s'appliquent au bébé naissant sont les suivantes :
   — Nettoyer les n////// et la b////// ;
   — Ligaturer, couper et nettoyer le c////// o////// ;
   — Faciliter la première inspiration par des t////// sur les fesses ou sur la plante des pieds ;
   — Baigner le bébé dans l'eau tiède, quelque temps après la naissance ;
   — Le garder au chaud, dans une demi-obscurité et dans le s//////.

   Dans toute la mesure du possible, la mère devrait a////// son enfant.

5. Avant et après une naissance, les parents peuvent bénéficier de plusieurs services offerts dans leur région. On peut s'informer dans un C////// de s////// s////// (C.S.S.) ou dans un C////// l////// de s////// c////// (C.L.S.C.).

☐ *Explique ce qui change dans le mode de vie de l'enfant lors de sa naissance.*

SECTION E Les conséquences pathologiques possibles d'une relation sexuelle

1. La gonorrhée et la syphilis sont deux maladies v////// parmi les plus courantes.

2. La gonorrhée est a////// dans 80% des cas chez la femme et dans 60% des cas chez l'homme. Les principaux signes de la gonorrhée aiguë sont, chez la femme, des pertes vaginales verdâtres et une irritation de la v////// ; chez l'homme, un écoulement de pus par l'u////// et une action d'uriner très douloureuse. La syphilis se manifeste d'abord par un c//////. Si elle n'est pas traitée, elle provoque plus tard une é////// de boutons sur la peau, puis elle s'attaque aux organes internes. À la longue, elle peut ainsi causer une c////// c//////, la cécité, la d////// et la mort.

3. Le moyen le plus sûr de prévenir les M.T.S. est l'a////// de rapport sexuel. D'autres moyens peuvent aussi être utilisés : le c////// de caoutchouc, la m////// vaginale germicide et le s////// bactéricide.
4. Les M.T.S. sont des maladies g////// et très c//////. En cas de doute au sujet d'une M.T.S., il faut consulter immédiatement un m//////. Prise à son début, une M.T.S. est plus facile à diagnostiquer et à traiter jusqu'à la g////// complète.
5. Pour enrayer l'é////// de M.T.S., il est essentiel que les malades préviennent leurs partenaires. En agissant ainsi, ils font preuve de l////// à leur égard et se comportent de façon r////// face à l'ensemble de la société.

☐ *Explique pourquoi l'ignorance, la peur et la honte apparaissent comme les meilleurs alliées des microbes qui causent les M.T.S.*

SECTION F La prévention de la grossesse

1. On peut classer les méthodes de régulation des naissances en quatre catégories :
   — Les méthodes c////// (la pilule, les spermicides) ;
   — Les méthodes m////// (le stérilet, le diaphragme, le condom) ;
   — Les méthodes c////// (la ligature des trompes, la vasectomie) ;
   — Les méthodes n////// (la méthode Ogino-Knauss, la méthode sympto-thermique, le coït interrompu).
2. Les méthodes de régulation des naissances permettent de prévenir une g////// par différents moyens. Certaines empêchent l'o////// ; d'autres empêchent la rencontre de l'ovule et des spermatozoïdes ; d'autres enfin empêchent la n////// de l'embryon.
3. Toutes les méthodes de régulation des naissances n'ont pas la même efficacité. La seule méthode courante qui soit absolument efficace est l'a////// de rapports sexuels.
4. La p////// et le s////// sont les moyens contraceptifs qui provoquent le plus d'effets secondaires.
5. Les deux p////// sont concernés par le choix d'une méthode de régulation des naissances. Leurs convictions m////// et r////// peuvent les aider à fixer leur choix.
6. Les garçons et les filles de moins de dix-huit ans peuvent bénéficier d'i////// et de s////// dans le domaine de la régulation des naissances en s'adressant à un C.S.S. ou à un C.L.S.C.

☐ *Quelles devraient être les qualités d'une méthode de régulation des naissances parfaite ?*

Annexe 1

La table de composition des aliments les plus courants *

Les composants de base du menu quotidien pour l'adolescent(e)

P. = Protides, ou protéines : de 43 g à 54 g
L. = Lipides, ou graisses
G. = Glucides, ou sucres au sens large du terme] Quatre fois plus de glucides que de lipides, selon l'effort fourni.
Ca = Calcium : de 800 mg à 1200 mg
Fe = Fer : 12 mg
Vit. A = Vitamine A : de 2700 U.I.** à 3200 U.I.
Vit. B_2 = Vitamine B_2 : de 1,1 mg à 1,9 mg
Vit. C = Vitamine C : 30 mg

Valeur énergétique (variable selon l'individu) : de 8800 kJ à 13 400 kJ

N.B. : Dans le tableau qui suit, le signe tr. indique qu'il y a seulement des traces de l'élément en question dans l'aliment. Le tiret (—) indique qu'on soupçonne la présence de quantités mesurables d'un élément nutritif, mais qu'on ne dispose pas de renseignements précis à ce sujet. Plusieurs portions, notamment celles qui sont exprimées en tasses et en cuillerées à soupe, sont des quantités approximatives.

Légumes

Aliments	Portions	P. (g)	L. (g)	G. (g)	Ca (mg)	Fe (mg)	Vit. A (U.I.)	Vit. B_2 (mg)	Vit. C (mg)	Valeur énerg. (kJ)
Asperges	4 pointes	1,0	tr.	2,0	13	0,40	540	0,11	16	45
Betteraves	½ tasse	1,0	tr.	6,0	12	0,50	15	0,04	5	115
Brocoli	1 tige	6,0	1,0	8,0	158	1,40	4500	0,36	162	190
Carotte crue	1	1,0	tr.	5,0	18	0,40	5500	0,03	4	85
Céleri	1 tige	tr.	tr.	2,0	16	0,10	100	0,01	4	20
Champignons frais sautés	4	2,0	7,0	3,0	8	0,70	170	0,28	tr.	325
Chou râpé frais	½ tasse	0,5	tr.	2,0	22	0,20	60	0,02	21	45
Chou bouilli	½ tasse	1,0	tr.	3,0	32	0,20	95	0,03	24	75
Choux de Bruxelles cuits	7 à 8	7,0	1,0	10,0	50	1,70	810	0,22	135	230
Chou-fleur cuit	½ tasse	1,5	tr.	2,5	12	0,40	35	0,05	33	50
Concombre	6 tranches pelées	tr.	tr.	2,0	8	0,20	tr.	0,02	6	20
Épinards cuits	½ tasse	2,5	0,5	3,0	84	2,00	7290	0,13	25	85
Haricots verts cuits et égouttés	½ tasse	1,0	tr.	3,5	32	0,40	340	0,06	8	65
Laitue	2 feuilles	1,0	tr.	2,0	34	0,70	950	0,04	9	40

* Québec, Ministère de l'Éducation, *Mangez mieux*, 1979, nº de cat. 55-1006.
** Abréviation d'unités internationales. L'unité internationale (U.I.) de vitamine A, par exemple, est une quantité de vitamine A établie non pas à partir de sa masse, mais à partir de ses effets biologiques.

Légumes (*suite*)

Aliments	Portions	P. (g)	L. (g)	G. (g)	Ca (mg)	Fe (mg)	Vit. A (U.I.)	Vit. B_2 (mg)	Vit. C (mg)	Valeur énerg. (kJ)
Maïs en grains en conserve	½ tasse	2,0	tr.	16,0	4	0,40	290	0,04	4	295
Navet cuit	½ tasse	1,0	tr.	8,0	59	0,03	550	0,06	26	145
Oignon cru	1	2,0	tr.	10,0	30	0,60	40	0,04	11	170
Olives vertes	4	tr.	2,0	tr.	8	0,20	40	—	—	65
Pois en conserve, égouttés	½ tasse	5,0	0,5	10,0	17	1,40	445	0,04	6	235
Pomme de terre bouillie	1	2,0	tr.	18,0	7	0,60	tr.	0,04	20	335
Pomme de terre au four, pelée après cuisson	1	3,0	tr.	21,0	9	0,70	tr.	0,04	20	375
Pommes de terre frites	10 bâtonnets	2,0	7,0	20,0	9	0,70	tr.	0,04	12	650

Fruits

Aliments	Portions	P. (g)	L. (g)	G. (g)	Ca (mg)	Fe (mg)	Vit. A (U.I.)	Vit. B_2 (mg)	Vit. C (mg)	Valeur énerg. (kJ)
Avocat de Floride	½	2,0	17,0	14	15	0,90	440	0,31	22	815
Banane	1	1,0	tr.	26	10	0,80	230	0,07	12	420
Bleuets frais	½ tasse	0,5	0,5	11	11	0,70	70	0,04	10	180
Cantaloup	½	1,0	tr.	14	27	0,80	6540	0,06	63	250
Citron frais	1	1,0	tr.	6	19	0,40	10	0,01	39	85
Compote de pomme sucrée	½ tasse	0,5	tr.	31	5	0,60	50	0,02	2	480
Dattes dénoyautées	½ tasse	2,0	0,5	65	53	2,70	45	0,09	0	1025
Figue sèche	1	1,0	tr	15	26	0,60	20	0,02	0	250
Fraises fraîches	½ tasse	0,5	0,5	7	16	0,80	45	0,05	44	115
Framboises fraîches	½ tasse	0,5	0,5	8	14	0,60	80	0,06	16	145
Orange fraîche	1	1,0	tr.	16	54	0,50	260	0,05	66	270
Pamplemousse à chair blanche	½	1,0	tr.	12	19	0,50	10	0,02	44	190
Pamplemousse à chair rose	½	1,0	tr.	13	20	0,50	540	0,02	44	210
Pêche fraîche	1	1,0	tr.	10	9	0,50	1320	0,05	7	145
Poire fraîche	1	1,0	1,0	25	13	0,50	30	0,07	7	420
Pomme fraîche	1	tr.	tr.	18	8	0,40	50	0,02	3	295
Prune fraîche	1	tr.	tr.	7	7	0,30	140	0,02	3	105
Pruneaux secs	4	1,0	tr.	18	14	1,10	440	0,04	1	295
Raisins frais	½ tasse	1,0	1,0	12	12	0,30	75	0,03	3	220
Raisins secs	1 boîte 15 g	tr.	tr.	11	9	0,50	tr.	0,01	tr.	170
Tomate	1	2,0	tr.	7	20	0,80	1350	0,06	34	145

Fruits (*suite*)

Aliments	Portions	P. (g)	L. (g)	G. (g)	Ca (mg)	Fe (mg)	Vit. A (U.I.)	Vit. B_2 (mg)	Vit. C (mg)	Valeur énerg. (kJ)
Fruits en conserve										
Ananas avec jus sucré	1 tranche	tr.	tr.	24	13	0,40	50	0,03	8	375
Pêches à l'eau	$\frac{1}{2}$ tasse	0,5	tr.	10	5	0,40	550	0,03	4	155
Poires au sirop	$\frac{1}{2}$ tasse	0,5	0,5	25	7	0,30	tr.	0,03	2	410
Rhubarbe cuite avec sucre	$\frac{1}{2}$ tasse	0,5	tr.	49	106	0,80	110	0,08	9	805
Salade de fruits au sirop	$\frac{1}{2}$ tasse	0,5	tr.	25	12	0,50	180	0,01	3	410
Jus d'orange frais	$\frac{1}{2}$ tasse	1,0	0,5	13	14	0,25	250	0,04	62	230
Jus d'orange congelé, reconstitué	$\frac{1}{2}$ tasse	1,0	tr.	15	13	0,10	275	0,01	60	250
Jus de légumes	$\frac{1}{2}$ tasse	1,0	tr.	5	15	0,60	875	0,04	12	90
Jus de tomates	$\frac{1}{2}$ tasse	1,0	tr.	5	9	1,10	970	0,04	20	95

Poissons et fruits de mer

Aliments	Portions	P. (g)	L. (g)	G. (g)	Ca (mg)	Fe (mg)	Vit. A (U.I.)	Vit. B_2 (mg)	Vit. C (mg)	Valeur énerg. (kJ)
Aiglefin pané et frit	100 g	20	6	6	40	1,20	—	0,07	2,5	690
Bâtonnets de poisson panés et congelés	100 g	17	9	6	11	0,39	—	0,07	—	740
Brochet	100 g	19	1	0	62	0,70	900	0,09	—	350
Crabe en conserve	100 g	18	2	1	45	0,80	—	0,08	—	420
Crevettes en conserve	$\frac{2}{3}$ tasse	21	1	1	98	2,60	50	0,03	—	420
Crevettes fraîches	20 petites	19	1	2	63	1,60	0	0,03	—	380
Flétan grillé au beurre	100 g	25	7	0	16	0,80	682	0,07	—	720
Homard bouilli et 2 c. à soupe de beurre	1	20	25	1	80	0,70	920	0,06	0,0	1290
Homard en conserve	100 g	18	1	—	65	2,00	—	0,07	—	370
Huîtres fraîches	13 à 14	20	4	8	226	13,20	740	0,43	—	670
Morue frite au beurre	100 g	27	5	—	31	0,90	179	0,11	—	715
Perche panée et frite	100 g	19	13	7	33	1,30	—	0,11	—	960
Pétoncles cuits	6	23	1	—	115	3,00	—	—	—	470
Sardines à l'huile égouttées	100 g	24	11	0	442	2,90	224	0,20	—	860
Saumon en conserve	100 g	20	6	0	196	0,80	71	0,19	—	590
Saumon frais frit au beurre	100 g	27	7	0	—	1,20	165	0,06	—	765
Sole, filet frit au beurre	100 g	31	8	0	24	1,40	—	0,08	—	845
Thon en conserve égoutté	100 g	28	8	0	8	1,90	82	0,12	—	835
Truite fraîche	100 g	18	10	0	20	1,00	—	0,20	—	700

Viandes

Aliments	Portions	P. (g)	L. (g)	G. (g)	Ca (mg)	Fe (mg)	Vit. A (U.I.)	Vit. B_2 (mg)	Vit. C (mg)	Valeur énerg. (kJ)
Agneau maigre, gigot rôti	100 g	28	7	0	13	2,0	—	0,30	—	765
Agneau, côtelette grillée	100 g	28	8	0	12	2,0	—	0,27	—	790
Bacon frit, croustillant	20 g	7	11	1	3	0,6	0	0,07	0	500
Bifteck de ronde grillé, maigre	100 g	31	6	0	13	3,7	15	0,24	—	800
Bœuf haché grillé	100 g	25	20	0	11	3,2	35	0,21	—	1205
Bœuf braisé, maigre	100 g	31	7	0	14	3,8	14	0,22	—	815
Dinde rôtie, sans la peau	100 g	29	7	0	28	5,9	12	0,16	0	790
Foie de bœuf frit	100 g	26	11	5	11	9,0	53 123	4,16	26	955
Foie de porc frit	100 g	24	9	11	14	21,1	16 311	3,11	14	960
Foie de veau frit	1 g	22	10	4	7	13,0	26 569	3,31	36	855
Foies de volailles frits	100 g	30	12	3	—	10,0	42 933	2,95	13	1030
Jambon bouilli	100 g	19	18	0	11	2,8	0	0,16	—	990
Poulet, cuisse désossée	100 g	32	11	tr.	16	2,4	132	0,39	—	990
Poulet, poitrine frite, désossée	100 g	33	7	1	12	1,7	92	0,22	—	855
Rognon de bœuf	100 g	19	11	1	12	10,2	1333	2,14	0	760
Rôti de bœuf maigre	100 g	27	14	0	12	3,5	20	0,22	—	1025
Rôti de porc maigre	100 g	29	15	0	13	3,8	0	0,31	—	1075
Saucisses de porc	2	5	11	tr.	2	0,6	0	0,09	—	525
Saucisses fumées	1	7	15	1	3	0,8	—	0,11	—	710
Veau rôti	100 g	27	16	0	12	3,4	—	0,31	—	1130

Pain, beurre, lait

Aliments	Portions	P. (g)	L. (g)	G. (g)	Ca (mg)	Fe (mg)	Vit. A (U.I.)	Vit. B_2 (mg)	Vit. C (mg)	Valeur énerg. (kJ)
Beurre	1 c. à soupe	tr.	12	tr.	3	0,0	470	—	0	420
Biscotte	1	tr.	tr.	3	—	—	—	—	—	65
Camembert	50 g	9	9	2	52	0,2	501	0,38	0	630
Cheddar fondu	50 g	13	16	tr.	392	0,5	625	0,21	0	785
Cheddar râpé	1 c. à soupe	2	2	tr.	52	0,1	90	0,03	0	125
Crème à fouetter	1 c. à soupe	tr.	5	tr.	11	0,0	190	0,02	tr.	180
Fromage à tartinier, fondu, pasteurisé	50 g	11	13	4	290	0,4	500	0,29	0	675
Fromage cottage en crème	$\frac{1}{2}$ tasse	16	5	4	106	0,4	190	0,28	0	500
Lait entier	1 tasse	9	9	12	288	0,1	350	0,41	2	670
Lait partiellement écrémé	1 tasse	9	5	12	294	0,1	172	0,44	2	515

Pain, beurre, lait (*suite*)

Aliments	Portions	P. (g)	L. (g)	G. (g)	Ca (mg)	Fe (mg)	Vit. A (U.I.)	Vit. B_2 (mg)	Vit. C (mg)	Valeur énerg. (kJ)
Margarine molle	1 c. à soupe	tr.	11	tr.	3	0,0	490	—	0	420
Pain à hot-dog	1	5	2	25	33	0,8	0	0,08	0	575
Pain aux raisins	1 tranche	2	tr.	13	18	0,3	0	0,02	—	270
Pain blanc enrichi	1 tranche	2	1	15	20	0,5	0	0,05	0	345
Pain de blé entier, 60%	1 tranche	3	1	15	15	0,7	0	0,03	0	300
Yogourt aromatisé	200 g	9	3	32	249	0,1	108	0,35	2	770
Yogourt nature	200 g	10	3	14	335	0,1	141	0,49	2	505

Divers

Aliments	Portions	P. (g)	L. (g)	G. (g)	Ca (mg)	Fe (mg)	Vit. A (U.I.)	Vit. B_2 (mg)	Vit. C (mg)	Valeur énerg. (kJ)
Arachides grillées et salées	$\frac{1}{2}$ tasse	19,0	36,00	14,0	54	1,5	—	0,09	0	1760
Beurre d'arachide	1 c. à soupe	4,0	8,00	3,0	9	0,3	—	0,02	0	400
Bière	1 bouteille	1,0	0,00	14,0	18	tr.	—	0,11	—	630
Biscuit à la guimauve et au chocolat	1	1,0	2,00	14,0	5	0,3	10	0,01	0	315
Biscuit petit-beurre	1	tr.	1,00	4,0	—	—	—	—	0	85
Blé filamenté	1 biscuit	1,0	tr.	18,0	10	0,8	0	0,02	0	335
Boisson aux fruits à base de cristaux	1 tasse	tr.	tr.	35,0	—	—	—	—	40	565
Cacao avec lait entier	1 tasse	10,0	12	27,0	295	1,0	400	0,45	2	1025
Café avec lait et 1 c. à soupe de sucre	1 tasse	0,5	0,78	11,8	128	—	22	—	—	210
Carré aux dattes	1	2,0	5,00	45,0	24	1,3	10	0,05	0	945
Cassonade pressée	1 c. à soupe	0,0	0,00	14,0	12	0,5	0	—	0	230
Chop Suey au poulet	1 tasse	16,0	10,00	8,0	36	2,9	360	0,23	20	755
Cola	1 bouteille	0,0	0,00	37,0	—	—	0	0,00	0	605
Confiture	1 c. à soupe	tr.	tr.	14,0	4	0,2	tr.	0,01	tr.	230
Consommé ou bouillon de bœuf	1 tasse	5,0	0,00	3,0	tr.	0,5	tr.	0,02	—	125
Crème de champignons	1 tasse	7,0	14,00	16,0	191	0,5	250	0,34	1	900
Crème glacée	$\frac{1}{2}$ tasse	3,0	7,00	14,0	97	0,1	295	0,14	0,5	535
Crêpe nature	1	2,0	2,00	6,0	58	0,3	70	0,06	—	250
Croustilles	10	1,0	8,00	10,0	8	0,4	tr.	0,01	3	480
Fèves au lard avec porc et sauce tomate	1 tasse	16,0	7,00	49,0	138	4,6	330	0,08	5	1300
Flocons de maïs enrichis	1 tasse	2,0	tr.	18,0	1	3,0	0	0,75	0	335
Gâteau blanc sans glace	1 morceau	4,0	12,00	48,0	55	0,3	150	0,08	0	1320

Divers (*suite*)

Aliments	Portions	P. (g)	L. (g)	G. (g)	Ca (mg)	Fe (mg)	Vit. A (U.I.)	Vit. B_2 (mg)	Vit. C (mg)	Valeur énerg. (kJ)
Gélatine à saveur de fruits	100 g	1,6	0	16,0	—	—	—	—	—	280
Gelée à tartiner	1 c. à soupe	tr.	tr.	13,0	4	0,3	tr.	0,01	1	210
Gin, rhum, vodka, whisky	1 verre	—	—	—	—	—	—	—	—	440
Gruau à cuisson rapide (sec)	½ tasse	6,0	3,00	28,0	21	1,8	0	0,06	0	655
Huile de maïs	1 c. à soupe	0,0	14,00	0,0	0	0,0	—	0,00	0	525
Ketchup	1 c. à soupe	tr.	tr.	4,0	4	0,1	240	0,01	3	65
Macaroni au fromage	1 tasse	18,0	24,00	44,0	398	2,0	950	0,44	tr.	1800
Mayonnaise	1 c. à soupe	tr.	11,00	tr.	3	0,1	40	0,01	0	420
Mélasse	1 c. à soupe	—	—	11,0	137	3,2	—	0,04	—	190
Miel liquide	1 c. à soupe	tr.	0	17,0	1	0,1	0	0,01	tr.	270
Noix de Grenoble hachées	1 c. à soupe	1,0	5,00	1,0	8	0,2	tr.	0,01	0	210
Œuf bouilli	1	6,0	6,00	tr.	27	1,1	590	0,15	0	335
Pain de viande	1 tranche	10,0	19,00	11,0	26	1,7	50	0,11	—	1105
Pizza au fromage	1 pointe	7,0	6,00	27,0	107	0,7	290	0,12	4	775
Ragoût de bœuf et légumes	1 tasse	15,0	10,00	15,0	28	2,8	2310	0,17	15	880
« Relish »	1 c. à soupe	tr.	tr.	3,0	2	0,2	10	tr.	1	75
Riz bouilli	½ tasse	2,0	tr.	25,0	7	0,2	0	0,01	0	450
Sauce « barbecue »	¼ tasse	1,0	4,25	5,0	13	0,5	225	tr.	3	240
Sauce béchamel	½ tasse	5,0	16,00	11,0	144	0,3	575	0,22	1	850
Sirop d'érable	1 c. à soupe	0,0	0,00	13,0	33	0,6	0	0,00	0	210
Soupe aux pois	1 tasse	9,0	3,00	21,0	29	1,5	440	0,15	1	605
Spaghetti, sauce à la viande	1 tasse	13,0	21,00	39,0	27	2,1	900	0,12	24	1660
Sucette glacée	1	1,0	tr.	17,0	tr.	tr.	0	tr.	—	295
Sucre blanc granulé	1 c. à soupe	0,0	0,00	11,0	0	tr.	0	0,00	0	170
Tablette de chocolat	50 g	5,0	11,00	30,0	44	1,3	—	0,09	0	1000
Tarte au citron meringuée	1 pointe	5,0	14,00	53,0	20	0,7	240	0,11	4	1495
Tarte aux pommes	1 pointe	3,0	8,00	61,0	1	0,5	50	0,03	2	1715
« Tonic »	1 bouteille	0,0	0,00	29,0	—	—	0	0,00	0	480
Tourtière	1 morceau	15,0	34,00	21,0	18	2,7	10	0,09	—	1890
Vin sec	1 verre	—	—	4,0	9	—	—	0,01	—	355
Vin sucré	1 verre	—	—	8,0	8	—	—	0,02	—	575
Vinaigrette	1 c. à soupe	tr.	6,00	2,0	2	tr.	—	tr.	0	245

L'utilisation du microscope

Objectif : apprendre à tirer le meilleur rendement possible de son microscope.

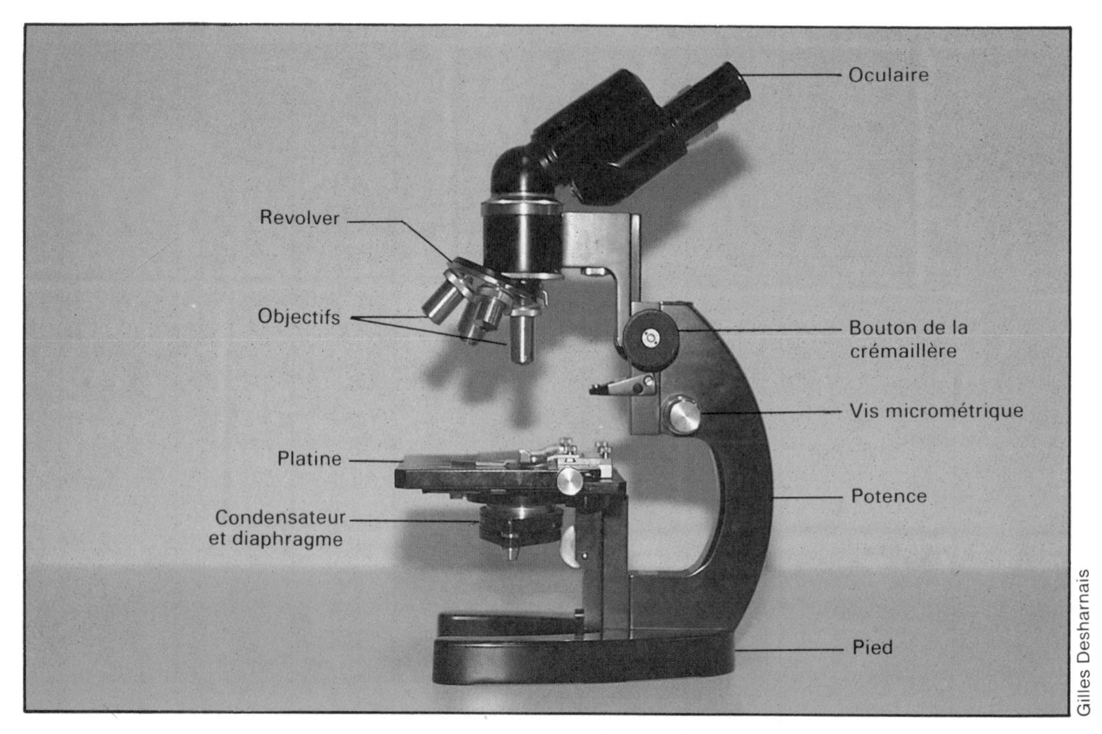

Matériel : 1 microscope ; 1 lame porte-objet ; 1 lamelle couvre-objet ; ciseaux ; papier millimétrique ; papier imprimé en petits caractères ; eau.

1. Se familiariser avec l'appareil

— Repère sur ton microscope les organes identifiés sur la photographie ; bien entendu, le modèle que tu as entre les mains n'est pas nécessairement identique à celui qui est figuré ici, mais les parties essentielles devraient être les mêmes.

Note les grossissements inscrits sur l'*oculaire* et sur les *objectifs*.

En maniant le microscope, ne force jamais si tu sens une résistance anormale ; tu fais alors certainement une fausse manœuvre qui risque d'abîmer l'appareil.

— Éloigne l'un de l'autre l'objectif et la *platine* à l'aide du bouton de la *crémaillère* ;
— Fais faire un tour complet au *revolver* (s'il y a lieu) ;
— Mets le petit objectif en place ; tu dois percevoir un déclic ;
— Fais tourner la *vis micrométrique* de la main gauche si tu es droitier(ère), ou de la droite si tu es gaucher(ère) ; vérifie si elle se déplace d'un côté ou de l'autre en tournant ;
— Place la vis micrométrique en position centrale ;
— Fais monter et descendre le *condensateur* à l'aide de son bouton ou de son *anneau de commande* ; laisse-le en position intermédiaire ;
— Manœuvre la commande du *diaphragme*, tout en l'observant par dessous ; laisse-le en position ouverte ;
— Si le dispositif d'éclairage est un miroir, entraîne-toi à chercher le meilleur éclairage possible, en regardant par l'*oculaire*.

On utilise la face plane du miroir lorsque la source de lumière provient d'une grande surface (une fenêtre). On utilise la face concave lorsque la source de lumière est une lampe.

2. Se familiariser avec la technique de préparation microscopique

Sauf exception, on ne regarde au microscope que des objets minces, transparents et montés dans un liquide ou une résine, entre une lame et une lamelle de verre.

— Découpe un carré de 1 cm de côté dans le papier millimétrique ;
— Découpe un carré de même dimension dans le texte imprimé ;
— Colle le second carré sur le premier en l'humidifiant légèrement ;
— Dépose une goutte d'eau sur la lame porte-objet ;
— Dépose le double carré de papier sur la goutte d'eau en gardant le texte lisible ; dans le cas où le papier aurait bu tout le liquide, rajoute une goutte d'eau ;
— Mets en place la lamelle couvre-objet avec précaution, selon la méthode illustrée à la figure 4-6 (chapitre 4 section A), afin d'éviter d'emprisonner des bulles d'air.

3. Apprendre à bien se servir du microscope

— Fixe ta préparation sur la platine du microscope à l'aide des *valets* ;
— Allume l'éclairage, ou règle le miroir ;
— Le petit objectif étant en place, fais la mise au point sur le texte en regardant par l'oculaire, tout en manœuvrant le bouton de la crémaillère ;
— Ferme le diaphragme autant que possible, afin d'obtenir une image contrastée ;
— Cherche un réglage convenable du condensateur ;
— Cherche à parfaire la mise au point avec la vis micrométrique.

a) Dessine trois lettres telles que tu les vois.
  — Avec la vis micrométrique, déplace la mise au point sur le quadrillage.
b) Évalue en millimètres le diamètre du *champ* éclairé visible dans le microscope.
c) Calcule le grossissement correspondant en multipliant le grossissement de l'objectif par celui de l'oculaire.
  — Ramène la mise au point sur le texte ;
  — Choisis une lettre près du bord du champ et amène-la au centre en faisant glisser la préparation, toujours en place sous les valets ;
  — Passe à l'objectif moyen et fais la mise au point avec la vis micrométrique, d'abord sur le texte, puis sur le quadrillage.
d) Évalue le diamètre du champ.
e) Calcule le grossissement correspondant.
f) Est-il possible d'avoir une image nette à la fois du texte et du quadrillage ?
  — Passe à l'objectif fort avec précaution.
g) Évalue le diamètre du champ.
h) Calcule le grossissement correspondant.
i) Explique la relation qui existe entre le grossissement et le diamètre du champ du microscope.

Lexique

ABDUCTION : pour un membre, éloignement du tronc.

ACCOMMODATION : mise au point des images dans l'œil, qui se fait lorsque l'objet que l'on regarde se rapproche.

ACIDE ACÉTIQUE : substance qui donne au vinaigre son goût piquant.

ACIDE CARBONIQUE : acide formé par combinaison du *dioxyde de carbone* avec l'eau.

ACIDE LACTIQUE : déchet produit par un muscle qui travaille sans un approvisionnement suffisant en oxygène.

ACUITÉ VISUELLE : capacité de voir les menus détails des objets.

AGGLUTINOGÈNES : *antigènes* particuliers portés par les *globules rouges*.

AGITATION MOLÉCULAIRE : mouvement désordonné des *molécules* dans un gaz ou dans un liquide.

ALIMENT DE LEST : aliment destiné à maintenir un certain remplissage de l'intestin pendant toute la digestion.

ALIMENTS RÉGULATEURS : aliments nécessaires au bon fonctionnement de l'organisme.

ALIMENTS SIMPLES : composés chimiques nutritifs des aliments courants.

ALTERNANCE : caractère de deux événements qui se répètent l'un après l'autre.

ALVÉOLES PULMONAIRES : sacs microscopiques remplis d'air dans les poumons.

AMIDON : *glucide* complexe produit par de nombreux végétaux.

AMNIOS : enveloppe la plus interne qui entoure l'*embryon* (ou le *fœtus*).

ANATOMIE : disposition des organes dans un organisme.

ANDROGÈNES : *hormones* mâles produites par les *testicules*.

ANGINE DE POITRINE : douleur qui accompagne une crise cardiaque.

ANNEAU DE COMMANDE : dans certains microscopes, commande en forme d'anneau du *diaphragme* ou du *condensateur*.

ANNEXÉES (glandes) : reliées à un conduit principal par un conduit secondaire.

ANTIBACTÉRIENNE : qui combat les bactéries.

ANTIBIOGRAMME : test destiné à vérifier l'action de divers antibiotiques sur un type donné de microbe.

ANTICORPS : *protéines* du sang, capables de neutraliser spécifiquement les *antigènes*.

ANTIGÈNE : substance qui déclenche une réaction de défense contre elle dans un organisme.

ANTIVIRAUX : qui combattent les virus.

ANUS : sortie du *tube digestif*.

APONÉVROSE : enveloppe fibreuse d'un muscle.

APPAREIL GÉNITAL : ensemble des organes reproducteurs.

APPAREIL URINAIRE : ensemble des organes qui produisent et évacuent l'urine.

APPENDICES CUTANÉS : ongles, poils, cheveux et *glandes* de la peau.

ARTÈRE : vaisseau sanguin qui conduit le sang du cœur à un autre organe.

ARTÉRIOSCLÉROSE : maladie qui entraîne l'obstruction et le durcissement des artères.

ARTICULATIONS : jointures entre les os.

ASYMPTOMATIQUE : se dit d'une maladie qui ne se manifeste par aucun signe particulier.

ATOMES : parcelles les plus petites des *éléments chimiques*.

AUDITION : action d'entendre.

AUTOMATISMES : activités qui échappent au contrôle de la volonté.

AXONE : prolongement cytoplasmique d'une *cellule* nerveuse.

BACTÉRIES : microbes à structure cellulaire simplifiée.

BASSIN : structure osseuse formée par la ceinture pelvienne, le *sacrum* et le *coccyx*.

BASSINET : dans le rein, extrémité élargie de l'*uretère*.

BIMANE : qui a deux mains.

BIPÈDE : qui marche sur deux pieds.

BOURGEONS GUSTATIFS : groupes de *cellules gustatives*, situés dans les *papilles gustatives*.

BOURSE : *scrotum*.

BRONCHIOLES : petites bronches.

BULBE OLFACTIF : petite languette du *cerveau*, située au-dessus de chaque fosse nasale.

BULBE RACHIDIEN : partie inférieure du *tronc cérébral*.

CAGE THORACIQUE : partie du squelette qui protège les poumons et le cœur.

CAISSE DU TYMPAN : cavité de l'oreille moyenne.

CAL : dans un os, bosse qui subsiste après la réparation d'une fracture.

CALCULS URINAIRES : sortes de pierres qui peuvent se former dans le système excréteur rénal.

CALICES : ramifications de l'*uretère* dans le rein.

CANAL DÉFÉRENT : conduit qui évacue les *spermatozoïdes* en direction de l'urètre.

CANAL RACHIDIEN : sorte de tunnel formé par la superposition des trous des *vertèbres*, abritant la *moelle épinière.*

CAPILLAIRES : vaisseaux sanguins et lymphatiques les plus fins.

CAPSULE SURRÉNALE : *glande endocrine* qui coiffe le rein.

CARIE : cavité qui se développe dans une dent et qui la détruit progressivement.

CARTILAGES : *tissu* de soutien plus tendre que le tissu osseux.

CARTILAGES ARTICULAIRES : *cartilages* qui recouvrent les surfaces articulaires des os dans les *articulations* mobiles.

CARTILAGES DE CROISSANCE : *cartilages* assurant l'allongement des os longs.

CASTRATION : ablation des *glandes génitales.*

CÉCITÉ : état d'une personne aveugle.

CELLULES : unités vivantes, généralement microscopiques.

CELLULES ADIPEUSES : cellules qui mettent de la graisse en réserve.

CELLULES GUSTATIVES : cellules sensibles aux saveurs, dans les *bourgeons gustatifs.*

CELLULES INTERSTICIELLES : dans le *testicule*, cellules situées entre les *tubes séminifères* et qui produisent les *androgènes.*

CELLULES OLFACTIVES : *cellules* du nez qui réagissent aux odeurs en produisant des *influx nerveux.*

CELLULES VISUELLES : cellules de la *rétine* qui réagissent à la lumière en produisant des *influx nerveux.*

CELLULOSE : *glucide* complexe, caractéristique des végétaux ; principale fibre alimentaire.

CENTRE RESPIRATOIRE BULBAIRE : centre de commande de la respiration, situé dans le *bulbe rachidien.*

CÉRUMEN : sorte de gomme brune qui se forme dans le conduit auditif.

CERVEAU : partie la plus volumineuse de l'*encéphale.*

CERVELET : partie de l'*encéphale* située dans la région de la nuque, sous le *cerveau.*

CÉSARIENNE : accouchement chirurgical, par incision de la paroi abdominale et de l'*utérus.*

CHAMP : en microscopie, région circulaire visible dans la préparation.

CHANCRE SYPHILITIQUE : gros bouton qui marque le début d'une syphilis.

CHORION : une des enveloppes du *fœtus.*

CHOROÏDE : membrane nourricière de l'œil.

CHROMOSOMES : filaments qui détiennent le programme d'activité d'une *cellule.*

CHROMOSOMES SEXUELS : *chromosomes* de la 23e paire, qui déterminent le sexe dans l'espèce humaine.

CHRONIQUE : se dit d'une maladie qui évolue lentement.

CHYME : bouillie alimentaire qui se forme dans l'estomac et se déverse dans l'intestin.

CILS VIBRATILES : fouets microscopiques que possèdent certaines *cellules.*

CIRCONCISION : ablation du *prépuce.*

CIRCONVOLUTIONS : dans le *cerveau*, replis de l'écorce grise.

CIRCULATION PULMONAIRE : petite circulation, celle qui va du *ventricule* droit à l'*oreillette* gauche du cœur.

CIRCULATION SYSTÉMIQUE : grande circulation, celle qui va du *ventricule* gauche à l'*oreillette* droite du cœur.

CLAVICULE : os qui relie l'*omoplate* au *sternum.*

CLITORIS : petit organe très sensible de la *vulve* ; équivalent du *pénis* chez la femme.

COAGULATION : solidification du sang.

COCCYX : petit os formé de quatre *vertèbres* soudées, situé à l'extrémité inférieure de la *colonne vertébrale.*

COEFFICIENT ÉNERGÉTIQUE DE L'OXYGÈNE : quantité d'énergie libérée par l'organisme pour chaque litre d'oxygène consommé.

COÏT : *copulation.*

COL : partie inférieure, étroite, de l'*utérus.*

COLIQUES NÉPHRÉTIQUES : douleurs liées au passage de *calculs urinaires* dans l'*uretère.*

COLONNE VERTÉBRALE : pièce maîtresse du squelette formant un axe dorsal articulé dans le tronc.

COLOSTRUM : liquide sécrété par les *glandes* mammaires avant le lait proprement dit.

COMÉDONS : *follicules* pileux engorgés et marqués d'un point noir.

COMPOSÉS CHIMIQUES : substances bien définies chimiquement, dont les plus petites parcelles sont des assemblages d'*atomes.*

COMPOSÉS MINÉRAUX: composés chimiques non organiques.

COMPOSÉS ORGANIQUES: corps chimiques à base de carbone, élaborés dans la nature par les êtres vivants.

CONDENSATEUR: dans un microscope, dispositif qui concentre la lumière sur la préparation.

CONDOM: sac de caoutchouc utilisé comme contraceptif masculin.

CONJONCTIVE: peau transparente, en avant de l'œil.

CONTINENCE: abstention de rapports sexuels.

CONTRACTER (se): pour un muscle, se déformer activement, généralement en se raccourcissant.

CONTRACTILE: capable de se *contracter*.

CONTRACTIONS RYTHMIQUES: déformations qui se répètent à intervalles réguliers.

CONVERGENTE: se dit d'une lentille qui dévie la lumière comme une loupe.

COPULATEUR: qui participe à l'union sexuelle physique.

COPULATION: union du *pénis* et du *vagin*.

CORDON OMBILICAL: lien qui unit l'*embryon* (ou le *fœtus*) au *placenta*.

CORNÉE: membrane transparente qui remplace la *sclérotique* à l'avant de l'œil.

CORNETS: dans le nez, lames osseuses enroulées sur elles-mêmes.

CORPS CAVERNEUX: structures du *pénis* qui sont responsables de l'*érection*.

CORPS JAUNE: dans l'*ovaire, tissu* producteur de *progestérone*.

CORPS OPTO-STRIÉS: parties du *cerveau* situées sous les *hémisphères cérébraux*.

CORPS SPONGIEUX: dans le *pénis*, manchon élastique de l'*urètre*, qui forme aussi le *gland*.

CORPS VERTÉBRAUX: parties principales des *vertèbres*.

CORPUSCULES TACTILES: structures microscopiques du *derme*, sensibles au contact, à la pression, au chaud ou au froid.

COUCHE GÉNÉRATRICE: dans la peau, couche de *cellules* qui régénère l'*épiderme*.

CRÉMAILLÈRE: dans un microscope, dispositif mécanique faisant varier la distance entre l'*objectif* et la préparation.

CRÉPITATION: petit craquement sec.

CRISTALLIN: lentille déformable de l'œil.

CYCLE MENSTRUEL: ensemble des transformations qui surviennent dans le corps féminin, avec une période de 28 jours.

CYTOPLASME: matière vivante fondamentale emplissant une *cellule* et entourant le *noyau*.

DÉCHETS: substances inutiles ou nuisibles produites par une activité.

DÉCIBELS: unités d'intensité sonore.

DÉGLUTITION: action d'avaler.

DÉGRADATION: destruction progressive.

DÉLIVRANCE: phase finale de l'accouchement, caractérisée par l'expulsion du *placenta* et des enveloppes fœtales.

DÉMENCE: forme extrême de la folie.

DERME: *tissu* de soutien de l'*épiderme*.

DEXTROSE: *glucose*.

DIALYSE: diffusion à travers une membrane.

DIAPÉDÈSE: passage d'un *globule blanc* à travers la paroi d'un *capillaire*.

DIAPHRAGME: muscle respiratoire plat qui sépare le *thorax* de l'abdomen. Dans le microscope, dispositif contrôlant la quantité de lumière qui éclaire la préparation. En contraception, disque de caoutchouc qui s'applique contre le *col* de l'*utérus*.

DIFFUSE (se): pour une substance chimique, disperse ses *molécules* dans un milieu donné. Pour une source de lumière, émet de la lumière dans une infinité de directions.

DIFFUSION: phénomène par lequel une substance chimique ou une lumière se *diffuse*.

DIGESTION CHIMIQUE: transformation des aliments par les *sucs digestifs*.

DIGESTION MÉCANIQUE: transformation des aliments par les mouvements du *tube digestif*.

DILATE (se): s'élargit.

DIOXYDE DE CARBONE (CO_2): déchet gazeux de la respiration, à base de carbone et d'oxygène.

DISQUES INTERVERTÉBRAUX: coussinets souples qui s'intercalent entre les *vertèbres*.

DISTANCE MINIMALE DE VISION DISTINCTE: distance en deçà de laquelle il est impossible de voir distinctement.

DIURÉTIQUE: qui favorise la production d'urine.

DIURNE: de jour.

DUPLICATION: action de rendre double.

ÉCORCE CÉRÉBRALE: couche de *substance grise* qui recouvre le *cerveau*.

EFFECTEUR: qui réagit.

ÉJACULATION : expulsion du *sperme*, par jets successifs.

ÉLÉMENTS CHIMIQUES : substances pratiquement indécomposables dont les plus petites parcelles sont les *atomes*.

ÉLÉMENTS FIGURÉS : constituants du sang visibles au microscope.

ÉMAIL : revêtement dur de la partie visible des dents.

EMBOLIE CORONARIENNE : obstruction complète d'une artère dans le muscle cardiaque.

EMBRYON : premier stade du développement de l'enfant dans l'*utérus*.

ÉMOUSSENT : font perdre de l'efficacité.

ÉMULSIONNE : se dit par exemple de la bile, qui aide à disperser la graisse sous forme de minuscules gouttelettes dans l'eau.

ENCÉPHALE : contenu du crâne.

ENCLUME : dans l'oreille moyenne, l'un des osselets.

ÉNERGIE CHIMIQUE : énergie qui tient ensemble les *atomes* dans une *molécule*.

ENZYMES DIGESTIVES : substances chimiques actives des *sucs digestifs*.

ÉPIDERME : *tissu* superficiel de la peau.

ÉPIDIDYME : structure intermédiaire entre le *testicule* et le *canal déférent*.

ÉPIGLOTTE : sorte de couvercle qui peut se rabattre sur la glotte.

ÉPITHÉLIUM : *tissu* vivant formé de cellules jointives.

ÉPURATION : action d'enlever les impuretés.

ÉPURATION CHROMOSOMIQUE : phénomène plus généralement appelé méiose par lequel une *cellule* reproductrice perd la moitié de ses *chromosomes*.

ÉRECTION : phénomène de redressement, de gonflement et de raidissement du *pénis*.

ÉTAT DISSOUS : état d'une substance dispersée dans le solvant d'une solution.

ÉTRIER : dans l'oreille moyenne, l'un des osselets.

EUGÉNIQUE : doctrine qui prône le contrôle de la *procréation*, dans le but d'améliorer la qualité génétique de l'espèce humaine.

EUNUQUE : homme qui a subi la *castration* avant l'âge de la *puberté*.

EXCITABLE : capable de réagir à un *stimulus*.

EXCRÉTION : action de rejeter dans le milieu extérieur.

FAUX JUMEAUX : jumeaux issus de deux *ovules* distincts.

FÉCONDATION : union d'un *gamète* mâle et d'un gamète femelle.

FÉCONDITÉ : aptitude à se reproduire.

FENÊTRE OVALE : orifice de l'os du *rocher* situé entre l'oreille moyenne et l'oreille interne, et dans lequel s'emboîte l'*étrier*.

FENÊTRE RONDE : orifice de l'os du *rocher* situé entre l'oreille moyenne et l'oreille interne, et fermé par une membrane.

FERMENTATIONS : transformations chimiques réalisées à l'abri de l'air par des microbes ou d'autres *cellules* vivantes.

FERTILITÉ : capacité de produire des *gamètes*.

FEUILLETS : dans la *rétine*, les deux *tissus* superposés.

FIBRES : en alimentation, aliments régulateurs de lest, tels que la *cellulose*. Dans les *tissus*, éléments allongés.

FIBRE MOTRICE : *fibre* nerveuse qui conduit les *influx* en direction d'un organe *périphérique*

FIBRES MUSCULAIRES : *cellules* contractiles plus ou moins longues, caractéristiques des muscles.

FIBRE SENSITIVE : *fibre* nerveuse qui conduit les *influx* en direction d'un centre nerveux.

FILTRATION : dans le rein, passage de *plasma sanguin* dans les tubes microscopiques, à partir de certains *capillaires*.

FLÉTRIT (se) : se fane.

FŒTUS : *embryon* qui a pris forme humaine.

FOLLICULE : à l'intérieur de l'*ovaire*, structure dans laquelle mûrit un *ovule*.

FONCTION CELLULAIRE : activité réalisée par une *cellule*.

FONTANELLES : régions du crâne qui sont encore membraneuses à la naissance.

FRACTURE OUVERTE : fracture dans laquelle l'os apparaît à l'extérieur.

FRACTURE SIMPLE : cassure unique d'un os.

FRUCTOSE : *glucide* à petite *molécule*, voisin du *glucose*.

GAMÈTES : *cellules* reproductrices, telles que l'*ovule* et le *spermatozoïde*.

GANGLIONS : le long des nerfs, petits renflements.

GASTRO-INTESTINAUX (problèmes) : troubles de l'estomac et de l'intestin.

GÉNITALE : relative au *système reproducteur*.

GIGANTISME : état de géant.

GLAND : extrémité élargie du *pénis*.

GLANDES : organes dont la fonction consiste à produire et à rejeter diverses substances.

GLANDES ACCESSOIRES : dans l'*appareil génital* mâle, *glandes* qui produisent le *plasma séminal*.

GLANDES DE COWPER : *glandes accessoires* de l'*appareil génital* masculin, situées à la racine du *pénis*.

GLANDE ENDOCRINE : *glande* qui déverse son produit de sécrétion dans le milieu intérieur.

GLANDES GÉNITALES : organes producteurs des *gamètes*.

GLANDES SALIVAIRES : *glandes* digestives de la bouche, produisant la salive.

GLANDE SÉBACÉE : *glande* de la peau, productrice de *sébum*.

GLANDES SUDORIPARES : *glandes* de la peau, productrices de sueur.

GLOBULES BLANCS : *cellules* incolores du sang et de la *lymphe*.

GLOBULE POLAIRE : petite *cellule* sans avenir qui accompagne l'*ovule*.

GLOBULES ROUGES : *cellules* rouges du sang.

GLOTTE : orifice triangulaire qui représente l'entrée de la trachée.

GLUCIDES : sucres, au sens large du terme.

GLUCOSE : *glucide* à petite *molécule*, utilisable par les *cellules* comme combustible.

GLUTEN : *protéine* contenue dans la farine de blé.

GOUDRONS : substances toxiques brunes qui se forment notamment lors de la combustion du tabac.

GRAISSE : corps gras formé d'un ou de plusieurs *lipides*.

GRANDES LÈVRES : dans la *vulve*, replis externes de la peau.

GONOCOQUE : microbe responsable de la *gonorrhée*.

GONORRHÉE : M.T.S. très répandue, caractérisée par des écoulements anormaux du *vagin* ou de l'urètre.

GROSSESSE ECTOPIQUE : développement d'un *embryon* hors de l'*utérus*.

GUSTATION : perception des saveurs.

HAREMS : appartements des femmes chez les peuples musulmans.

HCG (HUMAN CHORIONIC GONADOTROPHIN) : *hormone* sécrétée par le *placenta* en début de grossesse.

HÉMISPHÈRES CÉRÉBRAUX : deux masses, à droite et à gauche, qui forment la partie la plus évidente du *cerveau*.

HÉMOGLOBINE : pigment rouge du sang, fixateur d'oxygène.

HÉRÉDITÉ : ensemble des caractères dont un individu a hérité de ses parents. Aussi, la transmission de ces caractères.

HOMÉOTHERME : dont la température est plus ou moins constante.

HORMONES : messages chimiques transportés par le sang.

HORMONE ANTIDIURÉTIQUE : *hormone* hypophysaire qui réduit la production d'urine par le rein.

HORMONE FOLLICULOSTIMULANTE : *hormone* hypophysaire qui stimule la production des *gamètes* par les *glandes génitales*.

HORMONE LUTÉINISANTE : *hormone* hypophysaire qui stimule la production de *progestérone* par l'*ovaire*, et d'*androgènes* par le *testicule*.

HUMEUR AQUEUSE : liquide transparent de l'œil.

HUMEUR VITRÉE : gelée transparente de l'œil.

HYDROLYSE : réaction chimique où l'eau participe à la décomposition d'une autre substance.

HYMEN : membrane qui ferme partiellement l'entrée du *vagin*.

HYPERMÉTROPE : dont l'œil n'est pas assez *convergent*, compte tenu de sa profondeur.

HYPERTROPHIE : grossissement.

HYPERVENTILATION PULMONAIRE : aération exagérée des poumons.

HYPODERME : partie profonde du *derme* où s'accumule la graisse.

HYPOTHALAMUS : région du *cerveau* située immédiatement au-dessus de l'hypophyse.

IMAGE CÉRÉBRALE : perception d'une image, grâce au *cerveau*.

IMAGE RÉTINIENNE : image qui se projette sur la *rétine*.

IMMUNITÉ : protection de l'organisme contre des substances étrangères en général et les microbes en particulier, grâce aux *anticorps*.

INFARCTUS DU MYOCARDE : mort d'une partie du muscle cardiaque.

INFÉCONDITÉ : incapacité de procréer.

INFLUX NERVEUX : signal électrique conduit par un nerf.

INGESTION : action d'avaler.

INTÉGRÉES (glandes) : incluses dans la paroi d'un conduit.

IRIS : disque coloré de l'œil, visible par transparence de l'extérieur.

JUMEAUX VRAIS : jumeaux issus d'un seul *ovule*.

KILOJOULES : unités de mesure d'énergie.

LABYRINTHE : oreille interne.

LAME CRIBLÉE : os percé de petits trous, situé entre la *tache jaune olfactive* et le *nerf olfactif*.

LÉVULOSE : *fructose*.

LIGAMENTS : liens qui unissent les os dans les articulations.

LIGATURE DES TROMPES : opération qui consiste à couper ou à boucher les *trompes de Fallope*, afin d'empêcher toute grossesse.

LIMAÇON : partie de l'oreille interne consacrée à l'*audition*.

LIPIDES : *aliments simples* caractéristiques des graisses.

LIQUEUR DE FEHLING : réactif bleu qui sert à caractériser des *glucides* simples tels que le *glucose*.

LIQUIDE AMNIOTIQUE : liquide dans lequel baigne l'*embryon* (ou le *fœtus*).

LOBES PULMONAIRES : les plus grandes subdivisions des poumons, au nombre de cinq.

LOBULES PULMONAIRES : petites unités formant les poumons.

LOCOMOTION : action de se déplacer.

LUBRIFIÉE : rendue glissante par un liquide plus ou moins visqueux.

LYMPHE : liquide incolore voisin du sang, mais sans *globules rouges*.

LYMPHE CIRCULANTE : *lymphe* qui retourne au sang par les vaisseaux lymphatiques.

LYMPHE TISSULAIRE : *lymphe* qui imbibe les tissus.

LYMPHOCYTES : petits *globules blancs* producteurs d'*anticorps*.

MALADIES TRANSMISSIBLES SEXUELLEMENT (M.T.S.) : maladies qui peuvent être transmises par contact sexuel.

MALADIES VÉNÉRIENNES : *maladies transmissibles sexuellement*.

MARTEAU : dans l'oreille moyenne, l'un des osselets.

MATIÈRES FÉCALES : résidus de la digestion, transformés par les *bactéries* intestinales, puis évacués.

MATURITÉ SEXUELLE : plein développement des organes sexuels.

MÉLANINE : *pigment* plus ou moins foncé de la peau et de l'œil.

MEMBRANE CYTOPLASMIQUE : enveloppe mince et perméable d'une *cellule*.

MEMBRANE PELLUCIDE : enveloppe épaisse, inerte, de l'*ovule*.

MÉNINGES : enveloppes des centres nerveux.

MÉNOPAUSE : cessation du *cycle menstruel*, qui survient vers l'âge de 45 à 50 ans.

MENSTRUATION : écoulement périodique de sang, caractéristique du cycle féminin.

MÉSENTÈRE : membrane qui maintient en place le *tube digestif* dans l'abdomen.

MÉTABOLISME : activité chimique qui entretient la vie.

MÉTHODES CONTRACEPTIVES : méthodes artificielles de régulation des naissances.

MÉTHODE DU THERMOMÈTRE : méthode de régulation des naissances fondée sur l'observation de la température de la femme.

MÉTHODE SYMPTO-THERMIQUE : méthode de régulation des naissances fondée sur l'observation de la température de la femme, ainsi que des sécrétions qui sont accessibles dans le *vagin*.

MICTION : action d'uriner.

MILIEU EXTÉRIEUR : tout ce qui se trouve à l'extérieur du corps et dans ses conduits et cavités qui communiquent avec l'extérieur.

MILIEU INTÉRIEUR : l'ensemble des liquides du corps, tels que le *plasma sanguin* et la *lymphe*.

MITOSE : mode habituel de division des *cellules*, caractérisé par l'individualisation des *chromosomes*.

MOELLE ÉPINIÈRE : centre nerveux situé dans le *canal rachidien*.

MOELLE JAUNE : *tissu* mou, riche en graisse, qui emplit la grande cavité d'un os long.

MOELLE ROUGE : *tissu* mou, riche en globules sanguins, qui emplit les petites cavités de l'os spongieux.

MOLÉCULE : parcelle la plus petite d'un *composé chimique*.

MONOXYDE DE CARBONE : gaz toxique libéré notamment par la combustion de la cigarette.

MONT DE VÉNUS : coussinet de graisse situé en avant du *pubis* chez la femme.

MORPHOLOGIQUES : relatifs à la forme (des organes, par exemple).

MUCUS : liquide gluant qui enduit une *muqueuse*.

MUE (de la voix) : modification de la voix, qui survient chez l'adolescent.

MUQUEUSE : revêtement généralement enduit de *mucus*, présent notamment dans le *tube digestif*, dans les voies respiratoires et dans les *voies génitales*.

MUQUEUSE CILIÉE : *muqueuse* garnie de cils.

MUSCLES ANTAGONISTES : muscles dont les actions s'opposent.

MUSCLE AUTOMATIQUE : muscle capable de se *contracter* par lui-même, sans avoir besoin d'être stimulé.

MUSCLE EXTENSEUR : muscle qui étend un segment du corps dans le prolongement d'un autre.

MUSCLE FLÉCHISSEUR : muscle qui plie un segment du corps sur un autre.

MUSCLES INVOLONTAIRES : muscles indépendants de la volonté.

MUSCLES SQUELETTIQUES : muscles fixés aux os.

MUSCLES VISCÉRAUX : muscles caractéristiques des organes internes tels que le *tube digestif* et l'*utérus*.

MUSCLES VOLONTAIRES : muscles contrôlables par la volonté.

MUTANT : type nouveau qui apparaît dans une population et qui peut transmettre sa particularité à sa descendance.

MYOPE : dont l'œil est trop *convergent*, compte tenu de sa profondeur.

NANISME : état d'un nain.

NÉPHRITE : affection du rein.

NERFS GUSTATIFS : nerfs qui relient les *bourgeons gustatifs* à l'*encéphale*.

NERFS MIXTES : nerfs à la fois sensitifs et moteurs.

NERFS MOTEURS : nerfs qui conduisent les *influx* des centres nerveux aux organes *périphériques*.

NERF OLFACTIF : nerf très court, qui relie la *tache jaune olfactive* au *bulbe olfactif*.

NERF OPTIQUE : nerf qui relie l'œil au *cerveau*.

NERFS RACHIDIENS : nerfs reliés à la *moelle épinière*.

NERF SENSITIF : nerf qui conduit les *influx* en direction des centres nerveux.

NEURONES : *cellules* très spécialisées, caractéristiques du *tissu* nerveux.

NICOTINE : substance huileuse toxique du tabac.

NIDATION : implantation de l'*embryon* dans la *muqueuse* de l'*utérus*.

NOCTURNE : de nuit.

NOYAU : corpuscule dense qui contrôle le fonctionnement d'une *cellule*.

NUTRIMENTS : *aliments* simples, utilisables par les *cellules*.

OBJECTIFS : dans un microscope, lentilles situées au-dessus de la préparation examinée.

OBSTÉTRIQUE : spécialité médicale consacrée à l'accouchement.

OCULAIRE : dans un microscope, lentille contre laquelle on applique l'œil.

ODORANTE : qui a une odeur.

ŒDÈME : accumulation d'eau dans un *tissu*.

ŒIL RÉDUIT : modèle optique simplifié de l'œil.

ŒSTROGÈNES : *hormones* ovariennes féminisantes.

OLFACTION : action de sentir les odeurs.

OMOPLATE : os plat de la ceinture scapulaire.

ONDE PÉRISTALTIQUE : étranglement qui se déplace le long d'un conduit.

ONDES SONORES : vibrations constituant les sons.

ORGANES DES SENS : organes récepteurs des *stimulus* en provenance de l'extérieur (l'œil, l'oreille, le nez, la langue, la peau).

ORGANES HOMOLOGUES : organes qui ont la même anatomie fondamentale (la main et le pied, par exemple).

OREILLETTES : petites cavités du cœur, qui reçoivent le sang des *veines*.

ORGASME : sommet de la jouissance dans un rapport sexuel.

OSMOSE : diffusion de l'eau.

OSSIFICATION : formation du *tissu* osseux.

OVAIRES : *glandes* qui produisent les *ovules*.

OVULATION : expulsion de l'*ovule* par l'*ovaire*.

OVULE : *gamète* femelle.

OXYHÉMOGLOBINE : *hémoglobine* chargée d'oxygène respiratoire.

PAPILLES : sur la langue, minuscules saillies de formes variées.

PAPILLES GUSTATIVES : *papilles* de la langue sensibles aux saveurs.

PARASITES INTRACELLULAIRES : microbes qui s'installent dans des *cellules*.

PARENCHYME : dans le poumon, *tissu* élastique de remplissage.

PASTEURISÉ : traité par la chaleur afin de détruire la plupart des microbes.

PATHOGÈNES : qui provoquent des maladies.

PAVILLON : dans la *trompe de Fallope*, extrémité en forme d'entonnoir. Dans l'oreille externe, partie la plus évidente.

PÉNICILLINE : antibiotique extrait d'une moisissure.

PÉNIS : organe *copulateur* masculin.

PERCEPTIONS : phénomènes de conscience créés par des *stimulus*.

PÉRIOSTE : enveloppe fibreuse de l'os.

PÉRIPHÉRIQUES (organes) : autres que les centres nerveux.

PERMÉABLES : qui se laissent traverser par diverses substances.

PERTES MENSTRUELLES : *règles.*

PETITES LÈVRES : dans la *vulve*, replis internes de la peau, bordant immédiatement l'orifice vaginal.

PHAGOCYTOSE : *ingestion* d'un corps solide par une *cellule.*

PHASE FOLLICULAIRE : première phase du *cycle menstruel*, qui aboutit à l'*ovulation.*

PHOCOMÉLIE : malformation congénitale caractérisée par l'atrophie des bras et des jambes.

PHOTODYNAMISANTS : qui favorisent le bronzage.

PHOTOTYPES : types de peau définis en fonction de la pigmentation.

PHYSIOLOGIE : fonctionnement des systèmes vivants.

PIAN : maladie proche de la *syphilis.*

PIGMENT : substance colorante.

PINOCYTOSE : capture de minuscules gouttelettes par une *cellule.*

PLACENTA : organe qui assure les échanges entre l'*embryon* (ou le *fœtus*) et la mère.

PLAQUETTES : *éléments figurés* les plus petits du sang, indispensables à la *coagulation.*

PLASMA LYMPHATIQUE : liquide fondamental de la *lymphe*, dans lequel baignent des *globules blancs.*

PLASMA SANGUIN : liquide fondamental du sang.

PLASMA SÉMINAL : liquide du *sperme*, renfermant les *spermatozoïdes.*

PLATINE : dans un microscope, petite tablette qui supporte la préparation.

PLEXUS : enchevêtrement de nerfs et de *ganglions.*

PORES URINAIRES : petits trous du rein, par lesquels l'urine s'écoule dans le *bassinet.*

PRÉCOCITÉ (sexuelle) : maturité sexuelle qui survient à un âge peu avancé.

PRÉHENSION : action de prendre.

PRÉLIMINAIRES (d'un rapport sexuel) : actions qui précèdent et préparent le coït.

PRÉPUCE : repli de peau qui recouvre le *gland* du *pénis.*

PRESBYTIE : affaiblissement de la capacité d'*accommodation* de l'œil, en raison de l'âge.

PRESSION DE L'AIR : poussée exercée par l'air sur ce qu'il touche.

PRESSION SANGUINE : poussée exercée par le sang sur la paroi des vaisseaux.

PROCRÉATION : action de faire un enfant.

PROGESTÉRONE : *hormone* ovarienne qui contrôle la maternité.

PROLIFÉRATION CELLULAIRE : multiplication des *cellules.*

PROSTATE : *glande accessoire* de l'*appareil génital* masculin, située sous la vessie, autour de l'urètre.

PROTÉINES : *protides* complexes, à *molécules* géantes.

PROTIDES : *aliments simples* organiques azotés.

PUBERTÉ : première phase de l'adolescence, caractérisée par le développement des organes génitaux et des caractères sexuels secondaires.

PUBIS : partie ventrale du *bassin.*

PUPILLE : orifice central de l'*iris.*

PYLORE : sortie de l'estomac.

QUADRUMANE : qui a quatre mains.

QUADRUPÈDE : qui a quatre pattes.

RADIATIONS : rayonnements.

RAYONS ULTRA-VIOLETS : radiations invisibles, responsables du bronzage de la peau et des coups de soleil.

RÉABSORPTION : dans le rein, retour dans le sang de certains constituants du liquide contenu dans les tubes microscopiques.

RÉACTIF CHIMIQUE : substance qui participe à une réaction chimique et qui subit ainsi une transformation.

RÉCEPTEUR : qui reçoit.

RÉCIPROQUE : de l'un(e) à l'autre, dans les deux sens.

RÉFLEXES : *automatismes* qui mettent en jeu le système nerveux.

RÉFLEXES CONDITIONNÉS : *réflexes* acquis par les individus, à la suite de leurs expériences personnelles.

RÉFLEXES INNÉS : *réflexes* qui font partie des caractéristiques de l'espèce.

RÉFLEXE IRIDIEN : *réflexe* d'ajustement du diamètre de la *pupille*, en fonction de la distance de vision et de l'intensité de la lumière.

RÉGION LOMBAIRE : région du creux du dos.

RÈGLES : *menstruation.*

REPRODUCTION SEXUÉE : mode de reproduction qui met en jeu un *gamète* mâle et un *gamète* femelle.

RESPIRATION CELLULAIRE : fonction par laquelle une *cellule* se sert de l'oxygène pour tirer de l'énergie de ses combustibles.

RÉTENSION : action de retenir.

RÉTINE : membrane interne de l'œil, sensible à la lumière.

REVOLVER : dans un microscope, disque tournant qui porte les *objectifs*.

RHÉSUS : petit singe, à l'origine de la découverte d'un *agglutinogène* qui se retrouve dans le sang humain. Par extension, une des caractéristiques du sang dont on tient compte dans les transfusions.

ROCHER : partie de l'os temporal qui contient l'essentiel de l'oreille.

SACCHAROSE : sucre ordinaire.

SACRUM : os du *bassin* formé de cinq *vertèbres* soudées entre elles.

SAPIDES : qui ont une saveur.

SATURER (se) : pour l'odorat, en arriver à ne plus sentir une odeur, parce que trop persistante ; pour une solution, contenir un maximum de subtance dissoute.

SCLÉROTIQUE : membrane externe de l'œil, protectrice.

SCROTUM : sac qui renferme les *testicules*.

SÉBUM : enduit gras sécrété par la peau.

SELS MINÉRAUX : *aliments régulateurs* très simples, solubles dans l'eau, tels que le calcium, le phosphore, le potassium, le sodium, etc.

SENS DE LA VUE : faculté de voir.

SENS DE L'ODORAT : faculté de sentir les odeurs.

SENS DE L'OUÏE : faculté d'entendre.

SENS DU GOÛT : faculté de percevoir les saveurs.

SENS DU TOUCHER : faculté de percevoir le contact physique direct.

SEUIL : limite.

SIMPLIFICATION MOLÉCULAIRE : décomposition de *molécules* plus ou moins grosses en molécules plus petites.

SINUS : cavités creusées dans certains os de la tête.

SMEGMA : sécrétion jaunâtre produite par le *prépuce*.

SOLUTION : mélange liquide stable où des *molécules* d'une substance nommée soluté sont dispersées au milieu des molécules d'une substance nommée solvant.

SPERMATOGONIES : *cellules* du *testicule* qui se transforment en *spermatozoïdes*.

SPERMATOZOÏDES : *gamètes* mâles.

SPERME : liquide contenant les *spermatozoïdes*, expulsé par le *pénis*.

SPHINCTERS : muscles en forme d'anneau, capables de fermer des conduits.

STABILITÉ PHYSIQUE ET CHIMIQUE : état de ce qui ne change pas, ni physiquement, ni chimiquement.

STÉRILE : incapable de produire des *gamètes*.

STÉRILET : dispositif contraceptif qui se pose dans l'utérus.

STERNUM : os de la *cage thoracique*, situé au milieu de la poitrine.

STÉROÏDES ANABOLISANTS : substances chimiques analogues aux *hormones* mâles, qui stimulent le développement des muscles.

STIMULUS : excitant.

STUPÉFIANTS : drogues illicites.

SUBSTANCE BLANCHE : partie blanche du *tissu* nerveux, dans les centres nerveux.

SUBSTANCE GRISE : partie grise du *tissu* nerveux, dans les centres nerveux et les *ganglions* nerveux.

SUBSTANCES SPERMICIDES : substances qui tuent les *spermatozoïdes*.

SUCS DIGESTIFS : liquides digestifs renfermant les *enzymes*.

SUC GASTRIQUE : liquide digestif acide, sécrété par l'estomac.

SUC INTESTINAL : liquide digestif sécrété par l'intestin.

SUC PANCRÉATIQUE : liquide digestif sécrété par le pancréas.

SUCROSE : sucre ordinaire.

SUTURE : *articulation* fixe.

SYMPHYSE PUBIENNE : *articulation* semi-mobile, entre les deux os iliaques.

SYNDROME DU CHOC TOXIQUE : infection grave qui peut survenir brusquement chez une femme au moment de la *menstruation*.

SYNOVIE : liquide lubrifiant des *articulations* mobiles.

SYPHILIS : redoutable M.T.S. dont la première manifestation est un *chancre*.

SYSTÈME CIRCULATOIRE : réseau de conduits dans lesquels circulent le sang et la *lymphe*.

SYSTÈME NERVEUX CENTRAL : ensemble des centres nerveux.

SYSTÈME REPRODUCTEUR : ensemble des organes qui assurent la *procréation*.

TACHE JAUNE OCULAIRE : territoire de la *rétine* particulièrement sensible, situé dans le fond de l'œil.

TACHE JAUNE OLFACTIVE : territoire de la *muqueuse* nasale sensible aux odeurs.

TACTILE : relatif au toucher.

TENDONS : liens fibreux par lesquels certains muscles se rattachent aux os.

TESTICULES : *glandes génitales* mâles.

TESTOSTÉRONE : principal *androgène*.

TÉTANOS PHYSIOLOGIQUE : *contraction* durable d'un muscle.

THORAX : partie supérieure du tronc, qui renferme le cœur et les poumons.

TISSU : association de *cellules* semblables.

TISSU PULMONAIRE : chair vivante des poumons.

TONUS (musculaire) : légère *contraction* permanente des muscles, chez un sujet éveillé.

TOXICITÉ : caractère d'une substance nuisible à la santé.

TOXICOMANIE : dépendance à l'égard de la drogue.

TOXIQUE : qui perturbe le *métabolisme*.

TRÉPONÈME PÂLE : microbe responsable de la *syphilis*.

TROMPE D'EUSTACHE : conduit qui fait communiquer la caisse du *tympan* avec le pharynx.

TROMPES DE FALLOPE : conduits qui relient les *ovaires* à l'*utérus*.

TRONC CÉRÉBRAL : partie de l'*encéphale* qui est dans le prolongement immédiat de la *moelle épinière*.

TUBE DIGESTIF : conduit qui va de la bouche à l'*anus*.

TUBES SÉMINIFÈRES : tubes microscopiques du *testicule*, qui produisent les *spermatozoïdes*.

TYMPAN : membrane qui ferme le conduit auditif.

UNITÉ MOTRICE : dans un muscle, ensemble fonctionnel formé d'une fibre nerveuse et des *fibres musculaires* qu'elle commande.

URETÈRE : conduit qui relie le rein à la vessie.

UTÉRUS : muscle en forme de poche dans lequel se développe l'enfant avant sa naissance.

VAGIN : organe *copulateur* femelle.

VAISSEAUX SANGUINS : conduits dans lesquels circule le sang.

VALETS : dans un microscope, dispositifs permettant de fixer la préparation sur la *platine*.

VALVULE : dispositif anti-retour dans un conduit.

VAPEUR D'EAU : eau à l'état gazeux.

VASECTOMIE : opération qui consiste à sectionner et ligaturer les *canaux déférents*, de façon à rendre l'homme infécond.

VASECTOMISÉ : qui a subi la *vasectomie*.

VEINE : vaisseau qui conduit le sang ou la *lymphe* en direction du cœur.

VENTILATION PULMONAIRE : aération des poumons.

VENTRE DU MUSCLE : partie renflée d'un muscle en fuseau.

VENTRICULES : grandes cavités du cœur, qui poussent le sang dans les *artères*.

VERGE : *pénis*.

VERTÈBRES : unités osseuses toutes semblables qui forment la colonne vertébrale.

VÉSICULE BILIAIRE : sac où s'accumule la bile produite par le foie.

VÉSICULE SÉMINALE : *glande accessoire* de l'*appareil génital* masculin reliée au *canal déférent*.

VIE DE RELATION : ensemble des fonctions de relation.

VILLOSITÉS : petites saillies en forme de cône, de cylindre ou de languette.

VIRUS : microbe beaucoup plus simple qu'une *bactérie*, sans structure cellulaire.

VIS MICROMÉTRIQUE : commande d'un microscope permettant une mise au point précise.

VISION : action de voir.

VITAMINES : *aliments simples régulateurs*, indispensables en très petites quantités dans le menu quotidien.

VITAMINE K : *vitamine* nécessaire à la bonne santé des vaisseaux sanguins.

VOIES GÉNITALES : conduits qui relient les *glandes génitales* à l'extérieur.

VULVE : ensemble des organes génitaux externes féminins.

ZONE AUDITIVE : territoire du cerveau qui interprète les messages du *limaçon* et produit les perceptions auditives.

ZONE MOTRICE : territoire du cerveau qui commande les mouvements volontaires.

ZONE OPTIQUE : territoire du cerveau qui interprète les messages de la rétine et produit les perceptions visuelles.

ZYGOTE : *cellule* issue de la *fécondation*.

Index

Bibliographie

AMBULANCE SAINT-JEAN. *Secourisme orienté vers la sécurité: urgence*, Ottawa, Prieuré du Canada de l'Ordre très vénérable de l'hôpital de Saint-Jean de Jérusalem, 1980, 140 p.

BEAULIEU, Jacques. *Les voyages fantastiques de Globulo*, Sillery, Québec Science, Presses de l'Université du Québec, 1982, 92 p.

BLOUIN, Dr Claude B. (collectif). *La médecine familiale: votre santé au jour le jour*, Paris, Solar, 1982, 542 p.

BOUDREAU, Yves. *La sexualité expliquée aux adolescents*, Montréal, Éditions du jour, 1982, 161 p.

BOURNEUF, Dr Jacques et Domart, André (collectif). *Petit Larousse de la médecine*, Paris, Larousse, 1982, 2 vol.

BOUTOT, Bruno. *Les drogues: extases et dangers*, Montréal, Éditions du jour, 1982, 161 p.

BRESSE, Georges. *Morphologie et physiologie animales*, Paris, Larousse, 1968, 1053 p.

BRUNET, Jean-Marc. *Le cœur et l'alimentation*, Boucherville, Éditions de Mortagne, 1983, 120 p.

CASSAN, Laurence. *Les règles d'or de la santé*, Paris, Olivier Orban, 1981, 167 p.

CHERNIAK, Donna. *Le contrôle des naissances*, Montréal, Les presses de la santé de Montréal, 1980, 48 p.

COLLIS, Martin L. *Initiation à l'adolescence*, Ottawa, Direction générale de la santé et du sport amateur, 1980, 19 p.

CROIX-ROUGE DU CANADA, DIVISION DU QUÉBEC, SERVICE JEUNESSE. *Maladies transmises sexuellement*, Montréal, 1980, 43 p.

DAUGIRDAS, Dr J. *Tout savoir sur les M.T.S.: maladies transmises sexuellement*, Montréal, Stanké, 1977, 154 p.

DE ROSNAY, Stella et Joël. *La malbouffe: comment se nourrir pour mieux vivre*, Paris, Olivier Orban, 1979, 157 p.

GROUPE SO_2. Fascicules de biologie parus dans la collection «Les sciences par objectifs de comportement», Montréal, Éditions du renouveau pédagogique.

L'HEUREUX, Christine. *La première fois*, Montréal, Jean Basile éditeur, 1980, 127 p.

MASON, Elliott B. et Spence, Alexander P. *Anatomie et physiologie: une approche intégrée*, traduit de l'anglais par Borthayre, Andrée *et al.*, Montréal, Éditions du renouveau pédagogique, 1983, 855 p.

MONGEAU, Serge. *Adieu médecine, bonjour santé*, Montréal, Québec-Amérique, 1982, 186 p.

MORRISON, Thomas F. *et al. Précis de biologie humaine*, Montréal, Les éditions H.R.W., 1977, 432 p.

PALLARDY, Pierre. *En pleine santé*, Coll. «Livre de poche», Paris, Hachette, 1983, 284 p.

ROBBINS, Sidney. *Réponses à vos problèmes de peau*, Montréal, Presses Sélect, 1980, 85 p.

SMITH, Anthony. *Le corps et ses secrets*, Paris, Librairie Arthème Fayard, 1979, 717 p.

SOCIÉTÉ CANADIENNE DU CANCER. *Moi aussi, j'écrase*, Toronto, 1982, 39 p.

STARENKYJ, Danièle. *La vie en abondance*, Armagh (Québec), Orion, 1983, 133 p.